KB151856

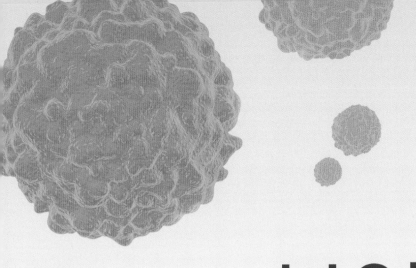

대한부인종양학회

부인종양학
Gynecologic Oncology

제2판

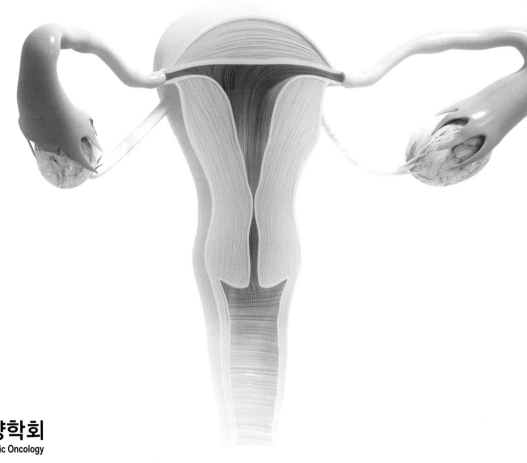

대한부인종양학회
Korean Society of Gynecologic Oncology

Gynecologic Oncology

부인종양학 2nd

첫째판 1쇄 발행 | 1996년 1월 30일
둘째판 1쇄 인쇄 | 2020년 5월 25일
둘째판 1쇄 발행 | 2020년 6월 15일

지 은 이 대한부인종양학회
발 행 인 장주연
출 판 기 획 한성의
책 임 편 집 박미애
편 집 디 자 인 이은경
표 지 디 자 인 김재욱
일 러 스 트 김경렬
제 작 담 당 신상현
발 행 처 군자출판사(주)
　　　　　　등록 제4-139호(1991. 6. 24)
　　　　　　본사 (10881) **파주출판단지** 경기도 파주시 회동길 338(서패동 474-1)
　　　　　　전화 (031) 943-1888　　　팩스 (031) 955-9545
　　　　　　홈페이지 | www.koonja.co.kr

ⓒ 2020년, 부인종양학 2판 / 군자출판사(주)
본서는 저자와의 계약에 의해 군자출판사에서 발행합니다.
본서의 내용 일부 혹은 전부를 무단으로 복제하는 것은 법으로 금지되어 있습니다.

* 파본은 교환하여 드립니다.
* 검인은 저자와의 합의하에 생략합니다.

ISBN 979-11-5955-566-4

정가 120,000원

AUTHOR 저자명단

부인종양학 제2판 집필진

감수저자

김 승 철	이화여자대학교 의과대학 산부인과	배 덕 수	성균관대학교 의과대학 산부인과
김 영 탁	울산대학교 의과대학 산부인과	유 희 석	아주대학교 의과대학 산부인과
남 주 현	울산대학교 의과대학 산부인과		

책임저자

권 상 훈	계명대학교 의과대학 산부인과	박 노 현	서울대학교 의과대학 산부인과
김 기 형	부산대학교 의과대학 산부인과	박 상 윤	국립암센터 자궁난소암센터
김 병 기	성균관대학교 의과대학 산부인과	신 진 우	가천대학교 의과대학 산부인과
김 석 모	전남대학교 의과대학 산부인과	안 태 규	조선대학교 의과대학 산부인과
김 성 엽	제주대학교 의과대학 산부인과	유 상 영	원자력병원 산부인과
김 성 훈	연세대학교 의과대학 산부인과	이 낙 우	고려대학교 의과대학 산부인과
김 영 태	연세대학교 의과대학 산부인과	이 종 민	경희대학교 의과대학 산부인과
김 용 만	울산대학교 의과대학 산부인과	이 철 민	차의과학대학교 의학전문대학원 산부인과
김 용 범	서울대학교 의과대학 산부인과	조 치 흠	계명대학교 의과대학 산부인과
김 재 훈	연세대학교 의과대학 산부인과	허 수 영	가톨릭대학교 의과대학 산부인과
김 태 진	건국대학교 의과대학 산부인과		

집필저자

강 석 범	국립암센터 자궁난소암센터	신 소 진	계명대학교 의과대학 산부인과
강 우 대	전남대학교 의과대학 산부인과	심 승 혁	건국대학교 의과대학 산부인과
공 선 영	국립암센터 진단검사의학과	어 경 진	연세대학교 의과대학 산부인과
공 태 욱	아주대학교 의과대학 산부인과	유 종 우	국립암센터 병리과
권 병 수	부산대학교 의과대학 산부인과	유 지 훈	대전 미즈여성병원
기 경 도	경희대학교 의과대학 산부인과	유 헌 종	충남대학교 의과대학 산부인과

AUTHOR 저자명단

김 규 래   울산대학교 의과대학 병리과

김 나 리   연세대학교 의과대학 방사선종양학과

김 미 경   이화여자대학교 의과대학 산부인과

김 민 규   성균관대학교 의과대학 산부인과

김 민 정   가톨릭대학교 의과대학 산부인과

김 법 종   원자력병원 산부인과

김 보 욱   가톨릭관동대학교 의과대학 산부인과

김 상 운   연세대학교 의과대학 산부인과

김 성 민   차의과학대학교 의학전문대학원 산부인과

김 연 주   국립암센터 방사선종양학과

김 용 배   연세대학교 의과대학 방사선종양학과

김 우 영   성균관대학교 의과대학 산부인과

김 윤 환   이화여자대학교 의과대학 산부인과

김 정 식   순천향대학교 의과대학 산부인과

김 진 휘   가톨릭대학교 의과대학 산부인과

김 진 희   계명대학교 의과대학 방사선종양학과

김 태 중   성균관대학교 의과대학 산부인과

김 태 헌   차의과학대학교 의학전문대학원 병리과

김 태 훈   서울대학교 의과대학 산부인과

김 희 승   서울대학교 의과대학 산부인과

김 희 정   삼성서울병원 방사선종양학과

노 재 홍   서울대학교 의과대학 산부인과

노 주 원   차의과학대학교 의학전문대학원 산부인과

박 상 일   동남권원자력의학원 산부인과

박 성 호   한림대학교 의과대학 산부인과

박   원   성균관대학교 의과대학 방사선종양학과

박 정 열   울산대학교 의과대학 산부인과

박 정 우   동아대학교 의과대학 산부인과

박 철 민   제주대학교 의과대학 산부인과

박   현   차의과학대학교 의학전문대학원 산부인과

배 재 만   한양대학교 의과대학 산부인과

배 종 운   동아대학교 의과대학 산부인과

윤 보 성   차의과학대학교 의학전문대학원 산부인과

이 광 범   가천대학교 의과대학 산부인과

이 근 호   가톨릭대학교 의과대학 산부인과

이 나 라   차의과학대학교 의학전문대학원 산부인과

이 대 우   가톨릭대학교 의과대학 산부인과

이 대 형   영남대학교 의과대학 산부인과

이 동 옥   국립암센터 자궁난소암센터

이마리아   서울대학교 의과대학 산부인과

이 방 현   인하대학교 의과대학 산부인과

이 선 주   건국대학교 의과대학 산부인과

이 성 종   가톨릭대학교 의과대학 산부인과

이 영 재   울산대학교 의과대학 산부인과

이 원 무   한양대학교 의과대학 산부인과

이 유 영   성균관대학교 의과대학 산부인과

이 은 주   중앙대학교 의과대학 산부인과

이 정 원   성균관대학교 의과대학 산부인과

이 정 윤   연세대학교 의과대학 산부인과

이 태 화   고신대학교 의과대학 산부인과

이 택 상   서울대학교 의과대학 산부인과

임 명 철   국립암센터 자궁난소암센터

임 소 이   가천대학교 의과대학 산부인과

장 석 준   아주대학교 의과대학 산부인과

장 하 균   고려대학교 의과대학 산부인과

전 경 희   연세대학교 의과대학 생화학과

전   섭   순천향대학교 의과대학 산부인과

정 근 오   경북대학교 의과대학 산부인과

정 대 훈   인제대학교 의과대학 산부인과

정 민 형   경희대학교 의과대학 산부인과

정 수 호   순천향대학교 의과대학 산부인과

정 준 용   미국 국립보건원

정 현 훈   서울대학교 의과대학 산부인과

조 동 휴   전북대학교 의과대학 산부인과

백 민 현	한림대학교 의과대학 산부인과	조 한 별	연세대학교 의과대학 산부인과
백 이 선	성균관대학교 의과대학 산부인과	주 웅	이화여자대학교 의과대학 산부인과
백 종 철	경상대학교 의과대학 산부인과	주 원 덕	차의과학대학교 의학전문대학원 산부인과
백 지 흠	아주대학교 의과대학 산부인과	채 두 병	삼육서울병원 산부인과
변 정 미	인제대학교 의과대학 산부인과	최 윤 석	대구가톨릭대학교 의과대학 산부인과
서 동 수	부산대학교 의과대학 산부인과	최 윤 진	가톨릭대학교 의과대학 산부인과
서 동 훈	서울대학교 의과대학 산부인과	최 은 철	계명대학교 의과대학 방사선종양학과
서 상 수	국립암센터 자궁난소임센터	최 창 훈	삼성서울병원 방사선종양학과
소 경 아	건국대학교 의과대학 산부인과	최 철 훈	성균관대학교 의과대학 산부인과
손 주 혁	아주대학교 의과대학 산부인과	최 현 진	중앙대학교 의과대학 산부인과
송 민 종	가톨릭대학교 의과대학 산부인과	한 상 아	경희대학교 의과대학 유방외과
송 용 중	부산대학교 의과대학 산부인과	홍 대 기	경북대학교 의과대학 산부인과
송 재 윤	고려대학교 의과대학 산부인과	황 종 하	가톨릭관동대학교 의과대학 산부인과
송 태 종	성균관대학교 의과대학 산부인과		

부인종양학 제2판 편집진

김 미 경	이화여자대학교 의과대학 산부인과	이마리아	서울대학교 의과대학 산부인과
김 재 원	서울대학교 의과대학 산부인과	이 재 관	고려대학교 의과대학 산부인과
민 경 진	고려대학교 의과대학 산부인과	이 택 상	서울대학교 의과대학 산부인과
배 재 만	한양대학교 의과대학 산부인과	최 민 철	차의과학대학교 의학전문대학원 산부인과
서 동 훈	서울대학교 의과대학 산부인과	최 윤 진	가톨릭대학교 의과대학 산부인과

PREFACE 제2판 머리말

1996년 제1판 부인종양학 교과서가 많은 선생님들의 노력으로 편찬된 후 25년간 개정되지 못하여, 그동안 부인종양학을 전공하는 여러 선생님들께서 개정판 교과서가 필요하다는 의견을 주셨습니다. 우리나라 부인종양학은 많은 선생님들의 공로에 힘입어 눈부신 발전을 이루었고, 이를 바탕으로 대한부인종양학회는 세계적으로도 인정받는 학회로 발전하게 되었습니다. 이에 부인종양학을 전공하시는 많은 회원님들의 소망과 노력을 바탕으로 대한부인종양학회에서는 제2판 부인종양학 교과서를 발간하였습니다.

대한부인종양학회는 많은 어려움을 극복하고, 산부인과 내에서는 선도적으로 부인암 분과전문의 제도를 2018년도에 도입하였고, 벌써 3회째 분과전문의를 배출하였습니다. 이런 노력의 결과로 대한의학회와 대한산부인과학회에서 공식 인증하는 부인암 분과전문의 제도의 도입을 추진하게 되었고, 이는 대한부인종양학회 발전에 매우 큰 초석이 될 것으로 생각합니다. 이러한 시점에 제2판 부인종양학 교과서를 출간하게 되어 더욱 의미 있는 일이라 생각됩니다.

제2판 부인종양학 교과서는 부인암 분과전문의인 산부인과 선생님 외에도 부인종양 전공인 병리과, 방사선종양학과 선생님 및 유방외과 선생님 등 약 110여 분의 집필진을 모셔 각각의 전문 분야의 최신 지견을 담아 발간되었습니다. 이번 교과서는 실제 독자가 될 산부인과 전공의 선생님들의 학문적 발전에 큰 도움이 될 것입니다. 특히 부인종양학을 전공하고자 하는 의과대학생과 수련의 선생님들을 위해 해부학 등 기초 분야의 의학 용어는 대한의사협회 의학 용어집을 바탕으로 집필하였습니다. 더불어 산부인과 전공의 선생님과 부인종양학 선생님들을 위해서는 임상 현장의 실정에 맞는 의학 용어를 사용하여 가독성을 높이기 위해 노력하였습니다. 또한, 임상 현장에서 신속하고 간편하게 사용할 수 있도록 포켓북을 추가로 제작하여, 방대하고 다양한 부인종양학 지식을 그림과 표, 흐름도 등을 위주로 배치하여 임상 현장에서 적극적으로 활용할 수 있도록 하였습니다.

오랜 세월 동안 개정되지 않아 전면적으로 새로운 교과서를 만들어야 하는 상황에서, 1년이라는 짧은 기간에 방대한 분량의 교과서를 발간하였기에 다소 내용에 미흡한 점도 있겠으나, 앞으로는 정기적인 개정판 작업을 통해 더 나은 한글판 부인종양학 교과서로 거듭날 수 있기를 기대합니다.

바쁘신 중에서도 제2판 부인종양학 교과서를 성공적으로 출판할 수 있게 최선을 다해 집필해 주신 여러 선생님들과, 교과서 편집간행소위원회 김재원 위원장님, 기획위원회 이재관 위원장님, 그리고 학회 관계자분들께 진심으로 감사드립니다.

2020년 6월

대한부인종양학회 회장 김 승 철

CONTENTS 목 차

CHAPTER 06 임상 연구 방법론

CHAPTER 07 부인암의 영상진단

SECTION 02

수술, 중환자 및 완화의료
MEDICAL AND SURGICAL TOPICS

CHAPTER 08 수술 전후 관리

SECTION 03

**해부학적 부위별
질환**
ANATOMICAL
SITE-SPECIFIC DISEASE

CHAPTER **12** 자궁경부 전암병변

CHAPTER **13** 침윤성 자궁경부암

CHAPTER **17** 비상피성 난소암

CHAPTER **18** 자궁내막증식증과 자궁내막 상피내종양

CHAPTER 19 자궁체부암

CHAPTER 20 유방질환

CHAPTER 21 임신성 융모성질환과 임신 중 부인암

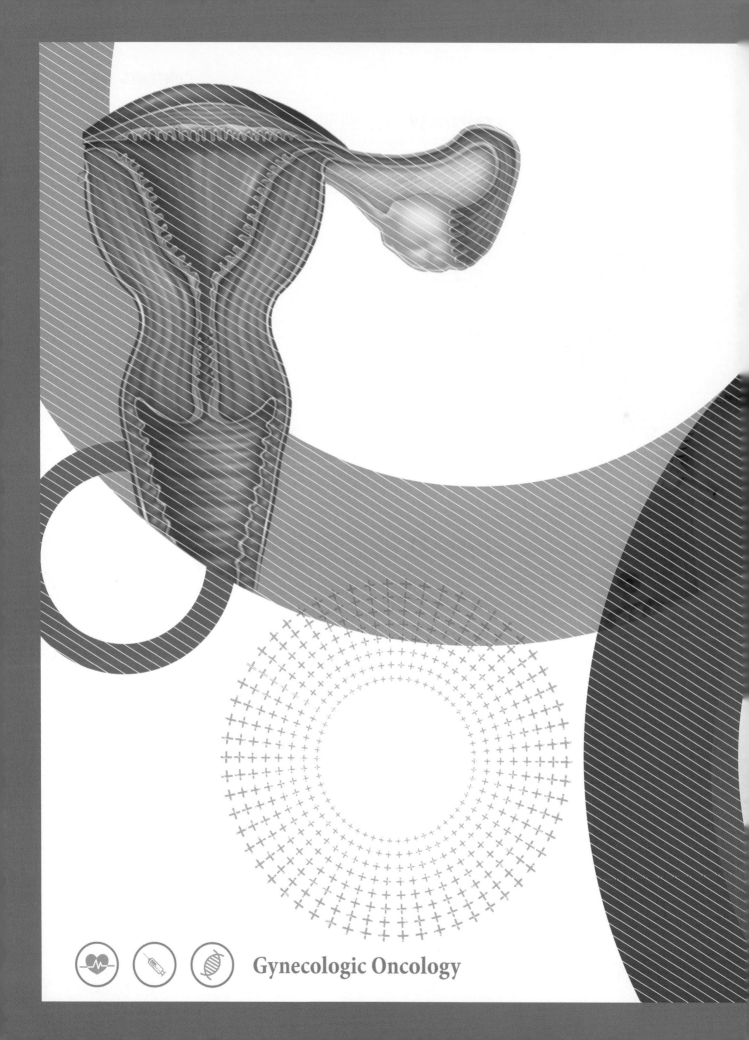

Gynecologic Oncology

SECTION 1

일반 원칙
General Principles

CHAPTER

부인암 역학

Epidemiology of Gynecologic Cancer

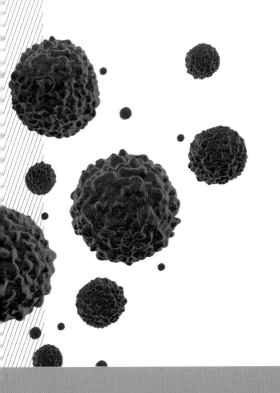

책임저자

박노현 | 서울대학교 의과대학 산부인과

집필저자

김태중 | 성균관대학교 의과대학 산부인과

백지흠 | 아주대학교 의과대학 산부인과

손주혁 | 아주대학교 의과대학 산부인과

이마리아 | 서울대학교 의과대학 산부인과

Gynecologic Oncology

기술 통계학(Descriptive Statistics)

암 발생률 및 사망률
(Cancer Incidence and Death Rates)

1) 발생률(incidence rate)

① 발생이라는 현상을 관찰하기 위해서는 명확히 정의된 대상 집단과 더불어 시간 경과라는 변수가 주어져야 한다. 즉, 발생은 일종의 시간 함수가 되기 때문에 발생의 빈도를 나타내는 측도는 시간의 단위를 가지는 변수이다.[1]

② **누적발생률**(cumulative incidence, CI)

    i. 대상 집단 개개인 모두에서 시간 변수를 표준화 또는 고정하면 그 기간 동안의 발생자 수와 전체 대상자 수를 가지고 발생률을 산출할 수 있다. 예를 들어 대상자 모두를 1년씩 관찰하였다고 하면 그 기간 동안에 발생한 수를 전체 대상자수로 나눈 분율이 곧 발생의 빈도를 나타내는 계측치가 된다. 이를 누적발생률이라 한다.[1]

$$CI_{\triangle T} = \frac{I}{N_0}$$

        단, $CI_{\triangle T}$: 특정 기간 $\triangle T$ 내 발생률(누적발생률)
        I: 특정 기간 $\triangle T$ 내에서 발생자 수
        No: 관찰 시작 시점 To에서 관찰 대상자 수

    ii. 누적발생률은 코호트 발생률(cohort incidence rate), 발생 위험도(risk of incidence) 또는 발병률(attack rate)이라고도 한다.

③ **평균발생률**(incidence density)

    i. 대상 집단 개개인의 관찰 기간이 제각기 다른 경우에는 누적발생률과 같은 방법으로 발생률을 계측할 수 없다. 들고나는 집단에서 관찰되는 개개인의 상황을 고려하는 평균발생률은 비율 형태의 측도인데, 그 분모는 관찰이 이루어진 대상자 수가 아니고 그들에게 주어진 관찰 기간(person-time)의 총합이다.[1]

$$ID = \frac{I}{\displaystyle\sum_{i=1} \triangle T_i}$$

        단, ID: 일력으로 정한 일정 기간 동안의 평균발생률
        I: 일력으로 정한 일정 기간 동안의 발생자 수
        $\triangle T_i$: 첫 번째 관찰 대상자의 관찰 기간

    ii. 예를 들어 평균발생률이 10/100,000인-년(person-year)이라 함은 관찰 기간 동안의 매 순간순간의 발생이 평균적으로 100,000인-년 당 10이 된다는 뜻이다.

      (ㄱ) 평균발생률은 순간 위험도(instantaneous risk), 위험(hazard) 또는 인-년 발생률(person-time incidence rate)이라고도 한다.

2) 사망률(death rate)

① 사망률은 사망 발생률로 생각하여 이해하면 된다. 통상 사망률은 비율 형태의 측도이다. 일정 기간 동안 발생한 총 사망자 수를 그 집단의 관찰 총 시간으로 나눈 것이다.[1]

② 대상집단의 사망 현상을 실제 계측한 실제 사망률(crude death rate)과 다른 집단의 사망 현상과 비교하기 위하여 가공한 표준화(standardized) 또는 보정(adjusted) 사망률이 있다. 실제 사망률은 다시 집단의 세부적 특성에 따른 특성별 사망률(또는 특수 사망률, specific death rate)로 세분된다. 암 사망률(cancer death rate)이 그 중 한 예이다.

유병률
(Prevalence)

1) 유병률(prevalence rate)

① 유병률은 대상집단에서 특정 상태를 가지고 있는 개체의 수적 정도를 나타내는 측도이다. 유병은 집단 내의 개체 간 차이를 반영하는 현상이라는 점에서 발생과 구분된다.[1]

② 유병률은 대상 집단에서 특정 상태를 가진 개체 수의 분율로, 단위가 없는 숫자이다. 유병률은 시간, 연령 등의 함수가 된다. 보통 시간을 기준으로 시점유병률과 기간유병률로 구분된다.

③ 시점유병률(point prevalence)

i. 보편적으로 사용되는, 통상유병률이라고 불리는 것이다. 그 집단의 한 개체가 일정 시점 t에서 유병자일 확률을 의미한다.[1]

$$P_t = \frac{C_t}{N_t}$$

단, P_t: t 시점의 유병률
C_t: t 시점에서의 유병자 수
N_t: t 시점에서의 전체 대상자

④ 기간유병률(period prevalence)

i. 일정 기간 동안(To → T) 특정 상태를 가지고 있는 개체의 수, 즉 유병자에 해당한다. 대상 집단에 대하여(To → T) 동안 관찰이 이루어져야 하며, 유병자에는 To 시점에서의 유병자와 그 기간에 새로이 발생한 발생자가 포함된다. 그 집단의 한 개체가 일정 기간 어느 때이건 간에 유병자일 확률을 의미한다.[1]

$$PP = \frac{C(T_o \rightarrow T)}{N} = \frac{C_o + I}{N}$$

단, PP: (To → T) 동안의 기간유병률
C (To → T): (To → T) 기간 동안의 유병자 수
C_o: 관찰 시작 시점에서의 유병자 수
I: (To → T) 기간에 새로이 발견된 환자 수
N: 전체 대상자 수

빈도 측도의 비교

1) 표준화율(standardized rate) 또는 보정률(adjusted rate)

① 집단 간 발생률, 사망률, 또는 유병률을 비교할 때 각 집단에서 실제로 산출한 측도를 그대로 비교하여서는 안 된다. 비교하고자 하는 집단의 성, 연령 등의 구조가 다르면 각 집단에서 실제로 산출한 율을 그대로 비교할 수가 없다.

② 따라서, 비교하기 위한 다른 측도를 산출하여야 한다. 이러한 비교 목적으로 가공한 계측치를 표준화율(standardized rate) 또는 보정률(adjusted rate)이라고 한다. 비교하고자 하는 집단의 성, 연령 등의 구조를 동일하다고 가상하였을 때 예상되는 측도를 산출하는 것이다.[1]

③ 일반적으로 발생률, 사망률, 또는 유병률은 남녀를 각기 따로 구분하여 비교하기 때문에, 연령 구조를 같게 하는 방법이 표준화 방법의 핵심이 된다.

④ 이와 같은 연령 표준화 방법으로는 직접법(direct method)과 간접법(indirect method)이 있다. 여기서는 직접법에 의한 표준화만 소개하도록 하겠다.

⑤ **직접 표준화법**(연령 표준화율, age standardized rate, ASR)

  i. 산출 과정

    (ㄱ) 연령 구조가 정해진 가상적 표준 집단(인구)을 선정하여 연령별 인구수를 파악한다.

    (ㄴ) 비교하고자 하는 인구집단의 연령별 율을 표준 인구에 적용하여 인구 집단 별로 표준 인구에서의 연령별 기대 빈도 수를 계산한다.

    (ㄷ) 인구집단별로 연령별 기대 빈도 수를 합한 후 표준 집단의 총 인구수로 나누어 표준화율을 구한다.

  ii. 표준 집단을 선정하는 데 일정한 규칙은 없으나, 국내 지역별 혹은 시대적 비교를 하는 경우에서는 우리나라 전체 인구구조를 사용하는 것이 일반적이다. 한편 각 나라의 발생률, 사망률, 또는 유병률을 국제적으로 비교하기 위하여 사용하는 표준 집단으로 세계표준인구(standard world population)가 있다. 전체를 100,000명으로 하여 각 연령군 별 인구 수를 정해 놓은 인구구조이다. 예를 들어 지역암 등록 사업에서는 세계표준인구를 사용하여 연령 표준화 발생률을 구한다.

암 생존율
(Cancer Survival Rate)

1) 상대적 암 생존율(relative cancer survival rate)

① 상대적 암 생존은 다른 사인 없이 생존하는 순 생존(net survival)을 의미한다.

② 상대적 암 생존율은 진단 이후 특정 기간 동안에 해당 암환자 집단 내에서 다른 사인 없이 생존한(all-cause survival) 암 환자 수의 분율을 일반 인구 집단 내에서의 기대 생존 예측 분율로 나눔으로써 계산된다.[2]

자궁경부암(Cervical Cancer)

발생률과 사망률
(Incidence and Mortality)

1) 국외 현황

2018년 통계에 따르면 전세계적으로 860만 명의 부인암 환자가 새롭게 발생하였고 420만 명의 환자가 사망하였다. 이 중 자궁경부암은 전체 발생 및 사망의 각각 6.6%(57만 명)와 7.5%(31만 명)를 차지하며 여성암 발생률과 사망률에 있어 모두 네 번째로 흔한 암종으로 보고되었다.[3] 지역적으로 북아메리카, 유럽, 한국과 일본을 포함한 아시아 일부 국가에서는 국가적 예방, 검진 사업의 영향으로 발생 빈도가 감소하고 있으나 개발 도상국에서는 유방암에 이어 두 번째로 발생빈도가 높으며, 사망률에서는 3번째의 원인 암으로 지목된다.[4]

2018년 인구 10만 명당 연령표준화 발생률(age-standardized incidence)은 전세계적으로 13.1명이었으며 국가 및 지역에 따라 4.1에서 43.1명까지 그 편차가 크다. 발생 지역별로 살펴보았을 때 전체 발생의 86%의 환자가 아프리카, 라틴 아메리카, 캐리비안과 아시아 개발도상국에서 발생하는 것으로 보고되고 있고 특히 사하라 사막 이남의(sub-Saharan) 아프리카지역과 동남 아시아 일부 국가에서는 가장 흔히 보고되는 여성암종으로 보고된다.

사망률에 있어서도 국가 및 지역별로 편차가 크게 보고된다. 자궁경부암 사망자 10명 중 9명이 저소득 및 중간 소득 국가의 환자이며 지역별로 사망률은 최대 18배까지 차이를 보인다. 서유럽 및 오세아니아지역의 사망률은 10만 명당 2명 미만이나 아프리카 일부지역은 10만 명당 20명이 넘는 것으로 보고된다.[5]

2) 국내 현황

국내에서 자궁경부암의 발생빈도는 1999년 이후 지속적으로 줄어들고 있다. 2018년에 발표된 2016년 국가 암 등록통계에 따르면, 우리나라 여성암 발생자 수는 109,112명이었고 자궁경부암의 발생률은 인구 10만 명당 13.9명으로 전체 암에서 1.6%, 여성암 발생의 3.3%를 차지하며 여성암 중 7위에 해당하였다.[6] 연령대별로는 40대가 26.8%로 가장 많았고 50대가 23.1%, 30대 15.8%의 순으로 젊은 연령군(15~34세)에서의 발생률은 갑상선암과 유방암에 이어 3위에 해당되었다. 2016년 자궁경부암 전체 발생건수 3,566건 가운데 96.8%가 상피성암(carcinoma), 0.3%가 육종(sarcoma)이었으며 상피성암에서는 편평세포암(squamous cell carcinoma)이 73.2%, 선암(adenocarcinoma)이 19.0%를 차지하였다.

2016년 국내 암환자 1,739,951명 중 자궁경부암의 유병자 분율은 3.0%였으며(남녀 전체 8위), 여성 유병자중에서는 5.4%(52,758/975,848)를 차지하며 갑상선암, 유방암, 대장암, 위암에 이어 여성암 유병률 5위에 해당되었다. 국가 암등록 통계에서 보고된 전체 자궁경부암 환자의 사망률은 2017년 기준 10만 명당 1.7명이었으며 5년 생존율은 2012~2016년 79.8%로 보고되었다. 이는 2001~2005년의 5년 생존율 81.4%에서 감소하는 추세이나 전체 암 5년 생존율 평균(70.6%)보다 높으며, 미국(2008-2014, 68.9%), 캐나다(2006~2008, 73%),

위험인자

1) 인유두종바이러스(human papillomavirus, HPV) 감염의 위험인자

고위험 인유두종바이러스의 지속된 감염은 자궁경부암 발생의 위험도를 높일 수 있다. 조직학적으로 대부분을 차지하고 있는 편평세포암과 선암은 흡연력 이외에는 대부분의 위험인자를 공유하고 있다. 위험인자들은 주로 인유두종바이러스 감염의 위험도를 증가시키거나 감염 후 생길 수 있는 면역반응에 문제를 일으킬 수 있는 요인들이다.[7~9]

① 조기 성경험: 21세 이후에 성경험을 한 환자들에 비해서 18세 미만에 성경험이 있는 경우 자궁경부암의 위험도는 두 배로 늘어나는 것으로 보고된다.

② 다수의 성교 대상자(multiple sexual partner): 대상자가 한 명인 경우에 비해 두 명의 대상자가 있는 경우 그 위험도는 2배, 6명 이상의 대상자가 있는 경우 위험도는 3배까지 늘어나는 것으로 보고된다.

③ 고위험 성교 대상자(high-risk sexual partner, 다양한 성교 대상자가 있었거나 인유두종바이러스 감염이 있는 성교 대상자), 20세 이하의 조기 분만력, 3회 이상의 분만력, 현재 또는 최근의 경구피임제 복용 등도 자궁경부암의 위험인자로 보고되고 있으며 5년 이상 경구피임제의 사용은 위험도를 두 배로 증가시킨다고 보고된다.

④ 성매개 감염(sexually transmitted infection)의 과거력: *Chlamydia trachomatis* 감염이 있는 경우 자궁경부암의 위험도는 1.8배 증가하며 이는 *C. trachomatis* 감염이 자궁경부의 만성 염증과 편평상피화생(squamous metaplasia)을 일으키고 숙주의 HPV 소멸(clearance)에 영향을 미치기 때문으로 보고된다.

⑤ 사람면역결핍바이러스(human immunodeficiency virus, HIV): HIV 감염은 지속성 HPV 감염의 위험도를 높이며 자궁경부 상피내종양의 위험도를 증가시킨다고 보고된다.

2) 행동학적 요소(behavioral factors)

① 흡연: 지금까지 여러 연구에서 흡연이 자궁경부 상피내종양과 침윤성 자궁경부암의 위험인자로 보고되었다. 여러 기전 중에서도 흡연으로 인한 대사물의 면역 억제와 관련되어 있으며 특히 편평상피세포의 DNA 손상과 관련이 있는 것으로 알려져 있다. 10년간 금연을 한 경우, 그 위험도는 지속적인 흡연자에 비해 50% 감소하는 것으로 보고되고 간접흡연은 위험도를 올리지 않는 것으로 알려져 있다.[10]

② 비만: 비만(BMI ≥25)은 자궁경부암의 위험도를 증가시키는데 특히 피하지방에서의 에스트로겐 변환 비율을 높이고 자궁경부 선암(cervical adenocarcinoma)의 위험도를 증가시킨다. 또한 비만환자의 경우, 건강 유지를 위한 행동의 빈도가 낮고 조기선별검사의 수검률이 낮은 것도 한 원인으로 지목되고 있다.[11]

예방

1) 인유두종바이러스 예방백신 접종

자궁경부암의 직접적인 원인으로서 인유두종바이러스(HPV)의 역할을 이해하게 되면서 최초의 암 백신이 개발되어 사용되어 왔다.[12] 국내에 2016년부터 도입된 9가 백신(가다실®9)의 경우 기존의 두 가지 백신에 비해 추가된 5가지 HPV 유형인 31, 33, 45, 52, 58형으로 인한 HPV 관련 질환 예방효과는 약 97%까지 확인되었다.[13,14] 현재, 9~26세 환자에서 3회 접종을 권고하고 있고 9~14세에서는 2회 접종을 권고하고 있다.

2) 조기선별검사

조기선별검사는 자궁경부암을 예방하기 위한 가장 중요한 검사이다. 전세계적으로 자궁경부암과 자궁경부 상피내종양의 발생 빈도는 조기 검진이 시행되는 곳에서는 유의하게 감소하고 있다. 세계 보건 기구의 최근 가이드라인에서는 HPV 검사를 우선적으로 사용하도록 하고 있으며, 이미 국가적으로 자궁경부 세포검사가 시행되는 경우에는 HPV 검사와 자궁경부 세포검사 모두 사용 가능한 것으로 보고하고 있다. 2018년에 보고된 미국질병예방특별위원회의 가이드라인에서는 21세에서 29세까지 3년마다 자궁경부 세포검사를 권고하며 30~65세까지의 여성에서는 3년마다 자궁경부 세포검사, 5년마다 고위험 HPV 검사, 또는 HPV 검사와 자궁경부 세포검사의 병용 검사(cotesting)를 권고하고 있다.[15]

국내에서는 20세부터 74세까지 3년 간격으로 자궁경부 세포도말검사 또는 액상세포검사를 이용하여 자궁경부암 선별검사를 시행하도록 권고하고 있으며 개인별 위험도에 따라 선택적으로 병용 검사(cotesting)를 시행하도록 권고하고 있다.[16]

▌난소암(Ovarian Cancer)

발생률과 사망률
(Incidence and Mortality)

1) 발생률

① 2019년 기준 난소암은 전세계적으로 여성암 중 일곱 번째에 해당하는 발생빈도를 보인다. 미국의 경우 2019년 연간 발생건수가 22,530명으로 추정되며 전체 여성암의 2.5%를 차지하고 있다.[3,17]

② 연령 표준화하였을 때 인구 10만 명당 연간 새로이 진단되는 난소암 환자와 이 질환으로 사망하는 환자 숫자는 각각 6.6명과 3.9명으로 추정된다.[3]

③ 평생 발암 위험도를 계산하였을 때, 여성의 약 2.7%가 일생 중 어느 시점에 난소암을 진단 받는 것으로 추정된다.[17]

④ 국내에서는 2015년에 2,443명이 난소암으로 진단되었으며 연령 표준화 하였을 때 인

구 10만 명당 연간 새로이 진단되는 난소암 환자는 6.3명으로 추정된다.[18]

2) 사망률

① 미국에서 2019년 난소암으로 인한 사망자 수는 13,980명으로 추정되며 이는 전체 여성에서 암과 관련된 사망 중 4.9%를 차지하며 전체 암 종류 중 다섯 번째로 높은 사망률에 해당한다.[17]

② 미국 여성에서 난소암 환자의 5년 생존율은 47%으로 추정된다. 원발 부위에 국한된 경우 5년 생존율은 92%인 것에 비해, 국소 전이와 원격 전이를 동반한 경우 각각 75%와 29%의 생존율을 보인다.[17]

③ 국내에서는 같은 해 1,236명의 난소암 환자가 사망하였으며 전체 여성에서 암과 관련된 사망 중 3.9%에 해당하며 전체 암 종류 중 여덟 번째로 높은 사망률에 해당한다.[19]

발생 경향 (Demographic Patterns)

효과적인 조기 진단 방법이 없고 질환의 발병 초기에 증상이 뚜렷하지 않아 난소암 환자의 59%가 진단될 때 원격 전이를 동반하고 있다.[17]

위험인자

1) 연령

상피성 난소암은 주로 폐경 후, 특히 65세 이상의 여성에서 그 빈도가 증가된다고 보고된다. 진단 당시의 평균 연령은 50~79세이며 연령이 높을수록 더 진행된 병기와 더 낮은 생존율과 관계가 있다고 알려져 있다.[20,21]

2) 월경 관련 인자(menstrual-related factors)

배란으로 인하여 난소 상피가 반복적으로 파열되고 복구되는 과정이 비점액성 난소암의 원인으로 알려져 있고, 배란을 많이 하고 중단이 없을수록 발생 위험도가 증가된다고 알려져 있다.[22]

3) 자궁내막증

자궁내막증의 악성 변화에 의해 자궁내막증과 난소암 사이에 관계가 있다고 알려져 왔다. 주로 자궁내막양 선암(endometrioid adenocarcinoma)과 투명세포 암(clear cell carcinoma)에서 관계되며, 다른 난소암과 비교하여 자궁내막증과 관련된 난소암은 더 젊은 연령과 더 낮은 병기에서 발견이 된다고 알려져 있다.[23,24] 염증 반응(inflammation), PTEN, β-catenin, KRAS, microsatellite instability와 ARID1A이 관계되는 것으로 보고되고 있다.[24]

4) 유전적 인자(genetic factors)

① 유방암과 난소암의 가족력은 난소암의 발생에 가장 중요한 위험 요소이다.[25] 또한, 유방암의 병력은 난소암의 위험도를 3.7배 증가시키며 10년 이내 발생 위험도가

12.7%라고 알려져 있다.[26,27]

② 유전성 난소암 환자의 65~85%가 *BRCA1, 2* 유전자의 생식세포 돌연변이(germline mutation)로부터 발생한다고 알려져 있다.[28] 80세까지의 난소암 발생의 누적 위험도는 *BRCA1*와 *BRCA2* 유전자 변이 보인자(mutation carrier)에서 각각 49%와 21%로 알려져 있다.[29]

③ 린치 증후군(Lynch syndrome)은 전체 유전성 난소암 환자의 10~15%를 차지하며,[30] 린치 증후군의 가족력이 있는 경우 난소암 발생 평생 누적 위험도는 6~8%로 알려져 있다.[31] 린치 증후군과 관련되는 난소암은 주로 비점액성 종양이며 대부분 낮은 병기에서 발견된다고 보고된다.[30]

예방

1) 출산

만삭 임신 시 비점액성 난소암 위험도가 36% 감소한다고 알려져 있다.[32]

2) 경구피임제

① 경구피임제 복용 시 점액성 난소암을 제외한 모든 종류의 난소암의 위험도가 감소한다고 보고된다.[22]

② 경구피임제의 복용을 중단한 후 10~15년까지 난소암 발생의 위험도가 감소한다고 알려져 있다.[33]

3) 예방적 난소난관절제술

① *BRCA1/2* 유전자의 생식세포 돌연변이가 있는 환자에서 예방적 난소난관절제술의 시행은 난소암의 위험도를 75%까지 감소시킨다고 알려져 있다.[34]

② 예방적 난관절제술은 난소암의 위험도를 35~50% 감소시키며 이는 난관의 장액성 난관상피내암 세포들이 난소의 표면에 착상하여 장액성 난소암의 발생의 원인이 되는 것과 관련이 있다고 알려져 있다.[35]

▍자궁암(Uterine Cancer)

발생률과 사망률
(Incidence and Mortality)

1) 국외 현황

자궁체부암은 미국의 경우 여성 생식기 암 중 가장 흔히 발생하며 유방, 폐 및 대장직장암에 이어 네 번째로 호발하는 여성 암으로, 2018년 통계에 따르면 약 6.3만 명의 신환이 발생하였고, 1.1만 명의 암 관련 사망이 예상되는 질환이다.[36] 일생에 걸쳐 약 2.8%의 빈도로 발생한다고 알려져 있다.

2) 국내 현황

2016년 국가암등록통계에 따르면, 자궁내막암 및 자궁육종을 포함한 자궁체부암의 발생 빈도는 여성 암 중 발생 10위를 차지하고 있으며, 자궁경부암(7위) 발생보다 드문 것으로 조사되었다. 자궁체부암의 발생률은 인구 10만 명당 10.8명으로 여성암 발생의 2.5%를 차지하며, 총 2,771명의 신환이 발생하였다. 자궁체부암은 국가암등록통계 작업이 시작 된 1999년 이후 꾸준히 증가하고 있다. 국가암등록통계에서 보고된 전체 자궁체부암 환 자의 5년 생존율은 87.5% (2012~2016년)로 보고되었다.[37]

위험인자

자궁내막암은 에스트로겐 영향 유무에 따라 I형, II형으로 구분된다.[38] 에스트로겐 의 존형인 I형은 전체 자궁내막암의 75~85%를 차지하며, 폐경 전후를 포함한 젊은 여성에 서 주로 발병한다. 일반적으로 I형은 자궁내막 과증식 상태에서 시작되어 세포 분화도가 좋으며, 예후 또한 양호하다. 반면 에스트로겐 비의존형인 II형은 위축 상태의 내막에서 시작되며, 세포 분화도와 예후가 불량하다. II형은 나이 많은 폐경 여성에서 주로 발병하 며, 마른 여성, 아시아인에서 상대적으로 흔하다.

에스트로겐 노출과 관련된 I형 자궁내막암의 위험인자는 다음과 같다. 미산부는 경산 부보다 2~3배의 발병위험도를 보이며, 프로게스테론 길항작용 없이 에스트로겐에 노출되 는 무배란성 월경, 늦은 폐경도 위험인자이다. 또한, 과체중 및 비만 여성의 경우 말초 지 방세포에서 남성호르몬이 에스트로겐으로 변환되기 때문에 발병 위험도가 높아진다.[39] 다낭성난소증후군, 에스트로겐 분비 난소종양과 같이 에스트로겐에 노출되는 상황에서 도 위험도가 증가한다. 유방암 치료제인 타목시펜의 경우, 자궁내막에는 에스트로겐과 유사한 작용을 하기에, 자궁내막암 발병이 2~3배 증가하게 된다.[40] 그렇지만, 유방암 재 발 방지 효과의 이점이 보다 큰 것으로 알려져 있다.

린치 증후군 2형(Lynch II syndrome) 여성의 경우, 자궁내막암의 한평생 발병율이 40~60%에 달한다.[41] 린치 증후군 2형은 과거 유전성 비용종성 대장암 증후군(hereditary nonpolyposis colorectal cancer syndrome, HNPCC)으로 알려진 질환으로, DNA 불일치 복구 (mismatch repair, MMR) 유전자가 생식세포 돌연변이를 보여, 대장암뿐 아니라, 자궁내막암 및 난소암 등의 발병이 높아진다.

예방

암 전구 단계인 자궁내막증식 및 다낭성난소증후군의 경우 프로게스틴 보충이 필요하 다. 또한, 경구피임제의 경우도 자궁내막암 발병 위험을 약 50%까지 낮추는 것으로 알려 져 있다. 미국 CDC 역학 조사 연구에 따르면, 경구피임제의 예방 효과는 적어도 1년을 복용했을 때 나타나며, 10년 이상 지속된다고 한다. 흡연의 예방 효과도 보고되었다.[42] 그렇지만, 폐암 발생을 비롯한 다른 건강상의 해가 예방 효과보다 크다. 야채, 신선한 과 일, 통밀빵(whole-grain)의 예방 효과가 보고되었다.[43]

자궁육종
(Uterine Sarcoma)

자궁체부암의 약 3~8%를 차지하는 자궁육종은 자궁내막간질(endometrial stroma) 또는 자궁근육에서 발생하는 비교적 드문 질환으로서, 자궁 평활근육종(leiomyosarcoma, LMS)이 59%, 자궁내막간질육종(endometrial stromal sarcoma, ESS)이 33%, 그외 선육종(adenosarcoma), 혈관육종(angiosarcoma), 섬유육종(fibrosarcoma) 등이 8%를 차지한다. 과거 육종으로 분류되었던 악성혼합뮬러종양(malignant mixed Mullerian tumor, MMMT)은 이제 제2형 자궁내막암으로 간주된다.

미국 SEER 자료에 따르면, 자궁육종은 흑인 여성에서 호발(인구 10만 명당 연간 7.02명, > 35세)하고, 자궁내막암은 백인 여성에서 호발하는 것으로 조사되었다.[44]

질과 외음의 전암병변 및 침윤성 병변
(Preinvasive and Invasive Vaginal and Vulvar Cancer)

발생률과 사망률
(Incidence and Mortality)

1) 질암

① 질암은 여성 생식기관에서 발생하는 암종의 약 2~3%를 차지하는 드문 암종으로, 연령 표준화하였을 때 인구 10만 명당 연간 새로이 진단되는 질암 환자와 이 질환으로 사망하는 환자 숫자는 각각 0.7명과 0.2명으로 추정된다.[36]

② 평생 발암 위험도를 계산하였을 때, 여성의 약 0.1%가 일생 중 어느 시점에 질암을 진단받는 것으로 추정된다.[45]

③ 질암의 5년 생존율은 52%로 추정된다. 원발 부위에 국한된 경우 5년 생존율은 74.3%이다.

2) 외음부암

① 외음부암은 여성 생식기관에서 발생하는 암종의 약 5.6%를 차지하는 드문 암종으로, 미국의 경우 2019년 연간 발생건수가 6,070명으로 추정되며 전체 여성암의 0.7%를 차지하고 있다. 한편 이 질환으로 인한 사망자 수는 1,280명으로 추정되며 이는 0.4%에 해당하는 수치이다.[17]

② 연령 표준화하였을 때 인구 10만 명당 연간 새로이 진단되는 외음부암 환자와 이 질환으로 사망하는 환자 숫자는 각각 2.5명과 0.5명으로 추정된다.[45]

③ 평생 발생 위험도를 계산하였을 때, 여성의 약 0.3%가 일생 중 어느 시점에 외음부암을 진단받는 것으로 추정된다.[45]

④ 미국 여성에서 외음부암 환자의 5년 생존율은 71.1%으로 추정된다. 원발 부위에 국한된 경우 5년 생존율은 86.3%인 것에 비해, 국소 전이와 원격 전이를 동반한 경우 각각 52.6%와 22.7%으로 병기가 진행할수록 불량한 생존율을 보인다.[45]

발생 경향

1) 질암

① 질에 발생하는 암은 타 암종으로부터의 전이암인 경우가 많다. 따라서, 일차성 질암을 감별진단하는 것이 중요하다.

② 질암과 HPV 감염의 연관성은 자궁경부암과 HPV 감염의 연관성과 유사하다.[46] 특히, 젊은 여성에서 발생한 질암의 경우 HPV 감염과 밀접한 관계가 있다.

③ 질암 환자의 30%에서 이전 5년 동안 자궁경부암의 치료 병력이 관찰된다.

④ 일반적으로, 자궁경부암 진단 5년 이후에 새로이 발생한 질암의 경우 일차성 질암으로 간주한다.

2) 외음부암

① 외음부암은 폐경 여성에서 주로 발생하는데, 특히 70세 이상의 여성에서 호발한다.[47]

② 외음부암은 HPV 감염과 높은 연관성을 보인다. 기저양(basaloid) 또는 사마귀모양 외음부암의 경우 80%에서, 각화성(keratinizing) 외음부암의 경우 13%에서 HPV 감염의 유병률을 보인다. 고위험 HPV인 16, 33, 18형이 주요하게 발견된다.[48]

③ 경화태선(lichen sclerosus)이 있는 여성은 편평세포 외음부암의 발생 위험이 증가하는데, 지난 20년 동안 경화태선의 연간 발생률이 여성 10만 명당 7.4명에서 14.6명으로 2배 정도 증가하였다.[49]

위험인자

1) 질암

현재까지 알려진 질암의 위험인자들로는 HPV 감염, 질 상피내종양(vaginal intraepithelial neoplasia, VAIN), 자궁경부암의 병력, 흡연, 음주, 태아기 때 DES (diethylstilbestrol) 노출 병력, 면역결핍 혹은 면역억제제를 투약중인 여성, 질 방사선치료 병력 등이 있다.[6]

2) 외음부암

외음부암의 발생 원인은 다원적이다. 현재까지 알려진 외음부암의 위험인자들로는 HPV 감염, 외음 상피내종양(vulvar intraepithelial neoplasia, VIN), 자궁경부 상피내종양(cervical intraepithelial neoplasia, CIN), 경화태선(lichen sclerosus), 흡연, 음주, 비만, 면역결핍 혹은 면역억제제를 투약중인 여성, 자궁경부암의 병력 등이 있다.[50,51]

예방

1) 질암

① HPV 백신(특히 9가 백신) 접종이 HPV 관련 질암을 예방할 수 있을 것으로 예상된다.[45]

② 질암의 전구병변인 질 상피내종양이 확인되면 이를 치료함으로써 질암의 발생을 예방할 수 있다.

2) 외음부암

① HPV 백신(특히 9가 백신) 접종이 HPV 관련 외음부암의 90%를 예방할 수 있을 것으로 예상된다.[45]

② 조직학적으로 진단된 경화태선이 있는 여성의 경우, 국소 스테로이드 치료 등 능동적으로 치료를 받는 경우 증상 완화뿐만 아니라 외음부암의 발생 또한 감소하는 것으로 알려져 있다.[52]

기타 부인종양(Other Gynecologic Neoplasm)

임신성 융모성질환 (Gestational Trophoblastic Disease, GTD)

1) 질환 개요

① 임신성 융모성질환(gestational trophoblastic disease, GTD)은 태반영양막(placental trophoblast)의 비정상적인 증식에서 발생하는 다양한, 이질적인 질환들을 일컫는다.

② 양성 질환은 포상기태(hydatidiform mole)가, 악성 질환은 침윤기태(invasive mole), 태반 부착부위 영양막종양(placental site trophoblastic tumor, PSTT), 상피모양 영양막종양(epithelioid trophoblastic tumor, ETT), 융모막암(choriocarcinoma)이 포함된다. 악성 질환의 경우, 주변조직으로의 침투 및 전이하는 경향이 있어 임신성 융모종양(gestational trophoblastic neoplasia, GTN)이라고 불린다.

2) 포상기태

① 포상기태는 아시아 국가에서 유럽과 북미 등의 서양 국가에 비해 높은 발생빈도를 보인다. 일본의 경우 1,000 임신 당 2건 발생하는 것과 비교하여, 서양 국가의 경우 1,000 임신 당 0.6~1.1건 발생하는 것으로 알려져 있다.[53]

② 포상기태의 발생 빈도는 사회경제적인 요인과 영양학적 요인과 밀접한 관계가 있다. 한국의 경우 서구화된 식습관과 생활 수준의 증가와 함께 포상기태의 발생빈도가 크게 감소하였다.[54]

③ 40세 이상의 고령 임신 여성과 청소년기 임신 여성에서 완전포상기태(complete mole)의 발생위험도가 각각 2~10배, 7배 증가하는 것으로 보고되었다.[55,56]

④ 부분포상기태(partial mole)의 경우 경구피임제 복용, 불규칙한 월경이 위험인자인 반면, 영양학적인 요인은 관련이 없다고 보고되었다.[57]

3) 임신성 융모종양

① 전이가 없는 국소 침윤성 임신성 융모종양의 경우, 완전포상기태로 소파시술을 한 여성의 약 15%에서 발생한다. 비포상기태 임신 후에 확인되는 경우는 드물다.

② 전이를 동반하는 임신성 융모종양의 경우, 완전포상기태로 소파시술을 한 여성의 약 4%에서 발생한다. 하지만, 비포상기태 임신 후에 확인되는 경우가 더 많다.

표 1-1. 부인암의 역학 및 진단 시 임상 양상

부인암의 종류	호발 나이	연령 표준화 발생률 및 사망률			전형적인 임상 증상	부인과 검진 소견
		GLOBOCAN[3]	SEER[45]	한국[6]		
자궁경부암	40~50대 여성	발생률: 13.1/10만 사망률: 6.9/10만	발생률: 7.3/10만 사망률: 2.3/10만	발생률: 9.1/10만 사망률: 1.8/10만	비정상적인 질출혈	질경검사상 비정상적 자궁경부 병변
자궁체부암	폐경 여성 특히 60세 이상	발생률: 8.4/10만 사망률: 1.8/10만	발생률: 27.5/10만 사망률: 4.7/10만	발생률: 6.8/10만 사망률: 0.7/10만	비정상적인 질출혈	자궁의 크기 증가
난소암	폐경 여성 50~79세	발생률: 6.6/10만 사망률: 3.9/10만	발생률: 11.4/10만 사망률: 7.0/10만	발생률: 6.7/10만 사망률: 2.5/10만	비특이적인 증상	자궁부속기의 종괴, 복수
질암	폐경 여성 특히 60세 이상	발생률: 0.4/10만 사망률: 0.2/10만	발생률: 0.7/10만 사망률: 0.2/10만		비정상적인 질 분비물, 질출혈, 배뇨통, 성교통 등	질경검사상 비정상적 질 병변
외음부암	폐경 여성 특히 70세 이상	발생률: 0.9/10만 사망률: 0.3/10만	발생률: 2.5/10만 사망률: 0.5/10만		외음부 소양증, 출혈, 피부색 변화, 궤양, 배뇨통, 성교통 등	비정상적 외음부 병변

참고문헌

1 안윤옥, 유근영, 박병주, 김동현, 배종면, 강대희, 신명희, 이무송. 역학의 원리와 응용. 서울: 서울대학교출판부. 2004.

2 Centers for Disease Control and Prevention. United States Cancer Statistics. Relative Cancer Survival. Accessed at https://www.cdc.gov/cancer/uscs/technical_notes/stat_methods/survival.htm on May, 2019.

3 Bray F, Ferlay J, Soerjomataram I, Siegel RL, Torre LA, Jemal A. Global cancer statistics 2018: GLOBOCAN estimates of incidence and mortality worldwide for 36 cancers in 185 countries. CA: A Cancer Journal for Clinicians 2018;68:394-424.

4 Torre LA, Islami F, Siegel RL, Ward EM, Jemal A. Global Cancer in Women: Burden and Trends. Cancer Epidemiology Biomarkers & Prevention 2017;26:444.

5 Vaccarella S, Laversanne M, Ferlay J, Bray F. Cervical cancer in Africa, Latin America and the Caribbean and Asia: Regional inequalities and changing trends. International Journal of Cancer 2017;141:1997-2001.

6 Jung KW, Won YJ, Kong H.J, Lee ES. Cancer Statistics in Korea: Incidence, Mortality, Survival, and Prevalence in 2016. Cancer Res Treat 2019;51:417-30.

7 International Collaboration of Epidemiological Studies of Cervical Cancer. Comparison of risk factors for invasive squamous cell carcinoma and adenocarcino-

ma of the cervix: collaborative reanalysis of individual data on 8,097 women with squamous cell carcinoma and 1,374 women with adenocarcinoma from 12 epidemiological studies. Int J Cancer. 2007;120:885–91.

8   Pantanowitz L, Michelow P. Review of human immunodeficiency virus (HIV) and squamous lesions of the uterine cervix. Diagn Cytopathol 2011;39:65–72.

9   Silva J, Cerqueira F, Medeiros R. Chlamydia trachomatis infection: implications for HPV status and cervical cancer. Archives of Gynecology and Obstetrics 2014;289:715–23.

10   Roura E, Castellsagué X, Pawlita M, Travier N, Waterboer T, Margall N, et al. Smoking as a major risk factor for cervical cancer and pre-cancer: Results from the EPIC cohort. International Journal of Cancer 2014;135:453–66.

11   Friedman AM, Hemler JR, Rossetti E, Clemow LP, Ferrante JM. Obese women's barriers to mammography and pap smear: the possible role of personality. Obesity (Silver Spring, Md.) 2012;20:1611–7.

12   Crosbie EJ, Einstein MH, Franceschi S, Kitchener HC. Human papillomavirus and cervical cancer. The Lancet 2013;382:889–99.

13   Arbyn M, Xu L, Simoens C, Martin-Hirsch PP. Prophylactic vaccination against human papillomaviruses to prevent cervical cancer and its precursors. Cochrane Database Syst Rev 2018;5:Cd009069.

14   Joura EA, Giuliano AR, Iversen OE, Bouchard C, Mao C, Mehlsen J, et al. A 9-valent HPV vaccine against infection and intraepithelial neoplasia in women. N Engl J Med 2015;372:711–23.

15   Curry SJ, Krist AH, Owens DK, Barry MJ, Caughey AB, Davidson KW, et al. Screening for Cervical Cancer: US Preventive Services Task Force Recommendation Statement. Jama 2018;320:674–86.

16   Min KJ, Lee YJ, Suh M, Yoo CW, Lim MC, Choi J, et al. The Korean guideline for cervical cancer screening. Journal of gynecologic oncology 2015;26:232–9.

17   Siegel RL, Miller KD, Jemal A. Cancer statistics, 2019. CA Cancer J Clin 2019;69:7–34.

18   Lim MC, Won YJ, Ko MJ, Kim M, Shim SH, Suh DH, et al. Incidence of cervical, endometrial, and ovarian cancer in Korea during 1999–2015. Journal of gynecologic oncology 2019;30:e38.

19   Jung KW, Won YJ, Kong HJ, Lee ES. Prediction of Cancer Incidence and Mortality in Korea, 2018. Cancer Res Treat 2018;50:317–23.

20   Chornokur G, Amankwah EK, Schildkraut JM, Phelan CM. Global ovarian cancer health disparities. Gynecol Oncol 2013;129:258–64.

21   Chan JK, Urban R, Cheung MK, Osann K, Shin JY, Husain A, et al. Ovarian cancer in younger 대 older women: a population-based analysis. Br J Cancer 2006;95:1314–20.

22   Tung KH, Goodman MT, Wu AH, McDuffie K, Wilkens LR, Kolonel LN, et al. Reproductive factors and epithelial ovarian cancer risk by histologic type: a multiethnic case-control study. Am J Epidemiol 2003;158:629 38.

23   Sampson JA. Endometrial carcinoma of the ovary arising in endometrial tissue in that organ. American Journal of Obstetrics & Gynecology 1925;9:111–4.

24   Pavone ME, Lyttle BM. Endometriosis and ovarian cancer: links, risks, and challenges faced. Int J Womens Health 2015;7:663–72.

25   Torre LA, Trabert B, DeSantis CE, Miller KD, Samimi G, Runowicz CD, et al. Ovarian cancer statistics, 2018. CA Cancer J Clin 2018;68:284–96.

26 Kazerouni N, Greene MH, Lacey JV, Jr., Mink PJ, Schairer C. Family history of breast cancer as a risk factor for ovarian cancer in a prospective study. Cancer 2006;107:1075-83.

27 Andrews L, Mutch DG. Hereditary Ovarian Cancer and Risk Reduction. Best Pract Res Clin Obstet Gynaecol 2017;41:31-48.

28 Toss A, Tomasello C, Razzaboni E, Contu G, Grandi G, Cagnacci A, et al. Hereditary ovarian cancer: not only *BRCA1* and 2 genes. Biomed Res Int 2015;2015:341723.

29 Kotsopoulos J, Gronwald J, Karlan B, Rosen B, Huzarski T, Moller P, et al. Age-specific ovarian cancer risks among women with a *BRCA1* or *BRCA2* mutation. Gynecol Oncol 2018;150:85-91.

30 Nakamura K, Banno K, Yanokura M, Iida M, Adachi M, Masuda K, et al. Features of ovarian cancer in Lynch syndrome (Review). Mol Clin Oncol 2014;2:909-16.

31 Lu KH, Daniels M. Endometrial and ovarian cancer in women with Lynch syndrome: update in screening and prevention. Fam Cancer 2013;12:273-7.

32 Risch HA, Marrett LD, Jain M, Howe GR. Differences in risk factors for epithelial ovarian cancer by histologic type. Results of a case-control study. Am J Epidemiol 1996;144:363-72.

33 La Vecchia C, Franceschi S. Oral contraceptives and ovarian cancer. Eur J Cancer Prev 1999;8:297-304.

34 Kauff ND, Satagopan JM, Robson ME, Scheuer L, Hensley M, Hudis CA, et al. Risk-reducing salpingo-oophorectomy in women with a *BRCA1* or *BRCA2* mutation. N Engl J Med 2002;346:1609-15.

35 Falconer H, Yin L, Gronberg H, Altman D. Ovarian cancer risk after salpingectomy: a nationwide population-based study. J Natl Cancer Inst 2015;107.

36 Siegel RL, Miller KD, Jemal A. Cancer statistics, 2018. CA Cancer J Clin 2018;68:7-30.

37 www.ncc.re.kr. 2016년 암 등록 통계 보도 자료

38 Bokhman JV. Two pathogenetic types of endometrial carcinoma. Gynecol Oncol 1983;15:10-7.

39 Jenabi E, Poorolajal J. The effect of body mass index on endometrial cancer: a meta-analysis. Public Health 2015;129:872-80.

40 Fisher B, Costantino JP, Redmond CK, Fisher ER, Wickerham DL, Cronin WM. Endometrial cancer in Tamoxifen-treated breast cancer patients: findings from the National Surgical Adjuvant Breast and Bowel Project (NSABP) B-14. J Natl Cancer Inst 1994;86:527-37.

41 Aarnio M, Sankila R, Pukkala E, Salovaara R, Aaltonen LA, de la Chapelle A, et al. Cancer risk in mutation carriers of DNA-mismatch-repair genes. Int J Cancer 1999;81:214-8.

42 Lawrence C, Tessaro I, Durgerian S, Caputo T, Richart R, Jacobson H, et al. Smoking, body weight, and early-stage endometrial cancer. Cancer 1987;59:1665-9.

43 Levi F, Franceschi S, Negri E, La Vecchia C. Dietary factors and the risk of endometrial cancer. Cancer 1993;71:3575-81.

44 Brooks SE, Zhan M, Cote T, Baquet CR. Surveillance, epidemiology, and end results analysis of 2677 cases of uterine sarcoma 1989-1999. Gynecol Oncol 2004;93:204-8.

45 Huh WK, Joura EA, Giuliano AR, Iversen OE, de Andrade RP, Ault KA, et al. Final efficacy, immunogenicity, and safety analyses of a nine-valent human papilloma-

virus vaccine in women aged 16–26 years: a randomised, double-blind trial. Lancet 2017;390:2143–59.

46 Rubin SC, Young J, Mikuta JJ. Squamous carcinoma of the vagina: treatment, complications, and long-term follow-up. Gynecol Oncol 1985;20:346–53.

47 Coffey K, Gaitskell K, Beral V, Canfell K, Green J, Reeves G, et al. Past cervical intraepithelial neoplasia grade 3, obesity, and earlier menopause are associated with an increased risk of vulval cancer in postmenopausal women. Br J Cancer 2016;115:599–606.

48 Faber MT, Sand FL, Albieri V, Norrild B, Kjaer SK, Verdoodt F. Prevalence and type distribution of human papillomavirus in squamous cell carcinoma and intraepithelial neoplasia of the vulva. Int J Cancer 2017;141:1161–9.

49 Bleeker MC, Visser PJ, Overbeek LI, van Beurden M, Berkhof J. Lichen Sclerosus: Incidence and Risk of Vulvar Squamous Cell Carcinoma. Cancer Epidemiol Biomarkers Prev 2016;25:1224–30.

50 Madsen BS, Jensen HL, van den Brule AJ, Wohlfahrt J, Frisch M. Risk factors for invasive squamous cell carcinoma of the vulva and vagina--population-based case-control study in Denmark. Int J Cancer 2008;122:2827–34.

51 Brinton LA, Thistle JE, Liao LM, Trabert B. Epidemiology of vulvar neoplasia in the NIH-AARP Study. Gynecol Oncol 2017;145:298–304.

52 Lee A, Bradford J, Fischer G. Long-term Management of Adult Vulvar Lichen Sclerosus: A Prospective Cohort Study of 507 Women. JAMA Dermatol 2015;151:1061–7.

53 Palmer JR. Advances in the epidemiology of gestational trophoblastic disease. J Reprod Med 1994;39:155–62.

54 Martin BH, Kim JH. Changes in gestational trophoblastic tumors over four decades. A Korean experience. J Reprod Med 1998;43:60–8.

55 Gockley AA, Melamed A, Joseph NT, Clapp M, Sun SY, Goldstein DP, et al. The effect of adolescence and advanced maternal age on the incidence of complete and partial molar pregnancy. Gynecol Oncol 2016;140:470–3.

56 Sebire NJ, Foskett M, Fisher RA, Rees H, Seckl M, Newlands E. Risk of partial and complete hydatidiform molar pregnancy in relation to maternal age. BJOG 2002;109:99–102.

57 Berkowitz RS, Bernstein MR, Harlow BL, Rice LW, Lage JM, Goldstein DP, et al. Case-control study of risk factors for partial molar pregnancy. Am J Obstet Gynecol 1995;173:788–94.

CHAPTER

2

생물학, 유전학 및 병리학

Biology, Genetics, and Pathology

책임저자

김재훈 | 연세대학교 의과대학 산부인과

집필저자

김규래 | 울산대학교 의과대학 병리과

김민규 | 성균관대학교 의과대학 산부인과

김보욱 | 가톨릭관동대학교 의과대학 산부인과

김태헌 | 차의과학대학교 의학전문대학원 병리과

유종우 | 국립암센터 병리과

이대우 | 가톨릭대학교 의과대학 산부인과

전경희 | 연세대학교 의과대학 생화학과

정민형 | 경희대학교 의과대학 산부인과

정수호 | 순천향대학교 의과대학 산부인과

정준용 | 미국 국립보건원

조한별 | 연세대학교 의과대학 산부인과

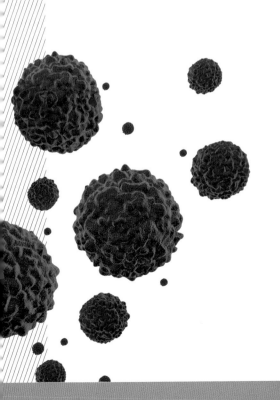

Gynecologic Oncology

세포증식과 죽음(Cell Proliferation & Death)

세포증식
(Cell Proliferation)

세포증식(cell proliferation)은 세포성장(cell growth)과 분열(cell division)에 의하여 세포의 수가 증가하는 현상이다. 세포는 DNA 복제가 일어나는 S기, 염색체 분배 및 세포분열이 일어나는 M기, 그리고 S기와 M기 사이 세포가 성장하며 분열을 준비하는 G1, G2기로 구분되는 4가지 과정의 세포 주기(cell cycle)를 거쳐 증식한다(그림 2-1). 세포 주기는 cyclin과 CDK (cyclin-dependent kinases)에 의하여 조절이 되는데 각각의 CDK는 짝을 이룬 cyclin과의 결합을 통하여 활성화된다. G1기로의 진행은 CDK4, 6와 cyclin D1, 2, 3에 의하여 조절되고 S기로의 진행은 CDK2와 cyclin E1, 2 그리고 cyclin A에 의하여 조절된다. 또한, M기로의 진행은 CDK1과 cyclin A, B에 의해 조절된다. 세포 주기를 조절하는 cyclin-CDK complex는 p15, p16, p21, p27 등의 CDK 억제제에 의하여 활성이 조절된다.[1]

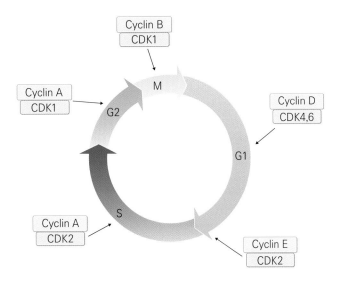

그림 2-1. 세포 주기

세포분열이 완료되면 대부분의 세포는 휴지기인 G0기에 접어든다. 외부에서 세포증식을 유도하는 신호가 오면 cyclin D1이 가장 먼저 생성 되어 CDK4, 6와 결합한다. 활성화된 CDK4, 6는 망막모세포종 단백질(retinoblastoma protein, Rb)을 인산화시켜 활성을 억제한다. Rb는 E2F complex에 결합하여 G1기에서 세포 주기의 진행을 억제하는 역할을 수행하는데, CDK4, 6에 의하여 인산화 되면 E2F complex에서 분리되어 세포 주기를 억제하지 못하게 된다. 활성화된 E2F complex는 target gene의 발현을 증가시켜 멈춰있던 세포 주기가 돌아가도록 하는 역할을 한다.

무분별한 세포증식은 대표적인 암세포의 특징이다. 다양한 암에서 세포 주기를 억제하는 Rb와 같은 단백질이 변이(mutation)되어 제 기능을 하지 못하는 반면, 세포증식을 증가시키는 인자의 발현과 활성은 증가되어 있다고 알려져 있다.[2]

세포사
(Cell Death)

세포사(cell death)는 기능을 다한 늙은 세포나 질병과 상처 등으로 인하여 손상된 세포가 죽는 일련의 과정이다. 정상세포는 세포증식과 세포사 사이의 엄격한 조절을 통하여 세포의 수를 유지하며 이 둘 사이의 균형이 무너지게 되면 암 또는 퇴행성 질환이 유발된다. 세포사는 크게 두 가지로 나눌 수 있는데, 생명체의 발생과 분화를 진행하기 위하여 유전적으로 프로그램되어 있는 세포예정사(programmed cell death)와 외부 자극으로 인하여 손상된 세포가 죽는 non-programmed cell death가 있다.

1) 세포자멸사(apoptosis)

세포자멸사(apoptosis)는 가장 대표적인 세포사의 한 형태이며 Kerr 등에 의해 1972년에 처음으로 제시된 개념이다. 이 기전은 세포예정사(programmed cell death)의 일종으로 세포 내에서 세포자살 신호전달기전이 활성화되어 세포가 스스로 죽는 현상이다.[3]

세포자멸사의 형태학적 특징에는 세포의 수축, 염색질 축합, 핵과 DNA의 분절화, 자멸소체(apoptotic body)의 형성 등이 있다. 세포자멸사는 두 가지 기전으로 나눌 수 있는데 영양결핍, 바이러스감염, 저산소증 등의 스트레스에 의하여 발생되는 내인성 기전(intrinsic pathway)과 TNF (tumor necrosis factor)와 Fas 등의 ligand가 수용체에 결합하여 유도되는 외인성 기전(extrinsic pathway)으로 분류된다(그림 2-2).[4]

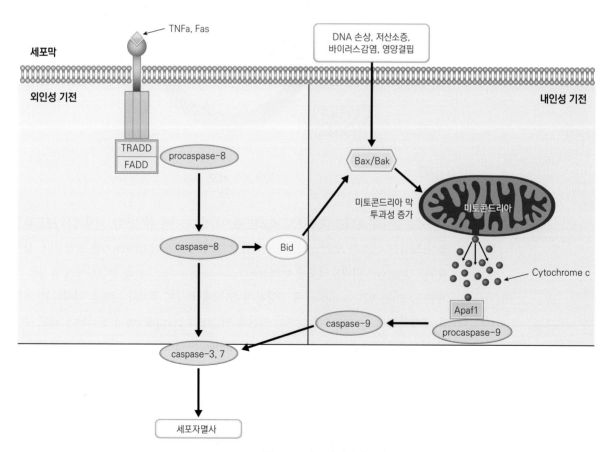

그림 2-2. 세포자멸사의 내인성 기전과 외인성 기전

DNA 손상과 같은 스트레스에 의하여 유발되는 세포자멸사는 미토콘드리아를 통한 내인성 기전에 의해 일어나며 Bcl-2 (B-cell lymphoma 2) family에 의하여 조절이 된다. Bcl-2 family는 구조적 유사성을 보이는 BH (Bcl-2 homology) domain을 가지고 있으며 Bcl-2, Bcl-XL, Bcl-w, Mcl1과 같은 세포자멸사를 억제하는 anti-apoptotic molecules 과 Bax, Bak, Bok, Bad, Bim과 같은 세포자멸사를 유도하는 pro-apoptotic mole-cules의 두 그룹으로 이루어져 있다. 세포자멸사 신호가 오면 Bax와 Bak이 활성화되고 미토콘드리아 막의 투과성이 높아져 cytochrome c와 같은 미토콘드리아 내부에 존재하는 물질이 방출된다. Apaf-1과 결합한 cytochrome c는 procaspase-9과 결합하여 apoptosome을 형성하고 caspase-9를 활성화시킨다. 활성화된 caspase-9은 세포자멸사의 effector caspase인 caspase-3를 활성화시키고 결과적으로 세포자멸사가 일어나게 된다.

외인성 기전은 TNF family에 속하는 ligand와 수용체의 결합에 의한 활성화로 일어나며 내인성 기전과는 다르게 미토콘드리아의 영향을 거의 받지 않는다. TNF 또는 Fas와 같은 ligand가 수용체에 결합하여 활성화되면 death domain과 FADD (Fas-associated death domain)나 TRADD (TNFR-associated death domain)와 결합하고 caspase-8과 결합하여 DISC (death-inducing signaling complex)를 형성한다. 이로 인하여 활성화된 caspase-8은 caspase-3을 활성화시켜 세포자멸사를 유도한다.[5]

항암제나 방사선치료는 DNA 손상을 일으켜 세포자멸사를 유도하여 암세포를 죽인다. 하지만 암세포는 세포자멸사를 유도하는 인자들의 발현과 활성이 저해되어 있고 반대로 세포자멸사를 억제하는 인자들의 발현과 활성은 증가되어 있다. 이러한 이유로 암세포는 항암요법이나 방사선치료 등에 저항성을 보여 치료를 어렵게 만든다. 암세포에서 활성이 저해된 세포자멸사에 관련된 인자 중에 가장 대표적인 것이 p53이다. p53는 가장 많이 연구된 암억제유전자(tumor suppressor gene) 중 하나로, 세포 주기를 정지시키고 세포자멸사를 유발하는 역할을 한다. 50% 이상의 암에서 p53의 변이가 관찰된다고 알려져 있다.

2) 세포괴사(necrosis)

세포괴사(necrosis)는 감염, 독소, 손상과 같은 외부적 요인에 의하여 발생하며 세포자멸사와는 다른 특징을 보인다(그림 2-3).

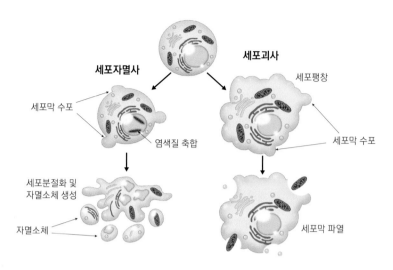

그림 2-3. 세포자멸사와 세포괴사의 차이

세포자멸사는 세포예정사(programmed cell death)로 알려진 반면, 세포괴사는 non-programmed cell death로 알려져 있다. 세포괴사는 예정되지 않은 우연한 사고로 인하여 세포가 빠르게 죽는 현상이다. 세포괴사가 유도되면, 세포 밖에서 수분이 유입되어 세포가 부풀어오르고 세포막이 터져 죽는다. 이러한 특징으로 인하여 세포괴사는 세포 내 구성성분을 주변으로 퍼트리기 때문에 면역세포를 불러들이고 염증반응을 유발하여 주변 세포에도 피해를 입힌다. 염증반응을 유발하기 때문에 암세포의 괴사를 유도하여 항암면역반응을 증가시키는 방법도 연구되고 있다.

3) 자가포식현상과 네크롭토시스(autophagy and necroptosis)

자가포식현상(autophagy)은 불필요한 세포질 구성성분을 lysosome을 이용하여 분해하는 과정으로 '스스로를 먹다' 라는 뜻의 그리스어에서 유래되었다. 자가포식현상이 활성화되면 세포질 구성성분은 자가포식소체(autophagosome)라는 이중막 소포체에 둘러싸이게 된다. 이후 자가포식소체는 용해소체(lysosome)과 융합하여 자가포식용해소체(autophagomysosme)를 형성하고 용해소체에 존재하는 단백질분해효소를 이용하여 세포질 구성성분을 분해한다. 일반적으로 자가포식현상은 영양분이 결핍된 상황에서 활성화되며 그 외에도 세포가 감염, 활성산소의 축적, 저산소증과 같은 스트레스에 처하였을 때 유도된다. 자가포식현상은 이러한 스트레스 상황에 적응하기 위한 세포의 생존기전으로 알려져 있지만 특정 상황에서 세포의 죽음을 유발하기도 한다.

일반적으로 세포자멸사와 세포괴사가 주를 이루고 있었으나 최근에 세포자멸사처럼 정해진 프로그램대로 세포괴사가 일어나는 새로운 형태의 세포사가 밝혀졌으며 programmed necrosis 또는 necroptosis라고 불린다. 외부적인 요인에 의하여 갑작스럽게 세포가 죽는 세포괴사와 달리, necroptosis는 세포자멸사와 유사하게 프로그램 되어있다. necroptosis는 세포자멸사를 회피하는 기전을 가진 바이러스의 감염으로 인하여 세포자멸사가 유도되지 않는 상황에서 일어나며 RIP1, RIP3, MLKL 등의 인자들이 관여한다고 알려져 있다.

세포노화
(Cellular Senescence)

세포노화(cellular senescence)는 비가역적으로 세포 주기가 정지되어 세포증식이 일어나지 않는 현상이다. 정상 체세포는 무한정으로 세포분열이 일어나지 않고 일정 횟수 이상 분열하면 더 이상 증식하지 못하는데 이러한 현상을 복제노화(replicative senescence)라고 한다.

끝분절(telomere)은 반복적인 염기서열(TTAGGG)로 이루어져 있고 염색체 말단에 위치하는 DNA 서열이다. 끝분절은 세포분열 과정에서 염색체의 손상이나 다른 염색체와의 결합을 방지하여 염색체를 보호하는 역할을 한다. DNA 중합효소가 염색체 말단의 유전정보를 복제하지 못하여 세포분열이 일어날 때마다 50~200여 개의 끝분절이 짧아지게 된다. 계속된 세포분열로 인하여 끝분절이 일정 이하의 길이로 짧아지면 세포는 더 이상 분열하지 않고 세포노화 상태가 된다.[6] 세포분열로 인하여 손실된 끝분절은 TERT (telomerase reverse transcriptase)와 TERC (telomerase RNA component)로 이루어진 telomerase에 의하여 복구된다. 암세포는 높은 끝분절효소의 활성을 가지고 있어 세포노화 없이 계속적인 세포분열을 통하여 증식할 수 있는데 끝분절을 제거하거나 끝분절효소의 활성을 억제하였을 경우 암세포의 분열이 저해된다고 알려져 있다.[7]

줄기세포
(Stem Cell)

줄기세포(stem cell)는 여러 종류의 세포로 분화할 수 있는 다중분화능을 가지고 있는 미분화 세포이다. 줄기세포는 특정 환경에서 신경세포, 심근세포 등 원하는 세포로 분화가 가능한 특징을 가지고 있어 퇴행성 질환과 같은 난치병의 치료 목적으로 많은 연구가 진행되고 있다.

줄기세포는 자가복제(self-renewal)와 분화능을 가지고 있으며 배아줄기세포(embryonic stem cell), 성체줄기세포(adult stem cell), 그리고 유도 만능 줄기세포(induced pluripotent stem cell, IPSC)로 나눌 수 있다. 배아줄기세포는 정자와 난자가 결합하여 만들어진 수정란에서 얻을 수 있으며 신체를 이루는 거의 모든 종류의 세포로 분화할 수 있다. 수정란은 태아로 발달할 수 있기 때문에 생명윤리적인 논쟁이 끊이지 않고 있다. 성체줄기세포는 체내에 극히 소량으로 존재하며 각 조직에 해당하는 세포로만 분화가 진행되도록 정해져 있다. 유도 만능(역분화) 줄기세포는 이미 분화가 완료된 세포를 다시 미분화 상태로 되돌린 세포이다. 일본의 Shinya Yamanaka 교수에 의하여 개발되었고 Oct3/4, Sox2, c-Myc, Klf4의 전사 인자를 과발현시켜 역분화를 유도하였다. Shinya Yamanaka 교수는 이 개발을 통해 2012년도에 노벨 생리의학상을 수상하였다.

암세포 중에서 줄기세포의 능력인 자가복제와 분화능을 가지고 있는 세포를 종양줄기세포(cancer stem cell)라고 하며 암의 전이와 재발의 원인이 된다고 알려져 있다. 항암제를 처리하여 대부분의 암세포를 제거하더라도 종양줄기세포가 남아 있으면 다시 재발하므로 종양줄기세포를 표적으로 하는 치료법에 대한 연구가 진행되고 있다.

유전적 변이의 기원(Origins of Genetic Alterations)

인간의 암은 하나의 유전자 변이에 의해서 발생하는 경우는 드물고 대부분 여러 유전자에서 일련의 유전적 또는 유전자 외적 변이가 발생하여 세포의 성장, 사멸, 그리고 노쇠를 조절하는 정상 메커니즘이 붕괴되어 발생한다. 유전자 손상은 유전성이거나 출생 후 담배, 비소, 방사선, 감염, 비만과 같은 외인성 발암물질(exogenous carcinogen)에 노출되어 발생한다. 또한 세포 내에서 내적 돌연변이 유발 과정이 진행되어 발생할 수도 있다.

즉, 유전자 손상은 크게 유전적 손상(hereditary damage), 외인성 발암물질에 의한 손상, 내인성 DNA 손상(endogenous DNA damage)으로 나눌 수 있으며, 유전적 손상과 관련된 유전자에는 고침투도 유전자(*BRCA1*, *BRCA2*, MLH1, MSH 등)와 저침투도 유전자(단일 염기 다형성, single nucleotide polymorphism, SNP)가 있고 외인성 발암물질에 의한 손상에는 자외복사선(ultraviolet radiation)에 의한 TP53 돌연변이, 담배에 의한 K-ras와 TP53 돌연변이가 있으며 내인성 DNA 손상에는 시토신 메틸화(cytosine methylation)와 탈아미노작용(de-amination)에 의한 TP53 돌연변이가 있다.

유전적 암 감수성 (Inherited Cancer Susceptibility)

대부분의 암은 후천적인 유전자 손상에 의해 산발적으로 발생하지만 일부에서는 암 민감성 유전자의 변이가 특정 암의 발생을 유발한다. 종양억제유전자(tumor suppressor gene)가 DNA의 손상을 교정하는 DNA 복구 유전자의 이상이 유전성 암 발생의 흔한 원인이지만 종양유전자(oncogene), 세포 주기 조절에 관여하는 유전자, 혈관형성 경로에 관여하는 유전자도 원인이 될 수 있다. 이러한 유전자에 돌연변이 대립 형질(allele)을 가지고 있는 사람에서 암 발생의 민감성이 증가하게 된다.

돌연변이를 보유하고 있는 개인에서 암의 발생은 추가적인 유전자 변화를 필요로 한다. 가족성 암증후군을 유발하는 고침투도 유전자는 전체 개체의 1% 미만에서 발생하며 저침투도 유전자 변이도 극적이지는 않지만 암 감수성에 영향을 미친다. 인간의 유전체에는 1000만 개 이상의 다형태 유전자 자리(genetic locus)가 있으며 이들 대부분은 염기 서열에 변이가 있는 단일 염기 다형성(single nucleotide polymorphism, SNP)이고 정상 개체군 내에서 흔하게 발생한다. 다형성(polymorphism)이란 유전자 기능이나 단백질 구조에 미세한 변화를 일으키지만 질병을 유발하지는 않는 DNA 변화를 말한다. 다형성은 정상 개체군 내에서 서로 차이를 보이게 하는 원인 중 하나이다. 유전자 다형성은 가족성 암증후군 군집을 만들만큼 위험도를 충분히 증가시키지는 않지만 정상 개체군에서 유병률이 높기 때문에 산발성 암의 상당 부분에서 원인이 될 것으로 생각된다.

후천적 유전자 손상 (Acquired Genetic Damage)

암은 유전자 손상에 의해 발생하기 때문에 유전자 질환이라고 할 수 있다. 하지만 이것이 '모든 암은 유전된다'는 것을 의미하지는 않는다. 유전자를 손상시키는 돌연변이는 부모로부터 물려받는 것이 아니라 개인의 생활 속에서 발생한다. 유전적 성향에 의해 발생하는 암은 후천적인 돌연변이에 의해 발생하는 암에 비해 매우 적다. 암은 세포의 성장을 조절하는 유전자의 돌연변이를 통해 발생하며 후천적 유전자 손상의 전형이라고 할 수 있다. 흡연과 호흡기계통암, 자외복사선과 피부암, 인유두종바이러스와 생식기암은 후천적 유전자 손상의 원인과 암종 간에 강력한 인과관계를 보이는 대표적인 예라고 할 수 있다. 하지만 난소암, 자궁내막암, 유방암, 대장암 등을 포함한 대부분의 암은 발암물질과의 인과 관계가 명확하지 않다. 이들 암은 메틸화, 탈아미노작용, DNA 가수분해와 같은 내인성 돌연변이화 과정에 의해 발생한 유전자 변화가 원인으로 생각된다. 또한 정상적인 세포증식 과정에서 필요한 DNA 복제 과정 중에 DNA 합성의 자발적 오류가 발생할 수도 있다. 마지막으로 염증반응이나 다른 세포 손상시에 생성되는 자유라디칼(free radicals)도 DNA 손상을 일으킨다. 이러한 내인성 과정들은 매일 몸속의 모든 세포에서 많은 돌연변이를 만들어낸다.

후성적 변화
(Epigenetic Changes)

후성적 변화란 DNA 서열의 변화를 유발하지 않는 유전적인 표현형 변화를 말한다. 대표적인 예로 DNA 메틸화(methylation)와 히스톤 변경(histone modification)이 있으며 이들은 DNA 염기 서열을 바꾸지 않은 상태에서 유전자의 표현형만 바꾼다. DNA 메틸화는 DNA 분자에 메틸기를 더해주는 과정으로 DNA 서열을 바꾸지 않으면서 DNA 조각의 활성도를 변화시킬 수 있다. 포유류에서 DNA 메틸화는 정상적인 발달을 위해 꼭 필요한 과정이며 유전체각인(genomic imprinting), X-염색체 비활성화, 노화, 암화과정과 같은 중요한 과정들과 연관되어 있다. 히스톤은 핵 안에서 뉴클레오솜(nucleosome)을 구성하는 기본 단백질로 이중으로 되어 있는 DNA 가닥을 감고 있는 실패와 같은 역할을 하며 유전자 발현의 조절에 중요한 역할을 한다. 히스톤 꼬리의 화학적 변성에 따라 다른 단백질의 생산을 유도할 수 있기 때문이다. 히스톤이 DNA를 단단히 쥐어 짜면 DNA는 세포에 의해 판독될 수 없으며 히스톤을 이완시키는 변화는 유전자를 해독하는 단백질이 DNA에 접근할 수 있도록 만들어 준다. 후성적 변화가 어떻게 발생하며 어떠한 기전으로 암을 발생시키는지 아직 모르는 부분이 많지만 이들은 유용한 치료 표적이 될 수 있다.

종양유전자
(Oncogenes)

세포성장을 자극하여 암적 변이를 유발하는 유전자를 종양유전자(oncogene)라 한다. 세포의 성장을 조절하는 원발종양유전자(proto-oncogene)의 변이가 일어나 세포성장을 자극하면 암적인 변이를 유발하게 된다. 이러한 성장을 조절하는 단백질은 세포 내의 위치에 따라 세 그룹으로 분류할 수 있다. 첫 번째 그룹은 세포외 공간(extracellular space)에 위치하는 펩타이드 성장인자(peptide growth factor)로 세포 표면의 수용체와 결합하여 세포 내 신호전달 경로(intracellular signaling pathway)를 활성화시켜 세포의 성장을 촉진시킨다. 두 번째 그룹은 세포질(cytoplasm)에 존재하는 효소로 세포 표면의 수용체에 의해 활성화된 효소가 이차 신호 전달물질들을 만들어 냄으로써 세포성장을 조절하며 신호를 전달한다. 세 번째 그룹은 세포핵의 전사조절인자(nuclear transcription factors)로 앞의 두 그룹에 의해서 활성화된 물질이 세포핵 내의 전사조절인자를 활성화 시켜 세포의 유전자 성장을 조절한다.

1) 펩타이드 성장인자와 수용체 타이로신 키나아제(peptide growth factors and receptor tyrosine kinases)

세포외 공간에 존재하는 펩타이드 성장인자는 세포 표면에 위치하는 수용체와 결합하여 분자 연쇄반응(molecular cascade)을 일으킴으로써 세포성장에 관여한다. 펩타이드 성장인자의 종류로는 상피세포성장인자(epidermal growth factor, EGF), 혈소판유래 성장인자(platelet-derived growth factor, PDGF), 섬유모세포성장인자(fibroblast growth factor, FGF)가 대표적이다. 펩타이드 성장인자의 수용체는 세포외 도메인(extracellular domain, ECD), 세포 내 도메인(intracellular domain, ICD), 이중막에 닿아 있는 도메인(membrane-spanning domain, MSD)으로 이루어져 있다.[8] 펩타이드 성장인자와 세포외 도메인의 결합에 의하여 활성화된 수용체는 신호전달을 위하여 이합체형성(dimerization) 및 구조적 변형(conformational shift) 그리고 인산화(phosphorylation)를 유도한다. 타이로신(tyrosine)을 매개로 한 수용체의 자가인산화(autophosphorylation)와 표적 단백질의 인산화 과정을 통해 이차적인 신호를 유발하여 세포성장을 촉진한다. 이와 같이 비정상적으로 활성화된 성장인자 수용체는 종양유전자의 일종 이라는 사실을 뒷받침해 주고 있으며 세포 표면에 위치하고 있는 위치적 차이점으로 인하여 치료 표적물질로서 유용하게 이용될 수 있다.

2) Wnt 신호전달경로(Wnt pathway)

Wnt 단백질은 Drosophilia 유전자인 wingless와 생쥐 유전자 int-1의 합성어로 배아 및 성인에서 세포증식, 분화, 사멸 등과 같은 필수적인 생물학적 과정에 관여하는 성장인자로, Wnt 신호전달체계의 배아 체세포 돌연변이는 다양한 조직에서 종양을 발생시킨다. Wnt의 신호전달 체계는 현재 4가지 정도가 알려져 있으며 그 중 가장 많이 알려진 체계는 Wnt/β-catenine 신호전달 경로이다. Wnt 신호체계를 억제하는 유전자는 발암(carcinogenesis)과정 중에 억제되며, 자궁내막암을 포함한 다양한 암에서 종종 관찰되고 있다. APC 유전자의 생식세포 돌연변이(germline mutation)는 가족성 샘종 폴립증(familal adenomatous polyposis)이라는 유전성 암을 유발한다.

3) 세포 내 종양유전자(intracellular oncogenes)

펩타이드 성장인자와 세포막 수용체가 결합하면 수많은 결합 단백질들과 이차 신호전달 물질들의 순차적인 활성화가 일어난다. 이러한 물질은 세포 내의 단백질 인산화 효소(protein kinase)를 활성화시키고 이 신호는 인산화 과정을 통하여 세포핵 내의 전사조절인자(transcription factor)를 조절한다.[9] 이러한 세포질 내의 인산화 과정을 촉매하는 효소를 비수용체 타이로신 키나아제(non-receptor tyrosine kinase)라 한다.

세포성장 신호를 조절하는 또 다른 신호전달 체제는 guanosine-triphosphate-binding protein (G-protein)이다. 이 G-protein은 세포질 내에 존재하는 guanosine triphosphate 가수분해 효소의 일종으로 guanosine triphosphate (GTP)와 결합하고 있을 때는 활성을 띄고 있으나, guanosine diphosphate (GDP)와 결합하고 있는 상태에서는 비활성을 띄게 된다.

4) 핵 종양유전자(nuclear oncogenes)

성장인자가 세포막 수용체와 결합하여 세포 내부의 수많은 결합 단백질들의 이차 신호전달 물질들이 활성화되면 세포핵 내의 전사조절인자와 DNA 복제 및 세포분열을 조절하는 단백질들의 발현이 촉진된다. 다수의 전사조절인자들은 원발암유전자로 fos, jun 유전자가 이에 해당한다. Fos, jun 유전자가 비정상적으로 과발현되면, 종양유전자 역할을 하여 DNA 복제와 세포분열에 필요한 유전자가 발현되어 세포가 증식하게 된다. Myc family의 과발현은 가장 흔히 관찰할 수 있는 유전자이며, 세포 증식뿐만 아니라 세포사에도 관여한다.

종양억제유전자 (Tumor Suppressor Genes)

종양억제유전자는 항종양유전자(antioncogene)라고도 하며 세포가 무분별하게 분열 및 성장하여 암으로 변화하는 과정을 막아주는 역할을 한다. 이 유전자에 돌연변이가 발생하여 기능이 상실되면 세포는 다른 유전자 변화와 동반하여 암으로 진행하게 된다. 암화 과정에서 종양유전자와는 달리 종양억제유전자는 'two-hit hypothesis'에 따라 특정 단백질을 코딩하는 양쪽 대립유전자가 모두 비활성화 된다. 만약 하나의 대립유전자만 손상을 받게 되면 다른 대립유전자가 정상적으로 단백질을 만들어 낼 수 있기 때문이다. 다시 말해서 대부분의 종양유전자는 우성 형질로 작용하는 반면 종양억제유전자의 돌연변이는 보통 열성 형질로 작용한다.

1) 핵 종양억제유전자(nuclear tumor suppressor genes)

Rb 유전자는 가장 먼저 복제된 종양억제유전자 이다. 망막모세포종 유전자는 세포 주기에서 G1기에서 S기로의 이행을 제어한다.[10] 대부분의 망막모세포종은 산발성(sporadic)으로 발생하지만 일부는 유전성으로 염색체 13q14에 위치한 RB1 대립유전자의 일측 돌연변이를 한쪽 부모로부터 물려받아 발생할 수 있다. 산발성 망막모세포종이 한쪽 눈에 발생하는 반면, 가족성 망막모세포종은 양쪽 눈에 종양이 발생하는 경우가 많으며 두 경우 모두 대립유전자의 결실과 잔존유전자의 변이를 보인다.

TP53 유전자는 p53 단백질을 만들어내는 종양억제유전자로 염색체 17q13에 위치하며 '유전체의 수호자' 라고 불린다. p53 단백질은 손상된 DNA를 회복시키고 세포 주기의 진행을 중단시켜 손상된 DNA를 회복시킬 충분한 시간을 확보하고 DNA 손상이 회복 불가능하면 세포자멸사를 시작하게 한다. TP53 유전자가 손상되게 되면 세포 주기가 과도하게 촉진되거나 정상적으로 제어되지 않아 암이 발생하게 된다.

2) 핵외 종양억제유전자(extranuclear tumor suppressor genes)

PTEN (phosphatase and tensin homolog)은 PIP3 (phosphatidylinositol (3,4,5)-trisphosphate)를 탈인산화시키는 인산분해효소(phosphatase)로 작용하여 PIK3-Akt 신호전달경로를 억제함으로써 세포 주기 조절, 세포 과다성장 방지의 역할을 하는 종양억제유전자이다. PTEN 유전자의 손상은 세포증식을 증가시키고 세포사를 감소시켜 암 발생의 원인이 된다. 교모세포종(glioblastoma), 자궁내막암, 전립선암에서는 PTEN 유전자의 비활성화가 관찰되며 폐암, 유방암에서는 PTEN 발현 감소가 관찰된다. APC 유전자는 세포증식과 세포유착(cell adhesion)을 조절하는 Wnt 신호전달경로에 관여하는 세포질 내 단백질을 만든다. APC 유전자의 비활성화는 악성 변환을 일으키며 유전된 돌연변이는 가족샘종 폴립증의 원인이 된다.

DNA 복구(DNA Repair)

DNA 복구는 유전체를 구성하는 DNA의 손상이 있을 때 이를 확인하고 교정하는 과정이다. 인간 세포에서는 다양한 요인들에 의해 DNA 손상이 일어날 수 있으며, 만약 DNA의 손상이 크고 누적되어 복구가 어려운 경우 노화, 또는 비가역적 휴면(irreversible dormancy)상태가 되거나 세포자멸사로 사라져야 한다. 그러나 DNA가 복구되지 못하고 사멸되지도 못한다면 이 세포는 조절되지 않는 세포분열로 인해 암으로 진행할 수 있다. DNA 복구는 크게 단일가닥손상(single strand damage) 복구와 이중나선절단(double helix breaks) 복구로 나뉜다.

단일가닥손상복구 (Single Strand Damage Repair); 절제복구 (Excision Repair)

DNA의 이중나선 중 단일가닥손상 발생 시 정상적인 반대쪽 가닥을 주형(template)으로 하여 손상된 나선의 복구가 일어나게 되는데, 단일 가닥의 손상된 부분을 절제하고 제거된 부분을 새로 합성하여 복구하는 메커니즘으로 절제복구(excision repair)라고 불린다. 절제복구의 종류는 염기절제복구(base excision repair, BER), 뉴클레오타이드 절제복구(nucleotide excision repair, NER), DNA 불일치 복구(mismatch repair, MMR)의 세 가지가 알려져 있다. Paul L. Modrich, Aziz Sancar와 Tomas Lindahl은 독자적으로 단일가닥손상의 복구메커니즘을 밝힘으로써 DNA 복구 연구의 초석을 이룬 공로를 인정받아 2015년 노벨화학상을 수상하였다.

1) 염기절제복구(base excision repair, BER)

염기절제복구(base excision repair, BER)는 DNA 염기(base)의 산화(oxidation), 탈아미노작용(deamination)과 알킬화(alkylation)로 인한 DNA 염기손상을 복구하는 것으로 DNA의

이중나선 구조가 크게 변화되지 않으면서 단일 염기의 손상이 있는 DNA를 교정하는 것이다. Tomas Lindahl은 1974년 대장균에서 손상된 우라실(uracil) 뉴클레오타이드를 복구하는 DNA glycosylase를 발견하여 염기절제복구 기전을 밝혀냈다. 시토신은 탈아미노작용으로 인해 우라실로 변형되기 쉽고, 만약 시토신이 우라실로 변형되면 구아닌과 상보적 결합을 하지 못하게 된다. 이때 DNA glycosylase가 손상된 우라실 염기를 인식하고 제거함으로써 염기절제복구가 시작된다.[11] DNA glycosylase에 의해 염기가 제거된 DNA의 부분은 apurinic/apyrimidinic site (AP site)가 되며, AP 핵속핵산분해효소(AP endonuclease)가 뉴클레오타이드 내부의 3', 5'- phosphodiester 결합을 절단하여 틈(nick)을 만들게 된다. DNA 중합효소(polymerase)는 결손 부위에 시토신 뉴클레오타이드를 합성하고 DNA 결합효소(ligase)가 연결하여 DNA를 복구한다.

2) 뉴클레오타이드 절제복구(nucleotide excision repair, NER)

염기절제복구(base excision repair, BER)가 하나의 손상된 뉴클레오타이드를 절단하고 복구하는 것과는 달리 뉴클레오타이드 절제복구(nucleotide excision repair, NER)는 손상된 뉴클레오타이드를 포함하여 인접한 주변의 뉴클레오타이드를 함께 제거하고 손실된 부분을 합성하여 복구하는 것이다. Aziz Sancar는 대장균에서 uvrA, uvrB, uvrC 단백질을 동정하여 in vitro에서 UVRABC nuclease를 합성하였다.[12] 이 UVRABC nuclease 효소는 자외선이나 cisplatin에 의해 손상된 대장균의 DNA에 작용하는데, 손상된 뉴클레오타이드를 포함하여 pyrimidine dimer의 5′ 방향에서 8번째 phosphodiester 결합을 절단하고 3′ 방향에서는 4번째 혹은 5번째 phosphodiester 결합을 절단한다(그림 2-4).

결과적으로 손상된 부분을 포함하여 12~13개의 뉴클레오타이드가 절단되고 절단된 부위는 DNA 중합효소와 연결효소에 의해 복구된다.

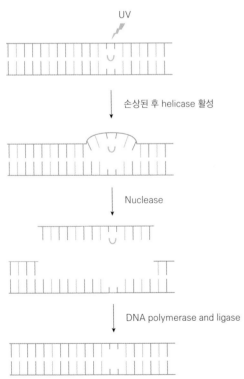

UV

손상된 후 helicase 활성

Nuclease

DNA polymerase and ligase

그림 2-4. 뉴클레오타이드 절제복구
자외선에 TT dimer가 형성되어 DNA 손상이 일어난다. Helicase가 이중나선을 분리하고 nuclease는 5′ 방향으로 8번째 절단, 3′ 방향에서는 4번째 혹은 5번째 결합을 절단한다. 절단된 부위는 DNA 합성 및 연결된다.

3) DNA 불일치 복구(mismatch repair, MMR)

DNA 불일치 복구(mismatch repair, MMR)는 세포가 분열하며 DNA가 복제되는 과정에서 뉴클레오타이드가 잘못된 DNA가닥에 결합하는 경우, 즉 올바른 염기쌍(A와 T, C와 G)의 결합이 일어나지 못한 경우 이를 복구하는 과정이다. DNA 복제 후 염기의 불일치가 발생하면 어떤 나선을 기초로 DNA 복구를 할 것인지가 중요하다. DNA가 복제되면 메틸화가 되어 있는 주형가닥(template strand)과 메틸화가 되어 있지 않은 딸가닥(daughter strand)으로 구별되며 새로 합성된 딸가닥에서 염기의 불일치가 발생할 수 있다. P. L. Modrich와 Mettew Meselson은 대장균에서 DNA 복제 후 발생하는 불일치 복구에 관여하는 MutS,

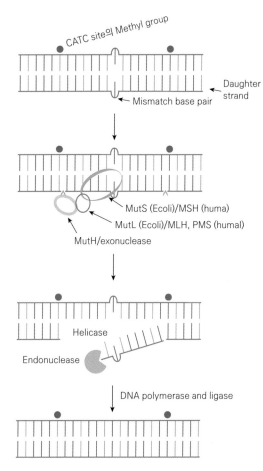

CATC site의 Methyl group

Daughter strand

Mismatch base pair

MutS (Ecoli)/MSH (huma)

MutL (Ecoli)/MLH, PMS (humal)

MutH/exonuclease

Helicase

Endonuclease

DNA polymerase and ligase

그림 2-5. DNA 불일치 복구

DNA 복제 후 염기의 불일치가 발생하면 MutS가 MutL을 끌어들이고 MutL에 의해 endonuclease 인 MutH가 활성화되어 메틸화가 되지 않는 딸가닥 GATC site를 절제한다. DNA helicase에 의해 분리되고 exonuclease에 의해 제거된다. 메틸화된 주형가닥을 기초로 DNA 중합효소에 의해 합성되고 DNA ligase에 의해 연결된다.

MutH, MutL 효소를 발견하였다.[13,14] DNA 복제 후 염기의 불일치가 발생하면 MutS가 DNA 이중가닥의 구조적 변화를 인지하고 결합한다. MutS는 MutL을 끌어들이고 MutL에 의해 endonuclease인 MutH가 활성화되어 메틸화가 되지 않는 딸 가닥의 GATC site에 결합, 절제하여 틈(nick)을 생성한다(그림 2-5).

이후 손상된 DNA 가닥은 DNA helicase에 의해 가닥이 분리되고 exonuclease에 의해 제거된다. 제거된 oligonucleotide는 메틸화된 주형가닥을 기초로 DNA 중합효소에 의해 합성되고 DNA ligase에 의해 연결된다. 뉴클레오타이드 절제복구(NER)와 DNA 불일치 복구(MMR)는 단일가닥손상의 발생 시 주변의 뉴클레오타이드가 함께 절제되는 것은 비슷하지만 자외선과 같은 요인에 의한 DNA 손상을 복구하는 뉴클레오타이드 절제복구는 세포 주기 G1 phase에서, DNA 복제오류를 교정하는 불일치 복구는 DNA 복제 후인 G2 phase에서 일어나는 차이가 있다.

인간에서도 불일치 복구는 중요한 DNA 복구기전이며 대장균의 MutS와 MutL의 상동 유전자로 MSH2, MSH3, MSH6, MLH1, MLH2, MLH3, PMS1와 PMS2가 알려져 있다. 불일치 복구와 관련된 유전자의 돌연변이가 있을 경우 유전체의 안전성이 손상되고 현미부수체 불안정성(microsatellite instability, MSI)이 발생하여 궁극적으로 암을 유발할 수 있다. MSH2, MSH6, MLH1 등의 생식세포 돌연변이로 대장암과 자궁내막암이 유발되는 것을 유전성 비용종증 대장암(hereditary nonpolyposis colorectal cancers, HNPCC or Lynch syndrome)이라 한다.

이중가닥절단복구
(Double-Strand Break Repair, DSBR)

이중가닥손상은 DNA 이중나선 모두가 절단되는 것으로 DNA 복제과정에서 주로 일어나며 적절하게 복구되지 않을 경우 세포의 심각한 손상을 일으킬 수 있다. 이중가닥손상의 복구가 부정확하면 유전체의 재배열로 돌연변이가 발생할 수 있고 부정확한 복구의 누적시 궁극적으로 암으로 진행될 수 있기 때문에 정확한 이중가닥손상 복구는 중요하다. 이중가닥손상의 복구는 절제된 말단을 직접 연결하는 비상동 말단연결(nonhomologous end joining, NHEJ)과 상동 이중나선 을 주형으로 손상된 가닥을 재조합하는 상동재조합복구(homologous recombination repair, HR repair)가 있다.

1) 상동재조합복구(homologous recombination repair, HR repair)

상동재조합복구는 손상된 이중나선 DNA와 유전정보가 일치하는(homologous) 정상 이중나선을 주형으로 유전정보를 교환한 후 재조합(recombination)하여 DNA를 복구하는 것으로 오류가 적다(그림 2-6).

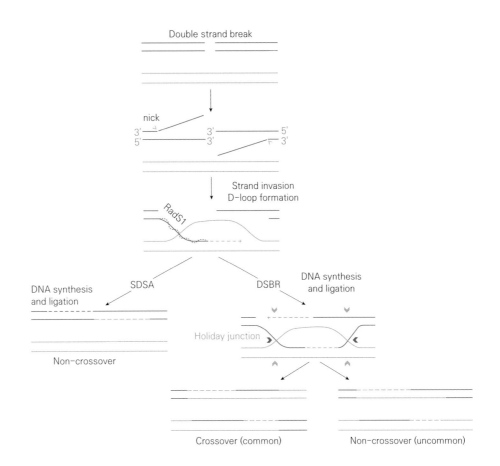

그림 2-6. 이중나선절단복구

이중나선절단이 발생하면 DNA 가닥의 5' ending strand를 선택적으로 분리하고 exonuclease로 절단하여 3' 단일가닥 돌출부를 만든다. Rad51는 3' 단일가닥 돌출부와 나선형으로 필라멘트를 형성하여 상동인 염색체에 가닥침범(strand invasion)하고 상동의 DNA 가닥을 밀어내어 D-loop을 형성한다. 절단된 가닥이 상동의 DNA 단일 가닥과 holiday junction을 이룬다. DNA 합성이 되어 복구가 되고 DSBR pathway는 holiday junction에서 교차가 일어나고 SDSA pathway는 교차가 없다.

DSBR, double-strand break repair; SDSA, synthesis-dependent strand annealing

이중나선절단이 발생하면 MRN (Mre11, Rad50, Nbs1) 복합체가 활성화되어 절단된 DNA 가닥을 모아주고 DNA 가닥의 5' ending strand를 선택적으로 분리한다. 이후 나선효소(helicase)가 이중가닥을 분리하고 exonuclease로 절단하여 3' 단일가닥 돌출부를 만든다. Rad51 단백질은 3' 단일가닥 돌출부와 나선형으로 필라멘트를 형성하여 상동인 염색체에 가닥침범(strand invasion)하고 상동의 DNA 가닥을 밀어내어 D-loop를 형성한다.[15] 이때 절단된 가닥들이 상동의 DNA 단일 가닥과 교차점을 만드는데 이를 holiday junction이라 한다. Double-strand break repair (DSBR) pathway와 synthesis-dependent strand annealing (SDSA) pathway가 있으며 DSBR pathway에서는 재조합 과정 중 holiday junction에서 교차가 일어나 상동 염색체와 DNA 교환이 일어난다. 반면에, SDSA pathway에서는 상동의 DNA가 복구를 위한 정보를 주지만 holiday junction에서 교차가 일어나지 않아 상동 염색체와 DNA의 교환은 없다.

감수분열(meiosis) 과정에서 이중가닥손상이 자주 발생할 수 있으며 상동재조합복구를 통하여 유전적 다양성이 발생한다. 체세포분열(mitosis) 시 상동재조합은 대부분 SDSA pathway로 일어나며 정상적인 상동의 자매염색분체가 필요하기 때문에 M phase 들어가기 전인 G2와 S phase에서 일어난다.

BRCA1과 BRCA2 유전자는 상동재조합복구 과정에 관여하는 중요한 유전자로 BRCA 돌연변이가 있으면 유방암과 난소암이 유발된다. BRCA 단백질은 Rad51단백질과 복합체를 이루어 3' 단일가닥 돌출부와 결합하고 주형이 되는 상동염색체에 가닥침범하는 과정에 관여한다. BRCA 돌연변이가 발생하면 상동재조합복구 결여(homologous recombination deficiency, HRD)로 이중가닥절단복구가 원활히 진행되지 않아 결국 암이 유발된다.

2) 비상동말단연결(nonhomologous end joining, NHEJ)

비상동말단연결은 DNA의 이중가닥절단 발생 시 상동염색체를 주형으로 이용하는 상동재조합복구와는 달리 상동염색체 주형이 없을 경우 이중가닥절단 부분이 직접 연결되는 복구 방식이다. 이 과정에서 일부 뉴클레오타이드의 소실이 유발될 수 있어 오류가 발생하기 쉽다. 비상동말단연결에서는 이중가닥절단 발생 시 Ku70/Ku80 이합체가 절단부위의 DNA 의존활성효소와 복합체를 이루고 핵산분해효소가 절단부위 DNA 일부를 다듬는다. 이후 DNA 중합효소가 DNA를 합성하고 연결효소로 연결된다.

침윤, 전이 및 혈관신생(Invasion, Metastasis, and Angiogenesis)

암은 오랜 기간 동안 순차적이고 복잡한 일련의 단계들을 거쳐 형성된다. 암발생 초기 단계에서 암세포는 암이 발생한 원발병소에서 통제할 수 없는 성장에 의한 지속적인 분열을 거쳐 원발성 종양을 형성한다. 이 중 일부 세포가 원발조직의 기저막을 뚫고 주변으로 침윤한다. 주변조직으로 침윤한 암세포들의 일부는 혈관 또는 림프관 내로 침투한다. 이 중 혈관으로 침윤한 암세포들은 원격 장기로 이동하여 새로운 종양을 형성함으로써 암의 원격 전이가 이루어지고 이는 암 환자의 직접적인 사망 원인의 약 90%를 차지한다. 혈관신생은 종양의 증식에 필요한 영양분 및 산소를 공급할 뿐 아니라, 종양 안에 형성되는 모세혈관을 통한 암 세포의 체내 확산 및 전이를 돕는 중요한 역할을 수행한다. 지금까지 암에 대한 이해는 많은 의학적 발전을 통해 그 기틀을 마련하였지만, 암 진

종양 미세환경
(Tumor Microenvironment)

종양 미세환경(tumor microenvironment)은 변이된 세포가 악성 종양으로 진화하는 과정 중 종양세포의 생장기반을 제공해주는 복잡하고 국소적인 세포환경을 통칭한다. 최근 종양 미세환경이 종양의 진행과 전이를 촉진시키는데 매우 중요한 역할을 하는 것으로 점차 밝혀지고 있다.[16] 종양이 성장하는 동안 기존에 존재하던 간질세포와 종양주변으로 새롭게 모인 정상세포가 암세포에서 분비되는 다양한 종양형성인자나 혈관신생인자에 의해 활성화되어, 원발성 종양의 공격성 및 전이를 촉진시키는 종양 미세환경을 만드는데 기여한다. 종양세포에 의해 조절되는 종양 미세환경은 종양을 숙주면역체계로부터 보호하고 항암치료 저항성을 높이며 휴면(dormant) 상태의 암세포 혹은 원발성 종양에서 파종(dissemination)된 암세포를 위한 기생위치(niche)로 제공된다(그림 2-7).[17]

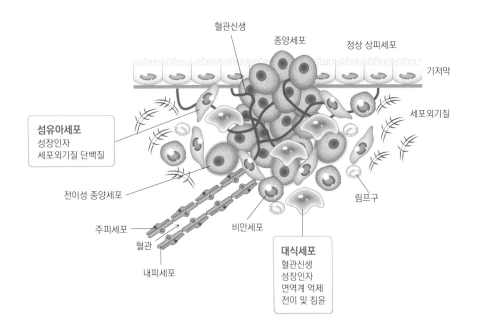

그림 2-7. 종양 미세환경
종양 미세환경 형성에 혈관 또는 림프내피세포, 면역세포, 골수유래 염증세포, 주피세포, 섬유아세포, 림프구, 대식세포, 및 수지상세포등 다양한 세포들이 관여한다. 또한 세포외 기질, 성장인자, 및 다양한 신호전달물질들이 종양 미세환경내에서 중요한 역할을 수행한다.

종양 미세환경에서 일어난 일련의 과정들은 상처 치유 과정과 매우 유사하다.[18] 조직 손상에 의한 염증반응은 면역세포의 유입, 전염증성인자(proinflammatory factor) 및 성장인자 생성, 조직 재형성 및 혈관신생을 유도하여 종양 전이의 주요 원인이면서, 대다수 암환자의 나쁜 예후와 관련 있는 것으로 알려져 있다. 종양 미세환경에 존재하는 종양대식세포(tumor-associated macrophage, TAM)는 대부분 골수에서 혈관을 통해 이동해 온 단핵구로부터 유래된다. 종양대식세포는 친염증 기능을 가지는 M1 대식세포와 항염증 기능을 가지는 M2 대식세포로 나누어진다(그림 2-8).

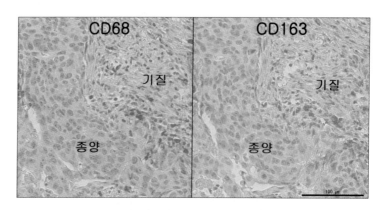

그림 2-8. 종양관련 M2 대식세포의 면역조직화학 염색

종양관련 대식세포는 CD68(전체 대식세포 마커) 및 CD163 (M2 대식세포 마커)에 대한 항체로 난소 암조직에서 확인했다. 기질 부분에 M2 대식세포가 관찰된다(계명대학교 의과대학 황일선 교수 제공).

암관련 섬유모세포(cancer-associated fibroblast, CAF)는 이미 조직에 존재하는 정상 섬유모세포로부터 만들어진다. 이 두 종류의 세포는 종양 미세환경에서 가장 많이 존재하는 세포이며, 이들에서 분비되는 물질들은 종양 시작, 진행, 회피, 항암화학요법 내성획득에 중요한 역할을 수행한다.

침윤 및 전이
(Invasion and Metastasis)

원발성 종양이 다른 조직으로 퍼지지 않고 발생 조직에 국한될 경우 양성종양이라 분류하고, 암세포가 물리적 장벽인 기저막을 뚫고 주위의 기질을 침윤한 경우 악성 종양으로 분류한다(그림 2-9).

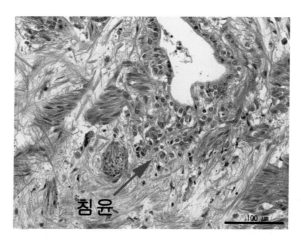

그림 2-9. 자궁경부암에서 종양세포의 침윤
[H&E 염색(울산대학교 의과대학 송준선 교수 제공)]

암세포가 주변 기질로 침윤하기 전 또는 침윤과정 중에 암세포는 주변 결합조직을 변형시키고, 염증반응 및 혈관신생을 활성화시킨다. 암세포 침윤은 이웃하고 있는 세포들 사이의 부착력(cell adhesion)을 감소시키며 세포의 운동성을 증가시키고, 더 나아가 기저

막의 파괴 및 세포외기질의 재구성을 포함한다. 이때 전이능력을 가진 암세포의 일부는 원발성 종양에서 분리되어 혈관으로 유입(intravasation)되고, 혈관을 따라 원거리를 이동한 후, 혈관외 유출 과정을 거쳐 다른 조직에 정착해 새로운 종양의 집락을 형성(colonization)하는데 이 일련의 과정을 침윤-전이 과정(invasion-metastasis cascade)이라 한다(그림 2-10).

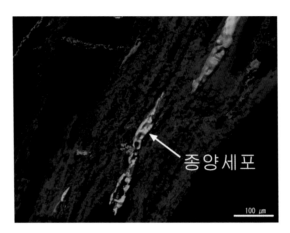

그림 2-10. 췌장암조직에서 종양세포의 혈관 침윤
생체조직 투명화기법(tissue clearing)과 공초점 현미경(confocal microscopy)을 이용하여 재구성한 췌장암 조직의 3차원 이미지. 녹색의 암세포가 파란색의 혈관의 근육층(muscular layer) 안쪽에서 침윤을 보이고 있다. 빨간색의 혈관내피세포도 관찰된다[녹색: cytokeratin 19; 파란색: desmin; 빨강색: CD31(울산대학교 의과대학 홍승모 교수 제공)].

1) 침윤-전이 과정(invasion-metastasis cascade)

침윤-전이 과정은 일련의 복잡한 단계를 거치는데, 각 단계에서 종양 세포의 특별한 기능이 요구된다(그림 2-11).

종양세포가 증식하는 동안 종양이 발생한 상피층에서 수평 및 수직으로 확장을 한다. 이때 종양세포는 서로 이웃하고 있는 인접한 정상 상피세포에 대한 부착력이 떨어진다. 또한 종양세포 근처의 기질이 활성화되고 염증 반응이 발생하여 기저막이 파괴된다. 기저막을 허물고 나온 종양세포는 림프관이나 혈관으로 침입하고, 종양세포가 림프관에 들어가면 국소 림프절로 이동하여 여기서 생존한 일부 종양세포가 림프절 전이를 형성한다. 반면, 혈관에 들어간 종양세포는 면역감시체계뿐만 아니라 혈관 내 빠른 혈류에 노출된다. 더불어 정상 혈액세포보다 거대한 종양세포는 모세혈관 그물에서 빠져나가지 못하는 경우가 발생한다. 그러므로 극히 소수의 종양세포만이 살아남아 혈관외 유출 과정을 거쳐 폐, 뇌, 간 등, 미세혈관이 많이 분포한 장기에 정착한다. 새로운 조직환경에서 암세포는 기질에 재부착하고 오랜 기간 생존한 이후 미세 전이를 형성한다. 이러한 미세 전이는 항암 치료가 성공한 이후에도 체내에 남아 있을 수 있으며, 항암 치료 후 수년이 지난 이후에도 다시 이상증식을 시작할 수 있다. 전이의 마지막 단계는 종양을 활발하게 성장시키기 위한 미세 전이의 확장이다. 일반적으로 순환종양세포 중 아주 극소수(0.01%)만이 종양 집락에서 이차 병소를 이룰 수 있게 된다.

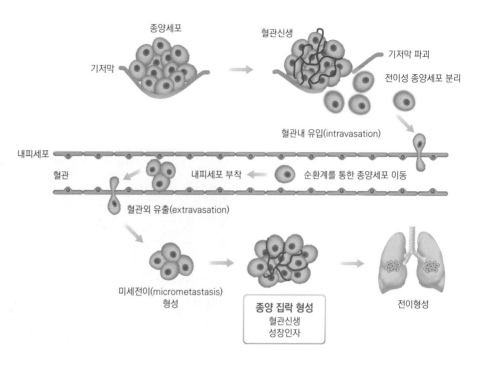

그림 2-11. 침윤-전이과정

원발성 종양에서 분리되어 나온 전이성 종양세포는 기저막을 뚫고나와 혈관으로 유입되고, 혈관을 따라 원거리를 이동한 뒤, 혈관외 유출 과정을 거쳐 다른 조직에 정착해 새로운 종양 집락을 형성하는데, 이 일련의 복잡한 과정을 거쳐서 암 전이가 이루어진다.

2) 상피간엽이행(epithelial-mesenchymal transition)

상피세포가 일련의 형태학적 및 생화학적 변화를 거쳐 중배엽(mesenchymal) 특성의 표현형을 획득하는 과정을 상피간엽이행(epithelial-mesenchymal transition, EMT)이라 한다. 상피간엽이행은 원발성 종양 덩어리로부터 종양세포의 분리와 주변으로의 침윤을 용이하게 하는, 보다 침습적이고 운동성 높은 악성 종양의 표현형 발현과 깊은 관련이 있다.[19] 상피간엽이행은 상피세포내 E-cadherin, claudins 및 zonula occludens-1 (ZO-1)과 같은 상피세포 접합(epithelial cell junctional) 단백질 발현 소실을 통한 세포-세포 부착력 및 양극화 상피형태(polarized epithelial morphology)의 상실을 유도하고, N-cadherin, vimentin과 같은 중배엽 표현형을 증가시키고, 섬유결합소(fibronectin)와 세포골격을 재구성함으로써 일어난다.

혈관신생 (Angiogenesis)

혈관신생은 기존의 모세혈관으로부터 새로운 모세혈관이 형성되는 기전이며, 성인이 된 후의 혈관신생은 암을 포함한 많은 질병의 진행과 치료에 중요한 역할을 한다. 종양 혈관신생은 종양의 증식과 전이에 필수적인 과정으로, 종양 덩어리 내부에 신생 혈관형성을 유도하는 일련의 순차적 과정이다. 혈관 성장의 다른 유형으로는 동맥신생(arteriogenesis), 정맥신생(venogenesis) 및 림프관신생(lymphangiogenesis)이 있다.

1) 혈관신생 인자

종양세포 덩어리가 계속 성장하기 위해서는 혈관신생을 통한 산소와 영양분 공급이 필수적이다. 만약 종양이 커져서 근처 혈관으로부터 산소를 공급받지 못하면 저산소 환경에 노출되며, 종양세포는 HIF1α (hypoxia inducible factor 1α)라는 물질을 분비한다. 이 신호전달 물질은 내피세포와 기질세포를 자극하여 다양한 신호전달물질 생성을 유도하고, 이들이 복잡하게 연결된 신호전달 반응을 일으키며 혈관신생을 촉진하게 된다. 이러한 과정을 'angiogenic switch'라고 부른다. 혈관내피성장인자-A (vascular endothelial growth factor-A, VEGF-A)는 혈관신생을 조절하는데 중추적인 역할을 한다. 혈관내피성장인자-A ligand는 세포막에 존재하는 혈관내피성장인자 수용체 2 (VEGFR2)와 결합하여 ligand-receptor complex를 형성한다. 그 결과 VEGFR2의 활성에 의하여 하위 신호전달인자의 인산화가 유도되어 혈관내피세포의 이동, 분열, 생장, 대사를 촉진한다. 혈관신생 인자로는 VEGF-A 이외에, 섬유모세포성장인자(fibroblast growth factor, FGF), matrix metalloproteases (MMPs) 및 다양한 신호 전달물질 등이 알려져 있다.

2) 림프관신생(lymphangiogenesis)

림프관신생은 기존 림프관에서 새로운 림프관이 형성되는 것을 뜻하며, 출생 후 림프관 성장의 주된 기전이다. 림프관은 복잡한 망상 조직을 구성하여 체내의 간질액 항상성 및 면역반응 유지기능을 담당한다. 림프관계의 주요 기능은 모세혈관에서 누출되는 단백질성 물질을 혈관으로 돌려보내는 작용이다. 일반적으로 림프관신생은 배아발생기간 동안 림프계 발생에 필요하며, 여성 생식주기동안 난소 및 유선조직의 재건을 제외하고는 건강한 성인에서는 발생하지 않는다. 그러나 급성 및 만성염증상태, 상처 치유 및 암과 같은 다양한 병리조건은 림프관신생 및 기존 림프관의 확대를 유도한다. 앞서 설명한 바와 같이, 암환자 사망이 대부분 종양세포의 원격 장기 전이에 기인하므로 림프혈관계는 종양세포 파종과 전이에 필요한 중요 경로 중 하나이다(그림 2-12).

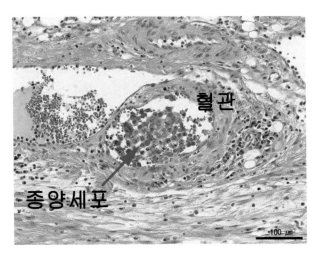

그림 2-12. 종양세포의 림프혈관계 침윤
[H&E 염색(성균관대학교 의과대학 김경은 교수 제공)].

따라서 원발성 종양 및 전이된 종양의 새로운 림프관 형성은 암 환자의 중요한 예후인
자이며, VEGF-C가 림프관 성장을 유도하고 이를 통해 전이 과정을 조절한다고 알려져
있다.

침윤, 전이 및 혈관신생을 이용한 임상적 치료

고형 종양의 일반적인 치료방법은 원발성 종양의 외과적 제거와 항암방사선요법이다. 그
러나 이 치료방법은 전이가 동반되어 있는 환자에게는 제한적인 성과만 거둘 수 있다.
즉, 전이를 막을 수만 있다면 암환자의 생존율을 크게 향상 시킬 수 있을 것이다.

현재 임상 시험중인 대다수의 혈관신생 억제제는 VEGF에 대한 항체를 이용하거나 혈
관내피성장인자 수용체를 표적으로 한다. 종양의 대다수가 처음에는 VEGF 표적 치료법
에 의해 효과적으로 조절되나, 종양세포에 추가적인 혈관유발인자를 증가시켜 새로운 통
로를 형성하는 종양 회피(tumor evasion) 기전으로 인해 재발한다. 혈관신생 억제제는 직
접 및 간접 혈관신생 억제제로 구분한다. 직접 혈관신생 억제제는 혈관내피세포의 증식
과 운동성을 차단한다. 직접 혈관신생 억제제는 종양 회피와 약제내성이 덜 발생하며,
endostatin, angiostatin 및 탈리도미드(Thalidomide)와 같은 약물이 포함된다. 반면에
간접 혈관신생 억제제는 내피세포가 아닌 세포의 성장인자 또는 관련된 경로를 차단한
다. 간접 혈관신생 억제제에는 VEGF에 대한 항체, VEGF 수용체에 대한 가용성 수용체
또는 혈관주위세포 저해제가 포함된다. 간접 혈관신생 억제제는 종양세포에서 나오는 인
자를 차단하므로 대체혈관 형성인자를 생성하는 내성 종양을 유발할 수 있다.

최근 전이가 확인된 암 환자 치료를 위한 새로운 면역치료법이 소개되었다. 이 방법
은 programmed death-ligand 1 (PD-L1) 및 cytotoxic-T-lymphocyte-associated an-
tigen 4 (CTL4)와 같은 면역관문을 저해하는 인자에 대한 항체를 이용하는데, 니볼루맙
(Nivolumab)이나 펨브롤리주맙(Pembrolizumab)과 같은 항 PD-L1 항체와 이필리무맙(Ip-
ilimumab)과 같은 항 CTLA4 항체가 대표적이다.[20] 종양 세포 표면에 존재하는 PD-L1
은 수용체인 programmed cell death protein 1 (PD1)과 결합하여 면역세포의 활성
을 억제하는데 항 PD-L1항체는 이 결합을 방해하여 면역세포의 활성을 유지시킨다. 항
CTLA4 항체는 체내에 들어오면 CTLA4에 결합하여 수지상세포 표면에 발현하는 clus-
ter of differentiation 80 (CD80) 및 CD86과 결합할 수 없게 되어, 결과적으로 면역세포
의 활성이 저해되는 것을 억제할 수 있다.

부인암의 분자생물학(Molecular Biology in Gynecologic Malignancies)

자궁내막암
(Endometrial Cancer)

1) 원인(etiology)

자궁내막암은 병태생리에 따라 두 가지 유형으로 분류된다. 제1형 암은 조직 소견상 자궁내막양(endometrioid) 암으로 70~80%를 차지하며, 젊은 나이 또는 폐경 전, 후기에 주로 발생한다. 내인성 혹은 외인성 난포호르몬의 지속적인 노출과 관련이 있으며 자궁내막증식증에서 진행하는 경우가 많다. 비만은 지속적인 내인성 에스트로겐 노출의 가장 흔한 원인이며 인슐린 저항성과 발암과정에 영향을 주는 인슐린유사성장인자의 과발현과 관련이 있다. 제1형 암은 일반적으로 분화가 좋고 호르몬 수용체 양성으로 예후가 우수하다. 제2형 암은 비자궁내막양 암 형태로 장액성 암, 투명세포 암 및 암육종이 이에 해당되며, 분화가 나쁘고 예후가 불량하다. 에스트로겐에 의해 영향받지 않으며 일반적으로 에스트로겐이나 프로게스테론 수용체를 발현하지 않는다. 주로 고령 여성의 위축성 자궁내막이나 자궁내막용종에서 발생하며 비만과 관련이 없다(표 2-1).

표 2-1. 자궁내막암의 분류

	제1형	제2형
임상특징	대사증후군 관련 질환(비만, 고지혈증, 에스트로겐 농도 증가, 다낭성난포증)	고령
분화도	낮음	높음
호르몬수용체	양성	음성
조직형태	자궁내막양(endometrioid)	비자궁내막양(장액성, 투명세포 암)
유전적 안정성	두배수체(diploid), 현미부수체 불안정성(frequent microsatellite instability, 40%)	이수체(aneuploid)
TP53 돌연변이	없음	있음
예후	우수(5년 생존율 85%)	불량(5년 생존율 55%)

2) 암 유전체 아틀라스 연구(The Cancer Genome Atlas Project)

암 유전체 아틀라스(The Cancer Genome Atlas, TCGA)는 2006년 미국 국립보건원에서 아교모세포종과 고등급 장액성 난소암에 대해 시작한 연구로 20개 이상의 암에 대해서 각각의 유형을 수집하고 특징을 규명하였으며, 데이터를 공개적으로 접근할 수 있는 인프라를 개발하였다. 자궁내막암에서는 자궁내막양과 장액성 암에 대해 연구하였는데, 다음과 같이 네 가지 범주로 분류하였다(표 2-2).[21]

① POLE (DNA polymerase) ultramutated group

② Hypermutated/microsatellite unstable (MSI) group

③ Copy number low/microsatellite stable group

④ Copy number high (serous-like) group

표 2-2. TCGA 분석에 의한 자궁내막암의 분류

Group	조직형태	분화도	돌연변이 비율	예후	돌연변이 유전자
POLE-ultramutated (7%)	대부분 자궁내막양	높음	매우 높음	우수	PTEN (94%), PIK3CA (71%), PIK3R1 (65%), ARID1A (76%), KRAS (53%), ARID5B (47%)
MSI-hypermutated (28%)	대부분 자궁내막양	높음	높음	중간	PTEN (88%), RPL22 (33%), KRAS (35%), PIK3CA (54%), PIK3R1 (40%), ARID1A (37%)
Copy number low (39%)	자궁내막양	대부분 낮음	중간	중간	PTEN (77%), CTNNB1 (52%), PIK3CA (53%), PIK3R1 (33%), ARID1A (42%)
Copy number high (26%)	대부분 장액성, 일부 자궁내막양	높음	낮음	불량	TP53 (92%), PPP2R1A (22%), PIK3CA (47%)

첫 번째 군은 전사 오류 복구와 관련된 DNA 중합효소인 POLE의 exonuclease영역에서 돌연변이가 일어나는 것이 특징이며, 매우 높은 돌연변이율을 보이고 60세 미만의 비교적 젊은 연령에서 발생한다. 두 번째 군은 현미부수체 불안정성 및 과대돌연변이가 나타나며 현미부수체 안정화(microsatellite stable) 종양보다 약 10배 많은 돌연변이율을 보인다. 대부분 자궁내막양 암에서 관찰되며 DNA 복제 수 변형(DNA copy number alteration)은 거의 없다. 현미부수체 불안정성이 없는 암은 소수의 초점 복제 수 변형만 있는 자궁내막양 암 군과 광범위한 DNA 복제 수 변형을 보이는 장액성 암 군으로 구분할 수 있다. TCGA 연구에 따르면 38개의 유전자 증폭과 43개의 손실을 포함하여 약 81개의 일부 복사 번호 변경이 확인되었다. 분류된 네 군 모두 저등급 자궁내막양 암을 포함하고 있는데, 이는 유전체 프로파일이 동일한 조직 소견에서도 서로 다를 수 있음을 뜻한다. 따라서 기존의 조직 소견이나 분화도에 따른 구분과 달리 유전자 변형 경로 및 종양유전자를 기반으로 한 새로운 표적 치료법이 연구되고 있다.

3) 종양억제유전자 변형(tumor suppressor gene alterations)

TP53 종양억제유전자의 불활성화는 자궁내막암에서 가장 흔한 유전자 변형 중 하나이다. TP53 돌연변이는 전체 자궁내막암의 약 20~30%에서 발생하며, 그 중에서 TP53 과오돌연변이(missense mutation)는 75%를 차지하며 면역염색에서 p53 돌연변이 단백질의 과발현이 관찰되지만, TP53 넌센스돌연변이(nonsense mutation)는 p53 단백질이 발현되지 않는다. 다수의 연구에서 p53 과발현과 불량한 예후에 대한 상관관계를 확인하였다.[22] 이러한 TP53 돌연변이는 주로 장액성 또는 고등급 자궁내막양 자궁내막암에서 관찰된다.

PTEN은 세포증식을 억제하고 세포자멸사를 유도하는 종양억제유전자로, 제1형 자궁내막암에서 약 34~55%로 흔하게 관찰되며 제2형의 발암과정에도 관여한다. PTEN 유전자의 돌연변이는 자궁내막양 조직 소견, 초기 병기, 좋은 예후와 관련이 있다. 분화도가 좋은 초기 병기에서 PTEN 돌연변이의 빈도가 가장 높으며, 장액성 암에서는 드물게 나타난다. 또한 자궁내막증식증에서 PTEN 변이가 관찰되거나 정상 자궁 내막에서 PTEN 소실이 보이면 이는 일부 자궁내막암으로 진행하는 초기 변화임을 나타낸다.[23]

TCGA 연구에서 밝혀진 TP53과 PTEN 이외에 자궁내막암에서 주목할 만한 다른 돌연변이 유전자로는 FBXW7, ARID1A, PPP2R1A, CTCF가 있다.[21] FBXW7은 장액성 자궁내막암의 30%에서 돌연변이가 일어나며, ARID1A는 자궁내막양 자궁내막암과 투명세포 난소암에서 처음 돌연변이가 보고되었다. PPP2R1A는 장액성 자궁내막암의 20~30%에서 돌연변이가 관찰되지만 장액성 난소암에서는 변이가 없고, 자궁내막양 암에서는 상대적으로 낮은 빈도의 돌연변이를 보인다. CTCF는 종양억제인자로서 자궁내막양 암의 약 25%에서 돌연변이가 확인되었지만, 장액성 암의 경우에는 관찰되지 않았다.

4) 종양유전자 변형(oncogene alterations)

자궁내막암에서 종양유전자 변형 빈도는 종양 억제 유전자의 비활성화보다 적게 나타난다. HER-2/neu 발현 증가는 자궁내막암의 10%에서 확인되며, 진행된 병기 및 불량한 예후와 관련이 있다. TCGA 연구에서 HER-2/neu 과발현은 장액성 자궁내막암의 약 25%에서 관찰되지만, 자궁내막양 자궁내막암에서는 1%만이 관찰되어 조직형태와 강한 연관성을 보인다. 다른 연구에서도 HER-2/neu 과발현이 자궁내막양 암의 7%에서 관찰된 반면, 장액성, 투명세포 자궁내막암에서는 각각 28%, 35%에서 HER-2/neu 과발현이 관찰되었다.[24]

TCGA 연구에 따르면 KRAS 변이는 자궁내막양 자궁내막암의 25%에서 발생하며, 장액성 자궁내막암에서는 거의 발생하지 않았다. 또한 돌연변이율이 높은 자궁내막양 암은 높은 KRAS 돌연변이 빈도를 보였다.

PIK3CA 돌연변이는 전체 자궁내막암의 40%에서 관찰되며, 약 1/4의 환자에서 PTEN 및 PIK3CA의 돌연변이가 확인되었다. PTEN 불활성화 및 PIK3CA의 활성화는 AKT의 활성화 및 mTOR 경로의 상향 조절(upregulation)로 이어진다. 이러한 기전을 통해 템시롤리무스(Temsirolimus)와 같은 AKT/mTOR 경로 억제제가 자궁내막암 치료에 이용될 수 있다.

CTNNB1 (β-catenin) 돌연변이는 간암, 전립선암, 대장암, 자궁내막암을 포함한 여러 종류의 암에서 관찰된다. 유전자의 돌연변이에 의한 β-catenin 단백질의 핵축적은 자궁내막암의 약 1/3에서 보고되었으며, 장액성 암에서는 β-catenin의 변이가 관찰되지 않았다.[25] TCGA 연구에 따르면 돌연변이 빈도는 현미부수체 안정/비돌연변이 자궁내막양 암의 경우 50%인 반면에, 현미부수체 불안정성이 높은 암의 경우 15~20%에 불과하였다.

자궁내막암의 약 10%에서 섬유모세포성장인자 수용체 2 (FGFR2) 유전자 돌연변이가 관찰되는데, 특히 자궁내막양 암에서 더 흔하게 발견되고 현미부수체 불안정성인 경우에서도 확인된다. 이는 초기 자궁내막양 암의 불량한 예후와 관련이 있는 것으로 보고되었다.[26]

세포증식과 관련된 핵 전사요인 중 Myc 유전자는 정상 자궁 내막에서도 나타나지만, 일부 자궁내막암에서도 증가하는 것으로 알려져 있다. TCGA 연구에서 Myc 체성 돌연변이 빈도는 낮았지만, 장액성 자궁내막암의 25%에서 높은 수준의 증가를 보였다.

5) 자궁육종(uterine sarcomas)

자궁육종에서는 유전자 변형에 대해서 알려진 바가 많지 않다. 자궁암육종(uterine carcinosarcoma)에 대한 TCGA 연구는 종양의 90% 이상에서 체세포 TP53 변이를 확인하였으며 자궁 평활근육종(uterine leiomyosarcoma)에서는 35%에서 TP53 변이를 보였다. 자궁 내막 간질 육종(uterine endometrial stromal sarcoma)은 두 유전자의 일부가 융합하는 유전자 재배열이 특징적이며, 이를 통해 악성 변화를 유도하는 것으로 추정된다.

난소암
(Ovarian Cancer)

1) 원인(etiology)

난소암의 대부분은 산발적이며, 유전적 손상의 축적으로 발생한다. 후천적 유전자 변형의 원인은 아직 명확하지 않지만, 외인성 발암물질과의 관련성은 높지 않다. 배란시 염증이 있거나 자궁내막증 또는 감염과 관련된 세포증식 및 산화스트레스가 DNA 손상 축적의 원인이 될 수 있다. 배란 횟수가 줄어드는 임신이나 피임약 복용은 난소암 예방에 도움이 되며, 에스트로겐, 안드로겐과 같은 생식호르몬의 작용은 난소암 발병의 원인이 될 수 있다. 난소암은 다양한 형태를 보이는 이질적인 특성을 보이지만, 조직 소견이나 분화도, 병기, 유전자 변이를 기준으로 다음과 같이 크게 두 가지 유형으로 분류할 수 있다(표 2-3).[27]

표 2-3. 상피성 난소종양의 조직학적 분류 및 특징

		발생부위	진단 병기	예후	변이 유전자
Type I	저등급 장액성 암	난관	진행성	우수	KRAS, BRAF, NRAS, USP9X, EIF1AX
	자궁내막양/투명세포 암	자궁내막증	초기	우수	PTEN, PIK3CA, CTNNB1 (β-catenin), ARID1A, PPP2R1A
	점액성 암	불명확	초기	우수	KRAS, HER-2/neu, TP53, CDKN2A
Type II	고등급 장액성 암	난관	진행성	불량	TP53, BRCA1, BRCA2, NF1, CCNE1, RB1, PIK3CA, PTEN, HRR genes

제1형 종양은 저등급 장액성, 점액성, 자궁내막양, 투명세포 난소암이 해당되며, 제2형 종양은 주로 고등급 장액성 난소암이지만, 고등급 자궁내막양 난소암, 암육종, 미분화 암을 포함한다. 고등급 장액성 난소/난관/복막암의 경우 원위 나팔관과 나팔관 체부의 상피세포에서 발생한다. 이는 예방적 수술을 받은 BRCA1과 BRCA2 유전자 돌연변이 환자에서 발견되는 대부분의 초기 장액성 난소암이 나팔관 체부에서 발생, TP53 돌연변이가 과발현하는 장액성 나팔관 상피내종양(serous tubal intraepithelial carcinoma, STIC)과 관련이 있는 것으로 밝혀졌다. 대조적으로 대부분의 자궁내막양 및 투명세포 난소암은 난소 혹은 다른 골반 부위의 자궁내막증에서 발생한다고 알려져 있다. 점액성 난소암은 전이성 위장관계 암에서 나타나지만, 기존의 난소 기형종에서도 발생할 수 있다.

2) 고등급 장액성 난소암(high-grade serous ovarian cancer)

고등급 장액성 난소암은 TCGA 연구가 분석한 두 번째 암으로 많은 복제 수 변형을 보이는 높은 유전적 불안정성과 TP53 불활성화, 상동재조합복구 기전에 관계된 유전자, *BRCA1*과 *BRCA2* 유전자 돌연변이를 특징으로 한다. TCGA 연구에서 489건의 DNA 복제 수 변형을 조사한 결과, 가장 흔한 국소 증폭은 CCNE1 (cyclin E), Myc, MECOM에서 관찰되었고 이들 각각은 암의 20% 이상에서 증가되었다. Cyclin E1 증폭은 *BRCA1*과 *BRCA2* 유전자 돌연변이와 독립적으로 발생하며 환자의 생존율 감소와 관련이 있다. 또한, 잘 알려진 종양억제유전자인 PTEN, Rb, NF1의 결손을 포함하여 50개의 국소결손을 확인하였다. RB1 종양억제유전자 돌연변이가 난소암의 일반적인 특징은 아니나, RB1의 불활성화와 TP53 돌연변이가 함께 있는 경우 암의 진행에 중요한 역할을 하는 것으로 알려져 있다. 전체 15% 정도에서 RB1 유전자 손실이 확인되며, NF1 유전자 또한 비슷한 빈도를 나타냈다. 대다수의 유전자가 고등급 장액성 난소암에서 증폭되거나 결실을 보이지만 어느 유전자가 종양 형성의 출발점이 되는지를 밝히는 것이 중요하다. 일부 난소암에서 HER-2/neu의 발현이 증가하며 생존율 저하와 관련이 있으나 HER-2/neu 과발현을 보이는 난소암에서 고도의 유전자 증폭을 보이는 경우는 드물다.

TCGA 연구에서 고등급 장액성 난소암과 관련한 돌연변이 유전자 중에 TP53, *BRCA1* 및 *BRCA2*가 가장 빈번하게 나타났다. TP53 종양억제유전자 돌연변이는 고등급 장액성 난소암에서 가장 흔한 유전적 변이이며 장액성 나팔관 상피내종양과도 관련있는 초기 현상이다. TCGA연구에서는 난소암 표본의 95% 이상에서 TP53 돌연변이를 확인하였고, 이는 암 발생에 필수적인 현상임을 시사하며, 돌연변이가 없었던 몇몇 사례는 추후 병리학적 검토를 통해서 고등급 장액성 난소암이 아닌 것을 확인하였다.[28] 고등급 장액성 난소암의 31%에서 *BRCA1*과 *BRCA2* 유전자의 손실을 보이며, 이로 인한 이중가닥 DNA의 상동재조합 손상을 예측할 수 있다. 이중 가닥 DNA 상동 재조합 수리 경로에 결함이 있는 암은 단일 가닥 DNA 복구 경로를 억제하는 약물을 통해 효과적인 표적 치료의 대상이 될 수 있으며, PARP 억제제는 특히 *BRCA1* 또는 *BRCA2* 돌연변이와 관련하여 이중가닥 DNA 상동재조합복구에 결함을 가진 세포에 대해 선택적으로 작용하여 치료효과를 나타낸다.

3) 경계성 및 침윤성 저등급 장액성 난소암
(borderline and invasive low-grade serous ovarian cancers)

고등급 장액성 난소암과 마찬가지로 경계성 및 침윤성 저등급 장액성 난소암이 나팔관 상피세포에서 발생하는 것은 유사하지만, 유전적 변화는 다르게 나타난다. KRAS 돌연변이는 경계성 난소종양의 25~50%에서 발생하며 BRAF 돌연변이는 약 20%에서 발생한다. KRAS와 BRAF 돌연변이는 일부 저등급 장액성 난소암에서도 발견된다. 다른 연구에서도 BRAF, KRAS, NRAS, USP9X, EIF1AX의 유전자 변형을 확인하였고 USP9X와 EIF1AX는 mTOR 억제와 관련되어 전이성 저등급 장액성 종양과 경계성 종양에 대한 표

적 치료의 가능성을 제시하였다.[29]

4) 자궁내막양, 투명세포 난소암(endometrioid and clear cell ovarian cancers)

자궁내막양 또는 투명세포 난소암은 상피성 난소암의 약 20%를 차지하며, 골반 및 난소 자궁내막증에서 발생한다. 투명세포 암과 저등급 자궁내막양 난소암은 고등급 장액성 난소암보다 유전적 불안정성이 적다. 투명세포 난소암은 약 50%에서 ARID1A 종양억제 유전자의 돌연변이와 PIK3CA의 활성화 돌연변이가 일어나고 약 20%에서 PTEN 종양억제인자의 소실이 발생한다. PPP2R1A의 과오 돌연변이는 투명세포 암의 5%에서 나타난다. 동일한 ARID1A 및 PIK3CA 돌연변이가 악성, 양성 및 비정형 자궁내막증 조직에서 동시에 관찰되는데 이는 돌연변이가 투명세포 또는 자궁내막양 난소암의 초기 발생단계임을 의미한다. 자궁내막양 난소암에서도 투명세포 암과 마찬가지로 ARID1A, PIK3CA, PTEN, PPP2R1A 유전자 변이가 발생한다. 자궁내막양 암의 약 30%에서 Wnt 경로에 관련된 β-catenin을 코딩하는 CTNNB1 유전자의 돌연변이가 있다. 이 유전자의 돌연변이가 없는 일부 자궁내막양 난소암에서는 β-catenin 활성을 조절하는 APC, AXIN1 또는 AXIN2 유전자의 돌연변이가 관찰된다. 자궁내막양 난소암은 이소성 자궁내막조직에서 발생하며, 자궁내막양 자궁내막암과 중복되는 돌연변이를 보이지만 돌연변이의 빈도에는 차이가 있다. PTEN 돌연변이는 저등급 자궁내막양 난소암에 비해 저등급 자궁내막양 자궁내막암에서 더 자주 나타났으며, CTNNB1 돌연변이는 저등급 자궁내막양 자궁내막암에 비해 저등급 자궁내막양 난소암에서 유의하게 많았다.[30] 고등급 자궁내막양 난소암은 일반적으로 유전적 불안정성 및 TP53 돌연변이를 비롯한 고등급 장액성 난소암과 유사한 분자적 특징을 가지고 있다.

5) 동시발생 원발성 난소암과 자궁내막암
(synchronous primary ovarian and endometrial cancers)

자궁내막양 암이 자궁내막과 난소에서 동시에 발생하는 경우로, 일부에서는 동일한 PTEN 돌연변이가 모두 확인되어 자궁내막암의 난소 전이를 의미하는 경우도 있지만, 자궁내막암에서 관찰되는 PTEN 돌연변이가 난소암에서 발견되지 않아 두 개의 독립적인 원발 종양 발생을 의미하는 경우도 있다. PTEN, CTNNB1 및 자궁내막암에서 흔한 돌연변이 유전자 분석 및 미토콘드리아 DNA 염기서열분석을 통해 동시발생 종양에서 원발성 암을 구분하기도 한다.

6) 점액성 난소암(mucinous ovarian cancer)

점액성 난소암은 일반적으로 위장관계 암의 전이로 나타나는 경우가 많다. 하지만 일부 점액성 암은 점액성 낭선종, 경계성 종양, 난소 기형종에서도 발생할 수 있다. 점액성 직장암과 마찬가지로 점액성 난소암에서도 KRAS 돌연변이가 50~70% 관찰된다. HER-2/neu의 과발현이 점액성 난소암의 19%, 경계성 점액성 난소종양의 6%에서 발견되며, KRAS, BRAF, CDKN2A와 같은 암유발 돌연변이도 확인된다. 또한 점액성 난소암의

52%에서 TP53의 돌연변이가 나타나고 RNF43, ELF3, GNAS, ERBB3 및 KLF5의 반복 돌연변이가 발견될 수 있다.

자궁경부암
(Cervical Cancer)

1) 원인(etiology)

전세계적으로 자궁경부암은 중대한 보건상의 문제이다. 의료자원이 제한되어 있는 개발도상국에서는 자궁경부암이 여성의 암 사망원인 중 두 번째로 흔하다. 1977년 HPV에 의한 감염이 자궁경부암 발생에 있어 가장 주요한 위험인자로 제시된 이후, 현재까지 역학적, 생물학적, 분자유전학적 연구가 활발하게 진행되고 있다. 이들 연구를 통해 자궁경부암의 발생과 HPV와의 연관성을 확인하였다. 자궁경부암은 고위험 HPV의 지속적인 감염에 의해 발생한다.[31] HPV의 감염은 자궁경부 편평세포암을 가진 여성의 99%에서 발견되며 자궁경부 편평세포암과 선암 모두에서 원인이 되는 위험인자이지만, 각각의 종양은 다른 발암 경로를 가질 수 있다. HPV 외 부가적인 인자들이 자궁경부암 발암과정에 기여하게 된다. 여러 명의 성교 상대, 조기 성경험, 이른 임신, 흡연, 각종 성병 등에 이환된 경우, 유전적 변이, 호르몬 및 면역기능 이상 등이 발암과정의 보조인자로 알려져 있다(그림 2-13).

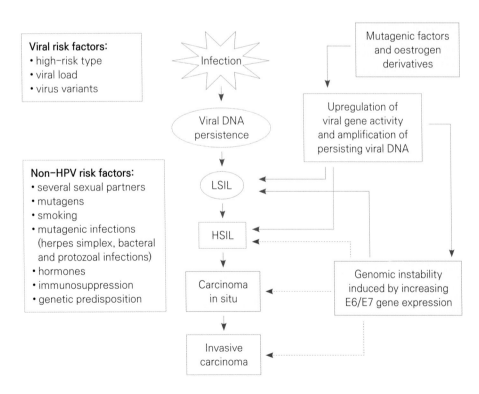

그림 2-13. 인유두종바이러스 감염과 그외 요소들에 의한 자궁경부암의 진행과정

zur Hausen H. Nat Rev Cancer. 2002;2(5):342-50

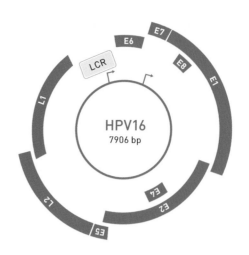

그림 2-14. 인유두종바이러스 16형 유전체 구조
Early (E) 구역: E1, E2, E4, E5, E6, E7, 바이러스 복제에 필요한 단백질, Late (L) 구역: L1, L2 피막 단백질에 해당하는 후기 유전자, Long coding region (LCR): 바이러스 복제와 전사를 조절하는 긴 조절 부위
Mallory E., et al Human papillomavirus molecular biology

HPV는 유두종바이러스(papillomavirus)과에 속하는 DNA 바이러스로, 8,000개의 염기 쌍으로 이루어진 원모양의 이중가닥 DNA 구조로 이루어져 있다. 바이러스 복제와 전사를 조절하는 긴 조절 부위(long coding region, LCR), 바이러스 복제와 암화에 필요한 초기 유전자인 6개의 early (E) protein (E1, E2, E4, E5, E6, E7)과 피막 생성을 담당하는 후기 유전자 late (L) protein (L1, L2)으로 이루어져 있다(그림 2-14).[32]

HPV는 암의 발생기전과 관련하여 고위험군과 저위험군으로 분류되며, 악성 종양의 발생에 관여하는 고위험군에 속하는 아형에는 HPV-16, -18, -31, -33, -35, -39, -45, -51, -52, -56, -58, -59, -68, -73, -82가 있고, 자궁경부 양성 병변에서 발견되는 저위험군에는 HPV-6, -11, -40, -42, -43, -44, -54, -61, -70, -72, -81이 있다(표 2-4).

표 2-4. 자궁경부암 위험도에 따른 인유두종바이러스 분류

위험도	인유두종바이러스 종류
고위험군	16, 18, 31, 33, 35, 39, 45, 51, 52, 56, 58, 59, 68
저위험군	6, 11, 34, 40, 42, 43, 44, 54, 61, 70, 72, 81

HPV 16형, 18형은 전체 자궁경부암의 70%에서 나타난다. 특히, HPV 16형은 자궁경부 암 환자에서 가장 흔하게 나타나는 아형이며, HPV 18형은 예후가 불량한 자궁경부 선암 에서 자주 발견된다. HPV 16형과 18형의 자궁경부 감염이 있는 환자는 비감염군 환자들 보다 고등급 자궁경부이형성증으로 진행될 위험이 높다고 알려져 있는데, 이는 저위험군 HPV와는 달리 자궁경부세포를 악성전환(malignant transformation)시키거나 무한생존 시 킬 수 있는 불멸화(immortalization)가 유도되어 자궁경부암 발생에 주요한 역할을 한다고

알려져 있다. HPV 16형, 18형에 의해 발현되는 E6와 E7 유전자는 자궁경부의 암화를 야기한다. 이들 E6와 E7 유전자는 대표적인 종양억제유전자인 p53의 불활성화와 Rb의 인산화를 조절하여 자궁경부암의 진행에 중요한 역할을 하는 종양유전자로 알려져 있다(그림 2-15).[31,33]

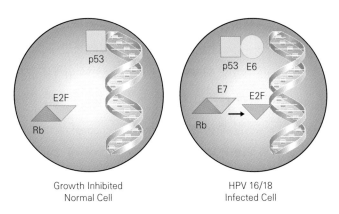

Growth Inhibited
Normal Cell

HPV 16/18
Infected Cell

그림 2-15. **자궁경부암에서의 p53과 RB 유전자의 역할**

인유두종바이러스 16형, 18형의 E6, E7 단백질은 각각 p53과 Rb 유전자를 불활성화한다.
Dennis Chi, et al., Principles and Practice of Gynecologic Oncology Seventh edition. Wolters Kluwer
Health, 2017.

일부 연구에서 E6, E7 유전자의 발현 정도로 침윤성 자궁경부암 환자의 예후를 예측할 수 있었으나, HPV 자체의 활성정도로는 예후를 예측하는 결과를 보이지 않았다. 또한 E6, E7 유전자는 성장을 촉진하고 세포사멸을 억제하는 telomerase 단백질에 직접 상호작용한다는 보고도 있다. 그 외에 CDK 억제제인 p16은 대부분의 자궁경부이형성증 및 침윤성 자궁경부암에서 Rb 유전자 산물의 인산화를 억제하여 세포 주기를 조절하는 종양억제유전자로 알려져 있다.[34]

HPV 음성 자궁경부암은 드물지만, 유전적으로 돌연변이 p53 단백질의 과발현 양상을 보이며, 이는 종양억제유전자인 p53의 유전적 변이가 자궁경부암의 진행에 중요한 역할을 함을 보여준다. 그렇다고 모든 HPV 음성 자궁경부암이 p53의 돌연변이와 연관되어 있는 것은 아니며 p53의 발현량과 종양형성 간의 명백한 상관관계는 밝혀지지 않았다.

2) 이차적 유전체 변화(secondary genomic changes)

지속적인 고위험 HPV의 노출이 전부 자궁경부암으로 진행되는 것이 아니기 때문에 이것만으로는 자궁경부암의 발생을 설명하기에는 충분하지 않으며, 암으로의 진행을 위해서는 유전적 혹은 후성적(epigenetic) 변화가 필요하다고 알려져 있다.

① 유전적 변화(genetic change)

인유두종바이러스 감염에 의한 p53 종양억제유전자의 불활성화는 유전체의 불안전성을 유발하여 암의 발생 및 표현형에 중요한 역할을 하는 이차 유전자 변화를 일으킨다. 시간이 지남에 따라 지속적인 불안정성은 유전적 손상을 축적하게 하고, 나중에는 상당한 종양내 이질성을 유발한다. 대부분의 자궁경부암은 이수성(aneuploidy)이며 비교유전체부합화(comparative genomic hybridization) 결과에서 DNA 복제 수 증가와 결실 영역이 관찰된다. 특히, 3q가 자궁경부암에서 상당히 증가되어 있음을 다양한 연구에서 보여주었는데, 이 중에서도 3q26은 70% 이상 증가되어 있고, 인간 telomerase 유전자의 RNA 구성을 위한 염기서열(human telomerase RNA gene, hTERC)을 포함하고 있다. 이는 불멸화의 주 영역이 되어 자궁경부의 발암을 증가시키는 요인으로 작용한다. 그외에 7p, 8q, 9p, 11q, 13q, 16p, 17q는 증가되어 있는 반면, 2q, 3p, 4q, 10q, 18q의 영역에서는 결실이 관찰되었다. 다양한 유전체 위치에서의 염색체 증가와 결실은 어느 정도 무작위일 수 있지만, 전위 또는 소실/증가를 유도하는 취약한 유전체 영역이 있다.

② **후성적 변화**(epigenetic change)

후성유전학적 변화는 기존 DNA 염기서열의 변화 없이 유전자 발현에 영향을 미치는 염색질(chromatin)의 구조적 변화에 의해 발현이 조절된다. 이는 DNA 메틸화, 히스톤 변경, 비코딩 RNA (non-coding RNA)의 변형으로 나눌 수 있다. 이러한 후성적 기전에 의해 DNA의 변화가 생기고, 이는 DNA와 단백질 상호작용의 변화, 염색질 구조의 변화를 통해 유전자 발현의 현저한 변화를 가져온다.

i. DNA 메틸화(DNA methylation)

DNA 메틸화의 가장 잘 알려진 기전은 CpG dinucleotide 내의 deoxycytosine의 메틸화이며, 메틸화된 DNA는 유전자의 불안정성을 유발하여 특정 유전자의 전사 발현을 저해하는 암화 초기 변화로 인식된다. 정상세포에서의 DNA 메틸화는 유전자의 정상적인 발현을 위해 이상 발현될 수 있는 유전자의 침묵화를 유도하고, 유해하게 작용할 수 있는 끼어든 DNA 염기서열의 발현을 저해한다. 자궁경부암에서의 DNA 메틸화 과정은 DNMT (DNA methyltransferase)에 의해 이루어진다.[35]

HPV가 숙주세포 내로 감염이 되면 E2 유전자는 종양단백질인 E6, E7의 발현을 증가시킨다. 이들은 각각 숙주세포성장 조절단백질인 p53과 pRB에 결합하여, p53의 분해와 pRB의 불활성화를 유도한다. E6가 p53에 결합함으로써 p53의 ubiquitination을 촉진시키고, 유리된 specificity protein 1 (Sp1) 전사활성인자(transcription activator)는 DNMT1을 활성화시킨다. E6가 간접적으로 DNMT1을 활성화하는 반면에 E7은 직접 또는 간접적으로 DNMT1에 작용한다. 직접 DNMT1에 결합하여 DNA 메틸화를 촉진하기도 하고 Rb 단백질에 결합하여 E2F 관련 단백질과 pRb와의 결합을 방해하여 유리된 E2F가 Sp1과 마찬가지로 DNMT1의 촉진제(promotor)에 결합해 과발현하게 한다(그림 2-16).

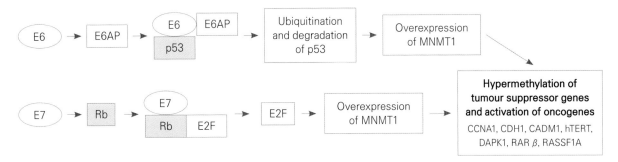

그림 2-16. 종양단백질 E6, E7에 의한 DNA 메틸화의 도식
Gupta SM, et al., Journal of Biomedical Science. 2019;26 (1):28.

이 외에도 E6, E7 종양유전자는 다른 세포 인자들과 작용하여 세포자멸사의 억제, 세포전사의 변화 그리고 세포 간의 신호전달체계를 변화시킨다. 과발현된 종양단백질 E6는 Wnt/β-catenin 경로와 연관되는 APC (adenomatous polyposis coli) 촉진제의 과메틸화를 통해 세포분화 및 성장을 조절하고 PI3K/Akt 경로를 활성화시켜 불멸화와 형질전환을 일으킨다. 또한 전구-세포자멸사(pro-apoptotic) 단백질인 Bak와 상호작용하여 세포자멸사를 억제한다. E7은 PI3K/A경로를 조절하기도 하고, HDAC (histone deacetylase)와의 상호작용을 통해서 염색체의 재형성과 유전체의 불안정성을 유도한다(그림 2-17).

자궁경부암에서 이와 같은 양상으로 관찰되는 유전자들로는 CADM1, CCNA1, CDH1, DAPK1, EPB41L3, CC motif, FAM19A4, MAL, PAX1, PRDM14, hTERT, RASSF1A 등이 밝혀져 있으며, 이러한 유전자들의 메틸화는 다양한 단계의 자궁경부암에서 나타나고 있다.

ii. 히스톤 변경(histone modification)

히스톤 변경은 히스톤 단백질의 아미노말단 꼬리부위에 다양한 효소에 의한 메틸화, 아세틸화, 인산화, sumoylation, ADP ribosylation과 같은 변화로 인해 DNA와 DNA 결합 단백질과의 상호작용에 영향을 미침으로써 유전자의 발현조절을 가져온다.

HPV E6, E7 종양단백질이 감염된 숙주세포에서 전사과정에 변화를 일으키는 기전 중의 하나는 염색질(DNA와 히스톤으로 구성)의 리모델링 및 히스톤의 변형에 관여하는 효소의 발현 및 활성을 조절하는 것이다.

염색질의 응축에 의한 전사 억제는 히스톤의 아세틸화되지 않은 라이신(lysine) 아미노산의 양전하가 음전하를 지니는 DNA를 끌어당김으로써 유지가 된다. 히스톤 단백질의 변형에 관여하는 효소인 히스톤 아세틸 전이효소(histone acetyltransferase, HAT)에 의해서 라이신 잔류가 아세틸화되면 양전하가 제거되어 유전자의 전사가 용이하도록 염색질의 구조가 풀어지게 된다. 한편, 히스톤 탈아세틸화 효소(histone deacetylase, HDAC)는 아세틸화되어 전사를 진행할 수 있는 라이신으로부터 아세틸기를 제거하여 유전자 발현이 억제되도록 조절한다. E6, E7 종양단백질은 히스톤의 아세틸화를 조절하는 이들 효소와 관련되어 있고, 이는 숙주세포의 염색질 전사를 조절하여 유전자 발현에 영향을 미친다.[36]

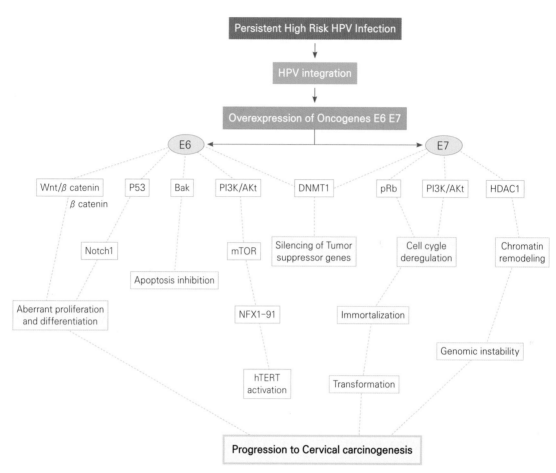

그림 2-17. 자궁경부암 발병과정에서의 분자생물학적 변화

Gupta SM, et al., Journal of Biomedical Science. 2019;26 (1):28.

그 외에 돌연변이, 발암성, 세포독성으로부터 세포를 보호하여 유전체의 안정성을 유지하는 역할을 담당하는 MGMT (methylguanine DNA methyltransferase)의 침묵화(silencing) 역시 자궁경부암에서 히스톤의 변형과 관련있다. 또한 히스톤의 탈아세틸화에 의해서 Wnt 길항제를 생성하는 DKK-1 (dickkopf-related protein 1)의 전사 저해가 자궁경부암 세포주에서 관찰되어 자궁경부암과 히스톤 변형과의 연관성을 보여주었다.

iii. 비코딩 RNA 변형(alteration of non-coding RNA)

최근 유전체 단백질로 번역되지 않는 비코딩 RNA가 여러 가지 질병, 특히 암화에 있어 중요한 역할을 담당한다는 것이 보고되고 있다. 평균 22개의 염기로 구성된 비코딩 microRNA (miRNA)는 세포 내에서 생성되는 것으로 mRNA에 특이적으로 결합하여 단백질이 합성되는 과정을 억제한다. miRNA는 주로 종양억제유전자로 작용하지만 종양억제인자로 기능하는 miRNA가 감소 또는 소실되거나 종양유전자의 기능이 있는 miRNA의 과발현이 유도되면 종양의 발생이 가능하다. miRNA는 자궁경부암, 난소암, 폐암을 비롯한 여러 종류의 암종과 관련될 뿐만 아니라, 질병의 발병 및 진행단계와 연관이 있다.

HPV에 감염된 자궁경부암 조직에서 miRNA 발현 양상을 분석해보면, 상향조절되어 발암과정과 연관되어 있기도 하고, 일부는 하향조절되어 암화억제 기능을 나타내기도 한다. 또한 Drosha라고 하는 리보핵산분해효소 III (ribonuclease III)에 의해 분할, 자궁경부암에서 과발현을 통한 발암유전자로서의 역할을 하게 되고, 이와 연관된 miRNA 발현을 통해 다양한 유전자를 조절한다. 대표적인 고위험 HPV인 16형의 E5 종양단백질은 숙주세포 내에서 miRNA의 발현을 조절함으로써 발암유전자로 기능함이 보고되었다.

임신성 융모성질환 (Gestational Trophoblastic Disease, GTD)

임신성 융모성질환(gestational trophoblastic disease, GTD)은 영양막(trophoblast)을 포함하는 수태산물에서 발생하는 종양을 지칭하며, 이는 임신 중 혹은 임신 후에 발생할 수 있으며, 정상 태아의 임신과 동반되기도 한다. 임신성 융모성질환은 조직학적 또는 임상적으로 다음과 같이 분류된다(표 2-5).[37]

표 2-5. 임신성 융모성질환의 조직학적(a) 임상적(b) 분류

(a) 임신성 융모성질환의 조직학적 분류(세계보건기구, WHO)	(b) 임신성 융모성질환의 임상적 분류(미국분립보건원, NIH)
포상기태(hydatidiform moles) • 완전포상기태(complete mole) • 부분포상기태(partial mole) • 침윤기태(invasive mole)	**양성 임신성 융모성질환** • 완전포상기태(complete mole) • 부분포상기태(partial mole)
융모성종양(trophoblastic tumors, neoplastic disease) • 융모막암(choriocarcinoma) • 태반부착부위 영양막종양(placental site trophoblastic tumor, PSTT) • 상피모양 영양막종양(epithelioid trophoblastic tumor, ETT)	**악성 임신성 융모성질환** **비전이성** • 침윤기태(invasive mole) • 융모막암(choriocarcinoma)
종양 유사 병변(trophoblastic tumor-like lesion, benign lesion) • 과장성 태반부착부위(exaggerated placental site, EPS) • 태반부착부위 결절(placental site nodule, PSN)	**전이성** • 융모막암(choriocarcinoma) • 태반부착부위 영양막종양(placental site trophoblastic tumor, PSTT) • 상피모양 영양막종양(epithelioid trophoblastic tumor, ETT)

영양막은 착상 전 배아의 외세포덩이(outer cell mass)에서 유일한 조직이며 착상과 태반형성에서 중요한 역할을 담당한다. 영양막세포는 크게 융모에 존재하는 융모성 영양막세포, 태반의 세포외 기질 내 존재하는 융모외 영양막세포로 나눌 수 있으며, 분화에 따라 세포영양막(cytotrophoblast)과 융합세포영양막(syncytiotrophoblast) 및 중간 영양막세포(intermediate trophoblast)로 구분할 수 있다. 이러한 영양막은 각각 다른 항원의 발현으로 구별할 수 있다(표 2-6).

표 2-6. 영양막의 종류에 따른 항원의 발현차이

영양막 종류	HSD3B1	HLA-G	hPL	β-hCG	cycline E	p63	CD146*	HNK1	Muc4	β-cat
세포영양막										nuc
융합세포영양막										
중간영양세포막										
융모부위	varied									memb
착상부위				M						
융모막부위										

면역강도 낮음 ──────→ 높음

□ M : 다핵 중간영양막에서의 양성. ▨ : 중간영양막의 착상부위로 갈수록 발현량 증가

nuc: 핵염색(nuclear staining), memb: 막염색(membrane staining), varied: 다양한 염색패턴(variable staining pattern)

*CD146은 Mel-CAM과 동의어

Shih IM et al., Gestational Trophoblastic Tumors and Related Tumor-Like Lesions. Blaustein's Pathology of the Female Genital Tract. 2011. p. 1075-135.

1) 임신성 융모성질환의 조직학적 감별진단을 위한 분자유전학의 이용

① 포상기태의 감별진단

임신성 융모성질환의 특이점은 비정상적 수정에 의해 병변이 환자가 아닌 수태물에서 유래한다는 점이다. 부계유전자의 유무에 따라 임신성 융모질환과 비임신성 종양(non-gestational tumor)을 감별진단할 수 있다는 점에서 생물학적 및 조직학적으로 중요한 의미를 갖는다. 또 다른 두드러진 특징은 부모 염색체의 불균형이다. 완전포상기태는 부계의 수태산물의 증식으로 23, X 또는 23, Y를 가지고 있는 정자와 난자가 수정되나, 모체의 핵물질은 없어지고 정자만 배가 되어 핵형은 46, XX (90%) 또는 46, XY (10%)가 된다. 반면 부분포상기태는 하나의 난자와 두 개의 정자(대부분), 또는 두 개의 난자 또는 한 개의 정자와 수정되어 핵형은 69, XXY, 69, XXX 및 69, XYY와 같은 3배수체를 가지게 된다. 이는 유세포 분석기(flow cytometry)를 이용한 DNA 배수성 검사를 통해 구분할 수 있다.

모계에서만 발현되는 유전자 산물을 생체표지자로 하여 부계 각인유전자(paternally imprinted gene)를 확인하는 방법이 사용될 수도 있다.[128,128] 유전자 각인기전에 의해 모계유전자에서만 발현되는 것으로 알려져 있으며, 세포 주기 조절자이면서 종양 억제자인 p57 단백질이 완전포상기태와 부분포상기태의 감별진단에 유용하다. 완전포상기태는 온전히 부계유전자로 이루어져 있어, 정상적으로 모계유전자에서만 발현이 되는 부계 각인유전자 산물은 관찰되지 않는다. 따라서 p57 단백질은 완전포상기태에서는 발견되지 않으므로, p57 단백질의 항체 개발로 모계유전자를 기지는 부분포상기태와 수포성 인신(hydropic abortion)을 구분할 수 있게 되었다. p53도 세포 주기 정지, 세포사멸, DNA 복구 및 세포 내 대사 조절에 관여하는 종양억제유전자의 하나로, p53 면역조직화학 분석으로 부분포상기태와 수포성 임신을 구분할 수 있다.

그 외에 부계 또는 모계 유전자에 따라 다르게 발현하는 현미부수체 표지자(microsatellite marker)를 이용하는 방법, 형광제자리부합법(fluorescence in situ hybridization, FISH)이나 중합효소연쇄반응을 이용하여 감별할 수 있다.[38,39]

② 가족성 재발성 포상기태

재발성 포상기태가 발생하는 가족을 분석해보면, 정상적인 부계 각인유전자의 조절 장애로 인한 모계유전자 발현의 소실이 포상기태의 병리학적인 기전에 기여함을 알 수 있다. 가족성 재발성 포상기태는 드물며, 부계유전자뿐만 아니라 모계유전자를 가지고 있는 재발성 완전포상기태로 특징지어진다. 가족성 포상기태에 관여하는 유전자는 유전자 지도 분석에 의해 염색체 19q13.4d의 1.1 Mb에 위치하는 NLRP7로 밝혀졌다. NLRP7 돌연변이로 인해 배아와 배아외 조직의 비정상적인 발달을 동반한 모계유전자 각인의 조절장애로 발생한다고 보고 있다.

③ 악성 융모성종양(trophoblastic tumor)과 양성 종양 유사 병변(trophoblastic tumor-like lesion)의 감별진단

WHO 분류에 따라서 융모막암(choriocarcinoma), 태반부착부위 영양막종양(placental site trophoblastic tumor, PSTT) 및 상피모양 영양막종양(epithelioid trophoblastic tumor, ETT)이 속하는 악성 융모성종양(trophoblastic tumors, neoplastic disease)과 과장성 태반부착부위(exaggerated placental site, EPS), 태반부착부위 결절(placental site nodule, PSN)에 해당하는 양성 종양 유사 병변(trophoblastic tumor-like lesions)은 면역조직화학 분석으로 구분할 수 있다. HSD3B과 low-molecular weight cytokeratin의 양성 발현은 병변이 융모성 질환인지 여부를 감별한다. 이로써 포상기태가 제외되면, 융합세포영양막(syncytiotrophoblast)에서 β-hCG의 발현 확인을 통해 융모막암을 진단할 수 있다. 다음으로 hPL (human placental lactogen)과 p63 항체를 이용하여 병변이 착상부위 중간영양막(implantation site intermediate trophoblast) 또는 융모막형 중간영양막(chorionic-type intermediate trophoblast)과 관련이 있는지를 구별해야 한다. 태반부착부위 영양막종양과 과장성 태반부착부위에서 hPL은 보통 병변의 50% 이상에서 양성이고, p63은 음성으로 나타난다. 반면, 상피모양 영양막종양과 태반부착부위 결절에서는 p63이 병변의 50% 이상에서 양성이고, hPL은 음성이나 국소적으로 양성반응을 보인다. Ki-67 labeling index를 이용하여 과장성 태반부착부위와 태반부착부위 영양막종양, 그리고 상피모양 영양막종양과 태반부착부위 결절을 구분할 수 있다. Ki-67은 각각 과장성 태반부착부위의 1% 미만, 태반부착부위 영양막종양의 10% 이상, 태반부착부위 결절의 8% 미만, 상피모양 영양막종양의 12% 이상에서 나타난다. 추가로 cyclin E는 상피모양 영양막종양에서는 발현되지만, 태반부착부위 결절에서는 발현되지 않아 감별진단에 도움을 준다(그림 2-18).

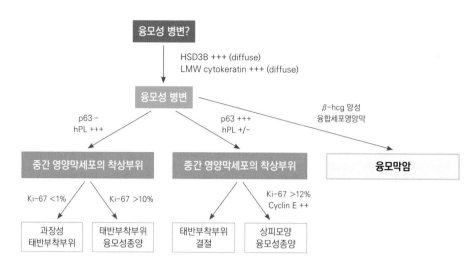

그림 2-18. 악성 융모성종양과 양성 종양 유사 병변의
면역조직화학 분석 방법을 이용한 분류 흐름도

Shih IM, et al., Kurman R. Gestational Trophoblastic Tumors and Related Tumor-Like Lesions. Blaustein's
Pathology of the Female Genital Tract. 2011. p. 1075-135.

유전성 부인암(Hereditary Gynecology Cancer)

유전성 유방/난소 암 증후군(Hereditary Breast Ovarian Cancer Syndrome)

1) 역학(epidemiology)

지난 수 십년 동안 유방암과 난소암의 분자 역학에 대한 연구가 활발히 진행되면서 유전적 결함에 의한 암 발생위험이나 식습관, 호르몬 상태, 인구통계적 특성과 같은 환경적 위험인자에 대하여 이해할 수 있게 되었다.[40,41] 1994년 BRCA1의 첫 분리 이후, BRCA1과 BRCA2 유전자 돌연변이가 가족력이 있는 유방암과 난소암 환자에서 높은 비율로 보고되면서 암 발생에서 유전적 요인이 갖는 역할에 대한 이해와 관심이 크게 늘어났다. 예방적 양측 유방절제술 및 양측 난소난관절제술과 BRCA1과 BRCA2 유전자 돌연변이에 대한 임상시험은 가족력이 있는 고위험군 환자에서 암 발생 위험도를 감소시켰다. 실제로 BRCA1과 BRCA2 유전자 돌연변이를 가진 여성에서의 예방적 양측 난소난관절제술은 난소암 발생 위험을 크게 감소시켰다. 이는 유방암과 난소암 환자의 임상적 관리에 있어서 하나의 유전표지자를 이용해 암 발생 위험에 대한 환자 개인별 평가가 가능해 졌음을 의미한다.

2) 병리학(pathology)

BRCA1과 BRCA2는 난소암의 가장 중요한 원인유전자이다. BRCA1과 BRCA2 유전자 돌연변이를 가진 여성은 유방암과 난소암의 평생 위험도가 높아지는데, BRCA1 유전자 돌연변이 보인자에서 난소암 위험도는 70세까지 약 40%이며 BRCA2 유전자 돌연변이 보인자에서는 10%를 보인다. 장액성 암은 *BRCA1*과 *BRCA2* 유전자 돌연변이를 가진 난소암 환자의 주된 세포유형이다. Rubin 등은 *BRCA1* 유전자 돌연변이를 가진 53명의 난소종양 여성 중 43명이 장액성 암이었고 대다수가 고등급의 종양임을 보고한 바 있다.

3) BRCA 관련 난소암의 자연사(natural history of BRCA-associated ovarian cancer)

린치 증후군(Lynch syndrome)의 주된 유전적 요인인 DNA 불일치 복구 유전자(mismatch repair gene) 돌연변이는 전체 난소암의 1%에서 나타난다. 유전성 난소암의 약 2/3는 *BRCA1* 유전자 돌연변이에 의해서, 나머지 1/3은 *BRCA2* 유전자 돌연변이에 의해서 발생한다. 유전성 난소암은 모든 침윤성 상피성 난소암의 10%를 차지하고 분화도가 좋은 장액성 암의 20%를 차지한다. 난소암의 평생 위험도는 전체 여성에서 1.5%이나, *BRCA2* 유전자 돌연변이를 가진 여성은 15~25%이며, *BRCA1* 돌연변이를 가진 여성은 25~40%로 크게 증가한다.

　　*BRCA1*과 *BRCA2* 유전자 돌연변이는 전체 인구에서 500명 중 1명 미만으로 발생한다. 대부분의 *BRCA1*과 *BRCA2* 유전자 돌연변이는 기능장애가 있는 절단된 단백질 생성물을 암호화하는 결실(deletion) 또는 삽입(insertion) 돌연변이를 수반한다. 단일 염기결합의 변화에 의해 생기는 점 돌연변이(point mutation)의 일종인 과오 돌연변이(missense mutation)가 발생할 수 있지만, 다른 종류의 아미노산으로 암호화하는 것으로 바뀔 뿐 단백질은 그대로 완성된다. 그러나 바뀐 아미노산의 특성의 차이와 바뀐 위치에 따라 암을 일으키는 돌연변이가 될 수는 있다. 과오 돌연변이의 임상적 중요성은 다른 가족 구성원에서 암으로 진행되는지의 여부를 결정할 때 나타난다. 또한, *BRCA1*과 *BRCA2* 유전자 돌연변이는 exon의 코딩부위와 인접한 intron부위를 포함할 수 있다. Intron 돌연변이는 RNA splicing에 영향을 줄 수 있으며 인접한 exon의 결실을 초래할 수 있다. 또한, *BRCA1* 혹은 *BRCA2*를 비활성화시키는 유전체 재배열이 있어날 수 있어 염기서열분석을 넘어서는 분석기법이 필요하다.

　　RAD51 및 기타 단백질과 복합체를 이루는 *BRCA1* 및 *BRCA2* 유전자 생성물은 상동재조합(homologous recombination, HR)에 의해 이중 가닥 DNA 손상의 복구에 관여한다. 상동재조합은 손상되지 않은 homologous sister chromatid의 정보를 이용하여 손상된 부위의 DNA를 복구하기 때문에 정확한 DNA 복구를 수행할 수 있다. 그러므로 상동재조합은 유전체의 올바른 보전을 위해 중요한 역할을 담당한다. *BRCA1*과 *BRCA2* 단백질은 상동재조합을 통한 DNA 이중가닥의 절단을 복구하는 과정에 중요한 역할을 하는 것으로 알려졌다. 상동재조합에 의한 이중가닥 DNA 가교결합 및 절단의 복구에 BRCA 단백질과 상호작용하는 RAD51C, RAD51D, PALB2, BRIP1이 있으며, 이들 유전자의 돌연변이 역시 침윤성 난소암과 관련이 있는 것으로 알려져 있다.

4) 치료적 의의(therapeutic implications)

BRCA 양성인 난소암 환자는 비돌연변이 보인자와 비교했을 때 전체생존율은 향상된다.

산발성 암에 비해 BRCA와 연관된 난소암의 임상병리학적 분석에서 유전성 난소암 환자는 1차 항암화학요법 후에 무병 기간이 길고 전체 생존 기간이 더 길다는 사실을 보고하였다. 유태인 환자에게서 흔히 발견된다고 알려진 *BRCA1*과 *BRCA2*의 세 가지 founder mutation (*BRCA1*의 185delAG, 5385insC와 *BRCA2*의 6174delT)에 대하여 779명의 이스라엘 여성을 대상으로 한 연구에 따르면 전체생존율은 비돌연변이 보인자보다 유의하게 길었으며(54개월 대 38개월), 6.2년의 연구기간 동안 *BRCA1*과 *BRCA2* 유전자 돌연변이 보인자는 사망률이 28% 감소되었다. 이는 BRCA 유전자 돌연변이 환자의 항암화학요법에 대한 치료 반응이 상대적으로 양호했음을 보여준 예이다. 또한 BRCA 양성인 유전성 상피성 난소암 환자는 비유전성 암에 비해 백금기반 항암화학요법에 반응을 잘 하며 생존율도 높다.

5) 유전성 유방/난소암 증후군을 위한 유전 상담
(genetic counseling for hereditary breast and ovarian cancer syndrome)

① BRCA 돌연변이와 관련된 암 위험도(cancer risks associated with a BRCA mutation)
전체 여성의 12%에서 유방암이 발생하나 *BRCA1* 유전자 돌연변이를 가진 여성은 72%, *BRCA2* 유전자 돌연변이를 가진 여성의 69%에서 80세 이전에 유방암이 발생할 수 있다.

　*BRCA1*과 *BRCA2* 유전자 돌연변이 보인자도 비보인자와 마찬가지로 유방 또는 난소암의 병력이 있을 경우, 반대편 유방 또는 난소에서 암이 발생할 위험이 높다. 첫 유방암 진단 후 20년까지 *BRCA1* 유전자 돌연변이를 가진 여성의 40%, *BRCA2* 유전자 돌연변이를 가진 여성의 약 26%에서 반대측 유방의 암 발생 가능성이 있다. 전체 여성의 1.3%에서 난소암이 발생하나, *BRCA1* 유전자 돌연변이를 가진 여성의 44%, *BRCA2* 유전자 돌연변이를 가진 여성의 17%에서 80세 이전에 난소암이 발생할 수 있다. BRCA 유전자 돌연변이는 유방암과 난소암 외에도 난관암과 복막암의 발병에도 관련이 있다.

② BRCA 돌연변이에 의한 유전성 유방/난소암 증후군의 유전적 위험성 접근을 위한 가이드라인
*BRCA1*과 *BRCA2* 유전자 돌연변이는 일반인구에서는 상대적으로 희귀하기 때문에 BRCA 유전자검사는 개인의 과거력이나 가족력이 있을 경우에만 시행하는 것을 권고한다. 미국예방서비스특별위원회(The United States Preventive Services Task Force, USPSTF)는 가족 구성원 중 유방암, 난소암, 난관암, 복막암 환자가 있는 여성은 *BRCA1*과 *BRCA2* 유전자 돌연변이 가족력에 의한 암 발생 위험도가 있는지 검사할 것을 권고하고 있다. *BRCA1*과 *BRCA2* 유전자 돌연변이를 가지고 있을 가능성이 있는 개인이나 가족력이 의심되는 다음과 같은 경우에 검사를 시행할 것을 권한다.
- 50세 이전에 유방암 진단
- 양측 유방에 암이 발생한 경우
- 유방암과 난소암이 같이 발생한 여성 또는 가족력이 있는 경우
- 가족 중에 유방암의 병력이 많은 경우

* 한 가족의 *BRCA1* 또는 *BRCA2* 관련 암 중 두 가지 이상의 기본 유형
* 남성 유방암의 사례
* Ashkenazi 유대인

i. 조기진단과 예방(screening and prevention)

*BRCA1*과 *BRCA2* 유전자 돌연변이 보인자는 유방암 및 난소암의 조기진단을 위해서 일반 여성의 검진스케줄에 비해 더 많은 검사를, 더 젊은 연령층에서, 더 자주 하는 것이 원칙이다. BRCA 유전자 돌연변이를 가진 여성은 25~35세 사이에 유방암 검사를 시작하고 매년 시행할 것을, 난소암 발생 감시를 위해서 35세부터 CA125와 질초음파를 6개월 간격으로 시행할 것을 권고한다. 그러나 난소암의 경우 효과적인 조기진단이 어려워 감시에 한계가 있다.

유방암과 난소암의 위험을 줄이기 위해 예방적 양측 유방절제술 및 난소난관절제술을 선택할 수 있다. 난소를 제거하면 특정 유방암의 성장을 촉진할 수 있는 호르몬의 근원을 제거함으로써 폐경 전 여성의 유방암 위험을 줄일 수 있다. 양측 난소난관절제술을 받은 여성은 난소암으로 사망할 위험성이 약 80% 감소하고, 유방암으로 사망할 위험성은 56% 감소하였다고 보고된 바 있다. 난소와 난관을 제거함으로써 유방암 및 난소암의 위험성이 감소하는 것은 *BRCA1* 돌연변이 여성과 *BRCA2* 돌연변이 여성에서 비슷하게 관찰되었다.

유방암의 위험성이 높은 여성에서 이를 감소시킬 수 있는 약물로는 미국 FDA의 승인을 받은 타목시펜(Tamoxifen)과 랄록시펜(Raloxifene)이 있다. 약물치료는 *BRCA1*과 *BRCA2* 유전자돌연변이를 가진 여성에서는 치료 효과가 아직 명확하지 않지만 수술을 선택하지 않거나 수술을 받을 수 없는 여성들에게 치료 대안이 제시될 수 있다. 연구결과에 따르면 타목시펜은 *BRCA2* 유전자 돌연변이를 가진 여성에서 유방암의 위험도를 낮춰주며, 이전에 유방암을 진단받은 *BRCA1*과 *BRCA2* 유전자 돌연변이를 가진 여성에서 반대측 유방암의 발생 위험성을 낮추는 데 도움이 될 수 있다. 아직까지 *BRCA1*과 *BRCA2* 유전자 돌연변이 보인자에 대한 랄록시펜의 효과는 밝혀진 바 없다. 경구피임제는 일반 인구여성뿐만 아니라 *BRCA1*과 *BRCA2* 유전자 돌연변이를 가진 여성들 모두에서 난소암의 위험을 약 50% 줄이는 것으로 생각된다.

유전성 자궁내막암
(Hereditary Endometrial Cancer)

1) 서론(introduction)

부인암을 구분하는 방법에는 기존의 난소암 또는 자궁암과 같이 장기 위주로 구분하거나, 유전적인 측면에서 유전성 부인암과 비유전성 부인암으로 구분할 수 있다. 유전성 자궁내막암에는 린치 증후군 또는 유전성 비용종증 대장암과 관련된 자궁내막암이 대부분이며 드물게 유방암과 자궁내막암이 관련된 코우덴 증후군(Cowden syndrome, 200,000명당 1명 빈도로 PTEN변이에 의해 유방암, 갑상선암, 자궁내막암, 신장암이 발생)이 있다. 유전성 유방/난소암 증후군과 관련된 BRCA 돌연변이가 있는 경우에도 자궁내막암이 증가하지만, 이

에 대한 것은 유전성 난소암 부분에서 다루어질 것이다.

2) 린치 증후군과 자궁내막암(Lynch syndrome in endometrial cancer)

린치 박사(Henry T. Lynch)는 특정 가족에서 암이 많이 발생하고 특히 대장암 발생이 많다는 것을 가족력 조사를 통하여 확인하였다. 이를 바탕으로 유전이 암 발생의 원인이 될 수 있다는 근거를 발표하였고 가계도 분석을 통한 가족력조사를 통하여 용종성 대장암과 달리 특정가족에서는 대장용종이 동반되지 않는 대장암이 발생할 수 있다는 것을 알게 되었다. 이후 유전성 비용종증 대장암은 린치 증후군과 같은 의미로 사용되게 되었다. 린치 증후군에서 가장 많이 발생하는 대표적인 두 가지 암은 유전성 비용종증 대장암과 자궁내막암이다. 린치 증후군을 일으키는 유전자 변이가 있으면 80세 전까지 자궁내막암에 이환될 가능성은 40%인 것으로 알려져 있다. 그 외에도 위암, 난소암, 췌장암, 요관암, 신우암, 담관암, 뇌종양(glioblastoma as seen in Turcot syndrome), 피지샘암, 각화극세포종(Muir-Torre syndrome), 소장암 등이 발생할 수 있다.[42] 2017년 우리나라의 자궁내막암 발생 환자수는 2,578명이었고 사망환자수는 338명이었다. 이 중 린치 증후군 관련된 유전적 요인에 의한 비중은 최대 5%로 추정된다. 특히, 발생 부위가 자궁의 체부나 기저부가 아닌 자궁하절부(low uterine segment)인 경우에는 14%에서 DNA 불일치 복구 유전자의 돌연변이가 확인된다.

유전형질 정보를 담고 있는 DNA 복제시 염기쌍의 짝 지움에 오류가 발생할 수 있는데, 불일치 복구 유전자가 이러한 오류를 교정하여 잘못된 유전이 발생하지 않게 된다. 암유전자 검사의 발달로 린치 증후군과 관련된 원인이 불일치 복구 유전자 돌연변이로 밝혀졌으며, 이러한 불일치 복구 유전자 돌연변이가 발생하면 린치 증후군과 관련된 일련의 암이 발생할 수 있다. 관련된 유전자는 MLH1, MSH2, MSH6, PMS2, EPCAM이 대표적이다. 각각의 유전자 변이에 따른 위험도는 MLH1, MSH2가 가장 높고 자궁내막암은 MLH1/MSH2-MSH6-PMS2 변이가 있을 때 최대 60%, 26%, 15%의 발생 위험이 있다.[43] 한국인 자궁내막암 환자를 대상으로 하여 MLH1, MSH2만 제한적으로 검사한 경우에도 돌연변이 빈도는 1.2~4.4%인 것으로 보고되었다. 이는 한국인 유전성 자궁내막암의 유전적 요인이 다른 인종과 큰 차이가 없음을 나타낸다.

3) 진단(diagnosis)

James Dewey Watson에 의해 1962년 DNA의 구조가 이중나선 모델로 증명되어 발표되었고, 1975년 Frederick Sanger가 복제가 진행되는 동안 주형 DNA 서열에 짝을 이루는 상보적인 염기가 새로운 DNA 가닥에 하나씩 결합하는 과정을 읽어 나가는 방법 즉, Sanger 염기서열분석을 개발하여 DNA 서열분석이 유전병 진단 기법에 도입되었다. 최근에는 차세대 염기서열 분석(next generation sequencing, NGS)이 도입되면서 많은 유전체 정보를 단시간 내에 분석 가능해짐으로써, 두 가지 방법을 통해 유전성 암을 진단할 수 있게 되었다.

4) 린치 증후군의 고위험군 선별검사

유전성 자궁내막암 환자의 확진검사를 위한 유전자 염기서열분석검사는 고위험군 선별검사를 생략하고 진행하는 경우와 고위험군 선별검사를 거쳐 위험도에 따라 진행하는 두 가지 방법이 있다. 이 부분은 국가 보험급여제도의 변동사항과 관련된 비용적인 문제와 다양한 유전자 검사 의뢰기관들이 늘어나면서 생기는 접근성의 문제를 고려하여 의사와 환자 간의 면밀한 상담 후에 결정해야할 문제이다. 고위험군 선별검사를 하게 되는 경우는 크게 가족력으로 대표되는 임상적인 특징을 기반으로 하는 방법과 암 조직 유전검사를 기반으로 하는 방법이 있다.

① 가족력 기반 선별검사(screening test based on familial history)

암스테르담 기준 II와 현미부수체 불안정성검사(microsatellite instability test, MSI) 기준인 개정 베데스다 기준이 가장 흔하게 사용된다(표 2-7).

표 2-7. 암스테르담 기준 II와 개정 베데스다 기준

	Amsterdam II[1] (1999)	Revised Bethesda[2] (2004)
친척내 최소환자수	3	없음
환자들의 친척관계	다른 2명과 일촌관계	• Lynch 관련 암환자의 일촌 이내 1명이상 CRC, 50세 이전 • HNPCC related tumor 환자의 일촌 또는 이촌 이내 2명 이상, 나이제한 없음
암 발병연령	50세 이전 1명이상	50세 이전(CRC), 1명이상
최소 연속세대	2대	없음
암의 종류	CRC (FAP 제외), EM, Ureter, Renal Pelvis, Small Bowel	CEURS + Lynch 관련암(stomach, ovary, pancreas, biliary tract, brain, sebaceous gland adenoma, keratoacanthoma)
암의 확진	병리과 의사	
유전검사 이상	없음	CRC with MSI-H(+), 60세 이전

CRC: Colorectal Cancer, FAP: Familial Adenomatous Polyposis, EM: Endometrial, MSI-H: microsatellite instability-high, HNPCC: Hereditary nonpolyposis colorectal cancer, CEURS: CRC + EM + Ureter + Renal Pelvis + Small Bowel

1 Vasen et al. Gastroenterology 1999; 116: 1453-6.
2 Umar A et al. J Natl Cancer Inst 2004; 96: 261-8.

각각의 기준에 따른 유전성암 가능성은 다음과 같다(표 2-8).

표 2-8. 암스테르담 기준 II와 개정 베데스다 기준에 따른 유전성암 가능성 비교

유전성 암 위험	20~25%	5~10%
	Amsterdam II기준에 적합	해당 없음
본인 대장암 또는 자궁내막 암	본인 대장암 + synchronous or metachronous 난소암 또는 자궁내막암	• 50세 이전 • 일촌 이내 2명 HNPCC관련 암 • 본인 자궁내막암 또는 난소암 + synchronous or metachronous Lynch 관련 암[1]
유전검사 이상	known MMR mutation환자의 친척2인 여자	해당 없음

MMR: Mismatch Repair, HNPCC: Hereditary nonpolyposis colorectal cancer

1 CRC (colorectal cancer), EM (Endometrium), Stomach, Ovary, Pancreas, Ureter & Renal pelvis, Biliary tract, Brain, Sebaceous gland adenomas and keratoacanthomas in Muir-Torre syndrome, small bowel

Lancaster JM et al. Gynecol Oncol 2007:107(2);159-62.

기존에 축적된 대량정보를 이용한 유전성암 발생 위험예측 모델이 알려져 있는데, PREMM (1,2,6) 등이 그 예이며 성별, 암 종류, 암환자와의 친척관계(1st, 2nd, 3rd degree)를 입력하면 유전성암 발생위험도를 알 수 있다.

② 암조직 기반 선별검사(screening test based on cancer tissue)

면역병리검사는 항원항체 반응을 이용하여 종양에서의 불일치 복구 유전자 단백질 발현 양상을 분석하는 검사로 절차, 장비, 시약, 판독자의 분석에서 오차가 있을 수 있으나 린치 증후군 고위험군 선별검사로 면역조직화학 검사가 유전자 염기서열분석과 비용대비 상관성이 높은 것으로 알려져 있다. 그 다음은 현미부수체 불안정성검사가 있다. 인간의 전체 유전자 중 짧은 염기서열(10개 미만)이 여러 번 반복되는 부위가 있는데, 이를 현미부수체라고 부른다. 현미부수체인 mono-marker (BAT25, BAT26) 2개와 di-markers (D5S346, D17S250, D2S123) 3개, 총 5개 중 반복 횟수를 정상세포와 암세포에서 비교하여 두 군데 이상에서 불안정성을 보이면 현미부수체 불안정(microsatellite instability-high, MSI-H)이라 명명하는데, 이는 자궁내막암 환자의 18%에서 관찰된다.[186] 최근 암연구에서 기존 치료에 반응하지 않는 현미부수체 불안정군에서 면역 항암치료제의 효과를 보인다는 결과를 보고한 바 있다.

메틸화 검사는 종양에서 핵산을 추출하여 유전자의 변화를 분석하는 현미부수체검사와 같은 분자병리검사 방법이다. 메틸화는 유전자 앞쪽 조절부위의 특정 염기에 메틸기가 각인되어 유전자 염기서열의 변화 없이 발현이 통제되는 것을 말하며 후성유전학의 하나로 알려져 있다. 특히 MLH1 유전자의 면역조식화학적 이상 소견의 25%에서 발생하므로 유전성암과 후생암화과정을 배제하기 위한 검사 방법이다.[44]

③ 선별검사들의 특징과 한계

일반적으로 가족력을 정확하게 확인하는 데 어려움이 있어 가족력보다는 유전적인 요인을 시사하는 임상적인 지표를 잘 활용하는 것이 중요하다. 순차적인 선별검사는 50세 이

전 조기 발생한 경우와 암 가족력이 있거나, 저체중 환자 또는 자궁하절부에 발생한 자궁내막암인 경우에는 유전적 위험요인이 있으므로 면역조직화학검사, 현미부수체 불안정성검사, 메틸화 검사와 같은 선별검사를 시행하고, 선별검사의 결과에 따라서 유전자 염기서열분석 등을 순차적으로 환자에게 시행한다. 전수검사(universal screening)는 모든 자궁내막암 환자를 대상으로 유전자 염기서열분석을 하는 방법이다. 각각의 방법에 대해서는 비용과 근거, 각 기관의 관련 검사 가능성, 환자 동의와 같은 복잡하고 어려운 점들이 있어, 향후 근거 도출이나 학회 권고사항, 국가 보험급여 여부를 종합적으로 고려하여 각 개인의 상황에 맞게 시행하도록 한다.

5) 관리, 예방, 치료

불일치 복구 유전자 돌연변이를 보유한 여성은 자궁내막암을 조기 진단하기 위하여 경질초음파, 자궁내막생검, 종양표지자(CA125) 혈액검사를 시행할 수 있다. 2차 암관련 선별검사로 소변세포검사, 대장내시경, 복부영상검사를 시행할 수 있으며 예방하기 위한 노력으로 경구피임제 및 아스피린을 복용해 볼 수 있다. 가족력의 위험도에 따라서 출산 종료 후 위험 감소 수술 즉, 자궁절제술 및 양측 난소난관절제술을 고려할 수 있다. 각 가계의 위험도, 각 개인의 의료적 접근도 등을 고려하여 개별적인 예방 및 조기진단의 전략이 수립되어야 한다.

자궁내막암은 예후가 매우 좋은 암이고, 발병 가능한 유전성암이 다양하다. 연구결과는 많이 없지만, 유전적인 요인이 예후에 미치는 영향과 생존율의 차이는 없는 것으로 알려져 있다. 유전성 자궁내막암 환자도 일반적인 자궁내막암 환자처럼 수술적 병기설정술과 이후의 위험도와 재발에 따른 추가적인 항암방사선요법이나 항암화학요법의 경과를 따르지만, 최근에는 현미부수체 불안정성(MSI-H)이나 면역병리검사 이상(MMR-deficient)을 보일 경우 면역 항암치료제에 대한 효과가 보고되고 있다.

부인과 종양의 병리소견(Pathology)

외음부(Vulva)

외음에는 외음부 피부의 염증성 질환인 건선, 습진, 알레르기성 피부염과 피부의 낭 및 종양성 질환이 생길 수 있다. 외음암은 여성생식기 암의 약 5%를 차지하며, 절반 정도는 대음순에서 발생하고 전 세계적으로 증가하는 추세에 있다.

1) 바르톨린낭(Bartholin cyst)

바르톨린낭은 종양은 아니지만, 외음부에서 점액을 분비하는 바르톨린샘의 관이 막히게 되어 낭을 형성하는 가장 흔한 형태의 외음부 낭성 병변이며 종양으로 오인될 수도 있다. 직경이 3~5cm 정도로 커질 수 있고 세균에 감염되면 바르톨린 농양을 형성하기도 한다. 낭은 이행상피나 원주상피로 덮여 있으며 주변에 점액샘으로 구성된 정상 바르톨린샘이 관찰된다(그림 2-19).

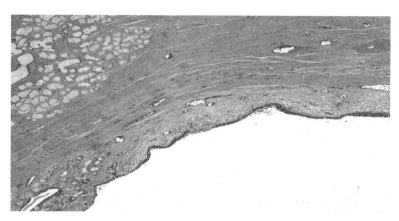

그림 2-19. 바르톨린낭
낭주변에 점액샘으로 구성된 정상 바르톨린샘이 관찰된다.

2) 비종양성 상피질환(non-cancerous epithelial disease)

비종양성 상피질환 가운데 일부가 외음의 전암성 병변으로 이행하므로 여기에 잠깐 언급하겠다. 이는 주로 폐경기 이후에 호발하며, 가려움증, 통증 및 성교통 등의 증상으로 나타난다. 육안적으로 비특이적 외음부상피 성장 이상으로 인해 피부가 두꺼워지거나 피부색이 대개 하얗게 보이므로 임상적으로는 백색판증(leukoplakia)이라고 알려져 있다. 대표적인 질환으로 외음 이영양증(vulvar dystrophy), 경피성 위축성 태선(lichen sclerosus et atrophicus), 위축성 및 증식성 외음부염(atrophic and hyperplastic vulvitis), 외음 이영양증(vulvar dystrophy) 등이다. 비종양성 상피질환은 크게 상피의 위축과 진피층의 섬유화가 특징적인 경화성 태선(lichen sclerosus), 상피의 증식과 과각화증이 특징인 편평상피증식 두 가지로 분류할 수 있다. 진단을 위해서는 악성의 가능성이 비교적 적은 예에서도 반드시 생검을 해야하고, 병터가 크거나 부위에 따라 모양이 다르게 보일 경우에는 다르게 보이는 각각의 부위에서 생검하여 확진하도록 해야 한다.

① 경화성 태선(lichen sclerosus)

경화성 태선은 외음부의 가장 흔한 백색 병소로서, 현미경소견은 병의 진행 정도에 따라 큰 차이가 있다. 현미경소견에서 표피의 위축 및 표피능의 소실이 특징적이며, 진피층은 부종과 유리질 섬유성 결체조직으로 대체된다(그림 2-20). 심한 각화소견과 혈관 주위에 단핵세포 침윤이 관찰되기도 한다. 이 질환은 외음 편평상피내종양(squamous intraepithelial lesions of the vulva, VIN)의 한 가지인 분화형 외음 편평상피내종양으로 이행되기도 한다.

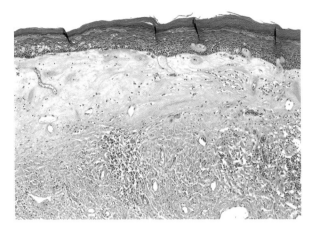

그림 2-20. **경화성 태선**
위축된 상피층 아래의 진피층은 부종과 유리질화된 결체조직으로 대체된다.

3) 상피종양(epithelial tumor)

외음에는 콘딜로마, 섬유종, 신경섬유종, 혈관종, 땀샘종양, 암종 등 양성 및 악성 종양이 다양하게 발생할 수 있다. 외음의 암종은 여성생식기 암종의 약 3%를 차지하는 비교적 드문 질환으로 대부분이 편평세포암이고, 드물게 기저세포 암, 악성 흑색종, 바르톨린샘이나 땀샘에서 선암 등이 발생한다.

① 뾰족 콘딜로마(condyloma acuminatum)

뾰족 콘딜로마는 성 접촉을 통해 전파되는 가장 흔하게 발병하는 양성 종양으로, 저위험군 HPV 6형이나 11형과 관련이 있다. 가장 전형적 형태는 유두모양의 돌출된 종괴이며, 이는 중심부의 섬유성 기질조직을 중층편평상피세포가 싸고 있는 모양으로 극세포증, 이상각화증, 과각화증과 함께 상피세포의 윗부분에서 원반세포증(koilocytosis)을 보이는 것이 특징이다. 원반세포증은 자궁경부의 저등급 편평상피내병변에서 보이는 것과 동일하며, 핵 주위 공포형성과 핵의 비정형성이 특징이며(그림 2-21), 이는 HPV의 감염을 시사하는 소견이다.

그림 2-21. **뾰족 콘딜로마**
첨탑모양으로 돌출된 종괴의 뒷부분에서 핵의 비정형성과 비어있는 세포질을 가진 원반세포가 관찰된다.

② 외음 편평상피내종양(squamous intraepithelial lesions of the vulva, VIN)

외음 편평상피내종양은 편평상피세포암의 전암성 병변으로 크게 두 가지 원인에 의해 발생한다. 한 가지는 HPV 감염과 연관된 병변이고, 다른 하나는 P53 돌연변이에 의한 것인데(그림 2-22) 이 두 가지 서로 다른 원인에 의한 외음 편평상피내종양의 분포는 연령과 나라에 따라 매우 다르다.

외음 편평상피내종양은 그 분류와 명칭이 여러차례 변화하여 매우 혼란스럽다. HPV 감염에 의한 외음 편평상피내종양을 고전적 외음 편평상피내종양(usual VIN, or classic VIN)이라고 하고, p53 돌연변이에 의한 병변을 단순형 혹은 분화형 외음 편평상피내종양(differentiated type or simplex VIN)이라고 한다. HPV 감염에 의한 병변은 과거에는 편평상피세포층 내에서 비정형 세포들이 차지하는 층의 정도에 따라 VIN 1, 2, 3으로 구분하였으나, 최근에는 자궁경부에서와 마찬가지로 저등급 편평상피내병변과 고등급 편평상피내병변의 2등급 체계로 분류하며, 이 두 가지 가운데 고등급 편평상피내병변을 고전적 외음 편평상피내종양이라고도 부르며, 이는 전암성 병변으로 여기는 반면, 저등급 편평상피내병변은 위에서 언급한 뾰족 콘딜로마나 편평 콘딜로마와 동일한 병변으로 HPV 감염에 의한 양성 병변을 말하며, 암종으로 진행되는 위험성은 매우 낮다.

고전적 외음 편평상피내종양은 육안 및 임상소견상 판상, 구진, 혹은 사마귀 모양으로 나타나고 아세틸산 도포시 흰색으로 변화하며 여러 개의 병변을 형성하기도 한다. 분화형 외음 편평상피내종양과는 달리, 현미경소견에서 상피층이 두꺼워지며 과각화증, 이상

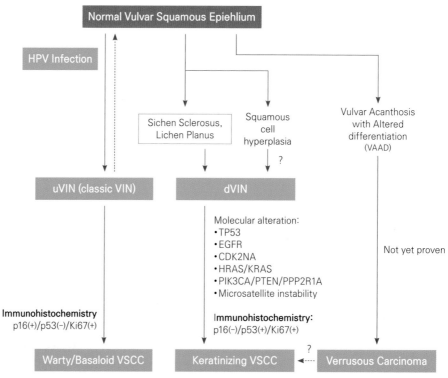

그림 2-22. 외음 편평세포암의 발생 기원 및 경로

각화증, 극세포증 등이 관찰되고, 다핵의 비정형 각화세포나 비성형 핵분열이 표피의 전 층에서 관찰된다(그림 2-23).

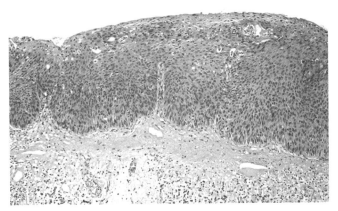

그림 2-23. 고전적 외음 편평상피내병변

p16 면역조직화학적 염색에서 핵과 세포질에 동시에 강하게 염색되며 일정 구간이 빈 틈없이 염색되는 '구간형(block-type)' 양성 소견을 보인다(그림 2-24).

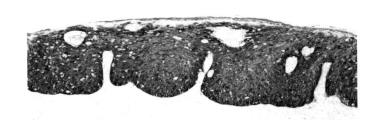

그림 2-24. 외음의 고전적 편평상피내병변에서 p16 면역조직화학적 염색소견
'구간형(block-type)' 소견을 보인다.

반면, 분화형 외음 편평상피내종양은(그림 2-25) 상피세포의 기저층의 세포들에서 과염 색성, 핵비대, 뚜렷한 핵인, 비정상적 세포분열 소견을 보이고 이상각화증이 나타나기도 하지만, 상피세포의 윗부분은 거의 정상에서와 같은 분화의 소견을 보여 상피세포 과증 식이나 경화성 태선, 편평태선 등의 피부병변과 감별 진단이 어려운 경우가 많다. p16 면 역조직화학적 염색에서는 음성이거나 미약한 양성을 보이는 경우가 대부분이고, p53 염 색에서는 상피세포의 아랫부분에서 강한 양성을 보이는 경우가 흔하다(그림 2-26).

③ 외음 편평세포암(squamous cell carcinoma of the vulva)

편평세포암은 외음 악성종양의 약 95%를 차지하며 연령 증가에 따라 빈도가 증가한다. 외음의 편평세포암도 외음 편평상피내종양과 마찬가지로 고위험군 HPV와 연관이 있는 경우와 HPV와 연관이 없는 경우 두 가지로 나뉜다.

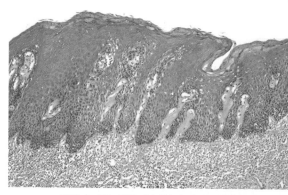

그림 2-25. 외음의 분화된 상피내종양
정상상피세포와 구분하기 힘들 정도로 분화가 좋다.

그림 2-26. 외음의 분화된 상피내종양에서
p53 면역조직화학적 염색소견
강한 양성반응을 보이는 세포들이 하부층에 배열된다.

병리소견에서 편평세포암의 육안소견은 매우 다양하며 궤양이나 돌출형 종괴로도 나타날 수 있고, 병변이 육안적으로는 구분되지 않는 경우도 있다. 외음의 어느 부위에나 발생할 수 있으며, 항문 주변의 회음부 피부에서도 발생한다. 이 종양은 백반과 비슷하게 작은 부위의 피부의 비후로 시작하여, 시간이 경과함에 따라 단단한 결절을 만들면서 외장성 종양이나 궤양성 또는 내장성 병터를 형성한다. HPV나 외음 상피내종양과 관련이 있는 암은 분화가 나쁜 경향이 있으나 분화형(differentiated type) VIN 혹은 외음이영양증과 관련이 있는 경우 현미경소견에서 각질진주를 형성하는 분화가 좋은 편평세포암이다.

사마귀모양 암(verrucous carcinoma)은 분화가 매우 좋은 편평세포암의 아형으로 원격전이하는 경우가 거의 없어 예후가 좋은 악성종양이다(그림 2-27). 대부분 폐경기 이후에 발생하고 서서히 진행되며 큰 사마귀모양의 종괴를 형성한다. 저배율의 현미경소견으로는 뾰족 콘딜로마와 유사하지만, 국소적으로 곤봉모양으로 침윤하는 악성 종양의 특징을 가지며, 원반세포는 관찰되지 않는다. HPV와의 연관성은 밝혀져 있지 않지만, HPV에 음성인 경우가 더 많다. 방사선 치료에는 잘 반응하지 않지만, 전이가 드물기 때문에 광범위 절제만으로도 치료할 수 있다.

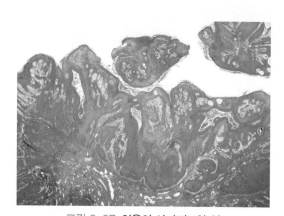

그림 2-27. 외음의 사마귀모양 암

사마귀 암(warty carcinoma)은 사마귀모양 암(verrucous carcinoma)과는 다른 질환이다. 사마귀 암의 암세포는 심한 비정형의 비대한 핵을 보이고, 주변에 원반세포증을 동반하기도 한다. HPV 감염과 관련이 있다.

④ 기저세포 암(basal cell carcinoma)

표피나 모낭 상피의 기저세포에서 발생하는 것으로 음부의 소양증이나 색소성 판을 주소로 발견되는 경우가 많으며, 현미경소견상 동일한 모양의 기저세포 덩어리로 구성되어 있으며, 간혹 선상피 또는 편평상피세포 분화를 보이기도 하므로 편평상피세포암과의 감별이 필요하다.

⑤ 유방외 파제트병(extramammary Paget disease)

유방외 파제트병은 외음, 항문 주변에 생기는 드문 질환으로 악성세포들의 독특한 상피내 증식을 특징으로 하며, 현미경소견이 유방의 파제트병과 유사하기 때문에 유방외 파제트병이라고 한다. 유방, 간, 갑상선, 폐, 고환, 이하선, 위장 등 멀리 떨어진 장기에 생긴 악성종양을 동반하는 경우가 자주 발견된다. 여성에서는 주로 대음순, 항문주변, 서혜부의 피부에 생기고, 지도모양으로 불규칙한 모양의 경계가 비교적 명확하며, 붉은색을 띠는 습진과 비슷한 병변으로, 병터는 가피로 덮여 있고, 점막하 비후를 보이거나 종괴가 촉지되는 경우도 있다.

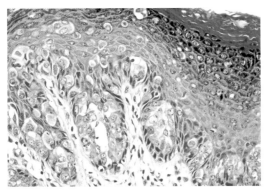

그림 2-28. 외음의 유방외 파제트병

진단적인 조직 소견으로는 크기가 크고 세포질이 풍부하며 뚜렷한 핵인을 가지는 '파제트 세포'가 낱개로 또는 몇 개의 작은 덩어리를 이루며 상피세포 층 안에 또는 피부 부속기 상피내에 존재한다(그림 2-28). 이 세포는 투명하거나 점액성의 세포질을 가지므로 주위 상피세포들과 쉽게 구별되며, 간혹 이 세포들이 상피세포 기저막을 넘어 진피내로 침윤하는 경우도 있고, 매우 드물게 원격전이를 하는 경우도 있다.[45]

⑥ 바르톨린 암(Bartholin carcinoma)

드물게 바르톨린샘에서 선암, 편평상피세포암, 선편평상피세포암, 선낭암(adenoid cystc carcinoma), 이행상피 암 등의 침윤성 암이 발생할수 있다. 이 암들은 주로 중년 혹은 노년기에 발생하며, 바르톨린낭 부근의 무통성 팽창을 주증상으로 한다. 선암과 편평상피세포암이 각각 40%를 차지하며, 선낭암이 약 15%, 선편평상피세포암이 5%를 차지하며, 그 조직소견은 자궁경부나 그 밖의 부위에 발생하는 것과 동일하다.

4) 악성 흑색종(malignant melanoma)

악성 흑색종은 멜라닌세포 기원의 악성 종양으로 외음부의 악성 종양의 8~10%를 차지하고 편평상피세포종양에 이어 두 번째로 외음에 호발하는 종양이다. 특히 점막에 발생하는 경우에 색소를 가지지 않는 비색소형 흑색종이 발생하기도 한다. 현미경소견에서 초기에는 종양세포가 상피내에 국한되어 있어, 육안 및 현미경소견으로 파제트병과 유사하지만 면역조직화학적 염색에서 MART-1/Melan-A, HMB-45, S-100 단백에 대한 면역조직화학적 염색에서 양성반응을 보이고, 파제트병에서 관찰되는 암종배아항원(CEA)과 뮤코다당질이 음성이면 흑색종으로 진단할 수 있다.

5) 간엽종양(mesenchymal tumor)

외음에는 여러 가지 종류의 양성 및 악성 간엽종양이 발생할 수 있으며, 이 중에는 양성 종양이면서도 조직소견상 악성종양과 유사하게 보이는 병변도 있고, 양성 종양이지만 국소적으로 재발이 잦은 종양도 있어서 감별진단이 중요하다.

① 섬유상피 간질 폴립(fibroepithelial stromal polyp)

편평상피세포로 덮인 외음, 질, 그리고 자궁경부의 상피세포 아래 바탕질을 구성하는 세포들이 증식하면서 용종 모양으로 돌출하는 병변을 말하며, 가임기 여성 특히, 임신 중에 발생하는 경우가 많다. 크기는 대부분 5cm 미만으로 작으며, 현미경소견에서 경계가 불분명하고 세포 밀도가 높은 방추형 세포들이 상피세포 아래에 밀집되어 나타난다. 이들은 다핵세포를 형성하기도 하고 드물게 핵의 심한 이형증이나 빈번한 세포분열을 보이고 더불어 비정상적인 세포분열까지 보여 악성종양으로 오진하는 경우가 많으므로, 임신한 여성에서 발생하는 종양 가운데 악성종양을 의심하게 하는 병변이 있더라도 악성종양의 진단은 매우 신중하게 해야 한다.

② 표재성 혈관점액종(superficial angiomyxoma)

주로 30~40대 젊은 여성의 외음, 서혜부, 질에 발생하는 종양으로 서서히 자라는 무통성 종괴를 형성하지만, 여성의 생식기에만 발생하는 종양이 아니라 체간, 사지, 두경부에도 발생하는 종양이다. 현미경소견에서 성글은 바탕질에 얇은 벽을 가지는 혈관과 방추형 혹은 별모양의 중간엽세포들이 증식하며, 완전히 절제하지 않은 경우에는 재발할 수 있으므로 완전 절제가 중요하다. 여성 생식기에만 국한하여 발생하는 종양이 아니기 때문에 에스트로겐과 프로게스테론 호르몬 수용체에 음성반응을 보이며, vimentin, CD34에 양성 반응을 보이며, S-100, smooth muscle actin에는 다양한 반응을 보인다.

③ 혈관근섬유아세포종(angiomyofibroblastoma)

외음과 질에 무통성 종괴를 형성하는 양성 종양인데, 바르톨린낭으로 오인하기 쉽다. 상피세포 아래에 경계가 잘 지워지는 고형성 종괴를 형성하며, 얇은 벽을 가진 작은 크기의 혈관과 근섬유아세포의 증식으로 이루어져 있고, 세포의 비정형성이나 세포분열은 드물게 관찰된다. 이 종양은 여성생식기에서만 발생하는 종양으로 에스토로겐 프로게스테론 수용체에 양성 반응을 보이며, 근섬유아세포의 분화를 보이는 바탕질세포에서 기원하는 것으로 vimentin, desmin에 면역조직화학적 염색에서 양성반응을 보인다. 경계가 잘 지워지므로 완전절제가 가능하고 절제 후에 재발은 거의 일어나지 않는다(그림 2-29).

그림 2-29. 외음의 혈관근섬유아세포종
주변과의 경계가 분명하다.

④ 공격적 혈관점액종(aggressive angiomyxoma)

가임기 여성의 외음, 질, 골반의 깊은 연부조직에 발생하는 종양으로, 주변조직으로 침윤성 성장을 하기 때문에 수술할 때 종양의 경계를 찾기 어렵고, 그 때문에 수술 후 재발이 잦은 종양이다. 현미경소견에서 세포밀도가 매우 낮은 종양으로 점액질이 풍부한 바탕질 안에 방추형이나 별모양의 종양세포가 드물게 증식하며, 다양한 크기와 두께를 가진 혈관이 섞여 나타나는 종양으로 세포의 미정형성이나 세포분열도 찾아보기 힘든다.

그 외에 표재성 근섬유아포종(superficial myofibroblastoma), 세포성 혈관섬유종(cellular angiofibroma) 등의 양성 종양도 드물게 발생하는 것으로 문헌에 기술되어 있고 재발은 드문 것으로 알려져 있으나, 외음이나 질에 발생하는 여러 가지 종양 가운데에는 조직소견이 유사하게 보이는 병변들이 있으나 이들을 감별진단할 수 있는 진단적인 면역표지자가 분명하지 않아 이들이 모두 서로 다른 종양인지 여부도 확실하지는 않다.

6) 기타 종양

배아형횡문근육종(embryonal rhabdomyosarcoma), 포상횡문근육종(alveolar rhabdomyosarcoma), 평활근육종(leiomyosarcoma), 상피양육종(epithelioid sarcoma), 포상연부육종(alveolar soft part sarcoma) 등의 악성종양들이 드물게 외음에 발생한다.

배아형 횡문근육종은 횡문근의 분화를 보이는 악성종양으로, 주로 소아 연령에 발생하며, 간혹 포도송이와 같은 모양을 보이는 경우가 있어 이런 종양을 포도모양육종(sarcoma botryoides)이라고도 부른다(그림 2-30). 현미경소견에서 종양세포들은 점액성 버팀질 가운데 둥근 모양, 타원형 혹은 방추형 세포가 증식하며, 세포질 안에는 전자현미경에서 액틴과 미오신의 중간필라멘트로 가득찬 호산성 세포질을 가지거나 혹은 가로무늬(cross striation)를 보여 발생 단계의 골격근과 닮은 모양을 보인다. 종양세포들은 점막아래 층에 밀집되어 있어 이들을 나무 껍질 바로 아래 형성층(cambium layer)에 빗대어 형성층이라고 부른다.

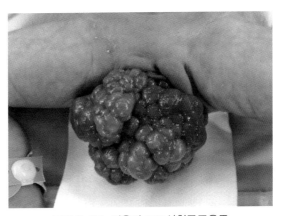

그림 2-30. 외음의 포도상횡문근육종

질(Vagina)

질은 여성생식관의 일부로서 원발성 질환은 상당히 드물게 발생한다. 주된 원발성 질환은 암종이다.

1) 선천 기형(congenital anomaly)

가트너관 낭(Gartner duct cyst)은 종양은 아니지만 비교적 흔한 병변으로 질의 측면의 벽을 따라 생기고 볼프관 잔존물이 낭성 변화를 하여 커진 것이다. 낭은 작은 경우 1~2cm, 큰 경우 5~6cm 정도가 되며, 다양한 종류의 상피, 흔히 입방상피로 덮여있다. 단순 낭으로 대개는 증상이 없으며 우연히 발견된다. 그 외에 질의 낭질환으로는 질 상부에서 발생하는 뮐러관 기원의 낭이 있다.

2) 종양

가임여성에서 발생하는 대부분의 양성 종양으로 콘딜로마, 평활근종, 섬유종, 횡문근종, 혈관종 등이 있다. 편평세포암의 전암성 병변으로는 편평상피내병변이 발생할 수 있으며, 악성종양으로는 성인에서는 편평세포암이 가장 흔하고, 소아의 경우에는 외음에서도 기술한 바있는, 매우 독특하고 드문 형태의 포도모양 육종(sarcoma botryoides)이 발생할 수 있으며, 드물게 악성 흑색종도 발생할 수 있다(그림 2-31).

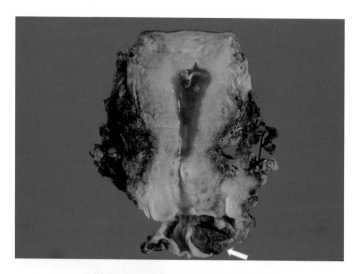

그림 2-31. 질 점막에 발생한 악성흑색종

① 질 편평상피내병변(squamous intraepithelial lesions of the vagina)

질에서 발생하는 비정형 편평상피세포의 전암성 병변을 질 상피내종양(vaginal intraepithelial neoplasia, VaIN)으로 불렀으나, 2012년 용어정리를 위한 국제적 모임에서 자궁경부나 외음 편평상피내종양과 마찬가지로 저등급 편평상피내병변과 고등급 편평상피내병변의 2등급 체계로 통일하였다.[46]

증상은 거의 없으며 드물게 질출혈이 동반된다. 주로 자궁경부 상피내종양 병변과 연결되어 발생하며, 매우 드물게 질 상피내종양이 질 점막에서 일차성으로 발생하는 경우는 드물다. 대부분 자연히 소실되지만 10% 정도에서 침윤성암으로 발전한다. 질 상피내종양의 현미경소견과 진단기준 및 생물학적 특성은 자궁경부의 상피내종양과 기본적으로 동일하다.

② 질 편평세포암(squamous cell carcinoma of the vagina)

질의 편평세포암의 30% 정도는 과거에 자궁경부나 외음에 편평세포암이 있는 경우이며, 원발성 질 편평세포암은 전체의 1~2%로 매우 드물며, 원발성 질 편평세포암은 자궁경부 및 외음부가 정상이며 다른 곳에 원발성 암이 없는 경우에 한하여 진단한다.

질에 발생하는 원발성 편평세포암은 외음부나 자궁경부에 비해 매우 드물지만 질에 발생하는 악성 종양의 85%를 차지하며, 폐경기에 빈발하고 자궁경부와의 경계부위에 후벽을 따라 발생한다. 질의 편평세포암의 30% 정도는 과거에 자궁경부나 외음에 편평세포암이 있었던 경우에 해당되며, 1~2% 정도에서 원발성 질 편평세포암이 발생한다. 질암의 주된 증상은 질출혈, 특히 폐경 후 출혈이 생기며, 질 분비물 및 골반통 등이 나타난다. 때로 암이 진행되어 요루나 직장루가 생겼을 때 발견되는 수도 있다. 대부분의 종양이 질의 후벽 상부, 특히 자궁경부와 질의 경계부위에 생기며 질 상피내종양과 동반되어 발생한다. 현미경소견은 다양한 정도의 각질화가 동반된 종양세포들이 바탕질 안으로 침윤하는 것이 특징이며, 자궁경부에 발생하는 편평세포암과 조직소견의 차이점은 없다. 가장 중요한 예후인자는 FIGO 병기, 종양 크기, 질내 종양의 위치(상부가 예후 좋음)이며, HPV 음성인 경우에는 예후가 불량하다.

③ 투명세포 선암(clear cell adenocarcinoma)

투명세포 선암(clear cell adenocarcinoma)은 1940년 이후 태어난 여성의 질과 자궁경부에서 750예 이상 보고되었다. 환자들의 대부분은 임신기간에 절박유산 치료를 위해 비스테로이드성 합성 에스트로겐 제제인 diethylstilbestrol (DES)를 투여한 기왕력을 가진 어머니로부터 태어난 젊은 여자들에서 발견되어 주목을 받았다. 주로 15~20세에 발생하고, 이 종양의 전 단계로 질 선증(vaginal adenosis)이 선행한다. 질 선증은 뮬러형의 원주상피가 질 편평상피 밑에 나타나거나 이를 대체하는 현미경소견을 보이는 질환이다. 질 선증은 임신 중 DES 치료를 받은 어머니에게서 태어난 여아의 35~90%에서 나타나지만 암 발생빈도는 0.14% 이하로 낮다고 한다. 그러나 질의 투명세포 선암은 DES에 노출된 병력이 없는 노인 환자에게서도 생길 수도 있다. 호발 부위는 질 전벽 상부 1/3에서 생기고, 크기는 0.2~10cm까지 다양하다. 조직학적 소견은 자궁내막 및 난소에서 발생하는 투명세포 선암과 동일하다. 종양을 구성하고 있는 세포는 공포를 보이고, 당원을 함유하고 있는 투명세포와 구두징모양 세포(hobnail cell)로 구성되어 있다. 종양은 충실성 성장을 하거나 낭 또는 유두형태를 취한다.

자궁경부 (Cervix)

1) 종양성 상피질환(neoplastic epithelial disease)

① 편평상피내병변(squamous intraepithelial lesions of the cervix)

예전에는 편평상피의 전암성 병변을 자궁경부 편평상피세포에 침범하는 정도에 따라 자궁경부의 편평상피세포를 산술적으로 3등분하여 그 정도에 따라 상피내종양 등급 1, 2,

3으로 나누었었다. 그러나 HPV의 생물학적 특성이 밝혀짐에 따라 상피내종양(CIN) 1은 대부분 HPV에 의한 바이러스 감염성 질환으로 1년 이내에 자연치유되는 경우가 많으며, 이 가운데 소수가 CIN 2와 CIN 3 의 전암성 병변으로 진행된다. 바이러스 감염성질환에서는 세포의 증식이 일어나는 기저층과 방기저층핵의 변화를 일으키지 않으며, 전암성 병변인 경우에만 기저층과 방기저층 핵의 변화를 일으킨다.

이와 같은 연구결과를 근거로 하여, 조직진단에서도 세포진단과 마찬가지로 저등급 편평상피내병변(LSIL)과 고등급 편평상피내병변(HSIL)의 두 가지로 분류하게 되었다. 상피내종양이 진행하면서 병변이 편평상피의 하부에서 상부까지 진행한다고 여겼던 상피내종양(CIN) 등급 1, 2, 3은 병변의 발생기전과도 맞지않을 뿐 아니라, HPV가 병의 원인이라는 것을 모르던 시대에 정한 기준이었으므로 더 이상 사용하지 않는 분류이다. 저등급 편평상피내병변에서는 상피세포의 표피세포층과 중간세포층에 해당하는 상층부에서 원반세포(koilocytes)가 다수 관찰될 뿐(그림 2-32), 편평상피세포의 하부층에 속하는 기저층과 방기저층에서는 핵의 비정형성을 보이지 않는 반면, 고등급 편평상피내병변에서는 원반세포가 상부층에 존재하는 경우도 있지만, 하부의 기저층과 방기저층의 세포들에서 분명한 핵의 비정형성을 관찰할 수 있다는 점이 큰 차이점이며(그림 2-33A), 세포질이 풍부해지는 상피세포의 분화가 어느정도 관찰되는 경우도 있고 세포질이 거의 없는 세포들이 전층을 이루는 소견도 자주 관찰된다(그림 2-33B). 이는 대부분의 HPV DNA가 상피세포 핵의 DNA 내에 융합되어 상피세포 하부층에 해당하는 기저층과 방기저층 세포들의 핵의 변화를 유발하기 때문이다.

이전에 경도/중등도/고도의 '이형성증(dysplasia)'을 상피내종양 등급 1, 2, 3로 변환하였

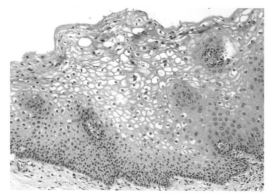

그림 2-32. 자궁경부 점막에 발생한 저등급 편평상피내병변

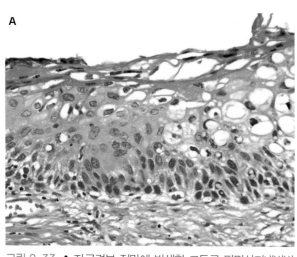
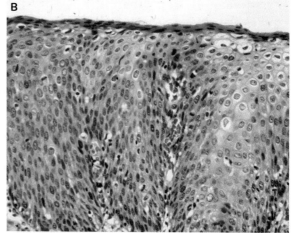

그림 2-33. **A** 자궁경부 점막에 발생한 고등급 편평상피내병변 가운데 세포질 분화가 보이는 경우, **B** 자궁경부 점막에 발생한 고등급 편평상피내병변 가운데 세포질 분화가 없는 경우

을 때에는 경도의 이형성증(mild dysplasia)은 상피내종양 등급 1로, 중등도 이형성증은 상피내종양 등급 2로, 고도의 이형성증은 상피내종양 등급 3으로 변환할 수 있었던 반면에, 상피내종양 등급 1, 2, 3은 저등급 상피내병변 혹은 고등급 상피내병변으로 자동 변환하기 어렵다.

② 자궁경부 제자리선암(adenocarcinoma in situ of the cervix)

자궁경부의 상피내 병변으로 악성 상피세포로 이루어진 샘 구조를 이루는 종양으로 상피세포 하부의 간질에 침윤이 없는 종양을 말한다. 침윤성 자궁경부암에 비해 10~15년 이른 연령에 발생한다. 현미경소견에서 정상적인 샘구조의 형태를 그대로 유지하거나 정상에 비해 좀더 샘구조가 증식된 형태를 이루며, 소엽구조를 이루고 있는 경우가 자주 관찰된다(그림 2-34).

고배율소견에서 상피세포들은 거짓중층을 형성하며 세포질 내의 점액이 정상에 비해 감소된 소견을 보인다. 세포들의 핵은 커지고 농염되며 염색질이 매우 불규칙하고 뚜렷한 핵인과 세포분열이 증가된 소견을 보이며, 술잔세포가 나타나는 경우가 흔하다. 따라서 샘구조내에 술잔세포가 관찰될 때에는 자궁경부 제자리선암을 의심해 보아야 한다. 그러나 제자리선암에서 간질에 침윤을 시작할 때 초기병변은 침윤성 선암과의 구분이 매우 어렵다. 반응성 증식과의 감별을 위해서는 p16 면역조직화학적 염색이 도움이 된다.

③ 침윤성 편평세포암(invasive squamous cell carcinoma)

다양한 분화정도를 가진 편평세포암이 기저막을 넘어 간질로 침윤하는 종양을 말한다. 각질형성 여부와 세포의 모양에 따라 각질형, 비각질형, 유두형, 기저모양형, 사마귀형, 사마귀모양형, 편평이생상피형, 림프세포형 등의 여러 가지 아형으로 구분하지만 사마귀모양 암(verrucous carcinoma)과 기저모양 편평세포암(basaloid squamous cell carcinoma)을 제외하고는 임상적으로 큰 차이가 있는 종양은 아직 알려져 있지 않다.

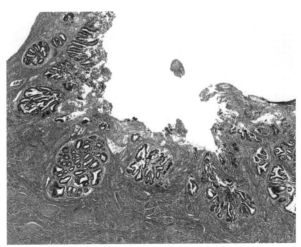

그림 2-34. 자궁경부 제자리선암
샘구조가 증식된 형태로 소엽구조를 이루고 있는 경우가 자주 관찰된다.

i. 사마귀모양 암(verrucous carcinoma)

외음에서 생기는 사마귀모양 암과 마찬가지로 분화가 매우 좋은 편평세포암의 아형으로 국소적으로 재발은 할수 있지만 원격 전이하는 경우가 거의 없이 예후가 좋은 악성종양이다. 대부분 폐경기 이후에 발생하고 서서히 진행되며 큰 사마귀모양으로 돌출하는 종괴를 형성한다. HPV와의 연관성은 아직 확실히 밝혀져 있지 않지만, HPV에 음성인 경우가 더 많다. 현미경소견으로는 종양의 상층부에 각질화소견이 심하고 하층부에서 바탕질과 맞닿은 부위에서는 침윤성 성장을 하지 않고 둥근 상피돌기(rete peg)를 형성하는 것이 특징이다. 방사선 치료에는 잘 반응하지 않지만, 전이가 드물기 때문에 광범위 절제만으로도 치료할 수 있다.

ii. 기저모양 편평세포암(basaloid squamous cell carcinoma)

아직 잘 알려지지 않은 편평상피암의 아형으로 고등급종양으로 분류되며 공격적인 임상경과를 가진다. 현미경소견에서 기저세포와 유사하게 분화되지 않은 상피의 모양을 가지며, 각질화소견이 거의 관찰되지 않는다. 세포의 핵도 다형증을 보이며 종양의 괴사도 자주 관찰된다.

④ 침윤성 선암(invasive adenocarcinoma)

자궁경부암 가운데 두번째로 흔한 암으로, 제자리선암으로부터 발생하는 경우가 가장 많고, 80% 이상에서 HPV 감염과 관련이 있다.

조직소견에 따라 통상 자궁내경부암(usual endocervical adenocarcinoma), 위형(gastric type), 장형(intestinal type), 반지모양형 암(signet ring cell carcinoma)을 포함하는 암(mucinous carcinoma), 융모샘형 암(villoglandular carcinoma), 자궁내막양 암(endometrioid carcinoma), 투명세포 암(clear cell carcinoma), 장액성 암(serous carcinoma), 중신 암(mesonephric carcinoma), 신경내분비 종양과의 혼합암 등 여러 가지 아형으로 구분하는데, 위형, 신경내분비암 이외에는 아직 임상적으로 분류의 의미가 크게 있는 것은 알려져 있지 않다.

가장 많은 아형은 통상자궁내경부형(usual endocervical type)으로 초기에는 자궁경부 제자리선암과 침윤성 암의 구분이 어렵다. 위형의 점액성 암은 2000년대 들어서야 임상적으로 의미있는 자궁경부 선암의 특별한 아형으로 알려졌으며, 예전에 악성 선종(adenoma malignum)으로 불리던 종양이 이에 속한다(그림 2-35). 악성 선종 이외에도 악성 선종에 비해 조직학적 분화가 나쁜 위형 선암도 포함된다. 위형 선암의 종양세포들은 위의 유문부에서 분비되는 것과 같은 중성 점액을 분비하며,[47,48] 세포질이 투명하거나 약한 호산성을 띠는 것이 조직소견의 차이점이다.

위형 선암의 전암병변은 자궁내경부형 선암과는 달

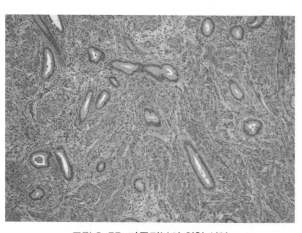

그림 2-35. **자궁경부의 위형 선암**
일명 악성 선종으로 불리기도 했었다.

리, 소엽성 자궁내경부 샘증식증(lobular endocerivcal glandular hyperplasia)으로 알려져있다.[49,50] 이 자궁내경부 샘증식증의 세포들은 위형 선암과 마찬가지로 중성점액을 분비하고,[51] HPV 감염과 연관이 없어 p16 면역조직화학적 염색에서 구간 염색성을 보이지 않으며, p53, MUC5AC, MUC6 등에 염색을 보이는 경우가 대부분이라서 이 항체들을 확진을 위한 면역표지자로 사용하고 있다.

위형 선암은 STK11 유전자의 생식세포 돌연변이를 가진 Peutz-Jegher 증후군 환자에서 발생하는 경우가 많고, Peutz-Jegher 증후군과 동반하지 않은 경우에도 STK11 유전자의 체세포 돌연변이가 자주 발견되므로 이 유전자가 종양억제유전자의 기능을 할 것으로 생각하고 있다.[52] 위형 선암은 다른 아형의 선암에 비해 5년 생존율이 절반이하로 낮고, 주변 조직으로의 침윤, 전이율이 높아 예후가 불량하므로 비록 조직소견에서는 양성 종양에 가까운 소견을 보이더라도 수술적으로 완전 절제한 이후 추가 치료하는 것이 필요하다.[53]

자궁경부 선암 가운데 위형 선암, 중신 선암, 투명세포 암은 HPV 감염과 연관이 없어 p16 염색이 진단에 도움이 되지 않는다.

⑤ 신경내분비 종양(neuroendocrine tumor)

이전에는 소세포암(small cell carcinoma), 소세포 신경내분비 암(small cell neuroendocrine carcinoma)으로 불리던 종양으로, 자궁경부에서는 대부분이 소세포 신경내분비 암의 소견을 보이지만, 풍부한 세포질을 가지는 대세포 신경내분비 암도 소수 발생한다. 소세포와 대세포 신경내분비 암 모두 synaptophysin, chromogranin, NSE, CD56 등 신경내분비세포 표지자에 적어도 한 가지 이상 양성반응을 보이며, p16에도 강한 양성 반응을 보이고, TTF-1, CD99, p63, keratin 20에도 양성 반응을 보인다. 자궁경부 제자리선암, 침윤성 선암, 침윤성 편평세포암 등과 혼합되어 나타나는 경우가 흔하며, 림프혈관 내 종양의 침범이 빈번하게 나타나 뼈, 간, 폐, 림프절 등 전신으로 전이되는 경우가 많아, 5년 생존율이 다른 아형의 선암에 비해 현저하게 낮으므로, 광범위 절제술을 시행한 이후 항암화학요법, 방사선 치료 등 추가치료가 필요하다.

⑥ 침윤성 선편평세포암(invasive adenosquamous carcinoma)

한 종양내에 선암과 편평세포암으로 분화하는 곳이 함께 관찰되는 종양으로 HPV와 연관성이 높다. 같은 병기의 선암이나 편평상피세포 암과 비교하여 예후가 좋은지 나쁜지에 관해서는 아직도 보고자마다 의견이 다르다.

⑦ 투명세포 선암(clear cell carcinoma)

자궁내막이나 난소에 생기는 투명세포 암과 조직소견은 동일하며, 자궁에 생기는 경우는 매우 드물며, HPV 감염과 연관성이 없는 종양 가운데 하나로 알려져 있다.

⑧ 장액성 선암(serous adenocarcinoma)

자궁경부의 선암 가운데 3% 미만을 차지하며 자궁내막이나 난소에 생기는 장액성 선암과 조직소견이 동일하다. 순수하게 장액성 선암만 발생하는 경우도 있지만, 약 절반에서는 다른 선암과 혼합되어 나타나는 경우가 많고, HPV 감염과 연관성이 있다. 예후는 통상 자궁내경부 선암에 비해 나쁘다고 알려져 있지만, 증례가 드물어 문헌보고가 적기 때문에 확신하기 어렵다.

⑨ 중신 선암(mesonephric adenocarcinoma)

자궁경부 측벽에 남아있는 중신의 발생잔존물에서 유해하는 것으로 알려진 드문 종양으로, 예전에는 현미경소견이 뮬러관에서 기원하는 투명세포 선암이나 장액성 선암과 유사하여 진단하기 어려운 경우가 많았으며, 확실한 면역표지자가 없어 진단이 어려웠지만, 최근에는 이 종양의 90% 이상에서 GATA-3 항체에 양성 반응을 보인다고 알려져 진단이 예전에 비해 용이해져서 앞으로 이 종양의 예후 및 임상소견에 대한 분석이 나올 것으로 예상된다.

⑩ 선모양 기저세포 암(adenoid basal cell carcinoma)

이 종양은 암이라기보다 선모양 기저세포상피종양으로 부르는 사람들이 있는 만큼, 조직소견이나 임상소견이 양성종양에 가깝다. 대부분 고등급 편평상피내병변이나 표재침윤성 편평세포암을 수술한 검체에서 편평세포암의 주변부에서 관찰되거나, 같은 종양세포의 덩어리에서 가운데 부분에는 편평세포암이나 선암의 분화가 보이고 가장자리 쪽에 선모양 기저세포 암의 소견이 나타난다. 이 종양이 단독으로 순수한 형태로 나타날 때에는 절제면에 종양 침범이 없다는 것만 확인하면 원추절제술만으로도 치료가 가능하며, 림프절 전이나 재발은 드물다. 다른 종양과 혼합되어 나타날 때의 예후는 혼합된 종양의 침윤깊이에 따라 다르다.

자궁체부
(Uterine Corpus)

1) 자궁내막 증식증과 자궁내막 상피내종양
(endometrial intraepithelial neoplasia)

이전의 1994 WHO 분류에서는 자궁내막양 암의 전암성 병변을 4가지 단계로 분류하여 각각 자궁내막양 암으로 진행하는 빈도에 따라 단순 정형 자궁내막증식증(simple hyperplasia without atypia), 복합 정형 자궁내막증식증(complex hyperplasia without atypia), 단순 비정형 자궁내막증식증(simple hyperplasia with atypia), 복합 비정형 자궁내막증식증(complex hyperplasia with atypia)의 4가지 단계로 나누었다. 그러나 자궁내막양 암의 원인이 되는 PAX2, PTEN 등의 면역조직화학 염색 결과 및 유전자 변이 결과를 조직소견과 비교한 결과, 이들 가운데 핵의 비정형성을 동반하지 않으면서 샘구조만 증가된 병변들은 에스트로겐 호르몬의 단독자극, 즉 호르몬에 의한 변화일 뿐 이들 모두가 전암성 병변은 아니라는 것이 알려졌다. 물론, 에스트로겐 호르몬 단독자극에 의한 변화가 있는 환자들을 오랜기간 추적관찰하면, 에스트로겐 호르몬 자극이 없는 경우에 비해 돌연변이 빈도가 증가하고 암의 빈도도 3~4배 증가되어 있으나, 돌연변이도 일어나지 않은 호르몬 변화 그 자체를 전암성 병변으로 보기 어렵다는 것이 현재의 의견이다. 이 연구 결과들을 바탕으로 2014 WHO 분류에서는 자궁내막양 암의 전암병변만을 가려내어 자궁내막 상피내종양(endometrial intraepithelial neoplasia)으로 명칭을 변경하였고, 호르몬 자극에 의한 효과로 나타나는 나머지 병변들을 묶어서 양성 자궁내막증식증(benign hyperplasia) 으로 명명하였다. 이전의 분류와는 세포의 비정형을 정의하는 의미에 차이를 두어서, 이전 분류체계를 새로운 분류체계로 자동 변환하는 것은 불가능하지만 복합 비정형 자궁내막증식증의 대부분과 단순 비정형 자궁내막증식증의 일부가 전암성 병변인 자궁내막 상피내종양에 포함되게 되었다. 현미경소견에서 자궁내막 상피내종양은 둥글거나 가지를 치는 모양의 샘구조가 빽빽하게 증식하여 바탕질이 차지하는 면적보다 많아지고, 구성하는 세포들은 핵의 크기가 크고 둥글며 비정형성이 증가하고 핵인이 뚜렷해지는 특징을 가져, 주변의 세포와는 현저하게 대조되는 모양을 가진다(그림 2-36). 자궁내막 상피내종양이 있는 경우에 자궁내막양 암이 발견되는 확률은 없는 경우에 비해 45배 이상 증가하므로[54] 자궁내막 상피내종양을 진단받은 젊은 여성의 경우, 가임력을 보존할 필요가 없는 이상 자궁절제술을 시행하는 것이 좋다.

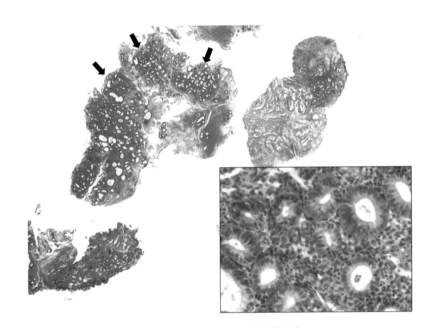

그림 2-36. 자궁내막 상피내종양
샘구조가 빽빽하게 증식하며(화살표), 세포들은 핵의 크기가 크고 둥글며, 비정형성이 증가하고 핵인이 뚜렷해지는 특징을 가진다.

2) 자궁내막암(endometrial carcinoma)

식이습관과 영양상태가 서구화되면서 최근 한국에서도 자궁내막암의 빈도가 크게 증가하고 있다. 자궁내막암은 발생 기전 및 조직소견에 따라 유형 1과 유형 2로 구분하며, 유형 1의 대표적인 암은 자궁내막양 암으로 폐경기 전후에 나타나고, 장기간의 에스트로겐에 의한 과도한 자극과 관련되어 PTEN (44~63%)이나 PAX2 (71%) 단백의 불활성화, k-RAS 돌연변이(16%), 미세부수체 불안정성(20~25%) 등이 원인이 되어 발생하는 것으로 알려진 반면, 유형 2의 대표적인 암종은 장액성 암으로 대부분 폐경기 이후에 p53 유전자의 돌연변이로 인해 발생하는 것으로 알려져 있다(표 2-9).

표 2-9. 자궁내막암의 두 가지 유형의 임상 및 병리학적 소견의 비교

자궁내막암	유형 1	유형 2
호발연령	폐경기 전	폐경기 후
조직학적 유형	자궁내막양 암	장액성 암, 투명세포 암
에스트로겐	에스트로겐의 과도한 자극이 원인	관련없음
전암병변	비정형 자궁내막증식증/ 자궁내막양 상피내종양	장액성 자궁내막 상피내암
조직학적 분화도	저등급	고등급
예후	양호	불량
유전자 변이	PTEN 불활성화, PAX2 불활성화, 미세부수체불안정	TP53 돌연변이

① 자궁내막양 선암(endometrioid adenocarcinoma)

육안소견에서 자궁내막이 전체적으로 두꺼워지거나 자궁내막의 일부 혹은 전체를 차지하는 종괴를 형성하며, 자궁근층 안으로 다양한 정도의 침윤을 보인다. 현미경소견에서 정상 자궁내막을 닮은 작고 단순한 관모양 샘의 모양을 가지며, 샘을 이루는 구조의 양에 따라 FIGO 조직 등급을 정하며, 이는 환자의 예후와 치료에 중요한 지표가 된다. FIGO 1등급은 고형성 암종 부위가 5% 이하를 차지하는 경우, 2등급은 6~50%, 3등급은 50% 이상을 차지하는 경우로 정하며, 1등급이나 2등급에서 핵의 비정형성이 심한 경우에는 한 단계 등급을 높인다.

② 장액성 선암(serous adenocarcinoma)

유형 2의 대표적인 종양으로 주로 폐경기 여성에서 발생하므로 자궁이 작고 위축되어 있는 경우가 많고 종양주변에 남아있는 자궁도 위축성 자궁내막을 보인다. 현미경소견에서 종양은 가늘고 긴, 복잡한 유두상 구조를 이루는 경우가 흔하고(그림 2-37), 핵은 크고 심한 다형증과 비정형성을 보이며 세포분열이 빈번하다. 림프관내에 종양의 침범도 빈번하게 나타나 종양이 자궁내막에 국한된 경우에도 자궁바깥으로 종양이 이미 전이된 경우가 자주 발견되며, 예후는 자궁내막양 암에 비해 매우 불량하다.

③ 투명세포 암(clear cell carcinoma)

유형 2에 속하는 암으로, 조직소견에서 유두상 구조를 자주 보여 장액성 암과 유사한 부분이 관찰되기도 하며, 난소나 질에 생기는 투명세포 암과 조직소견이 거의 같다. 투명하거나 호산성의 풍부한 세포질

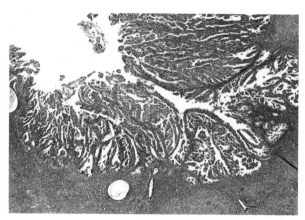

그림 2-37. 자궁내막의 장액성 선암
유두상 구조를 보이며 세포들의 비정형성이 심하다.

을 가지는 종양세포들이 판모양, 관모양, 낭모양, 혹은 유두모양 배열을 하며 주로 한층의 종양세포들이 낭이나 관구조를 덮고 있거나, 유두모양 구조의 바깥쪽을 덮고 있다. 자궁내막양 암이나 장액성 암과의 감별을 위해 에스트로겐 및 프로게스테론 수용체, p53, HNF1β 면역조직화학적 염색을 하면 에스트로겐 및 프로게스테론 수용체에는 대부분 음성반응을 보이며, p53에 과염색을 보이는 경우도 드물기 때문에 감별진단이 가능하다.

3) 중간엽 종양(mesenchymal tumor)

① 평활근종(leiomyoma)

자궁근층에서 발생하는 종양으로 자궁의 종양 가운데 가장 흔하다. 육안소견은 경계가 분명하고 단단한 회백색의 종괴를 형성하며, 한 개 혹은 여러 개가 동시에 발생할 수도 있고 크기도 매우 다양하다. 종양의 크기와 악성도와는 상관관계가 없다. 종양의 위치에 따라 점막밑, 자궁벽내, 장막밑, 자궁주변 인대안에 발생하는 평활근종으로 구분하며, 간혹 점막밑에서 자라나 자궁내강안쪽이나 자궁내경부 쪽으로 길게 늘어져 자라는 경우도 있다. 현미경소견에서 방추형 세포가 교차다발을 형성하며 세포의 핵은 시가(cigar) 모양의 타원형으로 끝이 뭉툭하고 둥근 모양을 보인다. 이차적인 변화로 출혈, 괴사, 낭성변화, 유리질화, 석회화 및 점액성 변성이 일어날 수 있다.

② 정맥내 평활근종증(intravenous leiomyomatosis)

자궁의 평활근종을 가진 환자에서 평활근종을 구성하는 것과 같은 양성 평활근조직이 자궁의 혈관 안으로 자라들어가고, 이어 골반강 내의 정맥들과 하대정맥 안으로 벌레 혹은 기생충 모양으로 자라들어가며 드물게 좌심방과 좌심실, 폐동맥까지 연결되는 특이한 성장양식을 가지는 종양을 말한다(그림 2-38). 현미경소견상 혈관 내에서 자라는 종괴는 평활근육종과는 달리 세포의 비정형성, 세포분열, 종양세포의 괴사는 전혀 관찰되지 않는다. 수술적으로 가능한 모든 종양을 절제한 뒤 생식샘자극호르몬분비호르몬 작용제(gonadotropin-releasing hormone agonist, GnRH agonist)나 타목시펜으로 치료하며, 예후는 혈액순환 기능에 얼마나 큰 영향을 주었는가에 달려있다.

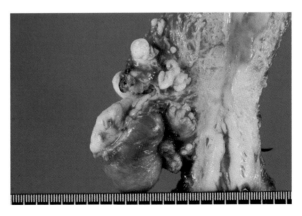

그림 2-38. 정맥내 평활근종증
혈관으로부터 돌출한 다수의 기생충모양의 평활근종 조직이 보인다.

③ 양성 전이성 평활근종(benign metastasizing leiomyoma)

양성 평활근종이 자궁에서 멀리 떨어진 폐나 림프절에서 관찰되는 것을 말하며, 이전에 발견되지 않았던 정맥내 평활근종증이 있는 경우에 양성 전이성 평활근종이 동반되는 경우도 있고, 양성 평활근종을 가지고 있던 환자가 자궁내막의 소파술을 받으면서 평활 근종이 혈관 내로 파급되어 이동했을 가능성도 제시되고 있다. 호르몬 수용체가 발견되며 호르몬 치료에 반응하기 때문에 수술적으로 가능한 완전히 절제하고 난 뒤 프로게스틴, 황체형성호르몬유리호르몬 유사체(luteinizing hormone-releasing hormone analog, LHRH analog)로 치료한다.

④ 평활근육종(leiomyosarcoma)

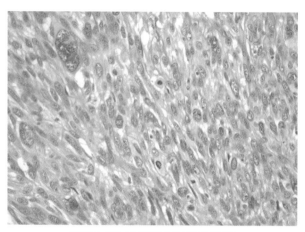

그림 2-39. 자궁체부의 평활근육종
세포밀도와 비정형성이 높고 세포분열이 빈번하게 보인다.

자궁에 발생하는 육종 가운데 가장 빈도가 높은 종양으로 자궁의 악성종양의 약 1~2%를 차지한다. 육안소견에서 한 개의 종양을 형성하거나 평활근종과 동반하기도 한다. 크기는 대체로 10cm 이상으로 큰 경우가 많고, 평활근종에서 관찰되는 다발을 이루는 육안소견이 없어지면서 주변 정상 자궁근층과의 경계가 불분명해고 침윤성 성장을 하는 경우가 많다. 현미경소견에서 종양세포의 괴사가 특징적이지만 항상 나타나는 것은 아니다. 종양세포의 괴사, 혈관침범, 핵의 비정형성, 높은 세포분열이 진단에 중요한 결정요소가 된다(그림 2-39).

일반적으로, 종양괴사, 세포의 비정형성과 세포분열수가 평활근육종을 진단하는 데 중요한 요소로 사용된다. 종양괴사와 중등도 이상의 세포의 비정형성을 보이는 종양에서 10개의 고배율당 10개 이상의 세포분열을 보이는 경우에는 평활근육종으로 진단하며, 세포의 비정형성이 없거나 경미한 경우에 세포분열의 숫자만으로 평활근육종으로 진단하는 것은 위험하다. 가임기 여성에서 호르몬 치료를 받은 경우에는 세포분열이 왕성한 평활근종도 나타나기 때문이다. 종양괴사가 보이지 않는 종양에서는 중등도의 세포의 비정형성을 보이고 10개의 고배율당 10개 이상의 세포분열을 보이는 경우에라도 악성도가 분명하지 않은 평활근종양(smooth muscle tumor of uncertain malignant potential, STUMP)으로 진단한다

상피양 평활근육종과 점액성 평활근육종은 평활근육종의 아형으로 전자에서는 종양세포들이 상피세포와 같이 둥글고 후자에서는 방추형세포의 사이질에 점액성 물질을 가지는데, 이 두 가지 경우에는 세포의 비정형성의 정도가 낮고, 세포분열수도 10개 고배율 시야당 3개 이하로 낮으면서도 악성종양의 생물학적 양식을 보여 조직소견만으로 진단이 어려운 경우가 자주 관찰된다.

⑤ 자궁내막 간질 종양(endometrial stromal tumor)

자궁내막 간질에서 생기거나 자궁내막 간질 분화를 보이는 종양으로, 증식기의 자궁내막을 닮은 정도와 조직 소견에 따라 네 가지로 구분한다.

i. 자궁내막 간질 결절(endometrial stromal nodule)

현미경소견에서는 증식기 자궁내막의 간질과 매우 유사한 소견으로, 둥글거나 짧은 방추형의 버팀질 세포와 함께 크기가 작고 벽이 얇은 나선세동맥과 같은 혈관들이 섞여 증식하면서 주변과의 경계가 분명하고 팽창성 경계를 가지는 종양을 형성한다. 종양주변의 경계를 모두 검색해 보지 않으면 저등급 자궁내막 간질 육종과 구분할 수 없으므로 소파술로 얻은 조각난 검체로는 진단할 수 없다.

ii. 저등급 자궁내막 간질 육종(low grade endometrial stromal sarcoma)

자궁의 악성종양의 약 2~5%를 차지하는 종양으로, 앞서 설명했듯이 증식기 자궁내막의 간질과 매우 유사한 소견으로 둥글거나 짧은 방추형의 버팀질 세포와 함께 크기가 작고 벽이 얇은 나선세동맥과 같은 혈관들이 섞여 증식하는 모습은 자궁내막 간질 결절과 같지만, 주변 자궁근층으로 침윤성 증식하거나 자궁강 안으로 자라는 종양을 말한다(그림 2-40).

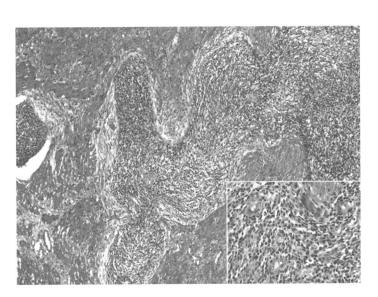

그림 2-40. 저등급 자궁내막 간질 육종

이 종양 안에서는 다양한 이차성 변화 즉, 평활근, 점액성, 섬유아세포, 뮬러관에서 기원하는 샘구조, 성끈, 횡문근, 상피모양, 투명세포, 유두상, 지방세포, 골파괴성 거대세포 분화를 보일 수 있어 진단이 어려운 경우가 많고 특히, 전이한 부위에서 이차성 변화가 관찰되는 경우에는 진단이 매우 어려운 경우가 많다. 세포성 평활근종과 감별이 어려운 경우가 있지만, CD10, Desmin, h-Caldesmon 등의 항체에 대한 면역조직화학적 염색으로 구분이 가능하다. 어려운 경우에는 JAZF1-SUZ12 유전자 결합, YWHAE-FAM22, PHF1 유전자 조합을 RT-PCR로 확인하는 진단 방법을 사용하는 경우도 있다.

iii. 고등급 자궁내막 간질 육종(high grade endometrial stromal sarcoma)

자궁근층으로 침윤성 증식하거나 자궁강 안으로 자라는 악성종양으로 자궁내막 간질 기원이라는 것을 잘 알수 있도록 크기가 작고 벽이 얇은 나선세동맥과 같은 혈관들이 잘 관찰되지만, 간질 세포들은 저분화 자궁내막 간질 육종에 비해 둥글고 크며, 핵이 불규칙하고 농염되며, 핵인이 분명한 경우가 대부분이다. 세포분열은 10개 고배율 시야당 10개 이상으로 빈번하며, 고등급과 함께 주변에 전형적인 저등급 자궁내막 간질 육종이 동반되는 경우도 있다.

iv. 미분화 자궁 육종(undifferentiated uterine sarcoma)

자궁에 생기는 악성종양으로 나선세동맥이나 자궁내막을 닮은 버팀질이 관찰되지 않아 자궁내막기원을 분명하게 알수 없는 종양으로 고등급 자궁내막 간질 육종에 비해 종양세포의 비정형성이나 세포분열이 빈번하고, FIGO 병기도 III기, IV기 등으로 높은 경우가 대부분이다.

4) 혼합 상피중간엽 종양(mixed epithelial-mesenchymal tumors)

혼합 상피중간엽 종양은 상피세포와 중간엽 성분이 다양한 악성도를 가진 형태로 조합된 종양을 말하며, 양성의 상피세포와 양성의 중간엽 성분이 조합되어 나타나는 선섬유종, 양성의 상피세포와 악성의 중간엽 성분이 조합되어 나타나는 자궁선 육종(adenosarcoma), 악성의 상피세포와 양성의 중간엽 성분이 조합된 암섬유종(carcinofibroma), 악성의 상피세포와 악성의 중간엽 성분인 육종이 조합된 암육종(carcinsarcoma)이 여기에 속한다.

① 뮬러 선육종(Mullerian adenosarcoma)

양성의 선상피세포 주변으로 악성의 중간엽 성분이 배열되어 나타나는 종양으로, 자궁경부, 자궁체부, 질, 자궁관, 난소 등에 발생할 수 있으며, 방사선조사, 유방암치료를 위한 장기간의 타목시펜 사용과 연관이 있다. 자궁경부 폴립모양으로 돌출하는 종괴를 형성하며, 실제로 폴립으로 오진되는 경우도 자주 발생하므로 폴립이 재발한 경우에는 의심해 보아야한다. 현미경소견에서 유방의 엽상종과 유사하게 양성의 상피로 구성된 샘 주변에 세포밀도가 높은 중간엽 성분이 동심원 형태로 둘러싸는 모양을 보이며, 이 선상피세포가 아랫쪽에서 증식하는 중간엽 성분 때문에 안쪽으로 밀려들어가 나뭇잎모양의 구조를 형성하는 형태를 보이기도 한다(그림 2-41).

뮬러 선육종만 발생한 경우에는 완전절제로 치료할수 있으며, 전이하는 경우는 거의 없으나 종양의 경계가 분명하지 않으므로 완전절제가 힘들고 재발하는 경우가 많다.

그러나, 간혹 뮬러 선육종 가운데 악성 중간엽 성분만이 과도하게 자라면서 악성도가 심한 육종의 형태로 샘구조와 상관없이 주변에서 자라는 경우가 있는데 이를 '뮬러 선육종에 동반된 육종과증식'이라고 하며, 이 경우에는 원격 전이

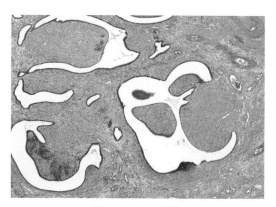

그림 2-41. 뮬러 선육종
증식한 중간엽 성분이 상피세포를 안쪽으로 밀어 나뭇잎모양의 구조를 형성한다.

등, 공격적인 악성종양의 성격을 가진다.

② 암육종(carcinosarcoma)

암종과 육종이 혼합된 종양으로 혼합상피중간엽 종양 가운데 가장 흔한 종양이며, 오랫동안 악성혼합뮬러관종양(malignant mixed mullerian tumor)으로 불려왔다. 골반 방사선조사나 유방암치료를 위한 타목시펜 치료 후에 발생할 수 있으며, 암육종 주변에 암종만 있는 부분이 자주 관찰되므로, 이 종양은 암종에서 육종으로 역분화해서 생긴 종양으로 이해하고 있다. 육안소견은 큰 크기의 종양이 자궁내막을 가득 채우고 자궁근층과 자궁경부에 침범하거나, 자궁 주변조직까지 침범하는 경우가 많으며, 출혈과 괴사도 매우 흔하게 나타난다. 현미경소견에서 주로 고등급 선암, 특히 장액성 암, 투명세포 암, 고등급 자궁내막양 암들과 함께 평활근육종, 자궁내막 간질 육종, 섬유육종, 미분화육종이 섞여 나타나고, 이종성분으로 골육종, 연골육종, 횡문근육종도 나타날수 있다(그림 2-42).

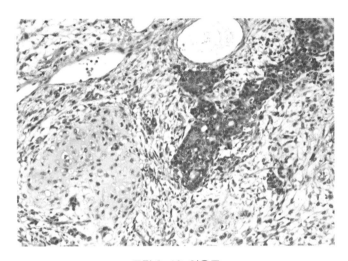

그림 2-42. **암육종**
상피세포와 주변 바탕질 세포에 모두 심한 세포의 다형증이 관찰되고 연골육종의 소견도 관찰된다.

난관
(Fallopian Tube)

난관에서는 양성종양으로 유두종, 장액성 선섬유종과, 장액성 경계성 종양 그리고 저등급 장액성 암도 발생할 수 있기는 하지만, 그 빈도가 매우 드물고, 대부분의 종양은 고등급 장액성 암과 그들의 전암성 병변이 대부분을 차지한다.

BRCA 생식세포 돌연변이를 가진 환자들과 그 가족에서 악성종양이 발생하기 전에 예방적으로 미리 시행하는 예방적 난소난관절제 조직표본을 자세히 관찰하던 중, 난소가 아닌 난관채 부분(fimbriae of fallopian tube)에서 장액성 상피내암의 소견이 존재함을 발견하게 됨으로써 난관채가 고등급 장액성 암의 원발병소가 아닌가 의심하게 되었다.[55,56] 이어서 이 소견을 BRCA 생식세포 돌연변이가 없는 고등급 장액성 암 환자의 조직표본으로 확대하여 조사한 결과, 동일한 상피내암이 발견됨을 보고, 그때까지 난소 표면상피에서 발생하는 것으로 오랫동안 생각해왔던 고등급 장액성 암이 난관의 난관채 부분에서 주로 발생함을 알게 되었으며, 이는 난소암의 기원과 종양 발생과정을 연구하는 데 있어서 실로 커다란 패러다임의 변화로 기록되고 있다.

난관 상피는 섬모상피세포(ciliated cells), 분비세포(secretory cells) 그리고 사이세포(intercalated peg cell)로 구성되는데, 호르몬 분비가 감소하는 폐경기 연령에 이르면 섬모상피세포가 감소하고 분비세포가 증가하면서 난관 상피내에서 분비세포가 연달아 관찰되는 조직변화가 관찰된다. 이 분비세포에서 p53 돌연변이가 일어나고, 돌연변이를 가진 세포들의 종양성 증식이 일어나면서 난관 상피에 국한되어 있는 장액성 난관제자리암(serous tubal intraepithelial carcinoma, STIC)이 발생한다(그림 2-43).

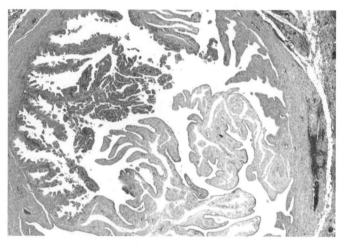

그림 2-43. 난관의 장액성 난관제자리암(STIC)
난관 상피에서의 유두상 증식과 함께 비정형성이 심한 세포들이 관찰된다.

이렇게 발생한 장액성 난관제자리암이나 고등급 장액성 암은 p53 면역조직화학적 염색에서 두 가지 형태로 나타나는데, 과오 돌연변이(missense mutation)에 의해 발생한 경우에는 모든 세포들이 일률적으로 강한 양성반응을 보이는 반면, 삭제 돌연변이(null mutation)에 의해 발생한 경우에는 정상세포와는 달리, 완전히 음성반응을 보이는 것이 특징이다.

현미경소견상 난관채에 발생한 장액성 난관제자리암은 유두상 증식을 하면서 낱개의 세포를 골반강 및 복강 내로 흩뿌리게 되고, 이렇게 흩어진 종양세포들은 여러 부위에서 각각 따로 증식을 하다가, 환자가 복부 불편감 등의 임상 증상을 호소하게 되는 때에 이르면 종양이 이미 골반강 및 복강 내 곳곳에 파급되어 III기 혹은 IV기에 이르게 되므로, 이는 고등급 장액성 암을 가진 환자들이 I기나 II기에서 발견되는 경우가 매우 드문 이유를 잘 설명하고 있다. 그래서 초기에 병변을 발견하려면 난관 조직을 철저하고 면밀하게 검사해야하며 이를 위해서 새로운 난관의 조직검사법이 도입되었다. 가장 널리 사용되는 'SEE-FIM' 규칙은 고등급 장액성 암과 이 종양의 전암성 병변을 진단하기 위한 방법으로, 난관의 끝부분인 난관채를 절제하여 펼친 다음, 3mm 간격으로 잘라서 모두 조직검사를 하고 나머지 팽대부도 1cm 간격으로 절단하여 단면을 검사하는 방법이다(그

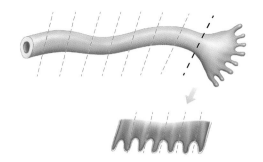

그림 2-44. 난관의 SEE-FIM 조직검사방법

난관채 부분을 절제하여 펼친 후 3mm 간격으로 잘라서 모두 조직 검사를 하고, 나머지 팽대부도 1cm 간격으로 절단하여 단면을 검사하는 방법이다.

림 2-44).

고등급 장액성 암이 난관채에서 자주 발생한다고 하지만, 모든 고등급 장액성 암이 난관채에서만 발생하는 것은 아니다. 난소나 골반강의 복막에서 고등급 장액성 암이 발생하는 기전으로는 난관은 평상시에 난소의 표면에 가까이 위치하며 난관채는 난소표면과 골반강 내부의 복막에 유착을 자주 일으킨다. 이때 난관채의 정상 상피의 일부가 난소 표면이나 골반강의 복막에 이식되어 자라는 것을 자주 관찰할 수 있다(그림 2-45). 이렇게 종양이 발생하기 이전에 난소표면이나 골반강 내의 복막에 이식된 난관 상피에서도 돌연변이가 발생할 수 있으며, 이들이 난소에 고등급 장액성 암을 일으킬수 있다고 설명하고 있다.

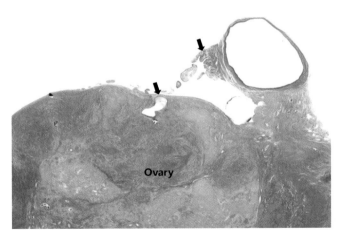

그림 2-45. 난소-난관 유착으로 난소의 표면에 이식된 난관채의 상피세포(화살표 부분)

난소
(Ovary)

난소 종양은 종양의 기원이 되는 세포가 다양하고, 한 가지 기원세포에서도 다양한 종양이 발생하여 전체적으로 매우 다양한 형태학적 소견을 보인다. 실제로 2cm 남짓한 작은 장기에서 인체 장기 중 가장 다양한 종양이 발생한다. 이 중 약 80%가 양성이며, 20~45세 사이의 젊은 여성에서 주로 발생한다. 경계성 종양은 약간 더 많은 나이에 발생하고,

악성 종양은 그 보다 많은 45~65세 사이의 여성에서 발생하는 것이 일반적이다. 난소암은 여성의 모든 암의 3%를 차지하여 미국에서는 여성암 사망의 다섯 번째 흔한 원인이고, 우리나라는 순위가 약간 더 낮다. 대부분의 난소암이 진단 당시 난소 밖으로 파급된 상태이기 때문에, 여성생식기암으로 인한 사망의 많은 부분을 차지하고 있다.

1) 난소종양의 분류

일반적으로 난소종양은 그 조직기원에 따라 구분한다. 현재 난소 종양의 대부분은 난소의 세 가지 구성요소 즉, 1) 난소표면 또는 난관 상피세포와 자궁내막증, 2) 만능 생식세포, 3) 성끈 간질 세포에서 발생하는 것으로 분류하며, 여기에 더하여 난소의 이차성 또는 전이성 종양과, 혼합생식세포 성끈 간질세포 종양이 있다.

양성 종양은 완전히 무증상일 수 있고, 때때로 복부검사나 골반검사 또는 수술 중 우연히 발견되는 경우가 많다. 일부 종양은 나름의 고유한 특징과 호르몬 활성도를 보이고 있지만, 대부분의 종양은 비기능적이며 크기가 매우 커지기 전까지는 비교적 가벼운 증상을 보인다. 일부 상피세포 종양은 양쪽 난소에 발생하는 경향이 있어 전이성 난소암과 구분이 어려운 경우도 있다. 종양 자체 또는 암 침윤에 의한 압박으로 인해 생기는 복부 통증과 팽창감, 요로 및 위장관 증상 및 질출혈이 가장 흔한 증상이다.

예전에는 대부분의 원발성 난소종양은 뮬러상피(Mullerian epithelium)에서 발생한다고 생각하였으나, 난소의 표면을 덮고 있는 상피는 중피세포(mesothelium)라는 것이 밝혀지면서, 난소의 상피종양은 한 가지 세포에서 기원하는 것이 아니라 다양한 기원을 가지는 것으로 생각한다. 상피세포 종양은 세포의 종류에 따라 장액성, 점액성, 자궁내막양, 투명세포, 장액점액성 종양으로 분류하며, 고등급과 저등급 장액성 암은 발생기전이 완전히 다른 종양이므로 이 둘을 따로 취급하여 크게 5 가지가 된다. 이들을 각각 상피의 증식 정도에 따라 양성, 경계성, 악성 종양으로 구분하고, 양성 종양 가운데 낭성 영역이 대부분인 낭선종과, 낭성 종양세포 주변에 섬유모세포가 증식하면서 고형성 종양을 형성하는 선섬유종으로 구분한다.

난소암은 크게 예후, 발병기전 등을 기준으로 두 가지 유형, 즉 제1형과 제2형으로 분류한다. 제1형 암종은 주로 경계성 종양이나 자궁내막증과 관련하여 발생하는 낮은 등급의 종양으로 저등급 장액성 암, 점액성 암 및 자궁내막양 암이 대표적이고, 제2형 암종은 고등급 장액성 상피내암이 대표적이며, 악성 브레너암과 투명세포 암은 제1형에 속하는 것으로 생각하고 있지만 이에 관해서는 다른 의견을 가진 연구자들도 있다.

① 장액성 종양(serous tumor)

가장 흔한 악성 난소종양인 장액성 암을 포함하여 모든 난소암의 약 40%를 차지한다. 장액성이라는 용어는 낭을 채우는 액체의 성상에서 유래되었지만, 종양의 세포가 난관 상피를 닮은 경우를 일컫는다. 양성, 경계성, 악성 유형을 모두 합하면 모든 난소 종양의 약 30%, 난소 상피종양의 50% 이상을 차지한다. 약 70%가 양성 또는 경계성이며, 30%는 악성이다. 양성 및 경계성 종양은 20~45세 사이에 발생하는 것이 일반적이다. 장액성 암은 50대 이후에 주로 발생하지만 가족성암의 경우 젊은 나이에도 발생한다.

　양성 및 경계성 종양에 대한 위험인자에 대해서는 거의 알려져 있지 않다. 악성 장액성 암도 불완전하게 이해되고 있지만, 출산경험이 없거나, 가족력 및 유전성 돌연변이 등의 위험인자가 종양 발생에 역할을 한다. 아이를 적게 낳은 여성이 암에 걸릴 위험이 더 높다. 경구피임제를 복용하였거나 난관결찰수술을 받은 40~59세 여성은 난소암에 걸릴 위험이 감소한다. 가장 흥미로운 위험인자는 유전성 요인으로, *BRCA1* 및 *BRCA2* 유전자의 생식세포 돌연변이를 가진 환자에서 암발생률이 높다. BRCA 유전자의 생식세포 돌연변이를 가진 환자에서 예방적 난소난관절제술을 시행한 검체를 면밀하게 관찰하던 중 난관의 끝부분 상피에서 장액성 상피암의 전구 단계인 난관 상피내암(STIC)이나 전암성 병변들이 자주 발견하면서(그림 2-42), 그때까지 난소의 표면상피에서 발생하는 것으로 여겨지던 암발생에서 획기적인 새로운 발견이 이루어지게 되었다. 그 이후로는 난관의 끝부분과 난관 전체를 면밀하게 조직검사하는 방법이 전세계적으로 통용되고 있으며(그림 2-43), 이를 통해 고등급 장액성 암의 발생기원을 밝히고 있는데 난관의 끝부분에서 발생하는 것이 80%에 이르며, 소수에서만 난소의 표면상피나 골반복막에서 발생하는 것이 밝혀졌다. 이에 따라 난소암의 위험도가 높은 여성의 경우에는(유방암/난소암의 가족력을 지닌 BRCA 돌연변이 보인자) 종양이 발생하기 전에 난소난관절제술을 받도록 권장하고 있다.

　고등급 장액성 암은 높은 빈도의 TP53 돌연변이를 보이고 KRAS 또는 BRAF 돌연변이는 드문데 비해, 저등급 장액성 암은 장액성 경계성 종양과 마찬가지로 KRAS, BRAF 돌연변이 또는 ERBB2 종양 유전자를 가질 수 있으며, TP53 유전자의 돌연변이는 거의 없다. 또한 유전체 불균형이 매우 일반적이며 PIK3CA 같은 종양 유전자의 숫자의 증폭과 Rb 같은 종양억제유전자의 결실을 보여준다.

　앞서 논의된 바와 같이 저등급 장액성 암은 종종 경계성 장액성 종양에서 발생하고 복막 표면으로 확산될 수 있으나, 대개 천천히 진행하여 환자는 상대적으로 오랜 기간 동안 생존한다. 대조적으로 고등급의 암종들은 이미 복부에 걸쳐 광범위하게 퍼진 상태에서 발견되며, 나쁜 예후를 보이는 것이 일반적이다. 따라서, 이미 복막으로 확장된 암이라 하여도 암의 병리학적 진단은 환자의 예후 및 치료 선택에 모두 중요하다. 난소에 국한된 경계성과 악성 종양에 대한 5년 생존율은 각각 100%와 70%인 반면, 복막으로 퍼진 같은 종양에 대한 5년 생존율은 각각 90% 및 25%이다. 경계성 종양은 천천히 성장하므로 몇 년 후에 재발 할 수 있으며, 이 경우 5년 생존은 완치를 의미하지 않는다.

② 점액성 종양(mucinous tumor)

점액성 종양은 모든 난소 종양의 약 20% 내지 25%를 차지하지만, 대부분은 양성 또는 경계성 종양이며, 원발성 점액성 암은 드문 편으로 모든 난소암의 약 3% 이하를 차지한다. 그러나 난소에 전이된 점액성 암이 난소의 원발성 점액성 암의 육안 및 현미경소견과 매우 유사한 소견을 보이므로 임상소견, 영상의학적 검사, 육안 및 현미경소견을 종합하여 전이성 암을 배제하는 것이 매우 중요하다. 현재까지 이 두 가지를 구분할 수 있는 면역조직화학적 표지자나 유전자 변이는 발견되지 않았으며, 항상 전이성 암의 가능성을 염두에 두고 진단에 고려하는 것이 중요하다.

KRAS 유전자의 돌연변이는 양성 점액성 낭선종(58%), 점액성 경계성 종양(75~86%), 점액성 암(85%) 등 점액성 난소종양의 일관성 있는 유전적 변화이다. 어떤 점액성 종양의 경우 한 종양 내에 양성, 경계성, 악성 종양이 존재할 수 있는데, 각 부분에서 동일한 KRAS 돌연변이를 가지고 있었다는 연구 결과도 있다. 따라서 KRAS 돌연변이는 이러한 종양의 발생과 관련되어 보이나, KRAS 돌연변이와 협력하는 다른 돌연변이는 크게 알려져 있지 않다.

i. 점액성 낭선종(mucinous cystadenoma)

위장관형의 점액성 상피로 구성된 양성 종양이며, 발생 연령은 매우 다양하다. 육안소견은 대부분이 평평한 난소 표면을 가지며, 점액을 포함하고 있는 적은 수의 방으로 구성된 종양이며, 현미경소견에서는 세포질안에 점액질을 포함하고 있는 위장관 상피를 닮은 단층의 원주상피, 술잔세포, 신경내분비세포, 파네드(Paneth) 세포로 피복되어 있고. 상피세포 아래에는 섬유성 기질로 이루어져 있다. 약 10%에서는 기형종과 동반된다.

ii. 점액성 경계성 종양(mucinous borderline tumor)

점액성 경계성 종양은 아시아 인종에게 더 많은 것으로 알려져 있고, 전체 경계성 종양의 약 70%를 차지하는 반면, 백인종에서는 이보다 훨씬 적은 약 30~50%만 차지한다고 알려져 있다. 육안소견에서 양측성의 빈도는 10% 이하로 드문 편이기 때문에 양측성의 점액성 종양이 관찰될 때는 반드시 전이성 암의 가능성을 고려해야한다. 육안소견에서 종양의 크기는 수 cm에서 30cm에 이르기까지 매우 다양하며, 표면은 매끈하고 다방성 낭을 형성한다(그림 2-46).

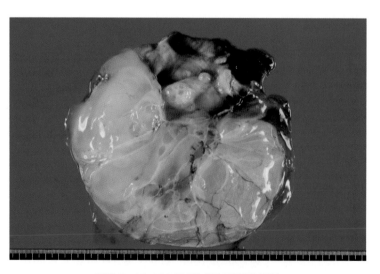

그림 2-46. 난소의 경계성 점액성 종양

현미경소견에서는 한 종양안에서 양성 종양, 경계성 종양, 상피내암, 침윤성 암의 소견이 혼재되어 나타나는 경우가 매우 흔하므로, 1cm당 1개에 달하는 다수의 조직절편을 넣어 검사하는 것이 매우 중요하며, 동결절편에서도 다른 종양에 비해 많은 조직 절편을 검사하는 것이 필요하다. 현미경소견에서는 양성종양에서 관찰되던 위장관의 점액세포, 원주상피, 술잔세포, 신경내분비세포, 파네드세포가 증식을 하여 여러 층을 형성하면서 종양안으로 유두상 증식을 하며 돌출하거나 기질 안으로 밀고들어가는 부속 낭의 구조를 형성하기도 하여 복잡한 구조를 형성한다(그림 2-47).

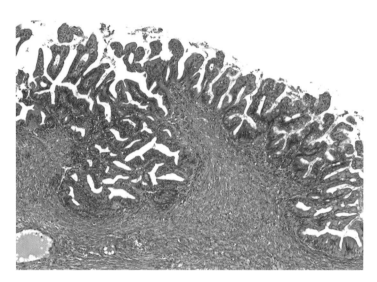

그림 2-47. 유두상 증식 혹은 부속 낭의 구조를 형성하는 난소의 경계성 점액성 종양

그러나 종양세포들은 점액성 상피내암이나 침윤성 암의 세포들에 비해 경미한 비정형성을 동반하여 악성종양과 구분되며, 세포분열수도 점액성 암에 비해 적다. 가성 점액종에서 관찰되는 정상조직 사이를 가로지르는 점액성 물질은 국소적으로 나타날 수 있지만 비교적 빈도가 적은 편이므로, 이러한 소견이 보일 때에는 전이성 종양, 특히 충수돌기 기원의 저등급 점액성 종양을 염두에 두어야 한다. 상피세포간 기질에는 간혹 상피세포가 파열되면서 쏟아져나온 점액에 대한 이물질 반응과 이물질형 거대세포들이 모여 있어 기질내 침윤과 유사한 소견을 보일 수도 있으므로, 미세침윤성 암과의 감별진단이 필요하다.

iii. 점액성 상피내암(mucinous intraepithelial carcinoma)

상피내암은 대부분 주변에 점액성 경계성 종양이 동반되고 그 안에서 상피내암으로 이행되는 경우가 흔하며, 상피내암의 범위는 증례마다 매우 다양하다. 현미경소견에서 상피내암 부위에는 핵의 비정형성이 현저하게 나타나지만, 주변 기질에 침윤이 없는 것이 특징이다(그림 2-48).

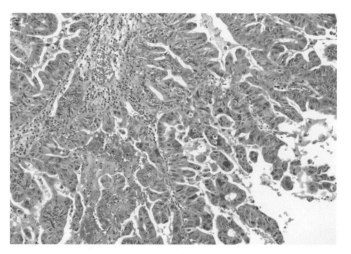

그림 2-48. 난소의 점액성 상피내암

세포의 비정형성이 현저하다.

iv. 미세침윤성 점액성 암(microinvasive mucinous carcinoma)

점액성 경계성 종양과 상피내암이 동반된 가운데 상피내암을 구성하는 악성 종양세포가 기질내로 침윤하면서 주변에 조직반응을 일으켜 섬유화를 동반하는 부위가 관찰되는 경우를 말하며, 침윤 부위의 장경이 5mm 이내인 경우를 미세침윤성 점액성 암으로 정의한다. 충분한 조직을 검사했음에도 불구하고 미세침윤성 암만이 관찰되는 경우는 광범위 침윤이 보이는 경우에 비해 예후가 매우 양호하고 5% 미만의 재발율을 보이며, 사망하는 경우가 드물다고 알려져 있지만, 아직 이에 대한 문헌보고는 충분하지 않다.

v. 광범위 침윤성 점액성 암(invasive mucinous carcinoma)

난소의 전체 상피성 암의 5% 미만을 차지하는 종양으로 비교적 드문 편이며, 난소 밖으로 파급된 경우는 드물다. 육안소견은 경계성 종양이나 상피내암과 유사하게 크고 복잡한 낭성 및 고형성 종괴를 형성하며 난소 표면은 대부분 매끈하고 종양의 침범이 없는 경우가 대부분이다. 현미경소견에서는 종양세포들은 팽창형 침윤(expansile invasion)과 침투성 침윤(infiltrative invasion)의 두 가지 방식으로 기질 내로 침윤하며, 후자의 경우에는 주변에 섬유조직을 많이 형성(desmoplasia)하여 단단하게 보이고, 전자에 비해 예후가 나쁘다. 양측성 종양의 경우에는 전이성 종양을 반드시 염두에 두고 찾아보아야 한다. 재발이 일어나는 경우는 수술 후 빠른 시간 내에 일어나고 항암제 치료에 반응하지 않으며 종양으로 인해 사망하는 경우가 많다.

※ 복강 가성점액종(pseudomyxoma peritonei)

복강 가성점액종은 복강내 광범위한 점액성 복수가 차며, 복막 표면에 유착과 더불어 종양세포가 관찰되는 것을 말한다. 이 종양은 자주 난소를 침범하며, 광범위한 경우 장폐색 및 사망을 초래할 수 있다. 오랫동안 여성의 복강 가성점액종을 원발성 난소점액성종양이 복강내로 확산되어 생긴 것이라고 생각해왔으나, 면역조직화학적 염색을 통한 연구에 의해 난소 기원의 복강 가성점액종은 매우 드물고, 대부분 충수의 저등급 점액성 종양(low grade mucinous neoplasm)에서 파급된다는 것이 알려졌다. 조직소견에서 세포외 점액성 액체 안에 세포의 비정형성이 거의 관찰되지 않는 소수의 세포들이 떠있다는 점이 악성 점액성 암의 소견과 다르다(그림 2-49).

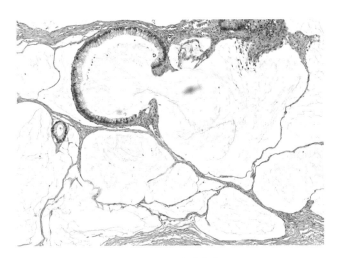

그림 2-49. 가성점액종
세포외 점액성 액체 안에 세포의 비정형성을 보이지 않는 소량의 세포들이 떠있는 소견이다.

그러나 점액성 복수 안에서 세포의 심한 비정형성을 가지는 악성종양세포가 관찰되는 경우에는 여러 장기의 점액성 암이 파급된 경우일 가능성이 높으며 예후가 매우 나쁘므로 조직소견을 잘 관찰하여야 한다.

난소의 점액성 난소 종양은 양측성인 경우가 10% 미만으로 적으므로 난소에 양측성 점액성 종양이 발견되었다면 항상 전이성 종양의 가능성을 고려해야한다.

③ 자궁내막양 종양(endometrioid tumor)

i. 자궁내막양 낭선종과 자궁내막양 선섬유종(endometrioid cystadenoma and endometrioid adenofibroma)

자궁내막양 낭선종은 자궁내막양 상피세포로 피복된 드문 낭성양성종양으로, 상피세포 아래에 자궁내막양 기질이나 미세 혈관이 없는 것이 자궁내막증과 다른 점이다. 자궁내막양 선섬유종은 섬유종 가운데 자궁내막양 상피세포가 증식하고 있는 단단한 섬유성 양성 종양으로 육안소견은 섬유종과 유사하게 단단한 섬유성 종괴를 형성하며 자궁내막증을 자주 동반한다.

ii. 경계성 자궁내막양 낭선종(borderline endometrioid cystadenoma)

난소의 상피성 종양의 0.2% 미만을 차지하는 드문 종양으로, 자궁내막증을 자주 동반하며, 종양내에 경계성 자궁내막양 선섬유종과 자궁내막양 암이 섞여 있는 경우가 흔하다. 육안소견은 낭성부분과 고형성 부분이 섞여 나타나며, 현미경소견에서는 선섬유종과 낭성 증식의 두 가지 방식으로 종양세포들이 자라난다. 경계성 종양에서 상피세포는 마치 암에서와 같이 증식하면서 체모양을 형성하고 상피세포들은 여러 층으로 중첩되고, 세포의 비정형성을 동반하며, 편평상피세포 화생의 소견을 보이지만, 상피세포 주변에 결합 조직의 증식은 관찰되지 않는다. 예후는 매우 양호하며 악성 종양의 경과를 보이는 경우는 아직 보고되어 있지 않다.

iii. 자궁내막양 선암(endometrioid adenocarcinoma)

자궁내막에 발생하는 자궁내막양 암과 매우 유사하거나 동일한 조직소견을 보이는 악성 종양으로, 난소의 상피세포 종양의 약 10~15%를 차지하며, 장액성 암 다음으로 빈번하게 발생하는 종양이다. 약 절반의 경우에는 같은 쪽 난소에 자궁내막증 혹은 자궁내막성 낭종과 동반되므로 자궁내막양 암의 일부는 자궁내막증 혹은 자궁내막성 낭종에서 발생하는 것으로 생각하고 있다. 자궁내막성 낭종에서 암종이 발생한 경우에는 육안소견 상, 혈액 혹은 진한 갈색의 물질로 가득찬 자궁내막성 낭종의 벽으로부터 용종모양으로 돌출하는 종괴를 관찰할 수 있으며(그림 2-50), 때로는 전반적으로 단단한 고형성 종괴를 형성하기도 한다. 현미경소견은 자궁내막의 자궁내막양 암과 구분할 수 없는 소견으로, 샘구조가 증식하여 복잡한 체모양을 형성하거나 낭 내부로 유두상 증식을 하는 경우도 있고, 이 샘상피들이 점액성 화생, 편평상피 화생의 소견을 보이기도 한다. 편평상피 화생은 30~50%로 매우 자주 관찰되며 이 소견이 광범위하게 관찰될 때는 고등급 장액성 암과 감별이 어려운 경우도 있는데, 이때 p53 면역조직화학적 염색이 감별 진단에 사용된다. 자궁내막양 암의 조직학적 분화는 자궁내막암에서와 같은 FIGO 등급을 사용한다.

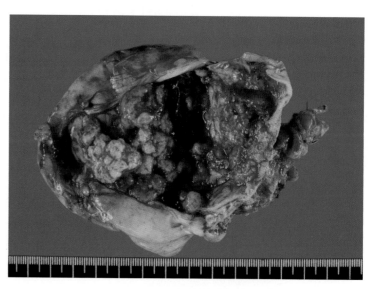

그림 2-50. 난소의 자궁내막증에서 발생한 자궁내막양 선암

자궁내막양 암은 모든 난소암의 약 10~15%를 차지한다. 양성의 자궁내막양 종양은 자궁내막양 선섬유종이 대부분이고, 경계성 자궁내막양 종양도 발생할 수 있지만 매우 드물다. 자궁내막양 종양은 양성 또는 악성의 자궁 내막을 닮은 선상피세포의 존재에 의해 장액성 및 점액성 종양과 구별된다. 자궁내막양 암은 자궁내막증의 환경에서 발생할

수 있는데 종종 경계성 종양과 연결된 상태로 관찰된다. 이러한 종양은 장액성 또는 점액성 종양보다 일반적으로 드물지만, 종양 발생과 관련된 분자유전학적 변화는 더 잘 알려져 있다. 이는 최근 인간의 질병을 모방한 마우스 모델의 발전에 따른 연구의 결과이며, 난소의 자궁내막양 암이 자궁내막의 자궁내막양 암과 분자유전학적으로 유사하다는 사실도 밝혀졌다. 실제로 난소의 자궁내막양 암의 15~30%에서 자궁내막암을 동반하며 상대적으로 좋은 예후를 보이는데, 이것은 어느 한 암종의 전이성 확산이라기보다는 독립적으로 발생하는 것을 의미한다.

자궁내막양 암의 약 15~20%는 자궁내막증과 공존한다. 자궁내막증과 관련된 자궁내막양 암은 자궁내막증과 연관되지 않은 암보다 십년 정도 젊은 나이에 발견된다. 분자적 연구를 통해 자궁내막의 자궁내막양 암과 눈에 띄는 유사성을 발견했는데, PI3K/AKT 경로 신호를 증가시키는 변이(PTEN, PIK3CA, ARID1A 및 KRAS 돌연변이)와 DNA 복구유전자와 CTNNB1 (β-catenin) 유전자의 돌연변이가 상대적으로 흔한 것이다. 앞서 언급한 바와 같이 PTEN의 돌연변이는 난소와 자궁내막의 자궁내막양 암뿐만 아니라 그 전구 병변인 비정형 자궁내막증에서도 발견되었다. 또한 일반적으로 TP53 돌연변이가 미분화된 암종에서 나타나는 점 또한 난소와 자궁내막에서 동일하다.

④ 투명세포 종양(clear cell tumor)

양성 및 경계성 투명세포 종양은 극히 드물고, 투명세포 암도 흔하지 않으나 한국과 일본 등에서는 상대적으로 많아 전체 상피암종의 20% 내외의 빈도를 보인다. 현미경적으로는 풍부한 맑은 세포질, 임신성 과분비 자궁내막과 유사한 모양의 대형 상피세포로 구성된다. 투명세포 암은 난소의 자궁내막증 또는 자궁내막양 암과 연관되어 종종 발생하고, 자궁내막의 투명세포 암과 유사하기 때문에 자궁내막양 암의 변형으로 생각된다. 이러한 관점에서 가장 흔한 유전자변이(PIK3CA, ARID1A, KRAS, PTEN, 및 TP53)도 자궁내막양 암과 같으며, 단지 빈도는 약간의 차이가 있다. 난소의 투명세포 종양은 주로 고형성 또는 낭성 종괴로서, 고형성 종괴에서는 투명세포들이 판 또는 관 모양 배열로 나타나고 낭성 종괴에서는 낭벽을 따라 배열한다. 난소에 국한된 투명세포 암은 5년 생존율이 90%이지만, 병기가 높아질수록 불량한 예후를 보인다. 투명세포 암의 치료는 난소암의 다른 유형과 크게 다르지 않으나, 최근 분자의학의 발전으로 다양한 항암제의 사용이 제안되고 있다.

i. 투명세포 낭선종과 투명세포 선섬유종(clear cell cystadenoma and adenofibroma)

투명세포종양이 양성 낭선종을 형성하는 경우는 매우 드물며, 선섬유종을 형성하는 경우에는 섬유종과 유사한 고형성 방추형 세포의 기질내에 투명한 세포로 덮힌 샘 구조가 흩어져 있는 소견으로 세포의 핵이 비정형성을 전혀 보이지 않고 세포분열도 거의 없을 때 진단한다. 경계성 투명세포 종양과의 감별을 위해 다수의 조직절편을 검사하는 것이 중요하다.

ii. 경계성 투명세포종양(borderline clear cell tumor)

투명세포선섬유종과 유사한 구조를 보이며, 단지 샘을 덮고 있는 상피세포의 핵이 비정형성을 동반하는 점이 다를 뿐이며, 주변 기질 내로의 침윤소견은 관찰되지 않는다. 그러나 투명세포 종양의 경우 선섬유종, 경계성 투명세포종양과 투명세포 암의 소견이 혼재되어 있는 경우가 자주 있으므로 다수의 조직절편을 검색해야한다.

iii. 투명세포 암(clear cell carcinoma)

육안소견은 종양 전체가 고형성인 것, 고형성과 낭성부분이 섞인 것, 전체적으로 낭성이면서 내벽에 결절을 형성하는 것까지 매우 다양한 소견을 보일 수 있지만, 낭성 종괴의 내벽에 결절을 형성하는 것이 가장 흔한 형태이다. 고형성 종양은 주로 양성 선섬유종과 경계성 선섬유종에서 악성변화에 의해 발생한 것이고, 낭성 종괴 내부에 결절을 형성하는 것은 자궁내막증에서 발생한 것이 대부분이기 때문에, 자궁내막증에서 발생한 내막양 암과 육안소견이 매우 유사하게 보인다. 현미경소견은 저배율에서 종양세포들이 유두상, 판상, 세관이나 낭을 형성하며, 세포질이 투명하고 낭 내부로 1층의 종양세포가 구두징 모양으로 돌출하면서 배열하고 있는 모습이 특징적이고, 간질 내에는 호산성을 띠는 유리질양 단백이 침착된 소견을 보인다. 면역조직화학적 염색에서, PAX 8에 높은 빈도의 양성 반응을 보이며, TP53, ER, PR에는 낮은 빈도의 양성 반응을 보이는 점이 장액성 암이나 자궁내막양 암과 구분되는 소견이다.

⑤ 브레너 종양(Brenner tumor)

2014 WHO 분류에서는 이전의 2003 WHO 분류와 달리 이행상피종양(transitional cell tumors)의 명칭이 브레너 종양(Brenner tumor)으로 변경되면서 이 그룹에 포함되었던 이행상피암(transitional cell carcinoma)이 제외되었는데, 그 이유는 2003년 분류에서 이행상피암으로 분류되었던 종양들은 거의 예외없이 고등급 장액성 암과 같은 p53 돌연변이를 보이면서 고등급 장액성 암의 소견을 동반하므로 고등급 장액성 암의 한 형태로 여겨졌기 때문에 난소의 이행상피암은 고등급 장액성 종양으로 재분류되었다.

브레너 종양의 대부분을 차지하는 종양은 요로상피세포를 닮은 상피세포로 이루어진 양성종양으로 난소종양의 약 10%를 차지한다. 경계성 브레너 종양과 악성 브레너 종양은 매우 드물며, 반드시 주변에서 양성 브레너 종양이 관찰될 때 진단한다.

브레너 종양은 난소의 상피종양의 약 5%를 차지하며, 대부분 양성 종양이며 경계성 종양이나 악성 브레너 종양은 매우 드물다. 다른 종류의 상피세포 종양과는 달리, 대부분 섬유성 조직내에 요로상피(urothelium) 을 닮은 세포 덩어리가 흩어져 있는 소견을 보이는 고형성 종양으로 영상의학적 소견으로는 진단이 쉽지 않은 경우가 많다. 종양의 크기는 대부분 작고, 10cm 이상의 크기를 가지는 경우는 드물다. 현미경소견에서 양성 브레너 종양은 섬유성 기질내에 불규칙한 모양으로 흩어진 요로상피세포를 닮은 세포덩어리가 관찰되며(그림 2-51), 이들은 세포의 경계가 분명하고 세포질이 투명하며 핵안에 원두커피 모양의 홈을 가지고 있고 세포분열은 거의 관찰되지 않는다. 이 세포덩어리 가운데는 내강이 관찰되고 점액성 상피를 가지는 경우도 자주 볼수 있다.

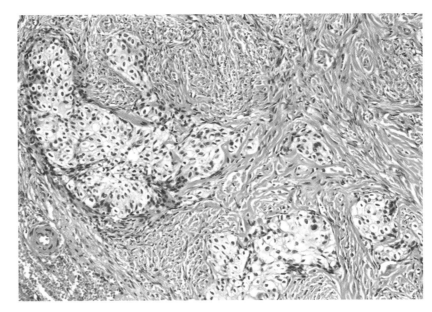

그림 2-51. 난소의 브레너 종양

경계성 혹은 증식성 브레너 종양에서는 종양에 낭성 변화를 보이면서 낭 내부로 상피세포가 증식되어 자라는 형태를 가지며, 상피세포들의 비정형성이 현저하게 증가된 소견을 보이지만, 기질내로 침윤은 보이지 않는다. 악성 브레너 종양에서는 상피세포의 비정형성과 함께 기질 내로 침윤성 성장을 하는 곳이 보이며 악성 브레너 종양에서는 대부분 양성 혹은 경계성 브레너 종양이 주변에 혼재하는 경우가 대부분이며, 편평상피세포암이나 점액성 선암의 소견도 함께 나타날 수 있다.

⑥ 장액점액성 종양(seromucinous tumor)

이 종양은 2014 WHO 분류에서 새로이 정해진 질병명이며, 이전의 분류에서는 점액성 종양의 아형인 뮬러형(mullerian subtype) 혹은 내자궁경부형(endocervical-like subtype)으로 분류되었다. 종양의 명칭을 살펴보면 장액성 상피와 점액성 상피 두 가지만이 혼합된 형태로 생각할 수도 있지만, 실은 그 외 다양한 종류의 상피, 즉 투명세포, 편평상피세포, 자궁내막양 상피세포, 요로상피세포 등도 자주 혼재되어 나타날 수 있으니 혼합형 상피세포종양이 더 적합한 명칭이 될 수도 있다. 이 종양은 대부분 자궁내막증 혹은 자궁내막양 낭종에서 기원하며 같은 쪽, 혹은 반대쪽 난소나 골반강 내에 자궁내막증을 동반한다. 이 종양은 장액성, 점액성 상피뿐 아니라 투명세포, 편평상피세포 등 다양한 세포의 형태가 섞여서 나타나 자궁내막양 종양의 성격과 유사하다. 또한 종양의 유전학적 측면이 자궁내막양 종양과 유사하여 이 그룹의 종양이 자궁내막양 종양에 속하는 것이 아닌가 하는 논란도 있다. 대부분이 자궁내막양 낭종에서 기원하므로 육안소견이 자궁내막양 종양에서 기원하는 투명세포 암, 자궁내막양 암과 유사하다. 전체적으로는 단방성 혹은 소수의 방을 가지는 낭종의 안쪽 벽에 내강을 향해 자라는 종괴를 형성한다(그림 2-52).

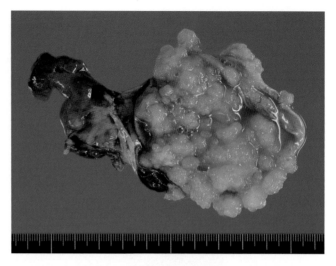

그림 2-52. 난소의 자궁내막증에서 발생한 장액점액성 종양

현미경소견에서는 유두상 증식을 하여 장액성 종양의 소견과 유사하지만 유두의 내부는 성글은 결체조직으로 이루어져 있으며 호중구, 호산구 등의 염증세포 침윤이 많고 유두를 덮고 있는 상피는 대부분 점액질을 포함한 원주상피, 섬모를 가진 난관 상피가 주를 이루며, 간혹 투명세포, 편평상피세포가 섞여 있기도 하며, 드물게는 편평상피세포가 주를 이루어 편평상피세포 암과 유사한 소견을 보이는 경우가 있어서 전이성 암, 기형종에서 발생한 편평상피세포 암과의 감별이 필요한 경우가 보고되어 있다. 종양을 구성하는 상피세포의 증식정도에 따라 단층으로 구성된 장액점액성 낭종, 증식을 보이면서 여러 층으로 중첩된 경계성 장액점액성 종양(그림 2-52), 그리고 하부 기질의 침윤을 보이거나 이형증이 심한 세포의 증식을 보이는 장액점액성 암으로 구분할 수 있는데, 이 가운데 경계성 장액점액성 종양이 가장 흔하다.

2) 성끈 간질종양과 순수 간질종양(sex cord-stromal tumor and pure stromal tumor)

2014 WHO 분류에서는 이전의 2003 WHO 분류와는 달리, 성끈(sex cord)과 난소 간질에서 발생하는 순수 성끈 종양, 순수한 간질종양, 그리고 성끈과 간질에서 발생한 혼합종양을 따로 구분지어 놓았다(표 2-10).

① 섬유종(fibroma)

섬유종은 순수하게 난소 기질에서 발생하는 양성 종양으로 가장 흔한 기질 종양이다. 대부분의 경우에는 한쪽 난소에 발생하지만 Gorlin 증후군(모반양 기저세포 암 증후군)의 경우에는 양측에 발생하는 경우도 있다. 약 1%의 환자에서 특히 난소의 섬유종이 큰 경우에는 종양과 함께 복수나 흉수를 동반하는 Meigs 증후군의 원인이 되기도 한다.

육안소견은 절단면이 황백색으로 단단하고 간혹 낭성 변화 및 부종을 동반하기도 하며, 현미경소견에서는 방추형 세포다발로 이루어져 있고, 유리질화된 곳을 자주 관찰할 수 있다. 간혹, 세포밀도가 매우 증가되어 있거나, 세포분열이 10개, 고배율에서 4개 이상 발견되는 경우도 볼 수 있는데, 이런 종양을 가진 환자들의 예후가 그렇지 않은 종양

표 2-10. 난소의 성끈 간질 세포종양의 2014 WHO 분류   101

순수 간질세포종양(pure stromal tumors)
    섬유종(fibroma)
    세포성 섬유종(cellular fibroma)
    난포종(thecoma)
    경화성 복막염을 동반한 난포종(luteinized thecoma associated with sclerosing
      peritonitis)
    섬유육종(fibrosarcoma)
    경화성 간질종양(sclerosing stromal tumor)
    반지모양 간질종양(signet-ring stromal tumor)
    미세낭성 간질종양(microcystic stromal tumor)
    라이디히 세포종양(leydig cell tumor)
    스테로이드 세포종양(steroid cell tumor)
    악성 스테로이드 세포종양(steroid cell tumor, malignant)
순수 성끈 종양(pure sex cord tumours)
    성인형과립세포종양(adult granulosa cell tumor)
    청소년형과립세포종양(juvenile granulosa cell tumor)
    세르톨리종양(sertoli cell tumor)
    환형세관을 가진 성끈 종양(sex cord tumor with annular tubules)
성끈 간질 혼합 종양(mixed sex cord-stromal tumors)
    세르톨리 라이디히 세포종양(Sertoli-Leydig cell tumors)
      고분화성(well differentiated)
      중등도 분화성(moderately differentiated)
      중등도 분화성 및 이종성분 포함(moderately differentiated with heterologous
        elements)
      저분화성(poorly differentiated)
      저분화성 및 이종성분 포함(poorly differentiated with heterologous elements)
      고환망 구조와 이종 성분 포함(retiform with heterologous elements)
    비특이적 성끈 간질 세포종(sex cord-stromal tumours, not otherwise specified)

을 가진 환자들의 예후와 크게 다르지 않음을 보고 이들을 섬유종의 변형으로 생각하고 세포성 섬유종(cellular fibroma) 라고 진단하며 임상적으로 재발, 전이 등의 악성 종양의 소견은 보이지 않는다.

② 난포종(thecoma)

난소 종양의 1% 미만을 차지하는 비교적 드문 종양으로, 종양으로 인한 물리적인 증상이나 호르몬 분비에 의한 증상을 나타낼 수 있다. 육안소견은 고형성 종괴를 형성하지만, 섬유종에 비해 노란색 빛을 띠며 덜 단단한 소견을 가진다. 국소적으로 낭성 변화, 출혈, 괴사 등을 동반할 수 있다. 현미경소견에서는 둥글거나 타원형의 핵을 가진 세포들이 관상배열을 하며 세포질은 풍부하고 투명하며 지방을 함유하고 있는 경우가 있다. 세포분열은 거의 관찰되지 않으며 핵의 변성으로 인해 핵의 비정형성을 보일 수 있다.

③ 경화성 복막염에 동반된 황체화 난포종

    (luteinized thecoma associated with sclerosing peritonitis)

주로 젊은 여성에 발생하는 매우 드문 병변으로 양측의 난소에 피질을 침범하는 난포종과 함께 복부 팽만, 복수, 장 폐색의 증상을 일으키는 병변을 말한다.[57,58] 현미경소견에서 양쪽 난소의 간질이 증식하면서 세포 밀도가 높고, 군데군데 부종과 미세 낭성 구조를 형성하며, 세포분열이 증가되어 있으나 종양 세포의 이형증은 관찰되지 않는다. 생식샘자극호르몬분비호르몬 작용제(GnRH agonist)와 스테로이드 치료로 완치된 보고가 있으므로, 이를 악성 종양으로 오인하지 않고 정확하게 진단하는 것이 매우 중요하다.

④ 섬유육종(fibrosarcoma)

매우 드물게 발생하는 난소의 악성종양으로 폐경 후에 주로 발생하는 것으로 보고 되어 있다.

육안소견에서는 일측성의 고형성 종괴를 형성하며, 간혹 출혈과 괴사 부위를 관찰할 수 있다. 현미경소견에서 심한 세포의 비정형성과 동시에 빈번한 세포분열과 비정상적인 세포분열을 보일 때 진단한다. Maffuci 증후군이나 Gorlin 증후군과 동반되는 경우가 있다.

⑤ 경화성 간질종양(sclerosing stromal tumor)

젊은 여성의 한쪽 난소에 주로 생기는 양성 종양으로, 난소 종괴에 의한 물리적 증상을 주로 나타내며, 호르몬에 의한 증상은 거의 보이지 않는다. 육안소견은 황백색의 고형성 종괴를 형성하며 낭성 변화도 생길 수 있다. 현미경소견에서 세포 밀도가 높은 부분과 낮은 부분이 번갈아 나타나며, 세포밀도가 높은 부분에는 확장된 혈관구조가 자주 관찰되고, 투명하거나 호산성의 세포질을 가지는 방추형 혹은 둥근 모양의 세포들로 이루어져 있다. 일반적으로는 소수의 세포분열을 보이지만, 간혹 다수의 세포분열이 관찰되는 경우도 있어 악성 종양과 혼돈하지 말아야 한다.

⑥ 반지모양 간질종양과 미세낭성 간질종양

(signet ring cell stromal tumor and microcystic stromal tumor)

이 두 가지 간질종양은 비교적 최근에 기술된 난소의 양성 간질 종양으로 방추형의 간질 세포들의 핵이 한쪽으로 치우치면서 세포내 공포를 가지게 되어 반지모양을 형성하거나, 미세낭성 변화를 보일 때 진단하며, 예후는 양성 간질 종양과 같고 호르몬 증상은 보이지 않는다.

⑦ 라이디히 세포종양(문세포 종양, Leydig cell tumor, Hilar cell tumor)

난소의 문세포(hilar cell)에서 발생하는 것으로 알려진 양성 종양으로 문세포에서와 같이 종양 세포내에 Reinke 결정체를 가지는 것이 특징이다. 주로 남성 호르몬을 분비하여 남성화 증상을 나타내며, 여성호르몬을 분비하는 경우는 매우 드물다.

⑧ 스테로이드 세포종양(steroid cell tumor)

난소 종양의 0.1% 미만을 차지하는 드문 종양으로 레이디히 세포종양과 유사한 육안 및 현미경소견을 가지는 스테로이드 호르몬을 분비하는 종양을 통칭하여 일컫는다. 종양의 육안 및 현미경소견, 임상 증상이 유사하여 넓은 의미에서는 라이디히 세포종양도 스테로이드 세포종양에 포함하기도 한다. 호발 연령, 종양의 크기 등은 다양하며, 주된 증상은 남성호르몬 분비에 의한 남성화 소견이며 약 10%에서는 에스트로겐 호르몬 분비 증상을 보이기도 한다. 현미경소견에서 종양세포들은 판상 증식, 덩어리, 코드를 형성하며 세포질은 풍부하고 호산성을 띠거나 공포를 가지며, 라이디히 세포종양에서 관찰되는 Reinke 결정체는 관찰되지 않는다. 예후는 종양의 크기와 세포분열, 괴사, 출혈, 세포의 비정형성 여부에 의해 결정되며, 크기가 7cm 이상, 세포분열 1 고배율 시야당 2개 이상, 출혈, 괴사, 세포의 비정형이 관찰되는 경우에 악성 종양의 경과를 보이는 경우가 흔하다.

⑨ 성인 과립세포종양(adult granulosa cell tumor)

난소종양의 약 1%를 차지하는 종양으로 이전에는 경계성 종양과 같이 분류되었으나, 2014 WHO 분류에서부터 악성 종양으로 분류되기 시작하였다. 넓은 연령 분포를 보이지만 성인 과립세포종양은 폐경 후 연령에서 주로 발생한다. 과다월경이나 폐경 후 질 출혈을 주증상으로 하며 드물게 무월경을 보이기도 하고 종양이 파열된 경우에는 심한 복통을 유발할 수 있다. 발생기전으로는 FOXL2 유전자의 과오 돌연변이가 90% 이상에서 나타나는 것으로 알려져 있다. 육안소견은 고형성 부분과 낭성 부분이 다양하게 나타나며, 고형성 부분은 황금빛의 노란색을 띠고, 낭성부분은 응고된 혈액으로 채워진 경우가 많다. 현미경소견에서 종양세포들은 판상증식, 덩어리, 코오드, 기둥모양, 리본 모양 등 다양한 저배율의 구조를 형성하며 Call-Exner 소체로 불리는 특징적인 구조를 형성하는 경우가 있는데, 이는 호산성의 분비물질이 들어있는 구조를 과립세포들이 둘러싸는 형태로 정상 난포에서 관찰되는 소견이다(그림 2-53). 핵은 둥글거나 타원형, 혹은 각이 진 모양을 가지며 핵 안에 원두커피 모양의 홈이 있는 것이 특징이다. 통상적으로 세포 분열은 거의 관찰할 수 없지만, 간혹 높은 세포밀도를 가지는 방추형 세포들이 판상배열을 보이면서 중등도 이상의 핵의 이형증과 빈번한 세포 분열을 보이는 육종형의 성인 과립세포종양에서는 재발과 전이의 빈도가 높고 종양으로 인한 사망률이 높다.[59]

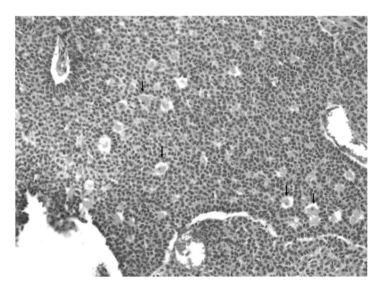

그림 2-53. 난소의 성인 과립세포종양
특징적인 Call-Exner 소체가 관찰된다.

⑩ 청소년형 과립세포종양(juvenile granulosa cell tumor)

과립세포종양 가운데 주로 사춘기 이전에 호발하는 종양이지만, 드물게 성인에서도 위와 같은 조직소견을 보이는 종양이 발생한 경우에는 연령과 상관없이 청소년형 과립세포종양으로 진단한다. 소아 연령에서는 에스트로겐 분비로 인해 거짓조숙(isosexual pseudoprecocity)의 증상을 보이며, 이는 뇌하수체 호르몬 분비에 의한 조숙증과는 다르다. 20~30대 연령 층에서는 과다월경의 증상을 보인다. 성인형의 과립세포종양에서 관찰되는 FOXL2 의 과오 돌연변이 소견은 관찰되지 않으며 12번 염색체의 삼염색체(trisomy)가 자주 발견된다.[60-62] 육안소견은 성인형과 유사하게 보이지만, 현미경소견상 다양한 크기의 난포구조를 보이며 난포 내에는 호염기성 점액성 액체를 포함하고 있다. 세포질은 성인형에 비해 매우 풍부하고, 홈이 없는 둥근 핵을 가지는 점이 성인형과 다른 점이다.

⑪ 세르톨리 라이디히 세포종양(Sertoli-Leydig cell tumor)

약 60%에서 DICER1 돌연변이에 의해 발생한다고 알려져 있으며, 모든 연령에 발생할 수 있으나 가임기 여성에서 가장 많이 발생하는 비교적 드문 종양이다. 육안소견은 고형성 종양이거나 고형성부분과 낭성부분을 포함하는 종양으로 단면의 색깔이 밝은 노란빛을 띠는 경우가 많아 과립세포종양과 유사하게 보일 수 있다. 현미경소견에서 보이는 분화 정도에 따라 환자의 예후가 다르며 그 분화정도에 따라 3가지로 나뉘는데, 난소에서 관찰되지 않는 위장관 점막세포, 간조직, 골격근, 연골조직, 멜라닌 색소 등 이종성(heterologous component)이 중등도 분화를 보이거나 분화가 나쁜 세르톨리 라이디히 세포종양에 섞여 나타날 수 있으며, 고환의 망을 닮은 구조(retiform)가 나타날 수도 있다. 분화가 좋은 세르톨리 라이디히 세포종양은 양성 종양으로 취급하며, 중등도 분화를 보이는 종양은 경계성 종양으로(그림 2-54), 분화가 나쁜 종양은 악성종양으로 취급하며, 고환망 구조를 보이는 종양이나 이종성분이 관찰되는 종양은 경계성 종양으로 취급한다.

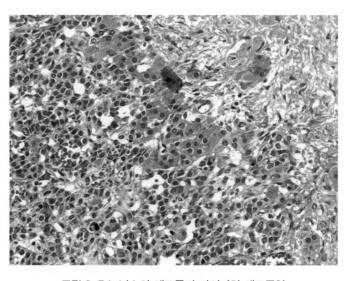

그림 2-54. 난소의 세르톨리 라이디히 세포종양

그러나 성끈간질종양 가운데에는 조직소견에서 분명한 과립세포종양과 세르톨리 라이디히 세포종양이 하나의 종괴 안에 섞여서 나타나는 음양모세포종(gynandroblastoma)도 드물게 나타나고, 과립세포종양과 세르톨리 라이디히 세포종양 가운데 어느 쪽으로 분화한 것인지 정확하게 구분할 수 없는 비특이적 성끈 간질세포종(sex cord-stromal tumours, not otherwise specified)도 드물게 나타난다. 이들은 여성호르몬 증상이나 남성호르몬 증상을 보일 수 있고 호르몬 증상을 보이지 않는 경우도 있다.

⑫ 환형세관을 가진 성끈종양(sex cord tumor with annular tubule)

성끈종양 가운데 특이한 모양의 환형세관을 가지는 종양으로, 임상적으로 산발적으로 나타나거나 Peutz-Jeghers 증후군을 가진 환자에서 나타나기도 한다. 후자의 경우에는 STK11 생식세포 돌연변이로 발생하며, 양쪽 난소에 작은 크기의 환형세관이 흩어져 있어 우연히 발견되는 경우가 많고 환자의 예후는 양성종양과 같지만, 자궁경부에 위장형 선암(gastric type adenocarcinoma)과 동반할 수 있으므로 이를 잘 관찰하여야 한다.

3) 생식세포 종양(germ cell tumor)

미분화생식세포에서 배아로 분화하는 과정에서 나타나는 난황낭, 태반, 배아가 가지고 있는 다양한 체세포조직 등으로 분화를 보이는 종양을 가리키며, 기형종을 제외하면 대부분 악성 종양이다(표 2-11).

표 2-11. 난소의 생식세포 종양의 2014 WHO 분류

미분화배세포종(dysgerminoma)
난황낭 종양(yolk sac tumor)
배아암(embryonal carcinoma)
비임신 융모막암(non-gestational choriocarcinoma)
성숙 기형종(mature teratoma)
미성숙기형종(immature teratoma)
혼합생식세포종양(mixed germ cell tumor)

단배엽성 기형종과 유피낭에서 발생하는 신체형 종양
(monodermal teratoma and somatic-type tumours arising from a dermoid cyst)
양성 난소갑상선종(struma ovarii, benign)
악성 난소갑상선종(struma ovarii, malignant)
유암종(carcinoid)
   갑상선 유암종(strumal carcinoid)
   점액성 유암종(mucinous carcinoid)
신경외배엽형 종양(neuroectodermal-type tumors)
피지선 종양(sebaceous tumors)
   피지선종(sebaceous adenoma)
   피지선암(sebaceous carcinoma)
Other rare monodermal teratomas

악성변화에 의해 생긴 암종(malignant transformation of mature teratoma)
편평상피세포 암(squamous cell carcinoma)
선암(adenocarcinoma)
Other

① 미분화배세포종(dysgerminoma)

미분화생식세포에서 아무런 분화도 보이지 않은 종양으로 난소의 악성 생식세포종양 가운데 가장 높은 빈도를 보이지만, 전체 악성 종양가운데에는 약 1-2% 의 빈도를 차지한다. 육안소견에서 종양은 대부분 10cm 이상의 크기를 가지는 고형성 종양으로, 회백색 혹은 황색을 띠며, 절단면은 균일하고 평평한 고형성을 보이거나 분엽상을 나타내기도 한다. 현미경소견에서 종양은 크고 균일한 세포들로 구성되며, 세포질의 경계가 분명하고 세포질은 투명하거나 약한 호산성을 띠며 종양 세포 사이에 림프구가 산발적으로 흩어져 있는 점이 특징이다(그림 2-55).

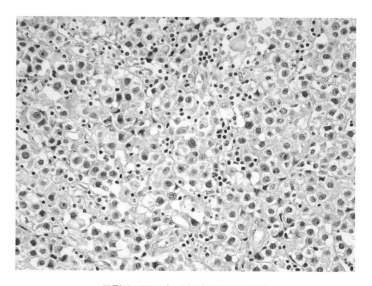

그림 2-55. 난소의 미분화배세포종

② 난황낭종양(yolk sac tumor)

육안 및 현미경소견이 매우 다양한 것으로 잘 알려진 종양이다. 육안소견에서는 직경이 10cm 이상으로 대부분 크며, 절단면은 고형성 부분과 낭성 부분이 섞여 나타나며, 출혈, 괴사가 자주 동반되고, 점액성을 띠는 경우도 자주 관찰된다. 현미경소견은 성글게 배열된 간질 위에 종양세포들이 망상, 미세낭, 유두상 구조를 이루거나, 특징적인 Schiller-Duval 소체를 이루는 경우도 있는데, 이는 가운데 혈관을 중심으로 그 주변을 난황낭 종양세포들이 둘러싸면서 유두상 구조를 형성하는 난황낭종양에서 관찰되는 진단적인 구조를 말하며(그림 2-56), 이와 더불어 유리질 방울(hyaline globule)도 자주 관찰된다. 또한, 간세포 조직과 같이 주상형, 판상형, 선구조를 이루거나, 난황장관(vitelline duct)와 같은 납작한 한층의 세포로 둘러싸인 낭의 구조(polyvesicular vitelline pattern)를 형성하는 경우도 있으며, 분비기 자궁내막과 유사한 모습을 보이는 선구조를 형성하는 경우도 있어 다양한 암과의 감별진단이 필요하다. 환자의 연령, 육안 및 현미경소견, 혈중 alpha-fetoprotein (AFP)의 증가소견 등을 종합하여 판단하는 것이 필요하다.

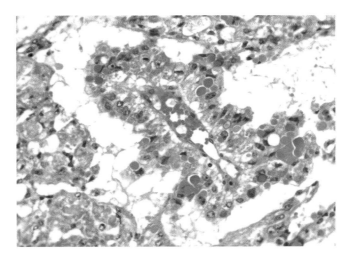

그림 2-56. 난소의 난황낭종양에서 관찰되는 Schiller-Duval 소체와 유리질 방울

③ 배아암(embryonal carcinoma)

순수한 배아암은 매우 드물며, 대부분 난황낭종양이나 그외 다른 생식세포 종양과 혼합된 형태로 30세 이전의 젊은 여성에서 발생한다. 육안소견은 매우 다양하며 출혈과 괴사가 흔히 동반된다. 현미경소견에서 세포질은 경계가 분명하고 풍부하며, 종양세포는 매우 심한 핵의 이형증과 크고 뚜렷한 핵인을 가지고 있고 세포분열이 흔하게 관찰되며 융합영양막세포(syncytiotrophoblast)가 자주 관찰되어 혈중 β-hCG의 증가도 자주 관찰된다.

④ 비임신 융모막암(non-gestational choriocarcinoma)

육안 및 조직소견이 자궁내막에서 관찰되는 임신성 융모막암과 매우 유사하거나 동일하게 보이지만, 임신과 연관이 없이 미분화 생식세포로부터 종양의 분화에 의해 발생하는 종양이다. 순수한 형태로 나타나거나 다른 생식세포 종양과 혼합된 형태로 나타나기도 한다. 육안소견은 종양이 있는 부분은 대부분 출혈과 괴사가 동반되어 검붉은 색으로 나타나며, 혼합 생식세포 종양에서도 융모막암의 부분은 검붉은 색으로 보이기 때문에 생식세포 종양에서 검붉은 부분은 반드시 조직검사에 포함되어야 한다. 현미경소견에서 단핵세포인 세포영양막세포(cytotrophoblast)의 주변을 다핵세포인 융합영양막세포가 둘러싸는 형태로 후자의 세포들은 β-hCG 항체에 대한 면역조직화학적 염색에 양성반응을 보이므로 진단에 이용할 수 있다.

⑤ 성숙기형종(mature teratoma)

성숙기형종은 육안적으로 대부분 낭성 종괴를 형성하므로 성숙낭기형종(mature cystic teratoma)으로 부르기도 한다. 낭의 내부는 대부분 한 개의 낭으로 이루어져 있으며, 지방덩어리와 머리카락들이 엉켜있고 현미경소견에서 피부와 부속기에 속하는 조직들로 이루어져 있기 때문에 이들을 유피낭(dermoid cyst) 라고 부르지만, 성숙기형종은 유피낭 이외에도 성인의 신체에서 관찰되는 외배엽, 중배엽, 내배엽 기원의 여러 가지 조직으로 구성되는 경우가 흔하다.

⑥ 미성숙기형종(immature teratoma)

성숙기형종에서 나타나는 여러 가지 조직성분 가운데 태아 발생기에서만 관찰되고 발생이 완성되면 사라지는 조직, 즉, 미성숙 신경관(immature neural tube) 혹은 미성숙 신경상피(immature neuroepithelium)를(그림 2-57) 보이는 기형종을 미성숙기형종이라고 하며, 조직 내에서 관찰되는 미성숙 신경상피의 양에 따라 조직 등급을 1~3까지 세 등급(등급 1/2/3), 혹은 저등급과 고등급의 두 등급으로 나누기도 한다. 고등급은 흔히 등급 2와 등급 3을 포함하며, 이 조직 등급은 환자의 예후와 밀접한 연관성을 보이며, 수술 후 항암요법 추가 여부의 판단기준이 되기도 한다. 등급 1은 저배율 시야당 미성숙 조직이 1곳을 넘지 않게 드물게 보여, 보이는 곳도 있고 보이지 않는 곳도 있을 때를 말하며, 등급 2는 저배율 시야당 1~3곳, 3등급은 4곳 이상의 미성숙 조직이 관찰될 때를 말한다.

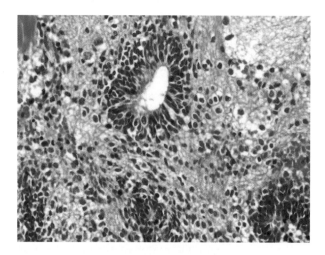

그림 2-57. 난소의 미성숙기형종에서 관찰되는 미성숙 신경상피세포

⑦ 단배엽성 기형종(monodermal teratoma)

단배엽성 기형종은 기형종 가운데 한두 가지 성분이 종양의 전체 혹은 대부분의 종양을 구성하는 경우를 일컫는다. 가장 흔한 것은 갑상선 조직이 종양의 대부분 혹은 상당 부분을 차지하는 경우로서, 이를 양성 난소갑상선종(benign struma ovarii)이라 하며, 난소갑상선종에서 다양한 종류의 갑상선암이 발생한 경우를 악성 난소갑상선종이라고 한다.[63,64] 드물기는 하지만 난소의 악성 난소갑상선종이 있는 경우에는 난소종양과 동시에 혹은 나중에 같은 환자에서 갑상선암이 발생하는 경우가 있으므로 난소종양 진단 후 갑상선에 종양여부를 검사하는 것이 중요하며, 추후 발생하는 예들을 위해 갑상선에 대한 면밀한 추적관찰이 필요하다. 그 외에 위장관이나 폐의 기관지 점막의 신경내분비세포에서 발생하는 유암종(carcinoid) 혹은 신경내분비 종양이 단독으로 혹은 갑상선조직과 함께 증식하는 경우가 있는데 이를 각각 유암종과 갑상선유암종이라고 부르며, 이들은 대부분 양성 종양의 경과를 보인다. 그러나 점액을 함유한 원주상피세포성분 혹은 술잔모양세포를 포함한 상피세포종양과 유암종이 혼합되어 나타나는 점액성 유암종

(mucinous carcinoid)은 자주 악성종양과 같은 임상경과를 보이는 경우가 있어 악성종양 (8243/3)으로 분류한다.[64,65] 그 외에도 뇌실막세포종(ependymoma)이나 원시신경외배엽종 양(primitive neuroectodermaltumor) 등의 신경계 종양이 종양의 대부분을 이루는 단배엽 성 기형종이나, 피부 부속기인 피지선에서 발생하는 피지선종이나 피지선암이 발생하기 도 한다.

⑧ 기형종에서 악성변화에 의해 생긴 암(malignant transformation of mature teratoma)
한두 가지 성분이 종양의 대부분을 구성하는 단배엽성 기형종과는 달리, 여러 가지 기형 종의 성분이 관찰되면서 그 가운데 한 가지 성분만이 악성종양으로 변화한 것을 말하며, 편평상피세포암이 가장 흔하고 선암이 두 번째를 차지한다.

4) 생식세포-성끈 간질세포 혼합 종양(germ cell-sex cord stromal tumours)

① 생식샘모세포종(gonadoblastoma)
생식세포종양과 성끈간질세포종양이 혼합된 종양으로 생식샘모세포종(gonadoblastoma)이 여기에 속한다. 이 종양은 양쪽의 생식선이 정상적으로 발생하지 못한 순수생식선 형성 부전(pure gonadal dysgenesis)이나 한쪽 생식선은 정상적으로 발달하고 반대편 생식선이 정상적으로 발생하지 못한 혼합생식선 발생부전(mixed gonadal dysgenesis) 환자에서 Y 염 색체를 가지는 경우에 호발하며, 제자리 세포종양의 형태로서, 기저막으로 둘러싸인 관 구조의 내부에 미성숙 생식세포와 성끈세포가 혼합되어 나타난다. 그러나 이 가운데 생 식세포들이 증식하면서 관의 외부로 침윤성 증식을 하게 되는 경우를 자주 관찰할 수 있 으며, 후자의 경우는 생식샘모세포종과는 달리 악성 종양으로 취급해야 한다.

5) 전이성 종양(metastatic tumor)

난소는 혈관이 풍부하여 신체 어느 곳에서 생긴 종양이라도 전이가 잘 되는 장기이다. 원발성 종양과 동시에, 혹은 시간 차이를 두고 후에 발생하는 경우도 있지만, 전이성 종 양이 원발성 종양보다 먼저 발견되기도 한다. 전이성 암의 원발 병소가 되는 암의 빈도 는 인종과 지역에 따라 많은 차이가 있으며, 자궁 내막암으로부터의 전이가 가장 많고, 그 다음으로 는 위장관, 간췌담관, 유방, 충수돌기, 폐, 자궁경 부 암의 전이가 비교적 흔하다. 이 가운데 반지세 포암(signet ring cell carcinoma)이 전이된 암종을 크 루켄버그 종양(Krukenberg tumor)이라고 한다(그림 2-58).

이 종양은 80% 이상에서 양쪽 난소에 종괴를 형성하며 절단면은 고형성으로 미끈거리는 소견 을 보이는 경우가 많은데, 대부분 위암에서 전이되 는 경우가 대부분이다. 매우 드물게 일차성 크루

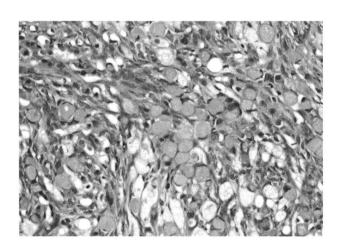

그림 2-58. 위의 반지모양암에서 난소로 전이된 크루켄버그 종양

켄버그 종양이 보고된 바 있기 때문에,[66] 반지세포암의 소견을 보이는 경우에는 이를 확인하기 위하여 원발병소의 가능성이 있는 여러 장기를 조사하는 것이 조사가 필요하다. 그 외에도 우리나라에서 대장암과 유방암이 증가함에 따라 이 암들이 전이된 경우도 자주 관찰된다. 전이성 대장암은 육안소견에서 경계가 분명한 여러 개의 결절을 형성하거나 이와 동시에 낭성 변화를 잘 일으켜 난소의 일차 점액성 암이나 자궁내막양 암과 구분이 어려운 경우도 자주 발생한다(그림 2-59).

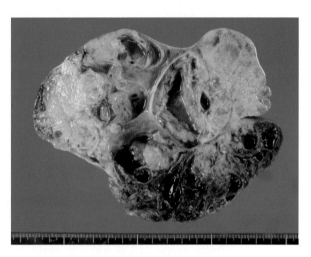

그림 2-59. 대장암에서 난소로 전이된 전이성 선암
육안소견으로 일차 난소암과 구분이 어렵다.

앞서 복강 가성점액종(pseudomyxoma peritonei)에서 설명한 충수의 저등급 점액성 종양도 복강 내와 난소에 전이를 잘 일으키는 종양이므로 복강 가성점액종양이 발견되는 경우에는 수술시 충수돌기절제가 필수적이다.

6) 기타종양

그 외에도 난소에 발생하는 원발성 종양 가운데에는 아직 발생기원이 확실하지 않거나 종양의 발생 원인이 확실하게 밝혀지지 않은 드문 종양이 여러 가지 있는데, 그 중에 한 가지만 여기에 소개하겠다.

① 고칼슘증을 동반하는 소세포암(small cell carcinoma, hypercalcemic type)

주로 20세 전후의 젊은 여성에 발생하며, 약 2/3의 환자에서 방종양성 증후군(paraneoplastic syndrome)으로서 혈중 칼슘 수치가 증가한다. 육안적으로는 크기가 크고 고형성의 회백색을 가지는 종양으로 괴사, 출혈, 낭성 변화가 자주 나타난다. 현미경소견에서는 작은 크기의 미분화 종양세포들이 판상, 덩어리 모양, 기둥모양, 코드 모양으로 배열하며, 간혹 난포와 유사한 구조를 형성하는 것이 조직학적 특징이다. 소량의 간질 가운데 종양세포들이 빽빽하게 증식하는 종양으로 세포분열이 매우 빈번하고 임상적으로도 공격적인 경과를 취하며, 난소 밖으로 침윤한 경우에는 거의 예외없이 종양으로 인해 사망하는 것으로 알려져 있다. 최근 이 종양이 SMARCA4/BRG1 유전자의 돌연변이에 의해 발생하며,[67,68] 중추신경계에 발생하는 비정형 기형종양/횡문양종양(atypical teratoid/rhabdoid tumor)과 유사한 유전적 변이와 조직소견을 가진다는 것이 보고되었고, 이를 바탕으로 하여 이 종양이 미성숙기형종과 연관이 있을 것이라는 의견도 제시되었다.

복막의 종양
(Peritoneal Tumor)

1) 중피종(mesothelioma)

원발성 장액성 종양 이외의 원발성 악성 종양으로 중피종이 있으며, 흉막 및 심낭의 중피종과 유사하다. 남성에 발생하는 복막의 중피종은 흉막의 중피종에 비해 석면과의 연관성이 적다고 알려져 있으며, 여성의 복막에 생기는 중피종은 석면 노출과 연관되어 있는 경우가 드물다. 드물게 양성 및 악성 연부 조직 종양이 복막에서 생길 수 있다. 이들 중 가장 흔한 것은 결합조직형성 소원형세포종양(desmoplastic small round cell tumor)으로, 어린이와 젊은 성인에서 발생하며, 유잉 육종(Ewing's sarcoma)을 닮은 공격적인 종양이다. 분자유전학적으로 보면 t (11;22) (p13;q12)의 상호전좌가 특징이며, 이 결과로 EWS 및 WT1 유전자를 포함하는 융합 유전자를 만들어 종양세포의 증식에 관여한다.

복막의 이차성 종양은 다른 장기의 종양이 직접 확산 또는 혈관 및 림프관을 통해 복막에 전이하는 경우로, 복막암종증을 유발할 수 있다. 충수의 점액성 암 역시 복막가성점액종의 원인이 될 수 있으며, 이는 앞에서 설명한 바 있다.

2) 선종모양 종양(adenomatoid tumor)

복막이나 장막을 덮고 있는 복막세포에서 발생하여 복막아래에 종양을 형성하는 양성 종양으로 자궁의 장막층 아래 자궁근층 안, 난관의 장막층 아래, 난소의 문부, 장간막, 대망이나 소망에 작은 종괴를 형성하는데, 대개 무증상의 종양이며 우연히 발견되는 경우가 대부분이다. 현미경소견에서 샘구조와 유사하게 내강을 가지는 세포들이 연결되면서 연결되면서 낭성 변화를 일으키기도 하고 판상배열을 하기도 하는데, 세포질은 풍부하고 세포 안에 공포를 가지는 경우가 있다. 구성하는 세포는 핵의 비정형성을 찾아볼 수 없고 세포분열도 드물다. 종양세포들은 cytokeratin, vimentin, WT1, calretinin, CK5/6, HBME1, thrombomodulin 등 중피세포의 면역표지자에 양성반응을 보인다.

태반 종양
(Placental Tumor)

1) 융모혈관종(chorangioma)

태반에 생기는 종양의 종류는 매우 적으며 종양의 대부분은 융모혈관종(chorangioma)으로 태반의 약 1% 이하에서 관찰된다. 융모 혈관종은 한 개 혹은 여러 개가 생길 수 있고 크기도 매우 다양하다. 내강을 가지는 성숙한 혈관이 종양의 대부분을 차지할 때에는 종양이 검붉은 색을 띠고 단단한 정도가 덜한 반면, 혈관이 성숙하기 이전에 보이는 성글은 바탕질세포나 섬유성 결체조직이 많은 경우에는 회백색의 단단한 모양을 나타낸다 (그림 2-60).

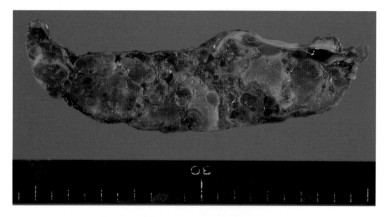

그림 2-60. 태반의 융모혈관종

태아에 미치는 영향은 종양의 크기에 따라 다르며, 종양의 크기가 큰 경우에는 양수과 다증, 임신중독증, 조기분만, 미숙아 및 태아수종을 동반하기도 한다. 현미경소견에서 융모 혈관종은 정상 융모의 간질내에서 혈관이 형성되는 과정에서 이상이 생겨 발생하며, 혈관의 발생과정에서 보이는 소견들, 즉 성글고 세포밀도가 낮은 간질세포, 혈관 내강을 형성하지 않은 미성숙 혈관, 그리고 혈관내강을 가지는 성숙 혈관들이 종양마다 다양한 비율로 섞여 나타난다.

2) 임신성 융모성질환(gestational trophoblastic disease)

임신성 융모성질환은 임신과 연관되어 영양막세포가 비정상적으로 과도하게 증식하는 것을 말하며, 포상기태와 임신 영양막종양의 두 가지로 분류한다(표 2-12). 포상기태는 양쪽 부모로부터 받은 유전자의 불균형에 의해 발생하는 비정상 임신으로서, 융모내부의 부종으로 인해 '포도송이' 같은 모양의 태반조직을 형성하여 붙여진 이름이다. 대부분 이 배수성(diploid)으로 나타나는 완전포상기태와 삼배수성(triploid)으로 나타나는 부분포상기태로 구분하며, 이 두 가지는 임상증상, 예후, 악성종양으로 진행되는 빈도에서 차이가 있다.

표 2-12. 임신성 융모성질환의 2014 WHO 분류

포상기태(hydatidiform moles, abnormally formed placentas)
침윤기태(complete mole)
부분포상기태 또는 불완전포상기태(partial mole or incomplete mole)
침윤성 포상기태(invasive mole)

영양막종양(trophoblastic tumors)
융모막암(choriocarcinoma)
태반부착부위 영양막종양(placental site trophoblastic tumor, PSTT)
상피모양 영양막종양(epithelioid trophoblastic tumor, ETT)

비종양싱 영양막 병변(non-neoplastic, non-molar trophoblastic lesions)
태반부 결절(placental site nodule)
과도한 태반부 반응(exaggerated placental site reaction)

① **완전포상기태**(complete hydatidiform mole)

완전포상기태는 이전에는 대부분 임신 제2삼분기에 발견되어 융모내 부종과 수조의 형성 그리고 융모막세포의 증식이 현저하고 배아가 형성되지 않아 임상적으로나 현미경소견에서 진단이 어려운 경우가 거의 없다(그림 2-61).

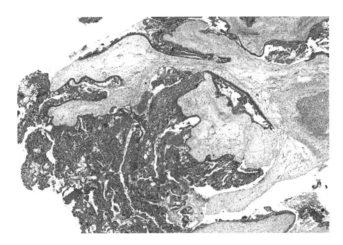

그림 2-61. 임신 제2삼분기에 관찰되는 완전포상기태
수조형성과 영양막세포의 증식이 현저하다.

그러나 최근에는 초음파 해상도의 증가로 포상기태가 임신 10주 이전에 대부분 발견되어 이전에 관찰되던 전형적인 육안 및 현미경소견을 찾아보기 힘든 경우가 많다. 임신 10주 이전의 포상기태에서는 융모내 부종이나 수조의 형성이 미미하고 융모막세포의 증식이 거의 관찰되지 않는 경우가 많다(그림 2-62).

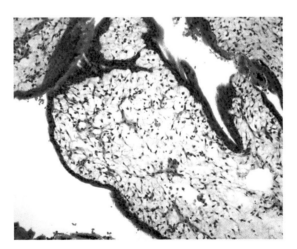

그림 2-62. 임신 초기에 발견되는 완전포상기태
수조형성과 영양막세포의 증식이 거의 없어 정상 융모와 유사하다.

이 때에는 융모 내의 기질이 연골조직과 같은 푸른 색을 띠고 혈관 내강과 혈액세포를 가지지 않는 미성숙 혈관을 자주 보이는 반면, 혈관내강을 가지는 성숙된 혈관을 형성하지 않으며 융모기질 내에 다수의 세포자멸사 소견이 관찰되는 것이 주된 소견이다(그림 2-62).

② 부분포상기태(partial hydatidiform mole)

부분포상기태는 현미경소견상 융모의 크기가 매우 다양하고, 융모막 세포의 증식이 미미하며 융모의 가장자리가 매우 날카롭고 불규칙하게 보여 마치 피요르드 해안선을 보는 듯한 모양을 가진다. 융모기질 내부에도 혈관이 정상임신의 융모에 비해 현저히 감소하여있지만 분명한 혈관내강을 가진 혈관들이 간혹 관찰된다는 점이 완전포상기태 소견과 다른 점이다. 이 소견은 삼염색체를 비롯한 비배수성 염색체 이상(aneuploid placenta) 때 보이는 소견과도 유사하지만, 미미하더라도 분명한 융모막세포의 증식을 보인다는 점이 비배수성 염색체 이상때 보이는 소견과의 차이점이다.

완전포상기태와 부분포상기태의 감별진단을 위해 예전에는 유세포분석을 통한 DNA 배수성 검사(flowcytometric DNA ploidy analysis), 염색체 검사, 형광 제자리 부합법, 유전자 검사법(genotyping) 등이 사용되었으나, 어머니 쪽 혹은 아버지 쪽에서 유래된 한 개의 유전자만 선택적으로 단백질로 표현되는 각인유전체 가운데 하나인 p57 단백 항체를 이용한 면역조직화학적 염색으로 대부분의 경우 이 두 가지를 쉽게 구분할 수 있다. 그러나 부분포상기태와 수포성 유산은 p57 에 대한 면역조직화학적 염색으로 구분이 안되므로 유전자 검사법이 필요하다.

③ 침윤기태(invasive mole)

침윤기태는 포상기태에서 관찰되는 수포성 융모조직이 자궁근층, 자궁경부 기질, 혈관내로 침윤하거나, 폐와 같은 자궁외 기관으로 전이하는 것을 일컫는다. 가장 흔히 전이되는 장기는 폐, 간, 뇌, 질, 그리고 회음부 등이다. 침윤기태는 비교적 드물게 발생하지만, 이전의 완전포상기태와 부분포상기태에서 발생하는 경우가 각각 75% 와 20% 를 차지한다. 현미경소견에서 침윤기태와 전이성 포상기태는 공통적으로 수포성 융모 주변에 분명한 세포영양막과 융합세포영양막의 과도한 증식을 보이며, 수포성 융모가 자궁근층, 혈관 혹은 전이된 장기의 실질 내에서 관찰되고 주변에는 융모외 영양막 세포의 증식도 흔히 관찰된다.

④ 임신성 융모막암(gestational choriocarcinoma)

임신성 융모막암의 육안소견은 난소에 발생하는 비임신성 융모막암의 그것과 동일하다. 원발성 병소나 전이성 병소에서 공통적으로 검붉은 출혈성 종괴를 형성하며 가장자리는 불규칙하게 침윤하는 소견을 보이고 괴사성 부위도 자주 관찰된다(그림 2-63). 현미경소견에서는 다양한 정도의 세포영양막, 융합세포영양막 그리고 중간 영양막세포의 증식을 보이며, 융합세포영양막들은 세포영양막들의 주변을 둘러싸는 모양을 보이지만, 기질을 가지는 융모는 종양 내에 포함되지 않는다. 세포영양막들은 정상임신 때 보이는 영양막세포에 비해 심한 비정형성 및 다형증, 그리고 크고 분명한 핵인을 가진다.

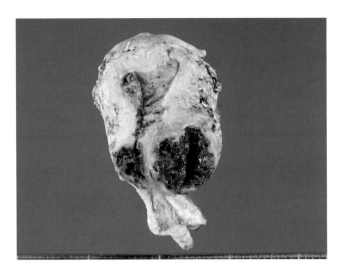

그림 2-63. 임신성 융모막암

⑤ 태반부착부위 영양막종양(placental site trophoblastic tumor, PSTT)

태반부착부위 영양막종양은 임신융모종양 가운데 융모외 영양막세포(중간영양막세포)로 분화하는 악성종양으로서, 가임연령에 주로 발생하지만, 간혹 폐경 이후의 여성에 발생하는 경우도 있다. 융모막암에 비해 종양세포의 증식성이 비교적 낮고, hCG를 분비하는 융합세포영양막이 거의 없이 대부분 착상부 중간영양막세포(implantation site intermediate trophoblast)로만 구성되며, 혈중 hCG 수치가 융모막암에 비해 매우 낮아 대부분 1,000 mIU/ml 이하의 혈중 hCG 수치를 가진다. 혈행성 전이보다는 자궁근층 안으로 침윤성 성장을 하는 경우가 더 많으며, 폐, 질, 복강 내 기관으로 전이하는 경우도 있고, 항암제 치료에 잘 반응하지 않아 수술적 절제가 요구된다.

⑥ 상피모양 영양막종양(epithelioid trophoblastic tumor, ETT)

상피모양 영양막종양도 태반부착부위 영양막종양과 마찬가지로 임신융모종양 가운데 하나로 융모외 영양막세포(중간영양막세포)로 분화하는 악성종양이지만, 종양의 육안 및 현미경소견이나 면역조직화학적 소견이 태반부착부위 영양막종양과는 달리, 융모막형 중간영양막세포(chorionic type intermediate trophoblast)와 유사하여 태반부착부위 영양막종양과 구분한다. 태반부착부위 영양막종양과 거의 비슷한 임상소견과 임상경과를 보이며 약 25%에서 원격 전이가 일어날 수 있으며 폐 전이가 가장 흔하고, 뇌, 질 그리고 뼈에 전이한 예들이 문헌에 보고되어 있다. 융모막암에 비해 종양의 증식정도는 비교적 낮고 항암제치료에 잘 반응하지 않아 수술적 절제가 필요하다.

그 외 중간영양막세포에서 기원하는 비종양성 병변으로는 출산이나 유산 이후에 태반이 붙어있던 자궁내막이나 자궁근층의 상층부에 중간 영양막세포들이 남아서 생기는 병변으로 태반부 결절(placental site nodule)과 과도한 태반부 반응(exaggerated placental site reaction)을 들 수 있는데, 종양성 병변과 감별이 어려운 경우도 있기 때문에 Ki-67 면역조직화학적 염색을 통하여 증식하는 세포의 비율이 3% 미만이거나 매우 드물게 관찰될 때 진단할 수 있다.

참고문헌

1   Hydbring P, Malumbres M, Sicinski P. Non-canonical functions of cell cycle cyclins and cyclin-dependent kinases. Nat Rev Mol Cell Biol 2016;17:280-92.

2   Du W, Searle JS. The rb pathway and cancer therapeutics. Curr Drug Targets 2009;10:581-9.

3   Meier P, Finch A, Evan G. Apoptosis in development. Nature 2000;407:796-801.

4   Elmore S. Apoptosis: a review of programmed cell death. Toxicol Pathol 2007;35:495-516.

5   Hsu H, Shu HB, Pan MG, Goeddel DV. TRADD-TRAF2 and TRADD-FADD interactions define two distinct TNF receptor 1 signal transduction pathways. Cell 1996;84:299-308.

6   Campisi J. Aging, cellular senescence, and cancer. Annu Rev Physiol 2013;75:685-705.

7   Ivancich M, Schrank Z, Wojdyla L, Leviskas B, Kuckovic A, Sanjali A, et al. Treating Cancer by Targeting Telomeres and Telomerase. Antioxidants (Basel) 2017;6.

8   Bublil EM, Yarden Y. The EGF receptor family: spearheading a merger of signaling and therapeutics. Curr Opin Cell Biol 2007;19:124-34.

9   Schwartzberg PL. The many faces of Src: multiple functions of a prototypical tyrosine kinase. Oncogene 1998;17:1463-8.

10 Leiderman YI, Kiss S, Mukai S. Molecular genetics of RB1--the retinoblastoma gene. Semin Ophthalmol 2007;22:247-54.

11 Lindahl T. An N-glycosidase from *Escherichia coli* that releases free uracil from DNA containing deaminated cytosine residues. Proc Natl Acad Sci U S A 1974;71:3649-53.

12 Sancar A, Rupp WD. A novel repair enzyme: UVRABC excision nuclease of *Escherichia coli* cuts a DNA strand on both sides of the damaged region. Cell 1983;33:249-60.

13 Lahue RS, Au KG, Modrich P. DNA mismatch correction in a defined system. Science 1989;245:160-4.

14 Pukkila PJ, Peterson J, Herman G, Modrich P, Meselson M. Effects of high levels of DNA adenine methylation on methyl-directed mismatch repair in *Escherichia coli*. Genetics 1983;104:571-82.

15 Sung P, Klein H. Mechanism of homologous recombination: mediators and helicases take on regulatory functions. Nat Rev Mol Cell Biol 2006;7:739-50.

16 Whatcott C, Han H, Posner RG, Von Hoff DD. Tumor-stromal interactions in pancreatic cancer. Crit Rev Oncog 2013;18:135-51.

17 Dvorak HF, Weaver VM, Tlsty TD, Bergers G. Tumor microenvironment and progression. J Surg Oncol 2011;103:468-74.

18 Mantovani A, Allavena P, Sica A, Balkwill F. Cancer-related inflammation. Nature 2008;454:436-44.

19 Thiery JP, Sleeman JP. Complex networks orchestrate epithelial-mesenchymal transitions. Nat Rev Mol Cell Biol 2006;7:131-42.

20 Steeg PS. Targeting metastasis. Nat Rev Cancer 2016;16:201-18.

21 Kandoth C, Schultz N, Cherniack AD, Akbani R, Liu Y, Shen H, et al. Integrated genomic characterization of endometrial carcinoma. Nature 2013;497:67-73.

22 Hamel NW, Sebo TJ, Wilson TO, Keeney GL, Roche PC, Suman VJ, et al. Prognostic

value of p53 and proliferating cell nuclear antigen expression in endometrial carcinoma. Gynecol Oncol 1996;62:192-8.

23   Mutter GL, Ince TA, Baak JP, Kust GA, Zhou XP, Eng C. Molecular identification of latent precancers in histologically normal endometrium. Cancer Res 2001;61:4311-4.

24   Fleming GF, Sill MW, Darcy KM, McMeekin DS, Thigpen JT, Adler LM, et al. Phase II trial of trastuzumab in women with advanced or recurrent, HER2-positive endometrial carcinoma: a Gynecologic Oncology Group study. Gynecol Oncol 2010;116:15-20.

25   Moreno-Bueno G, Hardisson D, Sanchez C, Sarrio D, Cassia R, Garcia-Rostan G, et al. Abnormalities of the APC/beta-catenin pathway in endometrial cancer. Oncogene 2002;21:7981-90.

26   Brooks AN, Kilgour E, Smith PD. Molecular pathways: fibroblast growth factor signaling: a new therapeutic opportunity in cancer. Clin Cancer Res 2012;18:1855-62.

27   Kurman RJ, Shih Ie M. Molecular pathogenesis and extraovarian origin of epithelial ovarian cancer--shifting the paradigm. Hum Pathol 2011;42:918-31.

28   Vang R, Levine DA, Soslow RA, Zaloudek C, Shih Ie M, Kurman RJ. Molecular Alterations of TP53 are a Defining Feature of Ovarian High-Grade Serous Carcinoma: A Rereview of Cases Lacking TP53 Mutations in The Cancer Genome Atlas Ovarian Study. Int J Gynecol Pathol 2016;35:48-55.

29   Hunter SM, Anglesio MS, Ryland GL, Sharma R, Chiew YE, Rowley SM, et al. Molecular profiling of low grade serous ovarian tumours identifies novel candidate driver genes. Oncotarget 2015;6:37663-77.

30   McConechy MK, Ding J, Senz J, Yang W, Melnyk N, Tone AA, et al. Ovarian and endometrial endometrioid carcinomas have distinct CTNNB1 and PTEN mutation profiles. Mod Pathol 2014;27:128-34.

31   Lehoux M, D'Abramo CM, Archambault J. Molecular mechanisms of human papillomavirus-induced carcinogenesis. Public Health Genomics 2009;12:268-80.

32   Doorbar J, Egawa N, Griffin H, Kranjec C, Murakami I. Human papillomavirus molecular biology and disease association. Rev Med Virol 2015;25 Suppl 1:2-23.

33   Moody CA, Laimins LA. Human papillomavirus oncoproteins: pathways to transformation. Nat Rev Cancer 2010;10:550-60.

34   Wang SS, Trunk M, Schiffman M, Herrero R, Sherman ME, Burk RD, et al. Validation of p16INK4a as a marker of oncogenic human papillomavirus infection in cervical biopsies from a population-based cohort in Costa Rica. Cancer Epidemiol Biomarkers Prev 2004;13:1355-60.

35   Bhat S, Kabekkodu SP, Noronha A, Satyamoorthy K. Biological implications and therapeutic significance of DNA methylation regulated genes in cervical cancer. Biochimie 2016;121:298-311.

36   Liu S, Chang W, Jin Y, Feng C, Wu S, He J, et al. The function of histone acetylation in cervical cancer development. Biosci Rep 2019;39.

37   Heller DS. Update on the pathology of gestational trophoblastic disease. Apmis 2018;126:647-54.

38   Bifulco C, Johnson C, Hao L, Kermalli H, Bell S, Hui P. Genotypic analysis of hydatidiform mole: an accurate and practical method of diagnosis. Am J Surg Pathol 2008;32:445-51.

39   McConnell TG, Murphy KM, Hafez M, Vang R, Ronnett BM. Diagnosis and subclassification of hydatidiform moles using p57 immunohistochemistry and molecu-

lar genotyping: validation and prospective analysis in routine and consultation practice settings with development of an algorithmic approach. Am J Surg Pathol 2009;33:805-17.

40 Hunn J, Rodriguez GC. Ovarian cancer: etiology, risk factors, and epidemiology. Clin Obstet Gynecol 2012;55:3-23.

41 Key TJ, Verkasalo PK, Banks E. Epidemiology of breast cancer. Lancet Oncol 2001;2:133-40.

42 Lin KM, Shashidharan M, Thorson AG, Ternent CA, Blatchford GJ, Christensen MA, et al. Cumulative incidence of colorectal and extracolonic cancers in MLH1 and MSH2 mutation carriers of hereditary nonpolyposis colorectal cancer. J Gastrointest Surg 1998;2:67-71.

43 National Comprehensive Cancer Network. NCCN Guidelines Version 2. 2019 Lynch Syndromes. 2019. available on www.nccn.org

44 Bruegl AS, Djordjevic B, Urbauer DL, Westin SN, Soliman PT, Lu KH, et al. Utility of MLH1 methylation analysis in the clinical evaluation of Lynch Syndrome in women with endometrial cancer. Curr Pharm Des 2014;20:1655-63.

45 Little JT, Lehman VT, Morris JM, Lehman JS, Diehn FE. Spinal Metastases of Extramammary Paget Disease with Radiologic-Pathologic Correlation. J Radiol Case Rep 2016;10:1-8.

46 Darragh TM, Colgan TJ, Cox JT, Heller DS, Henry MR, Luff RD, et al. The Lower Anogenital Squamous Terminology Standardization Project for HPV-Associated Lesions: background and consensus recommendations from the College of American Pathologists and the American Society for Colposcopy and Cervical Pathology. Arch Pathol Lab Med 2012;136:1266-97.

47 Ishii K, Hosaka N, Toki T, Momose M, Hidaka E, Tsuchiya S, et al. A new view of the so-called adenoma malignum of the uterine cervix. Virchows Arch 1998;432:315-22.

48 Ishii K, Hidaka E, Katsuyama T, Ota H, Shiozawa T, Tsuchiya S. Ultrastructural features of adenoma malignum of the uterine cervix: demonstration of gastric phenotypes. Ultrastruct Pathol 1999;23:375-81.

49 Ishii K, Ota H, Katsuyama T. Lobular endocervical glandular hyperplasia represents pyloric gland metaplasia? Am J Surg Pathol 2000;24:325; author reply -6.

50 Mikami Y, Manabe T. Lobular endocervical glandular hyperplasia represents pyloric gland metaplasia? Am J Surg Pathol 2000;24:323-4; author reply 5-6.

51 Kondo T, Hashi A, Murata S, Nakazawa T, Yuminamochi T, Nara M, et al. Endocervical adenocarcinomas associated with lobular endocervical glandular hyperplasia: a report of four cases with histochemical and immunohistochemical analyses. Mod Pathol 2005;18:1199-210.

52 Kuragaki C, Enomoto T, Ueno Y, Sun H, Fujita M, Nakashima R, et al. Mutations in the STK11 gene characterize minimal deviation adenocarcinoma of the uterine cervix. Lab Invest 2003;83:35-45.

53 Kojima A, Mikami Y, Sudo T, Yamaguchi S, Kusanagi Y, Ito M, et al. Gastric morphology and immunophenotype predict poor outcome in mucinous adenocarcinoma of the uterine cervix. Am J Surg Pathol 2007;31:664-72.

54 Baak JP, Mutter GL, Robboy S, van Diest PJ, Uyterlinde AM, Orbo A, et al. The molecular genetics and morphometry-based endometrial intraepithelial neoplasia classification system predicts disease progression in endometrial hyperplasia more accurately than the 1994 World Health Organization classification system.

119

Cancer 2005;103:2304-12.

55 Cass I, Holschneider C, Datta N, Barbuto D, Walts AE, Karlan BY. BRCA-mutation-associated fallopian tube carcinoma: a distinct clinical phenotype? Obstet Gynecol 2005;106:1327-34.

56 Medeiros F, Muto MG, Lee Y, Elvin JA, Callahan MJ, Feltmate C, et al. The tubal fimbria is a preferred site for early adenocarcinoma in women with familial ovarian cancer syndrome. Am J Surg Pathol 2006;30:230-6.

57 Levavi H, Sabah G, Heifetz M, Feinmesser M. Sclerosing peritonitis associated with bilateral luteinized thecoma, linked to anticonvulsant therapy. Eur J Gynaecol Oncol 2009;30:695-700.

58 Mellembakken JR, Engh V, Tanbo T, Czernobilsky B, Edelstein E, Lunde O, et al. Mitotically active cellular luteinized thecoma of the ovary and luteinized thecomatosis associated with sclerosing peritonitis: case studies, comparison, and review of the literature. Pathol Res Pract 2010;206:744-8.

59 Sonoyama A, Kanda M, Ojima Y, Kizaki T, Ohara N. Aggressive Granulosa Cell Tumor of the Ovary with Rapid Recurrence: a Case Report and Review of the Literature. Kobe J Med Sci 2015;61:E109-14.

60 Halperin D, Visscher DW, Wallis T, Lawrence WD. Evaluation of chromosome 12 copy number in ovarian granulosa cell tumors using interphase cytogenetics. Int J Gynecol Pathol 1995;14:319-23.

61 Mayr D, Kaltz-Wittmer C, Arbogast S, Amann G, Aust DE, Diebold J. Characteristic pattern of genetic aberrations in ovarian granulosa cell tumors. Mod Pathol 2002;15:951-7.

62 Tanyi J, Rigo J, Jr., Csapo Z, Szentirmay Z. Trisomy 12 in juvenile granulosa cell tumor of the ovary during pregnancy. A report of two cases. J Reprod Med 1999;44:826-32.

63 Sisti A, Tassinari J, Nisi G, Grimaldi L, Sisti G, M DIT, et al. Synchronous and Metachronous Malignancies After Malignant Struma Ovarii in the SEER Database. In Vivo 2016;30:713-6.

64 Krishnamurthy A, Ramshankar V, Vaidyalingam V, Majhi U. Synchronous papillary carcinoma thyroid with malignant struma ovarii: A management dilemma. Indian J Nucl Med 2013;28:243-5.

65 Quinonez E, Schuldt M, Retamero JA, Nogales FF. Ovarian strumal carcinoid containing appendiceal-type mucinous tumor patterns presenting as pseudomyxoma peritonei. Int J Gynecol Pathol 2015;34:293-7.

66 McCluggage WG, Young RH. Primary ovarian mucinous tumors with signet ring cells: report of 3 cases with discussion of so-called primary Krukenberg tumor. Am J Surg Pathol 2008;32:1373-9.

67 Kupryjanczyk J, Dansonka-Mieszkowska A, Moes-Sosnowska J, Plisiecka-Halasa J, Szafron L, Podgorska A, et al. Ovarian small cell carcinoma of hypercalcemic type – evidence of germline origin and SMARCA4 gene inactivation. a pilot study. Pol J Pathol 2013;64:238-46.

68 Lang JD, Hendricks WPD. Identification of Driver Mutations in Rare Cancers: The Role of SMARCA4 in Small Cell Carcinoma of the Ovary, Hypercalcemic Type (SCCOHT). Methods Mol Biol 2018;1706:367-79.

CHAPTER

3

항암화학요법

Chemotherapy

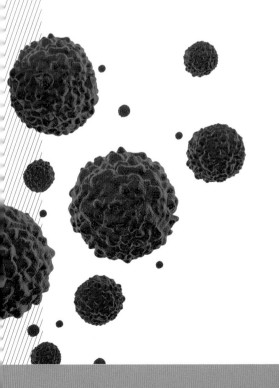

책임저자

김영태 | 연세대학교 의과대학 산부인과

집필저자

이원무 | 한양대학교 의과대학 산부인과

이은주 | 중앙대학교 의과대학 산부인과

이정윤 | 연세대학교 의과대학 산부인과

Gynecologic Oncology

항암화학요법은 부인암 치료의 핵심으로 꾸준한 약제의 개발과 대단위 임상연구들을 통하여 가장 빠르게 업데이트되고 있는 분야이다. 오랜 기간의 임상 경험으로 다져진 기본 항암화학요법과 최신 연구기법으로 탄생한 다양한 기전의 최신 약물들이 부인암 환자들의 치료율과 생존율을 높이는 데 기여하고 있다. 최근에 정립된 정밀 의학(precision medicine)은 환자맞춤형 치료옵션 시대를 가져왔다. 부인암 치료에 이러한 약제들을 근거를 바탕으로 적절히 선택하는 것은 효과적인 항암화학요법에서 가장 중요하다. 따라서 약제의 작용 기전과 항암화학요법의 치료 원칙에 대한 철저한 이해가 반드시 필요하다.

부인암 항암화학요법의 기본

암세포의 생물학적 특성

1) 성장

암세포는 특징적으로 곰페르츠(Gompertz) 성장을 한다. 즉, 종양의 크기가 작을 때는 지수 양상(exponential pattern)으로 성장하나 크기가 증가하면서 성장속도가 둔화된다. 종양의 크기가 2배가 되는 시간을 배가 시간(doubling time)이라고 하는 데 암세포 종류에 따라서 배가 시간이 다르고 전이암은 원발암보다 배가 시간이 짧기 때문에 성장이 빠르다. 지수적 성장을 하는 시기에 있는 종양은 활발하게 분열하는 세포들이 휴지기 세포보다 많기 때문에 항암제에 대한 반응도가 크다. 이는 난소암 치료에서 수술로 종양의 크기를 최대한 줄인 후 항암화학요법을 시행하면 치료율을 높일 수 있는 근거이다.[1,2]

2) 세포주기

세포 주기는 휴지기(G0), 분열 후기(G1, 단백질 합성), 합성기(S, DNA 합성 및 복제), 분열 준비기(G2), 분열기(M)로 이루어지는데 활발하게 분열하는 암세포는 항암제에 민감하며 휴지기에 있는 세포는 항암제에 감수성이 낮다. 암세포는 활발하게 분열하는 시기의 세포들이 많은 반면 정상세포는 대부분 휴지기에 있기 때문에 항암제는 암세포에 더 큰 영향을 준다. DNA 합성기인 S기는 거의 대부분 암에서 12시간에서 31시간으로 비슷하지만 세포주기는 1~2일에서 5일까지 악성 종양에 따라 다양하게 나타난다.[3] 항암제 중에는 세포주기에 상관없이 암세포에 작용하는가 하면 특정 세포 주기의 세포에만 효과가 있는 항암제가 있다. 따라서 이 두 종류의 항암제를 함께 투여하면 항암요법 효과를 증진시킬 수 있다.[4]

3) 종양 이질성(heterogeneity)

암조직은 정상 조직의 유전적 균일성과 달리 세포 간에 유전적 이질성을 가진다. 즉 하나의 종양덩어리 안에서 다양한 암세포 및 이들이 이루는 군집들이 혼재한다. 이는 다양한 돌연변이들이 발생하고 축적된 결과로 설명하기도 하고 암줄기세포의 존재로 설명하기도 한다. 따라서 군집 별로 세포증식, 면역성, 전이 능력 그리고 항암제 반응성이 상이하다. 이는 항암치료 후에도 소수의 선택된 항암제 내성군집세포가 있을 수 있음을 의미한다.[5]

항암화학요법의 원칙

1) 작용 기전

항암제는 작용 기전이 다양하고 복잡하여 세포의 반응 역시 다양하게 나타난다. 특정 세포 주기에 관련되는 약제가 있으며 비특이적으로 모든 주기에 반응하는 약제도 있다. 항암제는 일정 세포 수가 아닌 일정 분율(fraction)로 암세포를 죽이며 한번의 치료로 2~5 log(약 102~105개)의 암세포를 죽이게 된다. 따라서 종양이 크기가 작으면 더 적은 횟수의 항암요법이 요구된다. 임상적으로 $10^{9~12}$개의 암세포 덩어리로 발견되는 암은 여러 번의 복합항암제의 치료가 필요하다(그림 3-1).

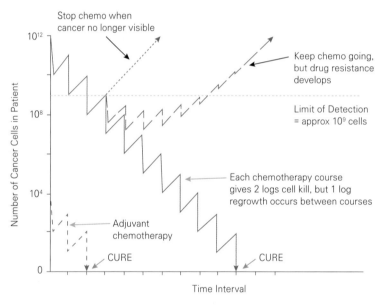

그림 3-1. 분율에 따른 세포사(fractional cell kill)의 임상적 적용

2) 항암제 투여

항암제는 치료 지수(therapeutic index)가 좁은 약제이다. 따라서 부작용을 피하고 최상의 항암 효과를 얻기 위해서는 용량을 정확하게 계산하고 올바른 경로로 투여해야 한다. 항암제마다 적정투여용량을 계산하는 방법이 다르며 체표면적, 체중 혹은 칼버트 공식(Calvert formula) 등을 이용하여 계산한다. 매회 시행 때마다 새로이 계산하여 용량을 결정해야 하며 부종이나 복수가 있는 경우에는 이를 제외한 실제 체중을 이용해야 한다.

투여 경로는 구강, 근육 내, 정맥 내, 동맥 내, 복강 내 등이 있다. 정맥 내 투여 시에는 약물이 새지 않도록 각별한 주의를 요한다. 약물이 새면 통증과 피부 병변을 발생시킬 수 있기 때문에 만약 약물이 샌다면 즉시 투여를 중단하고 팔을 올리고 냉찜질을 하여야 한다. 복강 내 투여는 전형적으로 복강 내 전이를 하는 난소암에서 많이 이용되고 있는데 다른 경로에 비해 배출이 느려서 암세포에 고농도의 항암제가 오랜 시간 동안 노출되는 장점이 있다.

항암치료에는 약의 투여 방법, 약의 흡수, 이동, 분포, 생물학적 변화, 비활성화, 분비, 다른 약물과의 상호작용 등 약제의 약리학적 작용에 영향을 주는 요소들이 영향을 미친다. 처음에 관해를 보였던 약제가 재발 시 흡수에 저항을 보이거나 억제 효소에 대한 특이성의 변화를 일으켜 내성을 보이기도 하며 사용하려는 약제가 다른 심각한 독성을 유발하는 경우 독성의 극소화와 치료의 극대화를 위해 약 용량을 조절하여 사용한다.

3) 항암제 과민 반응

항암제 투여 시 혹은 투여 후에 과민성 알레르기 반응이 나타날 수 있다. 경한 알레르기 반응도 있지만 심하게는 급성 아나필락시스로 쇼크상태에 이르기도 한다. 탁센(taxane) 제제처럼 투여한 지 몇 분만에 발생하기도 하고 백금(platinum) 제제처럼 몇 회 투여 후에 발생하는 경우도 있다. 부인암에서 많이 사용하는 탁센 제제인 파클리탁셀(Paclitaxel)은 과민반응이 25~30% 정도로 높으나 전 처치를 사용한 후로는 2% 정도로 보고되고 있다.[6] 시스플라틴은 4~8번째 주기에 5~20%에서 발생한다고 보고되었고 카보플라틴은 7주기 이상에서 환자의 27% 이상이 과민 반응을 경험한다.[7] 따라서 이런 반응이 발생하였을 때 신속하게 대처할 수 있도록 산소, 기관내 삽관 장비, 에피네프린 약물이 가까운 곳에 늘 준비되어 있어야 한다. 과민 반응이 발생했던 경우에는 해당 약제를 투여하지 않는 것이 가장 확실한 치료방법이지만 항암제의 경우 대체 약제가 없는 경우가 많아서 투여 속도를 최대한 늦추고 스테로이드 및 히스타민 수용체 길항제(histamine receptor antagonist)로 전 처치하는 것을 일차적으로 고려하게 된다. 이러한 약물을 이용한 전 처치는 과민성 반응이 보고된 항암제가 포함된 프로토콜에서 기본적으로 사용하고 있다. 처치에도 불구하고 과민반응이 지속되거나 중증 과민반응이 나타날 경우에는 탈감작요법(desensitization protocol)을 적용할 수 있다(표 3-1).

표 3-1. 탈감작요법

시스플라틴/카보플라틴[1]	파클리탁셀[2]
1:100 희석용액을 2ml/hr로 시작하여 15분마다 2배씩 속도를 증가하여 4단계에 걸쳐서 투여한다. 괜찮다면 1:10 희석용액을 5mL/hr로 시작하여 같은 방법으로 4단계에 걸쳐서 투여한다. 괜찮다면 원액을 10mL/hr로 시작하여 같은 방법으로 4단계에 걸쳐서 투여한다.	100ml 생리식염수에 파클리탁셀 2mg를 섞은 액을 30분에 걸쳐서 정주한 후 괜찮다면 100ml 생리식염수에 파클리탁셀 10mg를 섞어서 30분에 걸쳐서 정주한다. 괜찮다면 500ml 생리식염수에 파클리탁셀 정 용량을 섞어서 3시간에 걸쳐서 정주한다.

1 Castle MC, et al. J Allergy Clin Immunol. 2008 Sep;122(3)574–80.
2 Markman M, et al. J Cancer Res Clin Oncol. 1999 Jul;125(7):427–9.

4) 항암제 내성

항암제 내성은 항암화학요법에서 가장 심각한 문제이다. 항암제는 암세포를 일정 분율로 죽이기 때문에 크기가 큰 종양은 내성이 있다. 항암제 내성은 여러 가지 기전들로 설명되고 있는데(그림 3-2). 암세포 자체가 특정 항암제에 내성을 나타내는 경우도 있고 사용된 항암제에 살아남기 위하여 내성이 생기기도 한다. 내성이 내재되어 있던 암세포로 이루어진 종양은 일차적 치료에 반응하지 않고 예후가 좋지 않다. 일차적 치료에는 반응을 잘하였지만 재발을 하였을 때 같은 약물에 반응이 없는 경우는 항암제 내성이 있었던 소수의 암세포가 살아남아 있다가 다시 성장을 하였거나 항암제 내성을 획득한 경우이다.

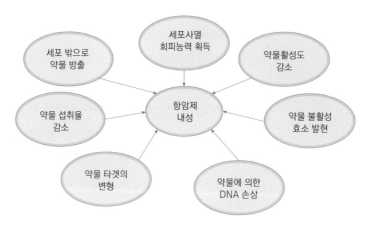

그림 3-2. 항암제 내성 기전

5) 복합항암화학요법

복합항암화학요법이 필요한 이유는 암세포의 이질성(heterogenesity) 때문이다. 악성 종양은 다양한 돌연변이를 가진 이질적인 세포들로 구성되어 있으며 이 세포들이 가지고 있는 표적이 다르기 때문에 반응하는 약제가 다르고 내성 기전이 다를 수밖에 없다. 따라서 서로 다른 기전의 항암제를 함께 사용하는 것이 유리하다. 또한 복합항암화학요법은 오랜 기간 임상연구를 통하여 단독 항암화학요법보다도 치료에 상승효과(synergistic effect)가 있고 내성 발생을 최소화할 수 있음이 정립되었다.

6) 항암화학요법의 분류

- 보조 항암화학요법(adjuvant chemotherapy)은 일차적으로 수술적 치료로 종양을 제거한 후에 남아있는 종양 혹은 종양세포를 파괴하는 요법이다. 수술적 치료 후에 남아 있는 작은 종양들을 제거하여 완전하게 치료하기 위함이거나 수술적 치료로 눈에 보이지 않게 종양이 제거가 되었어도 남아 있을 수 있는 세포단위의 종양까지 파괴하여 다시 재발하는 것을 방지하기 위함이다. 주로 진행된 난소암 치료에서 종양감축술 후에 시행된다.
- 선행 항암화학요법(neoadjuvant chemotherapy)은 수술적 제거 전에 수술이 가능하도록

종양의 크기를 줄이기 위한 요법이다. 난소암이 진행되어 죄적 종양감축술이 불가능한 경우나 자궁경부암 종양 크기가 커서 광범위 자궁절제술 전에 크기를 줄일 목적으로 시행된다.

* 완화 항암화학요법(palliative chemotherapy)은 완전하게 종양을 제거하기보다는 말기 환자의 증상 완화를 위한 요법이다. 재발성 혹은 지속적으로 완치되지 않은 부인암에 시행된다.
* 1차 항암화학요법(first line chemotherapy)은 표준 항암화학요법으로도 불리우며 현재까지 존재하는 방법 중 최고의 치료율을 보이는 항암화학요법을 1차 항암화학요법으로 분류한다.
* 2차 항암화약요법(second line chemotherapy)은 1차 항암화학요법에 반응하지 않거나 1차 항암화학요법 후에 재발한 경우에 시행한다. 1차 항암화학요법 다음으로 효과적인 약제들부터 사용하게 된다.

7) 치료효과의 판정

항암화학요법 치료 후 반응 평가는 완전 관해, 부분 관해, 진행성, 무변화로 판정한다. 가장 많이 쓰이는 방법은 WHO criteria와 RECIST criteria이다(표 3-2). 현재의 치료를 지속할 것인지 아니면 다른 약제로 바꿀 것인지를 결정하기 위하여 반드시 필요하다. 가장 중요한 것은 완전 관해율이다. 치료 반응률(objective response rate)은 완전 관해율과 부분 관해율을 더한 것을 의미하는데 부분 관해를 보인 경우에도 보존적 치료에 비해서 이득이 있기 때문이다.

표 3-2. 치료효과 판정

	WHO criteria	RECIST criteria
종양 크기 측정방법	종양의 최장경과 이에 수직인 최장경을 곱한 값	종양의 최장경의 길이
완전 관해 (complete response, CR)	모든 종양의 소실이 1개월 이상 지속된 경우	
부분 관해 (partial response, PR)	모든 종양의 크기를 더한 값이 50% 이상 감소한 경우	모든 종양의 크기를 더한 값이 30% 이상 감소한 경우
무변화 질환 (stable disease, SD)	부분 관해와 진행성을 모두 만족하지 않은 경우	
진행성 질환 (progressive disease, PD)	모든 종양의 크기를 더한 값이 25% 이상 증가한 경우	모든 종양의 크기를 더한 값이 20% 이상 감소한 경우

WHO, World Health Organization; RECIST, Response Evaluation Criteria In Solid Tumors

항암화학제의 종류

부인암에 사용되는 항암화학제의 종류를 표 3-3에 정리하였다.

1) 알킬화 제제

알킬화 제제의 알킬기는 DNA의 구아닌(guanine)과 교차결합하여 DNA를 파괴하거나 복제를 막음으로써 종양의 성장을 억제한다. 또한 불안정한 부산물을 형성하여 세포 독성을 나타낸다. 알킬화 제제에는 nitrogen mustard[시클로포스파마이드(Cyclophosphamide), 멜팔란(Melphalan), 클로람부실(Chlorambucil), 이포스파마이드(Ifosfamide)], 티오테파(Thiotepa), 부술판(Busulfan), Nitrosourea[bis-chloroethylNitrosourea (BCNU), lomustine] 등이 있다. 알킬화 유사제제로는 백금계 항암제[시스플라틴(Cisplatin), 카보플라틴(Carboplatin), 옥살리플라틴(Oxaliplatin)]가 이에 속한다.

2) 항종양 항생제

항종양 항생제는 DNA 이중 나선구조 사이에 삽입되거나 초과산화물을 생성하여 DNA를 파괴하고 DNA 복구를 막음으로써 항종양효과를 나타낸다. 주된 약제로는 독소루비신(Doxorubicin), 다우노루비신(Daunorubicin), 악티노마이신 디(Actinomycin D), 블레오마이신(Bleomycin), 미토마이신(Mitomycin), 미트라마이신(Mithramycin) 등이 있다.

3) 항대사물질

항대사물질은 생체 대사물의 이용을 방해하여 DNA 합성을 막아 항종양효과를 나타내

표 3-3. 부인암에 사용되는 항암화학제

분류	종류	적응증	독성
알킬화제제	Cyclophosphamide	난소암, 육종	골수억제, 오심, 구토, 탈모
	Ifosfamide	난소암, 자궁경부암, 육종	골수억제, 방광염, 오심, 구토, 탈모, 신독성
	Melphalan	난소암	골수억제, 오심, 구토
	Cisplatin	난소암, 자궁경부암	신독성, 이독성, 말초신경병증, 골수억제, 오심, 구토
	Carboplatin	난소암	혈소판감소증, 이독성, 신독성
항종양항생제	Actinomycin D	난소암, 융모상피암	골수억제, 오심, 구토, 점막궤양
	Bleomycin	자궁경부암, 난소암	고열, 피부반응, 폐독성
	Mitomycin C	자궁경부암, 난소암	골수억제, 오심, 구토, 점막궤양
	Doxorubicin	난소암, 자궁내막암	골수억제, 탈모, 심 독성, 오심, 구토, 점막궤양
	Liposomal-doxorubicin	난소암	손발바닥 홍반성감각이상, 구내염
항대사물질	5-Flurouracil	난소암, 자궁경부암	골수억제, 오심, 구토, 탈모
	Methotrexate	융모상피암, 난소암	점막궤양, 골수억제, 간 독성, 신독성, 알러지 폐염, 뇌막자극
	Hydroxyurea	자궁경부암	골수억제, 오심, 구토, 식욕저하
	Gemcitabine	난소암	골수억제, 피부반응, 심 독성
식물유래제제	Vincristine	난소암, 자궁경부암, 육종	신경독성, 탈모, 골수억제, 뇌신경 마비, 위장관독성
	Vinblastine	난소암, 융모상피암	골수억제, 탈모, 오심, 신경독성
	Etoposide	융모상피암	골수억제, 탈모, 오심, 구토
	Paclitaxel	난소암	골수억제, 심부정맥, 아나필락시스
	Topotecan	난소암	골수억제, 오심, 구토, 탈모

는 화학물로 이 자체로도 세포 독성이 있어서 항암제로 이용된다. 주로 메토트렉세이트 (Methotrexate), 5-플루오로우라실[5-Fluorouracil (5-FU)], 하이드록시우레아(Hydroxyurea), 시타라빈(Cytarabine), 젬시타빈(Gemcitabine), 6-메르캅토퓨린(6-Mercapto purine), 6-티오구아닌(6-Thioguanine) 등이 있다.

4) 식물유래제제

세포 내의 미세관(microtubule) 단백질인 tubulin과 결합하여 미세관의 조합을 방해하고 방추체(spindle)를 파괴하여 세포분열을 중지시키거나 미세관 기능의 장애를 초래하여 세포 사망을 유발한다. Vinca alkaloids[빈크리스틴(Vincristine), 빈블라스틴(Vinblastine), 비노렐빈(Vinorelbine)], 탁센 제제[파클리탁셀(Paclitaxel), 도세탁셀(Docetaxel)], topoisomerase inhibitor[에토포시드(Etoposide), 토포테칸(Topotecan), 캄토테신(Camptothecin), 이리노테칸(Irinotecan)] 등이 속한다.

항암제 부작용

항암제는 정상세포에도 독성이 강한 제제로 부작용을 나타내는 기전은 암세포를 죽이는 기전과 유사하다. 항암제는 빠르게 증식하는 세포들을 주로 파괴하기 때문에 비교적 빠른 성장을 하는 정상세포들이 영향을 받는다. 주로 골수에 있는 혈구형성 세포, 털, 구강 세포, 위장관의 점막 세포, 생식 세포 등이 취약하다. 부작용은 용량과 비례하며 심한 전신쇠약이나 고령, 영양상태가 불량할 경우 심각한 부작용이 초래되기도 한다. 각각의 항암제 부작용은 CTCAE (common terminology criteria for adverse events) version 5.0를 적용하여 5단계로 평가하며 부작용 정도에 따라서 항암제의 용량도 조정이 되어야 한다.[8~14]

1) 골수억제

골수억제는 가장 흔한 부작용으로 중성구 감소증과 혈소판 감소증이 나타난다. 이 부작용은 환자의 나이, 동반 질병, 약물의 종류, 용량 그리고 빈도, 방사선요법과 항암화학요법의 과거력 등에 영향을 받는다. 중성구 감소증은 항암제마다 나타나서 회복되는 시기가 다르며(표 3-4) 일반적으로 6~12일 후에 나타나서 21일째에 회복된다. 혈소판 감소증은 이보다 4~5일 후에 발생하며 백혈구 수가 정상으로 돌아온 후 회복된다. 절대 중성구수가 $500/mm^3$ 미만인 환자는 감염에 대한 방어력이 부족하기 때문에 열이 발생하는 경우 매우 치명적인 패혈증으로 갈 수 있다. 따라서 응급상황으로 간주하고 입원하여 균검사 및 광범위 항생제를 즉시 개시하여야 한다. 혈소판 수가 $<20,000/mm^3$인 경우 자연 발생적인 출혈의 위험이 높으므로 혈소판 수혈이 필요하다. 중성구를 올리기 위하여 과립세포군촉진인자(G-CSF)나 과립세포포식세포촉진인자(GM-CSF) 등 조혈 성장인자를 사용할 수 있다. 절대 중성구 수가 $1,500/mm^3$ $(1.5 \times 10^9/L)$, 혈소판 수가 $100,000/mm^3$ $(100 \times 10^9/L)$로 회복될 때까지 항암치료를 연기해야 된다.

표 3-4. 골수 억제를 일으키는 항암제의 약물 투여 후 백혈구 감소 기간 및 반감기

약물	약물 투여 후로부터 백혈구가 가장 낮은 기간(일)	약물 투여 후로부터 백혈구가 정상으로 회복되는 기간(일)	반감기
Actinomycin-D	14~21	21~28	36시간
Carboplatin	21	~30	2.6~5.9시간
Cisplatin	18~23	39 (13~62)	40~45분
Cyclophosphamide	8~15	17~28	3~12시간
Doxorubicin	10~14	~21	48시간
Etoposide	7~14	~20	3~12시간
5-FU	7~14	~30	8~14분
Ifosfamide	7~14	14~21	4~8시간
Paclitaxel	10~12	15~21	3~52시간
Topotecan	12	~19	2~3시간
Vinblastin	4~10	14~21	25시간
Vincristine	4~5	7	47분

2) 위장관계 독성

위장관 독성은 거의 모든 항암제가 일으킬 정도로 가장 많은 독성으로 특히 점막염이 흔히 발생한다. 상부 위장관의 점막염으로 오심, 구토 증상이나 식도염이 발생하거나 하부 위장관의 점막염으로 설사가 동반되는데 대부분 대증적인 치료로 해결이 된다. 심한 경우에는 출혈, 괴사성 장염 등이 나타나 항생제 투여가 필요하기도 한다. 항암제에 의한 오심, 구토 증상은 약물치료로 해결할 수 있으며 환자의 항암화학요법에 대한 순응도를 높이기 위해서는 미리 약물로 전 처치를 하여 증상이 발생하지 않도록 하는 것이 바람직하다. 약물치료에 쓰이는 약들은 세로토닌 수용체 길항제(Ondansetron, Granisetron, Palonosetron), 덱사메타손, substance P 수용체 길항제(Aprepitant) 등이 있다.

3) 신 독성

항암제들은 신장을 통해서 배출이 되기 때문에 신장에 손상을 준다. 환자가 탈수 상태이거나 본래 가지고 있던 신장질환이 있어서 사구체여과율이 낮은 경우(60ml/min 미만)는 더 위험하다. 신 독성을 예방하기 위해서는 항암제 투여 전 적절한 수액을 공급하고 약물 용량을 정확하게 계산해서 투여해야 한다. 신 독성이 나타나면 즉시 약제를 중단하고 사구체 여과율 증가를 위한 수액요법과 전해질(칼륨, 마그네슘)을 교정해야 한다. 때로는 단기간의 혈액 투석이나 복막 투석이 고려되기도 한다. 신 독성을 일으키는 약물로는 시스플라틴, 카보플라틴, 메토트렉세이트, 니트로소우레아(Nitrosourea), 시클로포스파미드, 이포스파미드, 베바시주맙(Bevacizumab), 젬시타빈 등이 있다. 특히 시스플라틴은 사구체여과율이 30~60ml/min이면 50% 감량하고 30ml/min 미만이면 투여해서는 안 된다. 시클로포스파미드와 이포스파미드는 출혈성 방광염을 일으키는데 메스나(Mesna)를

같이 투여하면 발생을 감소시킬 수 있다.

4) 간 독성

항암제 대부분은 간에서 대사가 되므로 간 독성이 발생한다. 간세포 효소(ALT, AST, alka-line phosphatase, bilirubin)와 릴리루빈 등이 증가하는데 기존에 간질환을 가지고 있는 경우는 항암치료 후 더 악화되거나 회복이 어려울 수도 있기 때문에 항암 전에 미리 파악해야 한다. 대개는 치료 후 회복되나 심각한 부작용이 나타나기도 한다. 혈중 빌리루빈이나 간세포 효소(SGOT)가 정상의 5배 이상 증가된 경우에는 항암제를 투여해선 안된다. 특히 6-메르캅토퓨린, 6-티오구아닌 등은 담즙정체성 황달을 일으키며 간경화나 약물 유발성 간염이 발생한 경우 약제를 중단하고 일반적인 치료를 시행한다.

5) 심 독성

항암제 중 독소루비신은 심근 독성을 나타낸다. 성인의 경우 400~700mg/m², 어린이의 경우 300mg/m²의 누적 용량을 초과할 때 위험이 증가하고[15] 이러한 심 독성은 회복이 불가능한 경우도 있기 때문에 치명적이다. 최근에는 심 독성을 감소시킨 리포솜독소루비신이 개발되어 사용되고 있다. 파클리탁셀은 부정맥유발 전구약물로 부정맥을 일으킬 수 있으며 대개 치료 후 수일 내에 사라진다. 부술판은 심내막 섬유화, 미토마이신은 심근섬유화, 5-플루오로우라실은 혈관 내피세포에 직접적인 영향을 주어 관상동맥연축을 일으켜 협심증을 발생시키기도 한다. 심 독성은 대증요법으로 치료를 하며 울혈성 심부전의 증상이 나타나기 전에 조기 발견하는 것이 매우 중요하다. 좌심실의 기능이 감소하면 즉시 약제를 중단해야 심 독성을 최소화할 수 있다.

6) 호흡기계 독성

블레오마이신은 폐섬유화와 동반된 간질성 폐렴이나 과민성 폐렴, 호산구성 폐렴을 유발할 수 있으며, 70세 이상, 누적용량 450u, 신장기능이 저하된 환자에게 발생 위험이 높다. 메토트렉세이트는 과민성 폐렴과 호산구성 폐렴을 발생시킬 수 있다. 파클리탁셀은 간질성 폐렴을 일으킬 수 있다.[16] 손상의 종류에 따라서 약제의 중단과 산소, 스테로이드 등의 지지요법으로 치료한다.

7) 피부 독성

항암제에 의한 피부 부작용은 탈모, 손발톱 변화, 약제 누출에 의한 국소괴사, 과민반응 등이 나타난다. 탈모는 가장 흔한 부작용이나 항암화학요법이 끝나면 회복된다. 손발톱 변화는 저색소침착, 고색소침착, 조갑횡구증(Beau's line), 조갑박리증(onycholysis), 손발톱 탈락증(onchomadesis), 손발톱이 두꺼워지거나 얇아지는 증상들이 생기며 탁센 계통과 하이드록시요소, 독소루비신, 블레오마이신, 시스플라틴, 빈크리스틴 등의 항암제들이 일으킨다. 페길화 리포좀 독소루비신(Pegylated Liposomal doxorubicin) 관련 수족증후군 (hand-foot syndrome; palmar-plantar erythrodysesthesia) 발생률은 최대 50%까지 보고되고

있다.[17]

대부분의 손발톱 변화들은 새로 자라나는 손발톱이 대체하면서 밀려 사라진다. 피부 괴사는 독소루비신, 악티노마이신 D와 같은 약제의 누출에 의하며 괴사의 정도는 국소 홍반에서 만성 궤양성 괴사까지 다양하다. 처치로는 즉시 정맥선을 제거하고 스테로이드 국소주입, 손상 부위의 거상, 약제에 따라 냉찜질이나 온찜질 등이 필요하며 경우에 따라서는 장기간의 추적관찰 후에 피부이식이 필요하기도 하다. 피부과민반응으로는 항암제 투여 후 1시간 내에 두드러기, 가려움증, 부종, 다형 홍반(polymorphous erythema) 등이 나타날 수 있다. 그 밖에도 리콜 반응(recall reaction), 중독성 홍반(toxic erythema), 정맥, 손발바닥, 혀 등에 과색소침착, 홍조증이 나타날 수 있다.

8) 신경독성

항암제에 의하여 말초신경독성은 수초탈락(demylination)에 의하여 서서히 나타난다. 누적 투여량(cumulative dose)과 투여강도가 높을수록 더 발생한다. 파클리탁셀, 빈크리스틴, 시스플라틴 등이 말초신경독성을 일으키며 이 부작용은 이런 항암제들의 용량제한적인자(dose-limiting factor)이다. 이포스파미드는 대사산물이 축적되어 중추신경계 독성을 유발한다. 신경 독성은 비타민 B12 결핍증, 당뇨병성 신경장애, 동맥경화에 의한 허혈성 병변, 신생물딸림 신경병증(paraneoplastic neuropathy) 등과 감별해야 한다. 신경 독성은 예방이 어렵고 다학적 접근을 통한 치료들이 이루어 지고 있지만 신경성 동통은 항암환자들에게 만성적인 불편감으로 남는다.

부인암 호르몬치료

자궁내막암
(Endometrial Cancer)

1) 프로게스틴 제제(progestins)

프로게스틴 제제는 진행 또는 재발한 자궁내막암의 치료에 오래전부터 성공적으로 사용되어 왔다. Kauppila 등은 1,068명의 환자를 대상으로 메드록시프로게스테론 아세테이트(Medroxyprogesterone acetate), 메게스트롤 아세테이트(Megestrol acetate), 또는 하이드록시프로게스테론 카프로이트(Hydroxyprogestone caproate)를 사용한 각각 다른 연구를 검토하여 보았다. 전체적인 반응률은 34%이고, 평균 반응 기간은 16~28달, 평균 생존기간은 18~33개월이었다. 그러나 반응에 대한 평가에 대해 좀 더 엄격한 기준은 둔 다른 연구에서는 프로게스틴 제제의 종류에 상관없이 11~16%로 낮은 반응률을 보였다. 프로게스테론 수용체가 있는 경우 호르몬치료에 대한 반응이 좋았으며, 좋은 예후를 보였다.[18]

GOG (gynecologic oncology group)는 진행 또는 재발한 자궁내막암 환자 299명을 대상으로 메드록시프로게스테론 아세테이트를 200mg/day 또한 1,000mg/day를 경구 투여하였다. 저용량을 투여받은 145명의 환자 중에서 25명(17%)은 완전 관해, 11명(8%)은 부분 관해를 보였으며 전체 반응률은 25%이다. 고용량을 투여받은 154명의 환자에서는 14명(9%)에서 완전 관해, 10명(6%)에서 부분관해를 보였으며, 전체 반응률은 16%였다. 평균 생존기간은 각각 11.1개월, 7.0개월이었다. 따라서, 이 GOG의 연구 결과에 따르면, 진행 또는 재발한 자궁내막암의 치료에 있어 메드록시프로게스테론 200mg/day 투여가 합리적인 첫 번째 치료가 될 수 있으며, 특히 분화도가 좋거나 프로게스테론 수용체가 있는 환자에서 반응도가 좋다고 할 수 있겠다. 또한, 분화도가 1, 2, 3으로 나빠질수록 반응률은 37%(22/59), 23%(26/113), 9%(12/127)로 각각 낮아졌다. 특히 프로게스테론 수용체와 반응률 간의 상관관계는 주목할 만했는데, 프로게스테론수용체가 없는 경우는 그 반응도가 거우 8%밖에 되지 않았으나, 프로게스테론수용체가 있는 경우는 반응도가 37%나 되었다.

일반적으로 진행된 자궁내막암에서 호르몬 특히 프로게스틴 치료는 반응률이 25%까지 보고되고 있으며, 프로게스틴 치료는 낮은 독성으로 인해 완화요법 상황에서 첫 번째 치료로서 사용될 수 있다. 특히 분화도가 좋고 프로게스틴 수용체가 있는 경우에 좋은 반응을 기대해 볼 수 있다. 부작용은 보통 경미한 것으로 체중증가, 부종, 정맥혈전증, 두통, 종종 고혈압을 일으킬 수 있다.

수술 후 보조치료로서 호르몬치료의 역할에 대해 살펴보면 Norwegian Radium Hospital에서는 임상병기 Ⅰ, Ⅱ기 자궁내막암 환자 1,148명을 대상으로 무작위연구를 시행하였다. 프로게스틴을 치료받은 군에서 심혈관계 질환으로 인한 사망률은 좀 더 높았고(P=0.04), 고위험군 461명에서 암으로 인한 사망률은 감소하였으며, 무병생존율(disease-free survival rate)은 좀 더 호전되었으나, 전체적인 생존율에는 차이가 없었다. 즉, 고위험군에서는 좀 더 연구가 필요한 것으로 보이나, 고위험군, 프로게스테론 수용체가 있는 경우가 아닌 경우는 예방적인 프로게스틴 치료가 효과적이지 않을 것으로 생각되었다. 그러나, 고위험군 1,012명을 대상으로 매일 2회 200mg 메드록시프로게스테론을 투여하는 연구를 진행한 COSA-New Zealand-United Kingdom trial에서는, 연구결과 대조군에서 좀 더 잦은 재발을 보였으나, 생존율에는 차이가 없었다. 더구나, 스테로이드 수용체는 결과에 영향을 미치지 않았다. 즉, 자궁내막암의 수술 후 보조치료로서 호르몬치료의 효과에 대해서는 아직 확정적인 결론을 짓기 어렵다.

임상적으로 중요한 1차 항암치료로서 호르몬치료의 역할에 대해 살펴보면, 최근 가임력을 보존하기 위해 자궁절제술을 시행하지 않고 호르몬치료를 일차적으로 치료에 사용하는 연구들이 증가하고 있다.

분화도가 좋은 자궁내막암 환자들 중 수술적 합병증의 위험도가 매우 높다고 예상되는 환자들을 대상으로 레보노르게스트렐 함유 자궁내장치(levonorgestrel intrauterine device, LNG-IUD)를 사용한 전향적 예비연구에서 6개월 째 시행한 자궁내막 생검에서 11명의 환자 중 7명이 음성이었고, 1년 뒤에는 8명 중 6명의 환자가 자궁내막 생검 음성 결과를 보였다.[19] Ramirez 등은 27편의 유사한 문헌들을 고찰한 결과, 81명의 분화도가 좋은 자궁내막암 환자들이 호르몬치료를 시행 받았으며, 76%의 치료 반응률을 보였다고 분석하였다. 반응시간은 평균 12주였으며, 반응이 있었던 환자 중 24%가 재발하였는데, 재발까지의 시간 중간값은 19개월이었다. 중요한 점은, 20명의 환자가 치료 종결 후 한 번 이상 임신하였으며, 사망자는 발생하지 않았다는 것이다.[20] 최근에 MD Anderson Cancer center의 연구에서 LNG-IUD를 사용하여 복합 자궁내막증식증 및 분화도가 좋은 조기 자궁내막암을 대상으로 전향적 2상 임상시험을 시행하였다. 이 연구에서 18명의 복합 자궁내막증식증 및 8명의 조기 자궁내막암 환자가 모집되었으며, 치료 후 12개월 째 반응률은 58%였다. 병리학적으로 나누어 보면, 복합 자궁내막증 환자의 경우 반응률은 85%, 자궁내막암 환자의 경우 반응률은 33%였다. 향후, LNG-IUD를 사용 한 분화도 좋은 자궁내막암의 치료에 대해 추가적 연구가 더욱 필요하다.

2) 항에스트로겐제제(anti-estrogens)

비스테로이드성 항에스트로겐제제인 타목시펜이 재발성 자궁내막암을 치료하는 데 쓰여왔으며, 하루 용량은 20~40mg으로 반응률은 0~53%로 다양하게 보고되고 있다. 타목시펜은 에스트라디올이 자궁의 수용체에 결합하는 것을 방해함으로써 순환하는 에스트로겐의 증식 자극을 방해한다. 반응은 보통 전에 프로게스틴 제제에 반응이 없었던 환자들에서 반응이 생기기도 한다. 타목시펜은 경구로 하루에 한번 10~20mg 투여하며, 반응이 있는 한 지속적으로 투여한다.

Moore 등의 임상연구들을 통합 분석하여, 자궁내막암 환자를 대상으로 타목시펜을 단독 투여하였을 때 22%의 반응률을 보였다고 보고하였다. 따라서, 비만, 고혈압, 당뇨, 정맥혈전증과 같은 프로게스틴 제제와 관련된 부작용과 관련된 위험성을 가진 환자에서 프로게스틴 제제의 대체제로 사용될 수 있다.[21]

이론적으로 타목시펜이 자궁내막암 조직에서 프로게스테론 수용체의 농도를 올릴 수 있을 것으로 생각되며 NCCN 가이드라인에 MPA TAM alternating 요법에 대한 권고안이 포함되어 있다. 1세대 SERM (selective estrogen receptor modulator)제제인 타목시펜은 에스트라디올 길항제이면서도 작용제로 동시에 작용한다. 그러나 2세대 SERM 제제인 랄록시펜(Raloxifene), 3세대 SERM 제제인 아족시펜(Arzoxifene) 등은 에스트라디올 길항제로만 선택적으로 작용한다. 한 연구에 의하면, 3세대 SERM 제제인 아족시펜을 진행 또는 재발한 자궁내막암 환자 29명을 대상으로 투여하여, 9명(31%)에서 반응이 있었으며, 평균 반응 기간은 13.9개월이었다. 매일 경구로 20mg을 투여하였고, 독성은 경미하였다. 이와 같이, 2, 3세대 SERM 제제들은 타목시펜에 비해 부작용이 적고 반응률이 더 높을 수 있어 향후 치료제로서의 사용이 기대된다.

3) 생식샘자극호르몬분비호르몬 작용제(gonadotropin-releasing hormone, GnRH agonists)

자궁내막암에서 생식샘자극호르몬분비호르몬(gonadotropin-releasing hormone; GnRH) 수용체가 발견된 후로, GnRH 작용제를 투여하는 시도를 하여 전체적으로 0~28%의 반응률을 보였다. 재발한 자궁내막암 환자 30명을 대상으로 한 GOG연구에서 고세렐린 아세테이트(Goserelin acetate)는 2예에서 완전 관해, 3예에서 부분 관해를 보였고 전체 반응률은 12.5%였으며, 평균 진행이 없는 생존기간은 1.9개월이었고, 평균 생존기간은 7.4개월이었다.[22] 현재까지 연구 결과로 보아 GnRH 작용제가 부작용이 적으므로 좀 더 임상실험을 해볼 만하며, 특히 프로게스틴이나 항암제를 견딜 수 없는 환자들에게 시도해볼 만하다.

4) 아로마타아제 억제제(aromatase inhibitors)

자궁내막암 조직에는 주변 정상 자궁내막 조직에 비해 유의하게 높은 아로마타아제가 존재한다는 것이 알려지면서, 아나스트로졸(Anastrozole), 레트로졸(Letrozole)과 같은 비스테로이드성, 경쟁적 아로마타아제 억제제가 자궁내막암 치료제로 주목받게 되었다.

그러나, 진행성 자궁내막암 환자 23명을 대상으로 아나스트로졸 1mg/day를 투여한 결과, 단지 9%만이 부분 관해를 보였으며, 평균 진행이 없는 생존기간은 1~6개월이었다고 보고되었다.[23] 캐나다 NCI에서 시행한 다기관 2상 임상연구에 따르면, 진행성 또는 재발한 자궁내막암 환자 32명을 대상으로 레트로졸 2.5mg/day를 투여하였을 때, 전체 반응률은 9.4%였으며, 반응률을 측정할 수 있었던 28명의 환자 중에 1명은 완전 관해, 2명은 부분 관해, 11명은 진행 없이 평균 6.7개월이었다. 즉, 환자들은 치료에 잘 견디었으나 전체 반응률이 좋지 않았다.[24]

난소암 (Ovarian Cancer)

난소암은 에스트로겐, 프로게스테론 그리고 안드로겐 같은 스테로이드 호르몬 수용체를 가지는 것으로 보인다. Slotman과 Rao는 52개의 연구를 분석한 결과 원발성 난소암의 63%에서 에스트로겐 수용체(estrogen receptor, ER)를, 69%에서 안드로겐 수용체를 가지고 있다고 발표하였다. 또한 프로게스테론 수용체(progesterone receptor, PR)도 종양의 50%에서 발현되며, 88%의 난소암에서 글루코코르티코이드 수용체를 가지고 있는 것으로 보인다. GnRH에 대한 수용체도 난소암에서 보이는데, 황체화호르몬분비호르몬(luteinizing hormone releasing hormone) 수용체의 경우 인간 난소암의 거의 80%에서 발견된다. 악성 난소종양에서는 에스트로겐의 수용체는 올라가는 반면, 프로게스테론 수용체의 농도는 떨어진다. 폐경기 여성에서 발생하는 상피성 난소암에서 혈중 프로게스테론의 농도는 예후의 독립적인 인자이며, 종양의 부피, FIGO 병기, 항암치료에 대한 반응 등과 연관이 있다.[25] 그러나 자궁내막암이나 유방암과 달리 수용체의 존재 여부가 호르몬치료에 대한 반응성과는 관계가 없다.

1) 타목시펜(Tamoxifen)

난소암에서 타목시펜의 항에스트로겐 작용은 1981년 Myers 등에 의해 처음으로 발표된 후 많은 연구들이 시작되었다. 진행된 난소암 환자 105명을 대상으로 한 GOG 연구에서

10%에서 완전 관해를, 8%에서 부분 관해, 38%에서 단기간 진행 안정화를 보였다. 반응 또는 안정화 기간은 7~19개월 사이였으며, 에스트로겐 수용체의 농도가 높은 경우 반응이 더 좋은 것으로 발표하였다. 1996년 갱신된 GOG 연구에서 반응률 13%로 별로 높지 않은 결과를 발표하였다.

최근 Gershenson 등은 저등급 장액성 난소암(low-grade serous ovarian carcinoma) 환자 64명에 대한 타목시펜 치료 결과를 발표하였는데, 전체 치료 반응률은 9%였으며, 종양의 진행이 없는 생존기간은 7.4개월, 전체 생존기간은 78.2개월이었다. 비록 통계적으로 유의미하지 않았으나, ER+/PR-인 환자들은 6.2개월에 불과해, 이 암종에서 호르몬 수용체 발현 여부와 치료반응과의 상관관계에 대한 향후 연구가 기대된다.

2) 프로게스틴 제제(progestins)

메게스트롤 아세테이트(Megestrol acetate) 표준 용량은 40~320mg/day이고 적어도 2달 이상 복용한 경우 효능을 평가할 수 있다. 난소암에서의 대부분의 연구는 400~800mg/day를 사용하였고, 주 부작용은 몸무게 증가였다. 백금 제제에 반응이 없는 난소암 환자 36명을 대상으로 한 2상 임상 연구에서 3명에서는 완전 관해, 4명에서는 부분 관해를 보였다. 완전 관해를 보인 3명의 환자 모두 자궁내막양 난소암이었으며, 높은 프로게스테론 농도를 보였다.[26] 재발한 상피성 난소암 환자 47명을 대상으로 한 Northern California Oncology Group (NCOG) 연구에서는 전반적인 반응률은 8%였다.

메드록시프로게스테론 아세테이트의 경우, 상피성 난소암 환자 24명을 대상으로 한 GOG의 2상 임상 연구에서 단 한 명의 반응을 보였으며, 독성은 없었다.

3) 생식샘자극호르몬분비호르몬 작용제(gonadotropin-releasing hormone, GnRH agonists) - 루프로라이드 아세테이트(Leuprolide acetate)

백금내성(platinum resistant) 난소암 환자 400명을 대상으로 한 15개의 연구에서 8%의 반응률, 23% 진행 안정화를 보였다. 이 치료는 비교적 잘 견디고 주요 부작용이 없는 것으로 보인다.[27] 불응(refractory) 또는 지속(persistent) 난소의 과립세포종양(granulosa cell tumor)을 대상으로 한 2상 임상연구에서 40%의 객관적인 반응률을 보였다.[28]

4) 아로마타아제 억제제(aromatase inhibitors) - 레트로졸(Letrozole)

난소암 세포들이 스스로 에스트로겐을 생산한다는 새로운 사실과 함께 아로마타아제 억제제가 치료 반응률을 올릴 수 있을 것으로 생각되었다. Smyth 등은 에스트로겐 수용체 양성인 재발성 난소암 환자에 대한 2상 임상시험을 실시했다. 총 42명의 환자들 중에서 CA125를 추적 관찰하였을 때, 반응률은 17%였으며, 26%의 환자들이 6개월까지 진행하지 않았다. 영상검사를 시행한 33명의 환자들을 대상으로 분석하였을 때에는, 9% 환자에서 부분 관해, 42%의 환자들은 무변화(stable disease) 소견을 보였는데, 26%의 환자들은 6개월 이상 진행이 관찰되지 않았다.

레트로졸의 표준 용량은 2.5mg/day이며, 절대적인 금기증은 없으며 경미한 부작용을 나타낸다. 레트로졸은 독성이 낮고 가격이 싸므로 즉각적인 중재를 필요로 하는 합병증이 없는 한 시도해 볼 만한 치료방법이나, 다른 고식적 치료와 비교해 보았을 때 효과적이지는 못하다.

참고문헌

1 Devlin SM, Satagopan JM. Statistical Interactions from a Growth Curve Perspective. Hum Hered 2016;82:21-36.

2 Wang X, Yang Y, An Y, Fang G. The mechanism of anticancer action and potential clinical use of kaempferol in the treatment of breast cancer. Biomed Pharmacother 2019;117:109086.

3 Brandmaier A, Hou SQ, Shen WH. Cell Cycle Control by PTEN. J Mol Biol 2017;429:2265-77.

4 Dobrzynski L, Fornalski KW, Reszczynska J, Janiak MK. Modeling Cell Reactions to Ionizing Radiation: From a Lesion to a Cancer. Dose Response 2019;17:1559325819838434.

5 Qian J, Rankin EB. Hypoxia-Induced Phenotypes that Mediate Tumor Heterogeneity. Adv Exp Med Biol 2019;1136:43-55.

6 Rowinsky EK, Donehower RC. Paclitaxel (taxol). N Engl J Med 1995;332:1004-14.

7 Markman M, Kennedy A, Webster K, Peterson G, Kulp B, Belinson J. An effective and more convenient drug regimen for prophylaxis against paclitaxel-associated hypersensitivity reactions. J Cancer Res Clin Oncol 1999;125:427-9.

8 Fiteni F, Paillard MJ, Orillard E, Lefebvre L, Nadjafizadeh S, Selmani Z, et al. Enterocolitis in Patients with Cancer Treated with Docetaxel. Anticancer Res 2018;38:2443-6.

9 Jain D, Ahmad T, Cairo M, Aronow W. Cardiotoxicity of cancer chemotherapy: identification, prevention and treatment. Ann Transl Med 2017;5:348.

10 Legius B, Nackaerts K. Severe intestinal ischemia during chemotherapy for small cell lung cancer. Lung Cancer Manag 2017;6:87-91.

11 Murdock JL, Reeves DJ. Chemotherapy-induced oral mucositis management: A retrospective analysis of MuGard, Caphosol, and standard supportive care measures. J Oncol Pharm Pract 2019:1078155219850298.

12 Palombi L, Marchetti P, Salvati M, Osti MF, Frati L, Frati A. Interventions to Reduce Neurological Symptoms in Patients with GBM Receiving Radiotherapy: From Theory to Clinical Practice. Anticancer Res 2018;38:2423-7.

13 Tufano A, Galderisi M, Esposito L, Trimarco V, Sorriento D, Gerusalem G, et al. Anticancer Drug-Related Nonvalvular Atrial Fibrillation: Challenges in Management and Antithrombotic Strategies. Semin Thromb Hemost 2018;44:388-96.

14 Payne DL, Nohria A. Prevention of Chemotherapy Induced Cardiomyopathy. Curr Heart Fail Rep 2017;14:398-403.

15 Li DL, Hill JA. Cardiomyocyte autophagy and cancer chemotherapy. J Mol Cell Cardiol 2014;71:54-61.

16 Fujimori K, Yokoyama A, Kurita Y, Uno K, Saijo N. Paclitaxel-induced cell-mediated hypersensitivity pneumonitis. Diagnosis using leukocyte migration test, bronchoalveolar lavage and transbronchial lung biopsy. Oncology 1998;55:340-4.

17 O'Brien ME, Wigler N, Inbar M, Rosso R, Grischke E, Santoro A, et al. Reduced cardiotoxicity and comparable efficacy in a phase III trial of pegylated liposomal doxorubicin HCl (CAELYX/Doxil) versus conventional doxorubicin for first-line treatment of metastatic breast cancer. Ann Oncol 2004;15:440-9.

18 Kauppila A. Progestin therapy of endometrial, breast and ovarian carcinoma. A review of clinical observations. Acta Obstet Gynecol Scand 1984;63:441-50.

19 Montz FJ, Bristow RE, Bovicelli A, Tomacruz R, Kurman RJ. Intrauterine progesterone treatment of early endometrial cancer. Am J Obstet Gynecol 2002;186:651-7.

20 Corzo C, Barrientos Santillan N, Westin SN, Ramirez PT. Updates on Conservative Management of Endometrial Cancer. J Minim Invasive Gynecol 2018;25:308-13.

21 Moore K, Brewer MA. Endometrial Cancer: Is This a New Disease? Am Soc Clin Oncol Educ Book 2017;37:435-42.

22 Asbury RF, Brunetto VL, Lee RB, Reid G, Rocereto TF. Goserelin acetate as treatment for recurrent endometrial carcinoma: a Gynecologic Oncology Group study. Am J Clin Oncol 2002;25:557-60.

23 Rose PG, Brunetto VL, VanLe L, Bell J, Walker JL, Lee RB. A phase II trial of Anastrozole in advanced recurrent or persistent endometrial carcinoma: a Gynecologic Oncology Group study. Gynecol Oncol 2000;78:212-6.

24 Ma BB, Oza A, Eisenhauer E, Stanimir G, Carey M, Chapman W, et al. The activity of Letrozole in patients with advanced or recurrent endometrial cancer and correlation with biological markers--a study of the National Cancer Institute of Canada Clinical Trials Group. Int J Gynecol Cancer 2004;14:650-8.

25 Rao BR, Slotman BJ. Ovarian tumors with endocrine manifestations. Curr Ther Endocrinol Metab 1997;6:260-2.

26 Wilailak S, Linasmita V, Srisupundit S. Phase II study of high-dose megestrol acetate in platinum-refractory epithelial ovarian cancer. Anticancer Drugs 2001;12:719-24.

27 Paskeviciute L, Roed H, Engelholm S. No rules without exception: long-term complete remission observed in a study using a LH-RH agonist in platinum-refractory ovarian cancer. Gynecol Oncol 2002;86:297-301.

28 Fishman A, Kudelka AP, Tresukosol D, Edwards CL, Freedman RS, Kaplan AL, et al. Leuprolide acetate for treating refractory or persistent ovarian granulosa cell tumor. J Reprod Med 1996;41:393-6.

CHAPTER

4

방사선치료

Radiotherapy

책임저자

조치흠 | 계명대학교 의과대학 산부인과

집필저자

김희정 | 삼성서울병원 방사선종양학과

박 원 | 성균관대학교 의과대학 방사선종양학과

신소진 | 계명대학교 의과대학 산부인과

최은철 | 계명대학교 의과대학 방사선종양학과

최창훈 | 삼성서울병원 방사선종양학과

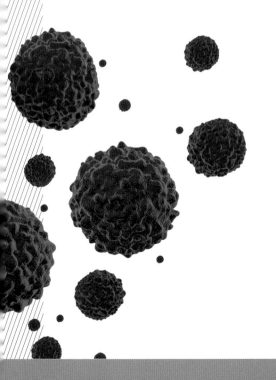

Gynecologic Oncology

방사선치료의 생물학적 기초(Biological Basis of Radiation Therapy)

방사선치료의 표적
(Target of Radiation Therapy)

방사선치료는 몸 속의 종양세포를 고에너지 방사선을 이용하여 살상하는 것으로 목적으로 한다. 세포 내 여러 구성 물질들이 방사선에 영향을 받게 되는데 그 중에서 특히 DNA에 대한 손상이 가장 치명적이다.[1] 방사선에 의한 DNA 손상은 두 가지 형태 - 직접적 영향(direct effect)과 간접적 영향(indirect effect) - 로 나뉘는데 직접적 영향은 DNA를 구성하는 결합 부위에 직접적으로 손상을 주는 것으로 중성자, α입자 또는 중이온 등의 선에너지전달(linear energy transfer, LET)이 높은 방사선 종류에서 발생한다. 이와 대조적으로 간접적 영향은 생체 내 흡수된 방사선이 세포 내 대다수를 구성하는 물 분자와 작용하여, 자유라디칼(free radical)을 발생시키고 이를 통해 DNA 구조에 간접적인 손상을 주는데 X선이나 γ선의 광자 또는 전자 등과 같이 LET가 낮은 방사선의 작용과 관련이 있다(그림 4-1). 방사선에 의해 DNA가 손상되면 세포는 세포 주기를 멈추고 DNA 손상을 복구하게 되는데, 손상 정도가 심하거나 비정상적으로 복구된 세포는 유사 분열 세포 사멸(mitotic cell death)을 거치게 된다(그림 4-2). 그 외에도 세포자멸사(apoptosis), 세포괴사(necrosis), 세포노화(senescence), 자가포식(autophagy) 등과 같은 다양한 세포 사멸이 방사선치료 시 유도된다.[2]

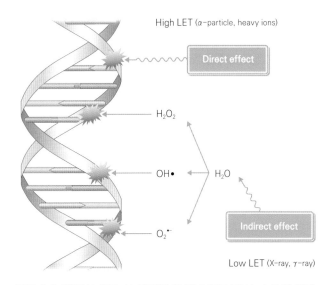

그림 4-1. 방사선 치료 시 물리적 특성에 따른 DNA 손상의 형태

종양의 방사선생물학
(Tumor Radiobiology)

방사선치료 시 종양세포의 다양한 요인들이 방사선 감수성에 영향을 주는데, 대표적으로 세포 주기, 산소 효과 등이 잘 알려져 있다. 세포 주기는 크게 DNA를 복제하는 S기와 세포가 분열하는 M기, 그리고 그 중간에 준비하는 과정인 G1과 G2기로 나뉜다. 그 중 M기와 G2기가 방사선에 민감한 반면, S기 후기가 가장 저항성이 크다. 이는 방사선

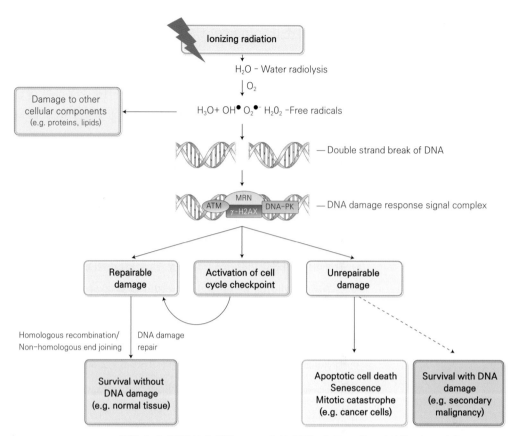

그림 4-2. 방사선에 의한 DNA 손상 발생 시 유도되는 다양한 신호 전달

에 의해 이중 가닥이 손상된 DNA는 S기에 복제된 자매염색체 DNA를 주형으로 이용하여 완전히 복구되기 때문으로 이 때 상동재조합(homologous recombination) 과정이 관여한다. 나머지 세포 주기에는 비상동말단접합(non-homologous end joining) 과정이 작용하는데 복구가 완전하지 않다. 이러한 DNA 손상 복구에 관여하는 효소들이나 세포 주기 체크포인트에 관여하는 인자들의 돌연변이가 종양에서 흔히 나타나고 이들은 방사선 감수성에 크게 기여한다.[3]

종양 내 산소 분압도 방사선치료 효과에 크게 기여하는 인자이다. X선의 경우 저산소시 감수성이 2.5~3배 가량 감소되는데 이는 산소가 방사선에 의한 DNA 손상을 고착화시키는데 필수적이기 때문이다. 종양 부위의 10~15% 정도는 저산소 상태이고 방사선치료 시 종양 세포의 생존율을 높이기 때문에 저산소증 완화를 통한 방사선치료 효과를 높이기 위한 노력들이 계속되어 왔다.[4] 그 외에도 다양한 종양 내 활성화된 신호들이 방사선치료 저항성과 관련이 있는데 대표적인 것으로 표피성장인자 수용체(epidermal growth factor receptor, EGFR) 신호가 있고, 이를 억제하는 항체(예: Cetuximab)가 두경부암에서 방사선치료 효과를 증진시킨다.[5]

정상조직에 대한 손상 반응
(Normal Tissue Damage Response)

방사선량의 증가는 종양을 효과적으로 감소시킴과 동시에 정상 조직에 대한 손상으로 인한 부작용이 함께 나타나므로 적정 방사선량(therapeutic window)의 결정이 중요하다. 방사선치료 부작용은 크게 수일에서 수개월 내에 나타나는 급성 부작용과 치료 후 수개월부터 수 년 후에 나타나는 만성 부작용으로 나뉜다.[6] 급성 부작용은 주로 염증반응과 관련이 있는데, 대표적으로 피부에 홍반이나 피부 박리, 그리고 식도염, 장염으로 인한 설사 등이 있고 대부분의 경우 시일이 지나면 회복된다. 만성 부작용은 대표적으로 조직의 섬유화, 이차암 유발 등이 있다. 조직에 따라 견딤선량(tolerance dose)이 다르기 때문에 이에 대한 고려가 필요하다. 방사선치료 시 주변 정상 정상조직의 손상은 피할 수 없는데, 이를 최소화하는 것을 목적으로 새로운 방사선치료 기술이 개발되어 왔다. 세기 조절 방사선치료(intensity-modulated radiation therapy, IMRT)나 양성자 등과 같은 입자선 치료(particle therapy) 등이 있다. 방사선치료 시 발생하는 자유라디칼을 억제하는 목적으로 방사선 보호제(radioprotector)도 함께 개발되고 있으나 임상에서의 효과는 아직까지 미미하다.[7]

선량 분할
(Dose Fractionation)

방사선치료는 일회에 1.8~2Gy씩 수 주에 걸쳐 25~35회 등 다분할치료를 기본으로 시행되는데 이는 방사선치료 시 정상 조직을 최대한 보호하고, 종양의 치료 효과를 극대화하는데 목표가 있다. 이러한 다분할조사의 생물학적 근거는 4R (repair, repopulation, reoxygenation, redistribution)에 기반하고 있다. 회복(repair)은 낮은 방사선량에 의한 준치사 손상(sublethal damage)된 DNA를 복구하는 능력이 종양세포에 비해 정상세포가 높기 때문에 저선량 다분할치료의 근거가 된다.[8] 또한 재증식(repopulation)은 방사선에 손상된 세포들이 치료 후 빠르게 재생되는 것을 의미하는데 피부나 위장관과 같이 조기반응조직(early responding tissue)의 재생은 도움이 되지만 종양의 재생은 치료 효과를 감소시킨다.[9] 재산소화(reoxygenation)는 산소포화도가 높아서 방사선 민감도가 높은 종양 부위가 우선적으로 사멸되고, 남은 저산소부위는 재산소화과정을 거치게 되고 반복적인 다분할조사를 통해 추가적으로 사멸된다.[4] 이는 재분포(redistribution)에서도 마찬가지인데 방사선에 민감도가 높은 세포 주기의 암세포들이 다분할조사를 통해 순차적으로 제거되는 효과가 있다.[10] 추가적으로 내인적 방사선 감수성(intrinsic radiosensitivity)이 세포마다 다른데, 면역세포들은 방사선에 매우 민감한 반면 근육이나 신경세포는 덜하고, 흑색종이나 교모세포종과 같은 암종도 방사선치료 효과가 크지 않다.

방사선 민감물질
(Radiosensitizer)

적은 양의 방사선으로 높은 치료 효과를 달성하기 위한 목적으로 방사선치료와 병용으로 사용 가능한 방사선 민감물질(radiosensitizer)들이 활발히 개발되어 왔다. 전통적인 방방사선 민감물질들로는 DNA를 구성하는 염기의 유도체들을 이용하거나 저산소중을 개선하는 약물들로 개발되었으나 부작용에 비해 효과가 크지 않았다.[11] 임상에서 사용되는 항암제들은 암세포의 성장 시 필요한 DNA 합성이나 암세포 분열을 저해하게 되는데 이들과 방사선 병용 치료 증진 효과가 일부 보고되고 있다.[12] 최근에는 많은 표적치료제(targeted therapy)들이 임상에서 사용되고 있고, 이들의 방사선치료 병용 효과에 대해서 많은 관심을 받고 있다.[5] 그 중에 두경부 편평상피세포암에서 EGFR 저해제와의 병용 효과가 가장 잘 알려져 있고, BRCA1/2 돌연변이가 있는 유방암이나 난소암의 경우 PARP 저해제가 각광받고 있는데 방사선에 의해 유발된 DNA 손상의 복구를 저해하기 때문에 병용 효과가 기대된다. 유사하게 교모세포종에서 방사선 단독에 비해 테모졸로미드(Temozolomide)와 방사선 병용 치료 효과가 더 크게 나타난다.[13] 또한 Wee1 저해제 등을 비롯한 세포 주기 조절자들에 대한 여러 가지 표적치료제들의 방사선 민감물질로서의 가능성이 전임상 연구에서 확인되고 있고, 임상에서 활발히 검증되고 있다.[14] 최근의 면역관문억제제의 개발과 임상 적용은 암치료의 패러다임을 새롭게 바꾸고 있는데 방사선치료가 면역항암제의 치료 효과를 더욱 증가시킬 수 있는 병용요법으로 큰 관심을 끌고 있다.[15]

방사선치료의 물리적 기초(Physics Basis of Radiation Therapy)

방사선이란?

방사선이란 입자나 전자기파의 형태로 방출되거나 전파되는 에너지를 의미한다. 방사선의 종류는 크게 두 가지로 나뉜다. 하나는 비이온화 방사선이고 다른 하나는 이온화방사선이다. 비이온화방사선은 원자나 분자를 들뜸 상태로 만들 수는 있지만 이온화 시킬 수 없는 에너지를 가진 방사선으로, 열선, 라디오파 또는 마이크로파, 가시광선, 적외선, 자외선 등이 해당된다. 이온화방사선은 원자를 이온화 시킬 수 있는 에너지를 가진 방사선으로 알파선, 베타선, 감마선, X선, 중성자선, 전자선, 양성자선 등이 해당된다. 이는 원자나 분자의 결합을 끊을 수 있어서 화학적 변화를 일으킬 수 있고 생물 조직에 손상을 줄 수 있다. 일반적으로 방사선은 이온화방사선(앞으로, 방사선이라고 함)을 일컫는다.

이러한 방사선은 종류에 따라 직접 또는 간접적으로 물질을 이온화 시킬 수 있다. 하전 입자형태의 방사선의 경우, 원자의 궤도 전자와 직접 쿨롱작용(coulomb interaction)을 통해 원자를 이온화 시킨다. 전하를 띄지 않는 중성 입자나 전자기파 형태의 방사선의 경우, 일차적으로 원자로부터 하전 입자를 방출시키고 이렇게 방출된 하전 입자가 원자의 궤도 전자와 직접 쿨롱작용을 하여 원자를 이온화시킨다. 불안정한 방사성핵종은 안정한 핵종이 될 때까지 입자나 전자기파의 형태로 에너지를 방출하는데 이러한 방사성물질이 방사선을 방출하는 능력의 정도를 방사능(radioactivity)이라고 한다. 방사능의 크기는 단위 시간당 이루어지는 방사성붕괴가 일어나는 횟수로 나타내며, 퀴리(Ci) 또는 베크렐(Bq)이라는 단위를 사용한다. 알파선, 베타선, 감마선 등은 불안정한 방사성 동위원소의 핵에서 방출되고, 근접 방사선치료(brachytherapy)나 양전자방출 단층촬영(positron emission tomography, PET), 단일 광자방출 전산화단층촬영(single photon emission computed tomography, SPECT) 등의 핵의학 영상을 얻는 데 사용된다. X선은 하전 입자의 원자와의 상호작용을 통해 방출되며, 방사선치료나 컴퓨터단층촬영(computed tomograpy, CT) 등의 방사선 영상 획득에 사용된다. 고에너지 전자선, 양성자선, 중입자선 등의 하전 입자 형태의 방사선은 고전압에 의해 가속화되어 생성되며, 의학에서는 전자선치료나 양성자 치료, 중입자치료를 위해 사용된다.

방사선과 물질 간의 상호작용

광자(photon)선은 질량이 없고 전하를 띄지 않는 전자기 형태의 방사선이다. 전기적으로 중성이기 때문에 원자내 전자와의 쿨롱작용을 통해 에너지를 급격하게 잃지 않고 부분 또는 전체 광자에너지를 전자에너지로 전이한다. 따라서 같은 에너지의 하전 입자선보다 더 많이 물질을 투과한다. 특성엑스선(characteristic X-ray) 또는 제동복사선(bremsstrahlung radiation), 감마선(gamma ray), 소멸방사선(annihilation radiation) 등의 광자선은 에너지에 따라 물질과의 다양한 상호작용을 통해 에너지를 전달한다.[16] 주요 에너지 전달 과정으로는 광전효과(photoelectric effect), 콤프턴산란(compton scattering), 쌍생성(pair production)이 있다. 결합 전자를 방출시킬 만큼 충분한 에너지를 가진 광자선은 원자의 궤도 전자에 에너지가 전부 전달되어 광자선은 소멸하면서 전자를 방출시키는데 이를 광전효과라고 한다. 이때 광자의 에너지가 전부 소실되면서 궤도 전자의 결합에너지를 제외한 만큼의 에너지가 방출된 전자의 운동에너지로 변환된다. 방사선치료에 주로 사용되는 에너지(20 keV~10MeV)의 광자선에서는 자유 전자와의 상호작용을 통하여 콤프턴산란이 많이 일어난다. 광자선은 작은 결합에너지를 제외한 에너지의 일부를 반도 전자(recoil electron)의 운동 에너지로 전달하고 나머지의 에너지를 가지고 산란되어 물질 속을 진행하면서 다음 반응을 하게 된다. 두 전자의 정지질량 에너지(0.511MeV × 2 = 1.022MeV) 이상의 에너지를 갖는 광자선은 원자핵과 직접 상호작용하여 광붕괴(photodisintegration)가 일어나거나 원자핵의 쿨롱장과의 상호작용을 통해 쌍생성(pair production)이 발생한다. 광자선의 에너지는 양전자와 음전자의 쌍을 생성하는 데 사용된다. 이러한 쌍생성은 10MeV 이상의 광자선에서 주로 발생한다. 광자선과 달리, 하전 입자선은 물질을 통과하면서 쿨롱힘에 의해 직접 물질과 상호작용한다. 원자를 이온화시키거나, 들뜸(excitation) 상태로 만들거나, 제동복사(bremsstrahlung) 방사선 또는 체렌코프(Cherenkov) 방사선, 이행(transition) 방사선을 방출하면서 에너지를 잃는다. 에너지 손실 정도는 입자선의 종류, 에너지, 물질에 따라 달라지며, 입자선의 경로 길이 당 전체 에너지 손실(dE/dx)은 물질과의 상호작용을 통해 발생하는 모든 에너지 손실의 합으로 나타낸다. 전자는 질량이 작기 때문에 무거운 입자보다 더 많은 다중 산란이 발생한다. 전자는 물속에서 에너지를 전달할 수 있는 깊이가 광자보다 낮기 때문에 주로 표면에 위치한 깊지 않은 종양의 치료에 이용된다. 모든 하전 입자의 이온화 상호작용에 의한 에너지 손실은 입자 전하의 제곱에 비례하고 속도의 제곱에 반비례한다. 따라서 입자가 감속하면 에너지 손실 속도가

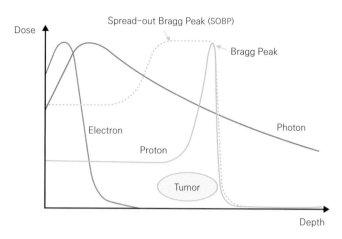

그림 4-3. 방사선치료에 사용되는 방사선 종류별 특성에 따른 심부깊이에 따른 흡수선량율 비교

빨라져서 물질에 흡수된 선량이 증가한다. 물에서의 하전입자선의 흡수 선량은 처음에는 깊이가 깊어져도 느리게 증가하지만, 범위의 끝부분에서 매우 급격하게 증가하고 거의 제로 값으로 떨어진다. 이러한 입자선 범위의 끝부분에 있는 흡수 선량의 정점을 브레그피크(Bragg peak)라고 한다(그림 4-3). 전자선은 과도한 산란과 브레그피크의 흐려짐 현상 때문에 브레그피크가 관찰되지 않는다. 양성자와 무거운 하전 입자 빔은 산란이 적고 에너지의 대부분을 브레그 피그 부근에서 집중적으로 방출하는 특성이 있기 때문에, 치료 부위에 선량을 집중시키고 주변 정상조직에 선량을 최소화할 수 있는 장점이 있다.

방사선치료 계획 및 방사선치료 장비

방사선치료 계획을 하기 위해서는 환자 자세와 고정장치를 결정하며 환자의 몸에 기준선을 표시하고 치료할 부위의 방사선영상을 획득하는 방사선치료 계획(simulation) 과정이 필수이다. 이 방사선치료계획 과정에는 두 가지 방법이 있다. 첫번째로, 방사선치료용 선형가속기와 동일한 구조적, 기계적 특성을 가지지만 저에너지 X선을 사용하는 시뮬레이터(simulator)를 사용하는 것이다(그림 4-4). 시뮬레이터에서 방사선촬영술(radiography)이나 투시검사(fluoroscopy)를 이용하여 치료 영역을 정하고 치료계획을 세울 수 있다. 두번째 방법은, CT 시뮬레이터를 사용하여 환자의 CT 영상을 얻어 치료계획을 세우는 것이다. CT 시뮬레이터는 선형가속기에 사용되는 편평한 테이블을 사용하고 고정장치를 사용할 수 있도록 내경이 큰 CT 스캐너이다. 시뮬레이터와 달리

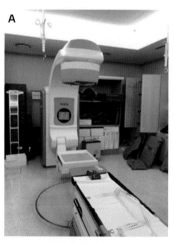
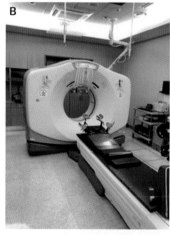

그림 4-4. 방사선치료계획을 위해 사용되는 시뮬레이터(A)와 CT 시뮬레이터 장비(B)

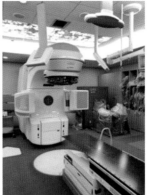
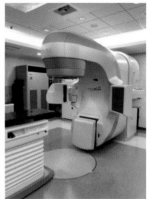
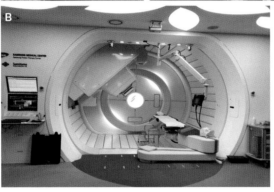

그림 4-5. **A** 선형가속기와 영상장비를 이용한 방사선치료기, **B** 양성자방사선치료기

3차원 영상을 획득할 수 있어서 치료계획시스템에서 선량계산이 가능하고 소프트웨어를 통해서 디지털재구성사진(digitally reconstructed radiograph, DRR)을 이용하여 가상의 치료계획을 세울 수도 있다.

　방사선치료는 방사선발생선원의 위치에 따라 외부 방사선치료(external beam radiation therapy)와 근접 방사선치료(brachytherapy)로 나뉜다. 외부 방사선치료는 선형가속기에서 가속화된 전자선이나 이를 이용해 생성되는 엑스선을 인체의 외부에서 치료 부위로 조사하는 방법으로 주로 심부종양 치료에 적용된다. 외부 방사선치료는 그림 4-5와 같은 선형가속기와 영상장비를 이용하여 진행되고, 사용 가능한 기법으로는 3차원 입체조형 방사선치료(three-dimensional conformal radiotherapy, 3D CRT), 세기조절 방사선치료(inten-

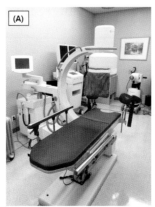

그림 4-6. **A** C-arm 엑스선 영상장비, **B** Remote afterloader를 이용한 근접 방사선치료기

sity modulated radiation therapy, IMRT), 영상유도방사선치료(image-guided radiation therapy, IGRT), 정위방사선수술(stereotactic radiosurgery, SRS), 정위절제방사선치료(stereotactic ablative radiation therapy, SABR), 전신조사(total body irradiation, TBI), 전신피부전자선조사(total skin electron irradiation, TSEI) 등이 해당된다. 씽크로트론(synchrotron)이나 사이클로트론(cyclotron)을 사용하여 생성된 고에너지의 양성자나 중입자를 이용한 치료도 외부 방사선치료에 속한다. 근접 방사선치료는 방사성 동위원소나 마이크로엑스선을 인체 조직 내에 삽입하거나 표면에 위치시켜서 그림 4-6과 같은 C-arm 엑스선 영상장비와 Remote afterloader를 이용하여 방사선을 한정된 부위에 조사하는 방법이다. 단위 시간당 전달되는 선량에 따라 저선량률(low dose rate, LDR) 또는 고선량률(high dose rate, HDR) 근접방사선치료로 나뉘며, 삽입되는 방법에 따라 조직내근접치료(interstitial brachytherapy)와 강내근접치료(intracavitary brachytherapy), 영구선원이식(permanent seed implant) 등이 해당된다.

방사선치료 임상(Clinical Radiation Therapy)

방사선치료는 하드웨어와 소프트웨어, 영상장비 기술 등의 발전으로 다양한 치료기법이 개발되어 사용되고 있다. 종양의 형태와 위치를 파악 및 재구성하고, 치료 중 종양의 움직임을 고려하는 등 보다 정교한 방사선치료를 시행하여 정상 조직의 손상을 최소화하면서 암의 국소 제어율을 높여 생존율을 향상시키는 방법으로 발전되고 있다.

외부 방사선치료
(External Beam Radiotherapy)

1) 2차원 방사선치료(2-dimensional radiotherapy)

1950년대 후반부터 선형가속기를 이용한 방사선치료가 시작되었고, 1990년대까지 2차원 방사선치료가 주로 사용되었다. 2차원 방사선치료는 표준화된 입사 각도를 갖는 2~4개의 직사각형 빔을 사용하는 방사선치료의 가장 기본적인 방법으로 치료계획 및 치료과정이 간단하다. 주로 방사선치료가 시급한 응급상황이나 통증 완화를 위한 단기간 치료에 사용된다.

2) 3차원 입체조형 방사선치료(three-dimensional conformal radiotherapy, 3D CRT)

기존의 2차원 방사선치료의 과정은 상대적으로 간단하지만, 빔 경계영역(margin)이 크기 때문에 정상 조직도 방사선에 노출되어 주변 정상 조직의 손상 가능성이 크다. 하지만 전산화 단층촬영(CT) 영상을 방사선치료계획에 사용하게 되면서, 종양의 위치와 크기, 모양을 입체적으로 재구성할 수 있게 되었다. 빔의 조사 영역을 차폐(block)나 다엽콜리메이터(multi-leaf collimator, MLC)를 이용하여 종양의 모양과 같도록 하고 방사선이 조사되도록 하여, 3차원 선량분포를 계산할 수 있는 3차원 입체조형 방사선치료가 가능해졌다. 또한 CT 영상으로부터 Beam's eye view (BEV)에서 재구성된 Digitally reconstructed radiograph (DRR) 이미지는 치료 전 환자치료자세 확인에 사용한다. 보통 4~6개의 빔을 사용하고 종양 모양의 빔에 2차원 방사선치료보다 작은 경계를 사용하기 때문에, 상대적으로 주변 정상조직에 들어가는 선량을 줄일 수 있어서 부작용 위험을 낮출 수 있다.

3) 세기조절 방사선치료(intensity modulated radiation therapy, IMRT)

1980년대 다엽콜리메이터(multi-leaf collimator, MLC)가 개발된 후, 빔 최적화(optimization) 알고리즘이 개발되면서 역방향계획(inverse planning)이 가능해지게 되었다. 1990년대부터 세기조절 방사선치료가 가능해졌고, 현재는 가장 보편적으로 사용하는 방사선치료기법이다. 세기조절 방사선치료는 2차원 방사선치료나 3차원 입체조형 방사선치료의 장점을 보다 극대화시킨 방사선치료로서, 종양에는 최대선량이 전달되도록 하면서 주변 정상조직에는 피폭을 최소화하고자 하는 방사선치료의 목표를 가장 이상적으로 만족시킬 수 있는 치료기법 중 하나이다. 기존의 방사선치료는 입사하는 빔의 방사선량이 조사영역 내에서 균일한 반면, 세기조절 방사선치료는 빔을 작게 쪼개고 각각의 세기를 다르게 하여 조사하고 그 조합이 궁극적으로 종양에만 방사선이 집중되는 선량분포를 만들어내도록 한다. 이를 위해서는 환자마다의 종양 및 정상조직에 대한 선량조건을 치료계획시스템에 입력하고 빔 최적화 알고리즘을 통해 최적의 빔 조합을 구하게 되고 3차원의 선량분포를 계산하여 평가한다.

세기조절 방사선치료는 종양의 입체적 모양에 맞게 방사선을 조사할 수 있기 때문에 모든 종양이 대상이 된다. 하지만 치료 준비 및 치료 계획, 치료시간이 오래 걸리고 치료가 복잡하며 치료비용이 고가인 단점이 있다. 이러한 복잡한 치료 계획이 정확하게 환자에게 전달되도록 하기 위하여 방사선치료에 다양한 영상 정보를 적극적으로 활용하고 있는데 이를 영상유도 방사선치료(image-guided radiation therapy, IGRT) 라고 한다. 즉, 다양한 영상 정보를 통하여 보다 정확하고 구체적으로 종양의 위치와 모양을 설정하고, 치료 시 발생할 수 있는 부정확성을 감소시켜서 부작용을 최소화하기 위한 치료기법이다. 치료를 받을 때마다 환자의 자세 및 위치 변화를 실시간으로 확인하고 보정하기 위하여, X선 MV 빔을 사용하는 EPID (electronic portal imaging device) 이미지나 kV 빔을 사용하는 Fluoroscopy, 2D 이미지 또는 3D Cone Beam CT이미지를 이용하는게 일반적이고 MRI나 In-room CT 이미지를 이용하기도 한다.

4) 입자빔 방사선치료(particle beam radiotherapy)

입자방사선에 주로 사용되는 입자로는 전자, 양성자, 탄소 이온이 있다. 전자선은 일반 선형가속기를 통해 발생하여 가속되어 치료에 사용되고 브레그피크 특성이 없기 때문에, 현재 입자빔 방사선치료라고 불리며 치료에 주로 사용되는 입자는 양성자와 탄소이온이다. 이러한 입자방사선은 인체를 통과하다가 유효거리 끝부분에서 대부분의 선량을

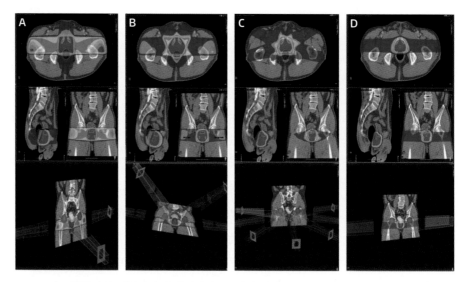

그림 4-7. 전립선암의 방사선치료방법에 따른 체내 방사선량 분포 비교
A 2차원 방사선치료, **B** 3차원 입체조형 방사선치료, **C** 세기조절 방사선치료, **D** 입자빔 방사선치료

전달하는 브레그피크가 발생하는 특이성이 있어서, 최대 에너지 흡수지점이 형성된 후 계속적으로 선량이 감소하는 양상의 엑스선과는 대조적인 선량분포를 갖는다(그림 4-3). 특히 브레그피크 이후에 위치하는 조직에는 방사선에너지 전달이 거의 없어서 종양 뒤에 방사선에 민감한 정상조직이 위치할 경우 이를 확실하게 보호할 수 있는 이점이 있다. 종합적으로 방사선량이 인체 내에 분포되는 범위가 대폭 감소하기 때문에 정상조직 손상 감소에 의한 급성 또는 만성 부작용을 감소시킬 수 있고 종양에는 고선량을 그대로 전달하기 때문에 치료율은 향상시킬 수 있다. 입자방사선을 실제 임상에 적용할 때에는 넓은 암 부위에 균일한 방사선량이 전달되도록 하기 위하여, 입자선의 에너지를 변화시켜서 여러 깊이에서 발생시킨 브레그피크를 중첩시킨 Spread-out Bragg Peak (SOBP)를 사용한다. 종양의 크기와 위치에 SOBP를 일치시켜서 종양에 적정 방사선량을 전달하도록 한다. 이에 더하여 빔의 각도와 유효거리를 변화시키며 종양의 3차원적인 모양에 따라 점을 찍듯이 방사선량을 전달하는 방법(scanning method)을 이용하면, 선량 분포가 종양의 형태에 정확하게 부합되도록 전달할 수 있고 세기조절을 하여 치료 효과를 극대화할 수도 있다(그림 4-7).

근접 방사선치료 (Brachytherapy)

근접 방사선치료는 1900년대 초 라듐을 종양에 삽입하여 치료하는게 제안된 이후 지금까지 종양 내 또는 근처에 방사선을 집중해서 조사하기 위하여 사용되고 있는 방법이다. 초기에는 라듐과 세슘이 방사선치료에 사용되었고 1960년대 외부 방사선치료가 발전하면서 근접 방사선치료가 감소하였으나, 인공 방사성 동위원소 제작과 컴퓨터 원격조작후 장진법(remote after-loading system) 사용, 다양한 영상장비 이용, 전산화된 치료계획 수행

표 4-1. 근접 방사선치료에 사용되는 방사성 동위원소의 특성

방사성 동위원소	평균 광자선 에너지	반감기	반가층 (납 기준)
Co-60	1.25MeV	5.26년	11mm
Cs-137	0.66MeV	30년	6.5mm
Au-198	0.41MeV	2.7일	2.5mm
Ir-192	0.38MeV	73.8일	3mm
I-125	0.028MeV	60일	0.02mm
Pd-103	0.021MeV	17일	0.01mm

Co-60: Cobalt-60, Cs-137: Caesium-137, Au-198: Gold-198, Ir-192: Iridium-192, I-125: Iodine-125, Pd-103: Palladium-103.

등이 가능해지면서 근접 방사선치료에 대한 관심이 다시 증가되었다. 근접 방사선치료는 종양에 직접 방사선원을 위치시켜서 방사선을 전달하기 때문에 저산소세포 종양이나 방사선 저항성이 높은 종양을 치료하는 데 효과적이며, 외부 방사선치료와 함께 적용될 수 있다. 또한, 방사선원이 종양에 위치하고 저에너지의 방사선을 조사하기 때문에 주변 정상조직에 흡수되는 선량을 크게 줄일 수 있다.

1) 저선량률(low dose rate, LDR) 또는 고선량률(high dose rate, HDR) 근접 방사선치료

근접 방사선치료는 선원의 방사능에 따라 시간당 전달할 수 있는 선량이 달라지게 되는데, 0.4~2Gy/h이면 저선량률, 2~12Gy/h이면 중선량률, 12Gy/h 이상이면 고선량률 근접 방사선치료라고 한다. 예를 들어, 저선량률 근접 방사선치료에 사용되는 방사성 동위원소인 Cs-137의 경우 방사능이 18.5GBq (0.5 Ci)이고, 고선량률 근접 방사선치료에 주로 사용되는 Ir-192는 370GBq (10 Ci)의 방사능을 가지고 있다. 이러한 방사능에 따른 선량률 차이로 인해 동일한 선량을 전달하려면 저선량률 근접 방사선치료는 3~4일 정도 입원하여 치료가 진행되는 반면, 고선량률은 하루에 약 10분 정도씩 3~6회에 걸쳐 치료를 진행한다. 방사능은 시간이 지남에 따라 선원 고유의 반감기에 따라 감소하게 되는데, Cs-137의 반감기는 30년으로 충분히 길지만 Ir-192의 반감기는 약 74일이기 때문에 치료시간을 효율적으로 갖기 위해서는 주기적인 선원 교체가 필요하다. 표 4-1은 근접 방사선치료에 주로 사용되는 방사성 동위원소와 고유의 특성을 평균에너지와 반감기, 납에 대한 반가층(half-value layer, HVL)으로 정리한 표이다. 이들 중 Ir-192와 Cs-137은 부인암 고선량률과 저선량률 근접 방사선치료에 주로 사용되고 있다.

2) 부인암의 전통적 근접 방사선치료

부인암 근접 방사선치료를 위해서는 방사선원을 정한 곳에 위치시키기 위하여 종양의 크기와 위치에 따라 다양한 어플리케이터를 사용할 수 있다(그림 4-8). 가장 보편적으로 사용하고 있는 어플리케이터는 Tandem과 Ovoid로 이루어진 Fletcher-Suit-Delclos이다(그림 4-9).

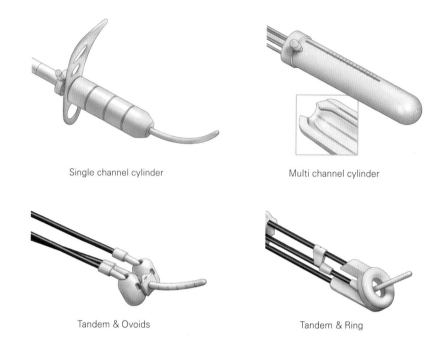

Single channel cylinder

Multi channel cylinder

Tandem & Ovoids

Tandem & Ring

그림 4-8. 부인암 근접 방사선치료용 어플리케이터 종류

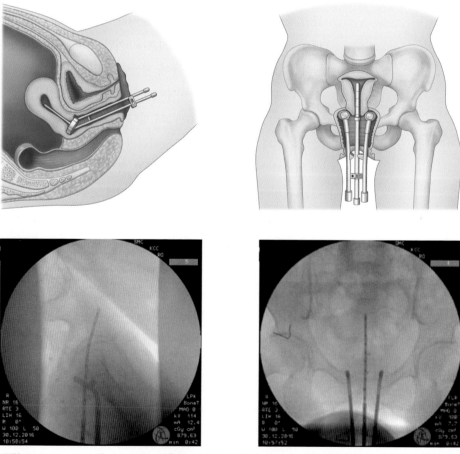

그림 4-9. Tandem과 Ovoid를 이용한 Fletcher-Suit-Delclos 어플리케이터 사용과 영상으로의 위치 확인

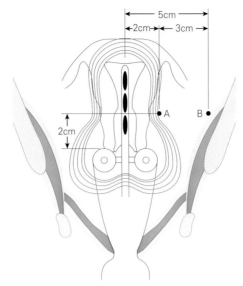

그림 4-10. 맨체스터 시스템에 따른 선량 계산 지점 Point A와 Point B의 정의

부인암 근접 방사선치료를 위한 치료계획은 최적화된 선량분포를 갖는 방사선원의 종류를 정해서 방사선이 조사되는 치료영역에 모든 선량이 완전히 전달되도록 하는 데 목적이 있다. 이를 위한 처방선량의 지점을 정의하기 위해서 많은 선량규정 시스템이 제안되어왔다. 일찍이 유럽에서는 스톡홀름 시스템(1910년), 파리 시스템(1919년), 맨체스터 시스템(1932년) 등 각 도시 이름을 딴 시스템들이 제안되었는데, 전세계적으로 가장 많이 사용되고 있는 것은 맨체스터 시스템이다. 이 맨체스터 시스템의 특징은 환자간 선량분포에 큰 오차를 갖는 mg-hour의 개념에서 Point 선량처방으로 변화된 것이다.[16] 이 시스템은 point A, point B, bladder point, rectum point로 구성된 4개의 지점에 전달되는 선량을 치료계획에 이용한다. 처방선량은 point A에 전달되는 선량으로, 방사선원이 삽입된 후 선량을 전달하는 총 치료시간을 계산하는 데 이용된다. 그림 4-10처럼 para-cervical triangle에 선량을 전달하고자 point A는 외경부입구(또는 tandem의 cervical end)에서 위쪽으로 2cm, 자궁경관에서 옆으로 2cm 떨어진 지점으로 정의된다. Point B는 point A로부터 옆으로 3cm 떨어진 지점으로, 폐쇄공 림프절(obturator lymph nodes)과 자궁주위조직(parametrium)에 전달되는 선량을 평가한다.

3) 영상유도보정 근접 방사선치료(image-guided adaptive brachytherapy)

부인암 근접 방사선치료에 전통적으로 사용되는 2차원 X-선 이미지를 이용한 치료계획에서, 체적이미지를 기반으로 하는 치료계획으로 변화해왔다. 외부 방사선치료계획과 마찬가지로 컴퓨터단층촬영 이미지를 사용하다가 최근에는 자기공명영상 또는 양성자단층촬영 영상을 이용하는 추세이다. 유럽에서 시작된 MRI 기반의 방법은 T2-weighted MRI를 이용하여 뛰어난 연부조직분해능으로 종양과 정상조직을 구분할 수 있어서 자궁종양확장과 자궁주변조직을 더 정확한 판단이 가능하고 방광과 직장을 보호하는 데도

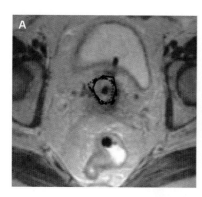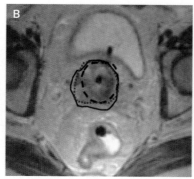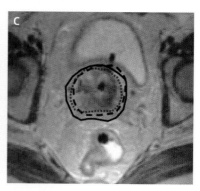

그림 4-11. GEC-ESTRO 프로토콜 기반으로 그려진 GTV(**A**), HR-CTV(**B**), IR-CTV(**C**)

Gyn GEC-ESTRO working Group. Radiother Oncol. 2005 Mar;74(3):235-45.

도움이 된다.

Groupe Européen de Curiethérapie-European Society for Radiotherapy and Oncology (GEC-ESTRO)와 북미 IGRT Working Group은 모두 자궁경부암에 대한 MRI 영상유도 근접 방사선치료에 대한 권고사항을 발표하였다. 이 중 GEC-ESTRO GYN Working Group은 유럽의 영상유도보정 근접 방사선치료를 하는 기관의 의사들이 자궁경부암에 대해서 처방선량, 기록사항, 보고방법 등을 공통의 언어와 용어로 통일하고자 2000년에 설립되었다. 이 그룹에서는 다기관 연구 결과를 발표하였고, 현재는 GEC-ESTRO에서의 용어와 명칭이 전 세계에서 공통적으로 사용되고 있다. 지금까지 발표된 총 4개의 GYN GEC-ESTRO 권고사항(I~IV)은 ICRU Report 89 'Prescribing, Recording, and Reporting Brachytherapy for Cancer of the Cervix'에 포함되어 있다.[17~20] GEC-ESTRO에서는 육안표적체적(gross target volume, GTV), 고위험 임상표적체적(high-risk clinical target volume, HR-CTV), 중등위험 임상표적체적(intermediate-risk clinical target volume, IR-CTV)와 방광, 직장, 구불결장, 소장을 포함하는 정상조직을 그리는 것을 권고하고 있다. 그림 4-11은 GEC-ESTRO 권고에 따라 그려진 종양체적인 GTV와 HR-CTV, IR-CTV를 나타낸다. 권고사항에 따르면, HR-CTV는 전체 자궁경부뿐만 아니라 자궁주변조직이나 자궁, 직장, 방광, 질에 있는 현미경적 종양조직도 포함해야 하며, 80~95Gy의 선량이 전달되도록 처방한다. IR-CTV는 HR-CTV를 포함하면서 60Gy 이상 전달되도록 한다. 치료기록과 품질보증(quality assurance)을 위하여 종양체적의 100%와 90%에 전달되는 최소선량(D90, D100)뿐만 아니라, 정상조직인 방광과 직장, 구불결정, 소장의 0.1cm³와 1cm³, 2cm³에 피폭되는 최소선량도 계산하여 기록하는 것을 권고한다. 참고로, 서로 다른 선량률을 표준화하기 위해 분할(fraction)당 2Gy와 생물학적으로 동등한 선량으로 표시해야 하고, 이는 선현방형모델(linear quadratic model)을 이용하여 계산할 수 있다. 정상조직에 대한 선량체적제한(dose-volume constraint)은 방광은 85~90Gy, 직장과 구불결장은 75Gy 이하가 되도록 한다.

정상 조직 견딤
(Normal Tissue
Tolerance)

방사선치료 시 정상 조직의 견딤에 대한 연구는 1970년대에 시작되었다. 1975년 Rubin은 그의 저서에서 처음으로 견딤선량(tolerance dose, TD)이라는 개념을 언급하였다.[21] 견딤선량을 부작용과 선량과의 관계로 정의하였는데, 이것은 이 시기의 방사선치료가 일반 엑스선 영상을 통해 치료 계획을 시행하여 정상 조직의 용적에 대한 자료를 얻는 것이 불가능하였기 때문이었다. 이후 컴퓨터단층촬영을 이용한 모의치료와 치료 계획이 발전하면서 정상 조직의 용적에 관한 자료를 얻을 수 있게 되었고, 정상 조직의 용적과 견딤선량과의 관계에 대한 연구들이 많이 진행이 되었다. 1991년 Emami 등은 1980년대에 나온 여러 연구들을 정리하여 논문을 통해 여러 정상 조직들의 용적을 특정 기준에 따라 표준화하여 견딤선량과 용적과의 관계에 대해 정리하였다.[22] 이 자료는 방사선치료에 있어 방사선치료 범위에 포함되는 정상 조직의 용적과 허용되는 방사선량에 있어서 하나의 기준으로서 사용되었다.

2000년대에 세기조절 방사선치료가 발전하면서 다양한 선량 기준과 용적 기준에 대한 연구 결과들이 발표되어 선량과 용적에 대한 통합의 필요성이 제기되었다. 이러한 계기로 QUANTEC (The Quantitative Analysis of Normal Tissue Effects in the Clinic)이 구성되어 2010년부터 여러 정상 장기들에 대한 선량-용적 기준들을 발표하였다.[23~25] 이것은 방사선치료에 있어서 가이드 역할을 수행하였으며 지금도 방사선치료에 있어서 선량-용적 관계에 있어 기준으로 적용되고 있다. 현재에 주로 이용되는 치료법인 3차원입체조형치료뿐 아니라 세기조절 방사선치료, 영상유도방사선치료(image-guided radiotherapy, IGRT), 정위적 방사선치료에 이르기까지 널리 활용되고 있다. 주로 사용되는 지표는 최대선량(maximal dose, Dmax), 평균선량(mean dose, Dmean), 등 특정 상황의 선량이나, 특정 선량 이상이 들어간 용적(예시, V20Gy, V50Gy, 단위: %, cc, mL 등) 등이 사용된다. 다양한 지표들이 정상 장기에 따라 각각 적용이 되어 있으며, 방사선치료 시행 시 기준으로 이용된다.

최근에는 소분할 방사선치료(hypofractionation radiotherapy)를 이용한 정위적 방사선치료가 시행되고 있는데 이 경우 선량 기준은 통상분할방사선치료와는 다르다. Timmerman은 이것에 대한 정상 장기의 견딤에 대하여 1회 치료, 3회 치료, 5회 치료 등에 있어서 요구되는 선량들을 발표하였다.[26] 앞서 살펴본 QUANTEC의 데이터와 함께 방사선치료 시 기준으로 인정받고 있다. 방사선치료 시 주변 정상 조직의 견딤 정도를 아는 것은 방사선치료 후 발생할 수 있는 부작용을 줄이는 데 도움을 줄 것이다.

정상 조직의 방사선 영향(Radiation Effects on Normal Tissue)

1) 급성기 효과(acute effects)

급성기 효과는 방사선치료 후 수일에서 수주 내에 증상이 발현되는 것을 의미한다. 방사선치료 시 방사선영향은 전신증상과 국소증상으로 나눌 수 있는데, 전신증상은 피로감, 식욕부진, 메스꺼움 등이 원인이 분명치 않지만 발생하며 이런 증상은 치료 종료 후 서서히 회복된다. 국소증상은 방사선치료를 받는 부위에 영향을 끼쳐 발생하는 것으로, 방사선치료 범위 안에 있는 세포들의 손상에 의해 발생한다. 예를 들면, 피부의 표피층, 장

상피 세포, 조혈계 등에서 주로 일어난다.[27] 피부에 조사 시에는 방사선 피부염,[28] 뇌나 복부 등의 부위 조사 시에는 메스꺼움과 구토,[29,30] 두경부의 방사선치료 시 구강염, 점막염, 구강건조증(xerostomia) 등이 발생할 수 있다.[31,32] 흉부에 방사선치료를 시행할 때는 방사선 폐렴(radiation pneumonitis), 방사선 식도염(radiation esophagitis) 등이 발생할 수 있다.[33,34]

자궁경부암이나 자궁내막암 등과 같은 부인 종양 질환에 있어서 방사선치료가 주로 적용되는 부위는 골반 부위와 복부이다. 소장, 대장, 직장 등의 소화기, 방광과 같은 비뇨기, 난소, 질 등과 같은 생식기 등이 치료 영역에 포함이 된다. 위장관에 방사선 조사가 되면 위나 장의 상피 세포 손상으로 오심, 구토와 같은 증상이 있을 수 있고, 치료가 지속될수록 복부 불편감, 통증, 설사나 변비가 발생하는 경우도 있다.[35] 방사선으로 인한 급성기의 대장직장염(radiation proctitis)은 주로 2~3주차때 나타나며 갈수록 심해져 갑작스럽게 변을 보고 싶거나 후중감, 통증 등을 유발한다.[36] 심한 경우는 치료 중 괄약근의 기능 이상으로 인해 배변 시 장애를 유발하기도 한다. 방사선 방광염(radiation cystitis)은 골반 부위 방사선치료를 받은 환자의 70% 이상에서 발생하며, 긴박뇨, 요실금, 야간뇨, 배뇨통 등의 증상이 발생한다.[37,38] 대부분의 급성기 증상은 치료 종료 후 1개월 내에 회복된다.

2) 만기 효과(late effects)

만기 효과는 방사선치료 종료 수 개월에서 수 년 후에 증상이 발현되는데, 주로 혈관 손상과 실질세포의 소실로 인하여 일어난다. 일부에서는 급성기 부작용이 발생하여 후기 부작용까지 이어져 만성적인 손상을 남기는 경우가 있는데 이것을 간접 만기 효과(consequential late effect)라고 한다.[27]

피부는 주로 급성기에 증상이 나타나지만 고선량을 받은 일부에서는 만성적인 방사선 피부염이나 색소침착(pigmentation), 모세혈관확장증(telangiectasia) 등이 발생할 수 있다.[39] 뇌 치료 시 뇌실질괴사(radiation necrosis)나 백질뇌증(leukoencephalopathy) 등이 발생할 수 있고,[29,40] 척수 신경에서는 골수증(myelopathy)가 발생할 수 있다.[29]

부인암 영역에서의 방사선치료는 주로 복부와 골반부위에서 이루어진다. 위장관에 방사선이 조사되었을 때 흔히 볼 수 있는 만기 효과는 섬유화와 장 허혈이다. 이것이 원인이 되어 위장관의 협착증, 장 폐색, 위장관 감염 등을 유발할 수 있다.[30,35] 만기 효과로서 방사선 직장염(radiation proctitis)은 방사선치료 종료 후 수개월 후 발생하는데, 근접 방사선치료 시 고선량이 들어가는 부위와 가까운 직장벽에서는 출혈 및 궤양으로 나타난다.[36] 방광에서는 강내치료 시 자궁에 가까운 방광 후벽의 혈관 손상으로 인한 방광 출혈이 발생할 수도 있다. 또한, 방광 벽이 두꺼워지는 섬유화로 인해 방광 용적이 감소되어 배뇨를 자주하게 되는 증상이 일어 날 수 있다.[41] 생식기 중 대표적인 난소는 방사선에 매우 예민한 장기로서 방사선이 조사되면 폐경과 함께 불임이 가능하다. 또한 성욕의 감퇴가 방사선 조사의 만기 영향으로 나타날 수 있다. 또한, 부인암에서 자궁이나 질의 종양이 주변 장기에 침범하거나 인접해 있었던 경우에 방사선치료 후 만기 영향으로 질과 방광 사이 또는 직장과 질 사이에 누공(fistula)이 형성될 수 있다. 질벽에서는 궤양이나 점막염 등으로 인해 통증 및 출혈을 유발할 수 있고, 질내 유착이 일어나기도 한다.[42~45]

특수 방사선치료 이슈(Special Radiation Therapy Issues)

정위적 방사선치료
(Stereotactic
Radiotherapy)

정위적 방사선치료는 정상 조직에 대한 방사선량을 최소화하면서 종양에 대해서는 원하는 피해를 주기 위해 고선량의 방사선을 표적의 모양과 3차원적으로 정확하게 일치하게 투여하는 기술이다(그림 4-12). 정위적 방사선치료를 시행하기 위해서는 종양 또는 표적의 용적이 작아야 하며, 종양의 바깥 면이 복잡하지 않고 단순해야 한다. 또한 치료 준비 상태의 오차가 거의 없어야 하고, 종양의 형태와 방사선 분포의 형태가 일치하여야 하고, 방사선에 민감한 장기의 경우는 표적 용적에서 제외되어야 한다.

정위적 방사선수술을 위한 치료기는 여러 종류가 개발되어 있다. 가장 많이 알려져 있는 것은 1960년대 Leksell 등이 개발한 감마나이프(Elekta Inc., Norcross, GA)로 뇌의 방사선 수술에 이용하였으나, 최근에는 뇌뿐만 아니라 경추까지 포함하여 치료할 수 있도록 발전하였다.[46] 뇌 외의 다른 체부 정위적 방사선수술에는 사이버나이프(Accuray Inc., Sunnyvale, CA)가 이용 가능하며,[47] 최근에 상용화 된 선형가속기도 정위적 방사선수술 치료에 사용될 수 있다.[48]

정위적 방사선수술은 뇌동정맥기형(arteriovenous malformation, AVM)이나 해면정맥동 이상(cavernous sinus malformation)과 같은 뇌혈관 질환,[49] 전이성 뇌종양,[48] 일부 뇌종양,[50] 전이성 척추 종양,[51] 청신경초종이나 수막종 같은 양성 뇌종양,[52,53] 초기 폐암이

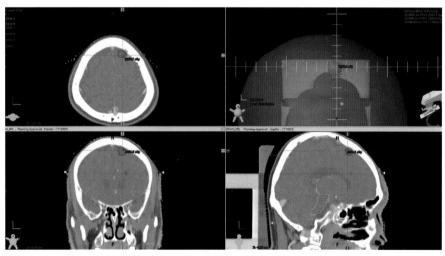

그림 4-12. 전이성 뇌종양에서 정위적 방사선치료 계획

나 작은 크기의 폐 또는 간 전이 종양에 일반적으로 적용되나, 이 외에도 전립선암, 췌장암 등에서도 시도되고 있다.[54~57]

부인암에서는 복부 대동맥 림프절 전이가 있거나, 자궁경부암의 근치적 치료 시 질 협착이 있거나, 종양 반응이 좋지 않아 근접 방사선치료가 어려운 환자에서 정위적 방사선치료를 시도할 수 있다.[58~60]

방사선 재치료
(Re-Irradiation)

방사선 재치료는 이전의 방사선치료 선량과 함께 누적 선량이 높아진다는 점에서 신중히 접근해야 하는 분야이다. 암 치료 후 생존 기간이 길어지면서 이전에 치료 했던 영역 내에서의 국소 재발이나 고식적 방사선치료 후 호전된 뼈 전이 통증의 악화 등을 종종 볼 수 있게 되었다.[61]

치료 범위 내 재발을 한 경우에는 이전 치료에서 받았던 선량을 고려해야 하므로 초기 치료 때 적용하였던 조직의 견딤 정도와 다르며 일부에서 회복되는 조직이 있으므로 고려해야 한다. 피부나 점막의 견딤선량은 초치료와 동일한 정도의 견딤선량을 기준으로 치료를 시행할 수 있으나, 이전 치료의 부작용으로 점막염 등의 증상이 남아있는 경우 재치료는 힘들다.[61]

척수신경은 재치료가 가장 많이 이루어지는 부위로 다른 부위에 비교하여 상대적으로 많은 연구 결과가 있다. 초기 치료 50~60Gy 이후에도 1년 정도에 약 처방 선량의 약 90% 정도의 치료가 가능한 것으로 생각된다. Nelson 등은 이전에 척수 신경에 방사선치료를 시행하였다고 하더라도 체부정위적 방사선치료를 통해 3회에 총 24Gy의 재치료를 시행하는 것은 심각한 부작용 없이 효과를 볼 수 있다고 발표하였다.[51,62]

방사선 분할요법
(Radiation Fractionation)

일반적인 방사선치료는 하루 1.8~2.0Gy의 방사선량으로 주 5회, 총 25~40회 가량 지속적으로 시행된다. α/β 분율과 같은 종양의 특성에 따른 맞춤 치료와 치료기간이 방사선치료에 미치는 영향들이 밝혀지면서 다양한 분할 방사선치료 일정이 사용되게 되었다. 현재 연구가 진행되어 있는 치료 일정들을 소개하면 과분할(hyperfractionation), 가속분할치료(accelerated fractionation), 소분할치료 등이 대표적이다. 특히 앞에서 언급한 정위적 방사선치료가 매우 많은 회당 선량으로 횟수를 줄여 시행하는 소분할치료이다(표 4-2).

표 4-2. 다양한 분할방사선치료법의 예(통상방사선치료 70Gy 치료와 비교)

치료방법	회당선량(Gy)	치료횟수(회)	총방사선량(Gy)	치료기간(Week)
통상방사선치료	1.8~2.0	35~39	70~70.2	7~8
과분할치료	1.0~1.2	70~80(1일 2회)	약 80	7~8
순수가속분할치료	1.8~2.0	35~39 (1일 2회)	70~70.2	3.5~4
혼합가속분할치료	1.5~2.0	18~33 (1일 2~3회)	54~63	3~5

1) 과분할치료

과분할치료는 소량의 회당 선량을 이용하여 만기 반응 조직의 견딤선량 내에서 총 치료 선량을 높일 수 있어 종양에 대한 치료효과를 높인다는 이론적 근거로 시작된 치료법이 다. 이것은 정상 조직의 α/β 분율보다 큰 α/β 분율을 갖는 종양에서 시행할 수 있다. 과 분할치료에 대한 여러 가지 연구가 진행되었는데 대부분의 연구에서 전체 치료기간은 2Gy씩 1일 1회 치료하는 일정과 동일하면서 1~1.2Gy의 선량으로 하루에 2회씩 치료하 는 기법이 이용되었고, 두경부암과 방광암에서 종양반응률, 생존율 및 부작용 측면에서 더 좋은 결과를 보였다.[63,64]

2) 가속분할치료

가속분할치료는 전체 치료시간을 줄임으로 치료 중 종양세포의 재생의 기회가 감소하 여 총치료선량이 동일할 때에 종양 제어의 가능성이 더 높아질 수 있다는 이론적인 배경 을 가지고 있다. 일반적인 2Gy의 회당 선량을 1일 1회가 아니라 2회 시행하여 전체 치료 시간을 절반으로 감소시키는 데 이것은 일반적인 경우 보다 더 심한 급성기 반응을 보일 수 있다는 특징이 있다. 순수 가속분할치료는 총선량을 감소시키지 않고 전체 치료시간 만 단축을 시킨 것이고, 혼합 가속분할치료는 전체 치료시간 외에 회당 선량이나 총 선 량 등의 영향을 미칠 수 있는 다른 인자들을 함께 조절을 하여 전체 치료시간을 감소시 킨 것이다.[65~67]

3) 소분할치료

유방암과 전립선암처럼 α/β 분율이 낮은 장기에서는 소분할치료가 이득이 있다는 연구 가 최근에 많이 발표가 되었다. 2000년대 초반 영국, 캐나다 등에서 시행한 유방암에 대 한 소분할치료는 일반적인 방사선치료인 2Gy의 회당 선량보다 약간 높은 2.67~3.3Gy의 회당 선량을 이용하여 39~43Gy 정도의 총 선량을 조사하는 방법으로 치료하였고, 프랑 스, 미국 등에서는 5.7~6.5Gy의 회당 방사선량을 이용한 연구를 진행하였다.[68,69] 전립 선암은 전통적으로 1.8~2Gy의 회당 방사선량으로 총 73.8~78Gy의 치료를 시행하였는데 이에 비해 소분할치료는 60~65Gy의 선량을 20회 내에 시행하거나 70Gy 정도의 총 선 량을 30회 내에 끝내는 방법을 이용하여 연구를 진행하였다. 이러한 연구들은 대개 독 성이 약간 증가되나, 종양의 국소제어율은 기존의 일반적인 방사선치료와 비교하여 차이 가 없었다.[70,71]

4) 부인암에서 분할치료법

RTOG (Radiation Therapy Oncology Group) 88-05 연구는 자궁경부암에서 1.2Gy씩 하루 2회의 외부 방사선치료를 총 48~60Gy를 시행과 강내방사선치료를 함께 시행한 연구를 진행하여, 3년 무병생존율 43%, 3년 생존율은 61%의 결과를 보고하였다.[72] 최근에는 아시아에서 가속 과분할 방사선치료를 시행하여 심각한 부작용 없이 통상적인 방사선치

료와 비슷한 효과를 보였다는 결과를 발표하였다.[73,74]

소분할치료는 진행된 부인암의 치료, 강내 방사선치료의 대체 치료, 재발성 부인암의 국소 치료 등에 있어서 시도해 볼 수 있는 방법으로 제시되고 있으며, 대개 치료효과는 비슷하거나 더 좋은 경우도 있으나 부작용은 증가하는 양상을 보인다.[59,60,75]

온열치료
(Hyperthermia)

온열치료는 온도를 올릴 수 있는 기기를 이용하여 체내의 일부분을 일정온도 이상으로 상승시켜 세포나 종양이 이러한 높은 온도에 노출되었을 때 일어나는 생물학적 변화들을 암 치료에 이용하는 방법이다.[76] 온열치료에서 이용이 되는 생물학적 변화는 43℃ 이상의 온도에서 세포의 생존이 급격하게 감소하는 세포 독성, 종양에 대한 면역반응의 증가, 조직 관류의 증가로 인한 혈관 투과성의 변화 등이며, 이러한 생물학적 특성이 약물이나 방사선의 치료 효과를 증강 시켜주는 역할을 한다.[76~78]

가열하는 방식은 열전도에 의한 가열, 비이온화 전자기장(electromagnetic field), 초음파 등의 방법이 이용된다. 열 전도는 바늘이나 카테터 등을 이용하여 온도를 올릴 곳에 직접적으로 시술을 통해 전도체를 위치한 후 열전도를 일으키는 방식이다, 가장 널리 사용되는 방식인 전자기장 가열은 고주파의 전자기장이 조직에 가해질 때 조직에서 전류가 흐르면서 저항성 손실로 발생하는 것이다. 몸에 부착할 수 있는 표면 전극이 있으며, 단일전극, 양방향 전극 등이 사용되어 조직의 온도를 43℃ 이상 가열시키는 것이 목표이다. 최근에는 다중 안테나 배열 전극이 장착되어 있는 온열치료기도 개발되었다.[79~81]

임상에서는 주로 방사선치료, 항암화학요법과 함께 온열치료 병합요법에 대한 연구가 많이 진행이 되었다. 1990년대부터 두경부암, 유방암, 자궁경부암, 식도암 등 여러 부위에서 연구가 진행되었고 대부분에서 온열치료를 추가한 군이 그렇지 않은 군에 비교하여 국소제어율, 완전관해율 등에서 많게는 2배까지도 향상되는 결과를 보였다.[82,83] 그중 부인과 질환으로는 자궁경부암에서 온열치료와 방사선 병합요법이 방사선 단독 치료에 비해 완전관해율(83% 대 57%), 3년 생존율(51% 대 27%), 3년 국소제어율(61% 대 41%)에서 우세한 결과를 보였다. 항암화학요법과 온열치료의 병합요법에 관한 3상 임상연구는 방광암, 연조직 육종에서 온열치료를 병행한 환자군에서 무진행 생존율이 더 높은 결과를 보였다(방광암: 2년 무진행 생존율 80% 대 35%, 연조직육종 4년 무진행 생존율 66% 대 55%).[84,85]

여러 임상 연구의 결과에도 불구하고 온도의 정확한 조절과 같은 연구 설계상의 불리함으로 인해 아직까지 표준적인 치료로는 인정받고 있지는 못하지만 향후 점점 더 명확한 온도 측정법 등을 이용하게 되어 열량을 정확히 결정하고 정교하게 열을 전달할 수 있는 방법이 발전한다면 부인암에서 향상된 치료 결과를 도출할 수 있는 치료가 될 수 있을 것이다.

참고문헌

1　Hutchinson F. Molecular basis for action of ionizing radiations. Science 1961;134:533-8.

2　Balcer-Kubiczek EK. Apoptosis in radiation therapy: a double-edged sword. Exp Oncol 2012;34:277-85.

3　Willers H, Dahm-Daphi J, Powell SN. Repair of radiation damage to DNA. Br J Cancer 2004;90:1297-301.

4　Brown JM, Wilson WR. Exploiting tumour hypoxia in cancer treatment. Nat Rev Cancer 2004;4:437-47.

5　Begg AC, Stewart FA, Vens C. Strategies to improve radiotherapy with targeted drugs. Nat Rev Cancer 2011;11:239-53.

6　Bentzen SM. Preventing or reducing late side effects of radiation therapy: radiobiology meets molecular pathology. Nat Rev Cancer 2006;6:702-13.

7　Citrin D, Cotrim AP, Hyodo F, Baum BJ, Krishna MC, Mitchell JB. Radioprotectors and mitigators of radiation-induced normal tissue injury. Oncologist 2010;15:360-71.

8　Elkind MM, Sutton H. X-ray damage and recovery in mammalian cells in culture. Nature 1959;184:1293-5.

9　Withers HR, Taylor JM, Maciejewski B. The hazard of accelerated tumor clonogen repopulation during radiotherapy. Acta Oncol 1988;27:131-46.

10　Withers HR. Cell cycle redistribution as a factor in multifraction irradiation. Radiology 1975;114:199-202.

11　Wang H, Mu X, He H, Zhang XD. Cancer Radiosensitizers. Trends Pharmacol Sci 2018;39:24-48.

12　Wilson GD, Bentzen SM, Harari PM. Biologic basis for combining drugs with radiation. Semin Radiat Oncol 2006;16:2-9.

13　Stupp R, Mason WP, van den Bent MJ, Weller M, Fisher B, Taphoorn MJ, et al. Radiotherapy plus concomitant and adjuvant temozolomide for glioblastoma. N Engl J Med 2005;352:987-96.

14　Raleigh DR, Haas-Kogan DA. Molecular targets and mechanisms of radiosensitization using DNA damage response pathways. Future Oncol 2013;9:219-33.

15　Demaria S, Golden EB, Formenti SC. Role of Local Radiation Therapy in Cancer Immunotherapy. JAMA Oncol 2015;1:1325-32.

16　Khan FM. The Physics of Radiation Therapy. The 4th Edition ed. Lippincott Williams & Wilkins; 2010.

17　Dimopoulos JC, Petrow P, Tanderup K, Petric P, Berger D, Kirisits C, et al. Recommendations from Gynaecological (GYN) GEC-ESTRO Working Group (IV): Basic principles and parameters for MR imaging within the frame of image based adaptive cervix cancer brachytherapy. Radiother Oncol 2012;103:113-22.

18　Haie-Meder C, Potter R, Van Limbergen E, Briot E, De Brabandere M, Dimopoulos J, et al. Recommendations from Gynaecological (GYN) GEC-ESTRO Working Group (I): concepts and terms in 3D image based 3D treatment planning in cervix cancer brachytherapy with emphasis on MRI assessment of GTV and CTV. Radiother Oncol 2005;74:235-45.

19　Hellebust TP, Kirisits C, Berger D, Perez-Calatayud J, De Brabandere M, De Leeuw A, et al. Recommendations from Gynaecological (GYN) GEC-ESTRO Working Group: considerations and pitfalls in commissioning and applicator reconstruction in 3D image-based treatment planning of cervix cancer brachytherapy. Radiother Oncol 2010;96:153-60.

20 Potter R, Haie-Meder C, Van Limbergen E, Barillot I, De Brabandere M, Dimopoulos J, et al. Recommendations from gynaecological (GYN) GEC ESTRO working group (II): concepts and terms in 3D image-based treatment planning in cervix cancer brachytherapy-3D dose volume parameters and aspects of 3D image-based anatomy, radiation physics, radiobiology. Radiother Oncol 2006;78:67-77.

21 Rubin P. Radiation toxicology: quantitative radiation pathology for predicting effects. Cancer 1977;39:729-36.

22 Emami B, Lyman J, Brown A, Coia L, Goitein M, Munzenrider JE, et al. Tolerance of normal tissue to therapeutic irradiation. Int J Radiat Oncol Biol Phys 1991;21:109-22.

23 Bentzen SM, Constine LS, Deasy JO, Eisbruch A, Jackson A, Marks LB, et al. Quantitative Analyses of Normal Tissue Effects in the Clinic (QUANTEC): an introduction to the scientific issues. Int J Radiat Oncol Biol Phys 2010;76:S3-9.

24 Marks LB, Ten Haken RK, Martel MK. Guest editor's introduction to QUANTEC: a users guide. Int J Radiat Oncol Biol Phys 2010;76:S1-2.

25 Marks LB, Yorke ED, Jackson A, Ten Haken RK, Constine LS, Eisbruch A, et al. Use of normal tissue complication probability models in the clinic. Int J Radiat Oncol Biol Phys 2010;76:S10-9.

26 Timmerman RD. An overview of hypofractionation and introduction to this issue of seminars in radiation oncology. Semin Radiat Oncol 2008;18:215-22.

27 Denekamp J. Cell kinetics and radiation biology. Int J Radiat Biol Relat Stud Phys Chem Med 1986;49:357-80.

28 Salvo N, Barnes E, van Draanen J, Stacey E, Mitera G, Breen D, et al. Prophylaxis and management of acute radiation-induced skin reactions: a systematic review of the literature. Curr Oncol 2010;17:94-112.

29 van der Kogel AJ. Radiation-induced damage in the central nervous system: an interpretation of target cell responses. Br J Cancer Suppl 1986;7:207-17.

30 Novak JM, Collins JT, Donowitz M, Farman J, Sheahan DG, Spiro HM. Effects of radiation on the human gastrointestinal tract. J Clin Gastroenterol 1979;1:9-39.

31 Trotti A, Bellm LA, Epstein JB, Frame D, Fuchs HJ, Gwede CK, et al. Mucositis incidence, severity and associated outcomes in patients with head and neck cancer receiving radiotherapy with or without chemotherapy: a systematic literature review. Radiother Oncol 2003;66:253-62.

32 Jensen SB, Pedersen AM, Vissink A, Andersen E, Brown CG, Davies AN, et al. A systematic review of salivary gland hypofunction and xerostomia induced by cancer therapies: management strategies and economic impact. Support Care Cancer 2010;18:1061-79.

33 Rodrigues G, Lock M, D'Souza D, Yu E, Van Dyk J. Prediction of radiation pneumonitis by dose – volume histogram parameters in lung cancer--a systematic review. Radiother Oncol 2004;71:127-38.

34 Le Chevalier T, Arriagada R, Quoix E, Ruffie P, Martin M, Tarayre M, et al. Radiotherapy alone versus combined chemotherapy and radiotherapy in nonresectable non-small-cell lung cancer: first analysis of a randomized trial in 353 patients. J Natl Cancer Inst 1991;83:417-23.

35 Goldstein HM, Rogers LF, Fletcher GH, Dodd GD. Radiological manifestations of

radiation-induced injury to the normal upper gastrointestinal tract. Radiology 1975;117:135-40.

36 Hovdenak N, Fajardo LF, Hauer-Jensen M. Acute radiation proctitis: a sequential clinicopathologic study during pelvic radiotherapy. Int J Radiat Oncol Biol Phys 2000;48:1111-7.

37 Turgeon GA, Souhami L, Cury FL, Faria SL, Duclos M, Sturgeon J, et al. Hypofractionated intensity modulated radiation therapy in combined modality treatment for bladder preservation in elderly patients with invasive bladder cancer. Int J Radiat Oncol Biol Phys 2014;88:326-31.

38 Giannitsas K, Athanasopoulos A. Intravesical Therapies for Radiation Cystitis. Curr Urol 2015;8:169-74.

39 Hopewell JW. Mechanisms of the action of radiation on skin and underlying tissues. Br J Radiol Suppl 1986;19:39-47.

40 Ch'ien LT, Aur RJ, Stagner S, Cavallo K, Wood A, Goff J, et al. Long-term neurological implications of somnolence syndrome in children with acute lymphocytic leukemia. Ann Neurol 1980;8:273-7.

41 Chen WC, Liaw CC, Chuang CK, Chen MF, Chen CS, Lin PY, et al. Concurrent cisplatin, 5-fluorouracil, leucovorin, and radiotherapy for invasive bladder cancer. Int J Radiat Oncol Biol Phys 2003;56:726-33.

42 Rubin P. The Franz Buschke lecture: late effects of chemotherapy and radiation therapy: a new hypothesis. Int J Radiat Oncol Biol Phys 1984;10:5-34.

43 Rubin P, Constine LS, 3rd, Fajardo LF, Phillips TL, Wasserman TH. EORTC Late Effects Working Group. Overview of late effects normal tissues (LENT) scoring system. Radiother Oncol 1995;35:9-10.

44 Rubin P, Constine LS, Fajardo LF, Phillips TL, Wasserman TH. RTOG Late Effects Working Group. Overview. Late Effects of Normal Tissues (LENT) scoring system. Int J Radiat Oncol Biol Phys 1995;31:1041-2.

45 Trott KR. Chronic damage after radiation therapy: challenge to radiation biology. Int J Radiat Oncol Biol Phys 1984;10:907-13.

46 Szeifert GT, Massager N, DeVriendt D, David P, De Smedt F, Rorive S, et al. Observations of intracranial neoplasms treated with gamma knife radiosurgery. J Neurosurg 2002;97:623-6.

47 Murai T, Ogino H, Manabe Y, Iwabuchi M, Okumura T, Matsushita Y, et al. Fractionated stereotactic radiotherapy using CyberKnife for the treatment of large brain metastases: a dose escalation study. Clin Oncol (R Coll Radiol) 2014;26:151-8.

48 Shaw E, Scott C, Souhami L, Dinapoli R, Kline R, Loeffler J, et al. Single dose radiosurgical treatment of recurrent previously irradiated primary brain tumors and brain metastases: final report of RTOG protocol 90-05. Int J Radiat Oncol Biol Phys 2000;47:291-8.

49 Maruyama K, Kawahara N, Shin M, Tago M, Kishimoto J, Kurita H, et al. The risk of hemorrhage after radiosurgery for cerebral arteriovenous malformations. N Engl J Med 2005;352:146-53.

50 Clarke J, Neil E, Terziev R, Gutin P, Barani I, Kaley T, et al. Multicenter, Phase 1, Dose Escalation Study of Hypofractionated Stereotactic Radiation Therapy With Bevacizumab for Recurrent Glioblastoma and Anaplastic Astrocytoma. Int J Radiat Oncol Biol Phys 2017;99:797-804.

51 Nelson JW, Yoo DS, Sampson JH, Isaacs RE, Larrier NA, Marks LB, et al. Stereo-

tactic body radiotherapy for lesions of the spine and paraspinal regions. Int J Radiat Oncol Biol Phys 2009;73:1369–75.

52 Colombo F, Casentini L, Cavedon C, Scalchi P, Cora S, Francescon P. Cyberknife radiosurgery for benign meningiomas: short–term results in 199 patients. Neurosurgery 2009;64:A7–13.

53 Flickinger JC, Kondziolka D, Niranjan A, Maitz A, Voynov G, Lunsford LD. Acoustic neuroma radiosurgery with marginal tumor doses of 12 to 13Gy. Int J Radiat Oncol Biol Phys 2004;60:225–30.

54 Rusthoven KE, Hammerman SF, Kavanagh BD, Birtwhistle MJ, Stares M, Camidge DR. Is there a role for consolidative stereotactic body radiation therapy following first–line systemic therapy for metastatic lung cancer? A patterns–of–failure analysis. Acta Oncol 2009;48:578–83.

55 Timmerman R, Paulus R, Galvin J, Michalski J, Straube W, Bradley J, et al. Stereotactic body radiation therapy for inoperable early stage lung cancer. JAMA 2010;303:1070–6.

56 Choi BO, Choi IB, Jang HS, Kang YN, Jang JS, Bae SH, et al. Stereotactic body radiation therapy with or without transarterial chemoembolization for patients with primary hepatocellular carcinoma: preliminary analysis. BMC Cancer 2008;8:351.

57 Hoyer M, Roed H, Sengelov L, Traberg A, Ohlhuis L, Pedersen J, et al. Phase–II study on stereotactic radiotherapy of locally advanced pancreatic carcinoma. Radiother Oncol 2005;76:48–53.

58 Kim MS, Cho CK, Yang KM, Lee DH, Moon SM, Shin YJ. Stereotactic body radiotherapy for isolated paraaortic lymph node recurrence from colorectal cancer. World J Gastroenterol 2009;15:6091–5.

59 Guckenberger M, Bachmann J, Wulf J, Mueller G, Krieger T, Baier K, et al. Stereotactic body radiotherapy for local boost irradiation in unfavourable locally recurrent gynaecological cancer. Radiother Oncol 2010;94:53–9.

60 Molla M, Escude L, Nouet P, Popowski Y, Hidalgo A, Rouzaud M, et al. Fractionated stereotactic radiotherapy boost for gynecologic tumors: an alternative to brachytherapy? Int J Radiat Oncol Biol Phys 2005;62:118–24.

61 Stewart FA, van der Kogel AJ. Retreatment Tolerance of Normal Tissues. Semin Radiat Oncol 1994;4:103–11.

62 Ang KK, Price RE, Stephens LC, Jiang GL, Feng Y, Schultheiss TE, et al. The tolerance of primate spinal cord to re–irradiation. Int J Radiat Oncol Biol Phys 1993;25:459–64.

63 Horiot JC, Le Fur R, N'Guyen T, Chenal C, Schraub S, Alfonsi S, et al. Hyperfractionation versus conventional fractionation in oropharyngeal carcinoma: final analysis of a randomized trial of the EORTC cooperative group of radiotherapy. Radiother Oncol 1992;25:231–41.

64 Naslund I, Nilsson B, Littbrand B. Hyperfractionated radiotherapy of bladder cancer. A ten–year follow–up of a randomized clinical trial. Acta Oncol 1994;33:397–402.

65 Jackson SM, Weir LM, Hay JH, Tsang VH, Durham JS. A randomised trial of accelerated versus conventional radiotherapy in head and neck cancer. Radiother Oncol 1997;43:39–46.

66 Skladowski K, Maciejewski B, Golen M, Pilecki B, Przeorek W, Tarnawski R. Randomized clinical trial on 7–day–continuous accelerated irradiation (CAIR) of head

and neck cancer – report on 3-year tumour control and normal tissue toxicity. Radiother Oncol 2000;55:101-10.

67 Saunders MI, Dische S. Fractionation in radiotherapy: a view from the clinic. Br J Radiol 1997;70 Spec No:S17-24.

68 Whelan TJ, Pignol JP, Levine MN, Julian JA, MacKenzie R, Parpia S, et al. Long-term results of hypofractionated radiation therapy for breast cancer. N Engl J Med 2010;362:513-20.

69 Ortholan C, Hannoun-Levi JM, Ferrero JM, Largillier R, Courdi A. Long-term results of adjuvant hypofractionated radiotherapy for breast cancer in elderly patients. Int J Radiat Oncol Biol Phys 2005;61:154-62.

70 Dearnaley D, Syndikus I, Mossop H, Khoo V, Birtle A, Bloomfield D, et al. Conventional versus hypofractionated high-dose intensity-modulated radiotherapy for prostate cancer: 5-year outcomes of the randomised, non-inferiority, phase 3 CH-HiP trial. Lancet Oncol 2016;17:1047-60.

71 Pollack A, Walker G, Horwitz EM, Price R, Feigenberg S, Konski AA, et al. Randomized trial of hypofractionated external-beam radiotherapy for prostate cancer. J Clin Oncol 2013;31:3860-8.

72 Grigsby P, Winter K, Komaki R, Marcial V, Eifel P, Doncals D, et al. Long-term follow-up of RTOG 88-05: twice-daily external irradiation with brachytherapy for carcinoma of the cervix. Int J Radiat Oncol Biol Phys 2002;54:51-7.

73 Thakur P, Seam RK, Gupta MK, Rastogi M, Gupta M, Bhattacharyya T, et al. Comparison of Effects of Hemoglobin Levels Upon Tumor Response among Cervical Carcinoma Patients Undergoing Accelerated Hyperfractionated Radiotherapy versus Cisplatin Chemoradiotherapy. Asian Pac J Cancer Prev 2015;16:4285-9.

74 Ohno T, Nakano T, Kato S, Koo CC, Chansilpa Y, Pattaranutaporn P, et al. Accelerated hyperfractionated radiotherapy for cervical cancer: multi-institutional prospective study of forum for nuclear cooperation in Asia among eight Asian countries. Int J Radiat Oncol Biol Phys 2008;70:1522-9.

75 Viegas CM, Araujo CM, Dantas MA, Froimtchuk M, Oliveira JA, Marchiori E, et al. Concurrent chemotherapy and hypofractionated twice-daily radiotherapy in cervical cancer patients with stage IIIB disease and bilateral parametrial involvement: a phase I-II study. Int J Radiat Oncol Biol Phys 2004;60:1154-9.

76 Dewey WC, Hopwood LE, Sapareto SA, Gerweck LE. Cellular responses to combinations of hyperthermia and radiation. Radiology 1977;123:463-74.

77 Clark PR, Menoret A. The inducible Hsp70 as a marker of tumor immunogenicity. Cell Stress Chaperones 2001;6:121-5.

78 Chen Q, Fisher DT, Clancy KA, Gauguet JM, Wang WC, Unger E, et al. Fever-range thermal stress promotes lymphocyte trafficking across high endothelial venules via an interleukin 6 trans-signaling mechanism. Nat Immunol 2006;7:1299-308.

79 Roemer RB, Oleson JR, Cetas TC. Oscillatory temperature response to constant power applied to canine muscle. Am J Physiol 1985;249:R153-8.

80 Cheung AY, Neyzari A. Deep local hyperthermia for cancer therapy: external electromagnetic and ultrasound techniques. Cancer Res 1984;44:4736s-44s.

81 Rietveld PJ, van Putten WL, van der Zee J, van Rhoon GC. Comparison of the clinical effectiveness of the 433MHz Lucite cone applicator with that of a conventional waveguide applicator in applications of superficial hyperthermia. Int J Radiat Oncol Biol Phys 1999;43:681-7.

82 Datta NR, Bose AK, Kapoor HK, Gupta S. Head and neck cancers: results of ther-moradiotherapy versus radiotherapy. Int J Hyperthermia 1990;6:479–86.

83 van der Zee J, Gonzalez Gonzalez D, van Rhoon GC, van Dijk JD, van Putten WL, Hart AA. Comparison of radiotherapy alone with radiotherapy plus hyperthermia in locally advanced pelvic tumours: a prospective, randomised, multicentre trial. Dutch Deep Hyperthermia Group. Lancet 2000;355:1119–25.

84 Colombo R, Da Pozzo LF, Salonia A, Rigatti P, Leib Z, Baniel J, et al. Multicentric study comparing intravesical chemotherapy alone and with local microwave hy-perthermia for prophylaxis of recurrence of superficial transitional cell carcino-ma. J Clin Oncol 2003;21:4270–6.

85 Issels RD, Lindner LH, Verweij J, Wust P, Reichardt P, Schem BC, et al. Neo-ad-juvant chemotherapy alone or with regional hyperthermia for localised high-risk soft-tissue sarcoma: a randomised phase 3 multicentre study. Lancet Oncol 2010;11:561–70.

CHAPTER

5

표적 치료 및 면역 치료

Targeted and Immune Therapy

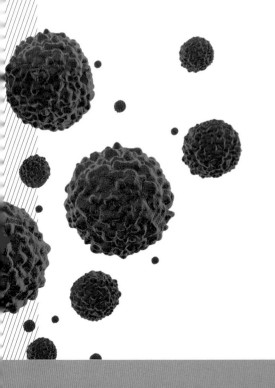

책임저자

김병기 | 성균관대학교 의과대학 산부인과

집필저자

김우영 | 성균관대학교 의과대학 산부인과

노주원 | 차의과학대학교 의학전문대학원 산부인과

어경진 | 연세대학교 의과대학 산부인과

이유영 | 성균관대학교 의과대학 산부인과

Gynecologic Oncology

혈관신생(Angiogenesis)

혈관신생, 즉 신생혈관의 형성은 정상 조직에서뿐만 아니라 종양의 발생과 성장에 있어서 중요한 역할을 한다.[1] 실제로 이러한 혈관신생은 매우 복잡한 과정이며 혈관형성촉진 요소(proangiogenic factors)와 혈관형성억제 요소(antiangiogenic factors)의 균형에 의해 결정된다. 예를 들면 종양의 발생 과정 중 혈관형성촉진 요소들이 혈관형성억제 요소에 비해서 과발현 됨으로써 혈관 생성이 일어나고 이를 통해 종양은 산소와 영양분을 공급받는다. 이는 종양의 혈관신생 기전을 방해하여 종양을 억제할 수 있는 이론적 배경이 된다.[2]

혈관내피성장인자(Vascular Endothelial Growth Factor, VEGF)

혈관내피성장인자 단백질은 부인암 조직에서 대부분 과발현 되는 것으로 알려져 있어 치료의 중요한 표적으로 알려져 있다.[3] 혈관내피성장인자는 성장인자(growth factors)의 한 종류에 속하며 혈관형성(vasculogenesis) 및 혈관신생(angiogenesis)에 관여하여 신체 내 저산소증 상태의 교정에 중요한 역할을 한다.[4] 반면 이러한 혈관내피성장인자가 과발현 될 때에는 특정 질환의 발생을 촉진시킨다고 알려져 있고 고형암이 대표적인 예다.

혈관내피성장인자는 VEGF-A, -B, -C, -D 및 태반성장인자(placenta growth factor, PGF)로 분류하며 각각 고유한 기능을 한다고 알려져 있고 이 중 혈관내피성장인자 A (VEGF-A)가 종양의 성장 및 전이에 가장 중요한 역할을 한다(그림 5-1). 종양은 빠르게 분열하는 세포로 이뤄진 조직이기에 산소와 영양분이 많이 필요하여 종양미세환경(microenvironment)의 관점에서는 다른 정상 조직에 비하여 상대적으로 저산소증 상태가 된다. 저산소증이 있는 세포는 HIF (hypoxia-inducible factor) 등의 특정 물질을 분비하고 이는 혈관내피성장인자 A의 분비를 촉진시킨다. 분비된 혈관내피성장인자 A는 혈관내피성장인자 수용체와 결합하여 혈관신생을 유도하여 결국 저산소증을 극복한다.[5]

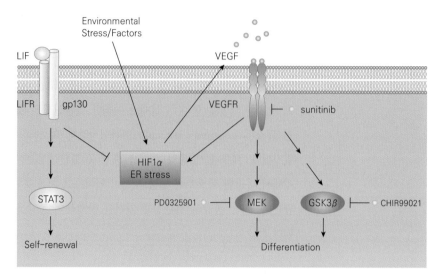

그림 5-1. 혈관 신생에 있어서 혈관내피성장인자 경로

　　실제로 혈관내피성장인자 경로(VEGF pathway)는 부인암에서 활성화되어 있다고 알려져 있으며 이러한 활성화된 혈관내피성장인자 경로의 차단은 여러 전임상시험에서 미세혈관 밀도(microvascular density)를 감소시키고 종양의 성장을 억제한다고 알려져 있다.[6] 가장 잘 알려진 혈관내피성장인자 A 억제제는 베바시주맙(Bevacizumab)으로 혈관신생억제제로서는 가장 먼저 상피성 난소암에서 2014년 미국FDA의 승인을 받았다. 당시 GOG 218 및 ICON7 임상시험을 통해 진행성 상피성 난소암에서 수술 후 시행되는 보조 항암화학요법에 베바시주맙의 병합 및 이후 유지요법으로 무병생존율을 향상시키는 것이 증명되었다. 또한 백금 감수성 또는 내성(platinum sensitive or resistant) 상피성 난소암 환자에게서도 항암화학요법과 병합 및 이후 유지요법이 생존율의 향상으로 증명되었다. 부인암 중 상피성 난소암 이외에 자궁경부암에서도 베바시주맙의 효능이 증명되었다. GOG 240 임상시험은 국소 진행성, 전이성, 재발성 자궁경부암 환자에게 있어서 기존의 항암화학요법에 베바시주맙을 추가한 복합항암화학요법이 항암화학요법 단독과 비교하여 치료 성적의 향상을 증명하는 연구로 베바시주맙을 사용한 군에서 생존율이 의미있게 증가하였다.

　　베바시주맙이 특정 부인암에서 그 효과가 증명되기는 하였으나 이 약제와 관련한 부작용들도 보고되었다. 특징적으로 혈관과 관련된 부작용들이(예, 혈전증, 출혈, 단백뇨, 신증후군, 고혈압, 상처 치유의 장애 및 장 천공 등) 주로 보고되었고 임상적으로는 장 천공 등 심각한 부작용에 대한 환자와 치료 전 상담이 중요하다고 권고되고 있다.

　　베바시주맙에 대한 저항성이 생기는 정확한 원인은 아직 잘 모르나 다른 혈관형성촉진 경로(proangiogenic pathways, 예를 들어, angiopoietin 1 pathway)의 활성화, 면역 세포를 통한 혈관 신생의 활성화, 종양미세환경의 저산소증화 등이 그 원인으로 추정하고 있다.[7] 아직까지 베바시주맙에 대한 반응을 예측할 수 있는 신뢰할 만한 예측표지는 아직 없다. 최근에는 베바시주맙에 다른 표적 치료제(PARP 억제제, 면역관문억제제)를 병합하는 새로운 연구들이 진행 중에 있다.

혈관내피성장인자와 혈관내피성장인자 수용체 경로를 표적으로 하는 혈관신생억제제의 다른 약제로는 VEGF-Trap (recombinant fusion protein) 및 혈관내피성장인자 수용체 티로신 활성효소 억제제(tyrosine kinase inhibitor, TKI)인 파조파닙(Pazopanib), 바탈라닙(Vatalanib), 수니티닙(Sunitinib), 세디라닙(Cediranib), 닌테다닙(Nintedanib) 등이 있다. 재발성 상피성 난소암에서의 어느 정도 효과는 알려져 있으나 초기치료에는 아직 진입을 하지 못하고 있다.[8] 이러한 기전과 달리 angiopoietin-1과 -2의 상호작용을 억제하는 융합단백질인 트레바나닙(Trebananib, AMG386) 또한 임상연구가 진행되었으나 아직은 상피성 난소암의 표준치료로 사용되고 있지 않다.

표피성장인자 수용체(Epidermal Growth Factor Receptor, EGFR; ErbB-1; HER1)

표피성장인자(epidermal growth factor, EGF)는 표피세포의 분열, 이동, 분화, 사멸 등을 통하여 세포의 전반적 성장을 조절하는 것으로 알려져 있다.[9] 표피성장인자는 표피성장인자의 세포막 수용체 단백질로 EGFR (ErbB-1), HER2/neu (ErbB-2), HER3 (ErbB-3) 및 HER4 (ErbB-4)로 구분할 수 있다. 표피성장인자 또는 전환성장인자(transforming growth factor, TGF) 등의 배위자(ligand)에 의해 이러한 수용체들은 활성화되나 표피성장인자 수용체의 이합체화(dimerization)로도 배위자 없이도 자동 인산화 과정(auto-phosphorylation)을 통해 그 하류의 신호전달 단백질들이(MAPK, Akt, JNK 등) 활성화 되어 DNA 합성 및 세포의 증식을 유도하기도 한다(그림 5-2).[10]

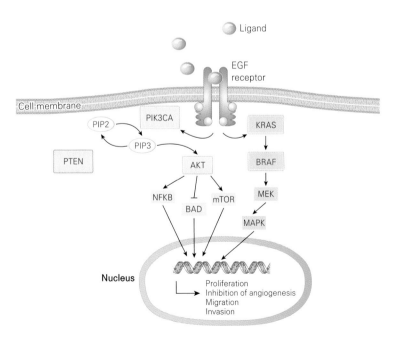

그림 5-2. 표피성장인자 수용체 및 downstream의 신호전달 단백질

표피성장인자 수용체 유전자 변이를 통한 표피성장인자 수용체 과발현은 여러 고형암에서 관찰이 되며 부인암 중 상피성 난소암의 경우 30% 이상, 자궁내막암의 경우 40% 이상의 환자 종양조직에서 표피성장인자 수용체 과발현이 보고되고 있다. 자궁 내막암의 경우 특히 장액성 자궁내막암에서 HER2 유전자의 변이가 42%까지 보고되고 있다.[11]

여러 가지 표피성장인자 수용체의 활성화를 차단하는 표적치료제가 개발되었고 경구용 약제인 얼로티닙(Erlotinib)이 대표적이다. 상피성 난소암에 있어서 얼로티닙 단독 요법 또는 화학항암요법과의 얼로티닙의 복합요법 등에 대한 임상시험이 진행되었으나 대규모 3상 임상시험은 아직 없어서 표준치료로 사용되고 있지 않다. 세툭시맙(Cetuximab)은 상피성 난소암의 초기 치료 시 항암화학요법과의 복합요법에서도 과거의 생존율과 비교해 보았을 때 유의한 생존율의 증가를 확인하지 못하였다. 게피티닙(Gefitinib, Iressa®)는 EGFR tyrosine kinase를 억제하는 저분자량의 quinazoline 유도체로 재발성 상피성 난소암 특히 표피성장인자 수용체 발현량에 따라 그 치료효과(생존율)가 증가하는 것으로 보고되었다. 라파티닙(Lapatinib)은 HER2 및 EGFR tyrosine kinase 수용체 억제제로 자궁내막암에서 2상 연구가 종료되었다.

트라츠주맙(Trastuzumab)은 HER2/neu의 세포 외 구역에 특이 항체로 임상 전 연구에서 세포 사멸을 유도하고, DNA 손상 복구를 방해하고, 종양의 혈관신생 작용을 억제하여 항종양효과가 나타난다고 보고되었다. 종양유전자인 HER2/neu의 과발현은 부인암 특히 난소암의 20~30%에서 발견된다. 자궁경부암 및 장액성 자궁내막암에서도 드물지만 HER2/neu의 과발현이 관찰되기도 한다. 하지만 임상적 효능은 아직 제한적이다. HER2/neu가 과발현된 진행/재발성 장액성 자궁내막암의 치료로 항암화학요법과 병합치료하였을 때 항암치료 단독군보다 유의한 무진행생존율의 향상을 보고하였다.[12]

Mitogen-Activated Protein Kinase (MAPK) 경로

MAPK (mitogen-activated protein kinase)는 serine/threonine kinase군의 일원으로 앞서 언급한 성장인자에 의해 활성화된다. 활성화된 MAPK는 막에 있는 RAS로부터 신호를 전달받아 핵에서 유전자 발현을 조절한다. MAPK는 전사인자를 인산화시켜 전사인자의 활성에 영향을 미친다. 이러한 연쇄반응에는 RAS, MEK1/2, ERK1/2 등의 많은 단백질들이 관여한다고 알려져 있다(그림 5-3).[13]

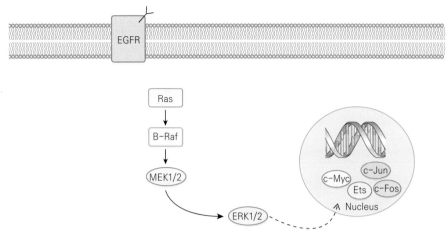

그림 5-3. MAPK 신호전달 경로

소라페닙(Sorafenib)은 MAPK 경로 억제제 중 가장 먼저 임상적으로 효능을 보인 약제이다. Raf를 표적으로 하는 소라페닙은 VEGFR, FT3 등을 동시에 억제한다고도 알려져 있으며 이러한 MAPK 억제제는 저등급 장액성 난소암의 경우 약 30%에서 RAF 또는 KRAS의 유전자 변이로 MAPK 경로가 활성화되었기 때문에 좋은 약물 후보군으로 알려져 있다.[14]

Poly ADP-Ribose Polymerase (PARP)

Poly ADP-ribose polymerase (PARP)는 DNA 손상의 복구, 유전자의 안전성 유지, 그리고 예정세포사(programmed cell death) 등 여러 세포 내 과정에 관여하는 단백질 계열이다. DNA 손상은 염기 절제, 불일치 복구, 직접 복구, 뉴클레오타이드 복구 등 세포 내의 여러 경로를 통해 복구될 수 있다.[15] 세포 내에서 DNA 손상에 대한 왕성한 복구 활동은 세포독성 항암치료에 대한 일종의 저항기전으로 알려져 있다.[16] 이 중에서도 PARP는 단일가닥 DNA 손상을 복구하는데 중요한 역할을 하는 데 몇 가지 중요한 작용기전이 존재한다(그림 5-4). PARP 활동이 저해되면 DNA 단일가닥 손상이 이중가닥 손상으로 발전될 수 있으며 결국에는 세포의 사멸을 초래할 수 있다. BRCA 변이를 가진 사람은 종양세포가 이중가닥 손상을 복구하는 기본 메커니즘인 상동재조합복구(homologous recombination repair, HRR)의 기능이 제대로 작동하지 않는다. 따라서 이러한 BRCA 변이가 있으면 PARP 저해제가 효과를 가질 수 있다(그림 5-5). 또한 PARP는 비상동말단연결 (nonhomologous end joining, NHEJ)이라고 하는 별도의 DNA 복구 기전을 촉진시키기도 하는 데 비상동말단연결은 종종 복구과정에서 고장을 유발하여 세포의 사멸을 일으킨다. PARP 억제제는 PARP 단백질이 DNA 복합체와 결합되어 DNA의 복구와 복제를 방해하는 과정인 trapping이라는 과정에 의해서 항암작용을 가진다. 그런데 BRCA 변이를 가진 환자에서도 PARP 억제제에 내성을 보이기도 하는 데 이러한 내성 기전에 대한 연구가 이 약제의 다양한 사용에 유용할 것으로 보인다. PARP 억제에 대한 유용한 바이오 마커로는 RAD51, TP53BP1 발현도 등이 있다. PARP 억제제는 BRCA 변이와 난소암의 연관성을 고려하여 주로 난소암에서 연구되어 왔다. 또한 상동재조합결핍(homologous re-combination deficiency)이 있는 종양에서도 PARP 억제제의 사용가능성이 연구되고 있다. 자궁내막암에서 phosphatase and tensin homolog (PTEN) 변이가 있는 경우 PARP 억제제에 대한 반응이 증가될 수도 있다. 또한 항암제 또는 방사선과의 병합치료에 대한 전임상자료도 부인암 영역에서 PARP 억제제의 가능성에 대해 보여주고 있다.

올라파립(Olaparib)은 난소암에서 가장 많이 연구되었는데 BRCA 변이를 일으킨 세포에서 합성 치사(synthetic lethality)를 유도한다. 24명의 환자를 대상으로 올라파립 100mg을 하루에 2회 복용한 연구에서 12.5%의 반응률과 16.7%의 임상적 효용성을 보였다. 또한 33명의 환자를 대상으로 400mg을 하루에 2회 복용 시 33%의 반응률과 57.6%의 임상적 효용성을 보였다.[17] 또한 올라파립은 이전에 항암제를 여러 번 투약한 환자에서 항암제에 대한 감수성을 재유도하는 것으로도 보인다. 벨리파립(Veliparib)은 PARP-1 및 2를 억제하는 경구용 약제로서 재발성 난소암에서 가능성을 보여주고 있으며 항암제와의 복합요법 후 지속요법으로서 효용성에 대해 연구가 진행 중이다. (GOG 3005) 루카파립(Rucaparib)은 PARP-1 및 2를 억제하며 현재 ARIEL 3 임상을 진행 중이다. 니라파립(Niraparib)은 PARP-1 및 2를 억제하며 300mg 용량으로 사용한다.

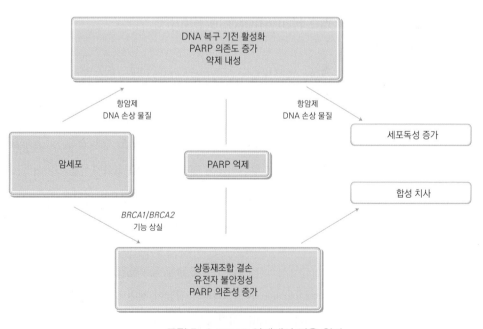

그림 5-4. PARP 억제제의 작용 원리

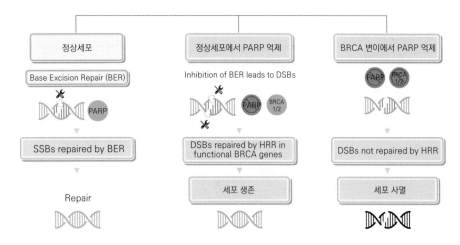

그림 5-5. 합성 치사에 있어서의 PARP 억제제의 역할

PARP, poly ADP-Ribose Polymerase; SSB, single strand breaks; DSB, double strand breaks; HRR, homologous recombination repair

Phosphatidylinositol-3-Kinase/AKT 경로

PI3K/AKT 경로는 세포의 생존, 성장, 그리고 세포자멸사(apoptosis)에 있어서 중요 역할을 하는 것으로 알려져 있다.[18] PI3K/AKT 경로는 표피성장인자 수용체, insulin-like growth factor receptor (IGFR) 같은 다양한 tyrosine kinase 수용체에 의해서 활성화될 수 있다. 이러한 경로의 활성화는 PI3K family와 같이 시작되는데 PI3K가 활성화되면서 PIP2를 PIP3로 인산화시키게 된다. PIP3는 이차 메신저로 작용하여 여러 표적과 결합하여 이들을 원형질막(plasma membrane)으로 끌어들여 활성화시키게 된다. AKT는 PIP3 활동의 중요한 중재자인데, AKT가 활성화되면 여러 표적에 작용하여서 세포의 생존, 증식, 세포자멸회피, 항암제 내성 등에 영향을 미치게 된다. AKT의 중요한 표적 중 하나가 mTOR인데 AKT에 의해서 mTOR가 상향조절되면 S6 kinase가 활성화되면서 세포 주기를 통한 단백질의 합성과 성장에 영향을 미치게 된다. PI3K/AKT 경로는 다양한 악성 종양질환에 의해서 활성화 되는 것으로 알려져 있는데, 특히 부인암에서 잘 알려져 있다. 10번 염색체에 있는 PTEN은 종양억제 유전자인데 직접적으로 PIP3를 PIP2로 탈인산화시킨다. 따라서 PTEN 변이나 기능결손이 있는 환자는 PIP3가 과도하게 축적되어 AKT 경로를 활성화시키게 된다. PI3K/AKT 경로는 PIK3CA 변이에 의해서도 종종 활성화된다. PI3K/AKT 경로는 종양치료에 있어서 유망한 표적이고 이를 겨냥한 여러 약들이 현재 개발 중에 있다. 그러나 경로에 있는 여러 표적 중 한 개만 억제하는 것은 종양의 성장에 영향을 미치는데 충분하지 못할 수 있는데 이는 경로 간에 다양한 연결 소통이 존재하기 때문이다.

mTOR 표적치료제는 PI3K/AKT 경로의 주요한 단백질인데 mTORC1과 mTORC2로 구성되어 있다. 초기에 부인암에서는 mTORC1을 대상으로 시도하였는데 효과가 미미하여서 최근에는 mTORC1과 mTORC2를 모두 억제하는 약을 개발하였다. 템시롤리무스 (Temsirolimus, CC1-779)는 수용성 라파마이신(Rapamycin)의 에스테르화 물질로서 25mg 을 매주 정맥주사하는 요법으로 사용되며 재발성 또는 전이성 자궁내막암에서 항암제와 의 병합요법으로 주로 연구되어 왔다.[19] 에버롤리무스(Everolimus, RAD001)는 경구용으로 사용되며 재발성 자궁내막암에서 하루 10mg을 사용하는 단독요법으로는 임상적 효과 가 크지 않아서 항암제나 호르몬제와의 병합요법으로 주로 사용된다.[20] 특히 호르몬제 와의 병합요법은 유방암과 자궁내막암에서 관심이 큰데 이는 이들 종양의 내분비적 저 항성이 PI3K의 활성화와 연관이 있을 가능성 때문이다. 리다포롤리무스(Ridaforolimus, AP23573; MK-8669)는 경구와 정맥 모두 투여 가능하다. 진행되거나 재발한 자궁내막암 환 자에서 2주 간격으로 12.5mg을 정맥으로 5일 연속 투여한 경우에 45명 중 13명에서 임 상적 효용성을 보여주었다. 3주 간격으로 40mg을 5일 연속 복용하는 요법에서도 정맥 투여 요법과 상응한 결과를 보여주었다.[21]

AKT 표적치료제 중 몇 가지 약제가 개발 중이나 아직 개발 초기단계에 머물고 있다. MK-2206이 몇몇 종양 모델에서 in vitro과 in vivo에서 효능을 보이고 있음이 확인되었 다.[22] PI3K 표적치료제 중 현재 2개의 PI3K 억제제(Pilaralisib과 Enzastaurin)가 제2상 임 상 연구를 하고 있다.[23] 이러한 표적 치료제를 복합적으로 사용하는 초기 임상이 현재 많이 진행중인데, 대표적인 것이 PI3K/mTOR, PI3K/AKT, PI3K/MEK 등의 병용 임상이 다. 하지만 현재까지는 이러한 표적치료제 병용요법을 사용한 대다수의 임상은 독성의 증가로 인하여 그 효과가 아직은 불분명한 것으로 알려져 있다.

면역치료: 면역 시스템의 구성요소와 치료 전략

면역 시스템의 구성 요소와 치료 전략

항암 반응에 관여하는 면역 체계의 구성 요소

다양한 유형의 면역 반응이 종양 세포를 표적으로 삼을 수 있다. 면역 반응은 체액성 또 는 세포성으로 분류되는데, 이는 일부 면역 반응은 혈청에 의해, 다른 것들은 세포에 의 해 전달될 수 있다는 관찰에 기초한 구별 방식이다. 일반적으로 체액 반응은 항체 반응 을 의미한다(그림 5-6). 세포성 면역 반응은 일반적으로 항체 생성보다는 활성화된 면역 세포에 의해 직접 매개되는 세포 독성 반응을 의미한다(그림 5-7).

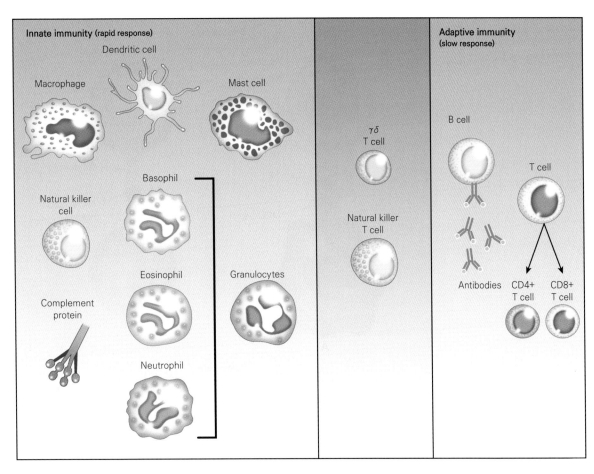

그림 5-6. 면역체계의 구성 요소

Owen M. et al. Immunology. 5th ed. Mosby-Year Book; 1998.

　거의 모든 면역 반응은 체액성 및 세포성 성분을 포함하며, 항원 제시 세포와 협력하여 작동하는 림프구 집단의 조화된 활동을 필요로 한다. 이러한 활동은 항체 생성, 시토카인 분비 및 세포 독성 T세포의 자극 및 확장과 같은 다양한 작용기 기능(effector function)을 유발한다. 면역 반응과 관련된 세포 상호작용은 직접 세포-세포 접촉뿐 아니라 시토카인의 분비 및 반응에 의해 매개되는 세포 상호작용을 포함한다.

　T림프구는 체액성 및 세포성 면역 반응의 생성 및 세포 반응에서 작용기 세포(effector cells) 및 헬퍼 세포로서 작용함으로써 중요한 역할을 한다. 세포 독성 T세포(cytotoxic T cells)는 세포 독성 분자의 방출 및 표적 세포 사멸 유도를 통해 표적 세포와 직접 상호작용하고 죽일 수 있는 작용기 T세포(effector T cells)이다. T림프구 전구체는 흉선에서 기능적 T림프구(functional T lymphocytes)로 성숙하며, 거기에서 그들은 각각의 주조직적합체(major histocompatibility, MHC) 분자의 맥락에서 항원을 인식하는 것을 배운다. 자기 항원에 반응하는 능력을 가진 대부분의 T림프구는 흉선 발생 시 제거된다. T림프구는 생물학적 활성과 T세포 항원 수용체 및 CD3 분자 복합체를 비롯한 특유의 세포 표면 분자의 발현에 의해 다른 종류의 림프구와 구별된다. T림프구는 T세포 항원 수용체와 관련된 상호작용에 의해 특정 항원을 인식한다(그림 5-7).

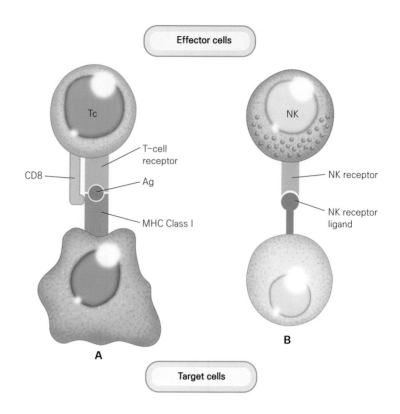

그림 5-7. 세포성면역

A 세포독성T세포(Tc)가 주조직적합체(major histocompatibility complex, MHC)에 있는 특이 항원을 인식을 통해 표적과 결합한다. **B** 자연살해세포는 자연살해수용체 배위자(natural killer receptor ligands)를 통해서 비특이적인 표적을 인식한다.

    T림프구의 두 가지 중요한 하위 집합이 존재하는데, CD4 세포 표면 마커를 가진 T헬퍼/유도 세포(T helper/inducer cells)와 CD8 마커를 가진 T억제기/세포 독성 세포(T suppressor/cytotoxic cells)이 그것이다. CD4 T림프구는 B림프구를 도와서 항체 생산을 유도하고 다른 T림프구의 보조 세포로 작용할 수도 있다. T림프구의 보조 활동의 대부분은 시토카인 생산에 의해 매개된다. CD4 T세포는 TH1(세포 면역/염증성) 및 TH2(항체 반응 촉진) 서브 세트로 세분되며, 이 구분은 이들 세포의 시토카인 생산 및 생물학적 특성 패턴에 기초한다. 최근 연구에서는 자가 면역 반응을 예방하는 역할을 할 것으로 예상되는 자가반응 세포(autoreactive cells)를 억제하는 일부의 T세포가 확인되었다.[24] 이러한 T세포는 조절 T (Treg)세포라고 불린다. 최근 보고된 다른 T세포 서브 세트에는 박테리아와 곰팡이에 대한 반응을 유도하는 데 중요한 TH17 세포도 있다.[25]

    CD8 T림프구 중에는 세포 독성이 있어 대상 세포를 직접 죽일 수 있는 T세포가 있다. 이러한 세포 독성 T림프구의 주요 생물학적 역할은 바이러스에 감염된 세포의 용해인데, 아울러 종양 세포의 용해를 직접 중재할 수 있다. 작용기 T세포는 또한 종양괴사인자(tumor necrosis factor, TNF)와 같은 시토카인을 생성함으로써 종양 세포 용해를 유도하고 다른 항 종양 세포 작용기 반응을 향상시킬 수 있는 항 종양 면역 반응에 기여할 수 있다.

    CD4 및 CD8 T세포는 모두 항원 제시 세포, 표적 세포 또는 둘 모두에 대한 MHC 분자의 맥락에서 제시되는 경우에만 항원에 반응한다. CD4 T세포상의 T세포 수용체는 항원 + MHC class II 분자에 반응하는 것으로 제한되며, CD8 T세포상의 수용체는 항원 + MHC class I 분자에 대한 반응으로 제한된다. 또한, CD4 및 CD8 T세포 모두는 최적의 자극을 위해 제 2의 동시 자극 신호를 필요로 하는데, 이러한 동시 자극 신호가 없다면 T세포가 반응하지 않거나 또는 심지어 세포자멸사의 상태로 유도되지 않을 수도 있다. 따라서, 효과적인 보조 자극 신호의 제공은 활성화된 T세포에 의한 효과적인 항 종양 반응의 유도에 필수적이다.

난소암에서 종양 침윤 림프구(tumor-infiltrating lymphocytes, TILs)의 존재는 진행성 및 전체생존율과 상관 관계가 있다. 특히, CD8 양성 TIL은 예후인자로서, 질병의 모든 단계와 모든 조직학적 유형에 걸친 생존과 관련이 있기 때문에 주요 예후인자이다. 대조적으로, 난소암에서 면역 억제 Treg 세포(CD4+/CD25+/FoxP3+ T세포)의 존재는 생존율 감소와 관련이 있다.[26]

B림프구는 항원에 결합하는 분자인 항체를 생산하고 분비하는 세포이다. B림프구는 B 전구 세포(pre-B cells)에서 발생하고 항원과 적절한 활성화 신호에 노출 된 후 분화되어 플라스마 세포(대량의 항체를 생산하는 세포)가 된다. 성숙한 B림프구는 항원 수용체로서 세포 표면 면역 글로불린 분자를 사용한다.

항체 생산 이외에도 B림프구는 또 다른 중요한 역할을 하는데, T림프구에 대한 효과적인 항원 제시 세포 역할을 수행 하는 것이다. 항 종양 항체의 생산이 항 종양 면역 반응에서 핵심적인 역할을 하는 것으로 보이지는 않지만, 종양 관련 항원과 반응하는 단일 클론 항체(monoclonal antibodies)는 종양 또는 종양 세포의 검출뿐 아니라 항암 치료에도 매우 유용하다고 입증되었다. 그러나 진정으로 종양 특이적이라고 볼 수 있는 항원은 아직 발견되지 않았고, 대부분의 알려진 종양 관련 항원은 비 악성 종양에 어느 정도 표현된다.

대식세포(macrophage) 및 수지상 세포(dendritic cell, DC)는 항원 제시 세포로 작용하여 적응성 림프구(adaptive lymphocyte)가 매개하는 면역 반응 생성에 중요 역할을 한다. 특이 항원에 대한 T세포 수용체를 지닌 T헬퍼/유도 세포(T helper/inducer cells)는 자가 MHC (self-MHC) 분자와 결합한 항원을 나타내는 항원 제시 세포에 의해 활성화된다. 또한, 항원 제시 세포는 T림프구 활성화 유도에 주요 공자극 신호(costimulatory signals)를 제공한다. 대식세포는 항원 제시 세포로 작용하는 것 외에도 미생물을 섭취하여 죽일 수 있으며 세포 독성 항암 킬러 세포로 작용할 수 있다. 아울러, 이 세포는 많은 면역 반응에 관여하는 IL-1, IL-6, 케모카인, IL-10 및 TNF를 비롯한 다양한 시토카인을 생성한다. 이러한 단구에서 생산된 시토카인은 성장 유도 또는 성장 억제 인자로서 종양 세포성장 및 발달에 직접적으로 영향을 미친다.

자연살해세포(natural killer cells, NK cells)는 CD3 T세포 수용체 복합체를 발현시키지 않으며 특정 항원에 반응하지 않는 큰 과립 형태의 림프구 형태를 띤다. NK 세포는 종양 세포를 포함한 표적 세포에서 특정 항원 또는 자가 MHC 분자 발현에 제한 없이 표적 세포를 용해시킬 수 있다. 따라서, NK 세포는 선천적이고 항원 비특이적인 면역 반응에서의 작용기 세포이며, 종양 세포에 대한 면역 반응에 중요 역할을 한다.

시토카인은 면역 반응을 유도, 향상시키는 매개 물질이며, 다양한 유형의 세포에 의해 생성되고 면역 반응뿐 아니라 조혈 또는 급성 반응 등에서도 중요한 역할을 한다. TH1 세포와 TH2 세포는 특이적으로 상호 억제하는 시토카인 세트를 분비함으로써 면역 반응의 특성을 조절하며, 생성되는 시토카인에 의해 정의된다. TH1 클론은 IL-2와 IFN-γ를 생성하는 반면, TH2 클론은 IL-4, IL-5, IL-6, IL-10을 생산한다. TH1 시토카인은 세포 매개 반응 및 염증 반응을 촉진하는 반면, TH2 시토카인은 항체 생산을 향상시킨다. 대부분 면역 반응은 TH1과 TH2 성분을 모두 포함한다.

자기 반응성 림프구의 활성화와 확장을 적극적으로 억제함으로써 자기 내성 유지에 관여하는 CD4 양성 T세포가 확인되었는데, 이러한 세포를 Treg 세포라고 한다. Treg 세포는 CD25 (IL-2 수용체 사슬)와 전사 인자 FoxP3의 발현을 특징으로 한다.[27] 본 세포의 활동은 자가 면역 질환의 발병을 막는 데 중요하다고 여겨진다. 또한 Treg 세포를 제거하면 감염병이나 암에 대한 면역 반응을 향상시킬 수 있다. 항 종양 면역에서 Treg 세포 활성의 역할에 대해 많은 것이 아직 밝혀져 있지 않지만, 이러한 세포가 암에 대한 숙주 반응을 조절하는 데 중요한 역할을 한다는 사실은 분명해 보인다.

면역 시스템을 활용한 치료 전략

1) 암 백신(cancer vaccines)

암은 면역 세포들이 충분히 활성화되지 않아 종양 세포를 파괴하지 못하게 되어 발생 및 진행하는 것으로 알려져 있다. 암 세포들은 체내 면역 반응을 하향조절을 시키는데, IL-10과 같은 시토카인이 항암 면역반응을 방해하는 것이 대표적인 예이다.[28,29] 이러한 암 세포의 면역 회피는 항원 발현세포(antigen presenting cell, APC)의 활동성을 강화 시키거나, 항암작용에 효과적인 T세포의 발현을 유도하는 등의 다양한 전략을 통해 극복할 수 있으며 이것이 암 백신 전략이다.

2) 자궁경부암

면역 증진을 통하여 부인암을 치료하려는 노력의 가장 큰 성공 사례는 자궁경부 이형성 세포 및 자궁경부암 예방에 효과적인 인유두종바이러스(human papillomavirus, HPV) 백신의 개발이라고 할 수 있다.[30] 또한, HPV에 감염된 자궁경부 이형성증과 암성 자궁경부 상피세포는 HPV 치료용 백신의 개발을 포함하여 면역 증강에 기초한 치료 전략의 매력적인 표적이 되고 있다. 특히 16, 18, 31, 그리고 45번 HPV는 자궁경부암의 주요 병인으로 알려져 있다. HPV에 감염된 이형성 및 암성 자궁경부 상피 세포는 p53 및 망막모세포종 억제 유전자(retinoblastoma tumor suppressor gene)의 기능을 파괴하는 두 가지 바이러스 유전자 E6와 E7을 일관되게 발현한다. 세포 면역 기능 등과 같은 HPV 감염 이외 요인들은 자궁경부 상피 세포의 감염이 암으로 진행될지 여부를 결정하는 중요 역할을 한다. 이러한 사실을 근거로 하여 HPV에 대한 예방적, 치료적 백신 개발과 함께 숙주 면역 기능의 향상에 기초한 치료 접근법을 개발해왔다. HPV 예방백신은 HPV 감염과 이와 관련한 자궁경부 상피내종양 발병률을 현저하게 감소시켜 탁월한 항 종양 효능을 나타낸다.[31] HPV 예방백신 가다실(Gardasil®)과 써바릭스(Cervarix®)는 HPV와 동일한 입자를 면역원으로 사용하여 HPV 중화 항체를 생성한다. HPV 기반한 치료백신은 궁극적으로 자궁경부암을 치료하는 데에 효과적일 것으로 예상된다.[30] 예방백신은 HPV의 주된 캡시드 단백(capsid protein)인 L1을 구성하는 바이러스 양 입자(virus-like particles, VLP)로서 HPV 감염, 체내에서의 지속, 그리고 자궁경부 상피내종양으로의 진행을 효과적으로 억제한다. HPV 예방백신은 L1과 L2의 표면항원을 목표로 하고 있는데, L1, L2 표면항원은 자궁경부상피의 기저층(basal layer)을 이루고 있는 세포와 변형 세포(transformed cell)에서는 발현이 잘 안되어 이 부위에 있는 HPV를 치료할 수 없다. 또한 예방백신은 항원 항체 반응을 유도하는데 이미 감염된 세포는 체액성 면역으로 치료될 수 없고, 세포성 면역 반응에 의해서만 치료될 수 있다. 이러한 예방백신의 치료적 한계점 때문에 치료백신의 개발이 필요하며 대부분의 치료백신은 기저층에 있는 세포와 변형세포에서도 발현이 잘되고 있는 E6과 E7 단백질을 목표로 하고 있다.[30,32]

3) 난소암

난소암은 복강이 시토카인의 생성에 좋은 환경을 가지고 있다는 점에서 시토카인 치료에 매력적인 환경을 제공한다. 종양과 정상 복막 세포는 서로 다른 시토카인의 분비 양상을 보이며 이 중 일부는 서로 다른 작용을 함으로써 종양에 대한 면역반응을 억제하거나 증강시킬 수 있다. 몇몇 시토카인은 종양세포의 성장을 억제하거나, 성장과 생존을 하향 조절할 수도 있지만 다른 종류는 항원 형성을 변화시킬 수도 있다. 펩타이드 백신(peptide vaccines)은 HY-ESO-1, p53, WT-1, HER-2와 혈관내피성장인자 등 난소암에서 발현되는 다양한 표적 항원에 대한 항암 면역 반응을 자극하도록 고안되었다.[33] 이 백신은 일반적으로 지속적인 면역 반응을 일으키면서도 부작용은 적은 것으로 알려졌다. 펩타이드 백신은 생체 내 면역 반응을 향상시키기 위해 항원보강제 또는 과립구대식세포집락자극인자(granulocyte-macrophage colony-stimulating factor, GM-CSF)와 같은 보조제와 함께 종종 투여된다.

단클론항체(Monoclonal Antibodies) 및 항체기반 면역치료

1) 단클론항체

단클론항체란 특정한 모세포에서 기원한 동일 면역세포에 의해 형성된 항체를 말하며, 일가(monovalent) 친화력을 지닌 항체이다.

2) 작용기전

① 단클론항체는 암세포에서 발현하는 비정상적인 특정 단백에 결합하여 면역세포가 종

양세포를 공격할 수 있도록 표식(flag)을 한 후, 보체(complement) 활성화를 통해 종양 세포 용해를 유도할 수 있다.

② 종양세포 표면의 신호전달분자와의 상호작용을 통해 직접적인 종양성장억제 효과를 유도할 수 있다. [34]

③ 면역복합물질(immune complex)를 형성하여 포식세포의 작용을 항진시킨다.

④ 단클론항체의 Fc 부분이 수용체와 결합한 후, 항체의존 세포매개 세포독성(anti-body-dependent cell-mediated cytotoxicity, ADCC) 반응을 유도한다.

⑤ 항체 단독뿐만 아니라, 여기에 방사성 입자나 항종양 약제를 결합하여 종양억제를 유도할 수 있다. [35]

면역관문억제제(immune checkpoint inhibitor): 세포예정사단백(programmed cell death protein, PD)-1과 세포예정사단백리간드 1 (PD-L1)는 세포의 표면에 존재하는 단백으로, 자기 자신의 조직으로부터의 면역반응을 억제하는데 중요한 면역관문 역할을 한다(그림 5-8). 많은 악성종양에서 면역기능을 회피하는 기전을 가지고 있으며, 이 회피경로를 차단하는 항체를 이용하여 종양억제를 유도할 수 있으며, 이를 면역관문억제제로 분류한다. 면역관문억제제는 PD-L1이 그 수용체인 PD-1과 결합하여 면역회피를 하는 기전을

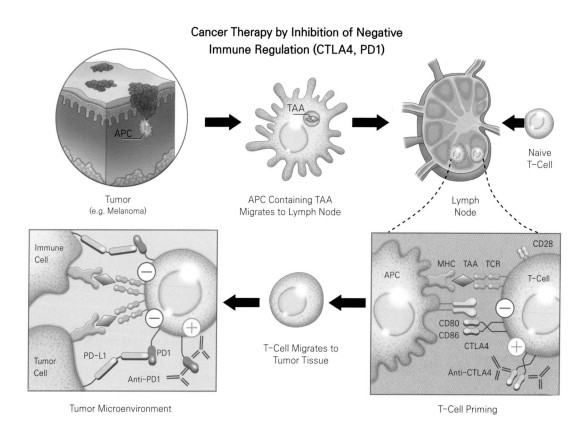

그림 5-8. 면역관문억제제를 통한 항종양 면역치료법의 기전

억제한다. 즉 PD-1 또는 PD-L1에 대한 항체를 이용하여 항종양 효과를 유발한다.[36]

3) 치료제의 예

① 베바시주맙(Bevacizumab, Avastin®): 혈관내피성장인자-A에 대한 단클론항제로 대장암, 폐암, 난소암, 자궁경부암 등에서 효과가 입증되었다.

② 세툭시맙(Cetuximab, Erbitux®); 표피성장인자수용체에 대한 단클론항체로 대장암, 폐암, 두경부암에서 효과가 입증되어 있다. 단, wild-type KRAS 유전자형을 가지고 있는 경우가 효과가 있어, 이를 확인 후 사용해야 한다. [37]

③ 면역관문억제제의 예로는 이필리무맙(Ipilimumab, Yervoy®), 니볼루맙(Nivolumab, Opdivo®), 펨브로리주맙(Pembrolizumab, Keytruda®), 아테졸리주맙(Atezolizumab, Tecentriq®), 아벨루맙(Avelumab, Bavencio®), 더발루맙(Durvalumab, Imfinzi®) 등이 현재 개발되어 있으며, 활발한 임상시험이 진행되고 있다.

④ 이러한 약물은 특정 종양을 목표로 허가가 되기도 하나, 특정 종양이 아닌 특정한 유전자 변화에 따라 사용이 결정되기도 하는데, 그 예로 종양의 종류에 관계없이 DNA 불일치 복구(DNA mismatch repair, MMR)에 결함이 있는 종양은 결과적으로 현미부수체(microsatellite) 불안정이 발생하고, 면역세포가 쉽게 종양세포를 공격할 수 있어, 약제의 효과를 더 기대할 수 있다. 이러한 경우 특정 종양이 아닌, 수술이 불가능한 모든 종류의 종양을 대상으로 적용이 가능하며, 이러한 약제를 '종양불인지 치료법(tumor-agnostic treatment)'이라고 부른다.[38]

⑤ 난소암에 대한 항체치료에는 난소암의 세포 특이 항원에 대한 것과, 다른 종류의 암종과 공통으로 발현하는 항원을 이용한 방법이 있으며, 난소암 특이 항원으로는 CA125, 엽산수용체 등이 있으며,[39,40] 공통 발현 항원으로는 survivin, hTERT 등을 이용한 항체 치료가 보고되어 있다.[41] CA125를 이용한 면역치료제의 예로서 쥐에서 생성된 단클론항체인 오레고보맙(Oregovomab)은 순환하는 CA125 항원과 결합하여 면역복합체를 만들고, 이는 항체 중 쥐에서 유래된 부분이 이물질로 작용하여 면역반응을 촉진하여 항종양효과를 나타내게 된다.[42]

입양면역요법
(Adoptive Immunotherapy)

1) 정의

체외에서 항종양 효과를 보이는 면역세포를 증식하고, 확대한 후 다시 체내에 작동세포(effector cell)을 전달하여 면역기능을 통해 항종양효과를 나타내고자 하는 치료이다(그림 5-9).[43] 주로 항종양효과를 보이는 T세포를 수집하여 이를 체외에서 자극 및 확장한 후 항종양효과를 극대화한 후 다시 체내에 주입하는 방법을 사용한다.[44]

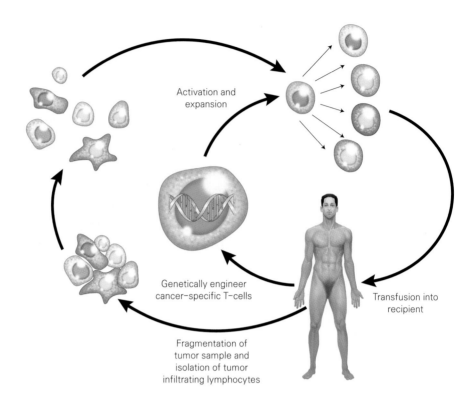

Activation and
expansion

Genetically engineer
cancer-specific T-cells

Transfusion into
recipient

Fragmentation of
tumor sample and
isolation of tumor
infiltrating lymphocytes

그림 5-9. **입양면역**(adoptive immunotherapy)

2) 종양침윤림프구(tumor-infiltrating lymphocytes, TILs)

종양으로 침윤하는 림프구를 이용한 입양면역치료는 흑색종 치료에 있어 가장 효과적인
치료법으로 알려져 있으며, 높은 반응률을 보여주었고, IL-2와 이필리무맙을 병행치료한
비교에서도 여전히 더 좋은 장기생존율을 보고한 바 있다. 난소암에서도 이를 단독 또는
IL-2를 함께 사용한 연구결과가 보고되어 있다.[45]

3) 키메라항원수용체(chimeric antigen receptor, CAR) T세포

목표로 하는 특정 단백질에 반응하는 새로운 T cell을 유전자기술로 만들어 낸 것으로
키메라라는 의미는 하나의 수용체에 새로운 항원과 결합함과 동시에 면역반응을 유발할
수 있는 반응을 동시에 나타낼 수 있도록 만들었기 때문이다. 자가 또는 타인에서 T세포
를 추출한 후 외부에서 유전자조작을 통해 새로운 CAR-T 세포를 만들어 다시 주입하는
것으로, 이때 목표 유전자가 종양에서만 발현되고 정상세포에서 발현되지 않는 것을 선
택하는 것이 중요하다. 이 치료법은 주로 백혈병 등의 혈액 종양에서 치료효과가 입증되
었다.[46] 엡스타인-바 바이러스(Epstein-Barr virus, EBV)-특이 T세포 면역치료는 EBV 항원
을 발현하는 조혈모세포 이식을 받은 수용자에서 이식 후림프세포증식병(post-transplant
lymphoproliferative disease, PTLD)을 예방하기 위해 사용된다.[47]

시토카인(Cytokine) 치료 및 면역조절 (Immunomodulation)

시토카인은 세포 신호전달에 중요한 다양한 종류의 작은 단백질(~5-20kDa)을 통칭하는 범주를 말하며, 자가분비(autocrine), 주변분비(paracrine), 또는 내분비(endocrine) 신호전달 등의 다양한 경로를 통하여 면역조절제(immunomodulating agent)로서 작용할 수 있는 물질을 말한다. 이 외에도 면역을 직접적으로 조절 하기보다 면역을 조절하는 과정에 관여하는 인자를 조절하여 간접적으로 치료효과를 내는 경우는 면역조절요법이라 통칭한다. 시토카인의 종류에는 케모카인(chemokine), 인터페론(interferon), 인터루킨(interleukin), 림포카인(lymphokine), 그리고 종양괴사인자 등을 포함한다. 시토카인은 대식세포, B림프구, T림프구, 비만세포, 내피세포, 섬유모세포 등 다양한 세포에서 생성된다.

시토카인은 면역기능에 중요한 수용체를 통해 작용하고, 체액 또는 세포면역 과정의 균형을 조율하게 되고, 세포성장, 성숙, 반응성 등을 조절하여 다양한 방법으로 면역을 항진 또는 억제할 수 있다. 시토카인 면역치료는 악성 종양에 대한 면역반응을 조절하여 종양을 억제할 수 있는 효과적인 면역을 유도하기 위하여 시도되었으며, 단독보다는 항암치료, 방사선치료, 수술 등의 전통적 치료법과 병행하여 시도되는 경우가 대부분이다. 특히 흑색종이나 신세포암의 치료에 있어서 많은 종류의 시토카인 치료제가 시도되었으며, 인터페론-감마, 인터페론-알파, 인터루킨-2, 종양괴사인자 알파, 인터루킨-12, 과립구대식세포집락자극인자 등이 시도되었다.[48] 시토카인 치료제 개발의 가장 중요한 제한은 높은 부작용 발생률인데, 오심, 구토, 발열, 두통 등의 발생이 높은 경우가 많다. 시토카인을 이용한 치료에는 시토카인 자체를 사용하는 것뿐만 아니라, 시토카인의 작용을 억제하기 위해 단클론항체를 이용하여 면역반응을 억제하는 것 등도 포함된다.[48] 난소암에서는 시토카인을 이용한 면역치료법을 복강 내에 사용하고자 하는 시도가 여러 차례 있었다. 복강내에서 직접 종양세포와 접촉하여 면역반응을 유도할 수 있다는 점에서 유리할 것으로 생각되었으며, 현재까지 인터페론-감마, 인터페론-알파, 인터루킨-2을 이용한 복강 내 치료가 시도되었으며, 다양한 결과를 보고하고 있으며,[49] 대표적으로 인터페론-알파를 백금계열 항암제와 병합하여 복강 내에 직접 투여하여 치료한 연구에서 27명 중 14명에서 장기억제 효과를 나타냈음이 보고된 바도 있다.[50]

다른 종류의 면역조절 방법으로 최근 관심을 받고 있는 것으로는 T세포의 한 종류인 Treg가 있다. 이는 과거 억제 T세포로 불리우기도 했으며, 조절 T세포를 말한다. Treg는 세포독성 T세포의 활성화를 억제하고, 항종양 면역작용을 억제하는 것으로 생각되며, 난소암 환자의 복수, 혈액, 종양내에서의 증가가 보고되어 있다. 결국 Treg를 억제하면 항종양효과를 항진시킬 수 있다고 생각되나, 현재까지 단클론항체를 이용한 Treg 억제는 아직 뚜렷한 연구성과를 내지 않고 있어, 이를 억제하는 방법에 대한 추가적인 연구가 필요할 것으로 생각된다.[51]

표적치료제의 부작용과 RECIST 기준

1) 고혈압

표적치료제의 부작용 중 약 40%에서 생길 정도로 가장 흔한데 주로 베바시주맙이나 소라페닙 등의 혈관형성억제제 사용과 관련이 깊다. 기전은 내피세포에서 산화질소 생산이 감소되어 혈관이 수축되기 때문인 것으로 추론된다. 고혈압의 부작용은 몇몇 약제에서는 용량에 비례해서 발생 빈도가 높아지는 것으로 보이는데 특히 베바시주맙에서 용량과 비례해서 현저히 증가하는 것으로 알려져 있으며 또한 세포독성 항암제와 병용시 빈도가 증가할 수 있는 것으로 알려져 있다.

2) 역단백 백색질뇌증(reverse protein leukoencephalopathy)

혈관형성억제제의 아주 드문 부작용이며 베바시주맙, 소라페닙, 수니티닙 등으로 치료한 환자의 1% 미만에서 나타나는 것으로 알려져 있다. 두통, 경련, 무기력, 의식상태 변화 등이 주 증상인데 고혈압에 대한 적극적인 치료와 보존적 요법으로 대개는 회복이 되는 것으로 알려져 있다. 이 증상이 나타나면 혈관형성억제제의 추가 사용은 금기이다.

3) 심장독성

표적치료제의 부작용으로 좌심방 기능부전, 울혈성 심부전, 심근경색 등이 생길 수 있다. 또한 조절되지 않는 고혈압이 심장근육과 심근혈액공급에 악영향을 미칠 수 있다.

4) 신독성

가장 흔한 독성으로는 단백뇨인데 특히 혈관형성억제제에서 흔하다. 이는 표적치료제로 인한 혈관내막세포의 손상에서 기인한다고 추정된다. 단백뇨는 대개는 경미한 수준이며 증상이 없지만 2+ 이상으로 나오면 24시간 소변을 모아야 하며 2g 이상으로 단백뇨가 배출시 표적치료제의 중단과 함께 용량 조절이 필요하다. 표적치료제에 의한 신부전은 드물지만 이에 대한 모니터링은 개개인의 상태에 따라서 필요할 것으로 사료된다.

5) 혈전색전증

암환자는 암 자체로도 정맥혈전색전증의 위험도가 증가되어 있지만 혈관형성억제제의 사용이 혈전증 특히 동맥혈전색전증을 증가시키는 것으로 알려져 있다. 특히 베바시주맙은 동맥혈전색전증의 위험인자로 알려져 있는데 과거에 정맥혈전색전증의 이력이 있는 경우에는 정밀한 검사와 항응고제 사용을 고려해야 하며 과거에 동맥혈전색전증의 이력이 있는 환자에서는 항혈관내피성장인자 약제의 사용을 피해야 한다.

6) 장천공 및 누공

위장관 독성은 주로 항혈관내피성장인자 치료와 연관된 치명적인 합병증으로 알려져 있다. 장천공은 난소암 환자에서 가장 흔하며 재발암 환자를 대상으로 한 연구에서 11%까지 보고된 바 있다. 하지만 일차 치료를 시행하는 경우에는 장천공이 증가되지 않는 것으로 GOG 218에서 보여졌다. 장천공이 발생할 경우 처치는 개인별로 맞춤 치료가 필요한데 일반적으로는 장루를 설치하는 외과적인 처치가 표준치료이다. 만약 환자가 외과적 처치를 시행받을 수 없는 상태라면 항생제, 수액 등의 보존적인 처치가 필요할 수도 있다.

7) 피부병변

항표피성장인자수용체(anti-EGFR) 제제는 피부 독성이 흔한데(50~100%) 용량과 비례한다. 여드름같은 가려운 구진(papule)과 농포(pustule)가 치료 시작 후 3주 안에 나타나는 게 전형적인 양상이다. 생기는 원인은 모낭각화증(follicular keratosis)과 관련이 있다고 여겨지며 이로 인하여 분비샘이 막히고 염증반응이 생기기 때문이다. 치료는 항생제나 항염증제를 국소도포하거나 증상의 빠른 호전을 위해서 독시사이클린 등을 복용하기도 한다. 피부건조증이 생기기도 하는 데 피부 연화제 사용으로 호전된다. 그 외에도 손발톱바닥의 염증, 두피나 눈썹 과밀증상이 나타나기도 한다. 소라페닙이나 수니티닙은 손발의 피부에 수포가 생기거나 손발 피부 병변이 20~25%의 환자에서 나타난다고 알려져 있는데 스테로이드 도포를 포함함 보존적 요법으로 치료하면 대개 호전되지만 약 용량의 감소나 경우에 따라서는 중단이 필요할 수도 있다.

8) 대사장애

티로신 활성효소 억제제(tyrosin kinase inhibitor, TKI)는 갑상선 기능, 포도당 대사, 골대사 등에 영향을 미칠 수 있다. 수니티닙과 소라페닙은 갑상샘저하증과 연관이 있다. mTOR 억제제(템시롤리무스와 에버롤리무스)는 고혈당 빈도가 50%까지 나오는 것으로 알려졌다. 수니티닙과 이마티닙(Imatinib)은 혈당 변화가 높을 수도 있고 낮을 수도 있어서 혈당 체크를 세밀하게 해야 한다. 심혈관 위험도가 있는 환자에서는 혈청 지질 수준을 잘 모니터링 해야 하며 티로신 활성효소 억제제 사용은 전해질 이상도 생길 수 있으므로 이에 대한 모니터링도 필요하다.

9) 표적치료제를 사용함에 있어서 고려해야 할 Response Evaluation Criteria for Solid Tumors (RECIST) 기준(표 5-1)

기존의 RECIST 기준에 의하여 약의 효능을 평가하는 방법은 세포에 독성적인 항암요법의 작용기전에 근거를 하고 있기 때문에 성공적인 약물이란 완전 관해(complete response)나 부분 관해(partial response)를 의미하기 때문에 무변화 질환(stable disease)은 실패로 간주되었으나 일반적으로 표적 치료제는 세포성장을 저해(cytostatic)하기 때문에 무변화 질환도 실제로는 효과적인 표적치료제임을 의미할 수도 있다. 난소암 환자에서는 치료에 대한 반응 평가로 CA125를 측정할 수도 있지만 표적치료제를 사용하는 환자에서 이 방법이 신뢰도가 있는 방법인지는 아직은 명확하지 않다. 즉 CA125의 변화와 RECIST 측정이 항상 일치하는 것은 아님이 Azad 등의 연구에서 보여졌기 때문이다. 표적치료제가

목표로 하는 수용체나 단백질 등은 종양의 종류나 조직학적 타입에 따라 그 발현도가
아주 다양하기 때문에 어떤 환자에서 특정 표적치료제가 효과적일지 구별하는 것이 중
요하며 이에 대한 연구가 진행되고 있다.

표 5-1. 표적 항암제 치료 시 사용하는 RECIST 기준
[response evaluation criteria for solid tumors (RECIST)]

반응(response)	정의(definition)
완전 관해 (complete response, CR)	• 모든 목표 병변 및 비목표 병변의 소실
부분 관해 (partial response, PR)	• 목표 병변 직경의 합이 30% 감소, 비목표 병변은 무변화
무변화 질환 (stable disease, SD)	• 목표 병변 직경의 합이 완전 관해 또는 부분 관해에 해당할 만큼 줄어들거나 진행성 질환에 해당할 만큼 증가하지 않은 경우
진행성 질환 (progressive disease, PD)	• 목표 병변 직경의 합이 20% 이상 증가 • 비목표 병변의 크기 증가 • 새로운 병변의 발생

참고문헌

1   Folkman J. Tumor angiogenesis: therapeutic implications. N Engl J Med
      1971;285:1182-6.

2   Maj E, Papiernik D, Wietrzyk J. Antiangiogenic cancer treatment: The great discov-
      ery and greater complexity (Review). Int J Oncol 2016;49:1773-84.

3   Abulafia O, Triest WE, Sherer DM. Angiogenesis in malignancies of the female
      genital tract. Gynecol Oncol 1999;72:220-31.

4   Fong GH. Mechanisms of adaptive angiogenesis to tissue hypoxia. Angiogenesis
      2008;11:121-40.

5   Lv X, Li J, Zhang C, Hu T, Li S, He S, et al. The role of hypoxia-inducible factors in
      tumor angiogenesis and cell metabolism. Genes Dis 2017;4:19-24.

6   Kim TJ, Landen CN, Lin YG, Mangala LS, Lu C, Nick AM, et al. Combined anti-an-
      giogenic therapy against VEGF and integrin alphaVbeta3 in an orthotopic model of
      ovarian cancer. Cancer Biol Ther 2009;8:2263-72.

7   Graybill W, Sood AK, Monk BJ, Coleman RL. State of the science: Emerging ther-
      apeutic strategies for targeting angiogenesis in ovarian cancer. Gynecol Oncol
      2015;138:223-6.

8   Monk BJ, Minion LE, Coleman RL. Anti-angiogenic agents in ovarian cancer: past,
      present, and future. Ann Oncol 2016;27 Suppl 1:i33 i9.

9   Kumar A, Petri ET, Halmos B, Boggon TJ. Structure and clinical relevance of the
      epidermal growth factor receptor in human cancer. J Clin Oncol 2008;26:1742-51.

10   Wieduwilt MJ, Moasser MM. The epidermal growth factor receptor family: biology

driving targeted therapeutics. Cell Mol Life Sci 2008;65:1566–84.

11 Konecny GE, Venkatesan N, Yang G, Dering J, Ginther C, Finn R, et al. Activity of lapatinib a novel HER2 and EGFR dual kinase inhibitor in human endometrial cancer cells. Br J Cancer 2008;98:1076–84.

12 Fader AN, Roque DM, Siegel E, Buza N, Hui P, Abdelghany O, et al. Randomized Phase II Trial of Carboplatin-Paclitaxel Versus Carboplatin-Paclitaxel-Trastuzumab in Uterine Serous Carcinomas That Overexpress Human Epidermal Growth Factor Receptor 2/neu. J Clin Oncol 2018;36:2044–51.

13 Zhang W, Liu HT. MAPK signal pathways in the regulation of cell proliferation in mammalian cells. Cell Res 2002;12:9–18.

14 Adnane L, Trail PA, Taylor I, Wilhelm SM. Sorafenib (BAY 43-9006, Nexavar), a dual-action inhibitor that targets RAF/MEK/ERK pathway in tumor cells and tyrosine kinases VEGFR/PDGFR in tumor vasculature. Methods Enzymol 2006;407:597–612.

15 Melis JP, van Steeg H, Luijten M. Oxidative DNA damage and nucleotide excision repair. Antioxid Redox Signal 2013;18:2409–19.

16 Stover EH, Konstantinopoulos PA, Matulonis UA, Swisher EM. Biomarkers of Response and Resistance to DNA Repair Targeted Therapies. Clin Cancer Res 2016;22:5651–60.

17 Fong PC, Boss DS, Yap TA, Tutt A, Wu P, Mergui-Roelvink M, et al. Inhibition of poly (ADP-ribose) polymerase in tumors from BRCA mutation carriers. New England Journal of Medicine 2009;361:123–34.

18 Porta C, Paglino C, Mosca A. Targeting PI3K/Akt/mTOR Signaling in Cancer. Front Oncol 2014;4:64.

19 Oza AM, Elit L, Tsao MS, Kamel-Reid S, Biagi J, Provencher DM, et al. Phase II study of temsirolimus in women with recurrent or metastatic endometrial cancer: a trial of the NCIC Clinical Trials Group. J Clin Oncol 2011;29:3278–85.

20 Slomovitz BM, Jiang Y, Yates MS, Soliman PT, Johnston T, Nowakowski M, et al. Phase II study of everolimus and Letrozole in patients with recurrent endometrial carcinoma. J Clin Oncol 2015;33:930–6.

21 Colombo N, McMeekin DS, Schwartz PE, Sessa C, Gehrig PA, Holloway R, et al. Ridaforolimus as a single agent in advanced endometrial cancer: results of a single-arm, phase 2 trial. Br J Cancer 2013;108:1021–6.

22 Iida M, Brand TM, Campbell DA, Starr MM, Luthar N, Traynor AM, et al. Targeting AKT with the allosteric AKT inhibitor MK-2206 in non-small cell lung cancer cells with acquired resistance to cetuximab. Cancer Biol Ther 2013;14:481–91.

23 Wheler J, Mutch D, Lager J, Castell C, Liu L, Jiang J, et al. Phase I Dose-Escalation Study of Pilaralisib (SAR245408, XL147) in Combination with Paclitaxel and Carboplatin in Patients with Solid Tumors. Oncologist 2017;22:377–e37.

24 Zou W. Regulatory T cells, tumour immunity and immunotherapy. Nat Rev Immunol 2006;6:295–307.

25 Bettelli E, Carrier Y, Gao W, Korn T, Strom TB, Oukka M, et al. Reciprocal developmental pathways for the generation of pathogenic effector TH17 and regulatory T cells. Nature 2006;441:235–8.

26 Curiel TJ, Coukos G, Zou L, Alvarez X, Cheng P, Mottram P, et al. Specific recruitment of regulatory T cells in ovarian carcinoma fosters immune privilege and predicts reduced survival. Nat Med 2004;10:942–9.

27 Shevach EM. CD4+ CD25+ suppressor T cells: more questions than answers. Nat

Rev Immunol 2002;2:389–400.

28 Gotlieb WH, Abrams JS, Watson JM, Velu TJ, Berek JS, Martinez–Maza O. Presence of interleukin 10 (IL-10) in the ascites of patients with ovarian and other intra–abdominal cancers. Cytokine 1992;4:385–90.

29 Lenzi R, Rosenblum M, Verschraegen C, Kudelka AP, Kavanagh JJ, Hicks ME, et al. Phase I study of intraperitoneal recombinant human interleukin 12 in patients with Mullerian carcinoma, gastrointestinal primary malignancies, and mesothelioma. Clin Cancer Res 2002;8:3686–95.

30 Hopkins TG, Wood N. Female human papillomavirus (HPV) vaccination: global uptake and the impact of attitudes. Vaccine 2013;31:1673–9.

31 Group. FIS. Quadrivalent vaccine against human papillomavirus to prevent high-grade cervical lesions. N Engl J Med 2007;356:1915–27.

32 Brulet JM, Maudoux F, Thomas S, Thielemans K, Burny A, Leo O, et al. DNA vaccine encoding endosome–targeted human papillomavirus type 16 E7 protein generates CD4+ T cell–dependent protection. Eur J Immunol 2007;37:376–84.

33 Disis ML, Schiffman K, Guthrie K, Salazar LG, Knutson KL, Goodell V, et al. Effect of dose on immune response in patients vaccinated with an her–2/neu intracellular domain protein––based vaccine. J Clin Oncol 2004;22:1916–25.

34 Stern M, Herrmann R. Overview of monoclonal antibodies in cancer therapy: present and promise. Crit Rev Oncol Hematol 2005;54:11–29.

35 Boyle DM, Johnson GV, Heeren RA, Shell RE, Banerjee A, Gustafson ME. Evaluation of refolding conditions for a human recombinant fusion cytokine protein, promegapoietin–1a. Biotechnol Appl Biochem 2008;49:73–83.

36 Pardoll DM. The blockade of immune checkpoints in cancer immunotherapy. Nat Rev Cancer 2012;12:252–64.

37 Messersmith WA, Ahnen DJ. Targeting EGFR in colorectal cancer. N Engl J Med 2008;359:1834–6.

38 Francisco LM, Sage PT, Sharpe AH. The PD–1 pathway in tolerance and autoimmunity. Immunol Rev 2010;236:219–42.

39 Charbonneau B, Goode EL, Kalli KR, Knutson KL, Derycke MS. The immune system in the pathogenesis of ovarian cancer. Crit Rev Immunol 2013;33:137–64.

40 Farrell C, Schweizer C, Wustner J, Weil S, Namiki M, Nakano T, et al. Population pharmacokinetics of farletuzumab, a humanized monoclonal antibody against folate receptor alpha, in epithelial ovarian cancer. Cancer Chemother Pharmacol 2012;70:727–34.

41 Guo Y, Nemeth J, O'Brien C, Susa M, Liu X, Zhang Z, et al. Effects of siltuximab on the IL–6–induced signaling pathway in ovarian cancer. Clin Cancer Res 2010;16:5759–69.

42 Mei L, Hou Q, Fang F, Wang H. The antibody–based CA125–targeted maintenance therapy for the epithelial ovarian cancer: a meta–analysis. Eur J Gynaecol Oncol 2016;37:455–60.

43 Mantia–Smaldone GM, Corr B, Chu CS. Immunotherapy in ovarian cancer. Hum Vaccin Immunother 2012;8:1179–91.

44 Maus MV, Fraietta JA, Levine BL, Kalos M, Zhao Y, June CH. Adoptive immunotherapy for cancer or viruses. Annu Rev Immunol 2014;32:189–225.

45 Topalian SL, Solomon D, Avis FP, Chang AE, Freerksen DL, Linehan WM, et al. Immunotherapy of patients with advanced cancer using tumor–infiltrating lympho-

cytes and recombinant interleukin-2: a pilot study. J Clin Oncol 1988;6:839-53.

46 Schultz L, Mackall C. Driving CAR T cell translation forward. Sci Transl Med 2019;11.

47 Haque T, Wilkie GM, Jones MM, Higgins CD, Urquhart G, Wingate P, et al. Allogeneic cytotoxic T-cell therapy for EBV-positive posttransplantation lymphoproliferative disease: results of a phase 2 multicenter clinical trial. Blood 2007;110:1123-31.

48 Conlon KC, Miljkovic MD, Waldmann TA. Cytokines in the Treatment of Cancer. J Interferon Cytokine Res 2019;39:6-21.

49 Edwards RP, Gooding W, Lembersky BC, Colonello K, Hammond R, Paradise C, et al. Comparison of toxicity and survival following intraperitoneal recombinant interleukin-2 for persistent ovarian cancer after platinum: twenty-four-hour versus 7-day infusion. J Clin Oncol 1997;15:3399-407.

50 Repetto L, Chiara S, Guido T, Bruzzone M, Oliva C, Ragni N, et al. Intraperitoneal chemotherapy with carboplatin and interferon alpha in the treatment of relapsed ovarian cancer: a pilot study. Anticancer Res 1991;11:1641-3.

51 Powell DJ, Jr., Felipe-Silva A, Merino MJ, Ahmadzadeh M, Allen T, Levy C, et al. Administration of a CD25-directed immunotoxin, LMB-2, to patients with metastatic melanoma induces a selective partial reduction in regulatory T cells in vivo. J Immunol 2007;179:4919-28.

CHAPTER

6

임상 연구 방법론

Clinical Study Methodology

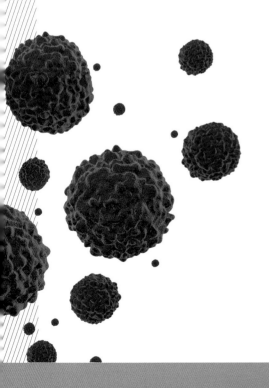

책임저자

김용만 | 울산대학교 의과대학 산부인과

집필저자

강석범 | 국립암센터 자궁난소암센터

김상운 | 연세대학교 의과대학 산부인과

소경아 | 건국대학교 의과대학 산부인과

이영재 | 울산대학교 의과대학 산부인과

주 웅 | 이화여자대학교 의과대학 산부인과

Gynecologic Oncology

임상 시험의 역사와 윤리(History and Ethics of Clinical Trials)

뉘른베르크 강령
(The Nuremberg Code, 1947)

1947년 8월 독일의 뉘른베르크에서 제2차 세계대전 중 극악한 인체 실험에 참여했던 독일의 의사와 과학자들에 대한 재판이 있었다. 판결문에서 인간 대상 실험에 있어 지켜야 할 10가지 윤리적 기본 원칙을 발표하였고 이를 '뉘른베르크 강령'이라 부른다(표 6-1). 이 것은 오늘날 의학 연구의 윤리적 시행을 위한 근본 이념이 되었다.

표 6-1. 뉘른베르크 강령[1]

① 피험자의 자발적 동의가 반드시 필요하다.
② 실험은 다른 연구방법에 의해서는 얻을 수 없는 사회적 이익을 위해 유익한 결과를 낳을 수 있 는 것이어야 하며, 무작위로 행해지거나 불필요한 것이면 안된다.
③ 동물 실험의 결과를 기초로 해야 하며 연구대상이 되는 질병의 자연발생사 및 기타 문제에 관 한 지식에 근거하여 실험 계획이 되어야 한다.
④ 실험은 모든 불필요한 신체적 및 정신적 고통과 침해를 피해야 한다.
⑤ 실험의 결과로 사망이나 불구의 장해가 예상되는 경우에는 실험을 행할 수 없다.
⑥ 실험으로 인해 발생하는 위험의 정도가 그로 인하여 해결할 수 있는 문제의 인도주의적 중요성 정도를 초과해서는 안된다.
⑦ 가능성이 희박한 손상에서도 실험 대상을 보호하기 위한 적절한 준비와 시설을 갖추어야 한다.
⑧ 실험은 과학적으로 자격을 갖춘 자에 의해서만 진행 되어야 한다. 실험을 행하는 사람은 실험 의 모든 단계에서 최고도의 기술과 주의를 기울여야 한다.
⑨ 실험이 진행되는 동안, 실험 대상자는 실험을 계속하는 것이 불가능하다고 생각되는 신체적 또 는 정신적 상태에 이르게 된 경우 실험을 자유롭게 종료시킬 수 있어야 한다.
⑩ 실험이 진행되는 동안, 실험 진행자는 실험을 계속 하는 것이 실험 대상자에게 상해, 장애 또는 죽음에 도달할 수 있다고 판단되는 경우, 언제든 실험을 중지할 준비가 되어 있어야 한다.

케파우버-해리스 수정안
(The Kefauver-Harris Amendments, 1962)

1953년에 합성된 탈리도마이드(Thalidomide)는 1950년대 후반에서 1960년대 초반까지 최 면제, 진통제, 특히 임산부의 입덧을 치료하는 약으로 이용되었다. 탈리도마이드는 동물 실험에서는 부작용이 거의 드러나지 않았지만, 이를 복용한 대다수의 임산부들에서 해 표지증(phocomelia)을 보이는 기형아가 태어났다. 인간에게 치명적인 부작용을 나타낸 탈 리도마이드 사건으로 인해 이후 모든 의약품들이 허가를 받기 이전에 반드시 해당 의약 품이 효과가 있다는 유효성을 입증하도록 하는 케파우버-해리스 수정안이 발효되었다. 이는 최초로 의약품에 대해 안전성뿐만 아니라 유효성에 대한 입증을 요구한 것으로 현 재의 임상시험계획승인신청(Investigational New Drug application, IND) 규정의 기초가 되었 으며 이상반응에 대한 의무적인 보고를 요구하는 계기가 되었다.

헬싱키 선언(Declaration of Helsinki, 1964)

오늘날 인간 대상 의학연구의 윤리적 원칙은 1964년 세계의사회에 의해 제정된 헬싱키 선언을 근간으로 한다. 헬싱키 선언은 '뉘렌베르크 강령'의 한계를 보완하고 재해석하여 인간 대상 의학연구의 윤리 원칙을 제안하고 발전시켰다. '치료적 실험'과 '비치료적 실험'

을 구분하였고, 각 연구기관의 기관윤리심의위원회(Institutional Review Board, IRB) 설립의 기반을 제공하였다. 2013년 제7차 헬싱키 선언의 개정본은 총 37개항으로 이루어져 있으며 인간대상의학연구의 일반 원칙, 위험 및 이익, 취약한 집단 및 개인, 과학적 요건 및 연구계획서, 연구윤리위원회, 사생활과 비밀유지, 충분한 설명에 의한 동의, 위약의 사용, 임상시험 후 지원, 연구등록 및 결과의 배포, 임상 실무에서 입증되지 않은 시술에 대해 구체적인 윤리 원칙을 제시하고 있다.[2]

벨몬트 보고서 (The Belmont Report, 1979)

1936년부터 40여년 동안 미국 엘라배마주 터스키기에서 가난한 미국 흑인 매독환자 600여명을 대상으로 병을 치료하지 않고 장기간 추적 실험을 실시한 터스키기 매독생체실험 사건이 1972년 폭로되자, 1974년 미국 의회에서 국가연구법(National Research Act)을 통과시켰다. 이후 설립된 생의학 및 행동연구의 피험자 보호를 위한 국가위원회(National Commission for the Protection of Human Subjects of Biomedical and Behavioral Research)에서 피험자 보호를 위한 윤리적 원칙과 지침(Ethical Principles and Guidelines for the Protection of Human subject of Research)을 작성하여 1979년 벨몬트 보고서로 발표하였다. 벨몬트 보고서의 인간 대상 연구의 세 가지 기본 원칙은 인간 존중(respect for person), 선행(beneficent), 정의(justice)이며, 이는 피험자에 대한 윤리적 보호의 근간이 되었다.[3]

① 인간 존중: 인간은 자율적 존재로 취급되어야 하며, 자율 능력이 부족한 인간은 보호를 받아야 한다.
② 선행: 연구로부터 생길지 모르는 위험을 최소화하는 한편 이득은 최대화해야 한다.
③ 정의: 피험자 선정에서의 공정성을 유지하며 취약한 환경의 피험자를 착취하지 않는다.

임상시험관리기준 (Good Clinical Practice, GCP)

임상시험관리기준은 인간 대상 임상 시험을 수행하는데 있어 윤리적이고 과학적인 국제 판정기준이다. 이는 국제적으로 의약품 허가·관리 규정의 표준화 및 과학화 도모를 목적으로 설립된 국제협력 기구인 국제의약품규제조화위원회(International Council for Harmonisation of Technical Requirements for Pharmaceuticals for Human Use)에서 제공하는 지침을 따르며 여기에는 기관생명윤리위원회, 시험자, 임상시험의뢰자의 역할 및 임상시험계획서, 임상시험자, 임상시험 실시에 필요한 기본 문서에 대한 구체적인 지침을 제공한다.[4] 임상시험관리기준의 준수는 헬싱키 선언문에 나타난 원칙을 지키는 것으로 임상시험대상자를 보호하고 신뢰성 있는 임상시험자료를 확보할 수 있다. 우리나라에서는 의약품 등의 안전에 관한 규칙(제30조제1항)에 의약품임상시험관리기준(Korea Good Clinical Practice, KGCP)을 적시하고 있으며 의약품 임상시험 실시에 필요한 임상시험의 준비, 실시, 모니터링, 점검, 자료의 기록 및 보고 등에 관한 기준을 정함으로써, 정확하고 신뢰할 수 있는 자료와 결과를 얻고 시험대상자의 권익 보호와 비밀 보장이 적정하게 이루어질 수 있도록 하고 있다.

기관생명윤리위원회
(Institutional Review Board, IRB)

기관생명윤리위원회는 인간 또는 인체유래물을 대상으로 하는 연구나, 배아 또는 유전자 등을 취급하는 연구를 대상으로 연구자 및 연구 대상자 등을 적절히 보호할 수 있도록 기관에서 연구계획서 심의뿐만 아니라 연구과정 및 결과에 대한 조사, 감독을 위해 설치된 자율적이고 독립적 윤리 기구를 말한다. 우리나라에서는 생명윤리법 제10조1항에서 각 기관에서 수행되는 연구 및 활동에 대한 생명윤리 및 안전의 확보를 위해 기관위원회를 실치하도록 규정하고 있다. 기관생명윤리위원회는 시험대상자의 존엄성, 권리, 안전 및 복지를 증진시키고 과학적 연구의 신뢰성을 높이기 위한 것으로 의학적, 과학적, 윤리적 측면을 심의하며 연구에 대한 심의 및 승인 여부 결정, 심의면제 확인, 지속심의 및 이상반응보고, 일탈/위반/미준수 보고에 대한 조사 및 감독, 기관의 연구 종사자 교육 등의 역할을 담당하고 있다.[5]

▌ 임상 시험의 유형 및 개요(Types and Outline of Clinical Trials)

임상시험 단계
(Stage of Clinical Trials)

임상시험은 그 수행 단계에 따라 제1상, 제2상, 제3상 및 제4상으로 분류한다.

1) 제1상 임상시험(phase 1 trials)

제1상 임상시험의 주된 목적은 새로운 의약품의 최대 내약 용량(maximum tolerated dose)을 결정하는 것으로 용량 제한 독성(dose limiting toxicity, DLT)의 발현 여부가 주요 평가변수이다. 연구시험대상자는 일반적으로 20~80명 정도이다. 제1상 임상연구는 인체에서의 약의 흡수, 확산 대사작용 및 배출 등의 약물 역동학적 연구와 작용기전 등에 대한 연구를 수행한다.

2) 제2상 임상시험(phase 2 trials)

제2상 임상시험은 해당 약제의 치료 대상이 되는 질환이나 조건을 갖고 있는 환자들을 대상으로 하여 새로운 약제의 효과나 안전성을 평가한다. 제2상 임상시험은 적은 환자 수로 단기간에 평가할 수 있는 변수에 대하여 단일군 연구를 진행하는 경우가 대부분이다. 다중군 제2상 임상시험의 경우 비무작위배정과 무작위배정 제2상 대조군 임상시험이 있다. 치료군과 대조군을 무작위로 배정하는 무작위배정 제2상 대조군 임상시험은 단일 제제의 새로운 임상시험용 신약보다는 대조요법에 다른 제제를 병용하는 임상시험에서 많이 적용된다.

3) 제3상 임상시험(phase 3 trials)

제 3상 임상시험은 시험약의 유효성과 안전성을 증명하는 것을 목적으로 하며 시험약이 표준치료법에 비해 열등한지, 동등한지 아니면 우월한지를 결정하는 중요한 연구이다. 대상 환자수는 대략 300~3,000명을 대상으로 한다.

4) 제4상 임상시험(phase 4 trials)

제4상 임상시험은 신약이 판매허가를 받은 후부터 시작한다. 일반적으로 신약의 사용을 최적화하기 위한 다양한 방법으로 계획되고 수행된다. 신약의 이상반응에 대한 추가정보를 보다 확실히 얻기 위한 시판 후 부작용조사(post marketing surveillance)가 대표적인 제4상 임상시험의 예시다.

임상연구 설계(Clinical Study Designs)

임상 연구는 연구자가 치료를 배정해주었는지 아니면 관찰만 했는지에 따라 실험연구(experimental study)와 관찰연구(observational study)로 나눈다(그림 6-1). 실험연구는 무작위배정 여부에 따라 무작위통제연구(randomized controlled study)와 비무작위통제연구(non-randomized controlled study)로 분류하고, 관찰연구는 비교군의 유무에 따라 분석연구(analytical study)와 기술연구(descriptive study)로 나눈다. 분석연구는 노출(exposure)과 결과(outcome)의 연구분석 방향에 따라 세 가지로 나누는데 전향적 연구 방법인 코호트연구(cohort study), 후향적 연구 방법인 환자-대조군연구(case-control study), 원인과 결과를 동일 시점에서 분석하는 횡단면연구(cross-sectional study)가 있다. 코호트연구는 노출

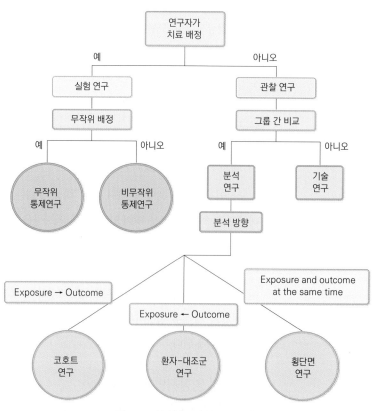

그림 6-1. 임상연구 분류 알고리즘

과 그 결과를 순차적으로 분석하는 연구로서 원인 인자에 노출된 그룹과 노출되지 않은 그룹을 시간을 두고 경과 관찰하여 어떤 결과가 나타나는지 관찰한다. 반면에 환자 대조군연구는 결과를 바탕으로 역으로 원인을 분석하는 연구 형태로서, 질병이 있는 군과 대조군이 위험인자에 노출되었던 빈도(또는 정도)를 분석하여 위험인자가 질병 발생을 증가시킬 위험이 있는지를 분석하는 것이다. 횡단면연구는 유병률이나 빈도를 조사하는 연구로서 한 시점에서 원인 인자에 노출 여부와 질병의 유무를 알아보는 연구이다.[6]

무작위배정 임상시험
(Randomized Controlled Trial, RCT)

무작위배정 임상시험은 연구대상 선정조건을 만족시키는 환자들에게 연구 참여 여부에 대한 동의를 구한 후 시험군과 비교군으로 무작위배정한다. 연구대상 약물을 시험군에 투여하고 비교할 약물 또는 위약을 비교군에 투여한 다음 일정한 기간 동안을 추적 관찰하면서, 두 군에서 발생하는 유해사례와 약물유해반응의 발생률을 비교 평가하는 연구이다. 이러한 무작위 배정은 비교하고자 하는 두 군 사이의 비교성을 최대한 높이고 연구결과를 비뚤어지게 만드는 선택편향 등의 교란변수들의 영향을 피하게 해준다.[7]

임상연구의 계층 구조
(Hierarchy of Clinical Studies, Levels of Evidence)

근거중심의학(evidence-based medicine)은 증거를 찾고 그러한 증거를 사용하여 임상 결정을 내리는 것이다. 근거중심의학의 기본은 증거를 분류하는 계층적 시스템(hierarchy of clinical studies)이며 이러한 계층을 증거수준(levels of evidence)이라고 한다. 연구 계획의 계층 구조는 편향 가능성에 따라 순위를 매기는데 무작위 대조 임상 시험은 편향되지 않고 체계적인 오류의 위험이 적기 때문에 최고 수준의 증거로 간주되는 반면, 관찰 연구는 치료 효과를 잘못 평가할 가능성이 높아서 증거수준이 떨어지는 연구로 간주된다 (그림 6-2).[8]

후원자 주도 연구
(Sponsor-Initiated Trial, SIT)/연구자 주도 연구
(Investigator-Initiated Trial, IIT)

1) 후원자 주도 연구

후원자 주도 연구는 새로운 의약품의 규제 승인에 초점을 둔 연구로서 후원자가 연구계획서를 작성하고 연구 수행에 따른 법적 책임을 지고 비용을 지불하며 지적재산권을 갖게 된다. 후원자는 익명화된 연구 조직 및 검체, 영상자료 등을 받고 이용할 수 있으며 증례기록서 등 연구 데이터를 소유할 수 있다.

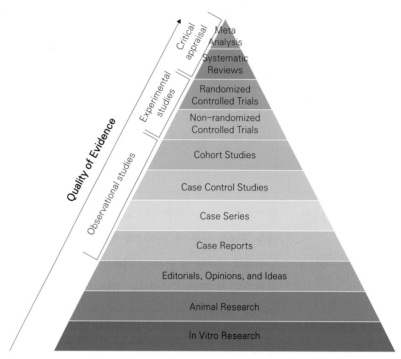

그림 6-2. 임상연구의 계층 구조 및 증거수준

2) 연구자 주도 연구

연구자 주도 연구는 개별 연구원, 기관, 공동 연구 그룹 또는 협동 조합 그룹과 같은 비제약 회사 연구원이 시작하고 관리하는 임상 연구로서 연구의 설계부터 실행, 데이터 처리 및 분석과 해석, 논문 출판 등을 담당한다. 연구 비용은 영리기관이나 비영리기관 및 정부 기관으로부터 후원을 받을 수 있다. 연구자는 연구 수행 및 관리에 대한 법적 책임을 지고 연구 결과를 출판할 권한을 갖고 있으며 지적재산권은 연구자가 속한 연구기관에 귀속되며 연구비를 영리단체에서 후원한 경우에는 해당 영리단체에게 가장 먼저 상업화할 권한을 줄 수 있다.

후원자, 임상연구자, 임상시험수탁기관, 학술연구기구, 연구코디네이터

1) 후원자(sponsor)

후원자는 대부분의 경우 신약을 개발하는 제약회사를 의미한다. 후원자는 임상시험을 직접 수행하지는 않지만 전문가들과 임상시험을 설계하며 연구자를 선택하여 임상연구에 필요한 모든 정보를 제공하고, 임상연구를 관리하며, 연구윤리위원회에 제출할 연구계획서 및 제반 서류를 준비하고 제출하며, 임상연구 중에 발생하는 새로운 정보에 대해 보고하고, 임상시험에 참여하는 피험자에 대한 보호와 임상시험 결과의 신뢰성을 보장하기 위한 활동 등을 수행한다.

2) 임상연구자(investigator)

임상연구자는 임상시험을 수행할 수 있는 자격을 갖춘 사람(의사)으로서 실제로 임상연구를 수행하는 개인이거나 혹은 연구팀의 책임연구자를 말한다. 임상연구자는 임상연구 계획서 및 해당 규정에 따라 임상연구가 수행되도록 할 책임이 있다. 임상연구자는 임상시험 관련 법규와 임상시험관리기준을 충분히 이해하고 이를 지켜야 한다. 피험자의 권리, 안전 및 복지를 보호해야하며 연구 약물을 관리하고 약물 처방 및 투여에 관한 기록을 포함 연구에 관련된 모든 것을 기록하고 보관해야 한다. 피험자에게 이상반응이 발생한 경우 적절한 치료를 제공해야 한다. 또한 후원자에게 임상 연구 진행 상황을 보고하고 이상 반응을 보고하며 기록을 보관해야 하며 최종 보고서를 후원자에게 보고해야 한다.

3) 임상시험수탁기관(contract research organization, CRO)/학술연구기구(academic research organizations, ARO)

임상시험수탁기관은 후원사의 임상시험 관련 업무를 대행하기 위해 후원사와 계약한 사람 또는 조직이다. 임상시험을 효율적으로 수행하고 연구사이트를 모니터링하며 데이터를 관리하기 위한 인프라를 제공한다. 임상시험수탁기관은 계약 기반 아웃소싱 연구 서비스의 형태로 제약, 생명 공학 및 의료 기기 산업에 있어서 약제의 개발 및 상업화, 전임상 연구, 임상 연구, 임상 시험 관리 및 약물 감시와 같은 서비스를 제공한다. 또한 연구 계획서와 연구 수행기관 교육자료 개발 및 데이터 관리, 통계분석 시행 등의 업무를 수행한다. 학술연구기구는 임상 시험을 수행하는 학술 또는 비영리 기관을 의미한다. 학술연구기구는 임상 전문 지식을 바탕으로 현장 모니터링, 데이터 관리, 통계 분석, 안전 모니터링 및 임상 이벤트 분류를 포함한 임상 시험 전반을 포괄적으로 관리하고 수행한다.[9]

4) 임상연구 코디네이터(clinical research coordinator, CRC)

임상연구 코디네이터는 연구 책임자의 지시하에 근무하는 전문 연구원이다. 임상연구 책임자가 임상시험의 전반적인 설계, 수행 및 관리를 주로 담당하는 동안 임상연구 코디네이터 는 일상적인 임상 시험 활동을 지원하고 수행한다. 기관의 규제 준수 및 연구 참여자 보호와 관련된 모니터링 노력을 지원하고 비준수 사례를 보고한다. 책임연구자(principal investigator, PI)와 협력하여 프로토콜에서 요구하는 기관윤리심의위원회(IRB) 및 기타 규제 제출 서류를 준비하고, 정보 제공 동의서, 증례보고서, 등록 로그 및 약물/장치 책임 로그 등의 자료를 준비한다. 연구책임자를 도와서 연구 진행 및 일정, 포함 및 제외 기준, 기밀 유지, 개인 정보 보호와 같은 프로토콜에 대해 검토하고 개발하며 연구에 관련된 모든 개인에게 연구 요구 사항을 전달할 수 있도록 지원하고 연구 팀 구성원을 위한 적절한 교육 및 도구를 제공하며 연구 훈련 기록을 작성 보관한다. 스폰서에게 제출할 서류를 준비하고 기관윤리심의위원회 조사와 질문에 답변하며 연구 참가자에게 연구 내용을 설명하고 동의서를 받는 과정에도 참여한다. 연구 참가 후보자의 스크리닝에 참여하고 참가자의 검사 및 등록 절차를 수행하며 프로토콜에서 요구하는 데이터를 수집하고 사례 보고서 양식을 시기 적절하게 완성한다. 최종적으로 연구가 일정대로 잘 진행되도록 유지 관리하며 연구 종료 시 연구 종료보고에도 참여한다.

바이오마커에 의한 임상 연구(Biomarker-Based Clinical Trials)

바구니형 및 우산형 연구 디자인
(Basket and Umbrella Trial Design)

임상시험의 역사를 돌아볼 때, 고형암에서 1상 임상시험의 경우는 보통 다양한 종류의 고형암이 혼합된 환자군에서, 그리고 2-3상 임상시험은 주로 특정한 병리학적으로 단일한 고형암에서 수행되는 것이 일반적이었다. 최근 3상 진입을 결정하는 시금석으로 2상 임상시험의 수행과 설계가 관심의 대상이 되어 최근 많은 발전을 이루게 되었으며, 종양의 분자생물학적 프로파일링의 기술이 발달하고 지식이 축적됨에 따라서 바이오마커에 의거한 임상시험의 설계가 급속히 늘어나고 있다. 특정한 분자생물학적 변이가 여러 종류의 고형암에서 관찰된다는 사실은 항암화학요법에 대한 감수성이 고형암의 조직병리학적 분류체계에 의거해서 결정된다는 종래의 개념보다는 특정한 분자생물학적 변이의 유무에 의해서 항암 감수성이 결정된다는 새로운 개념을 지지한다. 이러한 변화된 개념을 바탕으로 한 임상시험 디자인 중에서 가장 대표적인 것이 바구니형(basket)과 우산형(umbrella) 임상시험 디자인이다. 우선 바구니형 임상시험 디자인은 하나의 치료와 하나의 바이오마커를 가지고 여러 가지의 서로 다른 조직병리 분류의 고형암을 마치 한 바구니에 모두 넣듯이 한데 모아서 연구를 하는 것이다. 예를 들어, A 유전자 변이를 나타내는 고형암에서 B라는 신약이 효과가 있을 것으로 전망될 때, 원발 장기에 상관없이 A 유전자 변이만 있으면 유방암이건 대장암이건 한데 몰아서 B 신약의 효과를 검증하는 형태이다. 우산형 임상시험 디자인은 바구니형 디자인과는 대조적으로 하나의 조직병리학적 암종을 대상으로 다양한 바이오마커 양상에 대해 각각 유효할 것으로 생각되는 치료를 검증하게 된다. 따라서, 멀티플렉스 분석법 등 다양한 바이오마커를 검사할 수 있는 진단 기법이 연구 수행에 필수적이다.

적응형 디자인
(Seamless Adaptive Design)

최근 신약개발을 위한 임상시험에 요구되는 많은 재정과 시간이 갈수록 문제가 되자 이를 해결하고자 고안된 연구 설계로서, 제2상b를 단계1로 가정하고, 제3상을 단계2로 가정하여 단계1에서 가장 효과적인 용량군을 선택하여 단계2에서 다시 위약군과 실험을 진행하게 된다. 여기서 중요한 점은 기존의 방법과 달리 제2상b와 제3상 사이의 시간적 공백이 없이 두 단계의 데이터를 결합하여 한 번의 실험으로 진행한다는 점이다. 이 때, 두 단계에의 데이터를 결합하는 과정에서 편향(bias)을 줄이고, 제1종 오류를 잘 통제하는 것이 매우 중요하게 되며, 오류 없는 가설 검정을 위해 여러 가지 통계적 기법이 동원되게 된다.

동반진단
(Companion
Diagnostics)

최근 표적치료제의 눈부신 발달에 따라, 특정 항암제가 효과적인 군을 선별하여 선택적으로 치료하는 소위 정밀의료 패러다임의 중심에 동반진단이 있다. 유방암의 내분비적 치료 여부를 결정하기 위해 여성호르몬 수용체 여부를 검사하거나, HER2 유전자 증폭을 검사하여 HER2 억제제를 사용하는 것이 좋은 예이다. 최근 부인암에서는 BRCA 유전자를 검사하거나, PD-L1 발현을 검사하여 PARP 억제제나 면역관문억제제 사용여부를 결정하고 있다.

역학 연구에서의 통계 측정

평균, 중앙값,
분산과 표준편차,
사분위수와 그 범위

1) 평균(mean)

자료의 무게중심 또는 기대 값으로 계산과정이 간편하고 모집단의 평균을 추론할 때 사용한다. 이상 값(outlier) 또는 극단 값(extreme value)이 있는 경우 심각하게 영향을 받는 단점이 있다.

2) 중앙값(median)

자료를 크기 순서대로 나열했을 때 자료를 이등분하는 값. 극단 값의 영향을 덜 받아 자료의 수가 적을 때, 분포의 중심위치를 나타내는 기술통계량으로 선호된다.

3) 분산(variance)과 표준편차(standard deviation)

자료가 평균을 중심으로 얼마나 흩어져 있는가를 나타내는 통계량으로 평균에서 많이 흩어져 있을수록 값이 커진다. 자료에 이상 값 또는 극단 값이 있는 경우 이들 값에 많은 영향을 받는다.

4) 사분위수(quartile)

자료를 사등분하는 값으로 백분위수(percentile)을 사용하여 정의된다.
① 제1사분위수(Q1): 제 25백분위수
② 제2사분위수(Q2): 중앙값 혹은 제 50백분위수
③ 제3사분위수(Q3): 제 75백분위수

5) 사분위수 범위(interquartile range, IQR)

제3사분위수와 제1사분위수와의 차이(Q3-Q1)로 정의되며 이 범위 안에 자료의 50%가 있게 된다. 이상 값이나 극단 값에 거의 영향을 받지 않으므로 자료수가 적을 때 자주 사용된다.

이환지표
(발생률, 유병률)

인구집단에서 질병의 존재여부 또는 사건의 위험 수준을 나타내는 값을 말한다.

1) 발생률(incidence rate)

질병발생 가능성이 있는 인구집단에서 일정 기간 동안 질병이 발생한 율, 또는 위험도를 말한다. 질병의 원인을 찾는 연구에서 가장 필요한 측정 지표(위험요인 분석·평가)이다. 누적발생률(cumulative incidence rate)과 발생밀도(incidence density)가 있다.

① 누적발생률: 일정 기간 동안 한 개인이 질병에 걸릴 확률 또는 위험도 추정
② 발생밀도(평균발생률): 어떤 일정한 인구집단에서 질병의 순간발생률을 측정

2) 유병률(prevalence rate)

발생시점과 무관하게, 특정시점 혹은 기간에 인구집단에서 질병을 가진 사람의 분율

$$유병률 = 발생률 \times 이환기간$$

한 시점 또는 특정기간 중 한 개인이 질병에 걸려 있을 확률의 추정치를 제공한다. 질병관리에 필요한 인력 및 자원 소요의 추정, 질병퇴치 프로그램의 수행 평가, 주민의 치료에 대한 필요 병상 수, 보건기관 수 등의 정책 계획을 수립하는 데 필요한 정보를 제공한다. 시점유병률(point prevalence rate)과 기간유병률(period prevalence rate)이 있다.

① 시점유병률: 한 시점에서의 유병 상태, 1회 조사로 결과를 얻을 수 있음
② 기간유병률: 어떤 특정한 기간에 어떤 인구 중에서의 질병상태

진단법의 평가 - 신뢰도와 타당도

1) 신뢰도(reliability)

같은 대상을 반복하여 검사할 때 얼마나 같은 결과가 나오는 지를 의미한다. 검사-재검사법 등 반복된 측정으로 비교하여 평가한다.

2) 타당도(validity)

측정된 변수의 값이 실제 대표하는 참값과 일치하는 정도를 말한다. 참고 표준치를 비교하여 평가한다. 타당도가 높을 경우 결론의 정확성이 증대된다(그림 6-3).

계통적 오류(systematic error)
신뢰도: 좋음
타당도: 나쁨

무작위 오류(random error)
신뢰도: 나쁨
타당도: 좋음

그림 6-3. 진단법의 신뢰도와 타당도

표 6-2. 진단검사에서 획득된 자료의 표현

검사결과	관측결과		
	양(positive)	음(negative)	합계
양(positive)	진양성(a)	위양성(b)	a+b
음(negative)	위음성(c)	진음성(d)	c+d
합계	a+c	b+d	n

3) 타당도의 지표들(표 6-2)

① 정확도(accuracy) = (a+d)/n

검사가 얼마나 정확하게 질병이 있는 사람을 양성으로 없는 사람을 음성으로 진단하는가를 의미한다.

② 민감도(sensitivity) = a/(a+c), 1−위음성도

질병이 있는 경우를 얼마나 양성으로 진단하는가를 의미한다.

③ 특이도(specificity) = d/(b+d), 1−위양성도

질병이 없는 경우를 얼마나 음성으로 진단하는가를 의미한다.

④ 양성예측도(positive predictability value, PPV) = a/(a+b)

진단결과가 양성으로 나온 사람 중에 정말로 질병을 갖는 사람의 비율

⑤ 음성예측도(negative predictability value, NPV) = d/(c+d)

진단결과가 음성으로 나온 사람 중에 질병이 없는 정상인의 비율

⑥ 양성가능도비(positive likelihood ratio) = [a/(a+c)]/[1−d/(b+d)]

질병환자에서 검사 양성이 나올 가능성을 정상 대상자에서 양성이 나올 가능성으로 나눈 값을 말하며 높을수록 좋다. 민감도/(1-특이도).

⑦ 음성가능도비(negative likelihood ratio) = [1−a/(a+c)]/[d/(b+d)]

질병환자에서 검사 음성이 나올 가능성을 정상 대상자에서 음성이 나올 가능성으로 나눈 값을 말하며 낮을수록 좋다. (1-민감도)/특이도.

임상 연구의 통계적 분석

**통계적 추론의
기본개념**

1) 모집단

연구자가 최종적으로 관심을 가지는 집단을 의미한다.

2) 표본

모집단에 대한 통계적 판단을 하기 위하여 모집단으로부터 대표성 있게 뽑은 집단을 의미한다.

3) 모수(parameter)

모집단의 대표값을 의미한다.

4) 통계량(statistics)

표본의 대표값을 의미한다.

5) 추정량(estimator)

모수 추정에 사용되는 통계량을 의미한다.

6) 가설 검정(통계적 추론)

표본자료를 이용하여 통계적인 방법으로 모집단의 특성에 대한 주장을 기각하거나 채택하는 의사결정을 의미한다.

7) 대립가설

표본을 통하여 얻어지는 정보의 강력한 시사에 힘입어 발생하는 모집단에 대한 예상이나 주장을 의미한다. (↔ 귀무가설)

8) 양측검정과 단측검정

① 양측검정(two-sided test): 대립가설이 '···다르다'고 설정된 경우를 의미한다.
② 단측검정(one-sided test): 대립가설이 '···보다 크다' 또는 '···보다 작다'고 설정된 경우를 의미한다.

9) 제1종 오류와 제2종 오류(표 6-3)

① 제1종 오류(α): 모집단에서의 귀무가설이 참인데도 가설검정의 결과가 귀무가설을 기각하는 오류를 의미한다(위양성).
② 제2종 오류(β): 모집단에서의 귀무가설이 참이 아닌데도 가설검정의 결과가 귀무가설을 채택하는 오류를 의미한다(위음성).

표 6-3. 제1종 오류와 제2종 오류

사실	가설 검정 결과	
	귀무가설 채택	귀무가설 기각
귀무가설 참	옳음	제1종 오류(α)
대립가설 참	제2종 오류(β)	옳음

10) 통계적 검정력(power)

모집단에서의 귀무가설이 참이 아닌 경우 대립가설을 통계적 검정에서 옳다고 판정해줄 수 있는 능력의 정도를 의미한다. $1-\beta$.

예) 통계적 검정력 80% or 90% (β = 0.2 or 0.1)

11) 통계적 유의성

가설검정을 통해 귀무가설을 기각하였을 때, '유의수준 α에서 통계적으로 의미 있는 결과를 얻었다' 혹은 '통계적으로 유의하다'고 한다(후향성 연구는 α값만 고정하고 시행하므로 β 값을 알 수 없어 검정력 검증이 안되어 결론이 완전하게 참이라고 확신할 수 없다).

12) 유의확률(p-value)의 의미

귀무가설이 참일 때 실제로 주어진 자료로부터 계산된 검정 통계량 값보다 더욱 '극단적인 값'을 얻을 확률을 의미한다. 통계적 가설 검정의 결과는 보편적으로 p-value로 제시하며, p-value가 유의수준보다 작으면 귀무가설을 기각하고, 크면 기각하지 않는다.

13) 유의수준(significance level)

귀무가설 기각의 근거가 되는 값으로 제1종 오류의 최대허용 수준을 의미한다. 예) 유의수준 5%

14) 신뢰구간(confidence interval, CI)

이 구간 내에 실제 모수가 존재할 것으로 예측되는 구간을 의미하며, 가장 널리 사용되고 있는 것은 95%CI이다.

15) 연관성 척도: 상대위험(relative risk, RR), 오즈비(odds ratio, OR) (표 6-4)

① 상대위험 추정치(estimated RR) = a/(a+c)/b/(b+d)
② 오즈비 = 사례군의 승산비/대조군의 오즈비 = a/b/c/d = ad/bc
③ 연구대상 질병이 희귀질병(rare disease)인 경우 OR의 추정치를 RR의 추정치로 사용할 수 있다.

표 6-4. 연관성 척도의 계산

관심질병	요인에의 노출 여부		
	예	아니오	합계
예	a	b	a+b
아니오	b	d	c+d
합계	a+c	b+d	n

변수의 종류 및 통계분석법

① 범주형 변수: 명목척도(성별, 혈액형 등), 순위척도(반응, 중간반응, 무반응)

② 연속형 변수: 간격척도(30대, 40대, …), 비척도(32살, 33살, …)

표 6-5. 변수 종류에 따른 통계분석법

종속변수	독립변수	통계분석법
연속형	명목척도(2개 범주)	T-검정, paired T-검정
연속형	범주형(3개 이상)	분산분석
범주형	범주형	x^2-검정, 로지스틱
연속형	연속형	회귀분석
연속형	범주형 + 연속형	공분산분석
이진형(질병 발생여부)	범주형 + 연속형	로지스틱 회귀모형
생존기간	범주형 + 연속형	생존분석
자료의 성격	**모수적 방법**	**비모수적 방법**
범주형	x^2-검정	Fisher's 정확검정 Mcnemar 검정
범주형 이진형	T-검정	Wilcoxon 순위합 검정 Mann-Whitney U 검정
두 개의 짝지은 집단	Paired T-검정	Wilcoxon 부호 순위 검정
세 개 이상의 집단	분산분석	Kruscal-Wallis 검정
상관분석	Pearson correlation	Spearman's correlation

다변량분석(multivariate analysis): 많은 변수를 고려한 통계 분석 기법으로 각 변수에 영향을 미칠 수 있는 다른 요인의 영향을 평가하면서 각 변수의 효과를 결정한다. 이를 통하여 어떠한 변수가 전체 모델에 통계적으로 기여하는지 확인할 수 있다(표 6-5).

카이제곱검정
(Chi Square Test)

$x^2 = \Sigma$ (관측빈도 - 기대빈도)²/기대빈도

범주형 변수간의 관계를 연구하는 데 사용되는 가장 기본적인 통계 기법이다.

| 콕스 비례 위험 회귀 분석(Cox Proportional Hazard Regression Analysis) | 1972년 Cox가 만든 생존분석 방법 중 하나로 독립변수 중 시간에 따라 변하는(연속형) 변수가 존재하는 경우에 사용되는 통계 기법이다. 변수와 생존율 간의 연관성을 평가하는 기술로 중도 절단된 자료도 분석에 이용된다. 각 변수에 제공된 위험의 측정은 위험비(risk ratio)이다. 4.3의 위험비는 해당 변수를 가진 환자에서 연구 대상 결과가 나타날 가능성이 4.3배 높다는 것을 의미한다. 대부분의 경우 신뢰 구간이 위험비와 함께 제공된다.[11] |

ROC 곡선
(Receiver Operator
Characteristics Curve)

ROC 곡선은 민감도와 특이도 간의 관계를 표시하는 가장 좋은 통계 방법이다. 곡선이 왼쪽 상단 모서리에 가까울수록 진양성율이 1에 가깝고 위양성율(1- 특이도)의 비율이 0에 가까워져 검사가 정확해진다. 반대로 ROC 곡선이 파선으로 표시된 45도 대각선으로 표시된 기준치에 가까울수록 검사의 정확도가 떨어진다. ROC 곡선은 검사의 진양성율을 증가시키려면 위양성율도 증가함을 보여준다. 곡선 아래 면적(area under curve, AUC)은 말 그대로 ROC 곡선 밑의 넓이를 뜻하며 ROC 곡선을 통하여 검사의 좋고 나쁨을 명확하게 숫자를 통하여 비교할 수 있게 해준다(그림 6-4). 실선은 진단 검사의 성능을 나타낸다. 파선으로 표시된 45도 대각선은 진단 값이 없는 검사의 기준으로 사용된다.

메타분석
(Meta-Analysis)

체계적문헌고찰과 함께 메타분석은 최상위 근거로써 활용되고 있으며, 개별적인 연구 결과들을 효과크기라는 양적인 지수를 사용하여 통계적으로 분석하는 이론 및 방법을 말한다. 관련 연구 검색, 자료 추출, 목록화와 코딩화, 연구결과의 특성분석, 연구결과의 축적, 도출된 결과의 분포 분석, 결과 보고 등의 단계를 가진다. 분석에 포함된 연구의 질이 최종 결과의 질을 결정하기 때문에 전향적 무작위 임상시험의 포함이 가장 추천된다.[12,13]

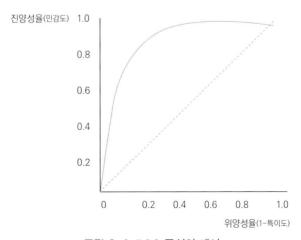

그림 6-4. ROC 곡선의 예시

임상시험의 평가(Evaluation of Clinical Trials)

임상시험의 평가 시에는 여러 가지 사항을 고려해야 하며 그 중 가장 중요한 것은 임상시험의 목적이다. 임상시험의 목적이 적절하게 달성되었는지 아닌지는 비뚤림(bias)과 교란변수(confounding variables)의 정도에 따라 판단한다. '비뚤림'이란 임상시험 결과에 지장을 줄 수 있는 오류들로써 그 종류는 아래 표와 같다(표 6-6).

표 6-6. 임상시험의 비뚤림과 교란변수

피험자 선정 과정의 비뚤림	조사자 비뚤림
인구집단 차이	검증 안된 도구 사용
의료기관 접근성 차이	표준치료 대조군 비뚤림
표본 수 선정 오류	데이터 분석과정의 비뚤림
이민자/무응답자/자원자	사후분석
중재 과정의 비뚤림	선택적 분석
뒤섞임/중단/순응도/치료	결과해석 과정의 비뚤림
정보 비뚤림	출판 과정의 비뚤림

비교군 간의 유의한 차이를 정확히 검증하기 위해서는 표본 크기 혹은 피험자 수를 적절히 산출하는 것이 필요하며, 표본 크기는 산출 과정에 대입되는 여러 변수들의 영향을 받게 된다. 가장 중요한 것은 시험군에서 기대되는 효과 크기이며, 다음으로 검정력, 분석되는 변수들의 변이성, 시험군의 수, 위약효과의 크기 등이 있다. 표본 크기는 대조군과 동일할 수도 있고 동일하지 않을 수도 있다(예, 2:1 배정). 대조군과 시험군의 크기가 동일하지 않은 경우 피험자 수가 많은 군에서 환자 반응에 대한 더 많은 정보를 얻을 수 있다는 점에서는 유리하나 검정력이 줄어든다는 점에서는 불리하다. 다만 통상적으로 3:1 배정 이하에서는 심각한 검정력 감소는 발생하지 않는다.

위약군

위약 투여를 받은 군은 치료 효과 중 정신적인 영향(플라시보 효과)을 통제하기 위해 설정된다. 또한 위약군과의 비교를 통해 치료제를 투여받은 피험자들의 치료제 이상반응을 알아 낼 수도 있다. 위약군의 설정은 윤리적 측면에서 다음과 같은 상황에서 설정될 수 있다.

① 아직까지 표준 치료가 없는 경우
② 현재까지 알려진 표준 치료가 효과가 없는 것으로 밝혀진 경우
③ 표준 치료가 존재하나 해당 임상시험에서는 부적합한 경우
④ 위약 투여 역시 효과를 보이는 질환인 경우
⑤ 대상 질환이 경미하여 약물 투여를 하지 않아도 의학적으로 크게 문제가 되지 않는 경우

| 임상시험의 대조군 피험자 | 임상시험의 대조군 피험자를 모집하는 방법은 여러 가지가 있다. 무작위 배정 임상시험의 대조군 피험자 선정 방법은 전형적인 방법으로서 임상시험에 들어온 피험자가 단 한 번의 배정에 의해 시험군 아니면 대조군에 속하게 된다. 반면 무작위 배정이 현실적으로 불가능한 경우 비-무작위 대조군이 사용되는 때도 있다. 비-무작위 대조군이라 하더라도 시험군 피험자의 특징과 유사한 특징을 가져야 하며 이는 과거 대조군이나 문헌 대조군을 선정할 때도 지켜져야 한다. 대조군이 되는 피험자들은 위약 투여 대조군, 새로운 치료에 대한 표준 치료 대조군, 다른 용량 투여 대조군이 될 수 있다. |

| 중도탈락 | 중도탈락은 임상시험의 과정에서 언제든 일어날 수 있다. 중도탈락의 이유는 피험자가 참여하기 싫어서, 평소의 치료가 바뀌는 것이 싫어서 등의 단순한 것부터 약물 이상 반응과 같은 중재 자체에 대한 것까지 다양하게 존재한다. 어느 경우 등 중도탈락한 피험자 역시 임상시험 종료 시까지 추적되어져야 하며 최종적으로 치료의향(intent to treat) 분석에 포함되어야 한다. |

| 맹검 | 맹검이란 임상시험의 비뚤림을 줄이기 위하여 시험약에 대한 정보를 환자, 치료자, 관련 인사, 통계분석자 등이 전혀 알지 못하도록 하는 것을 말한다. 반대로 비맹검 임상시험은 맹검이 이루어지지 않는 임상시험을 말하는데 다음과 같은 경우가 비맹검 시험의 예에 해당된다. |

① 탐색 연구
② 위중한 상태 환자의 사례 연구
③ 맹검이 명확히 불필요한 경우(혼수 환자 등)
④ 윤리적인 이유로 맹검 시행이 적절치 않을 때

단일 맹검 임상시험은 환자나 연구자 중 한 쪽이 시험약에 대한 정보를 알지 못하게 수행하는 시험이다. 이중 맹검에 비해서는 비뚤림 위험이 높지만 이중 맹검이 현실적으로 불가능한 상황의 임상시험에서는 비맹검 시험보다 내적 타당도를 높일 수 있는 방법으로서 의의가 있다. 이중 맹검은 환자와 연구자 모두 시험약에 대한 정보를 알지 못하게 수행하는 시험이다. 임상시험의 다른 요소들이 정확히 지켜지고 맹검이 잘 유지되는 경우 임상시험의 결과는 내적 타당도가 매우 높아지게 된다. 맹검이 사용되는 임상시험이라면 맹검 해제가 최대한 어렵게 되도록 설계되어야 하며, 맹검의 해제가 용인되는 경우는 다음과 같다.

① 이상 반응

② 유효성이 없는 경우

③ 유효성이 조기 증명된 경우

④ 검사실 기준치가 변경된 경우

⑤ 표식 오류

⑥ 맹검 내용이 유출된 경우

⑦ 투여된 시험약 정보를 반드시 확인해야 할 상황

임상시험의 중단

임상시험 진행 도중 시험의 중단 혹은 조기 종료를 결정하게 되는 수가 있다. 임상시험 도중에 유의하게 밝혀진 열등 치료군에 다음 환자가 배정되는 것은 윤리적으로 허용되기 어렵다. 이러한 상황에서는 해당 시점까지의 임상시험 결과가 실제 현장의 치료 지침을 바꿀 정도로 충분한지를 평가하고 임상시험의 조기 종료를 결정할 기구가 필요하게 된다. 목표 피험자 수에 도달하지 못한 상태에서 도출되는 유의한 결과는 우연에 의한 위양성 결과일 수도 있다는 점, 최초 선정한 표본 크기에 미치지 못한 시점에서의 통계치는 신뢰 구간이 넓어 정밀성이 떨어지게 된다는 점, 조기 종료된 임상시험의 결과일수록 과대평가될 수 있다는 점 등은 임상시험 조기 종료의 단점이 될 수 있다. 따라서 임상시험 조기 종료에 대한 기준은 임상시험 시작 시점에서 미리 정해져야 한다. 특히 윤리적인 이유로 유의한 결과를 조기에 판정해야 하는 경우 1차 결과 변수 분석에 있어 위양성 가능성을 최소화할 수 있는, 충분히 작은 p-value를 설정해야 한다. 또한 위양성 결과를 막기 위해서는 중간 분석 횟수는 최소한으로 제한해야 하며 데이터를 철저히 반복해서 확인해야 한다.

참고문헌

1   Nuremberg Military T. The Nuremberg Code. JAMA 1996;276:1691.

2   World Medical A. World Medical Association Declaration of Helsinki: ethical principles for medical research involving human subjects. JAMA 2013;310:2191-4.

3   Protection of human subjects; Belmont Report: notice of report for public comment. Fed Regist 1979;44:23191-7.

4   Torre LA, Islami F, Siegel RL, Ward EM, Jemal A. Global Cancer in Women: Burden and Trends. Cancer Epidemiol Biomarkers Prev 2017;26:444-57.

5   Vaccarella S, Laversanne M, Ferlay J, Bray F. Cervical cancer in Africa, Latin America and the Caribbean and Asia: Regional inequalities and changing trends. Int J Cancer 2017;141:1997-2001.

6   Grimes DA, Schulz KF. An overview of clinical research: the lay of the land. Lancet

2002;359:57-61.

7   Schulz KF, Grimes DA. Case-control studies: research in reverse. Lancet 2002;359:431-4.

8   Burns PB, Rohrich RJ, Chung KC. The levels of evidence and their role in evidence-based medicine. Plast Reconstr Surg 2011;128:305-10.

9   Goldenberg NA, Spyropoulos AC, Halperin JL, Kessler CM, Schulman S, Turpie AG, et al. Improving academic leadership and oversight in large industry-sponsored clinical trials: the ARO-CRO model. Blood 2011;117:2089-92.

10 Sessler DI, Imrey PB. Clinical Research Methodology 1: Study Designs and Methodologic Sources of Error. Anesth Analg 2015;121:1034-42.

11 Sebastiao YV, St Peter SD. An overview of commonly used statistical methods in clinical research. Semin Pediatr Surg 2018;27:367-74.

12 Askie L, Offringa M. Systematic reviews and meta-analysis. Semin Fetal Neonatal Med 2015;20:403-9.

13 Lee YH. An overview of meta-analysis for clinicians. Korean J Intern Med 2018;33:277-83.

CHAPTER

7

부인암의 영상진단

Diagnostic Imaging of
Gynecologic Cancers

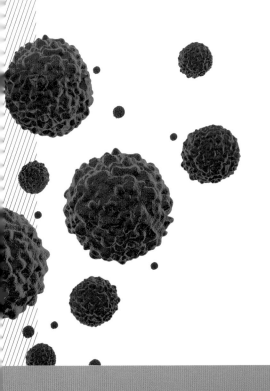

책임저자

김성훈 | 연세대학교 의과대학 산부인과

집필저자

김미경 | 이화여자대학교 의과대학 산부인과

백이선 | 성균관대학교 의과대학 산부인과

이나라 | 차의과학대학교 의학전문대학원 산부인과

황종하 | 가톨릭관동대학교 의과대학 산부인과

Gynecologic Oncology

영상기법 총론 및 정상구조

서론

부인종양 영역에서 영상검사는 부인암의 진단, 영상유도하조직생검, 병기 설정, 치료 효과 판정, 재발 감시 등의 목적으로 시행된다. 영상검사의 종류에는 초음파검사, 컴퓨터단층촬영, 자기공명영상, 양전자방출단층촬영술 등이 있다. 영상검사의 선택은 각각의 영상검사기법의 특성을 고려하여 검사의 목적, 즉 평가하고자 하는 임상적 질문에 가장 부합하는 검사로 선택하여 시행한다(표 7-1).

표 7-1. 부인암 영상검사 선택 시 고려 사항

	초음파검사	컴퓨터단층촬영(CT)	자기공명영상(MRI)	양전자방출단층촬영술/컴퓨터단층촬영(PET-CT)
자궁경부암	• 병기 설정에 제한적임	• 림프절 및 골반외 원격전이 평가에 유용	• 우수한 연조직 대조도를 가지므로 종양의 크기, 기질 침윤의 깊이, 자궁주위조직(parametrium) 침범 등 병기 설정을 위한 평가에 유리함 • 림프절 및 주위장기(질, 방광, 직장)로의 국소 전이 여부 평가에 유용 • 방사선치료 후 섬유화 조직과 재발성 종양 간의 감별진단	• 림프절 및 원격전이 평가 • 골반부에 국한된 국소재발인 경우 치료계획 설정 전 원격전이 유무 평가 • 방사선치료 후 섬유화 조직과 재발성 종양 간 감별진단
자궁체부암	• 이상 질출혈 시 일차적 선별검사	• 림프절 및 자궁외 전이(복막 전이, 자궁부속기 전이 등) 평가	• 종양의 기시부(자궁기저부(fundus), 자궁하부 혹은 자궁경부), 자궁근층 침습 및 자궁경부 기질 침범 진단에 유용 • 림프절 및 주위장기(질, 방광, 직장) 등 골반 내 자궁내막암의 침범 범위 평가	• 골반외 원격전이 및 재발 진단 • 골반부에 국한된 국소재발인 경우 치료계획 설정 전 원격전이 유무 평가
난소암	• 골반내 종양의 일차적 선별 검사	• 진행성 난소암에서 골반 장기 및 측벽 침범, 복막 착상, 림프절 전이, 복수 등 전이여부 및 범위 평가에 유용 • 수술 후 잔존 종양 및 재발 평가	• 초음파검사상 애매하게 보이는 자궁부속기 종양의 성상 및 해부학적 위치에 대한 정확한 평가	• 재발이 의심되나 CT상 재발 병변이 명확히 관찰되지 않는 경우 재발의 진단 위해 부가적으로 시행

초음파검사

1) 초음파검사 기법

골반부 초음파검사는 질 초음파검사(transvaginal ultrasonography) 또는 복부초음파검사(transabdominal ultrasonography)로 시행되며, 질출혈, 골반 통증, 골반내 종양 등에 대한 일차적 선별검사로 시행된다. 질 초음파검사는 주로 5-12MHz의 질탐촉자(transvaginal probe)를 이용하며, 복부초음파검사에 비해 해상도가 높고 영상허상(imaging artifact)이 적으며 골반장기에 좀 더 근접해서 검사를 시행할 수 있는 장점이 있어 많이 시행된다.[1]

복부초음파검사는 2-7MHz의 볼록탐촉자(convex probe)를 이용해 방광에 소변을 채우고 검사를 시행하며, 질 초음파검사에 비해 해상도가 낮지만 좀 더 넓은 영상시야를 가지기 때문에, 종양이 크거나 이로 인해 난소가 골반부 밖으로 밀려나 있는 경우, 또는 복수, 복막 전이, 수신증 등 부수적인 소견들에 대한 평가를 위해 보조적으로 시행된다.

색도플러 초음파검사(color doppler ultrasonography)는 자궁과 난소 병변의 혈류를 평가하여 부가적인 정보를 제공한다. 이 외에도, 좀 더 자세한 자궁내막 병변의 평가를 위해 자궁내강에 카테터를 거치하고 이를 통해 생리식염수 10~30mL를 천천히 주입하여 초음파자궁조영술(sonohysterography, SHG)을 시행하기도 한다.

2) 정상 초음파검사 소견

정상자궁근층(myometrium)은 초음파에서 균질한 중간 정도의 에코를 보이며, 자궁근의 외층과 중간층 사이로 활꼴혈관(arcuate vessel)이 주행하는 것이 색도플러 초음파에서 잘 보인다.

자궁내막(endometrium)은 시상면의 중심선에서 자궁 기저부(fundus)의 가장 두꺼운 부분을 재서 그 두께를 측정한다. 폐경 전 여성에서는 정상적으로 월경주기에 따라 자궁내막의 두께와 에코가 변화한다(그림 7-1). 증식기(proliferative phase)에는 자궁내막 기능층 (functionalis layer)의 선증식이 일어나는 시기로, 저에코의 자궁내막 기능층과 두 자궁내막층이 만나서 생기는 고에코의 선 및 이를 둘러싸는 고에코의 기저층(basalis layer)으로

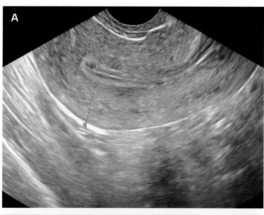
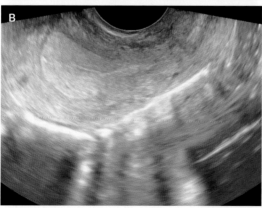
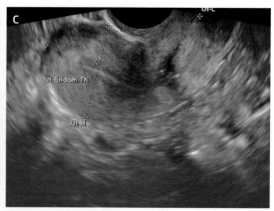

그림 7-1. 월경주기에 따른 자궁내막 변화의 정상 질 초음파검사 소견
A 증식기. 기능층의 선증식으로 자궁내막이 저에코의 두 층으로 보이며, 두 자궁내막층이 만나서 생기는 고에코의 선과 이를 둘러싸는 고에코의 기저층으로 인해 세겹으로 관찰된다. **B** 분비기. 자궁내막의 두께와 에코가 모두 증가한다. **C** 월경기. 기능층의 탈락으로 자궁내막의 두께가 얇아진다.

인해 세겹(trilaminar)으로 관찰되고, 그 두께는 4~12mm까지 관찰된다.[2] 배란 후 분비기(secretory phase)에는 자궁내막 기능층이 더욱 두꺼워지고 에코가 증가하며 그 두께는 8~15mm까지 두꺼워진다. 월경기에는 기능층의 박리로 인해 자궁내막이 2~3mm 정도로 얇아진다. 폐경 후 여성은 자궁체부 및 자궁내막이 위축되며, 자궁내막의 두께는 대부분 5mm 미만으로 관찰된다. 초음파자궁조영술은 주로 증식기에 시행되며, 정상적으로 자궁내막의 두께가 균일하며 표면이 매끄럽고 균질한 에코로 관찰된다.

난소도 월경주기에 따라 초음파 소견이 바뀌는데, 배란 전 난포는 2~2.5cm까지 커질 수 있고, 배란 후에는 황체(corpus luteum)가 관찰되며 대부분 작지만 커지면 8cm에 달하기도 한다. 이러한 기능성 난소낭종(functional cyst)은 1~2개월 후 저절로 없어진다. 폐경 후에는 난소가 위축되며 난포도 소실되기 때문에 초음파검사로 관찰하기가 쉽지 않다.

컴퓨터단층촬영

1) 컴퓨터단층촬영 기법

컴퓨터단층촬영(computed tomography, CT)은 복부 및 골반 내 장기에 대해 가장 넓은 영상시야를 가지며, 높은 공간해상도 및 짧은 검사 시간 등의 장점으로 부인암의 병기 설정, 진행성 부인암의 원격 전이 또는 림프절 전이 평가, 재발성 부인암의 진단 등의 목적으로 폭넓게 시행되고 있다.

조영증강 CT (contrast-enhanced CT)는 약 120~150mL의 요오드조영제(iodine contrast agent)를 말단 정맥에 1.5~2mL/초의 속도로 주입하고 검사를 시행하며, 통상적으로 조영제를 투여하고 70~120초가 지난 간문맥기(portal venous phase)에 영상을 얻는다. 골반강내 정맥혈전 등의 병변을 확인하기 위해서는 골반정맥이 잘 조영증강되는 3~5분 후 지연 영상을 얻기도 한다. 방광질루(vesicovaginal fistula) 등의 병변을 확인하기 위해서는 5~10분 후 더욱 지연된 영상을 얻기도 한다.[1] 복부-골반강 CT는 보통 5mm 조준(collimation), 5mm 테이블 속도로 시행하며, 3차원 재구성이 필요한 경우에는 더 얇은 조준으로 검사를 시행한다. 소장 및 대장의 불투명화(opacification)가 필요한 경우 약 750~1,000mL의 경구조영제를 CT검사를 하기 1~2시간 전에 투여하고, 경우에 따라서 약 200mL의 경구조영제로 관장을 시행하기도 하는 데 이를 통해 장의 장막(serosa) 병변을 더 잘 관찰할 수 있다.

2) 정상 컴퓨터단층촬영 소견

정상적으로 자궁근층은 조영제 투여 후 높은 조영증강을 보이며, 이에 비해 자궁내막은 초기에는 낮은 조영증강을 보이다가 후기로 갈수록 천천히 높아져 근층과 비슷하게 된다. 자궁경부는 대체로 자궁근보다 낮은 감쇠(attenuation)를 보이며, 자궁경부의 병변과 감별하여야 한다(그림 7-2).

자궁주위조직(parametrium)에는 혈관이 많이 분포하기 때문에 조영증강이 잘 되며, 질 점막도 조영증강이 잘 된다. 난소는 CT에서 조영증강이 잘 되지 않으며 흔히 낮은 감쇠

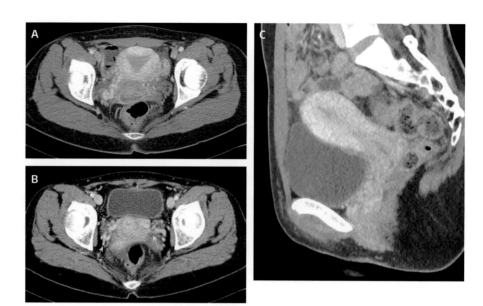

그림 7-2. 폐경 전 여성의 정상 조영증강 CT 소견

A 조기 영상에서 자궁근은 균질하게 조영증강되며, 정상 자궁내막은 자궁근보다 낮은 조영증강을 보인다. **B** 자궁주위조직(parametrium) 내 혈관이 많이 분포하여 조영증강이 잘 된다(화살표). **C** 자궁경부는 자궁근에 비해서 낮은 조영증강을 보인다.

를 보이고, 폐경 전 여성에서는 난포로 인해 작은 다발성 낭성변화가 난소피질에서 관찰된다. 폐경 후 여성에서는 난소가 작게 보이거나 보이지 않는 경우가 많다.

자기공명영상

1) 자기공영영상 기법

자기공명영상(magnetic resonance imaging, MRI)은 우수한 연조직 대조도(soft-tissue contrast) 및 여러 평면의 재구성 영상을 얻을 수 있는 장점으로 자궁경부암 및 자궁내막암의 병기 설정에 있어서 최선의 영상검사이다. 이 외에 초음파검사에서 난소종양의 특성이 애매하게 판단되는 경우에도 MRI가 유용하게 쓰인다.

골반부 MRI 시행 시에는 장운동을 최소화하기 위해 4~6시간 금식 후 MRI 시행 전 항연동제(antiperistaltic)를 투여한다. 영상은 바로누운자세(supine position)로 골반 위상배열다중코일(phased-array multicoil)을 이용하여 얻는다. 질내코일(endovaginal coil)로는 작은 자궁경부종양이나 초기 자궁주위조직 침범 여부를 높은 해상도로 관찰할 수 있지만, 시야가 매우 좁은 한계가 있어 잘 사용되지 않는다. 빠른 영상검사를 위해 고속스핀에코(fast spin echo, FSE) 또는 터보스핀에코(turbo spin echo, TSE)를 이용하는데, 이는 180도 펄스와 90도 펄스를 번갈아 여러 차례 환자에게 준 후 최대 128개의 에코열을 획득하는 기법이다. 한 번의 에코시간에 여러 영상을 얻어 영상 획득 시간을 단축하고 운동인공물(motion artifact)을 감소시켜 영상의 질을 높인다.

부인과 영역에서 사용되는 MRI의 기본 영상 프로토콜에는 축상면(axial plane) T1강조영상(T1-weighted images, T1WI)과 축상면 및 시상면(sagittal plane) T2강조영상(T2-weighted images, T2WI)이 있다. 만약 T1강조영상에서 난소 안에 고신호강도가 보이는 경우에는 지방과 출혈을 감별하기 위해 지방억제 T1강조영상(fat-saturation T1WI)을 얻는다. 림프절 전이 등 병기 설정을 위해서는 넓은 시야의 축상면 T1 및 T2강조영상이 이용된다. 자궁내막암의 자궁근층 침윤이나 자궁경부암의 자궁주위조직 침범 여부를 평가하기 위해 자궁 또는 자궁경관의 장축에 직각으로 촬영하는 비스듬한 축상면(axial oblique plane, short axis)의 T2강조영상이 필수적이다.

종양의 전이 여부나 복합난소종양(complex adnexal mass)의 평가를 위해서는 정맥 내 가돌리늄(gadolinium)을 투여 후 역동적 조영증강영상(dynamic multiphase contrast-en-hanced MRI)을 촬영한다. 최근에는 확산강조영상(diffusion-weighted image, DWI)이 자궁내막암의 자궁근층 침윤 정도 및 자궁경부, 자궁부속기 혹은 복막 전이를 확인하기 위해 많이 촬영되고 있으며, 조영제를 사용하기 힘든 환자에서 조영증강영상을 대체하기도 한다. 확산강조영상은 조직 내 물분자의 확산 특성을 영상화하는 기법으로 T2강조영상에서 180도 재초점펄스를 주어서 얻는다. 이 때 2개 이상의 확산경사계수인 b값을 주는데, 높은 b값(750~1,000sec/mm²)과 낮은 b값(0, 50, 100sec/mm²)을 주고 영상을 얻는다. 서로 b값이 다른 확산강조영상에서 얻는 겉보기확산계수(apparent diffusion coefficient, ADC)는 조직 내에서 물분자의 움직임을 나타내는 계수이다. ADC값이 작을수록 확산이 제한되는 것을 의미하며, ADC영상에서 저신호는 확산강조영상에서 고신호로 나타난다. ADC값은 종양의 악성도가 높아 세포충실성(cellularity)이 높을수록 낮아져 종양의 감별진단에 유용하게 이용된다.[3]

2) 정상 자기공명영상 소견

T2강조영상에서 자궁 및 자궁경부가 높은 연조직 대조도로 인해 뚜렷한 층구조로 보이며, 자궁내막은 고신호강도, 자궁근은 중간신호강도로 보인다(그림 7-3). 자궁근의 내측 부위인 접합구역(junctional zone)은 저신호강도로 보이는데, 이는 외측 자궁근에 비해 세

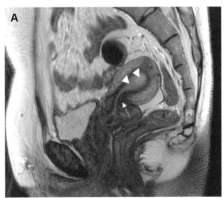
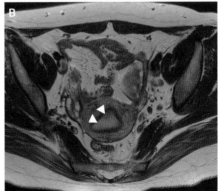

그림 7-3. 정상 골반 MRI 소견
A 시상면(sagittal). **B** 축상면(axial) T2강조영상. T2강조영상에서 자궁내막(화살표 머리)은 고신호강도로, 자궁경부의 기질(긴 화살표)은 저신호강도로 보인다.

포가 크고 세포외간질과 수분함량이 적음을 나타낸다. 자궁경부의 섬유성 간질(fibrous stroma)은 T2강조영상에서 저신호강도로 보이며, 자궁경관내(endocervical canal) 고신호강도는 점막과 점액을 나타낸다.

조영증강 T1강조영상에서는 자궁근은 조영증강이 잘 되며, 자궁내막은 조영증강이 늦게 이루어지고 지속되는 경향이 있다. 이에 비해, 자궁내막 접합구역 및 자궁경부 섬유성 간질은 조영증강이 잘 되지 않는다. 혈관이 많이 분포하는 자궁주위조직과 질벽은 조영증강이 잘 된다. 역동적 조영증강영상에서 접합구역은 초기에 종종 자궁내막하 조영증강(subendometrial enhancement)을 보이기도 한다.

난소는 T1강조영상에서는 저-중간신호강도로 균질하게 관찰되나, T2강조영상에서는 난포가 주위 간질(stroma)에 비해 고신호강도로 보인다.

양전자방출단층촬영술/컴퓨터단층촬영

1) 양전자방출단층촬영술 기법

양전자방출단층촬영술(positron emission tomography, PET)은 암세포가 정상세포에 비해 당대사가 활발하여 포도당유사체인 F-18-불화디옥시포도당(F-18-FDG)이 많이 축적되어 강한 신호로 나타나는 것을 이용한 영상기법이다. 최근에는 기존의 PET에 해부학적 위치정보를 결합한 양전자방출단층촬영술/컴퓨터단층촬영(PET-CT)이 종양학 분야에서 널리 시행되고 있다.

PET-CT를 시행하기 적어도 4시간 전부터 인슐린농도를 낮게 유지하기 위해 금식이 필요하며, 수액공급 시에도 포도당용액은 금한다. FDG 투여 전에 혈당을 재며, 혈당이 200mg/mL를 넘는 경우에는 검사를 시행하지 않는다. 골격근 내로 당흡수를 제한하기 위해서 검사 전 신체활동도 제한한다. 10~20mCi의 FDG를 정맥 내 투여하며, 환자는 조용히 눕거나 앉아있도록 하고 FDG를 투여하고 45~60분 후부터 20~45분에 걸쳐 영상을 얻는다. FDG섭취율은 표준화된 섭취값(standardized uptake value, SUV)으로 반정량적으로 측정한다. SUV값은 악성 병변의 대사 활동 정도를 나타낸다.

0.5cm 이하의 작은 병변은 PET-CT에서 위음성소견을 보일 수 있고, 염증이나 감염이 있는 경우나 수술 후 변화, 반응성림프절병(reactive lymphadenopathy)이 있는 경우에는 위양성소견을 보일 수 있다.

2) 정상 PET-CT 소견

정상적으로 FDG의 생리적 섭취(physiologic uptake)는 뇌, 침샘, 심근(myocardium), 간, 위장관에서 일어나고, 주로 신장을 통해 배설되므로 콩팥, 요관, 방광 등도 강한 신호로 관찰된다. 폐경 전 여성에서는 월경주기에 따라 자궁내막과 난소의 FDG 섭취가 증가되어 보이며, 대개 자궁내막은 월경주기 첫 3일간, 난소는 배란시기 전후로 FDG 섭취 증가소견을 보인다. 폐경 후 여성에서는 자궁과 난소에 FDG 섭취 증가소견이 보이지 않는다.

자궁경부암

서론

자궁경부암에서는 FIGO (International Federation of Gynecology and Obstetrics) 병기를 바탕으로 하는 임상병기를 따르다가, 2018년 개정된 FIGO 자궁경부암 병기에는 영상검사와 병리소견이 추가적으로 반영되어 결정되게 되었고 종양의 크기와 병기 결정의 방법을 기록하게 되었다. 병기 IA는 자궁경부 기질 미세침윤 깊이를 기준으로 IA1과 IA2로 구분되었고, 병기 IB는 경부기질침윤 깊이 5mm 이상 및 종양크기에 따라 IB1, IB2, IB3로 구분되었다. 병기 III에는 골반/대동맥주위 림프절 전이가 병기 IIIC로 추가되었다.[4]

자궁경부암 환자에서 영상검사의 목적은 질환 병변의 범위 평가, 치료반응 평가, 재발 평가를 포함한다. 영상검사는 예후에 중요한 인자인 종양의 크기, 자궁주위조직 및 골반벽 침범, 방광과 직장 침범, 림프절 전이 등을 평가하여 적절한 치료를 선택하는 데 정보를 제공한다. MRI는 병변 범위 평가와 치료 반응 평가에 가정 적절한 검사방법으로 여겨진다. CT는 국소병기 평가가 제한적이지만 림프절 전이, 주변 장기 침범 및 원격 전이 평가에 유용하다. MRI는 병변 범위 평가와 치료 반응 평가에 가장 적절한 검사방법이고, CT와 PET-CT는 원격 전이를 평가하거나 MRI가 금기일 때 사용한다.

자궁경부암 병기설정과 영상 소견

자궁경부암에서 영상검사는 임상적으로 평가하기 어려운 자궁경관 내의 종양 평가, 자궁경부 기질 침윤의 깊이, 자궁주위조직과 골반벽 침범, 주위 장기로의 국소파급, 림프절과 원격 전이의 평가에 사용되며 가장 중요한 역할은 병기 결정이다. MRI, CT 영상 결과로 IIA 이하 조기암과 IIB 이상의 진행암을 구분할 수 있다.

1) 초음파검사

초음파검사는 자궁경부암 병기 결정에 있어서 다른 검사 방법과 비교하여 제한적이다. 질 혹은 직장초음파의 해상도가 발달함에 따라 종양 크기나 병변 주변 범위를 평가하는 데 도움을 줄 수 있으나, 주변장기 침범, 림프절 전이, 원격 전이 평가는 어렵다.[5] 또한 재발진단에서의 역할도 없다고 할 수 있다.

2) 컴퓨터단층촬영

CT는 암과 정상 자궁경부조직을 구분하기 어렵기 때문에 암을 직접 발견하는 데 제한적이고 종양크기, 기질침윤, 자궁주위조직 침범을 평가하는 데 MRI보다 정확하지 않지만, 진행암의 경우 림프절과 골반외 원격 전이의 평가에 유용하다.[6,7] CT에서 초기 자궁경부암은 괴사, 궤양, 혹은 낮은 혈류량에 의한 저음영으로 관찰되며, 암이 자궁경부에 국한된 경우에는 자궁경부의 경계가 분명하게 관찰된다. 조영증강 CT에서도 암이 자궁경부 기질과 비슷한 음영을 보이기 때문에 초기 자궁경부암에서는 종양이 관찰되지 않거나 정확한 크기 측정이 어렵다.

3) 자기공명영상

MRI는 자궁경부암 병기를 결정하는 데 가장 좋은 영상검사로 여겨진다. 종양의 크기, 위치, 기질침윤의 깊이, 자궁주위조직 침범, 주위장기의 국소 전이, 림프절 전이 평가에 유용하다.[8,9] 부인종양전문의는 범위가 큰 자궁주위조직 침범은 쉽게 진찰 시 발견할 수 있으나 조기 침범은 발견하기 어려울 수 있다.[10,11] MRI에서는 자궁주위조직 침범 진단이 매우 정확하며(정확성 88~97%) 이는 자궁경부암에서 수술적 치료에 적절한 환자를 선택하는 데 중요한 부분이다.[12] 또한 MRI는 림프절 전이를 진단하는 데 정확성이 높으며 이는 2018 FIGO 병기에서 IIIC를 진단하는 데 중요한 부분이다.[13,14]

병기 I은 자궁경부에 국한된 종양으로 병기 IA 종양은 T2강조영상에서 거의 보이지 않고 자궁경부기질의 미세침윤도 진단할 수 없다. 병기 IB는 기질침윤 5mm 이상이면서 크기 2cm 미만의 IB1, 2~4cm의 IB2, 4cm 이상의 IB3로 구분된다. 병기 IB에서는 중간~고신호강도가 종양에 국한되고 저신호강도의 자궁경부 기질고리(stromal ring)가 잘 유지되는 양상이 관찰되며(그림 7-4), 기질고리 두께가 3mm 이상일 때 자궁주위조직 침범을 배제할 수 있다.[11]

병기 II에서는 자궁경부는 벗어나지만 골반벽 혹은 질하부 1/3에는 도달하지 않은 경우로 질상부 2/3까지 침범시 IIA, 자궁주위조직을 침범하면 IIB이다. IIA는 크기에 따라 IIA1 (4cm 미만)과 IIA2 (4cm 이상)로 나뉜다. MRI에서 병기 IIB는 T2강조영상에서 저신호강도의 기질고리가 파괴된 양상으로 보이거나 자궁주위조직면에 종양이 튀어나온 양상, 혹은 자궁주위조직에 연조직이 과하게 관찰되는 양상이 보인다(그림 7-5). 종양크기가 큰 경우 염증 반응에 의한 자궁경부기질의 부종이 나타날 수 있고 실질적인 종양의 경계를 평가하는 데 방해가 될 수 있다. 또한 조직검사 이후 출혈에 의한 현상으로 자궁주위조직 침범으로 잘못 진단될 수 있으므로 신중한 평가가 필요하다.[11,15]

병기 IIIA는 종양이 질하부 1/3까지 침범했지만 골반벽 침범은 없는 경우이고 병기 IIIB는 골반벽을 침범하거나 요관을 침범하여 수신증을 유발한 경우이다. 골반벽 침범

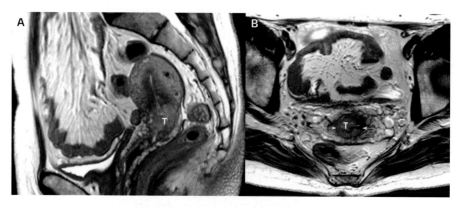

그림 7-4. 병기 IB 자궁경부암의 MRI 소견

A 시상면(sagittal). **B** 축상면(axial). T2강조영상에서 2~4cm의 종양(T)이 관찰된다. 자궁경부기질의 저강도신호(B의 화살표)가 명확히 관찰되는 것은 자궁주위조직 침범(parametrial invasion)이 없음을 의미한다.

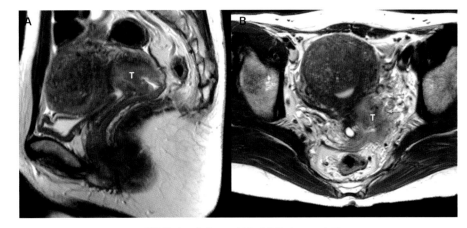

그림 7-5. 병기 IIB 자궁경부암의 MRI 소견

A 시상면(sagittal). **B** 축상면(axial). T2강조영상에서 커다란 종양이 관찰되며(T), 자궁주위조직 (parametrium)면에 종양이 튀어나온 양상(B의 화살표)이 관찰되는데 이는 자궁주위조직 침범 (parametrial invasion)을 의미한다.

소견은 종양이 골반외벽 근육이나 장골혈관에 3mm 이내로 침윤이 관찰되거나 골반외 벽의 고신호강도가 관찰되는 것으로 진단 가능하다.[11] 병기 IIIC1은 골반림프절 전이, IIIC2는 대동맥주위림프절 전이일 때로 구분한다.

병기 IV는 주변장기로의 전이, 원격 전이가 있는 경우이며, 방광점막층의 파괴로 인한 저신호강도가 관찰되거나 고신호강도의 종양이 직장벽에 관찰되는 경우는 IVA에 해당된 다. 종양이 직장벽으로 직접적으로 전이되는 경우는 드물며 대부분 자궁천골인대(utero-sacral ligament)를 통해 전이된다. 병기 IVB는 종양이 서혜부 림프절이나 간, 폐, 뼈 등에 원격 전이 한 경우가 해당된다.

4) 양전자방출단층촬영술/컴퓨터단층촬영(PET-CT)

자궁경부암에서 [18]fluorodeoxyglucose (FDG)가 종양에서 섭취가 증가한 상태로 관찰된 다. PET-CT는 림프절 전이와 재발을 진단하는 데 유용하고 치료 후 반응 평가에 사용될 수 있다.[16] 하지만 1cm 미만의 원발암을 진단하기에는 제한적이며, 대사활동이 증가된 정상조직에서도 FDG 섭취가 증가될 수 있어서 감별이 어렵다는 것이 단점일 수 있다.

자궁경부암 치료 후 반응 평가 및 재발에서의 영상 소견

자궁경부암의 재발은 60~70%에서 2년 이내에 나타나고, 재발 시 구제치료(salvage treat-ment)는 생존율을 향상시키는 데 중요한 역할을 한다.[17] 재발부위에 따라 치료의 종류 가 달라질 수 있는데 질 주변이나 골반벽에 국한되어 재발하는 경우 이전에 동시항암화 학방사선치료를 받지 않았다면 시행할 수 있다. 이전에 동시항암화학방사선치료를 받은 경우 국소재발인 경우 골반내용물적출(pelvic exenteration)을 시행할 수 있다. 원격 전이 인 경우 항암화학요법을 시행할 수 있다. 치료방법에 적절한 환자군의 선별이 필수적이 며 이에 영상학적 검사가 중요한 역할을 한다.

1) 컴퓨터단층촬영

CT는 자궁경부암에서 자궁수술을 받은 환자에서의 골반에서의 재발 혹은 다른 장기로의 재발 진단에는 효과적이나 방사선치료를 받았던 환자에서의 재발 진단에서는 방사선치료를 받은 종양부위와 연조직의 조영증강 차이가 적기 때문에 제한적일 수 있다.[18] 연조직 종양 재발, 타장기 압박, 골반벽으로의 침윤, 수신증을 진단 가능하며, 골반/대동맥주위 림프절 전이 진단에도 사용된다.

2) 자기공명영상

일차 치료로 동시항암화학방사선치료를 받은 자궁경부암 환자에서의 치료반응 평가에는 MRI가 사용된다.[19] 진행성 자궁경부암에서 MRI 검사로 종양크기의 시간별 변화를 측정하는 것은 치료반응평가의 표준방법으로, 치료 후 2달 이내에 종양크기가 감소하는 것은 좋은 예후를 의미한다.[20] 치료 후 자궁경부기질이 저신호 강도로 관찰된다면 종양이 완전관해 되었다고 판단할 수 있다. 자궁경부암 재발 진단에서도 MRI는 중요한 역할을 한다. T2WI 영상에서 질천장(vaginal vault) 재발은 얇은 저신호강도 부분이 소실되는 것으로 보이며 종양의 고신호 강도가 나타나는 것과 연관이 있다(그림 7-6). MRI에서 재발부위는 방사선치료를 받은 부위의 저신호강도와는 다르게 고신호강도로 관찰된다. 그러나 방사선치료 이후 6개월 이내의 재발은 진단이 어려울 수 있다. 방사선치료 1년이 지난 후 재발은 치료 후 섬유화된 부분과 재발된 부분의 신호강도 차이가 MRI상에서 의미 있는 차이를 보이게 된다.[21] 재발성 자궁경부암 진단은 T2WI보다 역동성 조영증강 영상(dynamic contrast-enhanced image)으로 더 명확하게 진단할 수 있다.[22]

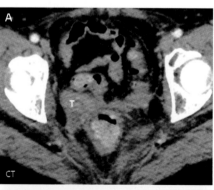
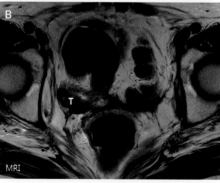
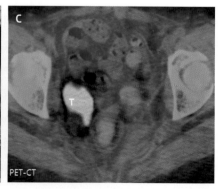

그림 7-6. **재발성 자궁경부암의 영상 소견**
A 조영증강 CT, **B** MRI T2강조영상, **C** PET-CT 영상. 오른쪽 골반부에 재발 종양(T)이 관찰된다.

3) 양전자방출단층촬영술/컴퓨터단층촬영

PET-CT는 잔존/재발 병변, 원격 전이를 진단하는 데 효과적이다. PET-CT 검사는 자궁 경부암 재발을 진단할 수 있고(원발전이, 림프절 전이 위치, 원격 전이 위치)(그림 7-6), 이후 방사 선치료 범위를 계획하는 데 도움을 준다. 골반부분의 국소 재발뿐만 아니라 원격 전이 및 복막전이, 림프절 전이, 폐 전이 등을 진단할 수 있다.[23]

자궁체부암

자궁내막암

1) 서론

자궁내막암은 일반적으로 자궁내막생검을 통해 진단되며, 자궁내막암의 병기는 외과적 병기설정술에 근거하여 설정된다. 그럼에도 영상검사는 자궁내막암의 일차 선별검사, 수 술 전 위험도평가 및 원격 전이 확인을 통한 치료계획 설정, 재발암 확인 등에 있어서 중 요한 역할을 하고 있다.

2) 자궁내막암의 일차 선별영상검사

비정상질출혈이 있을 경우 일차 선별영상검사로 질 초음파검사를 실시한다. 폐경기 출혈 환자에서 자궁내막두께 5mm를 진단기준으로 할 때 90~95%의 높은 민감도(sensitivity) 를 보이고, 특이도(specificity)는 이보다 낮아 60~80%로 보고된다.[24] 이를 근거로 폐경기 출혈 환자에서 자궁내막두께가 4mm 이하인 경우 대부분 자궁내막암을 배제할 수 있 다. 반면, 폐경 전 여성에서는 정상적인 분비기 또는 다른 양성 자궁내막질환에서도 자 궁내막비후 소견을 보이기 때문에 자궁내막두께 진단기준은 비특이적이며, 형태 소견이 더 중요하다.

자궁내막암은 초음파검사상 불규칙하고 불분명한 윤곽과 비균질한 에코의 자궁내막 비후 또는 자궁내막종괴로 관찰되고, 색도플러 초음파검사상 자궁내막과 종괴내 또는 자궁내막-근층경계부에 불규칙하게 분지한 다수의 혈관이 밀집되어 보이며 중등도 이상 의 혈류 증가가 관찰된다. 이 외에 자궁내막-근층 경계부의 저음영으로 보이는 내막하륜 (subendometrial halo) 소실, 상당량의 자궁내강액 등이 관찰된다(그림 7-7).

초음파자궁조영술(SHG)에서 자궁내막암은 표면이 불규칙한 자궁내막비후 또는 폴립모 양 자궁내막종괴 형태로 보이며, 자궁내강이 잘 확장되지 않는 내강폐쇄 또한 자궁내막 암의 특이소견으로 최근 제시되고 있다.

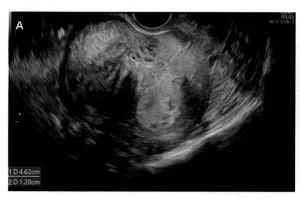
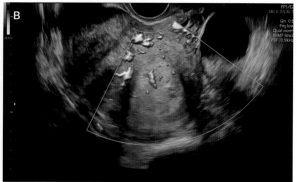

그림 7-7. 자궁내막암의 초음파검사 소견

A 불규칙하고 비균질한 에코의 자궁내막비후 소견을 보인다. B 색도플러 초음파검사 상 자궁내막 병변 내 불규칙하게 분지한 다수의 혈관이 보이며 중등도 이상의 혈류 증가가 관찰된다.

3) 자궁내막암의 병기별 영상 소견

① 초음파검사

초음파검사는 자궁내막암의 병기설정에 매우 제한적으로 이용된다. 주로 자궁내막암의 자궁근층 침습 진단을 위해 시행되며, 자궁내막-근층경계부 내막하륜이 소실되거나 비균질한 자궁내막종괴가 자궁근층으로 침범하는 소견이 보일 때 자궁근층 침습을 시사한다. 초음파검사의 자궁내막암 자궁근층 침습의 진단 정확도는 대략 60~76% 정도로 낮게 보고되고 있으며, 자궁근종 등으로 인해 자궁내막이 비틀린 경우 진단이 더 어려워진다.[25]

② 컴퓨터단층촬영

CT는 주로 진행성 자궁내막암에서 자궁주위조직이나 방광 또는 직장 등 주위 장기 침범, 복막전이 등 자궁외전이 및 림프절 전이를 평가하기 위해 시행되며, 그 정확도가 MRI와 비슷하다고 보고되고 있다.[25] 자궁내막암은 조영증강 CT에서 대체로 저음영병변으로 보이며, 자궁근층의 조영증강된 병변 또는 종괴로 인한 폐쇄 때문에 자궁내강 확장

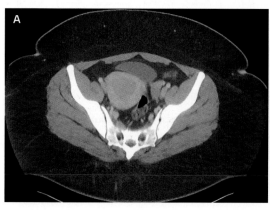
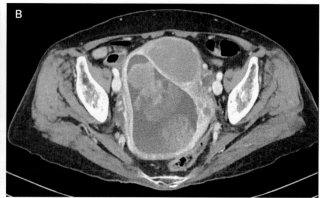

그림 7-8. 자궁내막암의 조영증강 CT 소견

A 조영증강 CT에서 자궁내강에 비균질한 저음영병변이 관찰된다. B 자궁내막암 종괴로 인한 자궁경부 폐쇄로 인해 자궁내강이 확장되어 보이고, 그 내부에 불규칙한 경계의 종양이 관찰된다.

등의 소견으로 보일 수도 있다(그림 7-8). 하지만, MRI에 비해 CT는 연조직 대조도가 좋지 못하고 자궁내막암과 자궁근층의 경계가 조영증강을 하여도 잘 구별되지 않아 자궁근층 침습이나 자궁경부 침범 여부를 진단하기는 어렵다.[26]

③ 자기공명영상

MRI는 자궁근층 침습 및 자궁경부 침범 진단의 정확도가 높아 수술 전 위험도 평가를 통해 고령이거나 내과적 질환 등으로 수술 위험이 높아 완벽한 수술적 병기설정을 시행하기 어려운 환자에서 수술 계획을 정하는 데 중요한 정보를 제공한다. 또한, 초기 자궁내막암 환자 중 가임력 보존을 위해 고용량 호르몬치료를 원하는 환자에서 자궁근층 침습이 없는지 확인하기 위해 시행되기도 한다. MRI의 자궁근층 침습 진단의 민감도는 대략 70~95%, 특이도는 80~95%로 보고되고, 자궁경부 침범 진단의 정확도는 대략 90~92%로 보고된다.[27,28]

자궁내막암은 T1강조영상에서 자궁근층과 비슷한 신호강도를 보이고, T2강조영상에

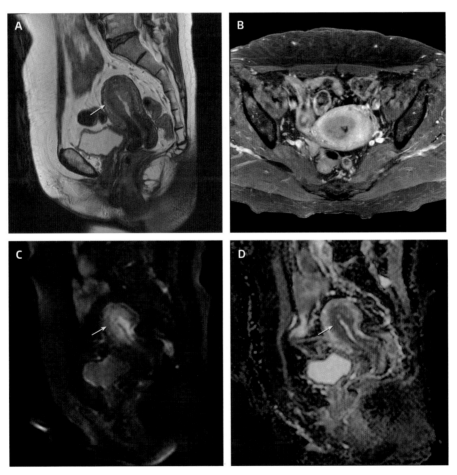

그림 7-9. 자궁내막암의 MRI 영상 소견

A T2강조 시상면 영상에서 자궁내막암 병변(화살표)이 정상 자궁내막보다는 낮고 자궁근층보다는 높은 신호강도를 보인다. **B** 조영증강 T1강조영상에서 주위 자궁근층보다 약하게 조영증강된다. **C** 확산강조영상(DWI)에서는 자궁내막암 병변(화살표)이 고신호강도로 보인다. **D** 겉보기 확산계수(ADC) 지도에서는 같은 부위(화살표)가 저신호강도로 보인다.

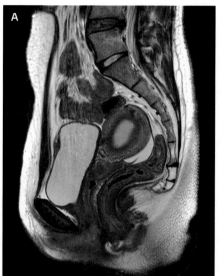

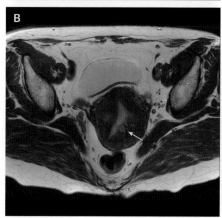

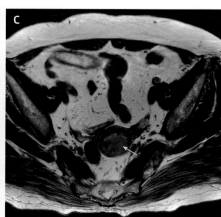

그림 7-10. 병기 I 자궁내막암의 MRI 소견

A 병기 IA. T2강조 시상면 영상에서 자궁근의 내측 부위인 저신호강도의 접합구역이 잘 유지되어 있고, 자궁근층 침습 소견이 보이지 않는다. **B** 병기 IA. T2강조 축상면 영상에서 자궁근과 비슷한 신호강도를 보이는 종괴가 저신호강도의 접합구역을 일부 소실시키며 자궁근층을 침범하는 소견을 보이지만, 자궁근층의 1/2 이상을 침범하지는 않았다. **C** 병기 IB. T2강조 축상면 영상에서 고신호강도의 자궁내막암 종괴가 자궁근층을 1/2 이상 침범한 소견을 보인다.

서는 자궁내막보다는 낮고 자궁근층보다는 같거나 높은 신호강도를 보인다. 조영증강 T1강조영상에서는 주위 자궁근층보다 느리고 약하게 조영증강이 된다. 역동적 조영증강 영상은 자궁근층 침습 여부를 보기 위해서 종양-근층 대조도가 가장 현저한 2~3분에, 자궁경부 침범 진단을 위해서는 2~5분 후 지연기영상을 얻는다.[29] 확산강조영상(DWI)에서 자궁내막암은 자궁근층에 비하여 제한확산(restricted diffusion)을 보이기 때문에 고신호강도로, 겉보기확산계수(ADC) 지도에서는 저신호강도로 보인다(그림 7-9).

병기 I은 자궁체부에 국한된 경우이다. 자궁근층의 50% 이내로 표층 침습하는 병기 IA 자궁내막암 중 자궁 내막에 국한된 경우에는 T2강조영상에서 저신호강도의 접합구역이, 역동적 조영증강영상에서 자궁내막하조영증강층이 각각 잘 유지된다. 표층 침습이 있는 경우에는 접합구역, 자궁내막하조영증강층, 저신호강도 내근층의 부분적 파괴를 보이고, 불규칙한 종양-근층 경계가 관찰되지만 자궁근층의 1/2 이하로 침습되고 외근층이 유지된다. 자궁근층의 50% 이상 침습한 병기 IB에서는 접합구역이 전부 파괴되고, 종양이 자궁근층의 1/2 이상을 침습하지만 외근층의 가장자리는 유지된다(그림 7-10). 종종 자궁근층 침범 깊이를 평가하기 힘든 경우가 있는데, 근종, 선근증, 불명확한 층구조, 폴립모양 종양으로 인해 얇아진 자궁근층 등의 경우가 이에 해당한다. 또한, 종양주위염증으로

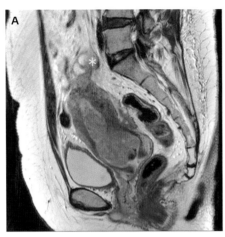
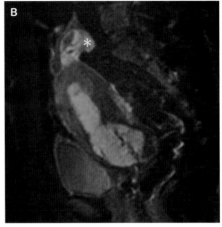

그림 7-11. 병기 IIIA 자궁내막암의 MRI 소견

A T2강조 축상면 영상에서 자궁내막암 종괴와 함께 난소 종양(*)이 관찰된다. **B** 확산강조영상에서 난소 종양(*)이 고신호강도로 보이며, 이는 악성병변임을 시사한다.

인해 자궁근층 침범이 과대평가 되는 경우도 주의해야 한다.

병기 II는 자궁내막암이 자궁경부 기질을 침범하는 경우로, T2강조영상에서 중간 혹은 고신호강도의 종양이 저신호강도의 자궁경부 간질을 뚫고 들어가는 소견이 보인다. 이때 저신호강도의 자궁경부 간질은 유지되고 자궁경관선만 침범한 경우에는 병기 I에 해당한다.

병기 III은 자궁 밖으로 자궁내막암이 퍼진 단계로, 병기 IIIA는 종양이 자궁장막 또는 난소 및 난관으로 파급한 단계로 T2강조영상에서 자궁근층의 가장자리가 불규칙한 형태를 띄거나 저신호강도의 자궁장막(serosa)이 파괴되어 보이고, 역동적 조영증강영상에서 밝게 조영증강되는 자궁근층이 소실되는 소견을 보이기도 한다. 자궁장막 침범과 관계없이 난소 혹은 난관 등 자궁부속기 종양이 관찰되기도 하는데, 확산강조영상이 이러한 병변을 찾는데 유용하다(그림 7-11).

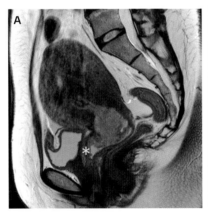
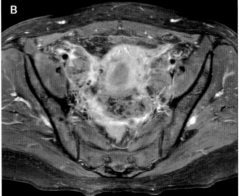

그림 7-12. 병기 IIIB/C 자궁내막암의 MRI 소견

A 병기 IIIB 자궁내막암의 T2강조 시상면 영상에서 자궁내막암(*)이 질 상부까지 침범한 소견이 보인다. **B** 병기 IIIC1 자궁내막암의 조영증강 T1강조 축상면 영상에서 자궁근층을 침범한 자궁내막암 종괴(화살표)가 자궁주위조직으로 침범하는 소견이 보인다. 골반림프절 종대(작은 화살표) 소견도 같이 관찰된다.

병기 IIIB는 자궁내막암이 질 상부 혹은 자궁주위조직을 침범한 경우로, 질종괴 또는 저신호강도의 질벽이 부분적으로 소실되는 소견을 보이거나, 자궁주위조직으로의 침범 소견을 보인다(그림 7-12).

병기 IIIC는 골반림프절 전이만 있는 IIIC1, 대동맥주위림프절 전이가 있는 경우인 IIIC2로 나뉜다. T1강조영상과 조영증강 지방억제 T1강조영상에서 잘 보이며, 림프절 단축의 지름이 1cm 이상이면 전이로 진단한다. 신호강도로는 반응성 비대와 전이를 구별할 수 없다.

병기 IV는 인접장기 침범과 원격 전이가 있는 경우로, 방광 또는 직장점막으로 침범하는 병기 IVA에서는 방광벽과 장벽의 저신호강도가 부분 소실되거나 종괴가 점막을 뚫고 들어가는 소견이 관찰된다. 병기 IVB에서는 신정맥 위쪽으로의 복강내림프절 전이 또는 서혜부림프절 전이, 악성 복수, 복막 전이 등의 소견이 보일 수 있다.

④ 양전자방출단층촬영술/컴퓨터단층촬영

자궁내막암의 병기설정에 있어서 PET-CT의 역할은 제한적이며, 림프절 전이 진단의 정확도는 MRI와 비교했을 때 통계적으로 유의한 차이가 없음이 보고되었다.[30] 하지만, 원격 전이를 진단하는 데 있어서는 PET-CT가 유용하게 사용되며, 그 정확도는 민감도가 100%, 특이도가 94%로 보고되었다.

4) 재발성 자궁내막암의 영상진단

자궁내막암의 재발은 4~16%로 낮게 보고되고 있고, 재발의 87%는 3년 이내에 발생한다. 가장 흔한 재발 부위는 림프절(46%)과 질첨부(42%)로 보고되고, 이보다는 드물게 복막파종(28%)으로 재발이 진단되기도 한다.[31] 자궁내막암 치료 후 추적검사로 영상검사를 어떻게 얼마의 간격으로 시행하는 지에 대해서는 아직 정립된 가이드라인이 없는 실정이나 재발 고위험군에서는 호발되는 재발 부위 및 재발 시기 등을 고려하여 영상검사의 기법 및 시행 간격을 결정한다.

골반 및 원격부위로의 재발 진단을 위해 CT가 널리 이용되고 있으며, 그 정확도가 92%로 보고된다.[18] MRI는 골반부에 국소 재발한 경우 종양의 국소 파급 정도를 평가하는 데 더 유용하여 수술적 절제가 가능한지 여부를 확인하기 위해 주로 시행된다. PET-CT는 국소 재발이 의심되는 환자에서 예기치 못한 원격 재발을 발견하는 데 도움을 주며, PET-CT를 시행 후 치료 방침이 변경된 경우가 42%까지 보고되었다.[32]

자궁육종

1) 서론

자궁육종은 자궁의 중배엽에서 기원한 종양이다. 자궁 악성종양의 10% 이내이다. MRI 영상이 병기설정과 치료 결정에 도움을 준다. 자궁육종은 영상에서 종양의 크기가 크고 비균질적으로 보인다.

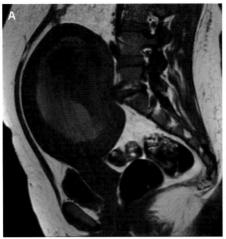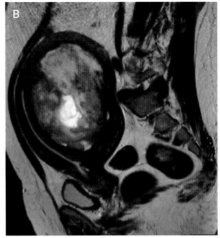

그림 7-13. 자궁 평활근육종의 MRI 소견

A T1강조영상. **B** T2강조영상. T1강조영상(A)에서 가운데 밝은 부분이 있으며, T2강조영상(B)에서 높은 신호강도를 보이는데 이는 종괴 내부의 광범위한 출혈 때문이다.

2) 평활근육종(leiomyosarcoma)

폐경 후 여성에서 갑자기 자궁이 커진 경우 의심한다. 자궁이 커지면서 내부에 심한 괴사를 동반한 불규칙하고 불분명한 경계를 가진 종괴로 보인다(그림 7-13). 내부에 출혈, 석회화를 보일 수 있다. 종괴 내부의 괴사와 출혈로 인해 비균질 조영증강을 보인다. 자궁근종의 이차 변성과 감별이 어렵지만 불규칙한 경계, 괴사, 갑작스런 종괴의 성장 등은 악성을 시사한다. MRI에서 자궁근종에 비해 평활근육종은 경계가 분명하지 않게 보이며, T2강조영상에서 종양의 평균적인 신호강도가 높다.[33]

3) 자궁내막 기질육종(endometrial stromal sarcoma, ESS)

자궁내막 기질결절(endometrial stromal nodule), 저등급 자궁내막 기질육종(low-grade ESS), 고등급 자궁내막 기질육종(high-grade ESS), 미분화 자궁육종(undifferentiated uterine sarcoma)으로 분류한다. 자궁내막 기질결절은 양성이고 나머지는 자궁근층을 침범하며 전이성이 있다.

① 저등급 자궁내막 기질육종

CT나 MRI에서 경계가 좋거나 미만성의 자궁강내 용종모양의 종괴로 보이거나 낭성변성을 동반한 자궁근종과 유사한 자궁근층의 종괴로 보인다. MRI에서 T1강조영상에서 종괴의 신호강도가 다소 감소되어 있으며 T2강조영상에서 얼룩덜룩한 등강도모양(mottled isointensity)과 함께 신호강도가 다소 증가되어 있다(그림 7-14).[34]

② 미분화 자궁육종, 고등급 자궁내막 기질육종

고령에서 발생한다. 자궁내막을 팽창시키는 커다란 용종모양의 종괴나 다수의 융합성 결절 등으로 보인다. 미분화 자궁육종은 영상에서 자궁강으로 돌출하거나 자궁강을 채우

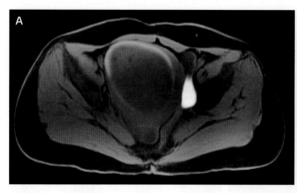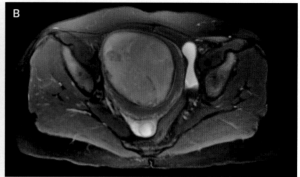

그림 7-14. 저등급자궁내막기질육종의 MRI 영상

종괴의 경계가 명확하고 비교적 균질하다. T1 강조영상(A)에서 신호강도가 약간 감소되어 있고, T2 강조영상(B)에서는 신호강도가 증가되어 있다.

는 경우가 많으며 자궁근층을 침투하여 출혈이나 괴사를 동반한다. 고등급 자궁내막 기질육종의 영상 소견은 잘 알려져 있지 않다.

4) 선육종(adenosarcoma)

천천히 자라며 악성 경향이 낮고 예후가 좋다. 대부분 경계가 자궁 내막에 생기지만 자궁근층에 생기기도 한다. MRI에서 종양이 자궁내강을 채우면서 질이나 자궁경관으로 확장하는 양상을 보인다. 종양은 균질하지 않지만 고형부분은 균질하며 자궁근층에 비해 고강도로 보인다. 하지만 조영증강영상에서는 상대적으로 저강도로 보인다.

난소암

상피성 난소암

1) 난소암 병기설정과 영상 소견

난소암의 진단 및 병기 설정은 기본적으로 수술과 병리를 바탕으로 한다. 영상검사는 수술 전 병변의 절제범위 설정 및 림프절과 원격 전이 등 중요한 예후인자를 평가하기 위해 시행된다. 치료 전 영상은 종양의 범위를 파악하고, 일차 종양감축술로 적절한 종양감축이 되지 않을 환자를 선별하여 선행항암화학요법 후 간격 종양감축수술(interval debulking surgery)을 결정하는 등 치료 계획을 잡는 데 도움을 준다.

① 초음파검사

난소암은 대부분 진행성 단계에서 진단되며 조기 진단이 어렵고, CA125 혈청 검사가 악성과 양성 종양의 감별을 위한 임상 지표로 오랫동안 사용되어 왔지만 한계가 있어 왔다. 초음파검사는 자궁부속기 종괴가 의심될 때 일차로 시행하는 검사로 난소종양의 존재와 기시 부위, 그리고 내부 구조의 특성화에 유용하다.

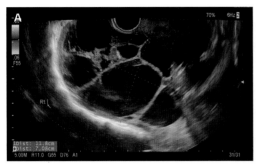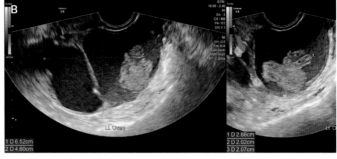

그림 7-15. 난소암의 초음파검사 소견

A 고등급장액성 난소암. 난소에 다방성 무에코 낭성이 있으며 격벽에 혈류가 관찰된다. **B** 자궁내막증을 동반한 자궁내막양 난소암. 6.5cm의 혼합성 에코를 보이는 다방성 종양 안에 3cm 크기의 유두형 돌기가 고에코를 보이며 고형성분 내로 혈류가 관찰된다.

악성종양의 초음파 소견은 불규칙한 경계(irregular borders), 종양 내의 다수의 에코 패턴(multiple echogenic patterns) 및 두꺼운 다수의 불규칙한 중격(dense multiple irregular septae) 등의 복잡성(complexity)을 지닌 부속기 종괴로 관찰된다(그림 7-15). 벽결절(mural nodule), 3mm 이상 두께의 불규칙한 벽과 중격(septation), 고형성분(solid component) 등의 종양 소견 외에도 복막 내 착상(peritoneal implants) 혹은 수신증(hydronephrosis)과 같은 연관된 소견이 있으면 악성을 시사한다고 알려져 있다.[35,36]

색도플러 초음파검사에서 난소종양 내 고형성분에서 보이는 혈류는 악성을 시사하는 중요한 척도이다.[37] 분음 도플러(spectral doppler) 초음파검사에서 난소암은 일반적으로 저-저항성 파형(low resistance waveform)을 보이는데 이는 종양의 신생혈관에 평활근이 없고 동정맥단락(arteriovenous shunt)이 있기 때문이다. 황체를 포함한 일부 양성종양이 악성 종양과 비슷한 저-저항성 파형을 보이지만 폐경 후 여성의 난소종양에서 저-저항성 파형이 보이면 악성을 강력히 의심해야 한다.[37]

난소종양이 있을 때 양성종양과 악성 종양의 감별을 위해 악성종양위험도(risk of malignancy index, RMI)로 알려진 수식 기반 점수 체계가 제안되기도 했다.[35] 이는 초음파 소견, 혈청 CA125 수치, 그리고 폐경 상태를 변수로 계산하여 구하고, 그 민감도는 71%, 특이도는 92%로 보고되었다. International Ovarian Tumor Analysis (IOTA) 그룹에서도 난소종양의 형태학적 특징을 정의하고, 난소암으로 진단될 위험도를 수식으로 계산하기 위한 몇 가지 모델들을 제안하였다(IOTA-LR2, SR, ADNEX 모델). 이 중 IOTA-SR (simple rules) 모델은 악성 종양을 나타내는 5개의 단순 법칙(M-rules): (1) 불규칙 고형 종괴(irregular solid tumor), (2) 복수(ascites), (3) 최소 4개의 유두상 구조(at least four papillary structures), (4) 장축의 길이가 100mm 이상인 불규칙한 다방성 고형종괴(irregular multilocular-solid tumor with a largest diameter ≥100mm), (5) 색도플러 검사에서 강한 혈류 존재(very high color content on color Doppler examination) 및 양성종양을 나타내는 5개의 법칙(B-rules)을 각각 정의하였다. IOTA-SR 모델의 민감도는 93%, 특이도는 90%로 보고되었으며, 부인종양전문의에게 의뢰하기 전 선별검사로 쉽게 적용할 수 있는 장점이 있다.[36]

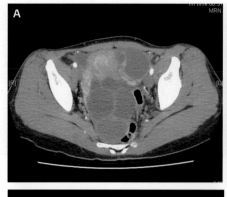
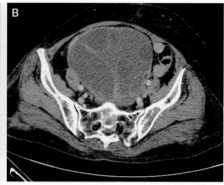
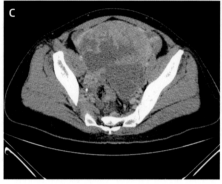

그림 7-16. 난소암의 조영증강 CT 소견
A 다방성 낭성 종양이 양측 난소에서 관찰되며 종양 내부의 결절과 격벽에 조영 증강 소견 보인다. **B** 점액성 난소암. 15cm 크기의 종양 안에 다양한 크기의 낭이 관찰된다. **C** 자궁내막양 난소암. 좌측 난소에서 기원한 고형 및 낭성 종양이 관찰된다.

초음파검사로 원발성 난소암의 아형을 감별하기는 어렵지만 몇 가지 특징적인 소견이 관찰될 수 있다. 장액성과 점액성 난소암은 주로 낭성이며, 점액성은 장액성보다 중격이 더 많고 내부 액체가 낮은 수준의 에코를 보인다. 자궁내막양 암(endometrioid carcinoma)은 거의 전체가 고형성 종괴로 보인다.[38]

② 컴퓨터단층촬영

CT는 의심되는 난소 병변이 있을 때 악성 종양 진단을 위해서 시행하는 검사는 아니지만 조영 증강된 벽결절이나 격막, 고형 성분내 괴사 등 악성을 시사하는 소견 등을 발견할 수 있다(그림 7-16). CT는 진행성 난소암 환자의 전이 범위 및 치료 계획을 평가하는 데 일차적으로 사용되는 영상검사로, 골반 장기 또는 측벽 침범, 복막 착상, 림프절 전이, 복수 등 난소암의 전이 여부 및 범위를 보는데 가장 유용한 검사이다. CT는 복수가 없을 때 1cm 미만의 복막 병변을 발견하는 민감도는 14~27%이고 대망 전이 발견은 80~86%의 민감도를 보인다. 또한 간전이는 95~100%의 민감도로, 림프절 전이는 50~60%의 민감도로 진단한다고 보고되었다. 종양감축술 전에 CT로 평가하는 영상학적 복막암 지수(peritoneal cancer index, PCI)는 복강 내 종양의 범위와 종양감축술의 절제 가능범위를 예측하는 데 도움을 준다. 종양감축술 전 복강경 또는 CT로 평가한 PCI 분류가 동등하게 효과적이고, PCI 점수가 20 미만인 경우 최적의 종양감축술을 정확히 예측한다고 보고되었다.[39]

③ 자기공명영상

MRI는 초음파검사로 진단하기 어려운 자궁부속기 종양의 성상에 대한 정보를 주고 종양과 골반 해부학적 관계를 명확히 해줄 수 있다. MRI 영상에서 자궁부속기 종괴에 대

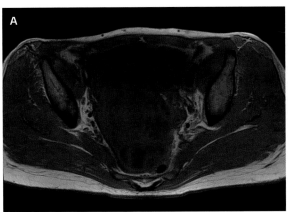
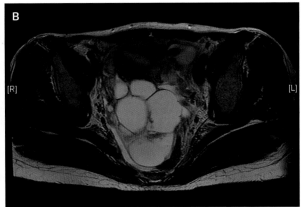

그림 7-17. 난소암의 MRI 영상 소견
A T1 강조 축상면 영상에서 난소 종괴는 낮은 신호를 보이며, **B** T2강조 축상면 영상에서는 균등하게 고강도의 조영 증강이 보인다.

한 평가는 병변의 크기, 위치, 모양, 낭성 또는 고형성, 신호강도 등의 소견에 근거한다.

상피성 난소종양은 전형적으로 낭성종괴로 보이며 단방성 또는 다방성이고 악성 종양의 경우 다양한 정도의 고형성 부위와 괴사를 포함한다(그림 7-17). 일반적으로 악성을 시사하는 소견은 4cm 이상의 크기, 3mm 이상의 두껍고 불규칙한 벽이나 중격, 유두모양돌기, 많은 고형성분이나 심한 괴사 등이다. 이 중 고형성 종괴 내의 괴사는 악성을 강력히 시사하는 소견이다. 유두모양돌기는 상피성 난소종양의 특징적 소견으로 T2강조영상에서 난소를 둘러싼 저신호강도의 섬유핵심과 이를 둘러싼 고신호강도의 부종성 기질로 보인다. 양성 낭선종에서는 이 같은 소견이 거의 보이지 않거나 크기가 작다. 유두모양돌기는 경계성 종양에서 가장 많이 보이며 진행성 난소암에서는 돌기보다는 대부분 고형성 종괴 형태로 보인다. MRI에서 고형성 난소 종괴는 T1 강조영상에서 낮은 신호를 보이며 T2 강조영상에서는 균등하게 고강도의 조영 증강을 보인다.[40] 그 밖에 골반벽과 복막 침범, 복수와 림프절 종대 등의 부수적 소견이 있다.

④ 양전자방출단층촬영술/컴퓨터단층촬영

PET-CT는 62~100%까지의 민감도를 가지고 CT 단독 진단과 비교하였을 때 5~22%까지 진단 정확성을 높인다고 보고된 바 있다.[41] 하지만 월경주기에 따라 정상적인 난소도 FDG를 섭취하기 때문에 원발성 난소암을 발견하고 진단하는 데는 한계가 있다. 따라서, 환자의 병력과 초음파, CT, MRI 영상 소견을 함께 고려하여야 한다(그림 7-18).[1]

2) 난소암 치료 후 반응 평가 및 재발에서의 영상 소견

영상은 치료 반응 및 재발을 평가하는 일차 수단이다. 전통적으로 CT와 MRI가 재발을 평가하는 수단으로 사용되어 왔다. CT 의 재발 평가의 민감도는 50~84%이고 특이도는 81~93%이다. 최근에는 더 높은 민감도와 특이도 때문에 PET-CT가 재발 발견과 향후 치료 계획을 수립하는 데 있어서 선호되고 있다. 특히, PET-C는 CT와 비교하였을 때 복부/골반 이외의 병변을 발견하는 데 있어서 대략 5~22% 정도 정확성을 향상시킬 수 있다고 보고되었다.[42]

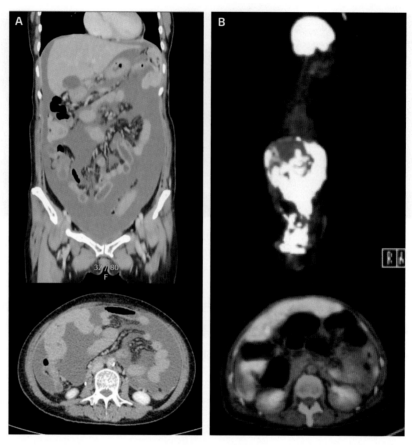

그림 7-18. **병기 IIIC 상피성 난소암의 (A) 조영증강 CT 및 (B) PET-CT 소견**
복수 및 복막 파종 소견이 관찰된다.

비상피성 난소종양

1) 생식세포종양

성숙기형종을 제외하고는 모두 악성이다.

① 성숙기형종(mature teratoma)

초음파에서 벽결절을 가진 낭성 종괴로 보인다. 벽결절은 지방이나 털 등으로 인하여 고에코로 보이며 고형과 낭성의 혼합종괴로 보인다(그림 7-19). 전체가 고형성 종괴로 보이기도 하며, 머리카락이나 털 등으로 인해 선이나 점모양의 음영이 보일 수 있다. 출혈성 황체 낭종, 벽결절을 동반한 난소종양 등이 성숙기형종과 유사하게 보일 수 있다. CT는 지방과 석회화에 민감하기 때문에 성숙기형종의 진단에 유용하며 지방액체층 등의 특징이 보인다. MRI는 석회화에 민감하지 못해 지방 성분을 보고 진단한다. 출혈성 황체낭종, 자궁내막증과 감별해야 하며 지방 억제영상이 도움이 된다. 염전(torsion)이 흔하며 도플러 초음파가 진단에 도움이 된다. 염전된 난소 기형종의 CT 소견으로 국소적인 벽의 비후, 염전 매듭 등이 있다.

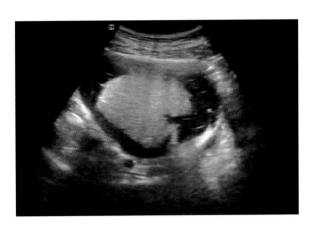

그림 7-19. 난소기형종의 복부 초음파검사 소견

종괴는 약 10cm 크기이며 가운데 고에코로 보이는 고형성 부분이 있고 주변에 선과 점모양의 음영이 보인다.

② 미성숙기형종(immature teratoma)

성숙기형종보다 종괴가 크고 고형성분을 많이 포함한다. 고형성분, 중격의 모양이 불규칙하고 조영이 증강된다. 성숙기형종에서 석회화는 일부에 국한되어 있지만 미성숙기형종에서는 작고 흩어져 있다.

③ 미분화세포종(dysgerminoma)

가장 흔한 악성 생식세포종양이다. 10~20대에 호발하며 다른 악성 생식세포종양에 비해 예후가 좋다. 고형성 종괴로 작은 낭성을 포함하기도 한다. 고형성분이 소엽화되어 있고 섬유혈관 중격으로 나누어져 있다. 중격에 혈류가 풍부하여 도플러 초음파에서 혈류가 증가되어 있고 CT, MRI에서 강한 조영증강을 보인다(그림 7-20).[43]

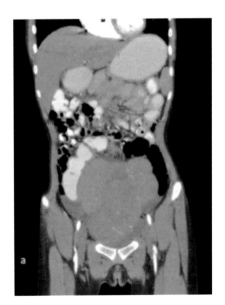

그림 7-20. 미분화세포종의 복부–골반 CT 영상

자궁이 있는 위치에 종괴가 보인다. 종괴는 소엽화(lobulated)되어 있고 균질하지 못하다.

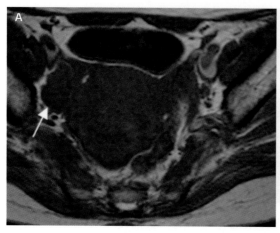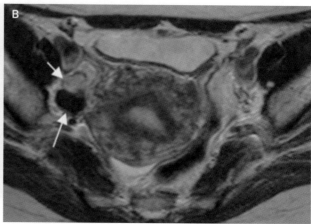

그림 7-21. **섬유종의 MRI 영상 소견**

T1 강조영상(A)와 T2 강조영상(B)에서 우측 난소에 섬유종이 보인다. 섬유종은 자궁근층과 비슷한 신호강도를 보이는데 섬유종의 바깥 가장자리가 자궁근종과 달리 저신호강도를 보인다(화살표). T2 강조영상에서는 정상 난소가 확인된다(작은 화살표).

④ **내배엽동종양**(endodermal sinus tumor)

10대에 호발하며 100% 일측성이다. 혈청 AFP 수치가 상승한다. 다양한 비율의 낭성과 고형성분이 혼합된 종괴이며 혈관이 많아 종양에 출혈을 동반하기도 한다. MRI에서 내부에 다양한 신호강도를 보이고 고형성분이 강한 조영증강을 보이는 과혈관성 종괴로 보인다.

2) 성끈기질종양

① 간질종양(stromal tumor): 섬유종, 난포막종, 경화 기질 종양

섬유종(fibroma)은 40대 후반에 잘 생기며 경계가 뚜렷한 고형성 종괴이다. 초음파에서 저에코성 종괴로 보이며 CT에서는 지연성 조영증강을 보이는 균질한 종괴로 보인다. MRI에서는 T1, T2강조영상 모두에서 저신호강도를 보인다(그림 7-21).[44] 석회화를 동반할 수 있으며 일부에서 낭성 변화를 보인다. 복수와 흉수를 동반하면 메이그스 증후군(Meigs syndrome)이라고 한다. 난포막종(thecoma)은 대부분 폐경 이후에 발생한다. MRI 영상에서 섬유종과 동일하게 T1, T2강조영상에서 저신호강도를 보이지만 낭성, 출혈성 변화 또는 지방성분이 있어 고신호강도를 보이기도 한다. 에스트로겐 활성화로 자궁내막이 두꺼워 보일 수 있다. 경화성 기질 종양(sclerosing stromal tumor)은 고형성 종괴로 특징적으로 혈류가 주로 종양의 주변부에 분포하여 마차 바퀴 모양(spoke wheel pattern)으로 조영증강이 나타난다.

② 성끈종양: 과립세포종양(granulosa cell tumor)

성인형과 소아형으로 나누어지며 성인형이 95%를 차지한다. 성인형은 주로 초기 폐경기에 발생하며 에스트로겐을 분비하는 가장 흔한 난소종양이다. 일측성의 경계가 좋은 종괴로 고형성과 낭성 부위가 혼재된 형태가 많다(그림 7-22). 종괴내 출혈을 동반할 수 있다. 에스트로겐으로 인해 자궁내막이 두꺼워진다. MRI의 T2강조영상에서 낭성 부분이 액체-액체층(fluid-fluid level)으로 보이거나 T1강조영상에서 종괴내 출혈로 인해 고강도신호를 보일 수 있다.

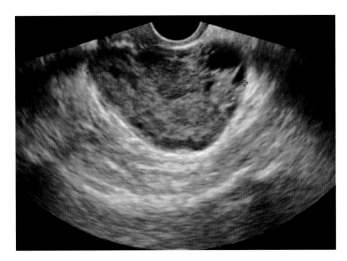

그림 7-22. **과립세포종양의 초음파검사 소견**
고형성과 낭성이 혼재되어 있다.

③ **성끈기질종양: 세르톨리−레이디히세포종양**(Sertoli−Leydig cell tumor)

30대 이하의 젊은 여성에서 주로 발생하며 가장 흔한 남성화 난소 종양이다. 다모증, 음핵거대 등의 남성화 증상이 나타난다. 90% 이상이 일측성이며 고형성 또는 낭성이 포함된 고형성이다. 고형성분은 섬유질이 포함된 정도에 따라 MRI에서 다양한 신호강도를 보인다.

질암/외음암

질암

질암은 대부분의 경우 임상적으로 진단되고 병기설정이 이루어진다. 진단영상은 골반림프절 전이나 원격 전이에 대한 검사로 이루어지며 질암 자체의 진단에는 역할이 적다고 하겠다. MRI에서 질암부위는 T1강조영상에서는 구분이 어렵고 T2강조영상에서는 중간 혹은 고신호강도의 연조직 종양으로 관찰된다.[45,46]

병기 I은 종양이 상피세포를 침범하지만 질점막층에 국한된 상태로 MRI T2강조영상에서 고신호강도가 질벽을 관통하는 양상으로 관찰되며 질주변지방은 보존되어 있다. 병기 II는 질종양이 질주변조직을 침범하지만 골반벽을 침범하지 않는 상태이며 T2강조영상에서 질주변지방조직이 중간신호강도로 침범된 것이 관찰된다. 병기 III에서는 종양이 골반벽 침범 등이 관찰되는 경우로 골반근육들(levator ani, obturator internus, piriformis muscle)과 인접한 양상이 관찰된다. 병기 IV는 종양이 방광/직장을 침범하거나 골반 외 전이가 의심되는 경우이다. MRI는 특히 병기 IV 진단에 효과적이며 방광/직장 침범이 T2 고신호강도의 발견으로 진단될 수 있다. 질암 진단에서는 초음파나 CT의 역할은 거의 없으며 PET-CT의 역할에 대해서도 아직 자료가 적은 상황이다.

외음암

외음암은 대부분 진단과 병기설정이 임상적으로 이루어진다. 주변 종양침범과 림프절 전이 상태가 치료방법의 선택, 계획, 예후에 영향을 미치며 림프절 전이는 매우 나쁜 예후를 의미한다. 영상검사가 외음암의 일차적 진단에 역할을 하지는 않지만, 진행성인 경우 병변의 범위를 측정하는데 유용하다. 림프절 전이 진단에는 초음파, CT, MRI가 유용하며 원격 전이 진단에는 CT, PET-CT가 효용성이 높다. 외음암은 초음파에서 연조직과 내부의 혈관분포가 관찰되며, CT에서는 비특이적 연조직 종괴로 관찰된다. MRI에서는 T1 강조영상에서 중간신호강도, T2강조영상에서 고신호강도로 관찰된다. MRI로 요도와 같은 주변장기로의 침범을 확인할 수 있다.[47,48] 또한 재발(T2 고신호강도)과 치료 후 변화(T2 중간신호강도)를 구별하는 데 MRI가 효과적이다. 아직까지 외음암에서의 PET-CT의 역할에 대해서는 정보가 적은 상태이다.

임신성 융모성질환

포상기태
(Hydatidiform Mole)

초음파검사가 포상기태와 정상임신을 구별하는 가장 좋은 검사법이다.

1) 완전포상기태

초음파에서 많은 무에코낭종들로 이루어진 특징적인 포도송이 모양의 종괴를 보인다(그림 7-23).[48] 눈보라 모양(snowstorm appearance)이라고도 한다. 자궁 동맥의 도플러 초음파에서 정상임신이나 유산에 비해 낮은 저항 지수(resistance Index)를 보인다. MRI T2강조영상에서 고신호강도의 낭성 비균질 종괴로 보인다.

2) 부분포상기태

초음파에서 커진 태반과 무에코병변을 볼 수 있다. 완전포상기태와 다르게 태아가 보일 수 있는데 비정상적이고 다양한 선천성 기형을 갖는다.

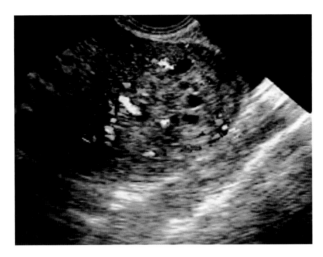

그림 7-23. **포상기태의 초음파검사 소견**
색도플러 질 초음파에서 자궁외벽에 많은 작은 무에코 낭종으로 이루어진 종괴가 보인다. 자궁 각에 포상기태가 생긴 증례로 복강경 수술을 통해 제거하였다.[49]

임신성 융모성종양
(Gestational Trophoblastic Neoplasia)

1) 침윤기태(invasive mole)

도플러 초음파에서 혈관이 매우 풍부한 종괴로 보이고 높은 확장기 혈류(high diastolic flow)를 보인다. MRI에서 경계가 불분명하고 부분적으로 불규칙한 내부 괴사를 갖는 종괴로 보인다. MRI T1강조영상에서 자궁근층과 동일한 신호강도를 보이고 T2강조영상에서는 다양한 신호강도가 섞인 경계가 좋지 않은 종괴가 자궁근층으로 침범하는 양상을 보인다. 조영증강 시 전체 종괴에 치밀한 망상형 증강 또는 불규칙한 변연부 증강의 형태를 보인다.

2) 융모막암(choriocarcinoma)

혈행성으로 전이하며 혈관이 풍부한 종양이다. 전이를 하는 경우 폐(80%)나 질전이(30%)가 흔하고 간(10%), 뇌(10%) 등으로도 전이한다(그림 7-24).[50] 고혈관성 종괴로 MRI에서 종괴의 경계가 비교적 명확하고 중심성 출혈성 괴사를 보이며 조영증강시에 변연부가 테두리 모양으로 조영증강된다.

3) 태반부착부위 영양막종양(placental site trophoblastic tumor)

용종 모양의 종괴가 자궁강으로 돌출되거나 자궁근층으로 광범위하게 침윤된다. MRI에서 자궁근층 종괴로 보이며 T1강조영상에서 자궁근층과 동일한 신호, T2강조영상에서는 동일하거나 약간 높은 신호강도를 보인다.

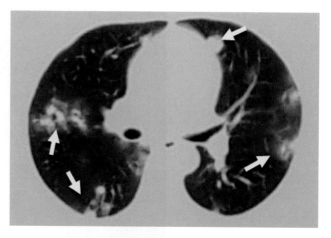

그림 7-24. 폐전이가 있는 융모막암의 CT 영상
다발성의 고밀도 결절과 달무리 징후(halo sign)를 동반한
반점형 침윤(patchy infiltrates)이 있다.[50]

참고문헌

1   대한비뇨생식기영상의학회. 비뇨생식기영상진단 부인과영상. 제2판 ed2019.

2   Lyons EA, Gratton D, Harrington C. Transvaginal sonography of normal pelvic anatomy. Radiol Clin North Am. 1992;30(4):663-75.

3   박 동. 최신 종양 자기공명영상기법. J Korean Med Assoc. 2015;58 (6):516-22.

4   Bhatla N, Aoki D, Sharma DN, Sankaranarayanan R. Cancer of the cervix uteri. Int J Gynaecol Obstet. 2018;143 Suppl 2:22-36.

5   Innocenti P, Pulli F, Savino L, Nicolucci A, Pandimiglio A, Menchi I, et al. Staging of cervical cancer: reliability of transrectal US. Radiology. 1992;185 (1):201-5.

6   Pannu HK, Fishman EK. Evaluation of cervical cancer by computed tomography: current status. Cancer. 2003;98 (9 Suppl):2039-43.

7   Kilcheski TS, Arger PH, Mulhern CB, Jr., Coleman BG, Kressel HY, Mikuta JI. Role of computed tomography in the presurgical evaluation of carcinoma of the cervix. Journal of computer assisted tomography. 1981;5 (3):378-83.

8   Nicolet V, Carignan L, Bourdon F, Prosmanne O. MR imaging of cervical carcinoma: a practical staging approach. Radiographics. 2000;20(6):1539-49.

9   Okamoto Y, Tanaka YO, Nishida M, Tsunoda H, Yoshikawa H, Itai Y. MR imaging of the uterine cervix: imaging-pathologic correlation. Radiographics. 2003;23 (2):425-45; quiz 534-5.

10 Hricak H, Lacey CG, Sandles LG, Chang YC, Winkler ML, Stern JL. Invasive cervical carcinoma: comparison of MR imaging and surgical findings. Radiology. 1988;166 (3):623-31.

11 Zand KR, Reinhold C, Abe H, Maheshwari S, Mohamed A, Upegui D. Magnetic resonance imaging of the cervix. Cancer Imaging. 2007;7:69-76.

12 Scheidler J, Heuck AF. Imaging of cancer of the cervix. Radiol Clin North Am. 2002;40(3):577-90, vii.

13 Aoki Y, Sasaki M, Watanabe M, Sato T, Tsuneki I, Aida H, et al. High-risk group in node-positive patients with stage IB, IIA, and IIB cervical carcinoma after radical hysterectomy and postoperative pelvic irradiation. Gynecol Oncol. 2000;77 (2):305-9.

14 Cheng X, Cai S, Li Z, Tang M, Xue M, Zang R. The prognosis of women with stage IB1-IIB node-positive cervical carcinoma after radical surgery. World J Surg Oncol. 2004;2:47.

15 Kaur H, Silverman PM, Iyer RB, Verschraegen CF, Eifel PJ, Charnsangavej C. Diagnosis, staging, and surveillance of cervical carcinoma. AJR Am J Roentgenol. 2003;180(6):1621-31.

16 Reinhardt MJ, Ehritt-Braun C, Vogelgesang D, Ihling C, Hogerle S, Mix M, et al. Metastatic lymph nodes in patients with cervical cancer: detection with MR imaging and FDG PET. Radiology. 2001;218 (3):776-82.

17 Estape R, Angioli R. Surgical management of advanced and recurrent cervical cancer. Semin Surg Oncol. 1999;16 (3):236-41.

18 Franchi M, La Fianza A, Babilonti L, Bolis PF, Alerci M, Di Giulio G, et al. Clinical value of computerized tomography (CT) in assessment of recurrent uterine cancers. Gynecol Oncol. 1989;35 (1):31-7.

19 Balleyguier C, Sala E, Da Cunha T, Bergman A, Brkljacic B, Danza F, et al. Staging of uterine cervical cancer with MRI: guidelines of the European Society of Urogenital Radiology. Eur Radiol. 2011;21 (5):1102-10.

20 Flueckiger F, Ebner F, Poschauko H, Tamussino K, Einspieler R, Ranner G. Cervical cancer: serial MR imaging before and after primary radiation therapy--a 2-year follow-up study. Radiology. 1992;184 (1):89-93.

21 Weber TM, Sostman HD, Spritzer CE, Ballard RL, Meyer GA, Clark-Pearson DL, et al. Cervical carcinoma: determination of recurrent tumor extent versus radiation changes with MR imaging. Radiology. 1995;194 (1):135-9.

22 Kinkel K, Ariche M, Tardivon AA, Spatz A, Castaigne D, Lhomme C, et al. Differentiation between recurrent tumor and benign conditions after treatment of gynecologic pelvic carcinoma: value of dynamic contrast-enhanced subtraction MR imaging. Radiology. 1997;204 (1):55-63.

23 Kitajima K, Murakami K, Yamasaki E, Domeki Y, Kaji Y, Sugimura K. Performance of FDG-PET/CT for diagnosis of recurrent uterine cervical cancer. Eur Radiol. 2008;18 (10):2040-7.

24 Smith-Bindman R, Kerlikowske K, Feldstein VA, Subak L, Scheidler J, Segal M, et al. Endovaginal ultrasound to exclude endometrial cancer and other endometrial abnormalities. JAMA. 1998;280(17):1510-7.

25 Kinkel K, Kaji Y, Yu KK, Segal MR, Lu Y, Powell CB, et al. Radiologic staging in patients with endometrial cancer: a meta-analysis. Radiology. 1999;212 (3):711-8.

26 Hardesty LA, Sumkin JH, Hakim C, Johns C, Nath M. The ability of helical CT to preoperatively stage endometrial carcinoma. AJR Am J Roentgenol. 2001;176 (3):603-6.

27 Rockall AG, Meroni R, Sohaib SA, Reynolds K, Alexander-Sefre F, Shepherd JH, et al. Evaluation of endometrial carcinoma on magnetic resonance imaging. Int J Gynecol Cancer. 2007;17 (1):188-96.

28 Sironi S, Colombo E, Villa G, Taccagni G, Belloni C, Garancini P, et al. Myometrial invasion by endometrial carcinoma: assessment with plain and gadolinium-en-

hanced MR imaging. Radiology. 1992;185 (1):207–12.

29   Ascher SM, Reinhold C. Imaging of cancer of the endometrium. Radiol Clin North Am. 2002;40(3):563–76.

30   Park JY, Kim EN, Kim DY, Suh DS, Kim JH, Kim YM, et al. Comparison of the validity of magnetic resonance imaging and positron emission tomography/computed tomography in the preoperative evaluation of patients with uterine corpus cancer. Gynecol Oncol. 2008;108 (3):486–92.

31   Sohaib SA, Houghton SL, Meroni R, Rockall AG, Blake P, Reznek RH. Recurrent endometrial cancer: patterns of recurrent disease and assessment of prognosis. Clin Radiol. 2007;62 (1):28–34; discussion 5–6.

32   Kitajima K, Suzuki K, Nakamoto Y, Onishi Y, Sakamoto S, Senda M, et al. Low-dose non-enhanced CT versus full-dose contrast-enhanced CT in integrated PET/CT studies for the diagnosis of uterine cancer recurrence. Eur J Nucl Med Mol Imaging. 2010;37 (8):1490–8.

33   Santos P, Cunha TM. Uterine sarcomas: clinical presentation and MRI features. Diagn Interv Radiol. 2015;21 (1):4–9.

34   Chen C, Hu YQ, Zhang XM. Magnetic resonance imaging features of endometrial stromal sarcoma: a case description. Quant Imaging Med Surg. 2017;7 (1):159–62.

35   Jacobs I, Oram D, Fairbanks J, Turner J, Frost C, Grudzinskas JG. A risk of malignancy index incorporating CA 125, ultrasound and menopausal status for the accurate preoperative diagnosis of ovarian cancer. Br J Obstet Gynaecol. 1990;97 (10):922–9.

36   Timmerman D, Van Calster B, Testa A, Savelli L, Fischerova D, Froyman W, et al. Predicting the risk of malignancy in adnexal masses based on the Simple Rules from the International Ovarian Tumor Analysis group. Am J Obstet Gynecol. 2016;214 (4):424–37.

37   Fishman DA, Cohen L, Blank SV, Shulman L, Singh D, Bozorgi K, et al. The role of ultrasound evaluation in the detection of early-stage epithelial ovarian cancer. Am J Obstet Gynecol. 2005;192 (4):1214–21; discussion 21–2.

38   Choi JI, Park SB, Han BH, Kim YH, Lee YH, Park HJ, et al. Imaging features of complex solid and multicystic ovarian lesions: proposed algorithm for differential diagnosis. Clin Imaging. 2016;40(1):46–56.

39   Abdalla Ahmed S, Abou-Taleb H, Ali N, D MB. Accuracy of radiologic- laparoscopic peritoneal carcinomatosis categorization in the prediction of surgical outcome. Br J Radiol. 2019;92 (1100):20190163.

40   Troiano RN, McCarthy S. Magnetic resonance imaging evaluation of adnexal masses. Semin Ultrasound CT MR. 1994;15 (1):38–48.

41.   Kitajima K, Murakami K, Yamasaki E, Kaji Y, Fukasawa I, Inaba N, et al. Diagnostic accuracy of intergrated FDG-PET/contrast-enhanced CT in staging ovarian cancer: comparison with enhanced CT. Eur J Nucl Med Mol imaging. 2008;35(10):1912–1920.

42   Sebastian S, Lee SI, Horowitz NS, Scott JA, Fischman AJ, Simeone JF, et al. PET-CT vs. CT alone in ovarian cancer recurrence. Abdom Imaging. 2008;33 (1):112–8.

43   Yadav P, Khaladkar S, Gujrati A. Imaging Findings in Dysgerminoma in a Case of 46 XY, Complete Gonadal Dysgenesis (Swyer syndrome). J Clin Diagn Res. 2016;10(9):TD10-TD2.

44   Chung BM, Park SB, Lee JB, Park HJ, Kim YS, Oh YJ. Magnetic resonance im-

aging features of ovarian fibroma, fibrothecoma, and thecoma. Abdom Imaging. 2015;40(5):1263–72.

45 Chang SD. Imaging of the vagina and vulva. Radiol Clin North Am. 2002;40(3):637–58.

46 Griffin N, Grant LA, Sala E. Magnetic resonance imaging of vaginal and vulval pathology. Eur Radiol. 2008;18 (6):1269–80.

47 Sohaib SA, Richards PS, Ind T, Jeyarajah AR, Shepherd JH, Jacobs IJ, et al. MR imaging of carcinoma of the vulva. AJR Am J Roentgenol. 2002;178 (2):373–7.

48 Kataoka MY, Sala E, Baldwin P, Reinhold C, Farhadi A, Hudolin T, et al. The accuracy of magnetic resonance imaging in staging of vulvar cancer: a retrospective multi–centre study. Gynecol Oncol. 2010;117 (1):82–7.

49 Hwang JH, Lee JK, Lee NW, Lee KW. Molar ectopic pregnancy in the uterine cornus. J Minim Invasive Gynecol. 2010;17 (2):239–41.

50 Zhang W, Liu B, Wu J, Sun B. Hemoptysis as primary manifestation in three women with choriocarcinoma with pulmonary metastasis: a case series. J Med Case Rep. 2017;11 (1):110.

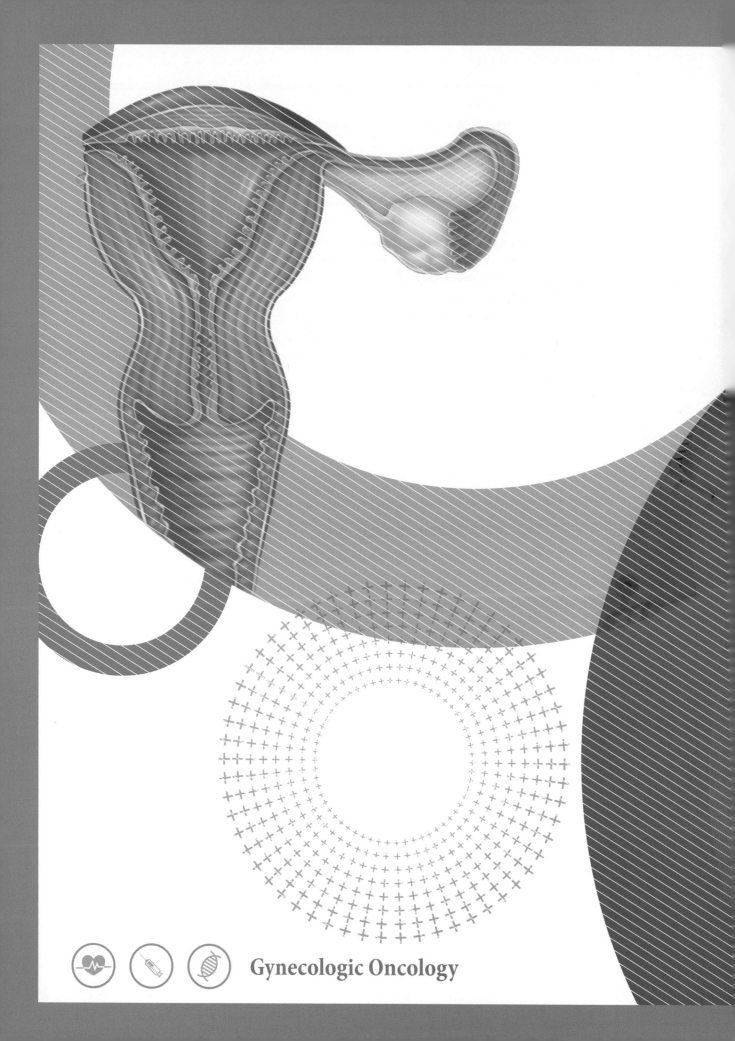

Gynecologic Oncology

SECTION 2

수술, 중환자 및 완화의료

Medical and Surgical Topics

CHAPTER

8

수술 전후 관리

Perioperative Management

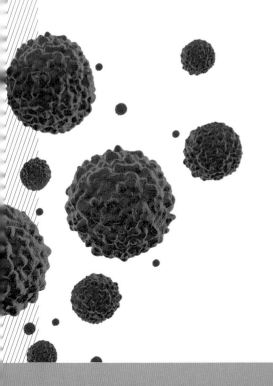

책임저자

이종민 | 경희대학교 의과대학 산부인과

집필저자

기경도 | 경희대학교 의과대학 산부인과

유헌종 | 충남대학교 의과대학 산부인과

이선주 | 건국대학교 의과대학 산부인과

채두병 | 삼육서울병원 산부인과

Gynecologic Oncology

수술 전 평가(Preoperative Evaluation)

| 병력 청취 및 골반 진찰 | 부인과 수술은 충분한 병력 확인과 골반 진찰 후 시행해야 하며, 이를 위해 다음과 같은 내용들을 확인하여야 한다. |

① 병력 청취는 수술이나 마취로 악화될 수 있는 모든 질환들을 파악하기 위해 세세한 내용까지 질문하여야 한다(예: 폐질환, 관상동맥질환 등).

② 현재 복용 중인 약이나 수술 예정일 한달 이내 복용했던 약까지 파악해야 한다. 수술 전 중단해야 할 약제(예: 아스피린, 항혈소판제제, 이뇨제, 경구 피임약 등)에 대해 지도해야 하며, 수술 전후에도 계속 복용해야 할 약제(예: 고혈압약, 위산억제제 등)에 대해서도 알려 줘야 한다. 약제의 지속적인 복용은 반드시 마취과 전문의와 상의하여 결정해야 한다. 한약은 합병증의 발생을 높일 가능성이 있으므로 최소 1주일 전 끊기를 권고한다.

③ 약, 음식, 혹은 환경 물질 등에 대한 알레르기, 과민반응 등에 대해 물어봐야 한다.

④ 이전 수술이나 시술 후 합병증을 확인해야 한다(예: 과도한 출혈, 상처 감염, 정맥혈전색전증, 복막염, 장폐색 등). 이전에 골반 수술을 받은 적이 있으면 유착이나 요관 협착 등으로 해부학적 구조가 정상과 다를 수 있어 컴퓨터단층촬영이나 다른 영상검사를 시행하는 것이 안전하며, 이전 수술 기록도 확인해야 한다.

⑤ 가족력을 확인하여 가족 성향을 확인해야 한다(예: 출혈 성향, 정맥혈전색전증, 기타 잠재적 유전 성향 등).

⑥ 체계별 문진(review of systems)을 상세하게 해서 다른 내과적, 외과적 문제를 확인해야 한다. 특히, 골반 수술 전에는 동반된 위장관계, 비뇨기계 문제를 확인하기 위해 자세히 물어야 하며, 부인과 수술에서 함께 해결할 수 있는 긴장성요실금, 대변지림 등에 대해서도 확인하여야 한다.

⑦ 수술 전후 합병증을 줄이기 위해 심장잡음, 폐이상, 탈장, 고관절 혹은 무릎골관절염 등 다른 부위의 문제에 대해서도 검사하거나 전문의 자문을 구해야 한다.

| 수술 전 검사실 검사 및 영상검사 | 예상되는 수술방법이나 환자의 상태에 따라 검사를 선택하게 되는데, 심장관련 합병증을 예측하기 위해 개정심혈관계 위험도 평가(the revised cardiac risk index, RCRI)를 사용할 수 있으며,[1] 상황에 따라 표 8-1과 같은 검사들을 시행해야 한다. |

초음파검사, 컴퓨터단층촬영, 자기공명영상 등은 골반 종괴 평가 시 시행한다. 종양표지자검사는 골반 종괴의 악성 여부를 판단하기 위해 시행하며, 컴퓨터단층촬영, 요로조영술은 요관의 개통 여부나 주행을 확인하는 데 도움이 되기 때문에 골반 종괴, 부인암, 선천성 뮐러관 기형 등의 경우에 시행한다. 하부 위장관은 자궁내막증, 골반염 등의 양성질환으로 인한 유착이나 부인암의 침범으로 영향을 받을 수 있고, 반대로, 골반 종괴가 게실농양이나 위암, 췌장암 등에서 유래한 경우도 있어 일부 골반수술에서는 위내시

표 8-1. 수술 전 검사

검사	검사가 필요한 상황
흉부촬영	• 심혈관계 혹은 폐의 증상이나 징후 • 폐 합병증 위험이 있을 때
심전도	• 심혈관계 질환의 증상이나 징후 • 고위험 수술(수술 전후 심장사건 위험성 >5%) • 중등도 위험 수술(수술 전후 심장사건 위험성 1~5%, 1개의 RCRI 위험요소)
전체혈구계산	• 주요 수술 • 빈혈 위험성
신장기능검사	• 알려진 신장 혹은 심혈관계 질환
혈액응고검사	• 일상적으로 권고되지는 않음 • 출혈 혹은 간질환 병력 • 항응고제 복용 환자 • 응고장애가 우려되는 병력이나 검사를 받은 경력
요검사	• 증상이나 병력이 있을 경우 고려 • 침습적 비뇨기계 시술 시 고려

RCRI, The Revised Cardiac Risk Index

경, 대장내시경, 바륨관장, 소장검사가 도움이 될 수 있다.

사전동의

수술 전에 수술방법, 기대되는 효과, 위험성을 설명 후, 사전동의를 받아야 한다. 사전 동의는 환자와 가족들에 대한 교육과정으로 이들이 이해할 수 있는 용어를 사용해야 한다. 다음과 같은 내용들을 전달하여야 하며, 각 항목마다 질문을 받고 사전에 인쇄된 동의서 양식을 사용하여 보관하여야 한다.

1) 질환의 성격과 질환 진행의 범위

출력물, 컴퓨터를 이용한 학습 프로그램, 영상 등을 이용하는 것이 바람직하며, 외국인의 경우에는 자격 있는 통역이 있어야 한다.

2) 실제 수술 범위와 수술 중 소견에 따른 수술 변경 가능성

진단 목적 혹은 치료 목적의 수술인지, 어느 장기가 제거될지, 어떤 수술 절개 방식을 쓸지, 예상되는 마취 시간은 얼마나 걸리는지 등에 자세히 알려 줘야 한다.

3) 수술 후 예견되는 결과

진단 목적의 수술은 수술 소견 혹은 병리 소견에 따라 수술방법이 달라질 수 있음을 설명한다. 치료목적의 수술은 수술 실패 가능성에 대해서도 설명해야 한다. 부인암 수술 시에는 예상보다 더 진행된 소견을 발견하거나 추가치료(방사선치료, 항암화학치료 등)가 필요할 수 있음을 설명해야 하며, 임신능력이나 난소기능 상실의 가능성에 대해서도 설명해야 한다.

4) 수술의 위험성과 잠재적인 합병증

수술 전후 출혈, 감염, 정맥혈전색전증, 인접장기손상, 상처 합병증 등에 대해 설명해야한다. 최소절개 또는 최소침습수술도 개복수술과 같은 정도의 손상 및 합병증의 가능성이 있음을 설명해야 하며, 수혈 가능성과 이전부터 있었던 내과 질환들이 다른 문제를유발할 수 있음을 설명해야 한다. 합병증을 감소시킬 수 있는 예방적 항생제, 관장, 혈전색전증 예방조치 등에 대해서도 설명해야 한다.

5) 수술 후 경과

카테터 유치, 중환자실 입실, 예상 회복기간을 알려 주어야 한다.

6) 치료받지 않을 경우 예상되는 결과

내과적 치료나 다른 수술법에 대해서도 상의해야 한다. 치료받지 않을 경우 예상되는 결과도 설명해야 한다.

7) 기타

수술에 참여하는 사람들과 각각의 역할을 알려주고 이해충돌이 있다면 그 내용도 알려줘야 한다.

영양

모든 환자는 영양 평가를 받아야 하지만, 고령 환자, 암수술 환자, 수술 후 오랜 회복기간이 필요한 환자의 경우 더욱 중요하다. 영양상태는 정상 식사를 할 수 있을 때까지 일정간격으로 재평가한다.

영양 평가를 위해서는 세심한 문진과 신체검사가 필요하다. 특히, 최근의 체중감소, 식사 이력, 기호식, 심한 운동, 식욕부진, 폭식 등에 대한 정보를 확인해야 한다. 정확한 신장과 체중을 측정하여 이상적 체중, 백분율 이상적 체중 등을 계산한다. 피부주름측정법과 팔근육둘레측정으로 총 체지방과 지방을 뺀 근육 질량을 측정할 수 있다. 환자 영양평가를 위해 단순영양평가(mini nutritional assessment), 영양예후지표(prognostic nutritional index) 등도 사용된다. 영양실조의 정도는 혈청 내 알부민, 트랜스페린, 프리알부민 등의농도로 부분적으로 결정할 수 있다. 알부민이 3.5g/dL 미만인 저알부민혈증은 수술 전후이환률, 사망률, 수술 후 합병증(상처치유 지연, 감염, 신체 기능저하 등)과 연관이 있다.

영양 보조는 환자의 영양상태, 예상되는 금식 기간, 수술 범위 및 합병증의 가능성에따라 결정되며, 영양 보조가 필요한 것으로 판정되면 적절한 투여 경로를 결정해야 한다.장관 영양은 쉽고, 합병증이 없어 최우선적으로 고려되나, 장폐색, 위장관출혈, 설사 시에는 금기이며, 환자의 문제에 따라 도브호프 튜브, 위창냄술튜브(gastrostomy tube), 공장창냄술튜브(jejunostomy tube) 등을 이용한다. 수술 후 7 일 이상 장관영양을 못 할 때는 완전비경구영양법(total parenteral nutrition, TPN)을 시행해야 한다. TPN은 중앙정맥을 통해 공급하며, 엄격한 무균수술법으로 카테터를 쇄골하정맥이나 내경정맥에 삽입하여 우심 방, 상대정맥, 하대정맥에 위치시킨다. 감염예방을 위해 매일 적절한 관리가 필요하다.

내과적 동반 질환(Medical Comorbid Condition)

부인암 환자들은 대부분의 양성 종양에 비해 평균 연령이 높은 편이며, 진단 당시 내과적 질환이 동반되어 있을 가능성이 높다. 이러한 기저 질환으로 인하여 수술 후 합병증의 발생이 올라갈 수 있으며, 이를 줄이기 위해 수술 전 환자의 내과적 상태를 사전에 평가하여 관리하는 것이 중요하다.

심혈관계

수술은 마취로 인한 교감 신경계의 변화, 심근 수축력의 감소 및 체액의 급격한 변화 등 심혈관계의 주요한 스트레스 요인이 될 수 있다. 심혈관 스트레스의 확률은 환자의 특성, 수술의 성격과 장소, 수술의 지속시간, 그리고 정규 수술 혹은 응급 수술 여부에 따라 달라진다. 수술 후 심혈관 부작용의 가장 중요한 예측인자로 심근허혈과 협심증 등이 있다.

1) 관상동맥위험도 평가

병력, 이학적 검사, 심전도 검사 등으로 심장질환 유무 및 중증도, 과거 치료 병력을 알아본다. 관상동맥위험도를 평가함에 있어 폐기능 용량(functional capacity), 연령, 동반질환 (예: 당뇨, 말초혈관질환, 신장질환, 만성폐질환 등), 그리고 수술의 종류 등을 고려한다.

① 임상적 예측인자(clinical predictors)

큰 수술을 할 때 심혈관 위험도를 높일 수 있는 주요 임상예측인자(major clinical predictors)에는 첫째, 불안정 관상동맥 증후군(발생 7 일 이내의 급성 심근경색이나 발생 7 일에서 1개월 이내인 최근 발생한 심근경색, 불안정 또는 중증의 협심증), 둘째, 보상되지 않은 심부전, 셋째, 중증의 부정맥(고도의 방실차단, 기저 심질환이 있는 증후성심실부정맥, 심실 박동수가 조절되지 않는 상심실성부정맥), 마지막으로 중증의 판막질환이 있는 경우이다. 중등도 임상예측인자(intermediate clinical predictors)에는 첫째, 경증의 협심증, 둘째, 계획 수술 1개월 이전에 발생한 심근경색(more remote prior MI)이나 심전도상 비정상적인 Q파로 알 수 있는 과거의 심근경색, 셋째, 보상되거나 과거에 발생한 심부전, 넷째, 수술 전 크레아티닌 수치가 2.0mg/dL 이상, 마지막으로 인슐린으로 치료받고 있는 당뇨병 환자가 이에 해당된다. 경도의 임상예측인자(minor clinical predictors)에는 고령 환자, 비정상적인 심전도 소견, 낮은 기능 용량, 뇌졸중의 과거력 그리고 잘 조절이 되지 않는 전신 고혈압 등이 이에 포함된다. 최근 스트레스 검사에서 허혈 위험에 있는 잔류 심근이 없다면 수술 후 재경색의 가능성은 매우 낮다. 적절한 임상적 연구가 없지만 심근경색 이후 계획수술을 시행하려면 회복

후 4~6 주 정도 연기하는 것이 바람직하다.

② 기능용량(functional capacity)

기능용량은 운동내성(exercise tolerance)을 측정하는 것으로 대사당량(metabolic equivalent of task, MET)으로 그 정도를 나타낸다. 큰 수술의 장기적인 심장 위험률은 일상적인 가사 활동인 4METs를 충족시키지 못하는 환자에서 증가하게 된다. 식사하기, 옷 입기, 집 주위를 걷기 그리고 식기 씻기 등의 에너지 소비량은 1~4METs에 해당되며 1층을 걸어서 올라가기, 시간당 6.4km 속도로 걷기, 짧은 거리 달리기, 마루 쓸기 또는 골프 하기 등은 4~10METs에 해당된다. 수영, 단식 테니스 그리고 축구와 같은 강한 운동은 10METs 이상에 속한다.

③ 수술에 따른 위험도

수술과 관련된 위험도는 수술의 종류뿐 아니라 시술과 관련된 혈역학적 자극 정도와도 관련이 있다. 수술과 관련된 위험은 고위험, 중등도위험, 저위험으로 구분된다. 고위험에 속하는 수술은 고령의 환자에서 주요 응급수술, 대동맥과 기타 주요혈관수술, 말초혈관 수술, 다량의 출혈 및 체액 이동이 동반된 장시간 수술 등이 이에 해당된다. 중등도위험 에 속하는 수술은 복강 내 또는 흉강내 수술, 경동맥내막절제술, 두경부수술, 정형외과 수술, 전립선수술 등이 있다. 반면에 저위험에 속하는 수술은 내시경시술, 표재성수술, 백내장수술, 유방수술 등이 있다.

2) 수술 전 특별한 심혈관계 질환에 대한 관리

① 고혈압

수술 전 고혈압을 조절하지 않을 경우 수술을 시행하는 동안 저혈압과 심전도에서 발견 되는 심근허혈의 발생빈도가 증가한다. 따라서 수술 전 수축기 혈압이 180mmHg 이상 이거나 이완기 혈압이 110mmHg 이상인 경우에는 수 일 또는 수 주 동안 치료 후 수술 을 시행하는 것이 바람직하다. 만약 수술을 바로 시행해야 하는 상황이라면, 수 분 내지 수 시간 이내 조절이 가능한 속효성약물을 사용할 수도 있다. 베타차단제가 우선 추천되 고 있으며, 수술이 끝나면 바로 수술 전 사용한 항고혈압제를 투여하는 것이 매우 중요 하다.

② 심장판막질환

큰 수술 동안 심장판막질환의 관리는 심장판막의 이상에 의한 혈역학적 변화의 이해가 중요하다. 이러한 혈역학적 변화는 압력 과부하(예: 승모판협착 또는 대동맥판협착)와 용량 과 부하(예: 승모판폐쇄부전, 대동맥판역류)로 대별될 수 있다. 증상을 동반한 협착병변은 주요 수 술에 심부전이나 쇼크의 위험이 증가하기 때문에 이러한 합병증을 감소시키기 위해서는 수술 전 경피적 판막절개술이나 판막치환술이 요구된다. 그러나 증상을 동반한 역류성 판막질환은 수술 전 약물요법이나 감시로 안정화될 수 있으며, 비심장수술 후 판막복구 술이나 치환술로 확실하게 치료할 수 있다. 예외적으로 좌심실기능저하를 동반한 심각 한 판막 역류는 혈역학적으로 매우 불안정한 상태이기 때문에 수술 전 심장 수술을 먼저 시행할 수도 있다.

③ 심근 질환

확장성 그리고 비대성 심근병증은 주요 수술시에 심부전이 발생할 수 있다. 이를 예방하기 위해서는 수술 전 혈역학적 상태를 최적으로 유지하고 수술 후 집중적 약물치료와 감시를 시행한다. 관상동맥 혈류예비력(coronary flow reserve, CFR)의 측정은 수술 전후 합병증을 예측하는 데 도움이 된다.

④ 부정맥과 심장전도이상

부정맥 또는 심장의 전도장애가 있을 때는 먼저 심폐질환, 약물중독 또는 대사이상이 동반되어 있는지 확인이 필요하다. 증상을 동반하거나 혈역학적 문제를 동반한 부정맥은 먼저 기저 질환을 치료하고 부정맥을 치료한다. 항부정맥제와 심박동조율기의 적응증은 수술을 받지 않는 일반적인 부정맥환자 치료의 경우와 동일하다. 그러나 빈번한 심실조기수축이나 증상이 없는 비지속성 심실성빈맥은 주요 수술의 심근경색 또는 심장사의 위험률 증가와 관련이 없기 때문에 주요 수술 동안 침습적 감시 장치나 치료는 필요하지 않다.

⑤ 이식박동조율기 또는 삽입형제세동기

이식박동조율기와 삽입형제세동기(internal cardioverter defibrillator, ICD)를 삽입하고 있는 환자는 수술 시 외과적 전기소작기 사용 때문에 제세동기 발사(ICD firing), 제세동기 기능억제, 조율속도(pacing rate) 증가 등의 문제가 생길 수 있다. 따라서 삽입형제세동기는 수술 직전 반드시 프로그램을 정지시키고 수술 후 다시 작동시켜야 한다. 대신에 수술 중에는 외부용 제세동 패드를 부착하고 제세동기에 연결하여 부정맥 발생에 대비하여야 한다. 아울러 동맥압파형(A-line)이나 경피산소포화도 측정기로 동맥파를 보면서 부정맥 발생 유무를 잘 관찰하여야 한다.

호흡기계

호흡기 질환은 재원 기간, 사망률 및 이환률, 비용 등 여러 가지 면에 있어서 주요 수술 환자의 건강에 큰 영향을 미칠 수 있기 때문에 심혈관계 질환만큼이나 중요한 부분을 차지하며, 심혈관계 합병증에 이어 두 번째로 흔한 사망의 원인이다. 만성질환자들에서 수술 후 호흡기계 부작용은 심혈관계 부작용만큼이나 흔하며, 심부정맥혈전을 가진 환자의 경우에는 심혈관계 부작용보다 더 흔히 나타난다. 수술 전 폐기능검사는 주요 수술의 합병증 위험이 높은 환자를 가려내고, 수술 또는 시술을 견뎌낼 수 있는지 판단을 돕기 위해 시행한다. 수술 후 호흡기계 합병증은 흉부 이외의 수술을 받는 환자들에 있어서 5~10%를 차지하며 고위험 환자에서는 22% 발생한다. 수술 후 일주일 이내 발생하는 사망의 네 명 중 한 명이 호흡기계 합병증과 연관이 있는 것으로 연구되었다. 호흡기계 합병증을 높이는 인자로 밝혀진 것들은 흡연(현재 흡연자이거나 40갑년 이상의 흡연), 미국 마취과학회 신체 상태 분류표(American Society of Anesthesiologists physical status classification) 2단계 이상,[2] 70세 이상의 고령, 만성폐쇄성호흡기질환(COPD), 경부, 흉부, 상복부, 대동맥, 신경계통 수술, 2시간 이상의 수술, 정규 전신마취 수술(특히 기관내 삽관을 하는 경우), 알부민 <3g/dL, 운동능력의 감소(계단 한 층을 올라가지 못하는 경우), 30 이상의 체질량지수 등이 있다. 그러나 천식이나 동맥혈가스검사, 폐기능 검사의 결과는 나쁜 예측인자에 포함되지 않는다. 잘 조절된 천식이나 수술 전 스테로이드 치료를 받은 환자들에 있어서는 합병증 발생률은 낮은 것으로 연구되었다. 천식의 경우 최근 악화된 병력이 있거나 수술 후 호흡기계 부작용의 병력, 천식으로 인한 기관내 삽관 혹은 입원의 병력이 있을 경우 위험도가 높다. 동맥혈가스검사는 폐절제수술 후 폐기능 예측을 하는 목적으로는 유용하지만 합병증을 예측해주지는 못한다. 따라서 폐기능검사, 동맥혈가스검사, 폐 사진은 술 후 호흡기계 합병증 예측 목적으로는 일상적 검사에 포함시킬 필요는 없다. 최근 호흡기계 질환의 악화를 경험한 환자나 감염 환자는 가능하면 증상이 호전된 후 수술을 고려하는 것이 좋다. 고위험의 환자들은 사전에 호흡기내과 진료 및 진료 결과에 따라 항생제, 기도확장제, 스테로이드 등의 처방이 도움이 될 수 있으며, 수술의 연기가 필요할 수 있다. 수술 전 심호흡법이나 폐활량측정기 사용과 같은 폐 확장법에 대해 사전에 교육하는 것은 수술 후 교육보다 성과가 좋은 것으로 알려져 있으며, 수술 방법이나 마취 방법에 대한 다각도의 고려를 통해 합병증을 줄여 줄 수 있다. 경막외신경차단술을 비롯한 말초신경차단술은 통증 감소뿐 아니라 폐운동을 원활하게 하여 호흡기계 합병증 감소를 위해 고려할 수 있다.[3]

표 8-2. 미국마취과학회 신체 상태 분류표(American Society of Anesthesiologists physical status classification)

미국마취과학회 신체 상태 분류(ASA PS classification)	정의	예시
ASA I	정상 환자군	건강한 비흡연자로 비음주자 이거나 소량의 알코올 섭취
ASA II	경증의 전신질환 환자군	실제 기능상의 제한이 없는 경증의 질환. 예) 현재 흡연, 사교적인 음주, 임신, 비만(30<체질량지수<40), 잘 조절되는 당뇨/고혈압, 경증의 폐질환
ASA III	중증의 전신질환 환자군	실제 기능상의 제한; 하나 또는 그 이상의 중등도 이상의 전신질환. 예) 조절되지 않는 당뇨/고혈압, 만성폐쇄성폐질환, 심한 비만(체질량지수 40이상), 활동성 간염, 알코올 의존 또는 중독, 심박동기 삽입, 심박출양의 감소, 정기적으로 투석을 받는 말기신장질환, 생후 60주 미만의 미숙아, 3개월 이상 경과한 심근경색증, 뇌졸중, 일과성허혈발작, 또는 관상동맥질환/스텐트시술
ASA IV	생명을 위협하는 중증의 전신질환 환자군	예) 최근 3개월 이내 발생한 심근경색증, 뇌졸중, 일과성허혈발작, 관상동맥질환/스텐트시술, 진행하는 심허혈 또는 심각한 심장판막부전, 심박출양의 심각한 감소, 패혈증, 범발성혈액응고장애, 진행성 신장 질환 또는 정기적인 투석을 시행하지 않은 말기신장질환.
ASA V	수술없이 생존을 기대하기 어려운 죽어가는 환자군	예) 파열된 복부/흉부 대동맥류, 광범위한 외상, 뇌를 압박하는 두개골내출혈, 심각한 심장 문제 또는 다발성 장기부전을 일으키는 장허혈
ASA VI	장기 기증하는 뇌사 판정 환자군	

당뇨병은 8~10% 정도의 높은 유병률을 보이는 대표적인 대사성 질환으로, 최근 고령화로 인해 당뇨병 환자가 수술을 받을 기회는 더욱 증가하고 있는 추세이다. 정상 혈당을 가진 환자와 비교하여 당뇨병 환자는 수술 후 감염, 심혈관질환의 이환율이 높아 수술후 합병증 및 사망률이 높다. 따라서, 수술 전 반드시 혈당 관리와 함께 만성합병증에 대한 정확한 평가가 이루어져야 한다.

1) 수술 중 체내대사변화

수술에 의한 스트레스는 신경내분비계와 자율신경계를 활성화시켜 코르티솔, 성장호르몬, 카테콜라민, 글루카곤의 분비를 증가시킨다. 증가된 코르티솔, 성장호르몬, 카테콜라민, 글루카곤은 체내 이화작용을 가속화시킨다. 금식기간이 길어질 경우 이화작용은 더욱 빠르게 진행된다. 인슐린은 신장에 작용하여 염분 재흡수 증가 및 체액량 유지 등을 통해 동화작용에 관여하고 체내 이화과정이 가속화되지 않도록 균형을 조절해주고 있다. 수술 중에는 인슐린의 작용이 감소하고 스트레스 호르몬 증가에 의해 체내 당질대사 불균형이 심해진다. 따라서, 수술 시 체내 대사는 인슐린 부족, 카테콜라민, 글루카곤, 코르티솔, 성장호르몬 분비 증가에 의해 포도당 대사의 불균형을 유발하여 당뇨병이 있는 환자에서는 치명적인 고혈당을 유발할 수 있다. 수술 중 체내 포도당 대사 불균형을 최소화하기 위해 필요한 인슐린 용량은 시간 당 0.5~1.0IU가 필요하며, 수술 중 저체온 또는 심장펌프기 사용 등 스트레스가 높은 수술에서는 시간당 1.5~5.0IU 정도의 인슐린이 필요하다. 그러나, 인슐린 투여량은 환자마다 다를 수 있으므로 혈당 측정결과에 따라 투여량을 결정하는 것이 필요하다.

2) 고혈당과 감염

감염은 수술 후 합병증의 가장 흔한 원인 중의 하나이며, 당뇨병 환자 역시 수술 후 합병증의 66%를 차지하고 있을 정도로 수술 후 관리에 있어서 가장 어려운 문제 중의 하나이다. 당뇨병 환자가 감염에 취약한 이유는 고혈당에 의한 체액성 및 세포성 면역기능부전에 의한다.[4] 혈당이 250mg/dL 이상으로 지속적으로 상승해 있는 경우, 면역기능이 현저히 감소한다. 따라서 당뇨병 환자에서 수술 전후 면역기능부전을 예방하기 위해서는 적절한 혈당조절이 필수적이다.

3) 고혈당과 혈전형성

지속적인 고혈당은 혈관내피세포기능부전을 유발하여 혈전 생성을 촉진시킨다. 허혈상태가 동반된 경우에는 혈전형성의 위험도가 더욱 증가할 수 있다. 따라서 당뇨병성 만성합병증이 병발해 있는 상태에서는 혈관내피세포 부전이 동반되어 있어, 혈낭이 조절되지 않는 당뇨병 환자인 경우 수술 시 혈전형성의 위험이 증가할 수 있으므로 수술 전 혈전형성 위험도에 대한 평가가 필요하다. 혈전형성기전은 고혈당에 의한 혈소판응집 증가, 혈전형성에 관여하는 염증관여인자 생성 증가, 탈수 등 여러 가지 기전에 의해 발생한다.

이외에도 알부민 투과성 증가로 혈관 투과 손상에 의한 내피세포기능 부전 역시 혈전 형성에 관여하는 것으로 생각되고 있다. 지속적인 고혈당에 의한 단핵구 및 백혈구의 기능 이상에 따른 염증관여인자 생성 변화는 감염의 위험을 높이기도 하지만, 혈전형성에도 영향을 미칠 수 있다. 고혈당은 지질대사에도 영향을 미쳐 중성지방, 저밀도지단백콜레스테롤(LDL-C) 증가, 고밀도지단백콜레스테롤(HDL-C) 감소를 유발하여 혈전 형성을 발생시킨다.

당뇨병에서 수술 시 혈전 형성의 위험도가 높은 인자로는 고령, 비만, 고지혈증, 고혈압, 신장기능 저하 등이 있으며 당뇨병성 만성합병증이 동반되어 있는 경우 역시 혈전형성의 위험이 매우 증가한다.

4) 고혈당에 의한 체액량, 산염기대사 및 전해질 변화

고혈당은 혈액내 삼투압을 증가시키고 포도당 유발 삼투성이뇨가 발생되어 체액량을 감소시킨다. 체액량 감소는 혈압감소를 가져올 수 있어, 수술 시 적절한 수분을 공급해야 한다. 그러나 수분공급 시에는 반드시 환자의 신장 및 심혈관계 질환의 상태에 따라 적절한 양을 투여해야 한다. 제1형 당뇨병에서는 수술 중 적절한 인슐린과 수액이 공급되지 않는 경우 당뇨병성 케톤산혈증의 위험이 높다. 고혈당이 지속적으로 있는 상태에서는 젖산 생성이 증가되어 대사성산증이 발생하기 때문에 특히 제1형 당뇨병에서는 수술 시 적절한 수분공급이 중요하다.[5] 제2형 당뇨병에서 고령, 신장기능저하, 심혈관질환이 동반되어 있는 경우 역시 대사성 산증 발생 위험이 높으므로 환자의 상태에 따라 적절한 수분공급을 해야 하며, 비구아나이드 약물을 수술 전 투여받고 있는 환자에서는 대사성 산증 예방을 위해 적어도 수술 2~3 일 전에는 반드시 약물을 중지시키도록 한다. 신장기능이 저하되어 있는 경우에는 지나친 수분공급은 폐부종 등을 유발할 수 있으므로 특히 주의해야 한다. 고혈당에서는 전해질에도 영향을 미쳐 저나트륨 혈증이 일어나기 쉬우며 신장기능이 동반되어 있거나 수술 전 비스테로이드성 소염제(NSAID)를 투여받은 경우에는 고칼륨혈증 발생위험이 높다. 전해질 불균형은 수술 중 부정맥을 초래할 수 있어 심한 경우 사망에 이를 수 있기 때문에 수술 전후로 전해질에 대한 모니터링을 실시해야 한다. 또한 고혈당은 알부민 농도를 감소시켜 혈중 칼슘을 저하시킬 수 있다. 저칼슘혈증 역시 부정맥을 일으키기 쉬운 전해질 이상 중의 하나로, 전해질 측정시 칼슘을 함께 측정해야 한다. 인슐린 투여로 혈당이 적절하게 유지되는 경우에는 저칼슘혈증 발생이 현저히 낮아질 수 있다.

5) 저혈당

당뇨병 환자에서 수술 시 저혈당이 발생할 수 있으며, 수술 시 발생한 저혈당은 의료진이 발견하기 어렵기 때문에 면밀한 혈당 측정이 필요하다. 수술 전, 약리 기전이 긴 경구 혈당강하제를 복용하는 환자에서 발생 위험이 높으며, 수술 중 포도당이 포함되어 있지 않은 수액 만을 공급하는 경우에 발생할 수 있다. 수술 시 저혈당은 환자가 의사를 표시할 수 없기 때문에 간과될 경우, 치명적인 결과를 초래할 수 있다.

신장 질환

1) 신장기능 고찰

신장의 손상은 사구체 기능이상, 세뇨관 기능이상, 요로폐쇄에 기인한다. 신장기능에 대한 정확한 판단을 위해 유용한 검사결과는 사구체여과율이다. 신기능 저하를 일으키는 많은 질환에서 사구체여과율이 감소되며, 질환의 경중 평가, 경과 및 치료 효과 판정 등에 이용된다. 이눌린(inulin)이나 동위원소 등을 주사하여 측정하는 과정의 번거로움 때문에 실제 진료 현장에서는 24시간 소변을 모아 이로부터 계산한 크레아티닌 청소율을 사구체 여과율의 추정값으로 사용하거나, 혈액검사에서 크레아티닌 농도를 구한 뒤 계산하는 방식이 많이 사용되고 있다. 경도의 신기능 저하는 크레아티닌 청소율이 60~89mL/min이다. 30~59mL/min은 중증도의 신기능 저하를 나타내고 증상들도 나타난다. 29mL/min 이하는 신장기능상실을 의미한다.

2) 급성신부전(acute renal failure, ARF)

급성신부전은 질소함유노폐물의 축적(고질소혈증)에 의해 발생되는 신장기능장애이다. 독소로 작용하는 이런 부산물은 단백질과 아미노산 대사의 부산물이다. 여기에는 요소, 구아나이드 혼합물(크레아틴, 크레아티닌), 요산염, 지방족 아민(aliphatic amine), 여러 펩타이드와 방향족 아미노산 대사물이 포함된다. 순환되는 단백질과 펩타이드의 신장 대사장애는 여러 장기의 기능 이상을 초래한다. 고질소혈증은 원인에 따라 신장전(prerenal), 신장(renal), 신장후(postrenal)로 분류한다. 신장전 질소혈증은 신장에서 관류의 급성 감소에 인한다. 신장질소혈증은 내인적 신장질환, 신장허혈, 신장독소에 의해 생긴다. 신장후 질소혈증은 요로 폐쇄나 손상에 의해 생긴다. 신장전 질소혈증과 신장후 질소혈증은 초기에는 가역적이나 시간이 지남에 따라 신장질소혈증으로 된다. .

3) 만성신부전(chronic renal failure, CRF)

이 증후군은 적어도 3~6개월 이상 신장기능의 지속적이고 비가역적인 손상으로 사구체 여과율이 60mL/min 이하로 감소한 상태를 말한다. 가장 흔한 원인은 고혈압성 신장경화증, 당뇨병성 신장질환, 만성 사구체신염, 다낭포성 신장질환 등이다. 15mL/min이하의 사구체여과율을 갖는 환자(말기 신부전, 요독증)는 장기이식 전까지는 투석을 하면서 살아간다. 투석은 동·정맥 누관을 이용한 간헐적인 혈액 투석과 카테터를 이식하여 시행하는 지속적 복막투석이 있다. 요독증의 전반적인 효과는 투석에 의해 잘 조절된다. 불행히도 시간이 지나면 요독증의 합병증은 치료에 불응하게 된다. 게다가 어떤 합병증은 투석 자체로 발생되기도 한다. 저혈압, 호중구감소증, 저산소증, 불균형증후군(disequilibrium syndrome)은 대개 일시직이이서 투석 후 수시간 내 해결된다. 투석 중 저혈압에 관계되는 인자는 아세테이트 투석액의 혈관 확장작용, 자율신경질환, 수액의 급격한 제거 등이 있다.

갑상선 질환

갑상선기능저하증이나 기능항진증의 병력을 가지고 있는 환자의 경우에는 갑상선자극호르몬(TSH)과 티록신(T4) 검사를 시행해야 한다. 이러한 검사를 시행하는 이유는 점액부종(myxedema)이나 갑상선중독발작(thyroid storm)을 예방하기 위해서이다.

갑상선기능저하증은 생리적 기능에 많은 영향을 줄 수 있으며, 특히 심근기능, 호흡기, 위장관운동, 지혈, 유리수분평형(free water balance)에 영향을 준다. 수술을 받은 갑상선기능저하증 환자를 대상으로 수술 전후 합병증을 조사한 결과, 비심장 수술에서 수술 중 저혈압이 더 많았으며, 심장 수술에서는 심부전이 더 많이 발생하였으며, 위장관 및 신경정신적 합병증이 더 많았다. 감염률, 입원 기간, 수술 전후 부정맥, 지연된 마취 회복, 폐합병증, 사망률에는 차이가 없었다.[6] 응급 수술이 필요한 경증, 중등도의 갑상선기능저하증 환자는 바로 수술을 진행할 수 있다. 이러한 환자들에서 장폐색, 섬망, 열이 없는 감염 등의 경미한 합병증이 나타날 수 있다. 중증 갑상선기능저하증(점액부종 혼수, 정신수준 저하, 심막삼출, 심부전 또는 낮은 수준의 T4)이 있는 응급 수술을 받는 환자는 정맥 레보티록신(200~500㎍, 30분 투여)투여하고, 이후 50~100㎍을 매일 투여해야 한다.

점액부종혼수는 드문 질환으로 대부분의 경우는 오랜 기간 갑상선기능저하증을 앓고 있는 입원한 60세 이상 고령 여성에서 주로 발생하지만, 어느 연령대에서나 발생할 수 있다. 대부분의 경우 감염, 한랭노출, 진정제, 진통제 및 기타 약물로 인하여 발생한다. 과거에 사망률은 80% 정도로 높았으나, 최근 수 년간 인지도, 검사 및 개선된 수술 관련 치료로 인해 감소해 왔다. 점액부종혼수에서 중증우울상태, 발작, 저체온, 서맥, 저나트륨혈증, 심부전 및 저호흡 등의 증상이 나타난다. 점액부종혼수는 내과적 응급이며 레보티록신 긴급 투여가 필요하다. 초기에 정맥으로 200~500㎍을 투여하며, 하루에 50~100㎍ 투여가 필요하다. 탈수가 자주 나타나기 때문에 적극적으로 포도당 및 생리 식염수를 투여해야 한다. 빈번한 부신부전으로 글루코코르티코이드 정맥투여(50mg 하이드로코르티손 정맥 투여, 1일 4회)가 필요하다.

갑상선기능항진증 중 가장 흔한 원인은 그레이브스 병이다. 이 질환은 자가면역질환으로 TSH 수용체에 대한 항체로 인해 갑상선호르몬 생산을 증가시킨다. 갑상선기능항진증의 임상 증상으로는 빈맥, 심방세동, 발열, 진전, 갑상선종 및 안병증이 나타날 수 있다. T4와 T3은 레닌-안지오텐신-알도스테론 시스템의 활성화를 가져오기 때문에 수술을 받는 갑상선 환자에서 발생하는 대부분의 합병증은 심장 기능을 포함한 부작용이 나타날 수 있다. 높은 심박출량을 유발하며, 심장 활동 및 산소 요구량을 증가시켜 심근경색을 초래할 수 있다. 갑상선기능항진증에서 부정맥은 매우 흔하며, 심방 세동은 10~20%에서 발생한다. 갑상선기능항진증 환자는 수술 당일 오전에 항갑상선제를 복용하여야 하며, 경증 갑상선기능항진증 환자는 수술 전 β 차단제를 투여할 수 있다. 그러나 중등도 또는 중증의 경우는 갑상선과다 상태가 호전될 때까지 수술을 연기해야 한다.[7] 진단되지 않은 갑상선기능항진증이나 부적절한 치료를 받은 환자에서 갑상선중독발작이 일어날 수 있으며, 수술 중 또는 수술 후 48시간 이내에 발생한다. 이로 인한 사망률은 10~75%

이며 중환자실에서 치료가 필요하다. 증상은 비특이적이며 고열, 빈맥, 정신 착란, 메스꺼움 및 구토, 설사 등이 나타날 수 있다. 갑상선중독발작의 치료는 갑상선호르몬 생산을 중단하는 것이 목표이며, 카비마졸, 메티마졸 및 프로필티오우라실(propylthiouracil, PTU)과 같은 항갑상선제 약물을 사용하여 갑상선호르몬의 새로운 합성을 억제할 수 있다. 이러한 제제는 정맥제제가 없으므로 경구 또는 직장으로 투여해야 한다. 미국갑상선학회와 임상 내분비학회의 최근 가이드 라인에 따르면 PTU는 500~1,000mg으로 시작하고 4시간마다 250mg을 투여하며, 메티마졸은 60~80mg을 투여한다.[8] PTU는 메티마졸과 비교하였을 때 T3에서 T4로의 전환을 억제한다는 추가적인 이점이 있기 때문에 이러한 순서로 이들 약물을 투여하면 보다 빠른 임상적 개선이 나타날 수 있다. 이러한 약물은 새로운 갑상선 호르몬의 합성을 막아 주지만 저장된 갑상선 호르몬의 방출을 멈출 수는 없다. 무기요오드 또는 탄산리튬(요오드에 알레르기 반응이 있는 환자의 경우, 6시간마다 300mg 경구 투여)을 투여해야 한다. 루골 용액 또는 요오드화 칼륨의 포화 용액(경구로 6시간마다 3~5방울)을 사용할 수 있으나 티온 아마이드 투여 후에는 1시간 이내에 투여해서는 안 된다. 그렇지 않으면 요오드 치료에 의해 오히려 갑상선 호르몬 생성이 일어날 수 있다. 갑상선 호르몬 농도가 매우 높을 경우에는 혈장 교환이 필요할 수 있다. 베타차단제는 갑상선 과다 발현을 개선하는 데 중요하며 심박수를 낮춰주며, 심장 산소 요구량을 줄이며 초조, 경련, 정신병적 행동 및 떨림을 줄일 수 있다. 프로프라놀롤은 가장 흔히 사용되는 약제이며 60~80mg을 경구로 매 4시간 마다 투여하거나, 0.5~1mg 정맥투여 후 2~3mg을 수 시간 간격으로 투약할 수 있다. 베타차단제의 다른 이점은 T4에서 T3로의 전환을 억제한다는 것이다. 높은 치료 효과가 있는 다른 약물 중 하나는 코르티코스테로이드의 투여로, 이는 T4의 T3로의 전환을 억제할 뿐만 아니라, 코티솔로 빠른 전환을 유도하여 부신 부전을 예방할 수 있다. 살리실산염은 갑상선 단백결합을 감소시키고 자유 T3와 T4를 증가시킴으로써 갑상선중독증을 악화시킬 수 있기 때문에 아세트아미노펜이 선호된다. 갑상선중독발작의 원인에 대한 철저한 조사가 즉시 이루어져야 하며, 가장 흔한 원인은 감염이다.

부신 억제(Adrenal Suppression)

환자가 스트레스에 어떻게 반응하는지는 시상하부 뇌하수체 축(HPA)과 직접 관련이 있으며, 이러한 사이클 중의 모든 결함은 수술 전후 큰 문제가 나타날 수 있다. 부신 부전의 가장 흔한 원인은 면역성 부신염이며, 부신 피질이 파괴되고 내인성 글루코코르티코이드의 스테로이드 생산이 감소되며 중단된다. 이차성 부신부전은 부신피질자극호르몬(ACTH) 자극이 부족하여 부신 피질의 위축이 특징이다. 이차성 부신부전의 가장 흔한 원인은 외인성 코르티코스테로이드의 투여로 부신피질자극호르몬 분비호르몬의 감소와 이로 인한 뇌하수체 ACTH 분비의 감소를 초래한다. 일반적으로 5일 이상 20mg/일의 프레드니손을 투여받은 환자는 HPA 억제 위험이 있으며, 스테로이드 치료기간이 1개월 이상인 경우 HPA 억제 효과가 나타나며 치료를 중단한 후 6~12개월 동안 지속될 수 있다. 반면에 프레드니손 5mg 이하를 사용한 경우 HPA 축을 억제하지 않는다. 수술 전후에 부신기능평가(ACTH 자극 검사)를 시행할 수 있지만 부신 부전의 위험이 있는 환자에서 코르티코스테로이드가 반응할지 알 수 없다.[9] 그림 8-1은 부신 부전 환자의 수술 시 스테로이드에 대한 알고리즘이며, 수술적으로 스트레스를 받는 환자에서 HPA 축을 유지할 수 있는 장점이 있지만, 스트레스 용량의 글루코코르티코이드를 투여할 경우 약물로 인한 부작용(예: 상처 치유, 수분 보유 및 감염 위험 증가)이 발생할 수 있다.

그림 8-1. 부신부전 환자의 수술 시 스테로이드에 대한 알고리즘
Kohl BA, et al., Anesthesiol Clin. 2010;28:139-155

간 위험도 평가

만성 또는 말기 단계의 간질환 환자의 증가는 간이식을 하지 않은 상태에서 수술을 해야 하는 문제의 증가를 야기한다. 간기능 장애는 만성 바이러스성, 알코올성 간염과 관련이 있다. 비만의 증가로 인해 비 알코올성 지방간 질환이 늘었으며, 이는 미국에서 만

성 간질환의 가장 흔한 원인이 되고 있다. 무증상 환자에서 간기능이나 응고 검사를 하였을 때 비정상적인 결과 나 수술 전후 관리가 변하는 경우는 드물다. 급성 간염(바이러스 또는 알코올 유발) 환자는 질병 진행의 급성기가 지나고 간기능 검사가 정상으로 돌아올 때까지 수술을 연기한다. 황달, 응고병증, 간성 뇌증이 발생한 급성 간부전/극심한 간기능 부전이 있는 환자에서는 간이식 외의 수술은 금기이다. 반대로 만성 감염성 간염 환자에서는 수술을 견딜 수 있다.[10] 간질환의 중증도를 평가하는 것은 Child-Turcotte-Pugh (CTP), 말기 간질환(MELD) 점수의 모델이라는 두 가지 분류 시스템이 있으며, 아래(그림 8-2)와 같이 점수에 따라 수술 가능 여부가 결정된다.

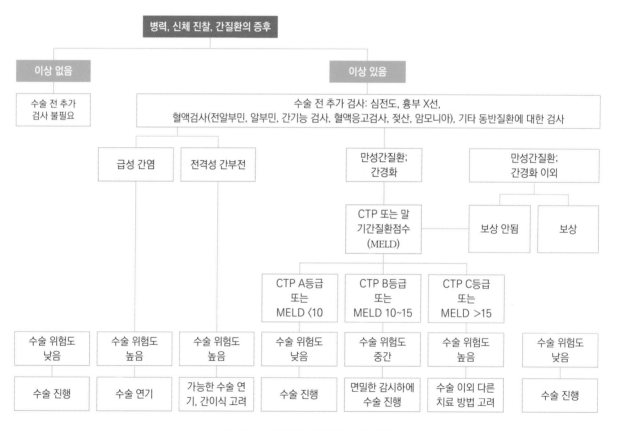

그림 8-2. 간질환의 중증도 평가 삽입

수술 준비(Preparation for Surgery)

감염예방(Infection Prophylaxis)

부인과 수술 후 감염예방을 위해서는 적절한 무균기술을 사용하고, 조직손상과 이물질 노출을 최소화하며, 당뇨를 조절하고 면역억제를 피해야 한다. 또한, 조직 산소공급을 극대화하고 필요시 복강 내 배액을 해야 하며 예방적 항생제 투여가 필요하다. 항생제는 수술 중 수술부위에 침투한 세균을 죽임으로써 감염에 저항할 수 있는 면역기능을 향상시킨다.

부인과 수술 후의 상처나 골반감염은 복합균 감염(그람음성 간균, 그람양성 구균, 혐기균)이므로 예방을 위해서는 광범위 항생제를 사용해야 한다. 자궁절제술은 수술경로와 상관없이 1회 용량의 예방적 항생제를 투여해야 한다. 세파졸린을 포함한 대부분의 항생제는 피부절개 1시간 이내에 투여하며, 퀴놀론제제와 반코마이신이 필요한 경우는 2시간까지 허용된다.[11] 수술 시간이 길어지면 항생제 반감기의 2 배 이상이 될 때마다 추가 투여해야 한다. 1.5 L 이상의 출혈이 있을 시에도 추가 투여하여야 하며, 비만 환자는 증량하여야 한다. 감염성 심내막염 고위험군이 고위험 수술을 받을 때는 예방적 항생제 투여가 필요하다.

수술 중 중심체온이 34.5 ℃ 이하의 저체온 상태로 방치되면 체온조절을 위해 혈관수축이 발생하여 조직산소 공급이 감소하고 면역기능에 직접적인 손상을 입게 되어 수술부위감염이 의미 있게 증가한다. 수술 중 정상체온을 유지하기 위해 온난 정맥수액(warmed intravenous fluid)과 가열된 강제-공기 가열장치(forced-air warmer)를 사용하는 것이 좋다. 정상체온이 유지되면 압력에 의한 궤양 발생이나 수혈, 수술 후 심장문제 발생도 줄일 수 있다.

예방적 항생제는 피부봉합 후에는 수술부위감염을 감소시킨다는 증거가 없어 수술 종료 24시간 이내 끊도록 권고하고 있다. 이 기간 이상 사용 시 항생제 관련 이환, 항생제 내성, 비용 등이 증가하므로 의학적 적응증이 있을 때만 연장 사용한다.

장준비 (Bowel Preparation)

장관이 과하게 차 있으면 마취위험이 있을 뿐 아니라 수술 후 구토, 가스 생성 등으로 해로울 수 있다. 일반적으로, 수술 전날 음식섭취는 제한할 필요가 없으나, 다음 날 아침 수술이 예정되어 있으면 그 전날 저녁식사는 가볍고 소화가 잘 되는 음식으로 하여야 한다. 수술이 늦은 오후가 아니라면 수술 전날 자정부터는 먹거나 마시지 못하도록 해야 한다. 수술이 늦은 오후라면 당일 액체식이로 가벼운 아침식사를 할 수는 있으나 수술 6시간 이내는 금하도록 한다.

장수술이나 장손상이 예상되는 주요 복부수술의 경우에는 완전한 장청소가 필요하나, 2005 년 코크란 리뷰에서는 대장수술 전 장청소가 합병증 비율을 낮춘다는 명확한 증거가 없다고 하였다.[12] 또한, Enhanced Recovery After Surgery (ERAS®) 프로토콜에는 환자 불편, 전해질 장애, 탈수 등의 문제가 있어 시행하지 않기를 권하고 있다. 그럼에도, 장청소는 수술 시 공간을 확보할 수 있고 수술 후 환자의 불편을 줄일 수 있어 장절제나 손상이 예상되는 부인과 수술에서는 일상적으로 시행하고 있다. 수술 전날 저녁, 관장으로 장청소를 시행하고, 장이 완전히 비워지지 않으면 수술 전에 관장을 반복한다.

혈전색전성 질환 예방(Thromboembolic Disease Prevention)

수술 후 발생한 심부정맥혈전증과 폐색전증은 심각한 후유증을 유발하지만 예방 가능하다. 부인과 수술 후 사망의 40%는 폐색전증과 직접 연관이 있다고 보고되었으며, 자궁암과 자궁경부암 수술 후 사망의 가장 빈번한 원인으로도 알려져 있다. 정맥혈전증의 위험인자는 대수술, 고령, 암수술, 심부정맥혈전증 병력, 하지부종, 정맥울혈, 하지정맥류, 과체중, 방사선치료, 임신, 경구 피임약, 에스트로겐, 타목시펜 등이다. 마취시간이 길어지거나 수술 중 대량 출혈로 수혈을 한 경우에도 수술 후 정맥혈전증이 증가한다.

심부정맥혈전 예방을 위해 흔히 사용되는 방법은 다음과 같다.

1) 약물 요법

① 저용량 헤파린(low-dose heparin)

저용량 헤파린을 수술 2시간 전과 수술 후 매 8~12시간마다 피하주사하면 심부정맥혈전의 발생을 줄일 수 있으나, 출혈합병증(예: 상처혈종 등)이 증가하는 단점이 있다. 또한, 부인과 수술 후 6% 정도에서는 저혈소판증을 유발한다는 보고가 있어 수술 후 4일 이상 사용 시 혈소판수를 확인하는 것이 바람직하다.

② 저분자량 헤파린(low-molecular-weight heparin, LMWH)

4,500에서 6,500Da 사이의 헤파린 조각으로, 헤파린에 비해 Xa에 대한 억제는 강하고 트롬빈에 대한 억제는 약하다. 따라서, 부분 트롬보플라스틴 시간(partial thromboplastin time)에 대한 효과가 덜해 출혈 부작용이 더 적은 장점이 있다. 또한, 반감기가 더 길어 하루에 1회만 사용하여도 된다.

2) 물리적 방법

하지의 정맥울혈은 수술 중에도 발생하지만 수술 후에도 다양한 기간 동안 지속될 수 있다. 울혈은 수술 중 장딴지의 용량정맥(capacitance vein)에서 발생하며 여기에 수술에 의한 과응고상태가 더해져 수술 후 급성심부정맥혈전증이 발생하게 된다. 혈전은 주로 장딴지정맥에서 시작하며 대부분 수술 후 24시간 내 발생한다. 예방을 위해서는 수술 전 입원기간을 줄이고 수술 후 빨리 걷게 하며, 누울 때는 장딴지를 심장보다 높게 유지하여야 한다.

① 압박스타킹(compression stocking)

잘 맞는 압박스타킹은 적당한 정도의 효과가 있지만, 환자마다 해부학 구조가 달라 모든 환자가 다 잘 맞지는 않고, 심한 경우 무릎이나 넓적다리에 압박띠 효과로 문제가 생길 수도 있어 유의하여야 한다. 그러나, 단순하고 심한 부작용이 없어 수술 후 관리에서 흔히 사용된다. 양말 길이가 장딴지 높이만 되어도 허벅지 높이와 같은 예방효과가 있다고 보고되었다.

② 간헐적 공기압압박(intermittent pneumatic compression)

간헐적 공기압압박은 정맥혈류를 증가시키고 장딴지정맥을 박동성으로 비움으로써 내인적인 섬유소용해를 항진시킨다. 결과적으로, 발생 초기의 혈전을 녹여 심각한 합병증을 예방한다. 수술 다음날 보행 예정인 중등도 위험의 환자는 수술중과 첫 24시간 동안 사용하는 것이 효과적이다. 주요 부인암 수술 시에는 수술 중과 수술 후 5 일간 사용하면 심부정맥혈전증 발생을 3 배까지 감소시킨다고 보고되었지만, 울혈과 과응고상태로 인해 5 일 이상 사용하는 것을 권하고 있다.

표 8-3은 Caprini Risk Score로서 각각의 위험요소에 개별적으로 점수를 부여 후 합산하여 혈전색전증의 위험을 예측한다.[13]

표 8-3. Caprini Risk Score

각 1점 위험인자
41~60세
다리 부종(현재)
정맥류성 정맥
비만(신체질량지수 25 초과)
소수술
패혈증(1개월 내)
급성심근경색
울혈성심장기능상실(1개월 내)
현재 안정가료 중인 내과질환자
큰수술 경력(1개월 내)
염증성장질환 병력
만성폐쇄성폐질환
폐렴 등의 중증 폐질환(1개월 내)
경구피임약 혹은 호르몬치료
임신 혹은 분만 후(1개월 내)
원인불명 사산, 반복 유산(3회 이상), 임신중독증 동반 조산 혹은 성장장애 조산
각 2점 위험인자
61~74세
관절경 수술
암(현재 혹은 이전)
복강경 수술(45분 초과)
72시간 이상 침대에 누운 환자
행동 제한 석고붕대(1개월 내)

중심정맥 접근	
큰수술(45분 초과)	
각 3점 위험인자	
75세 이상	
심부정맥혈전/폐색전증 병력	
Factor V Leiden 양성	
혈청 호모시스테인 상승	
헤파린 유발 혈소판감소증	
항카디오리핀항체 상승	
프로트롬빈 20210A 양성	
루푸스항응고인자 양성	
기타 선천성 혹은 후천성 혈전성향증	
각 5점 위험인자	
뇌졸중(1개월 내)	
다발성 외상(1개월 내)	
주요 하지관절성형술	
고관절, 골반 혹은 다리 골절(1개월 내)	
급성 척수손상(마비) (1개월 내)	

Caprini Risk Score 합산점수에 따른 심부정맥혈전증의 예방법은 아래와 같다.

0: 조기보행
1-2: 저위험군: 압박스타킹 ± 간헐적 공기 압박
3-4: 중등도위험군: 약물투여(저용량 헤파린 혹은 저분자량 헤파린) 혹은 간헐적 공기 압박
>4: 고위험군: 간헐적 공기 압박 + 약물투여(저용량 헤파린 혹은 저분자량 헤파린). 28일간 예방조치 고려

피부준비
(Skin Preparation)

피부준비는 면도, 세척, 화학적 소독 등으로 환자 피부에서 최대한의 세균을 제거하는 것을 말한다. 수술 전 면도를 시행하면 그렇지 않은 경우에 비해 통계적으로 유의하게 수술부위 감염 발생이 증가하는 것으로 보고된 적이 있으나,[14] 수술 전 피부를 면도하는 것이 수술 부위 감염을 줄이고 수술을 용이하게 한다는 명확한 근거는 없는 실정이다. 제모제는 감염률을 0.6%로 낮춘다고 보고되나 불쾌한 냄새와 화학 열상 가능성이 있어 주의를 요한다. 음모나 복부체모 제거가 필요할 경우에는 수술 직전 묶음술(hair clipping)을 권장한다. 수술 직전 체모정리와 카테터 삽입 후 양손 골반진찰을 시행하고 회음부와 질, 복부 순으로 세척한다. 골반세척은 모든 부인과 수술에서 시행해야 한다. 질, 외음부, 회음 소독 후 복부는 포비돈-요오드액 혹은 유사한 용액을 사용하여 5분 간 문지른다. 배꼽은 Q-tip/면봉을 이용하여 더 주의깊게 닦아야 한다. 피부소독은 위로는 흉곽하단에서 아래로는 넓적다리 중간까지, 옆으로는 앞 장골능선과 앞 겨드랑선까지 하며, 동심원으로 말단을 향해 진행한다

수술 후 관리|(Postoperative Care)

수술 후 감시
(Postoperative
Monitoring)

1) 활력징후

수술 후 환자의 항상성을 유지하게 하여 잠재적인 합병증을 예방하고, 수술 전 기능을 회복하기 위하여 적절한 감시 및 관리가 필요하다. 수술 직후 초기 관리는 주로 회복실 또는 마취후 치료실에 시행하고 안정화되면 일반병실로 옮겨진다. 초기에는 기도 확립 및 호흡수, 심장박동수, 혈압, 체온 같은 활력징후 그리고 말초 산소포화(SpO_2), 심전도(ECG), 의식상태, 신경근육 기능, 통증, 오심 및 구토유무를 평가한다. 환자가 안정되면 통상 기저값의 20% 이내로 활력징후가 유지되며, 활력징후 측정치의 변화 경향이 환자의 진행 상태를 더 정확하게 반영 한다. 활력징후 중 일부 변수들은 회복기의 여러 단계에서 각각 의미가 더 중요 하며 마취에서 회복하는 초기에는 호흡수와 혈압이 마취 회복상태 및 혈류역학적 안정성을 반영하기 때문에 중요하고, 추후 호흡기능 회복 및 진통 조절 후에는 맥박수가 혈관 내 용량을 더 잘 반영한다.

2) 환자 모니터링

환자 상태는 초기 및 안정기를 포함하여 지속적으로 모니터링한다. 수술 중 다량 출혈이나 체액 유출이 있었고 침습적 감시가 가능한 경우에는 수술 후 초기에 중심정맥압을 확인한다. 특히 환자가 심장 또는 호흡 기능이 저하된 경우 폐동맥 쐐기압 측정을 위한 Swan-Ganz 카테터가 적용된다. 수술 후 환자의 수분 상태 평가는 배액관 손실을 포함한 환자의 섭취 배설량을 확인해야 하며, 수액 대체 및 전해질 교정을 시행하여 체액 평형을 유지한다. 직접 소변량 감시는 매우 중요하다. 소변량 배출이 30mL/hour 미만이면 임상적 주의를 요하며 20mL/hour 미만 시 소변 카테터 막힘 등을 확인 후 이상 없으면 요감소중의 원인을 신장전, 신장내 및 신장후 요인으로 구별하여 파악해야 한다. 일반 화학검사 및 소변 전해질검사를 이용한 혈액요소질소(BUN) 대 크레아티닌 비율, 나트륨 분획 배설(FeNa), 소변 현미경 분석을 이용한 원주(cast) 여부 등은 신장 손상 구별에 도움을 준다. 혈액요소질소(BUN) 대 크레아티닌 비율이 20을 초과하면 신세뇨관들이 여전히 효율적으로 재흡수 가능하기 때문에 신장전 손상을 의미하고 혈액요소질소 대 크레아티닌 비율이 10 미만이면 요산 재흡수능력이 떨어지는 것을 의미하므로 신장내 손상을 시사한다.

$$FeNa = [(혈청\ 크레아티닌 \times 소변\ 나트륨) / (혈청\ 나트륨 \times 소변\ 크레아티닌)] \times 100$$

위 계산식으로 계산한 FeNa 값은 1% 미만이면 신장전 손상을 의미하고, 2~3% 초과 시 신장내 손상을 시사한다. 또한 요현미경 분석에서 원주(cast)의 검출은 신장 손상을 의미할 수 있다. 진흙성 갈색 원주는 신장내 손상인 급성세뇨관괴사를 암시하고 백혈구

원주는 급성 간질괴사와 관련되어 있으며, 적혈구 원주는 사구체신염과 연관되어 있다. 이처럼 요감소증에 대한 원인별 진단이 이루어지면, 원인 교정을 통하여 추가적 합병증을 예방한다.[15]

수술 후 통증 조절 (Postoperative Pain Control)

1) 아편유사(opioid) 진통제

수술 후 빠른 거동 및 식이를 위해서는 양질의 통증 조절이 필수적이다. 아편유사 진통제는 수술 후 오심 구토, 장 운동기능 저하, 호흡기능 억제 등의 부작용을 일으킬 수 있으나 수술 직후 극심한 통증 조절의 자주 사용되는 약물이다. 부인암 수술 후에 비경구적 투여로 자주 사용하는 아편유사 진통제는 모르핀(Morphine), 펜타닐(Fentanyl) 및 하이드로모르폰(Hydromorphone) 등이 있으며 메페리딘은 대사물질인 노르메페리딘이 뇌를 자극하여 발작을 유발가능하기 때문에 수술 후 통증 조절 사용에 권장하지 않는다. 모르핀과 하이드로모르폰은 각자 비슷한 작용시작 시간(2~3분)과 반감기(2시간)를 가지지만 반합성제인 하이드로모르폰이 모르핀보다 4~6배 강력하며, 합성제제인 펜타닐은 작용시간이 1시간 정도로 짧으나 효과는 50~80배 강력하다.[16]

2) 자가통증조절법(patient-controlled analgesia, PCA)

환자가 필요시 적은 용량을 여러 번 투여하는 자가통증조절법(PCA)은 조절 단추를 누르면 사전 계획된 용량의 진통제가 주입되고, 지연시간과 폐쇄시간 설정으로 한계량 이상의 투여가 차단되는 시스템으로 정맥요법 및 경막외 요법으로 투여 가능하다. PCA은 약물 투여까지 시간을 단축시켜주고, 진통제의 지속적 접근을 제공하여 전반적으로 더욱 안정적인 통증조절을 가능하게 한다. 환자가 요청할 때마다 약물을 투여하는 것 보다 전체적인 아편유사 진통제 사용이 감소하고 부작용이 적으며, 환자 만족도가 높다.

3) 비아편유사(non-opioid) 진통제

① 비스테로이드소염제(non-steroidal anti-inflammatory drugs, NSAID)

이부프로펜(Ibuprofen), 케토롤락(Ketorolac), 나프록센(Naproxen) 및 고리형산소화효소2 억제제(cyclooxygenase-2 inhigitor, COX-2 inhibitor)는 광범위한 항염증 효과 및 해열 효과 외에 급성 통증 조절에도 효과적이다. 케토롤락은 펜타닐보다 작용시간이 늦지만 진통 효과는 모르핀과 비슷하다고 보고되며, 케토롤라 정맥 투여는 수술 후 심한 통증에 아편유사 진통제와 함께 많이 사용된다. 단독투여로는 수술 후 통증에 대한 조절이 부족할 수 있으나, 아편유사 진통제와 함께 사용 시 진통 효과가 향상되고 마약성 진통제 사용을 감소시키며 수술 후 오심, 구토 및 진정 등과 같은 아편유사 진통제의 부작용을 감소시킨다.[17] 비스테로이드소염제 투여는 급성 신기능 저하, 혈소판 기능장애, 위장관 출혈 및 수술 후 출혈의 위험도를 증가시킨다. 따라서 수술 후 통증 조절을 위하여 3~5일 지속적으로 투여 시 최고 효과를 얻을 수 있으나, 그 이후로는 부작용 위험성 때문에 투여 시 주의를 요한다. 선택적 COX-2 억제제는 이러한 위장관 독성, 혈소판 기능장애 및 출혈 위험도는 적지만, 수술 전후에 심혈관 위험도를 증가시킬 수 있어 기존에 심혈관 병력이 없는 저위험군에서 단기적인 투여를 고려한다.

② 아세트아미노펜(acetaminophen)

경구 및 비경구로 투여 가능하며, 비스테로이드소염제 와 비교하여 진통 효과는 30% 적지만 부작용은 더 적다. 수술 후 통증관리에서 마약성 진통제의 요구량을 줄이기 위하여 비스테로이드소염제와 복합하여, 아편유사 진통제와 함께 사용 가능하다. 아세트아미노펜의 부작용 중 제일 우려되는 것은 간 독성이며, 특히 고령 및 만성 음주자는 주의를 요한다.[18]

4) 복합약제(multimodal) 통증조절

복합약제 통증조절은 각자 다른 작용 기전을 가진 진통제들을 같이 사용하여 부가 및 상승 효과를 얻는 개념이다. 수술 후 통증에서는 마약성 진통제인 아편 유사제의 사용을 보존하면서 적정한 통증 조절을 제공하고 아편유사 진통제와 연관된 합병증을 줄이기 위하여 복합 약제로 통증 조절을 시행한다. 함께 사용되는 비아편유사 진통제로는 비스테로이드소염제 및 아세트아미노펜, 통증신호 연관 신경전달 물질을 억제하는 가바펜틴 및 스테로이드제인 덱사메타손 등이 있다. 비스테로이드소염제 및 아세트아미노펜은 병용투여가 각자 투여하는 것 보다 통증 조절에 있어 더 효과적이며 수술 후 회복증강 프로토콜에서는 병용투여를 권고한다.[19]

배액관리(Drainage Management)

복강 배액관은 고전적으로 골반 농양의 배출, 수술 후 체액(혈액, 혈장액, 임파액) 등이 체내에 쌓이는 것을 방지하고, 해부학적 죽은 공간(dead space) 형성을 저하시켜 이차적인 감염의 예방목적, 장문합부위 누출의 조기발견 및 예방을 위하여 절제부위, 손상 조직 및 누출 위험도가 높은 문합부위 주변에 삽입 했었다. 그러나 최근 연구들에서 배액관이 문합무위 누출 예방 및 전반적 예후를 좋게 한다는 근거가 부족하며, 예방적 목적의 일상적인 배액관 삽입은 권유하지 않는다.

배액관 삽입도 이물질로 감염을 일으킬 수 있으며, 삽입부위 출혈, 배액관 꼬임 및 헤르니아(hernia) 등의 합병증을 유발할 수 있다. 그러므로 배액관은 절개부위 치유 및 감염 방지를 위하여 개복 절개부위와 완전히 다른 작은 절개(보통 5~10mm)를 통하여 배관되어야 하며, 출혈을 일으킬 수 있는 배벽혈관(epigastric vessel)을 피하고, 줄이 꼬이지 않도록 곧은 배관경로를 유지하며 복막에 고정하지 않도록 주의 해야 한다.

배액관 삽입은 임상적 상태 및 적응증 등을 고려한 맞춤형으로 개별화하고 수술 후 배액 된 체액의 보충, 배액관으로 인한 환자의 불편도, 배액관 상태 및 합병증, 배액관 제거 시기 결정 등을 위하여 수시로 점검하고 최소한 매일 평가한다. 수술 후 배액관은 환자가 안정되고 양이 적어 역할이 필요 없는 경우 가능한 일찍 제거되어야 한다.

수술 후 영양 보조
(Postoperative
Nutritional Support)

1) 수액요법

수액요법은 대치(replacement) 요법 및 유지(maintenance) 요법으로 구성되며, 필요한 수액 양은 수술에 대한 스트레스 반응의 정도, 수술의 선행 질환 및 환자의 전반적인 건강상태에 의해 결정된다. 대치 수액요법은 수술 후 잔존하는 수술 전 또는 수술 중 체액손실, 수술에 대한 스트레스 반응과 관련된 제 3 공간 저류 손실 및 진행 중인 위장관계 및 기타 체액 손실을 보상하기 위하여 시행하며 유지 수액요법은 수분, 전해질 및 산-염기 상태를 유지하고 경구 및 장관내 섭취를 할 수 없는 수술 후 환자의 분해 작용을 방지하기 위하여 실시한다. 대치 수액요법 완료 후 환자가 구강 섭취 또는 장관내 식이를 하지 못 할 경우 체액과 전해질 균형을 보존하고 근육 소모를 막기 위하여 정맥으로 유지요법을 제공한다.[20]

평균 성인에서 수술 후 유지 수액요법의 일일 요구량은 약 30mL/kg/day (2,000-3,000mL/day) 이며, 주로 결정질(crystalloid) 수액으로 주입하고, 저장성 및 등장성 생리식염수가 가장 많이 사용된다. 신기능이 정상일 경우 유지 수액은 1~1.5mL/kg/hour로 주입하며, 정상적인 혈청 나트륨 수치를 가지고 있는 환자에서는 5% 포도당을 0.45% 생리식염수에 넣어 기저 인슐린 분비를 자극하고 근육의 파괴를 방지하지만, 이 보호 효과는 일시적이며 5일 이후에는 영양 보조를 하지 않으면 근육소실이 생길 수 있다.

유지 수액요법을 시행할 때 전해질 불균형 없이 혈청나트륨이 유지되는지 확인이 필요하고, 주입용량 및 속도는 기저 생리적 조건 및 다른 수분 공급원을 고려하여 조정해야 한다. 심장, 폐 또는 신장 질환을 앓고 있거나 용량 과부하가 문제가 될 수 있는 환자에게는 더 적은 유지수액용량을 투여할 수 있다. 이 환자들 중 상당수는 기저질환 치료를 위한 약물 투여 시 수액이 투여되기 때문에 이는 일일 총 수액량 평가에 고려되어야 한다. 식이 섭취로 전환이 원활하지 않을 수 있으므로 유지 수액이 중단되기 전에 구강 섭취가 확립되어야 하며 정맥영양법(total parenteral nutrition, TPN)을 시행하는 경우는 영양액 투여 속도는 증가시키고 유지수액 투여속도는 같은 용량으로 줄여서 총 시간당 목표 주입량은 일정하게 유지 해야 한다.

2) 장관내 영양(enteral nutrition)

장관내 영양섭취는 위장관의 점막을 보호하고 장관의 솔가장자리(brush border)를 자극하여 퇴폐물을 없애고 세균의 이동을 방지한다. 또한 담낭을 비우게 하여 세균 정체 및 담낭염을 예방하고 장 관련 림프조직의 면역력을 증강시킨다.[21] 감염 위험성이 높은 TPN보다 합병증이 적고 더 경제적이며, 대사성 장애가 적어 장관내 영양 섭취는 가능하면 언제든지 우선되어야 한다. 많은 수술 후 환자에서는 24시간 이내의 조기 장관내 영양 섭취가 가능하며, 장폐쇄, 허혈, 급성 복막염 등과 같은 특별한 금기가 없는 한 24시간 이내의 장관내 영양 급식을 시행한다.

3) 정맥영양법(total parenteral nutrition, TPN)

수술 후 영양보조에서는 가능한 장관내 영양보조를 시행하나 장관내 영양이 금기되거나, 식이섭취로 전환이 확립되지 못하는 경우 비경구적인 영양보조가 필요하다. 영양상태가 양호한 성인의 경우는 회복에 큰 영향 없이 약 7~10일간의 공복을 견디며, 공복 5일 이내는 수액요법에서 포도당 효과로 근육 파괴를 보호하기 때문에 비경구적 영양보조는 수술 후 5~7일 이내는 시행하지 않는 것으로 미국 비경구적 및 경구적 영양학회 (American Society for Parenteral and Enteral Nutrition, ASPEN)서 권고하고 있다.[22]

수술 후 비경구적 영양보조에서 저급식이나 과급식은 창상치유 지연 및 감염같은 합병증과 연관되므로 피해야 한다. 수술 후 환자의 칼로리 요구량을 추정하기 위한 여러 가지 수학적 공식은 제안되었지만, 보편화된 통일된 방법은 없다. ASPEN은 단위체중을 기반으로 25kcal/kg/day의 칼로리 요구량을 산정하며, 과대사 상태를 고려해서 30~35kcal/kg/day로 예상치를 높일 수 있다.

비경구적 영양은 에너지원인 단백질, 지질 및 탄수화물과 조절 요소인 전해질, 비타민 및 미량원소들이 수액과 함께 구성되며, 수술 후 환자의 하루 필요 칼로리를 약 20~25%는 단백질로, 약 10~20%는 지질 유제로 그리고 약 50~60%는 탄수화물로 제공된다. 단백질은 4kcal/g의 열량으로 수술 후 환자에서 면역 기능 유지, 상처 치유 및 근육량 유지를 위하여 1.2~2g/kg/day의 단백질 공급을 필요로 한다. 지질은 9kcal/g의 고열량 에너지원으로 1g/kg/day를 공급하고 탄수화물은 총 필요열량, 단백질과 지질 함량을 고려하여 용량을 보정할 수 있으나 당산화(glucose oxygenation)를 고려하여 주입 속도는 1g/kg/day를 초과하지 않도록 한다. 조절 요소 중 전해질 균형은 장 기능 회복을 최적화하고 부정맥, 발작 및 허약감 같은 합병증을 예방하는데 중요하며 매일 수시로 전해질 상태를 추적 관찰하여 각 환자의 필요 상태에 따라 교정한다. 비타민과 미량 원소는 환자 상태에 따라 개별적으로 비경구적 영양에 첨가하거나, 일반 권장량에 따른 종합비타민제로 투여한다.

수술 후 합병증(Postoperative Complication)

호흡성(Respiratory) 합병증

1) 무기폐(atelectasis)

무기폐는 가장 흔한 수술 후 폐 합병증으로 대부분 무증상 또는 저산소혈증과 호흡수가 증가하는 양상으로 나타날 수 있다. 수술 후 무기폐는 주로 폐조직의 탄성감소, 국소적 환기장애, 기도분비물의 정체 및 자발적 깊은 호흡과 기침을 방해하는 수술 후 통증 등에 의해 발생한다. 환자는 미열, 불쾌감 및 폐 하부에서 호흡음 감소 등이 동반되지만 명백한 호흡기증상이 나타나지 않을 수 있다. 유발 폐활량측정법(incentive spirometer), 심호흡 및 기침으로 대부분의 무기폐는 호전되지만, 기도 분비물이 풍부하지 않은 경우는 지속적 양압 호흡과 기도 분비물이 풍부한 경우는 흉부 물리요법 및 흡입(suction) 배출이 치료에 도움이 된다.[23]

2) 폐부종(pulmonary edema)

폐부종은 폐모세혈관에서 정수압과 삼투압의 불균형으로 인하여 체액이 비정상적으로 폐간질 및 폐포공간으로 이동하고 축적되어 발생하며, 산소 확산 용량의 감소, 저산소혈증 및 호흡곤란을 유발한다. 대부분 심부전과 연관되어 폐정맥에 체액이 체류되고 모세혈관 내의 정수압이 증가하여 발생하거나 적극적 수액 소생요법처럼 수액 과부하 때에도 나타난다. 폐부종이 심하지 않은 경우는 안면 마스크로 산소공급만 하는 경우도 있지만, 폐부종이 심한 경우 Swan-Ganz 카테터를 이용한 침습적 폐모세혈관 쐐기압 모니터링 및 기관삽관까지 시행할 수도 있다. 대부분의 경우 경미한 폐부종은 이뇨 및 수분 제한 후 신속하게 호전된다.[24]

3) 급성호흡곤란증후군(acute respiratory distress syndrome, ARDS)

급성호흡곤란증후군은 비심장성 폐부종으로 폐의 광범위한 염증에 의해 매개되는 여러 다른 질병의 결과일 수도 있다. 염증성 사이토카인에 의해 매개되어 폐모세혈관의 투과도가 증가되고, 단백질 및 백혈구가 풍부한 체액이 폐포공간에 축적 되며, 저산소혈증 및 호흡곤란을 유발한다. 급성호흡곤란증후군의 가장 흔한 원인으로는 패혈증, 폐렴, 흡인, 심한 외상 및 대량수혈 등이 있다. 보조 호흡근육의 과장된 사용으로 시사되는 호흡노력의 증가, 호흡곤란 및 과호흡을 나타낼 수 있으며, 청진상 수포음과 동맥혈검사상 낮은 동맥혈산소분압(PaO_2)과 높은 이산화탄소분압($PaCO_2$)을 보인다. ARDS의 관리는 근본적 원인을 치료하고 폐포에 대한 추가적 손상 외상을 피하기 위해 낮은 일회호흡량으로 폐를 보호하는 환기법(lung protective ventilation)을 사용하여 관리하지만, 급성호흡곤란증후군은 적극적인 치료에도 불구하고 사망률은 여전히 높다

심장성(Cardiac) 합병증

1) 수술 후 고혈압

수술 후 고혈압은 통증, 불안, 스트레스 및 기타 요인으로 인해 정상 혈압 환자에서도 발생할 수 있으나, 체액 이동에 의한 체액 과부하 및 베타 차단제 같은 고혈압 치료제 복용 중단 등의 원인들에 의해서도 유발될 수 있다. 수술 후 고혈압은 통증 조절을 위한 적절한 진통제 조절 및 고혈압 치료약물의 복용 재개 등으로 많은 경우에서는 자연스럽게 해결될 수도 있으나, 수술 직후 고혈압을 평가할 때는 동맥혈 가스 검사 및 심전도 검사를 통해 증명되는 적절한 환기 및 안정된 심장 상태를 확인해야 한다. 또한 방광 팽창은 혈압 상승을 유발할 수 있으므로 팽창 여부를 확인하고 원인에 따른 관리를 필요로 한다. 새로 발생한 심한 고혈압 및 고혈압성 위기(crisis) 같은 응급 상황에서는 혈압을 낮

추기 위하여 빠른 작용 시간, 짧은 반감기 및 자율 신경 부작용이 적은 치료제를 투여하며, 혈관 확장제인 니트로푸루시드(Nitroprusside)와 니트로글리세린(Nitroglycerin), 베타 차단제를 주로 사용한다. 급한 환경에서 허혈성 뇌졸중과 장기의 저 관류 손상을 피하기 위해 혈압을 25% 이상 급격하게 낮추지 않는 것이 중요하며 환자의 상태가 안정되면 더 오래 지속되는 약물로 변경한다.[25]

2) 수술 후 심근허혈 및 심근경색

수술 후 염증, 과응고 상태 및 저산소혈증과 같은 다양한 스트레스는 심근 손상 및 허혈을 유발할 수 있다. 심근허혈과 심근경색은 심근에서의 산소공급과 요구 사이의 불균형으로 발생하며, 혈전에 의한 관상 동맥의 협착, 혈관의 경련으로 인한 역류학적 폐쇄 및 진행성 죽상경화증에 의한 심각한 협착 등이 심근관류를 줄이고 산소 공급을 감소시킨다. 또한 발열과 빈맥, 저혈압, 빈혈 및 저산소 혈증등과 같은 외인성 심장 요소들은 제한된 심근 관류 상황에서 이차적으로 심근산소필요량을 증가시키며 심근경색의 위험성을 증가시킨다. 심근 경색을 포함하며 총괄적으로 심근관류 및 요구 불균형의 임상학적 증상을 나타내는 급성관상동맥증후군은 ST분절상승심근경색증(ST-segment elevation myocardial infarction, STEMI), 불안정성협심증 및 ST분절비상승심근경색(non ST-segment elevation myocardial infarction, NSTEMI) 등으로 구별되며, 수술 후 치료에 영향을 미치기 때문에 구별에 주의를 요한다. 수술 후 대부분의 안정된 NSTEMI의 경우 종종 내과적으로 관리 될 수 있으나, STEMI 또는 혈역학적 불안정성을 보이는 경우 환자는 신속한 혈관조영술 및 관상동맥중재술 같은 재관류요법이 필요할 수 있다.[26] 심근경색은 대부분 수술 첫 3일 동안 가장 위험하며, 이 시기에는 수술 후 진통제 투여 등으로 허혈증상이 은폐될 수 있어 진단하기 어려울 수 있다. 전형적인 좌측으로 방사되는 가슴통증은 종종 나타나지 않을 수 있으며, 수술 후 호흡곤란 및 가슴통증은 불편함보다는 심근경색을 의심하고 심전도변화 및 심장표지자(cardiac biomarkers) 등을 주의깊게 확인해야 한다. 심근경색에서는 크레아티닌 인산화 효소 MB 동종효소(CK-MB)와 트로포닌(troponin)과 같은 심장표지자들이 혈액으로 방출되며 심근경색진단에 도움이 되지만 심근손상 후 3시간 후부터 증가하기 시작하므로, 그 이전에 심전도 변화 및 혈역류학적 불안정성이 있으면, 고속(high flow) 산소의 투여, 심장중환자실 이송 및 재관류 치료 위한 심장 전문의의 자문 등 적극적인 관여가 필요하다. 수술 후 심근경색의 관리는 심근을 최대한 보존하는 것뿐만 아니라 관상 동맥의 혈류를 개선하고 심근의 작업을 감소시키기 위하여 빈혈 및 저산소증을 교정하고, 금기증이 없으면 베타차단제 및 아스피린의 투여를 시작한다. 안지오텐신전환효소억제제(angiotensin converting enzyme inhibitor, ACEI)는 좌심실 수축 기능 부전이 동반된 심근경색 등에서 조기에 투여 될 수 있으며, 장기적으로 유지될 수도 있다.[27]

수술 후 발열

발열은 일반적으로 수술에 대한 정상적인 염증 반응일 수 있지만, 38.0℃ 이상의 온도 상승으로 정의되는 수술 후 발열은 감염성 원인도 고려해야 한다. 일반적으로 발열은 활성화된 대식세포 및 호중구에 의해 방출되는 사이토카인, 인터류킨1, 6 (IL-1, IL-6)에 의해 매개되며, IL-1은 시상하부의 온도 설정점을 변경함으로써 발열을 일으킨다.[28] 발열의 원인을 구별하는 데 있어 수술 후 발열시기는 매우 유용한 정보를 제공하며 수술 후 첫 48시간 이내에 발열은 수술에 대한 신체의 신진 대사 반응 또는 무기폐가 흔하며 자체 제한적인 저등급 발열이 발생할 수 있다. 수술 후 2일에서 7일 사이의 발열은 보통 감염으로 인한 것으로 요로감염, 폐렴, 상처 및 수술 부위 감염을 반영할 가능성이 더 크며, 삽입관 문제와 심부정맥혈전증도 고려해야 한다. 수술 후 7일 이상 발열은 농양 형성으로 인한 것일 수 있으며, 발열의 원인이 감염과는 별도로 약물, 수혈 및 뇌간 문제 또한 신체 온도의 상승을 일으킬 수 있다. 감염성의 경우는 모든 감염원은 혈관 파종으로 패혈증을 일으킬 수 있어 패혈증에 대하여 신속하게 인식하고 치료할 수 있어야 한다. 광범위 항생제를 우선 투여하고 원인감염균을 알기 위한 배양검사의 결과가 확인되면 항생제를 조정할 수 있다.

수술 후 신장기능장애 (Renal Dysfunction)

수술 후 급성신장손상(acute kidney injury, AKI)은 갑작스러운 신기능 저하로 제거능력이 감소하여 요소 및 질소폐기물이 축적 되고 전해질 불균형을 초래하는 심각한 수술 후 합병증이다. 장기적으로 신장 기능부전에 대한 위험도가 높고, 수술 전 기저 질환으로 만성 신장 질환(chronic kidney disease, CKD)이 있는 경우 또는 고령, 심부전 및 당뇨병 같은 동반 질환 있는 경우에 수술 후 급성신장손상 위험도가 증가한다. 세계신장병예후개선위원회(Kidney Disease Improving Global Outcomes, KDIGO) 정의에 따라 수술 후 48시간 이내 혈장 크레아티닌 수치가 0.3mg/dL 이상 상승하거나 또는 1주일 이내에 혈장 크레아티닌 수치가 기저 값보다 1.5배 이상 증가 시 신장 제거 기능이 감소한 것을 시사 하며, 이외에도 소변량 기준으로 6시간 동안 0.5mL/kg/h 미만의 소변감소가 있는 경우 급성신장손상으로 진단한다.

급성신장손상은 원인별로 신장전(prerenal), 신장(renal), 신장후(postrenal)로 나눌 수 있으며, 신장전 AKI는 출혈이나 탈수 등에 의한 혈량저하가 가장 많고, 그 외에 저혈압, 심부전에 의한 심박출량 감소, 패혈증 및 NSAID 같이 신장에서 수입 세동맥 확장을 억제하는 약물에 의하여 생긴다. 신장 손상은 허혈 또는 조영제 및 항생제 같은 신장 독성약물에 의한 급성 요세관 괴사 및 신장염 등에 의하여 발생하며, 신장후 원인으로는 신경 손상 및 약물 등에 의한 방광 기능장애 그리고 요로계 폐쇄 등이 있다. 수술 후에 발생하는 급성신장손상은 대부분 혈량저하에 의한 신장전인 경우가 많으며 수술 중에 발생한 요관 폐쇄 또는 기저 신장 질환의 악화 등이 있다.[29]

신장 손상으로 요감소가 지속되면 체액 저류 및 과부하로 이어지며 말초 및 폐에 부종을 유발하고 심하면 호흡 곤란까지 발생한다. 또한 신장 제거 능력이 감소하면서 고칼륨혈증, 요독증 및 산증과 같은 증상을 동반하는 전해질 및 산-염기 불균형을 초래할 수 있다. 그러므로 급성신장손상 치료는 체액 및 전해질에 대한 정밀한 관리, 수액 투여에 대한 신중한 모니터링, 신 독성 제제 투여 방지, 적절한 영양 공급 및 신기능 회복 전까지 신장으로 배설되는 약물의 투여량을 조절해야 한다. 보존적 치료에도 불구하고 지속적 요감소 및 용적 과부하, 불응성전해질불균형과 대사성산증 그리고 요독증이 있는 경우는 혈액 투석을 고려해야 한다.[30]

혈전색전증 (Thromboembolism)

심부정맥혈전증 및 폐색전증을 합쳐 정맥혈전색전증으로 통하며, 혈관내막손상, 혈류의 정체 및 응고 항진 상태에 의해 유발된 응고 항상성의 장애로 발생한다. 심부정맥혈전증은 대부분 무증상이거나 하지 통증과 압통, 다리부종 및 발뒤굽힘(dorsiflexion) 통증이 나타날 수 있다. 하지혈전증의 주요 합병증은 폐색전증이며, 대다수의 폐색전증은 장골대퇴정맥혈전의 이동으로 인하여 일어난다. 심부정맥혈전증 진단은 임상학적 증상만으로는 충분하지 않으며, 정맥 도플러 초음파 및 압박 초음파 검사를 포함하는 이중(duplex) 초음파검사 및 대조 정맥 촬영술을 시행한다. 폐색전증은 색전 범위에 따라 무증상부터 우심실 부전, 저산소혈증, 저혈압 및 쇼크 같은 혈역류학적 불안정성을 나타낼 수 있으며, 보조적으로는 폐 환기관류스캔, 하지 이중 초음파 검사 및 폐혈관 촬영술을 시행할 수 있으나, 나선 컴퓨터단층촬영(spiral computed tomography)를 이용한 CT 혈관 조영술은 폐색전증 진단에 유용하다.[31]

심부정맥혈전증 또는 폐색전증의 치료는 항응고요법이 필요하며, 다른 금기증이 없으면 헤파린치료를 즉각적으로 시행한다. 헤파린 부하용량은 일반적으로 초기에 정맥 내 80U/kg을 투여하며, 이어서 18U/kg/h로 지속 주입하고, 활성화 부분 트롬보플라스틴시간(aPTT)이 기준치보다 2배 이내에 유지하도록 조절한다. 급성기 적절 치료 후에는 경구용 와파린으로 계속 투여한다. 적절한 항 응고 치료에도 불구하고 지속적 색전형성 시 또는 와파린 사용이 금기인 환자의 경우는 하대정맥 필터를 사용하여 정맥 혈전을 걸러낼 수 있으며, 생명을 위협하는 광범위 폐색전은 정맥을 통한 흡입 색전제거술 또는 개흉후 폐동맥색전제거술이 필요할 수 있다. 혈전용해 요법은 출혈 위험이 적고, 광범위한 장골대퇴 정맥혈전증 있거나, 또는 혈역학적으로 불안정하면서 급성거대색전증을 앓고 있는 환자에서 고려될 수 있다.[32]

수술 후 회복 향상(Enhanced Recovery After Surgery, ERAS)

ERAS 프로토콜과 같이 근거에 입각한 수술 전후 환자 관리 프로토콜은 수술로 인한 스트레스를 감소시키고 수술 후 정상적인 생리기능을 유지하고 수술 후 거동을 촉진하는 것을 통해 전체 입원 기간을 단축시키고 수술 후 합병증을 감소시키는 등의 수술 후 환자의 회복을 향상시킬 수 있다.[33] 이러한 ERAS 프로토콜은 대장 수술, 비뇨기계 수술, 췌장 및 위장 수술에서 개발이 되었고 유방 수술, 두경부 수술, 흉부 수술 및 간담췌 수술, 정형외과 영역에서도 관련 프로토콜을 개발 중에 있다. 부인종양 분야에서도 근거에 입각해 표준화된 환자 관리 프로토콜이 환자에게 최적의 치료를 제공하고 치료 순응도를 파악하는데 도움이 된다. 부인종양 수술에서 ERAS 프로토콜의 개별 내용에 대한 권장사항은 다음과 같다[19,34-36].

수술 전 교육과 상담 (Preoperative Education and Counseling)

환자는 수술 전 통상적인 수술관련 상담을 받아야 한다. 수술 전 상담은 수술과 마취 과정에서 두려움, 피로, 고통을 줄여주고 회복 및 조기 퇴원에 도움이 된다. 수술에 대한 정보가 담긴 설명, 교육자료 및 동영상 정보 제공은 수술 후 통증 조절, 구역 및 불안을 개선할 수 있다.

사전재활 (Prehabilitation)

암환자에서 사전재활은 '암의 진단과 급성치료 사이의 지속적인 치료과정으로, 정신·신체적 기능을 평가함으로써 평소 기능수준을 확인하고, 손상여부를 파악하여 현재와 미래에 발생할 수 있는 손상과 악화를 줄이기 위한 중재적 치료를 제공하는 것'이다. 사전재활치료는 다가올 스트레스에 대비해서 환자의 정신·신체적 건강을 최적화는 것을 목표로 다음과 같은 복합적인 접근법을 시행한다.

① 유산소, 저항 운동을 통해 신체기능, 심폐기능을 향상
② 손상을 예방하기 위한 최적화된 기능운동
③ 질병치료와 관련한 영양부족의 치료 및 운동에 의한 동화 작용을 돕기 위한 식이 중재
④ 스트레스를 줄이고 전체적인 건강을 촉진하기 위한 정신적인 개입

사전재활(prehabilitation)적 중재가 ERAS 적용을 받는 부인암 환자의 예후를 성공적으로 개선시킨다는 직접적인 증거는 없으나 대장직장암 수술 환자를 대상으로 한 연구를 통해 추론해보면 일부 환자들은 임상적으로 도움이 될 수 있다.[19]

수술 전 최적화
(Preoperative Optimization)

1) 흡연

수술 4주 전 중단해야 한다. 흡연은 수술 후에 발생할 수 있는 합병증의 위험도와 높은 연관성이 있으며 금연을 시행하고 4주 후에나 개선이 될 수 있기 때문에 4주 전에 중단하는 것을 권장한다.

2) 음주

수술 전후 알코올이 심장기능, 혈액응고, 면역기능, 수술 스트레스에 대한 반응에 좋지 않은 영향을 끼치며 높은 수술 후 이환율 및 사망률 증가와 관련이 있으므로 술을 많이 마시는 사람의 경우는 수술 전 최소 4주 동안은 금주가 권장된다.

3) 수술 전 고혈당

고혈당이 있지만 사전에 진단을 받지 못한 환자는 당뇨병 진단을 이미 받은 환자들보다 수술 전후 부작용이 발생할 위험이 높고 증가된 당화혈색소(HbA1c)는 수술 후 합병증 위험도 증가와 연관이 있다. 하지만 적극적인 혈당 조절(tight glycemic control, TGC)과 관련한 많은 연구 결과는 서로 상반되어 정확한 혈당 조절 수준에 대한 권고 사항은 만들 수 없다.[37]

4) 빈혈

빈혈은 수술 이후 발생할 수 있는 이환율과 사망률에 영향을 미친다. 빈혈은 반드시 검사를 통해 확인하고 수술 전 교정해야 한다. 수술 전에 반드시 빈혈검사를 실시하여 철결핍증 등의 기저질환들에 대한 사전치료를 시행하여야 한다. 철분요법은 철결핍성빈혈의 일차적 치료방법이다. 사전에 빈혈을 치료해야 수술 후 발생할 수 있는 빈혈이나 수혈로 인한 부작용을 예방할 수 있다. 빈혈검사 수치가 낮을수록 수술 후 부작용의 위험도가 증가한다.

수술 전 대장정결
(Preoperative Bowel Preparation)

물리적 대장정결(mechanical bowel preparation, MBP)은 종종 환자들에게 고통을 초래하고, 탈수증을 유발할 수 있으며, 환자에게 도움이 된다는 증거가 부족하다. 최근 여러 대규모 후향적 연구들에 따르면 경구 항생제를 이용한 대장정결이 감염률을 감소와 관련이 있다. 하위전방절제술을 받는 직장암 환자를 대상으로 한 연구에서 수술 전 MBP를 받지 않은 환자들에서 전반적 이환률 및 전염성 이환률은 높았으나 장문합부위 누출률에는 큰 차이가 없었다.[38] 따라서 장절제술이 계획되어 있더라도 물리적 대장정결을 일상적으로 사용해서는 안 된다.

① 경구약 장준비 네오마이신 1g + 메트로니다졸 500mg 3회 복용(수술 전날 1:00 PM, 2:00 PM, 10:00 PM)

② 하위전방절제술(low anterior resection) 예정일 경우 관장(rectal enema)

수술 전 금식 및 탄수화물 치료 (Preoperative Fasting and Carbohydrate Treatment)

수술 전 2시간까지 맑은 액체류를 마시는 것은 위내용물을 증가시키지 않고, 위산 pH를 낮추지 않고, 합병증을 증가시키지 않는다. 따라서 위 배출이 지연된 환자가 아닌 경우 오전 수술 시 수술 전날 자정까지는 고형식이가 가능하다. 오후 수술 시에도 알코올을 제외한 맑은 액체는 마취 유도 2~4시간 전까지 고형식이는 최대 6~8시간 전까지 허용된다. 경구용 탄수화물 음료는 수술 2시간 전까지 섭취가 가능하고 수술 후 인슐린 저항성을 감소시키고 부작용을 줄여 회복시간을 단축시킨다.

마취 전 투약 (Preanesthetic Medication)

수술 전 약물처치는 불안을 줄이기 위해 부인과 수술에서 널리 사용된다. 그러나, 수술 전 12시간 이내에 장기 작용 진정제를 관례적으로 투여하는 것은 수술 후 정신 운동 기능의 손상이 올 수 있어 수술 후 회복에 영향을 미치므로 피해야 한다. 따라서 불안을 완화시키기 위한 진정제의 일상적인 투여는 피해야 한다.

1) 진통제

수술 전 복용하고 나이와 전신 질환에 따라 용량을 조절한다.

- 아세트아미노펜 1,000mg 경구 또는 정맥주사 1회
- 셀레콕시브(Celecoxib) 400mg 경구 1회
- 트라마돌(Tramadol-ER) 300mg 경구 1회
- 가바펜틴(Gabapentin) 300~600mg 경구 1회 또는 프리가발린(Pregabalin) 75mg 경구 1회

2) 정맥혈전증 예방조치(venous thromboembolism prophylaxis)

정맥혈전증의 위험이 있는 환자는 예방을 위해 저분자량 헤파린이나 미분획 헤파린 치료 같은 화학적 예방과 물리적인 방법을 함께 시행해야 한다. 예방은 수술 시작 전 시행해서 수술 후에도 지속되어야 한다. 호르몬 대체요법은 수술 전 중단하거나 다른 치료방법을 고려해야 한다. 경구 피임약도 수술 전에 중단하고 다른 방법의 피임으로 전환해야 한다.

수술부위 감염 방지 대책 (Surgical Site Infection Reduction Bundles)

1) 항생제 처치(antimicrobial prophylaxis)

① 자궁적출 수술 시 항생제 치료는 1세대 세팔로스포린으로 하고 용량은 체중에 따라 조절한다. 예정된 수술 범위에 따라 항생제는 조정해야 하는 데 골반 부위 암수술이나 장절제 수술의 경우 혐기성균에 대한 항생제를 추가한다. 항생제는 통상적으로 피부 절개 전 60분 이내에 투여해야 하고 장시간의 수술, 심한 출혈 또는 비만 환자의 경우 추가 용량을 투여해야 한다.

② 장절제를 안 할 경우 세파졸린 2g 정맥주사 피부절개 전

③ 장절제를 할 경우 세파졸린 2g 정맥주사 피부절개 전 + 메트로니다졸 500mg 정맥주사 또는 에르타페넴(Ertapenem) 1g 정맥주사

2) 피부 준비(skin preparation)

환자는 수술 전 클로르헥시딘이 포함된 항균비누로 샤워를 하고 수술직전 클로르헥시딘 알코올로 피부 소독을 시행해야 한다.

3) 수술 중 저체온증 예방(preventing intraoperative hypothermia)

모든 ERAS 프로그램에 정상체온 유지가 포함되어야 한다. 수술 중 저체온증은 수술현장감염과 심장위험증가와 관련이 있다. 저체온증을 예방하기위해서 공기주입담요, 보온 매트리스, 따뜻한 정맥주사 등을 사용할 수 있다.

4) 배액관의 사용자제(avoidance of drains/tubes)

메타 분석에 따르면 비위관 삽입술은 복부수술후 수술 후 폐렴 위험을 증가시킨다. 반대로 비위관을 가진 환자의 88%는 중등도 이상의 불편함을 경험한다. 따라서 수술 중 삽입된 비위관은 마취 깨기 전에 제거해야 한다. 림프절절제술 또는 장절제술을 시행한 환자라도 부인종양/부인암 수술을 시행한 환자에서 관례적으로 시행하는 배액관은 권장되지 않는다.

5) 수술 전후 고혈당 관리(control of perioperative hyperglycemia)

당뇨 유무와 관계없이 수술 전후 혈당은 200mg/dL 이하로 유지되어야 한다. 모든 수술 환자는 당뇨에 대한 선별검사가 필요하다. 수술 전후 적정 혈당을 유지하는 것은 수술 부위 감염방지 대책에 포함되어야 한다. 200mg/dL 이상의 혈당은 인슐린 주입으로 치료하고 저혈당 위험을 피하기 위해 규칙적인 혈당 모니터링을 해야 한다.

6) 표준 마취 프로토콜(standard anesthetic protocol)

신속한 각성을 위해 작용시간이 짧은 마취제의 사용과 신경근육 차단제의 심도 감시, 그리고 완전한 회복 등이 권유된다. 한다. 수술 후 폐 합병증을 줄이기 위해서 6~8ml/kg의 1회 호흡량(tidal volume)과 6~8cm H_2O의 양압환기(PEEP)를 사용하는 인공 호흡 방법을 사용해야 한다.

7) 수술 후 구역/구토 예방을 위한 항구토제(postoperative nausea and vomiting)

① 부인과 수술을 받는 환자에서 수술 후 구역/구토(PONV)는 2가지 이상의 항구토제를 사용하는 복합적인 접근법을 사용해야 한다.

② 아프리피탄트(Aprepitant) 40mg 경구 마취유도 시
    덱사메타손(Dexamethasone) 4~5mg 정맥주사 마취유도 시
    드로페리돌(Droperidol) 0.625~1.25mg 정맥주사 수술종료 시

온단세트론(Ondansetron) 4mg 정맥주사 수술종료 시

프로메타진(Promethazine) 6.25~12.5mg 정맥주사 마취유도 시, 수술종료 시

스코폴라민(Scopolamine) 피부패치 수술 전날 또는 수술 2시간 전

8) 최소 침습 수술(minimally invasive surgery, MIS)

질식 수술을 포함한 최소침습 수술은 전문 지식과 자원이 충분할 때 적절한 대상 환자에게 권장된다.

9) 수술 전후 수액관리/목표지향 수액치료(perioperative fluid management/ goal-directed fluid therapy)

과도한 수액은 장운동의 회복을 지연시켜 수술 후 장폐색, 수술 후 구역 구토, 입원 기간의 연장 등과 관련이 있다. 반대로 저혈량증이 발견이 늦어지면 급성 신장 손상, 수술부위 감염, 패혈증, 섬망 등의 수술 후 합병증을 일으킬 수 있다. 조직의 관류와 산소포화도를 개선시키기 위해 수액과 혈관수축제를 사용하여 혈류를 조절하는 방법인 목표지향 수액치료는 복부 수술을 받은 고위험환자에서 입원 기간과 합병을 줄인다.

10) 수술 후 색전증 예방(prophylaxis against thromboembolism)

환자는 잘 맞는 압박스타킹을 신고 간헐적인 공기 압박을 해야 한다. 복부나 골반에 생긴 악성 종양에 대해 개복수술을 한 환자의 경우 28일까지 확장된 예방조치를 취해야 한다.

11) 수술 후 수액치료(postoperative fluid therapy)

수액 주사는 수술 후 24시간 이내에 제거되어야 한다. 수액은 0.9% 생리식염수보다 결정질 수액(crystalloid solution)이 선호된다.

① 수술 후 8~12시간 동안 시간당 40mL 주입속도
② 소변양이 시간당 20mL 이하일 경우 수액 250~500mL 짧은 시간에 주입

12) 수술 후 영양관리(perioperative nutritional care)

부인종양/부인암 수술의 경우 수술 후 첫 24시간 이내에 정상 식사를 권장한다. 수술환자의 수술 후 관리를 위해 고단백 식이를 고려할 수 있다.

13) 수술 후 장폐색 예방(prevention of postoperative ileus)

적절한 체액 유지, 아편유사제(opioid)의 사용량을 줄이는 진통제, 조기 식사 같은 다양한 ERAS 프로토콜 요소와 마찬가지로 커피를 마시는 것은 안전하고 비용이 저렴하며 장운동을 빨리 정상화시키는 데 효과적이다. 알비모판(Alvimopan)은 장운동이 회복되기까지 시간과 장절제술을 받은 환자에서의 수술 후 장폐색과 연관된 유병률을 줄이는 것으로 FDA 승인을 받았다. Liposomal bupivacaine은 아편유사제(opioid)의 소비와 수술 후

장폐색 비율을 줄일 수도 있다.

14) 아편유사제를 사용하지 않는 다양한 수술 후 통증관리(opioid sparing multi-modal post-operative analgesia)

금기증이 없다면 수술 후 통증 관리를 위해 비스테로이드성 소염제/아세트아미노펜, 가바펜틴, 덱사메타손 등의 약물 사용을 포함한 다양한 방법이 고려되어야 한다.[39] 다양한 방법의 수술 후 통증 관리 프로토콜은 아편유사제의 사용을 효과적으로 낮춘다. 전신적인 약물의 요구도를 낮추기 위해 국소마취제를 절개부위에 주사할 수도 있다.

① 질식 자궁절제술
수술후 통증을 줄이고 아편유사제의 사용을 줄이기 위해 자궁경부 주변 신경차단술이나 척추강내 모르핀 주사를 사용할 수 있다.

② 개복 수술
척추강내 모르핀을 통한 척수 마취를 권장한다. 다른 방법으로 24~48시간 동안 아편유사제에 낮은 농도의 국소마취제를 섞어 흉추경막외마취(thoracic epidural anesthesia, TEA)를 고려할 수 있다. 환자가 중추신경 차단술(neuraxial blockade) 없이 전신마취를 하는 경우 체간신경차단술(truncal nerve block, TAP) 을 고려할 수 있다. 국소마취제의 지속적인 창상 침윤(continuous wound infiltration, CWI)도 고려할 수 있다.

③ 주요 부인암 수술
흉추경막외마취(TEA)를 고려할 수 있다. TEA 이외에 추가로 아편유사제가 필요할 수 있다.

④ 복강경 수술
하나의 통증 조절법을 권장하기에는 근거가 미약하다. 그러나 다양한 방법을 고려하여야 한다.

15) 배뇨관 관리(urinary drainage)
수술 후 배뇨관은 24시간 이내로 짧게 사용되는 것이 좋다.

16) 조기 보행(early mobilization)
환자는 수술 후 24시간 이내에 움직일 수 있도록 장려되어야 한다.

① 하루 8회 이상 보행
② 식사는 의자에 앉아서 시행
③ 하루 8시간 이상은 침대에서 벗어나기

17) 기능적 회복을 포함한 환자 결과 보고(patient reported outcomes, including functional recovery)
ERAS 프로그램 내에서 환자가 보고한 결과에 대한 일관된 수집과 문서화를 통해 기관은 환자 중심 방식의 기능적 회복을 감시, 이해 및 비교할 수 있다. 증상 부담 평가를 포

CHAPTER 8 수술 전후 관리 Perioperative Management

함하여 환자가 보고한 결과도 개별적인 수술 후 치료를 안내하는데 활용할 수 있으며 유효한 검사 도구가 활용되어야 한다.

18) 골반내용물적출술 및 수술 중 복막 내 온열 항암치료에서 ERAS의 역할

현재 골반내용물적출술, HIPEC 수술 같은 복잡성이 높은 환자를 대상으로 ERAS 프로그램의 영향에 대한 데이터가 부족하다. 이 환자 집단에서 ERAS 프로그램의 결과를 문서화하기 위해서는 환자가 많은 상급센터에서 더 많은 연구가 필요하다.

19) 퇴원(discharge pathways)

환자 중심의 퇴원 계획을 용이하게 하기 위해서는 퇴원 전에 환자를 위한 향상된 수술 후 교육이 필요하다. 그러한 개입은 퇴원 직후의 계획되지 않은 병원 방문을 감소시키는데 도움이 될 수 있다.

20) ERAS 감사와 결과 보고

감사는 ERAS 프로그램의 필수 구성 요소이다. ERAS 경로에 대한 보고서에는 결과와 개별 ERAS 요소 준수의 관계에 대한 자세한 정보가 포함되어야 한다.

참고문헌

1 Lee TH, Marcantonio ER, Mangione CM, Thomas EJ, Polanczyk CA, Cook EF, et al. Derivation and prospective validation of a simple index for prediction of cardiac risk of major noncardiac surgery. Circulation 1999;100:1043-9.

2 Sweitzer B. Three Wise Men (x2) and the ASA-Physical Status Classification System. Anesthesiology 2017;126:577-8.

3 Ballantyne JC, Carr DB, deFerranti S, Suarez T, Lau J, Chalmers TC, et al. The comparative effects of postoperative analgesic therapies on pulmonary outcome: cumulative meta-analyses of randomized, controlled trials. Anesth Analg 1998;86:598-612.

4 Zerr KJ, Furnary AP, Grunkemeier GL, Bookin S, Kanhere V, Starr A. Glucose control lowers the risk of wound infection in diabetics after open heart operations. Ann Thorac Surg 1997;63:356-61.

5 Weekers F, Giulietti AP, Michalaki M, Coopmans W, Van Herck E, Mathieu C, et al. Metabolic, endocrine, and immune effects of stress hyperglycemia in a rabbit model of prolonged critical illness. Endocrinology 2003;144:5329-38.

6 Ladenson PW, Levin AA, Ridgway EC, Daniels GH. Complications of surgery in hypothyroid patients. Am J Med 1984;77:261-6.

7 FURLONG K, AHMED I, JABBOUR S. Perioperative management of endocrine disorders. Medical management of the surgical patient. Elsevier; 2008. p. 411-52.

8 Association AT, Hyperthyroidism AAoCETo, Thyrotoxicosis OCo, Bahn RS, Burch HB, Cooper DS, et al. Hyperthyroidism and other causes of thyrotoxicosis: management guidelines of the American Thyroid Association and American Associa-

tion of Clinical Endocrinologists. Thyroid 2011;21:593-646.

9   Kehlet H, Binder C. Value of an ACTH test in assessing hypothalamic-pituitary-ad-
renocortical function in glucocorticoid-treated patients. Br Med J 1973;2:147-9.

10 Hanje AJ, Patel T. Preoperative evaluation of patients with liver disease. Nature
Reviews Gastroenterology & Hepatology 2007;4:266.

11 Pellegrini JE, Toledo P, Soper DE, Bradford WC, Cruz DA, Levy BS, et al. Consen-
sus BundLe on Prevention of Surgical Site Infections After Major Gynecologic Sur-
gery. AANA J 2017;85:1-12.

12 Guenaga KF, Matos D, Castro AA, Atallah AN, Wille-Jorgensen P. Mechanical
bowel preparation for elective colorectal surgery. Cochrane Database Syst Rev
2005:CD001544.

13 Gould MK, Garcia DA, Wren SM, Karanicolas PJ, Arcelus JI, Heit JA, et al. Pre-
vention of VTE in nonorthopedic surgical patients: Antithrombotic Therapy and
Prevention of Thrombosis, 9th ed: American College of Chest Physicians Evi-
dence-Based Clinical Practice Guidelines. Chest 2012;141:e227S-e77S.

14 Bird BJ, Chrisp DB, Scrimgeour G. Extensive pre-operative shaving: a costly exer-
cise. N Z Med J 1984;97:727-9.

15 Chenitz KB, Lane-Fall MB. Decreased urine output and acute kidney injury in the
postanesthesia care unit. Anesthesiol Clin 2012;30:513-26.

16 Gandhi K, Baratta JL, Heitz JW, Schwenk ES, Vaghari B, Viscusi ER. Acute pain
management in the postanesthesia care unit. Anesthesiol Clin 2012;30:e1-15.

17 Kumar K, Kirksey MA, Duong S, Wu CL. A Review of Opioid-Sparing Modalities in
Perioperative Pain Management: Methods to Decrease Opioid Use Postoperatively.
Anesth Analg 2017;125:1749-60.

18 Lovich-Sapola J, Smith CE, Brandt CP. Postoperative pain control. Surg Clin North
Am 2015;95:301-18.

19 Nelson G, Bakkum-Gamez J, Kalogera E, Glaser G, Altman A, Meyer LA, et al.
Guidelines for perioperative care in gynecologic/oncology: Enhanced Recovery Af-
ter Surgery (ERAS) Society recommendations-2019 update. Int J Gynecol Cancer
2019.

20 Torgersen Z, Balters M. Perioperative nutrition. Surg Clin North Am 2015;95:255-67.

21 Fukatsu K, Kudsk KA. Nutrition and gut immunity. Surg Clin North Am
2011;91:755-70, vii.

22 Taylor BE, McClave SA, Martindale RG, Warren MM, Johnson DR, Braunschweig
C, et al. Guidelines for the Provision and Assessment of Nutrition Support Thera-
py in the Adult Critically Ill Patient: Society of Critical Care Medicine (SCCM) and
American Society for Parenteral and Enteral Nutrition (A.S.P.E.N.). Crit Care Med
2016;44:390-438.

23 Miskovic A, Lumb AB. Postoperative pulmonary complications. Br J Anaesth
2017;118:317-34.

24 Assaad S, Kratzert WB, Shelley B, Friedman MB, Perrino A, Jr. Assessment of Pul-
monary Edema: Principles and Practice. J Cardiothorac Vasc Anesth 2018;32:901-14.

25 Whelton PK, Carey RM, Aronow WS, Casey DE, Jr., Collins KJ, Dennison Himmel-
farb C, et al. 2017 ACC/AHA/AAPA/ABC/ACPM/AGS/APhA/ASH/ASPC/NMA/PCNA
Guideline for the Prevention, Detection, Evaluation, and Management of High
Blood Pressure in Adults: A Report of the American College of Cardiology/Amer-
ican Heart Association Task Force on Clinical Practice Guidelines. Hypertension

2018;71:e13–e115.

26 Magapu P, Haskard D, Fisher M. A review of the peri-operative risk stratification assessment tools used for the prediction of cardiovascular complications in non-cardiac surgery. Perfusion 2016;31:358–65.

27 Biccard BM. Detection and management of perioperative myocardial ischemia. Curr Opin Anaesthesiol 2014;27:336–43.

28 Netea MG, Kullberg BJ, Van der Meer JW. Circulating cytokines as mediators of fever. Clin Infect Dis 2000;31 Suppl 5:S178–84.

29 Carmichael P, Carmichael AR. Acute renal failure in the surgical setting. ANZ J Surg 2003;73:144–53.

30 Golden D, Corbett J, Forni LG. Peri-operative renal dysfunction: prevention and management. Anaesthesia 2016;71 Suppl 1:51–7.

31 Lim W, Le Gal G, Bates SM, Righini M, Haramati LB, Lang E, et al. American Society of Hematology 2018guidelines for management of venous thromboembolism: diagnosis of venous thromboembolism. Blood Adv 2018;2:3226–56.

32 Bartholomew JR. Update on the management of venous thromboembolism. Cleve Clin J Med 2017;84:39–46.

33 Ljungqvist O. Jonathan E. Rhoads lecture 2011: Insulin resistance and enhanced recovery after surgery. JPEN J Parenter Enteral Nutr 2012;36:389–98.

34 Nelson G, Altman AD, Nick A, Meyer LA, Ramirez PT, Achtari C, et al. Guidelines for pre- and intra-operative care in gynecologic/oncology surgery: Enhanced Recovery After Surgery (ERAS (R)) Society recommendations--Part I. Gynecol Oncol 2016;140:313–22.

35 Nelson G, Altman AD, Nick A, Meyer LA, Ramirez PT, Achtari C, et al. Guidelines for postoperative care in gynecologic/oncology surgery: Enhanced Recovery After Surgery (ERAS (R)) Society recommendations--Part II. Gynecol Oncol 2016;140:323–32.

36 Nelson G, Dowdy SC, Lasala J, Mena G, Bakkum-Gamez J, Meyer LA, et al. Enhanced recovery after surgery (ERAS (R)) in gynecologic oncology – Practical considerations for program development. Gynecol Oncol 2017;147:617–20.

37 Sheehy AM, Gabbay RA. An overview of preoperative glucose evaluation, management, and perioperative impact. J Diabetes Sci Technol 2009;3:1261–9.

38 Bretagnol F, Panis Y, Rullier E, Rouanet P, Berdah S, Dousset B, et al. Rectal cancer surgery with or without bowel preparation: The French GRECCAR III multicenter single-blinded randomized trial. Ann Surg 2010;252:863–8.

39 Ong CK, Seymour RA, Lirk P, Merry AF. Combining paracetamol (acetaminophen) with nonsteroidal antiinflammatory drugs: a qualitative systematic review of analgesic efficacy for acute postoperative pain. Anesth Analg 2010;110:1170–9.

CHAPTER

9

수술기법

Surgical
Methods

책임저자

김기형 | 부산대학교 의과대학 산부인과

집필저자

권병수 | 부산대학교 의과대학 산부인과

서동수 | 부산대학교 의과대학 산부인과

정근오 | 경북대학교 의과대학 산부인과

정대훈 | 인제대학교 의과대학 산부인과

홍대기 | 경북대학교 의과대학 산부인과

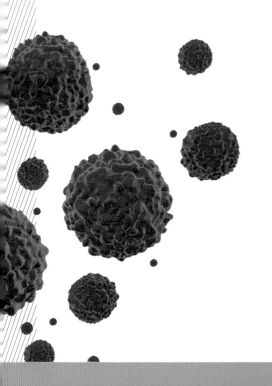

Gynecologic Oncology

자궁절제술(Hysterectomy)

광범위 자궁절제술
(Radical Hysterectomy)

1) 개요 및 역사

광범위 자궁절제술은 초기 자궁경부암에 대해 시행하는 수술방법이다. 1898년 오스트리아의 Ernst Wertheheim이 처음으로 개복을 통한 광범위 자궁절제술을 시행하였고, 1900년 29명의 환자에 대한 수술결과를 처음으로 보고하였다.[1] 당시 Wertheheim은 커져있는 골반 림프절만을 제거하였는데, 1919년에 오스트리아의 Latzko와 Schiffmann은 방광주위공간(paravesical space)과 직장주위공간(pararectal space)을 개방하면서(opening, 당시 이들 공간에 대한 이름은 명명하지 않음) 체계적인 림프절절제술(systemic lymphadenectomy)을 시작하였다.[2] 이후 1930년에 오스트리아의 Peham과 Amreich은 오늘날 골반 외과적 수술의 해부학적 기초가 되는 방광주위공간과 직장주위공간에 대한 이름을 명명하였다.[3] 이후 Wertheheim의 스승이었던 오스트리아의 Friedrich Schauta는 질식 광범위 자궁절제술을 시행하였고, 1908년에 258개의 삽화로 구성된 수술방법에 대한 논문을 보고하였다.[4,5]

미국에서는 1944년에 하버드대학의 Meigs가 처음으로 광범위 자궁절제술을 시행하였는데, Taussing과 Meigs는 체계적인 림프절절제술을 자궁경부암의 근치수술의 한 부분으로 만드는 데 영향력을 주었고, 1954년 출판한 책에서 자궁경부암의 외과적 치료에 대한 주장을 한데 모아 기술함으로서 자궁경부암에 대한 외과적 치료의 시대를 이끌었다.[6~8] 수술기법, 마취학, 수혈, 수술전후 환자 관리의 발달로 긴 시간의 복잡한 수술이 가능해짐에 따라 Alexander Brunschwig은 1954년에 315명의 골반내용물적출술(pelvic exenteration)에 대한 결과를 보고하였다.[9]

수술하는 사람들에 따라 외과적 접근법, 해부학적 개념 및 용어의 차이로 인해 다소 혼동들이 있었고, '광범위(radical)' 또는 '확장(extended)' 자궁절제술이라는 용어로 분류하기 위해 1974년 Piver와 Rutledge는 자궁절제술을 5단계로 나누어 분류하였다.[10] 2008년 Querleu와 Morrow는 절제의 외측넓이(lateral extent of resection)를 기준으로 하면서 신경보존 광범위 자궁절제술을 고려한 보다 상세한 광범위 자궁절제술의 분류를 개발하였다.[11]

광범위 자궁절제술의 합병증을 줄이기 위한 많은 노력들이 이루어지고 있는데, 자율신경을 보존하기 위한 노력으로, 2007년 일본의 Fujii Shingo는 1930년대 Okabayashi가 시행하였던 신경을 보존하는 광범위 자궁절제술에 대한 구체적인 해부학적 접근법을 개발하였다.[12] 최근에는 림프절절제술과 연관된 합병증을 줄이기 위해 감시림프절생검(sentinel lymph node biopsy)에 대한 연구가 활발히 진행되고 있다. 또한, 개복술과 연관된 단점을 줄이기 위한 노력으로 1987년 프랑스의 Dargent가 Shauta의 질식 광범위 자궁절제술 수술법과 복강경 골반 림프절절제술 이용하여 처음으로 복강경을 이용한 질식 광범위 자궁절제술을 시행한 이후,[13] 자궁경부암뿐만 아니라 다른 부인암에서도 복강경 수술과 로봇수술과 같은 미세침습수술이 널리 이용되고 있다.

이러한 수술에 대한 역사는 자궁경부암을 치료하기 위한 산부인과 의사들의 노력을 반영하고 있으며, 수술법 발달은 외과적 해부학에 대한 이해에 기초로 한다. 수술법은 부인암 환자들의 예후와 삶의 질의 향상을 위해 계속 진화하고 있다.

2) Piver-Rutledge 자궁절제술의 분류

1974년, Piver 등은 자궁절제술을 다음과 같은 5가지로 분류하였다(표 9-1).[10,14,15]

① Class I: 근막외 자궁절제술(extrafascial hysterectomy)

단순자궁절제술로 자궁경부 조직을 완전하게 제거한다. 요관터널을 박리하지 않고 요관을 외측으로 당기면서 옆으로는 자궁경부 조직이 잘리지 않도록 자궁경부주위조직(para-cervix)에 결찰한다.

- 적응증: 자궁경부암 병기 IA1

② Class II: 변형 광범위 자궁절제술(modified radical hysterectomy)

Wertheim이 기술한 자궁절제술이다.[16] 더 많은 자궁경부주위조직을 제거하기 위한 방법으로 원위부 요관과 방광으로 가는 혈류를 보존하기 위해 자궁동맥은 요관을 가로지르는 부위에서 결찰하고, 기본인대(cardical ligament)의 내측 1/2과 자궁천골인대 내측 1/2을 절제한다. 질은 윗쪽 1/3을 절제한다.

- 적응증: 자궁경부암 병기 IA2

③ Class III: 광범위 자궁절제술(radical hysterectomy)

자궁경부암수술 중 가장 많이 하는 수술 형태로, 1944년에 Meigs가 처음 기술한 수술이다.[6] 자궁주위조직(parametrium)과 질주위조직(paravagina)을 모두 제거한다. 더 넓고 근치적인 절제를 위해 자궁동맥은 속엉덩 동맥(internal iliac artery)으로부터 기시하는 부위에서 결찰하고, 기본인대의 전체를 제거하며, 자궁천골인대를 천골 부착부위에서 절제한다. 질은 위쪽 1/3~1/2을 절제한다.

- 적응증: 자궁경부암 병기 IB, IIA

④ Class IV: 확대 광범위 자궁절제술(extended radical hysterectomy)

Class III와 다르게 요관은 방광자궁인대로부터 완전히 박리하여 모든 요관주위 조직을 제거하고, 위방광동맥을 결찰하며, 질의 위쪽 3/4을 절제한다.

- 적응증: 방사선치료 후 작은 크기의 앞쪽 중심부 재발

⑤ Class V: 부분 골반내용물적출술(partial exenteration)

암이 침범된 요관이나 방광을 부분적으로 절제하고, 요관은 방광으로 다시 재이식한다. 이 수술은 광범위 자궁절제술할 때, 간혹 예기치 못한 암이 원위부 요관을 감싸고 있는 것이 발견되면 시행될 수 있다.

- 적응증: 원위부 요관이나 방광의 일부를 침범하는 중심부 재발

표 9-1. Piver–Rutledge의 자궁절제술 분류

Class	수술범위
I	근막외 자궁절제술(extrafascial hysterectomy)
II	변형 광범위 자궁절제술(modified radical hysterectomy) – 자궁동맥: 요관을 가로지르는 부위에서 결찰 – 기본인대: 내측 1/2 절제 – 자궁천골인대: 내측 1/2 절제 – 질: 위쪽 1/3 절제
III	광범위 자궁절제술(radical hysterectomy) – 자궁동맥: 속엉덩 동맥으로부터 기시하는 부위에서 결찰 – 기본인대: 전체 제거 – 자궁천골인대: 전체 제거(천골 부착부위에서의 절제) – 질: 위쪽 1/3~1/2 절제
IV	확대 광범위 자궁절제술(extended radical hysterectomy) – 모든 요관주위 조직 제거 – 위방광동맥 결찰 – 질: 위쪽 3/4 절제
V	부분 골반내용물적출술(partial exenteration) – 암이 침범된 요관이나 방광을 부분적으로 절제 – 요관은 방광으로 재이식함

3) Querleu-Morrow의 광범위 자궁절제술 분류

2008년 Querleu와 Morrow는 광범위 자궁절제술을 단순화하기 위한 목적으로 절제의 외측범위만을 기준으로 한 광범위 자궁절제술에 대한 새로운 분류를 발표하였고, 2011년에 근치적으로 외측자궁주위조직을 절제하기 위한 3차원적인 해부학적 틀(template) 개념을 제안한 후에 2017년에 새롭게 업데이트 했다.[10,17,18] 절제 범위의 경계를 명확히 하기 위해 안정적인 해부학적 경계표지로 '요관이 자궁동맥과 자궁경부주위조직을 가로지르는 부위'와 '속엉덩 혈관체계'를 사용하였고, 3차원적인 해부학적 틀 개념도 도입하였다.[18]

A, B, C, D의 4가지 기본형으로 나누어지며, 신경 보존과 자궁경부주위조직의 림프절 절제를 고려한 하위 유형들이 추가되어 있다. 림프절절제는 해당하는 동맥의 해부학적 위치 및 시술의 근치성에 따라 4단계로 나누어진다(표 9-2).

표 9-2. Querleu-Morrow의 광범위 자궁절제술 분류

Type		수술범위
A		제한된 광범위 자궁절제술(limited radical hysterectomy)
B		요관부위에서 자궁경부주위조직의 절제
	B1	자궁경부주위조직 외측 림프절을 제거하지 않음
	B2	자궁경부주위조직 외측 림프절을 제거함
C		자궁경부주위조직은 속엉덩 혈관계와 만나는 접합부에서 절제
	C1	자율신경을 보존하는 광범위 자궁절제술
	C2	자율신경을 보존하지 않는 광범위 자궁절제술

Type	수술범위
D	자궁경부주위조직의 외측에 있는 구조물들을 절제(laterally extended resection)
D1	좌골신경의 뿌리를 노출시키면서 속엉덩 및 폐쇄혈관들과 함께 자궁경부주위조직 전체를 골반측벽에서 절제
D2	속엉덩 혈관과 인접한 근막 또는 근육 구조물을 따라 자궁경부주위조직 전체를 절제

① Type A: 제한된 광범위 자궁절제술(limited radical hysterectomy)

Type A는 자궁경부 전체를 아래쪽으로 질 천장(fornix)까지 자궁경부주위조직의 가장자리(margin)와 함께 제거하는 것이다. Type A는 Class I 근막외 자궁절제술보다 조금 더 수술 범위가 크고, Class II 변형 광범위 자궁절제술보다는 수술 범위가 작다. 요관의 위치는 요관터널을 개방한 후에 직접 보면서 결정되어야 하며, 자궁혈관은 요관과 가로지르는 부위에서 가로절단(transect)한다. 자궁경부주위조직은 요관의 내측 및 자궁경부의 외측으로 가로절단한다. 직장질인대와 방광자궁인대를 확인하여 자궁으로부터 조금 떨어지게 한다. 질은 자궁경부주위조직의 질부분(질주위조직, paracolpium)의 제거없이, 최소한으로 절제하는데, 일반적으로 10mm 미만으로 절제한다.

● 적응증: 위험한 예후인자가 없는 병기 IB1 자궁경부암, 진행된 자궁경부암 환자가 방사선치료, 항암화학요법 또는 동시항암화학방사선요법을 한 후에 수술을 시행하는 경우

② Type B: 요관부위에서 자궁경부주위조직의 절제(resection of the paracervix at the ureter)

B1 – 자궁경부주위조직 외측 림프절을 제거하지 않음
B2 – 자궁경부주위조직 외측 림프절을 제거함

B1유형은 변형 광범위 자궁절제술에 상응하는 것으로서, 요관터널의 지붕을 열고, 요관을 외측으로 움직여지게 함으로서 요관터널 부위에서 자궁경부주위조직을 가로절단한다. 직장자궁인대의 자궁천골 복막 주름(등쪽 자궁주위조직, dorsal parametrium)과 방광자궁인대(배쪽자궁주위조직, ventral parametrium)를 부분 절제한다. 자궁경부나 종양의 아래쪽 끝에서부터 적어도 1cm 이상의 질을 절제한다.

③ Type C: 자궁경부주위조직을 속엉덩 혈관계와 만나는 접합부에서 가로절단(transection of the paracervix at its junction with the internal iliac vascular system)

C1 – 자율신경보존하는 광범위 자궁절제술
C2 – 자율신경보존하지 않는 광범위 자궁절제술

● 적응증: 깊은 기질침윤이 있는 병기 IB1, 병기 IB2-2A, 병기 early 2B 자궁경부암

이 수술 유형은 일반적인 광범위 자궁절제술에 해당하며, 외측 경계는 속엉덩 동맥과 정맥의 내측면이 된다. 자궁천골인대는 직장에서 가로절단하고 방광자궁인대(배쪽 자궁주

위조직, ventral parametrium)는 방광에서 가로절단한다. 요관은 완전히 박리하여 외측으로 이동시킨다. 자궁경부나 종양으로부터 1.5~2cm 길이의 질과 그에 상응하는 질주위조직을 절제한다.

C형은 방광으로 가는 자율신경 보존여부가 중요한데, 자율신경을 보존하는 C1과 자율신경을 보존하지 않는 C2로 나누어 진다.

i. C1: 자율신경을 보존하는 광범위 자궁절제술

등쪽 자궁주위조직(dorsal parametrium)은 자율신경계의 등쪽 분절을 분리한 후에 가로절단한다. 아래아랫배신경얼기(inferior hypogastric plexus)는 체계적으로 확인하여 외측 자궁주위조직(lateral parametrium)을 가로절단할 때 골반신경얼기(pelvic plexus)의 자궁 가지(uterine branch)만 가로절단함으로서 보존한다.

배쪽으로는 골반신경얼기의 방광가지들은 방광자궁인대(배쪽자궁주위조직, ventral parametrium)에 보존된다. 방광자궁인대(배쪽자궁주위조직, ventral parametrium)의 내측부분만 절단함으로서 요관이 지나가는 길의 밑에 있는 아랫배신경얼기의 방광 가지들은 확인하여 보존한다.

ii. C2 – 자율신경을 보존하지 않는 광범위 자궁절제술

자궁경부주위조직은 심부자궁정맥 아랫쪽 부분을 포함하여 완전하게 가로절단한다.

아래아랫배신경얼기는 천골내장신경과 함께 직장의 외측으로 분리한다. 요관은 방광자궁인대(배쪽자궁주위조직, ventral parametrium)로부터 완전히 분리해야 하며, 방광자궁인대는 방광벽쪽에서 절제한다. 아랫배신경얼기의 방광 가지들은 잘려지기 때문에 그것을 식별할 필요는 없다. 외측으로는 속엉덩 동맥과 정맥의 내측면을 따라 골반바닥까지 절제한다.

골반공간(내측직장주위공간, 외측직장주위공간, 외측방광주위공간)들은 자궁경부주위조직의 골반부착부위를 아랫쪽 부분에서 내장신경을 함께 가로절단함으로서 통합된다. 자궁경부주위조직의 질부분을 제거하고, 등쪽자궁주위조직을 천공부착부위까지 아래쪽으로 확장하여 제거한다.

④ Type D: 자궁경부주위조직의 외측에 있는 구조물들을 절제(외측으로 확장절제, laterally extended resection)

D1 – 좌골신경의 뿌리를 노출시키면서 아랫배 및 폐쇄혈관들과 함께 자궁경부주위조직 전체를 골반측벽에서 절제(resection of the entire paracervix at the pelvic sidewall together with the hypogastric and obturator vessels, exposing the roots of the sciatic nerve)

D2 – D1과 함께 아랫배혈관과 인접한 근막 또는 근육 구조물을 절제(D1 plus resection of the adjacent fascial/muscular structures)

이 수술 유형은 골반내용물적출술을 시행할 때 대부분 적용되는 초근치수술이다. D1의 경우 좌골신경의 뿌리를 노출시키면서 아랫배 및 폐쇄혈관들과 함께 자궁경부주위조직 전체를 골반측벽에서 절제한다. 즉, 속엉덩 혈관의 외측에 있는 혈관들(위볼기, 아래볼기, 음부혈관들 (superior gluteal, inferior gluteal, pudendal vessels)]의 분지들을 결찰한다.

D2 타입은 D1과 함께 아랫배혈관과 인접한 근막 또는 근육 구조물들들을 절제하는데, 배쪽으로 폐쇄근막과 폐쇄근육, 등쪽으로 꼬리근(coccygeus muscle), 궁둥구멍근(piriform muscle) 골반부분, 외측으로 엉치가시(sacrospinous)인대와 비구(acetabulum)까지 절제할 수 있다. 이러한 절제는 독일의 Heckel이 기술한 LEER (laterally extended endopelvic resection)에 해당한다.[19]

4) 광범위 자궁절제술 술기

광범위 자궁절제술은 개복술, 복강경수술, 로봇수술의 방법을 이용하여 할 수 있다. 광범위 자궁절제술은 수술을 진행하는 순서가 술자의 편의에 따라 서로 다를 수 있지만, 이번 장에서는 개복술을 통한 일반적인 방법에 대해 기술하고자 한다.[14,15,20]

① 수술부위 절개

복부는 아래중간선절개 또는 Maylard, Cherney, Pfannenstiel 절개와 같은 아래가로절개(low transverse) 통하여 개복을 한다. 아래중간선절개의 경우에는 필요에 따라 배꼽 왼쪽을 따라 절개를 확대할 수 있는데, 대동맥주위 림프절절제를 할 경우에는 아래중간선절개를 통해 배꼽 왼쪽을 따라 절개를 확대해야 한다.

② 탐색

복강내로 들어가면 모든 장기를 체계적으로 만져보고, 전이가 의심되면 동결절편 검사로 확인한다. 방광자궁 접힘과 더글러스 주머니에 암의 침윤이 있는지 조사하고, 난소와 난관의 이상 여부도 검사한다. 2cm 이상의 큰 골반 림프절 또는 대동맥주위 림프절은 염증성 변화와 악성 변화를 구분하기 위해 제거하여 동결절편 검사를 시행한다.

③ 골반 공간의 열림

자궁을 당기면서, 원(round)인대를 가능한 골반벽 가까이에서 절개하고 깔대기골반(infundibulopelvic)인대의 외측으로 허리근(psoas muscle)을 따라 위쪽 온엉덩동맥과 요관이 교차하는 지점까지 절개하면서 후복막으로 들어간다. 요관은 골반테두리를 가로지르면서 확인되며, 골반 공간(방광주위공간(paravesical space), 직장주위공간(pararectal space)]은 원인대가 삽입되는 부위 아래쪽, 배꼽인대(폐쇄된 배꼽동맥)의 외측, 바깥엉덩동맥의 내측으로 겸자 등을 이용하여 무딘 박리하면 열린다(그림 9-1). 방광주위공간과 직장주위공간의 경계는 표 9-3와 같다. 골반 림프절을 절제하기 전에 골반공간들을 개방해 놓으면 림프절을 박리하고 요관이 방광자궁인대터널을 지나가는 곳을 박리하는데 도움을 준다.

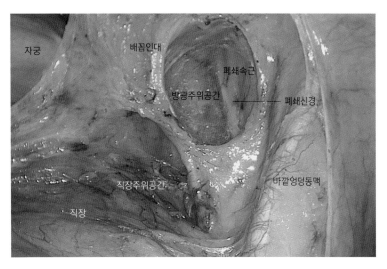

그림 9-1. 방광주위공간과 직장주위공간

표 9-3. 방광주위공간과 직장주위공간의 경계

경계	방광주위공간(paravesical space)	직장주위공간(pararectal space)
내측	방광을 따라가는 배꼽인대	직장
외측	골반외벽을 따라가는 폐쇄속근 (obturator internus muscle)	속엉덩 동맥
앞쪽	치골결합	기본인대
뒤쪽	기본인대	천골
바닥	질이 힘줄활(tendinous arch)에 부착	꼬리근(coccygeus muscle)

④ 골반 림프절절제술

골반 림프절절제술의 방법은 림프절절제술에 자세히 서술되어 있으며 골반 림프절제술의 순서를 정리하면 다음과 같다(그림 9-2, 3).

온엉덩 림프절 → 바깥엉덩 림프절 → 외측 서혜상부림프절 → 내측 서혜상부림프절 → 폐쇄림프절 → 속엉덩 림프절 → 기본인대의 자궁주위 림프절 → 엉치앞림프절

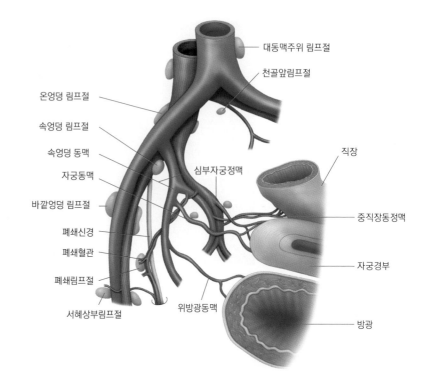

그림 9-2. 골반 림프절의 해부학적 관계

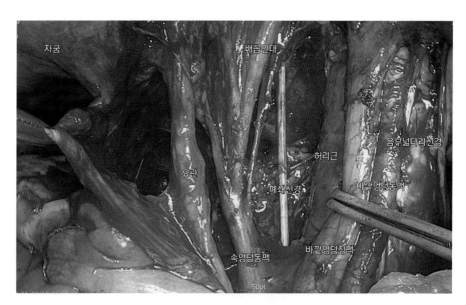

그림 9-3. 골반 림프절절제술 후 모습

⑤ 대동맥주위 림프절 평가

대동맥주위 림프절 평가는 자궁경부암의 크기가 크거나 골반 림프절 전이가 의심이 된다면 시행할 수 있다. 복막을 오른쪽 온엉덩 동맥 위로부터 시작해서 요관내측을 따라 절개한다. 견인기를 후복막으로 넣어서 대동맥과 대정맥을 노출시킨다. 대동맥주위 림프절이 커져 있다면, 제거해서 동결절편검사를 시행하고, 전이 소견이 있으면 수술을 중단하고 방사선치료를 하는 것도 하나의 치료 옵션이 될 수 있다. 동결절편검사에서 커져있는 대동맥주위 림프절에 전이가 없다면 대동맥의 왼쪽 부위의 복막을 절개하여 아래창자간막동맥(inferior mesenteric artery) 아래까지 손가락으로 촉지하며, 더 이상 커져있는 림프절이 없다면, 추가적인 동결절편검사는 하지 않는다. 다른 방법으로는 대동맥주위 림프절을 위쪽으로 아래창자간막동맥까지 모두 박리하는 경우도 있다.

⑥ 방광 박리

복막이 방광과 자궁 사이에 접혀있는 부분을 열고, 방광을 아래쪽으로 자궁경부와 질 윗부분 1/3까지는 분리되도록 박리한다.

⑦ 자궁동맥 결찰

자궁동맥은 방광주위공간과 직장주위공간을 개방한 부위에서 폐쇄된 배꼽동맥(배꼽인대)을 분리시켜 혈관견인기로 들어올리면 쉽게 찾을 수 있다. 자궁동맥은 속엉덩 동맥에서 나온다. 간혹 위방광동맥을 자궁동맥으로 오인하여 결찰하는 경우가 있는데, 구분이 잘 안되는 경우에는 세심한 박리를 통해 위방광동맥을 보존하면서 자궁동맥은 따로 분리하도록 한다. 자궁동맥은 Class III 또는 Type C 광범위 자궁절제술의 경우 속엉덩 동맥에서 나오는 부위에서 결찰하고, Class II 또는 Type B 자궁절제술경우 요관을 가로지르는 지점에서 결찰한다. 자궁쪽으로 결찰된 자궁동맥은 약 3cm 정도 길이의 실이 남겨지도록 자르거나 헤모클립을 이용함으로서 구분이 잘되게 한다. 자궁쪽으로 결찰된 자궁동맥은 자궁쪽으로 부드럽게 당기면서 박리함으로써 요관위로부터 떨어지게 하여 잘 움직여지게 만든다.

⑧ 요관박리

요관은 복막의 혈액 공급으로부터 불필요하게 벗겨지는 것을 피하기 위해, 골반의 아래쪽에 위치한 자궁천골인대 부위에서부터 복막에서 완전히 떨어지게 박리한다. 요관은 질위쪽으로 지나가면서 요관터널을 형성하는데 요관터널의 지붕은 앞방광자궁인대이다. 앞방광자궁인대는 잘못 박리하다가는 출혈이 많은 부위이기 때문에, 양쪽으로 조금씩 예리하게 박리하면서 결찰하는 것이 좋다. 이렇게 하면 뒤방광자궁인대가 노출되는데, 이 인대는 Class III 또는 Type C 광범위 자궁절제술에서는 절제하여 요관과 분리되도록 하지만 Class II 또는 type B 자궁절제술에서는 절제하지 않는다. 원위부 요관의 앞 외측표면은 혈액 공급을 보존하기 위해 방광에 붙어있도록 한다.

⑨ 자궁후방박리 및 자궁천골인대의 결찰

자궁과 직장사이의 더글러스 주머니의 복막을 가로로 절개하고 직장을 뒤쪽으로 당김으로서 직장질공간을 박리한다. 거즈나 손가락을 이용하여 질벽과 자궁천골인대로부터 직장을 밀어 내리면서 분리한다. 자궁천골인대는 직장부위에서 절제(class III 또는 type C)하거나 또는 자궁경부에 가깝게(class II 또는 type B) 절제한다(그림 9-4). 자궁천골인대를 분리하여 절제하면 주인대를 직장으로부터 분리하는 데 도움이 된다.

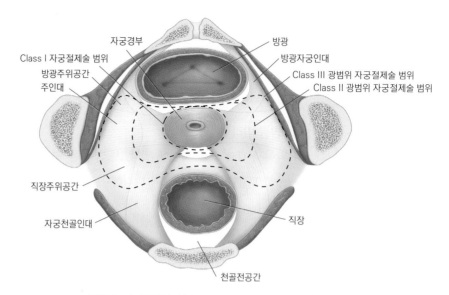

자궁경부
방광
Class I 자궁절제술 범위
방광자궁인대
방광주위공간
Class III 광범위 자궁절제술 범위
주인대
Class II 광범위 자궁절제술 범위
직장주위공간
자궁천골인대
직장
천골전공간

그림 9-4. 골반공간(방광주위공간, 직장주위공간)과 골반인대

⑩ 외측박리 및 주인대의 결찰

자궁천골인대를 절제한 후, 기본인대(자궁경부주위조직)를 골반측벽(class III 또는 type C) 또는 더 내측에서(class II 또는 Type B) 절제한다. 이후 질주위조직을 가로지르는 클램프를 한두번 더 하면 질에 도달하게 된다. Type C1 광범위 자궁절제술에서는 자율신경을 보존하기위해 심부자궁정맥위의 자궁경부주위조직만 절제한다.

⑪ 질절제

제거되는 질의 길이는 병변의 특성과 질내 질확대경소견에 따라 달라지는데, 일반적으로 질 상부 1~2cm 까지만 절제하면 충분하다. 질 앞쪽을 절개하고 들어가 원통모양으로 가로절단하여 자궁을 제거한 후, 질둥근천장(vaginal vault)을 봉합하여 닫는다.

5) 광범위 자궁절제술의 합병증 및 관리

광범위 자궁절제술은 다양한 급성과 만성 합병증을 유발하며, 특히 광범위한 자궁 및 자궁주변 조직의 절제는 골반 출혈과 감염은 물론 방광기능장애, 요관 누공 등의 비뇨기계 합병증과 림프낭종 등을 발생시킨다. 표 9-4는 주요 관련 합병증들과 발생빈도를 정리하였으며, 수술 기법의 발달과 수술 후 환자 관리기법의 향상으로 합병증 빈도는 감소 추세에 있다.

① 정맥 혈전색전증(venous thromboembolism, VTE)

정맥 혈전색전증으로 알려져 있는 심부정맥 혈전증은 3%, 폐 색전증은 1% 정도로 발생이 보고되고 있으며, 특히 폐 색전증은 사망을 초래할 수 있는 치명적인 합병증이기 때문에 수술 중이나 수술 후에 특별한 주의를 요한다. 혈전색전증의 병력, 비만, 수술 전까지 스테로이드 복용 및 항암 치료, 골반 수술, 활동 저하 등의 정맥 혈전색전증의 위험인자를 가진 환자는 저용량 아스피린과 공기압압박장치(external pneumatic compression de-

표 9-4. 광범위 자궁절제술 관련 합병증 빈도

합병증	빈도(%)
방광질 누공	1
요관질 누공	2
중증 무수축방광	4
중증 장폐쇄(수술적 처치필요)	1
림프낭종(수술적 처치필요)	3
심부 정맥 혈전증	3
폐 색전증	1

vice)를 단독 또는 동시 사용하여 출혈 증가를 초래하지 않으면서 색전증을 감소시킬 수 있다.

② 방광 기능 부전

방광 기능 부전은 광범위 자궁절제술 후 발생할 수 있는 가장 흔한 합병증으로 30% 정도 환자에서 발생하는 것으로 보고되고 있다. 광범위 자궁절제술 중 자궁을 지지하고 있는 기인대를 절제하는 과정에서 방광배뇨근에 분포하는 감각신경과 운동신경 손상이 주요 원인으로 알려져 있으며, 대표적 증상은 요의감 상실과 불완전한 배뇨 등이다. 방광 기능 장애의 정도는 수술의 근치성과 관련이 있으며, 수술 후 골반 방사선치료는 증상을 더욱 악화시킬 수 있다. 증상 발생 시 적절히 배뇨시켜, 방광의 과도팽창을 방지해야 하며, 심한 경우 방광 기능이 회복 될 때까지 자가 카테터를 삽입하여 소변을 배출 시켜주어야 한다. 일부 3% 정도에서 만성 방광 긴장저하증이나 방광무긴장증이 보고되었으나, 대부분 환자는 수주 또는 수달 내에 정상 방광기능을 회복한다. 최근에는 신경보존 광범위 자궁절제술 등이 개발되어 시도되고 있으며, 신경보존술은 받은 경우 방광 기능 부전은 10% 이하로 감소되는 것으로 보고되고 있다.

③ 림프낭종

림프낭종은 비교적 흔한 합병증으로 수술 이후 흡입도관을 이용하여 복막후강을 적절하게 배액시킴으로써 발생을 감소 시킬 수 있다. 4~5cm 이하의 림프 낭종의 경우는 보통 증상이 없으며 2개월 이내에 재흡수되기 때문에 특별한 치료가 필요하지 않다. 그러나 림프낭종에 의한 요도폐색, 정맥부분폐쇄, 혈전증 등의 2차적 합병증이 발생한 경우 경피적도관을 통한 배액이 필요하다.

광범위 자궁경부절제술 (Radical Trachelectomy)

1) 개요와 정의

자궁경부암의 46%가 45세 미만의 가임기 여성에서 발생하는 것으로 보고되고 있으며,[21] 국내의 경우 효과적인 스크린 검사로 1999년 4,443명에서 2015년 3,582명으로 꾸준히 감소하고 있으나, 30~39세의 가임기 연령에서는 증가하는 추세를 보이고 있다.[22]

임신연령이 점점 늦어지고 있는 요즘 추세를 고려해 볼 때 초기 자궁경부암 환자에서 생식력 보존 상담과 치료 방법의 선택은 중요하다. 생식력 보존을 원하는 초기 자궁경부암 환자를 위한 보존적 수술치료법으로는 원추절제술, 광범위 자궁경부절제술(radical trachelectomy), 난소전위술 등이 있다. 광범위 자궁경부절제술은 림프절 전이 가능성이 매우 낮은 초기 자궁경부암(LVSI가 동반된 IA1, IB2~IIA) 중 선별된 환자에 적용 가능하며(표 9-5), 수술 중 림프절 전이 배제를 목적으로 골반 림프절절제 및 동결절편 분석을 통해 골반 내 재발위험이 거의 없다고 판단되는 경우 자궁체를 보존한다. 수술의 목적은 자궁경부 병변을 절제면에 병변이 없도록 적당한 크기로 자궁주위조직 및 질주위조직과 함께 제거하는 것이다. 이때, 자궁경부와 질첨부는 병변이 없는 적절한 절제면을 포함함과 동시에 향후 임신 가능성을 높이기 위해 잔존 자궁경부(cervical stump)는 적어도 1cm이 있어야 한다. 향후 임신 시 발생할 수 있는 자궁경부무력증을 예방하기 위해 자궁경부원형묶음술(cervical cerclage)을 추가로 시행한다. 초기 자궁경부암에서 광범위 자궁경부절제술을을 받은 경우 5년 생존율은 90% 이상으로 보고되고 있다.[23]

2) 수술 전 환자 선별과 평가

광범위 자궁경부절제술을 위한 환자 선택은 안전한 종양 치료 결과에 매우 중요하며, 수술 적응증은 표 9-5과 같다. Sonoda 등에 의한 단일 기관 연구에 의하면 광범위 자궁절제술을 받은 186명의 40세 미만 자궁경부암 환자 중 48%가 가임력 보존 기준을 충족하는 것으로 보고하였다.[24]

표 9-5. 광범위 자궁경부절제술의 적응증

- 생식력 보존을 원하는 환자
- 가임기 여성(일반적으로 40세 이하, 45세를 기준으로 하는 기관도 있음)
- 불임의 원인이 될 만한 다른 임상적 증거가 없음
- 조직학적으로 편평상피세포 암 또는 선암 조직 소견(신경내분비종양 제외)
- FIGO 병기 LVSI가 있는 병기 IA1, 또는 IA2, IB1(종양 내의 LVSI는 림프절 재발의 위험인자이지만, 그 자체만으로는 금기가 아님)
- 병변의 크기 2cm 이하의 작은 종양
- 림프절 전이나 원격 전이의 증거 없음
- 병변의 자궁경부 내경관 침윤 증거 없음

그러나 이러한 선별 기준에도 불구하고 계획된 광범위 자궁경부절제술 환자의 15% 정도에서 수술 중 광범위 자궁절제술로 전환될 수 있으며, 최종 병리학적 결과에 따라 약 4분의 1 환자는 추가 보조 방사선치료 또는 자궁절제술이 요구될 수 있다.[25] 가임력 보존 치료가 포기 되는 원인들로는 깊은 자궁경관 내구(cervical internal os) 절제면 침윤, 림프절 전이, 자궁주위조직 침범, 병변이 예상보다 큰 경우 등이 있다. 가임력 보존 광범위 자궁경부절제술을 계획하는 환자들은 수술 중과 수술 이후 일어날 수 있는 변수들에 대비해서 사전에 수술 중 광범위 자궁절제술로 전환과 최종 병리학적 조직검사 결과에 따라 술 후 항암방사선치료 가능성에 대한 충분한 설명과 동의가 필요하다. 수술 전 상담에는 나이에 따른 잠재적 출산 가능성, 불임과 관련된 문제와 기타 의학적 혹은 사회적 여러 요인들에 대한 논의가 포함되어야 한다. 또한 임신 일삼분기(20%), 이삼분기(3%)에서의 유산과 조산과 같은 임신 합병증 발생률에 대한 논의도 포함되어야 한다.

가임력 보존 수술 전 육안적 종양이 있는 환자에게 골반 자기공명영상 촬영은 필수적 검사로 종양의 크기와 위치뿐만 아니라 자궁방 침범, 림프절 전이 여부를 확인하기 위한 목적으로 시행된다. 더 나아가 골반의 자기공명영상의 유용성은 자궁경부 내경관 침윤 여부 및 자궁경부와 병변 사이의 세밀한 해부학적 구조 정보를 제공한다. Bhosale 등의 연구에 의하면 종양과 자궁경부 내경관 사이의 5mm 이하의 거리 예측에 있어 수술 전 골반 자기공명영상검사는 98%의 높은 특이도와 95%의 양성 예측률을 보였다.[26]

3) 수술방법

복강경 림프절절제술을 동반한 질식 광범위 자궁경부절제술(vaginal radical trachelectomy, VRT)은 1994년 프랑스의 Dargent 등에 의해 처음으로 시도 되었으며,[27] 이후 1,000건 이상이 전세계적으로 보고되었다. 최근에는 복식 광범위 자궁경부절제술(abdominal radical trachelectomy, ART)이 점차 널리 시행되고 있으며, 같은 수술을 복강경이나 로봇을 이용해서 시행할 수 있다. 복식 광범위 자궁경부절제술의 장점은 수술과정이 복식 광범위 자궁절제술과 유사하므로 질식 수술법에 대한 별도의 훈련이 필요 없고 학습곡선이 비교적 짧다는 것이다. 또한 질식 수술법에 비해 자궁방 조직의 절제변연이 더 넓어질 수 있어 병변이 큰 경우에 적용될 수 있다. 반면 이 수술의 단점은 정중절개의 필요, 혈액 손실, 입원 기간 연장 등이 있다. 복강경하 광범위 자궁경부절제술은 복식의 장점을 유지하면서 단점들을 극복할 수 있으나 고난도의 복강경 술기에 속한다.

① 질식 광범위 자궁경부절제술(vaginal radical trachelectomy, VRT)

질식 광범위 자궁경부절제술을 포함한 모든 광범위 자궁경부절제술은 우선 골반 림프절절제술을 통해 림프절을 평가하여 동결절편 검사상 림프절 침윤이 없는 것이 확인된 후에 자궁경부절제술을 진행하게 된다. 질식 광범위 자궁경부절제술은 자궁경부 주위의 질 점막 1~2cm를 절제하고 질 점막의 전측 연부(anterior edge)와 후측 연부(posterior edge)를 이용하여 정중선에서 병변이 있는 자궁경부를 덮는다. 전방으로 방광질간공간(vesicovaginal space)과 측방으로 방광주위공간을 형성하여 방광주(pillar)를 확인한 후 요관을 찾아 박리한다. 요관 박리 시 요관의 위치가 정확히 확인되기 전까지는 방광주를 절대로 자르지 말아야 손상을 막을 수 있다. 다음으로 후방 직장자궁오목을 열어 직장주위공간의 형성한 후 근위 자궁천골인대를 절제한다. 요관 손상을 방지하기 위해 재배치한 뒤 자궁경부의 협부 수준까지 자궁주위조직을 절제한다. 자궁동맥의 자궁경부 또는 하행 분지를 박리, 결찰한 후 자궁 내경관 0.5~1cm 아래에서 자궁 협부를 절제한다. 동결 절편 검사를 시행하여 자궁내경부 절제면과 자궁내막의 종양 존재 여부를 확인한다. 검사된 모든 동결 절편에서 종양이 없고, 없는 조직의 길이가 적어도 5mm 이상인 것이 확인되면 자궁경부원형묶음술을 시행한다. 남아있는 자궁경부의 협착을 예방하기 위해 방광 도뇨관을 거치, 고정하고 나면 마지막으로 자궁경부와 질 절단면을 연결한다.

② 복식 광범위 자궁경부절제술(abdominal radical trachelectomy, ART)

골반림프절제술 후, 방광주위공간과 직장주위공간을 형성하고 자궁 조작을 위해 켈리 클램프로 자궁원인대를 잡는다. 이때 자궁뿔(uterine cornu)과, 자궁의 주요 혈액 공급원 인 깔때기골반혈관과 자궁난소혈관이 손상되지 않도록 주의해야 한다. 자궁경부에서 방 광을 분리하기 위해 방광자궁공간을 형성한 뒤 요관을 확인하고 요관은 방광으로 들어 가는 진입부까지 박리한다. 속엉덩 동맥(internal iliac artery)으로부터 자궁동맥을 분리, 결 찰하고, 자궁혈관들이 있는 자궁주위조직과 질주위조직을 내측으로 유동화(mobilization) 시킨다. 자궁을 앞쪽으로 당긴 상태에서 맹낭 위의 복막을 절개하고 직장을 아래로 내린 뒤 자궁과 직장 사이에 위치한 자궁천골인대를 분리한다. 비슷한 방법으로 자궁방과 질 주위조직을 분리한다. 자궁경관 외구의 1~2cm 아래에서 질 상부 절제를 시행한 뒤 분리 된 자궁에서 자궁경부를 절제한다. 이하 수술 과정은 질식 광범위 자궁경부절제술과 동 일하다.

4) 수술결과

① 수술 후 이환율(postoperative morbidity)

광범위 자궁경부절제술의 수술 후 이환율은 광범위 자궁절제술과 비교하여 차이가 없 는 것으로 보고되고 있다. Xu 등이 3편의 통제임상시험을 종합한 체계적 문헌고찰 연구 에 의하면, 광범위 자궁경부절제술과 광범위 자궁절제술을 비교했을 때 수술 중 및 수 술 후 합병증과 수술 후 사망률은 두 군간에 유의한 차이를 보이지 않았다. 반면 입원 기간, 수술 중 실혈량, 수술 후 방광 기능의 빠른 회복 등에 있어서 광범위 자궁경부절제 술이 기존의 광범위 자궁절제술에 비해 우수한 성적을 보였다.[28]

자궁경관 협착증은 광범위 자궁경부절제술 이후 10~15%에서 발생하는 가장 흔한 합 병증 중 하나이다.[29~31] Johansen 등이 광범위 자궁경부절제술을 받은 1,547명의 환자 를 조사한 후향적 연구 결과에 의하면, 수술 후 자궁경관 협착증이 12.7%에서 발생한 반 면, 협착 방지 카테터를 사용한 경우 4.6%로 감소하는 결과를 보고하였다.[29] 현재 광범 위 자궁경부절제술 시 자궁 경관 협착 방지를 위해 협착 방지 카테터의 사용이 추천된다.

② 종양학 및 산과적 결과(oncologic and obstetric outcome)

지금까지 보고된 연구들에 따르면 광범위 자궁경부절제술의 재발률은 0~5.8%, 암 사망 률은 0~3.3%로 광범위 자궁절제술과 종양학적 결과는 비슷하게 보고되고 있다(표 9-6). 최근 2,179명의 환자를 포함한 메타 분석 연구결과에서도 재발률은 2.3%, 암사망률은 0.7%로 기존 보고들과 유사한 결과를 보였다.[32]

표 9-6. 광범위 자궁경부절제술의 재발율과 사망률

저자들	환자, 명	재발, 명(%)	사망, 명(%)
Plante et al. and Roy et al.[33, 34]	100	2(2.0)	1(1.0)
Steed et al. and Covens et al.[35, 36]	121	7(5.8)	4(3.3)
Shepherd et al.[37]	123	5(4.1)	2(3.3)
Hertel et al.[38]	100	4(4.0)	2(2.0)
Dargent et al. and Mathevet et al.[39, 40]	95	4(4.2)	3(3.1)
Diaz et al.[41]	40	1(2.5)	1(2.5)
Wethington et al.[42]	101	4(4)	0
Burnett et al.[43]	19	0	0
Schlaerth et al.[44]	10	0	0
전체	709	27(3.8)	13(1.8)

광범위 자궁경부절제술의 산과적 결과는 일반 인구집단에 비해 떨어지기는 하지만 전체적으로 양호한 정도이다. 임신 제1삼분기의 유산율은 20% 이하로 일반 인구집단과 유사하였으며, 임신 제2삼분기의 유산율은 9.0%로 일반 인구집단의 3%에 비해 높았다. 그러나 임신의 약 70%가 제3삼분기에 도달하였고 이 중 3분의 2가 만삭에 분만하였고, 32주 미만의 중증 조산 비율은 14% 정도로 보고되고 있다.[33,34,36,45] 광범위 자궁경부절제술과 관련된 제2삼분기의 높은 유산율과 조산의 원인은 짧아진 자궁경부가 과도한 압력을 잘 견디지 못하는 물리적 요인과 자궁내경부의 점액 방어가 약화되어 상행 감염이 높아지고, 이로 인한 양막염의 발생으로 인한 조기 양막 파수 때문인 것으로 설명되고 있다. 체계적 문헌고찰 연구 결과에 의하면 전체 유산율은 24%, 조산율 26.6%, 임신율은 20.5%로 보고되었다.[32] 지금까지 보고된 부인과 및 산과적 결과를 고려했을 때, 광범위 자궁경부절제술은 가임력 보존이 필요한 젊은 여성의 초기 자궁경부암 치료에서 광범위 자궁절제술의 대안이 될 수 있음을 의미한다.

신경보존 광범위 자궁절제술 (Nerve Sparing Radical Hysterectomy)

1) 개요

모든 유형의 광범위 자궁절제술은 방광 기능 부전, 성기능 장애 및 대장의 운동성 장애와 연관되어 있다.[46] 광범위 자궁절제술을 받은 환자의 1/3에서 배뇨 장애, 불완전 배뇨감, 요절박 등의 방광의 기능 이상이 보고되었으며,[47] 5~10% 환자는 변비를 포함한 직장 항문 기능 부전이 보고되었다.[48] 그 원인들은 질 원개를 더 크고 길게 제거하는 광범위 자궁절제술 과정 중 자궁경부 주위에 위치하는 자율신경의 손상 때문인 것으로 알려져 있다.

2) 골반 신경의 해부 구조와 신경 보존 수술

자궁과 질, 방광, 직장은 운동신경과 감각 자율신경(교감신경, 부교감신경)에 의해 신경 지배를 받는다. T10-12에서 기원한 교감 신경 섬유들은 아래아랫배신경(inferior hypogastric nerve)을 형성하며, S2-4에서 기원한 부교감 신경 섬유들은 골반내장신경(pelvic splanchnic nerve)을 형성한다. 이러한 신경섬유들은 합쳐져서 아래아랫배신경얼기(inferior hypogastric plexus)를 형성하게 되고 이는 자궁, 직장, 방광으로 신경 분지들이 분포하게 된다(그림 9-5).

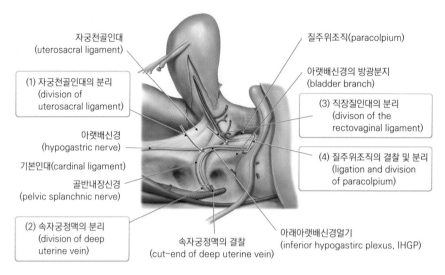

그림 9-5. 자율 신경과 자궁, 방광 및 주요 혈관과의 관계

1961년 Kobayashi는 주인대를 분리시키는 과정에서 골반내장신경이 포함된 하부 단단한 다발(bundle)을 심부자궁정맥이 포함된 혈관 부위로부터 분리하고 보존함으로써 수술 후 방광 기능을 개선 시켰다. 1984년 Fujiwara는 방광 기저의 분리 과정에서 골반내장신경의 방광분지를 확인하고 보존의 중요성을 강조하였다. 2007년 Fujii는 십자형의 아래아랫배신경얼기의 명확한 신경해부학(그림 9-5)을 바탕으로, 신경얼기로부터 자궁분지만을 분리시키는 방법을 발표하였다. 이후 많은 관련 연구 결과들이 보고되었으며, 현재 신경보존 광범위 자궁절제술은 많은 의사들에 의해 시행되고 있다.

3) 수술과정

신경보존 광범위 자궁절제술의 원리는 아래아랫배신경을 확인하고 교차하는 아래아랫배신경얼기, 자궁분지, 방광분지를 확인한 후 자궁분지 만을 분리시키는 것이다(그림 9-6). 아랫배신경얼기를 포함한 골반 신경 구조는 매우 복잡하여 광범위 자궁절제술 시행 시 구분하기가 쉽지 않기 때문에 앞에서 설명한 골반 신경 해부학 구조에 대한 지식이 필수적이다. 또한, 방광자궁인대의 해부학적 구조, 특히 그 후엽의 구조를 알고 이 조직들을 조심스럽게 분리하는 수술적 기술이 있어야 아래아랫배신경얼기의 구조를 노출시킬 수 있다. 골반 림프절제술 후 신경보존 광범위 자궁절제술을 위한 수술적 방법은 다음과 같다.

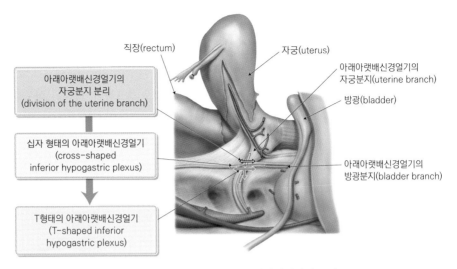

그림 9-6. 십자형의 아래아랫배신경얼기의 모식도

① 주인대(cardinal ligament)의 처치

골반 림프절제술 후, 방광주위공간과 직장주위공간을 박리하면 방광주위공간, 직장주위공간 사이의 두꺼운 결합조직다발 형태의 주인대가 관찰된다. 주인대 내에는 자궁동맥, 자궁정맥, 골반내장신경이 포함되어 있으며, 속엉덩 동맥에서 기원한 자궁동맥을 박리 후 결찰하면, 주인대의 결합조직에서 자궁동맥과 평행하게 흐르는 표층자궁정맥이 노출된다(그림 9-7A). 표층자궁정맥을 박리 후 결찰, 분리하면 심부자궁정맥이 관찰된다(그림 9-7B).

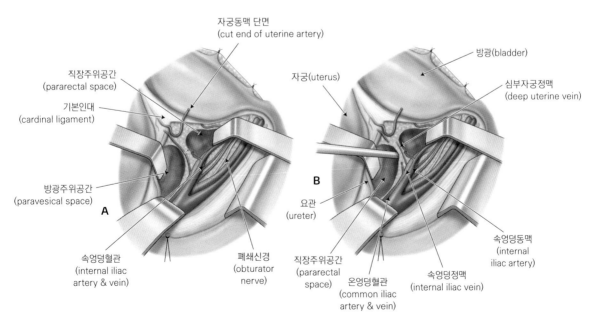

그림 9-7. 방광주위공간과 직장주위공간 사이의 주인대 모식도
A 자궁동맥 절제에 의한 표층자궁정맥 노출, **B** 표층자궁정맥 절제에 의한 심부자궁정맥 노출

② 골반내장신경으로부터 심부자궁정맥의 박리 및 분리

주인대 안의 심부자궁정맥이 관찰되면, 심부자궁정맥을 둘러싼 결합조직과 지방조직은 가능한 깨끗이 제거되어야 한다. 특히 심부자궁정맥의 등측은 골반내장신경으로부터 심부자궁정맥을 분리하는 데 매우 중요하다. 박리된 심부자궁정맥을 결찰, 분리하면 자궁정맥의 배측에서 평행하게 이어지는 황백색의 골반내장신경다발이 관찰된다(그림 9-8).

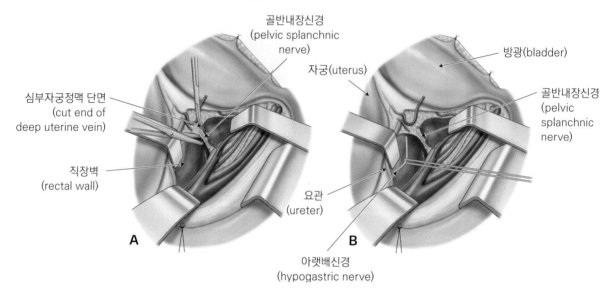

그림 9-8. 방광주위공간과 직장주위공간 사이의 주인대 모식도
A 심부자궁정맥 절제에 의한 내장신경 노출, **B** 직장측벽에서 분리된 아랫배신경

③ 아랫배신경의 구분 및 분리

아랫배신경은 직장주위조직의 직장측벽에서 요관과 동일한 평면의 결합조직에서 확인할 수 있다. 아랫배신경을 직장측벽에서 분리하고 분리된 아랫배신경은 혈관 테이프를 사용하여 구분한다(그림 9-8). 이때 아랫배신경은 골반내장신경의 자궁측벽부분과 가능한 가깝게 분리되어야 한다.

④ 직장과 질 사이의 결합조직 분리

⑤ 자궁천골인대의 분리

⑥ 골반내장신경으로부터 심부자궁정맥의 절단면 분리

⑦ 방광과 방광자궁인대의 분리

요관이 방광자궁인대(vesicouterine ligament)를 지나가기 때문에, 광범위 자궁절제술 시 방광자궁인대의 결합 조직을 분리해야 한다. 방광자궁인대 내에 혈관들이 요관과 가깝게 위치하고 있어 요관 박리 시 통제하기 어려운, 예기치 못한 출혈이 발생할 수 있다. 이는 결과적으로 상당한 양의 출혈과 지혈과정에서 요관 손상을 야기할 수 있으므로 방광자궁인대에 위치하는 혈관들의 상세한 해부학적 지식이 필요하다. 방광자궁인대의 전엽을 분리하면 1) 자궁동맥, 2) 표층자궁정맥, 3) 자궁동맥의 요관분지, 4) 위방광정맥(superior vesical vein), 5) 자궁경부방광 혈관(cervicovesical vessels) 등을 관찰할 수 있으며, 이러한 혈관들을 분리하게 되면 요관의 배측 표면이 노출된다. 노출된 요관의 배측으로부터 방광자궁인대의 후엽과 두개의 주요 방광정맥인 중간방광정맥과 아래방광정맥을 확인하고 분리하게 되면 아래아랫배신경얼기를 관찰할 수 있다(그림 9-9). Wertheim의 방법은 방광

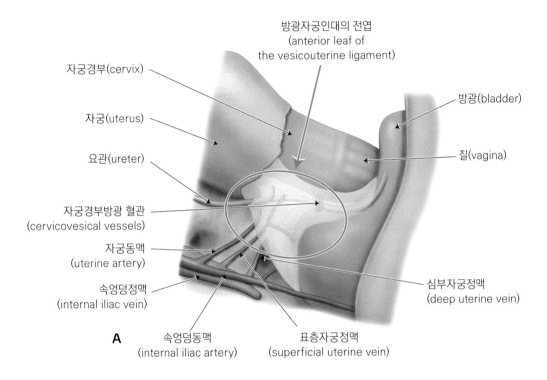

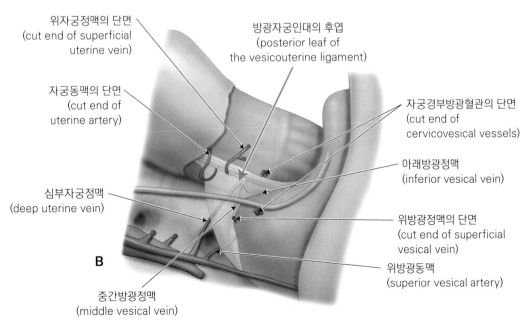

그림 9-9. **방광자궁인대 모식도**
A 전엽, **B** 후엽

자궁인대의 전엽을 분리하지만, 방광자궁인대의 후엽을 의도적으로 분리하지는 않는다. 반면에, Okabayashi의 방법은 주인대에서 심부자궁정맥과 골반내장신경을 확인하고 의도적으로 방광자궁인대의 후엽을 분리하는데 이것은 방광자궁인대의 후엽 아래 아래아랫배신경얼기를 확인할 수 있기 때문에 신경보존을 위한 광범위 자궁절제술 시행 시 Okabayashi의 방법이 수술 중 아래아랫배신경얼기를 확인하기가 쉽다.

⑧ 아래아랫배신경얼기의 확인과 방광분지와 자궁분지의 분리

방광의 등측과 직장 옆쪽 벽사이의 지방조직을 제거한 후 자궁 쪽으로 골반내장신경을 따라가면 골반내장신경, 아랫배신경, 아래아랫배신경으로부터의 자궁분지와 방광분지에 의해서 형성되는 교차된 아래아랫배신경얼기를 확인할 수 있다(그림 9-10A). 이 신경들은 골반신경평면이라고 부르는 결합조직평면에 위치한다. Pean 겸자를 이용하여 아래아랫배신경기의 방광분지를 질주위조직(paracolpium)의 혈관으로부터 분리할 수 있다. 골반신경평면내에 자궁분지를 아래아랫배신경 주행과 평행한 방향으로 자궁 쪽 방향으로 붙여 절제하면, 신경평면 내에 보존된 아랫배신경, 골반내장신경과 아래아랫배신경의 방광분지로 연결된 T자형 신경평면이 형성된다(그림 9-10B).

⑨ 직장질인대(rectovaginal ligaments)의 분리와 질주위조직(paracolpium)의 결찰

자궁과 직장사이에 위치한 자궁천골인대를 분리하면, 자궁하부/질과 직장사이의 결합조직인 직장질인대가 확인된다. T자형의 신경평면이 손상되지 않게 주의하여 직장질인대를 질상부쪽으로 분리한다. 자궁경부암의 질환 정도를 고려하여 적절한 질 길이가 확보 될 때까지 직장질인대의 분리를 확장한다. 마지막으로 질주위조직의 혈관을 결찰하고 분리하면 골반내장신경과 아래아랫배신경의 방광분지는 완전히 보존된다.

⑩ 자궁의 절제

4) 수술결과

지금까지 보고된 신경보존술에 대한 연구 결과들은 기존의 광범위 자궁절제술과 비교할 때 수술중 실혈량이 적었으며, 수술 후 합병증 및 배뇨 장애, 직장 및 성 문제의 발생이 감소했다.[49,50] 그러나 대부분이 후향적 연구이며 연구의 목적이 신경 보존술의 수술적 안전성 및 자율 신경보존에 의한 방광기능의 빠른 회복 등을 검증하는 것이었다. 현재 종양학적 결과에 대한 연구가 부족하여 명확한 안전성 평가에 제한적이다. Basaran 등의 체계적 문헌고찰 연구에 의하면 신경보존술 후 자궁경부암 재발률은 0~9.6%로 보고되었다.[51] Ditto 등에 의한 관찰 연구에 의하면 신경보존술과 표준 광범위 자궁절제술의 전체생존율은 90.8%와 84.1%였으며, 무질병생존기간(disease-free survival, DFS)은 78.9%와 79.8%로 종양학적 결과에 차이가 없음이 확인되었다.[52] 2019년에 신경 보존술의 효과와 안전성을 분석한 코크란 리뷰 연구 결과가 발표 되었다. 선별된 4건 무작위 대조군 연구 결과, 신경 보조군은 대조군에 비해 수술 후 의미 있게 잔뇨량이 감소하였고, 방광 기능의 회복이 빨랐으며, 두 군 간 수술 시간과 수술 중 실혈량은 차이가 없었

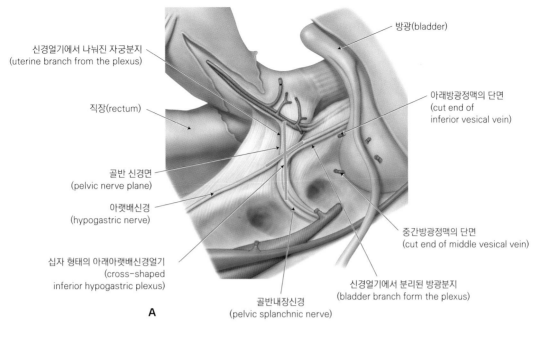

신경얼기에서 나눠진 자궁분지
(uterine branch from the plexus)

방광(bladder)

직장(rectum)

아래방광정맥의 단면
(cut end of
inferior vesical vein)

골반 신경면
(pelvic nerve plane)

아랫배신경
(hypogastric nerve)

중간방광정맥의 단면
(cut end of middle vesical vein)

십자 형태의 아래아랫배신경얼기
(cross-shaped
inferior hypogastric plexus)

신경얼기에서 분리된 방광분지
(bladder branch form the plexus)

골반내장신경
(pelvic splanchnic nerve)

A

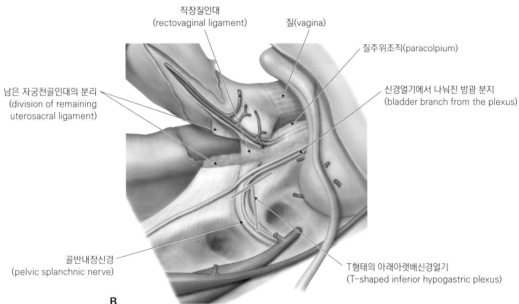

직장질인대
(rectovaginal ligament)

질(vagina)

질주위조직(paracolpium)

남은 자궁천골인대의 분리
(division of remaining
uterosacral ligament)

신경얼기에서 나눠진 방광 분지
(bladder branch from the plexus)

골반내장신경
(pelvic splanchnic nerve)

T형태의 아래아랫배신경얼기
(T-shaped inferior hypogastric plexus)

B

그림 9-10. 아래아랫배신경얼기 방광분지와 자궁분지 모식도
A 교차된 아래아랫배신경얼기, **B** 아래아랫배신경의 자궁분지가 분리된 T자형 아래아랫배신경얼기

다. 그러나 두 군 간 생존율은 정보의 부족과 낮은 증거 확실성으로 인해 분석 할 수 없었으나, 표준 광범위 자궁절제술을 받은 군에서는 사망환자가 없는 반면 신경보존군에서만 2명의 사망환자가 발생하였다.[53] 이러한 결과는 신경보존수술의 종양학적 안전성에 대한 논란의 여지가 있어 추가 연구가 필요하다.

부속기 수술(Adnexal Surgery)

개요

부속기 수술을 크게 난소난관절제술, 난소 낭종 절제술 및 난관절제술을 포함하는 술식이다. 난소난관절제술은 수술적으로 난소와 난관을 제거하는 것으로 질환의 악성도 및 개인적 상황에 맞게 한쪽 혹은 양쪽이 절제되어질 수 있다.[54]

양측 난소난관절제술의 경우 호르몬 분비의 중단이 발생하므로 양측 난소난관절제술을 시행 받는 여성의 경우에 있어 호르몬의 급격한 감소와 관련된 여러 증상 및 골근육 감소 및 심혈관 관련 위험성에 관하여 인지 및 교육을 받고 수술 이후 관리에 관해서도 임상의와 충분한 상담 및 관리 계획의 수립이 아주 중요하다.

난소를 절제해야 하는 질환의 경우에도 환자의 상태 및 질병의 상태에 따라 한쪽의 난소 혹은 부분적 난소를 보존하는 난소낭종 절제술이 사용될 수도 있다. 이는 환자에 있어 수술로 인한 조기 폐경을 피할 수 있도록 하고 출산력 보존을 통한 분만을 할 수 있는 가능성을 남겨둘 수 있다. 또한 난소 낭종 절제술은 난소 기형종, 내막종을 포함한 여러 양성난소질환에서 종양을 제거하고 난소를 보존하는 술기로 적용될 수 있다.[55,56]

난관 수술은 자궁외임신의 수술적치료를 위해 자궁외임신이 발생한 한쪽의 난관절제술 혹은 난관개구술(salpingostomy)로 환자의 경우에 따라 선택적으로 치료가 적용이 될 수 있으며 약물치료에 지속적으로 반응을 하지 않는 난관 농양에 있어서도 난관절제술이 적용될 수 있다.[57,58]

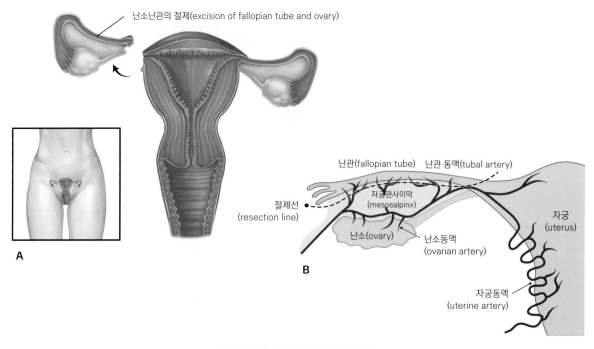

그림 9-11. 부속기절제술의 종류
A 난소난관절제술, **B** 난관절제술

수술 술기

① 수술 부위의 범위의 확인과 접근은 개복수술법과 내시경적 접근법을 통하여 시행될 수 있다.

② 골반 및 복강 내 유착 상태 및 이상 소견을 확인한다.

③ 수술 부위가 확인 시야 혹은 내시경적으로 확인하여 병변 및 절제부위를 확인한다. 난소난관절제술을 시행할 경우 깔때기골반인대의 확인과 주변 요관 주행의 확인을 하는 것이 중요하다. 수술의 범위는 깔때기골반인대를 절제하고 진행되는 난소 부속기 절제술(그림 9-11) 및 깔때기골반인대를 보존한 상태로 난관만 제거되는 난관절제술(그림 9-11)과 난소의 종양만 선택적으로 제거하는 낭종절제술의 형태로 다르게 진행이 된다.

④ 특이 소견 없을 시 개복 혹은 내시경적으로 아래의 순서에 따라 시행한다. 술기의 방법과 요령은 기구의 사용을 제외하고는 유사하다.

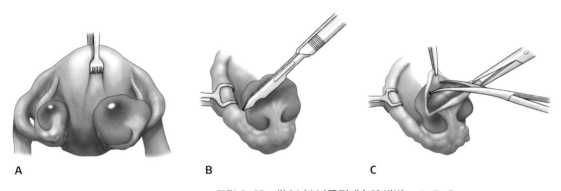

A　　　　　　**B**　　　　　　**C**

그림 9-12. 개복 난소낭종절제술의 방법 – A, B, C

⑤ 자궁저부를 잡고 자궁을 앞쪽으로 들어올리며 양측의 난소 낭종의 위치와 모양을 확인한다(그림 9-12A).

⑥ 난소는 배콕 클램프(babcock clamp)를 사용하여 난소의 지지인대를 잡고 견인하여 인대 속의 혈관 손상을 막아주며 원하는 방향으로 견인 및 이동을 하여 절제할 난소 낭종을 위치시킨다. 작은 칼(scalpel)을 이용하여 낭종의 바닥부위에서 절개를 시행한다(그림 9-12B).

⑦ 난소낭의 하방에 절개를 시행한 이후, 술자는 조심스럽게 조직 겸자(tissue forceps)를 사용하여 낭종을 들어올리고 작은 메젠바움가위(small Metzenbaum scissors)를 사용하여 낭종과 난소사이의 조직을 조심스럽게 박리한다(그림 9-12C).

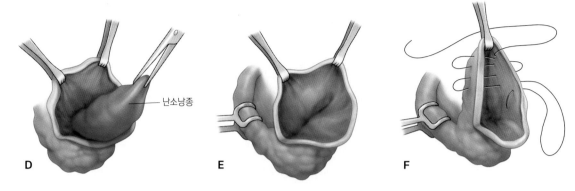

난소낭종

그림 9-13. 개복 난소낭종절제술의 방법 – D, E, F

⑧ 난소표면의 절제변연은 앨리스 클램프(Allis clamps)로 잡고 견인하여 정상 난소의 조직 손상을 최소화 한다. 유착이 있는 난소 낭종은 견인 박리 후 남은 낭종은 메젠바움가위를 이용하여 정상 난소에서부터 박리 제거시킨다(그림 9-13D).

⑨ 난소낭종이 절제된 부분의 바닥 부분은 절제 이후 잔존 난소 낭종의 확인 및 숨은 출혈들을 찾기 위해 견인 하며 전체의 모습을 확인할 수 있도록 하며 필요시 지혈을 시행한다(그림 9-13E).

⑩ 지혈 및 절제변연 봉합을 위해서 합성 흡수사(3-0 synthetic absorbable)를 이용하여 연속 매트리스 봉합(running mattress suture)을 시행하여 봉합하도록 한다(그림 9-13F).

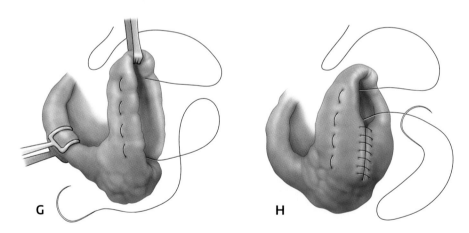

그림 9-14. 개복 난소낭종절제술의 방법 – G, H

⑪ 난소에 매트리스 봉합이 완료된 상태(그림 9-14G)

⑫ 봉합이 난소의 아래쪽 끝 부분에 도달한 이후 다시 위쪽 방향으로 난소의 절제 면을 연속 코넬 봉합법(running Connell inverting suture)를 시행하여 절제면을 봉합한다(그림 9-14H).

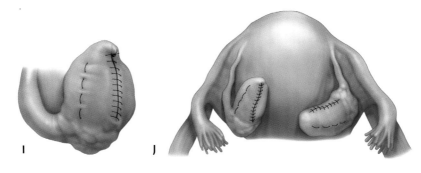

그림 9-15. 개복 난소낭종절제술의 방법 – I, J

⑬ 난소낭종 절제가 완료된 모습(그림 9-15I).

⑭ 양쪽 난소 낭종의 절제가 완료되고 봉합되어 양쪽 난소가 보존된 상태를 보여준다(그림 9-15J).

수술 후 관리 및 합병증

개복수술로 진행된 난소난관절제술은 술 후 완전 회복을 위해 3-6 주 가량이 필요할 수 있으나 내시경으로 진행된 난소난관절제술은 이보다 훨씬 빠른 시기에 완전한 수술 후 회복을 보일 수 있다. 수술 후 며칠 간은 절개부위 부근의 불편감이 있을 수 있으나 대부분의 여성들은 수술 후 1~3일 이내 보행과 활동이 가능할 수 있다. 이러한 조기 활동(enhanced recovery after surgery; ERAS)을 통한 회복 촉진은 술 후 발생 가능한 심부정맥 혈전증의 발생 가능성을 최소화 할 수도 있다. 대부분의 경우 한 달 이내에 운동과 운전 직장 생활 등의 정상적 활동이 가능한 상태로 회복된다.[59]

수술과 관련된 여러 연구들은 난소난관절제술의 합병증은 자궁절제술의 합병증과 아주 유사하거나 같은 정도라고 보고된다. 빈도는 과다출혈 1.8-3.4%, 발열 혹은 감염 0.8~4.0%, 요관손상 및 다른 장기 손상 1.5~1.8%로 각각 다르게 나타나고 있으며 사망률은 약 0.1% (1명/1,000명)로 보고되고 있다.[60]

림프절절제술

개요

부인과 영역에서 시행되는 가장 대표적인 림프절절제술에는 골반 림프절절제술(pelvic lymph node dissection, PLND)과 대동맥주위 림프절절제술(paraaortic lymph node dissection, PALD)이 있다(그림 9-16). 골반 림프절절제술은 부인암 영역에서 자궁경부암, 자궁내막암, 난소암 등 주요암에 있어 병기결정 및 치료와 예후 평가를 위해 아주 중요한 술식이라고 할 수 있고 이는 부인암 영역이외의 방광암, 전립선암 등에 있어서도 아주 중요한 술식으로 시행되고 있다.[61~63]

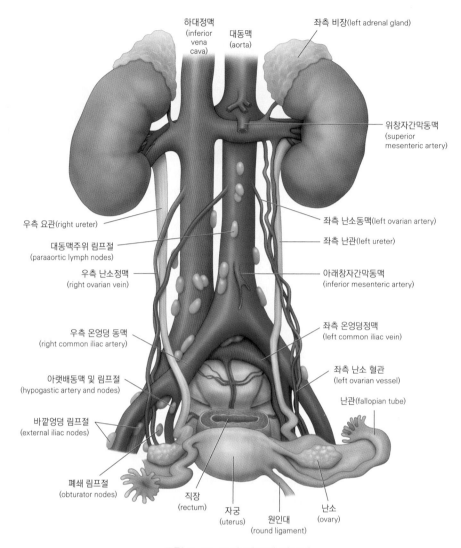

그림 9-16. 골반 대동맥 림프절

수술술기

림프절절제술은 메젠바움 가위와 포셉(집게, 겸자; forcep)을 사용하여 예리박리 혹은 무딘 박리를 통해 바깥엉덩 동맥과 정맥의 바깥쪽으로부터 림프절을 혈관의 손상이 가지 않도록 주의깊게 박리를 하여 가동성을 넓히며 바깥엉덩 혈관을 전부 확인할 수 있을 때까지 박리를 시행한다. 온엉덩 혈관의 중간부위에서부터 원위부의 엉덩휘돌이정맥(circumflex iliac vein)까지 모든 지방조직을 혈관으로부터 떼어내는데, 허리근 위로 지나가는 음부대퇴신경(genitofemoral nerve)이 손상되지 않도록 주의한다. 림프절 조직들은 바깥엉덩 동맥과 온엉덩 동맥의 바깥쪽으로부터 예리박리를 시행하며 다른 방향으로는 혈관들을 당기거나 견인하는 방법으로 림프절과 혈관의 경계를 좀 더 명확하게 확인하며 박리를 시행한다. 지속적 박리를 시행하여 바깥엉덩 정맥 방향까지 박리를 시행하며 폐쇄오목까지 박리하여 폐쇄신경의 주행과 모양을 확인할 수 있도록 하며 폐쇄신경의 손상을 예방하도록 한다(그림 9-17).

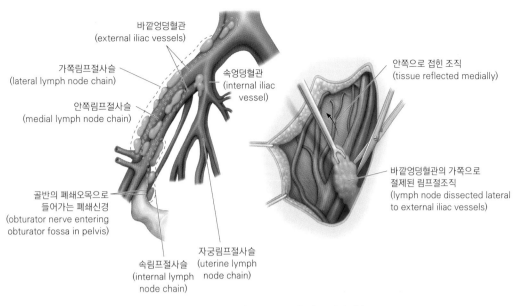

바깥엉덩혈관
(external iliac vessels)

가쪽림프절사슬
(lateral lymph node chain)

안쪽림프절사슬
(medial lymph node chain)

속엉덩혈관
(internal iliac vessel)

골반의 폐쇄오목으로
들어가는 폐쇄신경
(obturator nerve entering
obturator fossa in pelvis)

속림프절사슬
(internal lymph
node chain)

자궁림프절사슬
(uterine lymph
node chain)

안쪽으로 접힌 조직
(tissue reflected medially)

바깥엉덩혈관의 가쪽으로
절제된 림프절조직
(lymph node dissected lateral
to external iliac vessels)

그림 9-17. 골반 림프절절제술

    림프절절제술을 시행할 때 가장 흔한 실수는 혈관의 손상을 두려워하여 림프절과 연부조직을 제거하지 못하고 많이 남기는 것이다. 이는 추가적으로 혈관의 주행방향을 정확하게 시야에 두지 못하는 2차적 방해가 생겨 오히려 혈관 손상의 위험성을 크게 하며 출혈이 발생하더라도 출혈 부위를 정확하게 인지 못하여 지속적 과다출혈의 위험성도 생기게 한다.

    골반벽의 림프절절제술은 속엉덩 동맥 주변에서 시작되어 폐쇄신경이 보이는 부근의 림프절절제술이 될 때까지 주행혈관과 평행하게 림프절을 메젠바움 가위로 예리한 박리를 시행한다. 폐쇄오목부위를 박리할 경우 상부방광동맥 혹은 폐쇄배꼽동맥을 안쪽 아래로 움직이며 공간을 충분히 확보하기 위해 견인기(retractor)를 사용하여 안전하고 충분하게 공간을 확보하여 방관주변 공간과 직장주변 공간을 완전히 구분 박리하며 진행한다. 직각클램프(right-angle clamp)를 이용하여 폐쇄신경 주변의 공간을 박리하는 데 사용할 수도 있다. 이 공간의 림프절 다발은 골반 근육을 따라 아래로 골반벽을 따라 주행한다. 엉덩정맥을 견인기로 당겨 공간을 확보하고 예리한 박리를 통하여 바깥엉덩 동맥과 정맥을 분리한 후 혈관 사이에 있는 림프절절제술을 시행한다. 이후 폐쇄신경 주변 혹은 아래에 있는 림프절들도 제거가 될 수 있는데 림프절이 폐쇄 동맥 혹은 정맥을 침범하고 있는 경우 동맥과 정맥은 림프절과 같이 제거될 수 있으나 침범 혹은 아주 심한 유착(예: 방사선 후 변화)이 있는 경우가 아니라면 가급적 혈관의 손상 없이 림프절절제술만 시행하는 것이 좋다. 폐쇄신경의 손상이 있는 경우에서는 대퇴모음근의 운동신경이 손상을 받을 수 있으므로 주변 전이 림프절이나 심한 유착의 경우에서도 폐쇄신경의 전 주행을 확인할 수 있도록 시야를 확보 및 박리하여 신경의 손상이 발생하지 않도록 주의하도록 한다.

유착 혹은 심한 침범으로 폐쇄신경과 함께 림프절절제술을 시행한 경우 일측 손상인 경우 보행이나 움직임에 어려움이 크지 않을 수 있으나 양측 신경 손상이 발생한 경우에는 보행장애가 올 수도 있어 재활치료를 병행하며 보행의 회복에 도움을 줄 수 있어야 한다. 광범위하고 주의 깊은 예리한 림프절 박리에도 불구하고 골반 림프절 주행은 골반 혈관과 때로는 같이 때로는 별도로 많은 그물교류망을 갖고 주행하므로 완전한 골반 림프절절제술은 불가능하여 골반림프 순환이 유지될 수도 있고 때에 따라서는 보이지 않는 전이가 확인이 되지 않을 수도 있어 여러 가지 가능성에 대해서도 환자와 충분한 소통을 하며 발생할 수 있는 임상 상황에 대비할 수 있도록 한다.[64,65]

복막을 오른쪽 온엉덩동맥 위로부터 시작해서 요관내측을 따라 절개한다. 견인기를 후복막으로 넣어서 대동맥과 대정맥을 노출시킨다. 대동맥주위 림프절이 커져 있다면, 제거해서 동결절편검사를 시행하고, 동결절편검사에서 전이가 없다면 대동맥의 왼쪽 부위의 복막을 절개하여 아래창자간막동맥(inferior mesenteric artery) 아래까지 손가락으로 촉지하며, 더 이상 커져있는 림프절이 없다면, 추가적인 동결절편검사는 하지 않는다. 다른 방법으로는 대동맥주위 림프절을 위쪽으로 아래창자간막동맥까지 모두 박리하면서 대동맥주위 림프절절제술을 시행하여 간다(그림 9-18).

수술 후 관리 및 합병증

골반 및 대동맥 림프절절제술 이후의 합병증은 환자의 나이, 수술적 접근법, 수술 시간 및 방법 등 여러 가지 인자들과 연관하여 발생할 수 있으나 큰 장기와 혈관의 손상은 아주 드물게 발생한다.[66] 자궁내막암의 수술을 시행하며 림프절절제술을 시행 받은 환자들에 있어 혈전색전성 질환의 발생은 2~5%로 보고되므로 환자의 수술 범위, 비만 정도와 흡연 유무 등의 여러 인자들을 고려하여 혈전생성 예방을 위한 헤파린과 스타킹 등의 처치를 고려하여야 한다.[66,67]

림프부종은 약 1.5~28%의 환자에서 보고되는 가장 흔한 림프절절제술의 합병증이다. 이는 림프절절제술의 범위 및 수술 이후 방사선치료의 유무와 연관을 보이며 증가되는 경향을 보인다. 림프부종은 다양한 증상과 위치에서 발생하는데 림프부종을 빠르게 진단할수록 조절을 잘 할 수 있으며 이러한 림프부종의 치료 방법은 다리거상, 압박스타킹 착용과 최근에 있어서는 림프절-정맥 문합술을 시행하는 결과들도 보고되고 있어 환자의 림프부종의 위치와 증상의 정도에 따라 치료방법을 상담 적용할 수 있겠다.[68,69]

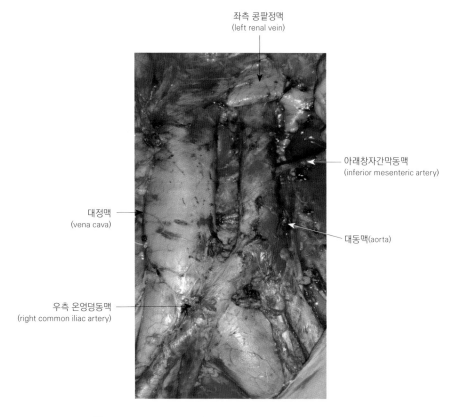

좌측 콩팥정맥
(left renal vein)

아래창자간막동맥
(inferior mesenteric artery)

대정맥
(vena cava)

대동맥(aorta)

우측 온엉덩동맥
(right common iliac artery)

그림 9-18. 대동맥주위 림프절절제술 시행 후의 해부학적 구조

대망 절제술(Omentectomy)

개요

대망(omentum)은 섬유소 지방 조직으로 되어 있고 복강 내 내용물들을 보호해 준다. 대망 위의 대만곡과 횡결장에 붙어서 아래로 뻗어 골반까지 내려간다. 대망에는 림프관과 혈관이 매우 발달되어 있어 복강 내 감염과 염증을 조절하는 기능을 가지고 있다. 원발성 대망 종양은 드물고 전이성 병변은 빈번하다. 부인암에 있어 난소암 및 장액성 자궁내막암, 자궁육종등에서 빈번하게 전이가 되어 병기결정을 위해 또한 치료적 목적을 위하여 절제술이 시행된다.[70~72]

수술술기

횡결장하부 대망 절제술은 난소암의 절제술에서 흔히 시행된다. 난소암의 병기결정술의 시행은 치골에서 감상돌기까지 이르는 정중절개를 통해 시행되어 필요에 따라 횡결장 대망 절제술이 가능하도록 한다. 정중절개 이외의 방법 즉 횡절개(transverse incision) 혹은 복부 반월형 횡절개(pfannenstiel incision)로는 불충분한 절제로 육안적 잔존종양을 남기거나 미세 전이를 확인할 수 없는 경우가 발생할 수 있어 복부절개방향을 주의깊게

결정할 수 있도록 한다. 대망의 종양은 조직생검을 하는 것은 부적절한 종양의 제거뿐만 아니라 출혈의 위험성도 있어 종양부위를 포함한 전절제를 시행하는 것이 바람직하다.[72~74]

대망절제를 시행하는 순서는 아래와 같다.

① 전이가 있는 경우 전 대망 절제술을 위해서는 점선부위로 보이는 선상 하부의 대망 절제술과 결장하부 대망절제술을 같이 시행한다. 우측에서는 오른창자굽이(hepatic flexure of the colon)로부터 좌측 끝 부분에서는 비장과 주변 혈관 및 왼창자굽이(splenic flexure of the colon)에 위치한 대망과 혈관 주행을 잘 관찰하며 혈관을 결찰 및 지혈을 시행하며 박리한다(그림 9-19).

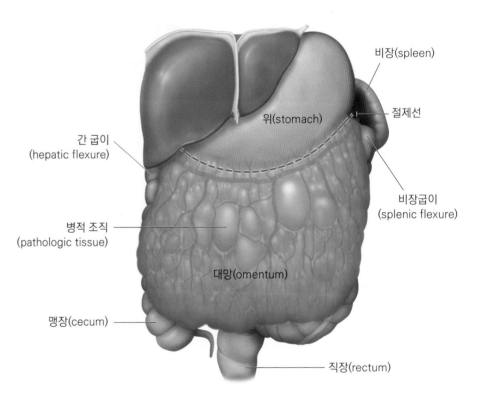

그림 9-19. 대망절제술-1

② 오른쪽부터 대망을 박리 제거하며 횡결장 부위 대망을 제거해나갈 때 우측 위대망동맥(gastroepiploic artery)과 작은 위동맥 분지들을 확인하며 절제부위에 주요혈관을 노출시켜 적절한 지혈을 시행될 수 있도록 한다(그림 9-20).

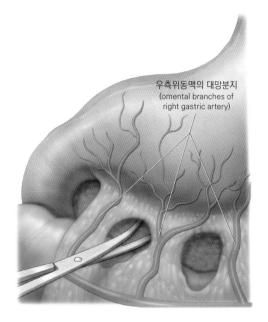

그림 9-20. **대망절제술-2**

③ 술자의 편의에 따라 켈리 겸자(Kelly clamps), 수술 스테이플(surgical stapler) 혹은 양극
형 에너지 지혈 기구(bipolar energy ligating device) 등을 사용하여 대망 절제술을 진행
해 나간다(그림 9-21).

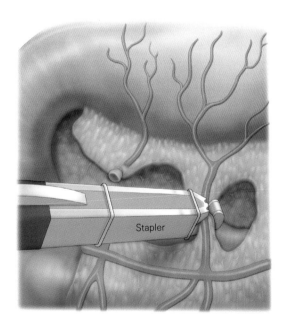

그림 9-21. **대망절제술-3**

④ 위의 술기를 반복해 나가며 위 및 횡결장으로부터 완전하게 대망을 박리, 지혈결찰
및 제거를 시행하며 위와 횡결장 표면의 손상 여부 및 짧은 위동맥을 노출 및 확인한
다. 비장 근처의 절제에 있어서는 대망의 절제 시 너무 많은 견인과 긴장을 주지 않

도록 하여 비장출혈의 위험성을 줄여줄 수 있다. 이후 출혈 및 잔존 병변을 확인하며 완전한 대망 제거를 완료한다(그림 9-22).

⑥ 대망 절제술은 위의 큰굽이(greater curvature of the stomach)와 횡결장부위부터 절제를 시행하여야 한다. 우측 위동맥의 대망분지(epiploic branch)를 보전할 수 있도록 주의 하는 것이 중요하다.[70,73,74]

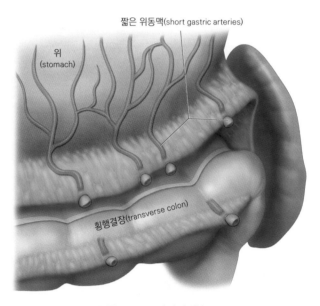

그림 9-22. 대망절제술-4

| 수술 후 관리 및 합병증 | 대망을 절제하고 가장 흔하게 올 수 있는 합병증은 술 후 발생하는 복강 내 출혈로 볼 수 있다. 광범위하고 주의 깊은 지혈을 시행하는 것과 대망 절제 부위에 배액관을 위치 시키는 것은 술 후 복강 내 출혈을 확인하고 빠른 처치를 위해 필요하다. |

최소침습수술(Minimal Invasive Surgery)

| 복강경 수술 | 40년 전 복강경 수술이 부인과 수술에 처음 도입된 이후 많은 부인암 수술에서 복강경 수술이 사용되고 있다. 이전 여러 연구에서 복강경 수술은 기존 개복술에 비해 출혈량 의 감소, 수술 후 통증 감소, 합병증 감소 및 수술 후 빠른 회복 등의 장점이 있는 것으로 보고되고 있다.[66,75] 또한 초기 자궁경부암 및 자궁내막암에서 생존율도 개복술과 유사하다는 것이 유효한 수준의 근거를 가지는 여러 연구에서 보고되고 있다.[76,77] 자 궁내막암의 경우 GOG LAP2 및 LACE 연구에서 복강경 수술의 이점이 level 1의 근거 를 바탕으로 입증되었다.[76,78] 하지만 자궁경부암의 경우 대부분의 최근 발표된 laparo- |

scopic approach to cervical cancer (LACC) 시험에서 미세침습수술이 개복술에 비해 높은 재발률과 사망률이 보고되어, 미세침습수술의 문제가 제기되고 있기는 하나 더욱 많은 연구가 이루어져야 하고 부인종양을 전공하는 의사라면 기본적인 부인암 미세침습 수술의 술기는 습득해야 한다. 본 단락에서는 복강경 및 로봇 수술에 필요한 중요한 해부학적 구조와 수술 기술에 대해 설명하겠다.[79]

1) 자궁경부암

① 복강경 광범위 자궁절제술(laparoscopic radical hysterectomy)

전신마취 후 도뇨관을 삽입하고 쇄석위, 20~30° Trendelenburg 자세로 환자를 위치시키고 대퇴부를 최대한 굴곡 및 외전 시킨다. 우선 12mm 투관침을 배꼽으로 삽입하여 복강안으로 진입한다. 복강 내로 가스를 주입한 후 전반적인 복강 내의 상황을 살핀 후 좌하복부, 우하복부, 치골결합부위 상방에 투관침을 삽입한다. 투관침의 위치 및 개수, 0도 혹은 30도 복강경 카메라의 사용은 수술자가 가장 익숙하고 편한 위치에 따라 변경될 수 있다.

자궁거상기(uterine manipulator)를 자궁 경부를 통해 삽입하여 수술 중 자궁을 원하는 방향으로 자유롭게 움직여 보다 용이하게 수술을 진행할 수 있다. 하지만 자궁거상기 사용은 종양의 천공, 미란(erosion), 자궁경부의 압착(squeezing)을 유발할 수 있다. 또한, 복강 내 질절제 시행 중 종양이 순환되는 이산화탄소에 노출될 수 있어 복강 및 골반내 종양이 오염되어 재발에 영향을 줄 수 있다. 그러므로 항상 자궁거상기를 사용할 때 종양을 최소한으로 접촉할 수 있도록 노력해야 한다.

i. 수술방법

(ㄱ) 후복막 공간으로 진입(entry to the retroperitoneal space)

장은 복강 위쪽으로 옮겨 놓고 양측 자궁원인대를 자른다. 복막 절개시 복막 아래에는 요관 및 바깥엉덩혈관 등 주요 후복막 구조물들이 많으므로 보조자로 하여금 깔때기골반인대를 내측으로 견인하여 복막을 팽팽하게 한 뒤 깔때기골반인대 외측에 있는 허리근을 덮고 있는 복막을 절개한다(그림 9-23). 깔때기골반인대를 내측의 잡아당겨 요관, 엉덩이 혈관을 노출시킨다. 바깥엉덩동맥과 속엉덩 동맥의 분지점을 확인한 후 속엉덩혈관

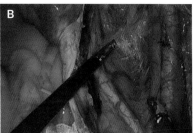
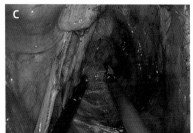

그림 9-23. 복강경 광범위 자궁절제술 수술 방법
A 후복막 공간으로 진입을 위한 복막 절개, **B** 폐쇄된배꼽동맥 확인, **C** 골반저 확인

바깥 경계면을 따라 아래 방향으로 절개하면 폐쇄된배꼽동맥(obliterated umbilical artery)을 확인할 수 있다(그림 9-23). 폐쇄된배꼽동맥과 외엉덩혈관사이의 비혈관 공간인 세망조직(areolar tissue)을 절개박리를 통해 분리하다 보면 골반뼈와 속폐쇄근(internal obturator muscle)을 확인할 수 있다(그림 9-23).

(ㄴ) 직장주위공간과 방광주위공간 개방(opening the pararectal and paravesical space)

직장주위공간으로 진입하기 위해 요관내측의 복막을 내측으로 견인하면 자궁동맥의 후방에 있는 요관과 속엉덩동맥 사이의 세망조직을 절개박리하면 비교적 쉽게 직장주위공간을 확보할 수 있다. 방광주위공간 개방을 위해 보조자로 하여금 폐쇄된배꼽동맥을 바깥쪽으로 견인하면 자궁동맥 상방에 세망조직 및 지방조직을 제거하면 방광주위공간을 확보할 수 있다(그림 9-24).

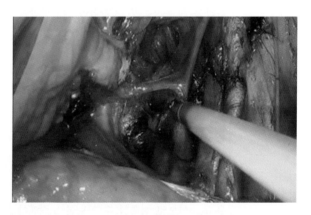

그림 9-24. 복강경 광범위 자궁절제술 수술 방법 – 직장주위공간 및 방광주위공간 박리

(ㄷ) 자궁동맥 확인 및 결찰(identification and transection of the uterine artery)

직장주위공간과 방관주위공간을 개방하고 나면 내엉덩동맥으로 분지되어 나오는 자궁동맥을 쉽게 확인할 수 있다. 또한 자궁동맥 상방에 위방광동맥도 확인할 수 있다. 자궁동맥 결찰 시 헤모락(Hem-o-lok)같은 혈관 결찰기를 이용하여 자궁동맥을 표시해 두면 요관과 자궁동맥을 분리할 때와 용이하다(그림 9-25).

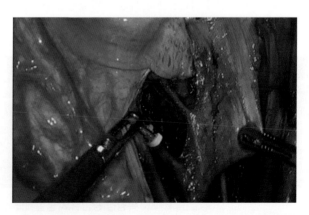

그림 9-25. 복강경 광범위 자궁절제술 수술 방법 – 자궁동맥 결찰

(ㄹ) 방광 가동화(bladder mobilization)

자궁 앞쪽에서 방광 복막에 절개를 가하여 복막을 개방한 후 자궁경부 방향으로 박리한다. 복막 절개 부위는 방광을 자궁쪽으로 복강경 기구를 이용해서 밀어보면 방광경계면을 쉽게 확인할 수 있다. 제왕절개술 같은 수술로 방광 유착이 심할 경우 방광을 100cc 정도 물을 채워보면 방광경계면을 확인할 수 있다. 보조자가 복막을 앞쪽으로 견인한 후 단극소작기를 이용하여 질 앞쪽의 방광 섬유를 완전히 분해한다.

(ㅁ) 요관터널 형성 및 자궁주위조직 박리(developing ureter tunnel and dissection of the parametrium)

요관 내측에 붙어 있는 내측복막(mesoureter)을 충분히 박리한 뒤 요관을 혈관루프(vessel loop)를 이용해 요관을 걸어두면 요관을 견인할 때 손상을 최소화 할 수 있다. 보조자는 요관에 걸어둔 혈관루프를 견인해 요관을 밖으로 밀어내면서 수술자는 자궁동맥을 안쪽으로 견인하면서 요관터널을 형성한다(그림 9-26A). 자궁동맥을 요관으로부터 분리한 뒤 자궁방광인대를 분리하면 요관의 방관 진입부위를 확인할 수 있다. 이후 방광을 질 상부가 충분히 절제될 수 있는 부위까지 충분히 밑으로 내릴 수 있다. 이 과정에서 출혈도 많고 요관 손상의 위험도 높으므로 혈관 및 주위조직을 하나하나 결찰하면서 섬세하게 수술을 진행해야 한다(그림 9-26B).

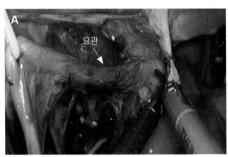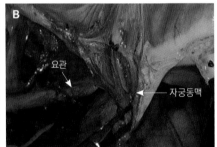

그림 9-26. 복강경 광범위 자궁절제술 수술 방법
A 요관터널 형성. **B** 요관을 자궁동맥으로부터 분리

(ㅂ) 자궁천골인대 결찰(transection of uterosacral ligament)

자궁거상기를 이용하여 자궁을 전방으로 굴절시켜 자궁후방을 노출 시킨다. 보조자로 하여금 직장을 윗쪽으로 견인한 뒤 자궁경부와 직장사이의 복막을 절개한다(그림 9-27A). 이후 데노비에르 근막(Denovilliers' fascia)을 충분히 절개하여 직장주위공간을 확보한다(그림 9-27B). 직장과 질 사이 공간을 충분히 박리한 뒤 자궁천골인대 및 직장질인대(rectovaginal fascia)를 직장기시부에서 결찰한다.

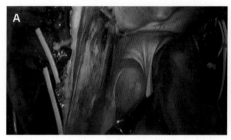

그림 9-27. 복강경 광범위 자궁절제술 수술 방법

A 자궁경부와 직장사이 복막 절개, **B** 데노비에르 근막 절개

(ㅅ) 조직 제거(removal of the specimen)

질에 위치한 가리개(occluder)에 물을 채워 공기가 새어나가지 않게 한 뒤 단극 전기소작기나 에너지 기구를 이용하여 질을 따라 원형 절개를 한다. 이때 종양조직이 복강에 노출되지 않도록 하여야 하며 상부의 질과 분리된 조직은 자궁거상기에 부착된 상태로 질을 통해 밖으로 제거된다.

② 신경보존 광범위 자궁절제술(nerve-sparing radical hysterectomy)

고식적 광범위 자궁절제술은 골반 자율신경이 포함된 주인대와 자궁천골인대를 결찰하기 때문에 배뇨, 배변 및 성기능의 부작용이 나타날 수 있다. 고식적 광범위 자궁절제술 이후 1/3 정도의 환자에서 배뇨기능 저하 및 긴박뇨(urgency) 같은 방광기능과 관련된 합병증이 나타난다고 알려져 있다.[47] 또한 변비와 같은 대장항문 기능 장애도 5~10% 정도 나타난다고 알려져 있고[48] 상당수의 환자가 오르가즘, 질 마름 같은 성적 기능과 관련된 만성 합병증을 호소한다.[80]

i. 골반 자율신경의 해부학(anatomy of pelvic autonomic nerves)

(ㄱ) 위아랫배신경얼기(superior hypogastric plexus)

위아랫배신경얼기는 L5와 천골곶(sacral promontory) 전방에 위치하며 천골곶 정도 혹은 아래에서 양측으로 분지한다.

(ㄴ) 골반내장신경(pelvic splanchnic nerve)

골반내장신경은 S2-S4의 천추공들(sacral foramina)에서 기원하는 부교감 신경 섬유들(parasympathetic nerve fibers)이다. S3, S4 분지들이 아래아랫배신경얼기를 구성하는 주요 구성원이다.

(ㄷ) 천골내장신경(sacral splanchnic nerve)

천골내장신경은 S2 교감 신경절(sympathetic ganglion)에서부터 기원하고 아래아랫배신경 얼기를 구성한다.

(ㄹ) 아래아랫배신경얼기(inferior hypogastric plexus)

아래아랫배신경얼기는 다음과 같은 3가지로 구성되어 있다.

● 위아랫배신경얼기에서 기원하는 아랫배신경

- 천공내장신경에서 기원하는 교감신경
- 골반내장신경에서 기원하는 부교감신경

ii. 수술방법

(ㄱ) 위아랫배신경얼기 확인(identification of superior hypogastric nerve)

S자 결장을 좌측상방으로 견인한 뒤 아래창자간막동맥(inferior mesentery artery) 아래 부위의 복막을 절개한다(그림 9-28A). 양측 요관 안쪽, 대동맥과 천골곶위에 위치하는 위아랫배신경얼기를 확인할 수 있다(그림 9-28B). 직장-S자 결정을 가동화시키면 직장 바깥의 무혈관 공간을 확인할 수 있다. 천골곶 혹은 천골곶 아래에서 위아랫배신경얼기가 좌우로 나눠지는 것을 확인할 수 있고 아랫방향으로 절개박리를 지속하면 아랫배신경과 연결되는 것을 확인할 수 있다(그림 9-28C).

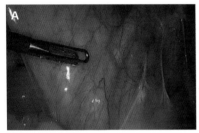 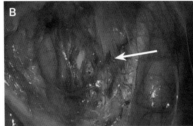 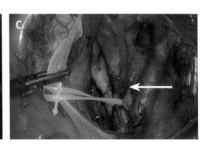

그림 9-28. 신경보존 광범위 자궁절제술
A 복막절개, **B** 위아랫배신경얼기 확인(화살표), **C** 위아랫배신경얼기의 좌우 분리

(ㄴ) 골반내장신경, 아래아랫배신경얼기, 아랫배신경 확인(identification of pelvic splanchnic nerve, inferior hypogastric plexus and hypogastric nerve)

방광주위공간과 직장사이주위 공간의 주인대를 분리시킨 뒤 자궁동맥을 아랫배동맥기시부에서 결찰한다. 이후 주인대 기저부에 위치한 깊은 자궁동맥을 조심스럽게 박리한 뒤 결찰하면 골반내장신경을 확인할 수 있다. 요관의 2~5cm 하방에 두꺼운 밴드인 아랫배신경을 확인하고 분리한다(그림 9-29A). 그러면 아랫배신경과 골반내장신경이 합쳐져 아래아랫배신경얼기가 형성되는 것을 확인할 수 있다(그림 9-29B).

 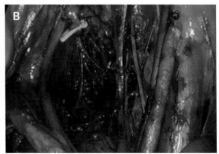

그림 9-29. 신경보존 광범위 자궁절제술
A 아랫배신경 확인, **B** 아래아랫배신경얼기 확인

(ㄷ) 자궁천골인대과 직장질인대 박리시 아랫배신경 및 아래아랫배신경얼기 확인(identification of the hypogastric nerve and inferior hypogastric plexus during dissection of the uterosacral and rectovaginal ligament)

질직장 공간을 충분히 박리하고 나면 자궁천골인대를 확인할 수 있다. 아랫배신경은 자궁천골인대 바깥에 위치하고 있다. 아랫배신경의 바깥으로 가동화시키면 자궁천골인대의 안쪽부분과 아랫배신경 사이 공간을 확보할 수 있다. 자궁천골인대의 안쪽 섬유성 부분만 절단하고 바깥쪽 신경 부분은 보존한다(그림 9-30).

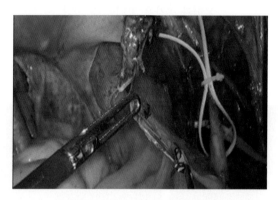

그림 9-30. 신경보존 광범위 자궁절제술 – 자궁천골인대 박리

(ㄹ) 뒤방광자궁인대로부터 아래아랫배신경얼기의 방광분지 확인(identification of vesical branch of the inferior hypogastric plexus from posterior vesicouterine ligament)

이 과정이 신경 보존 광범위 자궁절제술의 가장 중요하고 힘든 과정이다. 요관 터널을 형성하고 앞방광자궁인대(anterior vesicouterine ligament)를 절개한 뒤 질 상부가 충분히 절제될 수 있는 부위까지 충분히 방광을 밑으로 내린다. 요관을 앞, 바깥으로 견인시켜 뒤방광자궁인대를 노출 시킨다. 뒤방광자궁인대에 있는 여러 개의 정맥들을 확인하고 절제한다. 아래아랫배얼기의 자궁질 분지들만 절단하고 방광 분지들은 보존한다(그림 9-31A). 모든 신경 보존 광범위 자궁절제술이 끝나면 위아랫배신경얼기, 아랫배신경, 아래아랫배신경얼기, 방광분지가 연결된 전체 골반 자율 신경들을 확인할 수 있다(그림 9-31B).

그림 9-31. 신경보존 광범위 자궁절제술
A 전체 골반자유신경, **B** 전체 골반 자율 신경의 분포

③ 복강경 광범위 자궁경부절제술(laparoscopic radical trachelectomy)

수술은 골반 림프절제술을 함으로써 시작된다. 의심되는 골반 림프절은 동결절편검사를 보내고 음성인 경우 광범위 자궁경부절제술을 진행한다. 하지만, 골반 림프절검사상 전이가 확인되면 대동맥주위 림프절절제술을 포함한 광범위 자궁절제술로 전환하거나 수술을 중단하고 바로 동시항암화학방사선요법을 시행할 수도 있다.

복강경 광범위 자궁경부절제술에서 중요한 해부학적 구조나 수술법은 위에서 언급한 복강경 광범위 자궁절제술과 유사하므로 참고 바란다.

자궁협부(uterine isthmus)부분에서 절단하여 자궁경부를 자궁본체로부터 분리한다. 동결절편검사에서 내자궁경부 경계가 적어도 5mm 이상 음성이라는 것을 확인한 뒤 자궁경부원형묶음술을 시행하고 남은 자궁본체와 질절단면을 연결한다. 자궁본체와 질절단면까지 전과정을 복강경으로 시행하는 전체 복강경 광범위 자궁경부절제술이 있고 자궁경부 절단과 재연결을 질을 통해하는 복강경 질식 광범위 자궁경부절제술이 있다. 질을 통하여 시행할 경우 절단면을 직접 눈으로 확인하면서 절제하므로 종양이 없는 절단면을 확보하는 데 도움이 되며, 술기의 시간도 단축되는 장점이 있다. 또한 최근 문제가 되는 종양의 복강 및 골반 내 오염되는 것도 방지할 수 있다.

2) 자궁내막암

자궁내막암에서 림프절의 상태는 중요한 예후인자인 동시에 수술 후 치료의 가이드라인이 된다. 1988년 이후 림프절의 평가는 자궁내막암의 수술적 병기 설정 과정에 포함되어 있으나 림프절 평가를 위한 최적의 방법은 아직도 논쟁이 많다. 가능한 접근방법으로는 골반 및 대동맥 주위 림프절 촉진 후 샘플링하는 법, 동결전편 조직검사 분류(세포의 등급, 종양의 크기, 침윤의 깊이)를 토대로 선택적 림프절절제술을 하는 법, 체계적인 후복막 림프절절제술(systemic retroperitoneal lymphadenectomy) 또는 감시림프절 검사법이 있다.

① 림프절 평가(lymph node assessments)

i. 감시림프절 검사(sentinel lymph node assessment)

감시림프절 검사는 림프 부종 같은 체계적인 림프절절제술 후 발생하는 합병증을 감소시키면서 림프절 전이를 확인하기 위해 고안된 수술방법이다. 감시림프절은 원발암에서 처음으로 유출되는 림프절로 정의된다. 유방암이나 흑색종 같은 경우 감시 림프절 검사가 표준 치료로 되어 있으나 자궁내막암의 경우 자궁의 림프절 배액이 복잡하고 양측성인 특성이 있어 표준치료로 확립되기 위해 더 많은 연구가 필요하다. 하지만 최근 발표된 메타분석에서 전이 림프절을 발견하는 민감도가 96%로서 자궁내막암에서 감시림프절 검사는 림프절 상태를 파악하는데 효용적이고 정확하다고 했다.[81] 또한 indocyanine green (ICG)을 이용한 자궁경부 주입법이 가장 효과적인 방법이라고 했다.[81]

(ㄱ) 비색법(colorimetric methods)

비색법은 색깔 염료를 주입한 뒤 백색광아래에서 림프절 경로를 육안으로 확인하는 방법이다. Isosulfan blue가 FDA에 승인된 염료이며 1% 용액 3~5mL를 자궁경부에 주입한다. 염료 주입 후 바로 림프절 채널에 섭취되고 10~20분 정도 축적되므로 주입 후 지연 검사는 낮은 발견율을 보일 수 있으므로 주의해야 한다. Isosulfan blue의 단점으로는 가격이 비싸고 1.1%에서 알레르기 반응을 보일 수 있다. Methylene blue는 isosulfan blue에 비해 가격이 싸서 대용품으로 사용 할 수 있다. FDA에 허가는 되어있지 않으나 isosulfan blue와 비슷한 효과를 보인다고 알려져 있다. 1% 용액 2~4mL를 자궁경부에 주입한다. 부작용으로 메테모글로빈혈증(methemoglobinemia)이나 세로토닌 증후군을 유발할 수 있으니 세로토닌 계열의 신경정신과 약물을 복용하는 환자는 주의해야 한다.

(ㄴ) 방사선동위원소 방법(radionuclear method)

방사선동위원소 콜로이드 테크네튬 99 (radiolabeled colloid technetium 99, Tc99)를 주입 후 핵의학 영상이나 감마 프로브를 이용해 수술 중에 감시 림프절 검사를 할 수 있다. 청색 염료(blue dye) 혹은 ICG 검사의 효과를 증대시키기 위해 주로 사용 된다. 1mL의 1mCi Tc99을 주입하여 복강경용 감마 프로브를 이용하여 검사할 수 있다.

(ㄷ) 근적외선 방법(near-infrared method)

ICG을 0.5~1.25mg/mL로 희석한 후 2~4mL를 주입한다. 근적외선 영상에 특화된 장비를 이용해 실시간으로 림프절 채널을 확인할 수 있는 장점이 있다. 부작용은 극히 일부에서 나타나고 과민반응이 1/42,000 정도에서 나타난다고 알려져 있다. 하지만 심한 요오드 알레르기 및 간 질환 환자에서는 사용해서는 안 된다.

(ㄹ) 주입 위치(injection sites)

자궁체부 장막하 주입법, 심부근육층 주입법 및 자궁경하 자궁내막암 하부 주입법 등이 보고되었고 이러한 방법들은 대동맥 주위 감시림프절 검출률은 높으나 자궁경부 주입법이 전체 감시림프절 검출률이 높아 최근에는 가장 선호되는 방법이다. 자궁경부 주입 위치는 그림 9-32과 같다.

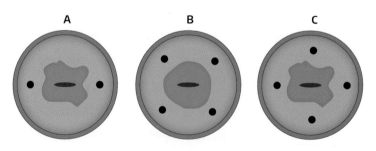

그림 9-32. 자궁경부 주입 위치

로봇수술

복강경 수술이 부인과 수술에 도입된 이후 부인암뿐만 아니라 부인과 수술의 상당한 발전이 있었고 최소침습수술의 근간이 되었다. 하지만 부인암수술에서 복강경수술이 능숙해지기 위해서는 많은 시간이 필요하다. 복강경 술기의 습득 쉽지 않은 대표적인 이유로는 2차적 영상을 기반으로 하고 기구가 대부분 막대기 형태로 만들어져서 움직임의 자유도가 한계가 있다. 로봇 시스템은 이러한 복강경 수술의 한계를 극복하기위해 개발되었고 현재까지 여러 부인과 수술에 널리 이용되고 있다. 로봇수술의 장점으로 10~15배확대의 고화질 3차원 입체영상, 수술자의 손떨림 보정, 7가지 자유의 단계를 가진 정교한 로봇 팔이 있다(그림 9-33).

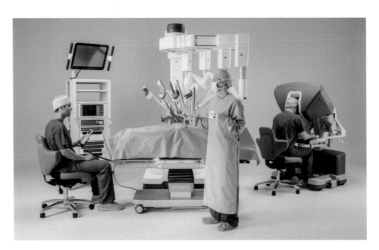

그림 9-33. 수술용 로봇 기구

©[2020] Intuitive Surgical, Inc. Used with permission

부인암 로봇수술의 기본 술기와 중요한 해부학적 구조는 앞서 설명한 복강경 수술과 유사하므로 본 단락에서는 복강경 수술과 차이 나는 기본적인 로봇 시스템에 관해 기술하겠다.

1) 로봇 시스템(robotic system)

많은 로봇 시스템이 개발 중에 있으나 현재까지 상업적으로 이용가능하고 FDA의 승인이 된 것은 da Vinci 수술 시스템(intuitive surgical, Inc., Sunnyvale, California, USA)이다. da Vinci 수술 시스템은 크게 세 가지로 구성되어 있다. 환자 쪽 카트(patient-side cart), 컴퓨터 스탠드-접속기(computer stand-interface), 그리고 수술자 콘솔(surgeon console)이다. 수술자의 움직임은 수술자 콘솔에서부터 컴퓨터 접속기를 통해 환자 쪽 카트에 있는 로봇 팔을 움직이게 된다.

다빈치 수술로봇은 S, Si 그리고 Xi 버전이 있고 최근에는 세 개의 다관절 기구 및 360도 회전이 가능한 카메라를 하나의 로봇 팔에 구성한 SP 시스템이 개발되었다.

2) 환자 위치, 도킹, 기구(patient positioning, docking and instrumentation)

로봇이 도킹 이후에는 환자 쪽 카트와 수술 테이블을 이동할 수 없기 때문에 로봇수술에서 특히 수술 전 환자 위치 선정이 중요하다. 또한 도킹 기술 및 트로카 위치 선정도 성공적인 로봇 수술을 위해 중요하다. 자궁절제술을 위한 원래의 도킹법은 환자 쪽 카

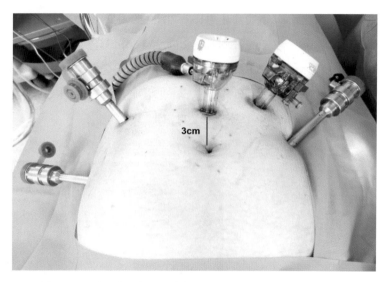

그림 9-34. 자궁경부암의 광범위 자궁절제술의 위한 포트 삽입 위치

트가 환자 다리 사이에 위치하는 앞쪽 도킹(front-docking)이지만 자궁거상기 및 조직 제거를 위한 질 쪽으로의 접근을 용이하게 하기 위해 측면 도킹(side docking) 및 평행 도킹(parallel docking)도 많이 이용된다.

자궁경부암의 광범위 자궁절제술 및 골반 림프절절제술 경우 카메라 포트가 배꼽으로 들어가고 배꼽 라인 2~3cm 아래에 8~10cm 떨어진 양측 바깥에 1번, 2번 로봇팔을 위치시킨다(그림 9-34). 도킹의 붐(boom)의 회전을 할 수 없는 S 및 Si 모델의 경우 아래창자간동맥 레벨까지 대동맥주위 림프절절제술을 시행할 경우 배꼽 3~5cm 위쪽에 카메라 포트를 삽입하여 상복부로 접근을 용이하게 하여야 한다. 콩팥정맥 아래 부위까지 대동맥주위 림프절절제술을 시행할 경우 수술 테이블을 180° 회전시킨 다음 환자 쪽 카트를 재도킹시키면 가능하다. 이에 반해, Xi 모델의 경우에는 수술 중 상복부 접근이 필요하면 도킹의 붐의 회전을 이용하여 도킹 방향을 반대로 돌리는 것이 가능해짐으로써 배꼽에 카메라 포트를 위치시키는 기본 포트 위치로도 골반 림프절절제술 및 대동맥주위 림프절절제술을 동시에 가능하다.

잡기(grasping), 절개(dissection), 지혈, 봉합을 위해 주로 curved scissors (monopolar), Maryland dissector (bipolar), fenestrated forcep (bipolar), needle driver, 그리고 prograsp 등이 주로 쓰인다. 최근에는 이러한 기본 기구들에 추가하여 Clip Appliers, Vessel Sealers, PK Dissecting Forceps, 그리고 bowel stapling 등의 다양한 기구들이 로봇 수술에 적용 가능하다.

자궁경

부인과 증상 중 가장 흔한 증상 중 하나는 자궁출혈이다. 원인은 다양하며 자궁내막암을 배제하기 위해 자궁내막 조직검사가 가장 흔히 이용된다.[82] 비정상 자궁출혈의 초기 검사를 위해 가장 흔히 고려되어야 할 질환은 PALM-COEIN이다 - 약어 '용종(polyp), 자궁선근증(adenomyosis), 자궁근종(leiomyosis), 악성 종양(malignancy and hyperplasia), 혈액 응고 장애(coagulopathy), 배란장애(ovulatory disorders), 자궁내막, 의인적 및 기타 분류되지 않은(endometrial, iatrogenic and not otherwise classified) 원인'. 외래 진료 환경에서 자궁강 내 해부 및 구조적 이상소견이나 병적 상태를 발견하거나 배제하기 위해 질식 초음파, 자궁내막 조직검사 또는 진단적 자궁경 검사가 가장 많이 이용된다.[83,84]

수술 전 자궁내막암을 진단하기 위해 여러 가지 자궁내막 조직검사법이 활용된다. 세침흡인생검, 자궁확장긁어냄술, 진단적 자궁경 검사 등이 있다. 최근의 van Hanegem 등의 연구에 의하면 자궁내막암의 진단뿐만 아니라 자궁내막증식증, 자궁내막용종과 같은 양성 질환의 배제에 있어 폐경여성에서 외래기반 자궁내막 흡인생검이 이전의 예상과는 달리 민감도가 낮았다. 이상 자궁출혈에서 Pipelle 기구를 이용하여 자궁내막 조직검사를 시행 시 악성 종양발견의 민감도는 67~83.5%이다.[85]

진단적 자궁경은 간단하고 안전한 비침습적인 시술로 여겨진다. 이 시술은 불임여성이나 비정상적 자궁출혈이 있는 여성에서 자주 이용된다.[86] 진단적 자궁경의 자궁내막암 진단 민감도는 69~96%로 높다.[87~89] 진단적 자궁경을 이용한 검사는 진단적 자궁경부 개대 및 자궁강내 소파술보다 악성 종양 진단에 있어 더 정확한 진단 방법이다. 진단적 자궁경시술 동안 자궁강내를 시각적으로 확인하면서 시행할 수 있으면 병변을 확인하여 조직검사를 시행할수 있는 장점이 있다. Dueholm 등은 진단적 자궁경검사 시 악성 종양을 예측하는 시각적 양상에 대한 점수화 체계를 발표하였다. 진단적 자궁경검사가 소개된 이후 많은 연구자들이 진단적 자궁경검사가 나팔관을 통해 악성 종양세포의 복강 내 확산을 촉진할 수 있다는 문제점에 대해 지적해 왔다.[90,91]

현실적으로 진단적 자궁경 시술과 관계된 악성 종양의 임상적 악화에 대한 위험성을 평가하는 것은 어렵다.[92,93] 이론적으로 자궁강을 팽창시키기 위해 진단적 자궁경 이용 시 사용되는 고압의 자궁강내 충전 물질에 의한 악성 종양세포의 복강 내 확산은 가능할 수도 있다. 이전의 연구에 의하면 압력이 100~150mmHg인 경우 악성 종양 세포가 자궁경부와 나팔관을 통해 확산되었다.[94,95]

Obermair 등은 자궁소파술과 진단적 자궁경을 이용해 진단된 자궁내막암 환자들의 복강세척세포검사를 비교하였다. 이 연구에서 진단적 자궁경을 이용한 환자들에서 복강세척세포검사에서 악성 종양 세포의 발견율이 높았다.[92] Bradley 등은 256명의 자궁내막암 환자 중 자궁경부확장긁어냄술을 시행한 환자에서 진단적 자궁경을 이용한 환자보다 복강 내 악성 종양세포의 발견율이 현저히 낮음을 보고하였다(6.9% 대 13.5%).[93] 이러한 결과들은 진단적 자궁경이 악성 종양세포의 확산에 관계됨을 시사하고 있다. 상기 결과는 Takac과 Zegura의 연구의 결과와 비슷한 결론을 제시하고 있다. 이들의 연구에서 자궁경부확장긁어냄술을 시행한 환자는 122명의 환자 중 2명(1.6%)의 환자에서 복강세척세포검사에서 악성 종양세포가 발견된 반면 진단적 자궁경을 이용한 환자에서는 24명 중 3명(12.5%)의 환자에서 악성 종양세포가 발견되었다.[94] Lo 등은 진단적 자궁경을 이용한 자궁강검사에서 액체를 사용한 경우 복강내에서 악성 종양세포 발견을 확인하였

다.[95]

진단적 자궁경시 액체의 증가된 압력은 자궁강내 악성세포가 복강 내로 확산될수 있는 아주 중요한 원인이 될 수 있다. Baker와 Adamson 및 Leveque는 150mmHg인 압력이 복강 내로 악성 종양세포의 확산에 미치는 영향을 관찰하였다. 150mmHg인 경우 관찰된 환자의 37%에서 복강 내 악성 종양세포가 관찰되었고 반면 100mmHg 이하인 경우 1%에서 관찰되었다.[96,97]

Polyzo 등이 시행한 메타분석에서 1,015명의 환자를 분석한 결과 100mmHg 이상의 압력일 경우 복강 내 악성 종양세포 확산 위험성은 증가하는 것으로 보고하였다.[98]

Chang 등이 시행한 3,000명에 대한 메타분석에서 진단적 자궁경검사는 악성 종양세포의 확산에 위험인자로 보고되었다. 이 연구에서 진행된 악성 종양에서 용액을 이용한 진단적 자궁경검사는 악성세포 확산에 위험인자이므로 진단적 자궁경을 이용한 진단은 초기 질환에서만 사용하도록 권고하였다.[99] Baker와 Adamson은 70mmHg 이하의 압력에서는 복강 내 악성세포의 확산이 현저히 감소함을 관찰하였다.[96] De Sousa Dami-no 등은 여러 단계 자궁강내 압력의 영향을 관찰하였다. 가스를 사용할 경우 80mmHg 이하의 압력을 사용할 것을 제안하였다. 이 연구에서 이산화탄소 압력 80mmHg가 안전한 진단적 자궁경 방법으로 제시하고 있다.[100]

Selvaggi 등은 147명의 환자를 자궁소파술, 진단적 자궁경후 자궁소파술 및 자궁소파술만을 시행한 군으로 구분하여 연구를 하였다. 세 군에서 복강 내 악성 종양세포의 진단율에는 차이가 없었다. 진단적 자궁경을 시행한 군에서 39명 중 3명(7%)에서 악성 종양세포가 발견되었다.[101] 이러한 결과는 이전의 Takac과 Zegura의 12.5%보다 훨씬 낮은 결과였다. 비롯 이전의 연구들에서 진단적 자궁경검사가 복강 내 악성 종양세포의 발견과 연관성을 제시하고 있지만 이러한 결과가 진단적 자궁경검사가 확실히 복강 내 악성 종양세포의 전이와 연관성이 있는지 또한, 어떠한 진단적 시술 없이는 복강 내 악성 종양세포가 발견되지 않는지에 대한 명확히 결론이 나지 않았다.

현재까지 진단적 자궁경 시 사용되는 액체의 압력과 악성 종양세포의 복강 내 확산 및 이 세포들의 복막에 부착과 증식에 관한 어떠한 확정적인 연구는 발표되지 않았다.

Biewenga 등에 의한 흥미로운 가설이 제시되었다. 이 연구에서 악성 종양의 확산과 진단적 자궁경의 직접적인 연관성은 없으며 복강 내 악성 종양세포의 발견은 일시적인 현상이라고 제안하고 있다. 이들의 연구에서 진단적 자궁경검사는 FIGO 병기 1기의 자궁내막암에서는 악성 종양세포의 복강 내 확산에 영향을 미치지 않으며 암의 진행에도 영향을 미치지 않는다고 하였다. 이들의 연구에서 진단적 자궁경검사후 복강 내 악성 종양세포는 발견되지 않았으며 일정시간 경과 후에도 발견되지 않았다고 보고하였다. 아직까지 어떠한 분자학적 기전이 자궁내막암세포의 복강 내 전이에 영향을 미치고 또한 다른 시간 간격에 이러한 세포들이 활성화가 되는지는 아직 명확하지 않다고 보고하였다.[102] Kudela와 Pilka는 자궁경부확장긁어냄술을 시행한 환자에서 33.9%, 진단적 자궁경을 시행한 환자에서 30.3% 복강 내 악성 종양세포 발견율을 보고하였다.[103] Soucie

등은 진단적 자궁경검사가 병기III 자궁내막암의 진행에 영향을 미치지 않는다고 보고하였다.[104] Dvorska 등 또한 그들의 후향적 연구에서 진단적 자궁경검사는 자궁내막암세포의 복강 내 전이와 진행에 영향을 미치지 않는다고 보고하였다.[105] Dovnik 등은 진단적 자궁경을 이용한 군과 자궁경부확장긁어냄술을 시행한 군을 비교한 연구에서 두 군 간의 복강 내 악성세포 발견율에 차이가 없음을 보고하였다. 그러나 FIGO 병기I의 환자에서 복강 내 세포 복강 내 악성세포 발견율이 높았다(12.8% 대 3.4%).[106] Chen 등은 진단적 자궁경 검사가 복강 내 악성세포 발견율을 증가시키지만 향후 재발률이나 평균 생존율에는 차이가 없다고 발표하였다.[107]

결론적으로 현재까지 자궁내막암세포는 진단적 자궁경 이후 복강 내 전파되어서 재발을 조장하기보다는 자연 사멸할 가능성이 높아 보인다. 그러나 이러한 가정은 잘 계획된 전향적 연구에 의해 밝혀져야 할 것이다.

자궁경 종양 절제술은 초기 자궁내막암의 치료 방법 중의 하나이다. 몇 연구에서 자궁경 종양 절제술 후 프로게스테론 복용은 만족할 만한 완치율을 보고하였다. 이전 문헌고찰에서 36명의 환자를 대상으로 시행한 자궁경 종양 절제술 후 프로게스테론 복용은 88.9%의 완치율을 보고하였고 완치 후 25%의 임신률을 나타내었다.[108] 이후 다른 연구들도 비슷한 결과를 보고하였다.[109,110] 최근의 메타 분석에서 프로게스테론 단독 복용군, 자궁경 종양 절제술 후 프로게스테론 복용군, LNG-IUD를 사용한 군의 임신력 보전 효과를 비교하였다. 이 연구에서 자궁경군에서 완치율이 95.3%로 가장 높았으며 프로게스테론 복용군에서 재발률이 30.7%로 가장 높았다. 임신율은 각 군에서 비슷하였다(52.1%, 47.8%, 56.0%). 그러므로 자궁경 종양 절제술 후 프로게스테론 치료가 분화도 1의 초기 자궁내막암 환자에서 임신력 보전 방법으로 각광을 받고 있다.[111]

상기 결과에도 불구하고 자궁경 종양 절제술은 시술 시 복강 내 자궁내막암 전이에 대한 우려 및 시술로 인한 자궁내막의 열손상, 자궁내막 기저막 손상 등에 대한 우려가 있으나 아직까지 이에 대한 구체적인 연구는 발표되지 않고 있다.[83]

▎외음부 수술(Vulvar Surgery)

개요

외음부 병변은 흔한 부인과적 문제이고 전구암 병기 및 악성병변에 있어 다양한 방법으로 적용되고 시행되어 왔다. 최근에 있어 외음부암 수술은 환자의 원발 병변의 위치, 회음부 림프절 절제유무 및 질병의 종류 및 환자 및 술자의 선호도에 따라 개별화하여 접근하고 시행되어야 한다. 외음부 수술은 크게 원발병소의 절제와 국소 림프절절제술 및 큰 수술 후 외음부 결손 부위의 재건이라는 3가지의 다른 수술이 단독 혹은 복합되어 진행된다.[112~114]

1) 외음부 원발병소의 절제

① 광범위 국소절제(radical local excision): 국소적인(unifocal) T1 혹은 T2 외음부암

광범위 국소 절제를 위한 수술적 경계부위는 적어도 외음부 종양에서 1cm의 간격의 여유있는 절제범위를 미리 정하여 타원형의 절개를 하며 비뇨생식격막(urogenital dia-phragm)의 하부 근막까지 진행한다. 수술로 인한 외음부 결손 부위의 재건 및 봉합은 두 층을 각각 봉합하는 방법으로 그림과 같이 시행된다(그림 9-35B).[113~115]

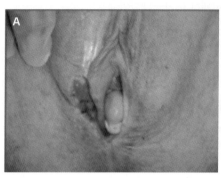
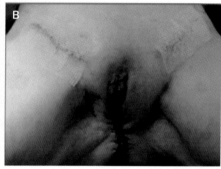

그림 9-35. 외음부 광범위 국소절제술
A 회음부 중심선 침범을 보이는 우측 대음순에 발생한 T2 편평세포암종, **B** 광범위 국소 절제술과 원발 봉합과 양측 서혜 림프절절제술

회음부의 병변에서 항문에 근접하지 않도록 충분한 수술 변연을 확보하는 것이 수술 이후 주변부 위축 혹은 술 후 방사선치료로 인한 위축을 최대한 예방하여 배변활동의 어려움과 대변을 통한 상처오염을 통한 봉합부 파열 및 감염과 봉와직염 등 여러 합병증을 예방할 수 있다. 요도주변 병변(periurethral lesions)의 경우에 요도로부터 1cm 정도의 변연을 확보할 정도로 요도 주변 종양을 절제하는 것이 추천된다(그림 9-36).

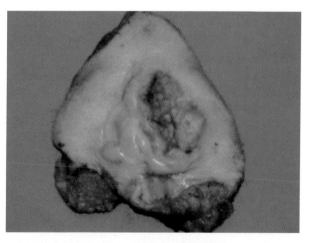

그림 9-36. 광범위 국소절제술을 시행한 음핵(클리토리스) 주변에 발생한 외음부암
요도 개구부 부위부터 1cm 이상의 절제를 시행하여 충분한 수술적 경계면을 확보하였다.

요도주변 병변 제거 시, 요도로부터 1cm 변연을 확보한다면 요실금 등과 연관이 없으나 절단 부위는 육아조직의 성장 및 상피화가 일어나며 조직의 치유 및 회복이 될 때까지 주의깊게 관리한다. 약 5일 정도까지 유지하며 주변 상처 회복 과정을 확인 후 제거를 고려한다. 만약 편측의 외음부암이과 주변에 이형성증(VIN)이 동반된다면 이형성증은 표재성 절제(superficial excision)를 시행하는 것이 좋고 일차적 봉합 혹은 필요시 피부이식을 시행하여 수술부위를 봉합하도록 한다.[113~115]

② 광범위 외음부 절제술(radical vulvectomy) ± 말단 요도 절제술 혹은 질 절제술(resection of the distal urethra or vagina): 다발성 침윤성 외음부암(multilocal invasive vulvar cancer), 말단요도나 질 부위를 침윤한 T3 병변

최근 광범위 외음부 절제술과 서혜부위 림프절절제술은 각각 절개를 시행하여 진행한다. 불두덩(mons pubis)의 앞쪽에서 시작해서 지방과 표재 근막을 지나 치골결합을 덮고 있는 근막까지 박리를 시행한 후 표재 지방 근막 등 치골결합을 이루는 골격의 상부 연부조직 및 근막을 박리하며 제거한다. 박리를 시행할 때 치골결합 위쪽과 대퇴근막 상부까지의 박리는 비교적 쉽게 무딘 박리를 시행하거나 필요에 따라 예리한 박리를 시행한다. 외음부 피부 절개선의 연장은 아래쪽 뒤쪽으로 회음부의 음순 다리 주름(labiocrural folds)을 따라 아래쪽 대퇴근막까지 연장하여 필요한 병변 부위를 충분히 포함시킬 수 있다. 가운데부위 절개는(medial incision) 종양의 변연부에서 최소한 1cm 이상 떨어질 수 있도록 절개를 시행하여 절개 시 변연부에 종양이 남아 있지 않도록 한다. 만약 외음부 종양이 요도나 질벽을 침윤하고 있다면 종양 주변을 충분히 박리하여 병변을 외음부와 함께 포함될 수 있도록 충분히 박리 및 절개를 시행하여 병변이 침윤되어 있는 범위를 충분히 확인할 수 있도록 한다. 충분히 박리 후 절제된 조직은 망울체 해면체근(bulbocavernosus muscles)과 질어귀망울(vestibular bulb)을 포함할 수 있도록 충분하게 박리한다. 풍부한 혈관들 때문에 출혈들이 많이 있을 수 있어 절제 변연을 위한 피부 절개를 시행한 후부터 본인이 사용하기 편리한 열 혹은 전기기구 등을 사용하여 박리부위의 출혈을 최소화하며 원하는 만큼의 수술적 범위를 확보할 수 있도록 한다. 특히 음핵(클리토리스)에 풍부한 혈관공급이 있어 열기구나 전기기구만으로 지혈을 하지 말고 반드시 내부 음부 혈관을 포함한 주변 혈관들을 결찰하여 출혈의 위험성을 방지하도록 한다.[112,113,116]

③ 서혜대퇴 림프절절제술(inguino-femoral lymphadenectomy): 1mm 이상의 기질 침윤이 있는 T1 종양, 모든 T2와 T3 병변

병변이 소음순을 침범하고 있을 경우에는 양측 림프절절제술이 필요한데, 그 이유는 소음순 부위에는 아주 풍부한 림프배액관들이 있어 편측의 병변이라도 양측의 서혜대퇴 림프절로 전이가 발생할 수 있기 때문이다.[112,113,117]

최근의 서혜 부위의 박리는 양측에 각각의 절개를 넣어서 좌측 우측 각각 시행하는 것이 일반적인 술기이다.[112,113] 치골 결절(pubic tubercle) 앞 상부의 엉덩가시(anterior superior iliac spine)를 연결하는 선을 그리고 중앙으로부터 4/5 정도만큼의 선의 길이 만큼

절개를 한다. 이는 서혜주름(groin crease)으로부터 약 1cm 정도 상부에 서혜주름과 나란하게 주행한다. 서혜주름의 1cm 상방에서 절개를 시행하며 전상엉덩극(anterior superior iliac spine, ASIS) 방향으로 절개를 하여 ASIS 이전까지 절개를 확장한다. 외측 표재성휘돌이엉덩혈관(lateral superficial circumflex iliac vessels) 이전까지 외측 절개를 시행하도록 한다(그림 9-37). 발생학적 혹은 해부학전 연구를 바탕으로 Micheletti 등은 표재성 휘돌이 엉덩혈관들은 수술을 위한 주요한 바깥쪽 경계가 될 수 있다고 보고하였다.[118]

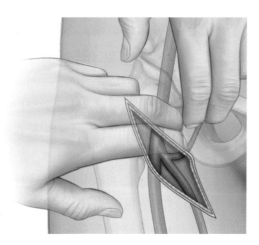

그림 9-37. 서혜 림프절 절제를 위한 피부 마킹(표지; Marking)

절개는 표피에서 피하층을 통해 표재 근막을 향해 시행된다. 캠퍼근막의 상부에 있는 피하지방층은 술 후 상처 회복을 위하여 반드시 보존한다. 서혜림프절은 대퇴삼각(femoral triangle) 위쪽에 위치한다. 절개 후 피하층과 근막은 절개된 이후 겸자를 이용하여 견인을 하며 당겨지며 지방 조직과 대퇴근막 사이를 박리하여 대퇴삼각을 확인할 수 있다(그림 9-38).

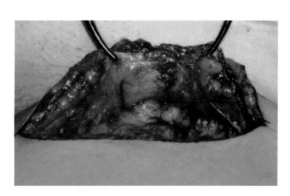

그림 9-38. 캠퍼 근막을 포셉(집게, 겸자; forcep)을 이용하여 들어올림

서혜인대 상방의 2cm 가량의 박리를 충분히 시행하여 모든 서혜 림프절을 박리할 수 있도록 시야를 확보한다. 보존하는 술자도 있으나 대부분은 두렁 정맥(saphenous vein)은 대퇴정맥의 진입 연결부에 해당하는 대퇴삼각의 꼭지점에서 결찰하여 출혈을 예방하며

림프절 절제를 위한 시야를 확보한다. 피부괴사를 막기 위해서 표재 근막 위에 있는 피하조직은 반드시 보존되어야 한다. 지방조직과 대퇴 림프절은 타원오목부위(fossa ovalis)로부터 제거될 수 있다(그림 9-39).

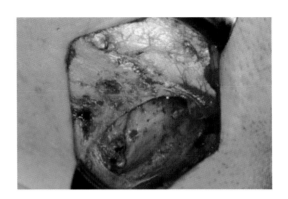

그림 9-39. 외음부

약 1~3개의 대퇴 림프절이 그 부위에 있고 이들 림프절들은 항상 타원오목부위의 대퇴정맥 중앙 쪽에 위치하고 있어 타원오목부위 근처의 혈관 주행에 관한 해부학적 정확한 지식과 주변 림프절의 위치를 정확하게 파악하는 것이 중요하다. 클로림프절(Cloquet's node)은 대퇴관(femoral canal) 위의 서혜 인대(inguinal ligament)를 상부(머리쪽)로 견인하여 위치를 확인해야 주요 림프절 절제의 범위와 충분성을 판정할 수 있으므로 중요하다. 충분한 변연과 범위의 림프절절제술이 완료된 이후에는 흡입 배액관을 수술 부위에 위치시키고 잘 고정시켜야 한다(그림 9-40B).

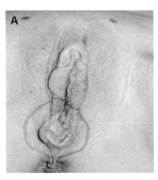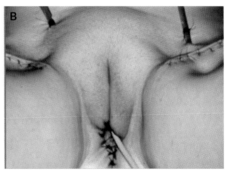

그림 9-40. **A** 외음부를 침범한 T1 병변. **B** 광범위 외음부 국소 절제술과 양측 서혜 림프절절제술을 시행한 모습

2) 큰 수술부위 결손의 재건(reconstruction of large defects)

대부분의 경우에 있어 외음부암은 주변 조직 피부와 피하조직의 유연성이 있고 잘 늘어나서 일차봉합이 가능하다. 일차봉합의 어려움은 대개 원발 종양의 크기가 아주 커서 수술 부위의 결손이 아주 넓을 때 예를 들면 전체 회음부를 차지하고 있거나 불두덩까지 퍼져 있는 종양, 이전의 수술 혹은 방사선치료를 하여 조직의 유연성이 떨어져 있는

경우 등에 있어 생길 수 있다. 이러한 경우에 다양한 방법으로 피부 이식 혹은 이차치유 (secondary intention)의 방법으로 봉합을 시도한다. 피부이식은 수술 이후에 전단력(shearing forces)를 최소화하고 감염을 방지하는 것이 아주 중요하고 어려운 문제이다. 이식 후 감염과 보행하며 생기는 작고 큰 전단력에 따른 지연 상처회복 혹은 이식판 소실(graft loss) 등도 흔히 발생하게 된다. 이식판의 구축(contractures)은 장기적인 문제로 보고되며, 구축이 요도 주변이거나 질 입구(전정)에 위치한 경우에는 소변기능이나 성관계의 어려움 등의 문제로 연결될 수 있다. 피판(flaps)은 근표피(myocutaneous), 근막표피(fasciocutaneous) 혹은 유리피판(free flaps)을 사용하는 방법이 질환의 상태에 따라 적용되어질 수 있다.[112,113]

① 전진, 회전, 자리옮김 피판(advancement, rotation and transposition flaps)

국소피판(local flaps)은 원발수술부위의 범위가 커서 일차 봉합이 어렵거나 상처의 회복 이후 구축 등으로 운동성이 떨어지거나, 미용적으로 좋지 않을 가능성이 많을 때 적용 될 수 있다. 부인종양학 의사들이 주로 이러한 과정의 수술의 결정과 관리를 시행한다. 피판을 디자인할 때는 아래의 주요 주의점을 확인하는 것이 중요하다:

i. 원발 병소에 세심한 지혈은 반드시 시행한다.

ii. 이식될 피판에는 충분한 혈액의 공급이 될 수 있어야 한다. 모든 피판의 미세혈관의 공급은 흡연, 당뇨, 이전수술, 혈관질환 혹은 이전의 방사선치료등의 인자들에 의해 악화될 수 있으므로 여러 가지 인자들을 고려하여 피판의 크기와 모양을 결정하고 이전 방사선치료를 받은 피부의 경우 피판으로 사용하지 않도록 디자인한다.

iii. 수술 후 환자의 자세에서 중요한 점은 피판이 이식되고 봉합된 선상에 최소한의 가동성 및 견인력 및 인장력이 미칠 수 있는 자세 및 움직임을 제한하는 것이 좋다.

iv. 피판 공여부위(donor site)는 반드시 긴장 없이 봉합되어야 한다. 이를 위해서는 피부는 유연하고 잘 늘어날 수 있는 부위여야 가장 좋은 결과를 만들어 낼 수 있다. 이를 평가하는 방법으로 'pinch test'가 사용되고 적용되어 질 수 있다

v. 이식될 피판은 결손 부위를 장력없이, 과도한 각도의 회전 없이 시행되어야 한다. 피판의 디자인(모양)은 피부의 윤곽, 각도, 길이를 충분히 포함할 수 있도록 조정하여야 한다.

vi. 어떤 피판은 특정의 국소 동맥의 공급을 받아야 될 수도 있으나 대부분의 피판은 근피 관통동맥의 분지(musculocutaneous perforators)를 통하여 혈류를 공급받을 수 있다.

② 전진 피판(advancement flaps)

전진 피판법들은 시술이 비교적 쉽고, 안전하고 믿을 만한 결과를 많이 보여주고 있으나, 부인암 영역에서는 많이 사용되고 있지는 않다. 외음부 혹은 항문 주변부의 수술 이후 결손 부위에 있어 주변 피부의 유연성과 이완성이 있는 경우에 있는 여성에 있어 고려되어 질 수 있는데 흔히 사용되는 방법으로는 'the V-Y flap'으로 V 형태의 결손 부위를 Y 형태로 당겨 봉합하는 법으로 적용이 될 수 있다(그림 9-41).[119]

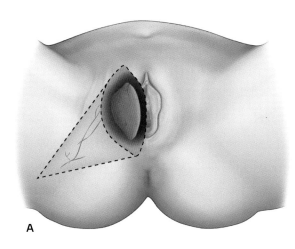
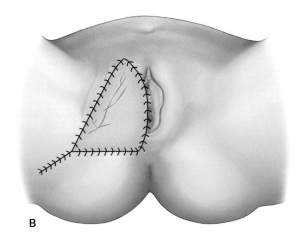

그림 9-41. V-Y 전진 대둔 주름 피판

A 조직결손(회색영역)과 피판 디자인(작도)(점선 안쪽)을 대둔주름 부분에서 V 형태로 점선형태로 작성됨, **B** 수술이 시행되어 외음부 피판이 V-Y 형태로 결손 부위를 봉합한 형태의 수술 후 모습

삼각형의 길이는 대개 1.5~2배 정도의 결손 부위를 해결할 수 있다. 피판이식의 성공을 위해 풍부한 피하조직의 가동성 확보와 피판 주변부를 잘 다듬어야 하며 피판의 꼬리('tail' of the flap)를 형성시키는 것이 필요하다. 모든 것이 완성된 이후 피판 공여부위의 결손은 Y형태 혹은 연 형태(kite-shaped)의 패턴으로 봉합될 수 있다.

③ 자리옮김(전위)와 회전 피판(transposition and rotation flaps)

이들은 회음부의 측부와 앞쪽 결손에 있어 아주 광범위하고 많이 사용되고 적용된다.

i. 마름모 피판(rhomboid flap)

마름모 피판은 아래쪽의 작은 병변의 결손 부위를 봉합하는 가장 흔한 피판법이다. 이는 평행사변형(parallelogram)의 형태로 이뤄지며 동변의 삼각형의 각도가 두 개의 60° 각도와 두개의 120° 각도를 이룬다(그림 9-42). 주변부위의 아주 좋은 조직 유연성과 늘어남을 바탕으로 이식부위의 결손 부위를 충분하게 덮고 봉합이 되어질 수 있다(그림 9-42).[120]

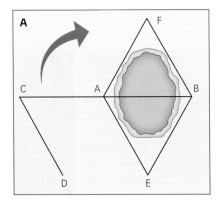
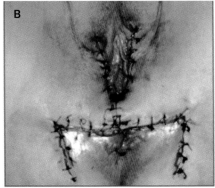

그림 9-42. **A** 마름모 피판의 개략표현(schematic representation of a rhomboid flap, AB=AC), **B** 양측 마름모 피판술을 시행하여 큰 회음 결손 부위를 봉합한 모습(completed bilateral rhomboid flaps to close a large perineal defect)

ii. 로터스 피판(lotus flap)

다양한 형태의 로터스 피판과 변형 로터스 피판(modified lotus flaps)이 최근 보고되고 있다. 회음부위는 혈관 공급이 내음부 혈관(internal pudendal vessels)의 분지로부터 풍부하게 공급이 되기 때문에 다양한 방법의 피판들이 성공적으로 적용되고 있다. Yii와 Niranjan 등은 1996년에 연 꽃입 형태의 근막 피부판(lotus petal fasciocutaneous flap)을 보고하였다.[121] 이 피판은 깊은 천공지(perforators)들과 근막층을 포함하는 세심한 박리를 필요로 한다. 2005년에는 Warrier와 Kimble이 근막층을 포함시키지 않는 방법으로 변형하여 피판의 움직임과 시술의 편리함을 보고하였다.[122] 이 피판은 수술로 결손된 주변에서 디자인되어 병변 부위를 충분히 덮을 수 있을 정도로 공급 혈관을 따로 확인하고 박리하지 않는 방법으로 시행될 수 있다. 피판의 너비는 반드시 결손된 병변의 너비와 일치되어야 하고 결손 병변의 가장 아랫부분을 회전축으로 회전하여 결손 부위로 피판을 옮겨야만 한다(그림 9-43).

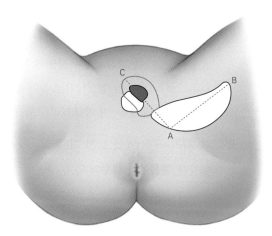

그림 9-43. 로터스 페탈 피판의 개략표현(Schematic representation of lotus petal flap, AB=AC)

피판의 길이는 결손 부위의 길이와 유사한 길이로 알맞게 디자인하고 필요시 당기거나 회전시킬 수 있어야 한다. 이들 피판들은 튼튼하며, 시행이 간편하고 미용적으로도 아주 뛰어난 결과들을 보이고 있다(그림 9-44B).

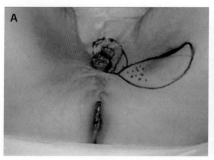
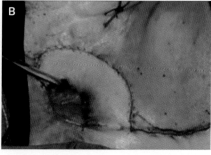

그림 9-44. **A** 이전 광범위 외음절제술 이후 재발된 외음암(recurrent vulvar cancer following previous radical vulvectomy), **B** 변형 로터스 피판을 이용하여 이전 수술로 발생된 피부 구축을 풀어주며 결손 부위를 봉합하여 메움

다른 근막표피 피판은 대부분 공급되는 동맥의 주행과 주변부의 조직을 포함한 디자인으로 사용되어 왔다. 서혜부 피판은 SEPA (superficial external pudendal artery)와 SCIA (superficial circumflex iliac artery)의 주행과 혈관 공급 부위를 기준으로 만들어진 디자인을 사용해왔다.[123] 이들 피판은 서혜 부위 림프절절제술이 시행되어질 때 혈액 공급이 악화될 수 있어 사용이 제한될 수 있다.

iii. 근표피 피판(myocutaneous flaps)

근표피 피판은 아주 큰 원발 병소 혹은 재발성 외음부 암의 수술 이후 넓은 결손 부위를 위해 사용될 수 있다. 많이 사용되는 3가지의 피판은 두덩정강근(gracilis), 대퇴근막긴장근(tensor fasciae lata)과 배곧은근(rectus abdominis myocutaneous, RAM)을 사용하는 피판들이다.

(ㄱ) 두덩정강근육피부판은(gracilis myocutaneous flap)

깊은 대퇴동맥(deep femoral artery)의 분지인 내측대퇴휘돌이동맥(medial femoral circumflex artery)으로부터 혈액을 공급받으므로 이 혈관의 보존은 아주 중요하다. 이 혈관은 긴모음근과 단모음근(adductor longus and brevis muscles) 사이에서 나오므로 근 주행의 해부학적 구조를 확인 후 혈관을 확인하도록 한다. 두덩정강근육(gracilis) 근위부 위의 피부는 혈관공급이 풍부하므로 박리되어 섬피판 피부(skin island)의 형태로 사용될 수 있다. 이 피판은 90~180°의 넓은 범위의 회전과 필요시 터널하여 위치 이전도 가능한 장점을 가지고 있어 서혜와 회음부의 결손 부위를 위한 방법으로 흔히 이용되고 있다(그림 9-45B).

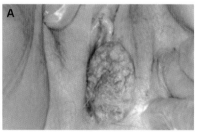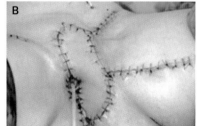

그림 9-45. **A** 원위 질 부위까지 침윤된 큰 좌측 외음부암. **B** 두덩정강근 피판(gracilis myocutaneous graft)을 이용한 결손 부위 봉합

(ㄴ) 배곧은근육피판(RAM flaps)

서혜부위와 외음부 수술 및 골반장기적출술에 따른 질 부위 재건의 영역에서 많이 사용되어져 왔다.[124] 배곧은근육피판(RAM flaps)은 상부 혹은 하부 배벽혈관(superior or inferior epigastric vessels)을 포함하여 디자인되고 박리되어 사용된다. 가장 흔한 형태는 원위 기저 배곧은 근육피판(distally based RAM flap)으로 이는 아주 많은 가동력과 범위를 보이며 다양한 범위의 결손 부위에 적용이 될 수 있으나 아주 넓은 복부의 절개범위와 큰 수술 반흔이 발생하는 단점도 갖고 있다.

(ㄷ) 대퇴근막 긴장근육피판(tensor fasciae lata flap)

최근 사용이 많이 줄고 있는데 이는 다른 방법의 피판들이 대부분의 경우에서 보다 효과적이고 쉽게 적용이 될 수 있기 때문이다. 이 방법은 공여부위의 결손의 원발 봉합이 어려우며, 반흔이 크고 흉하게 보일 수 있으며, 무릎관절부위의 움직임이 불안정할 수 있다는 단점이 있다. 하지만 방사선을 시행받은 서혜 지역의 림프절절제술이 시행된 환자의 결손 부위를 위한 유용한 방법으로 적용될 수 있다(그림 9-46).

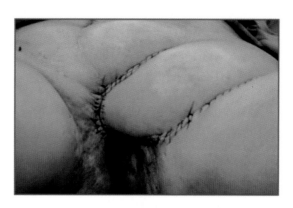

그림 9-46. 이전 방사선치료를 시행받고 서혜부위 재발된 외음부암의 수술 이후 결손 부위를 대퇴근막 긴장근 피판(tensor fasciae lata graft)을 이용하여 봉합

수술 후 관리 및 합병증

나이와 내과적 여러 조건을 고려하더라도 외음부 암의 수술은 대부분의 경우에 있어서 환자들은 수술 및 회복과정에서 큰 어려움을 겪지 않고 수술 후 회복과정을 보내게 된다. 그러나 수술 후의 사망률은 약 1~2% 정도 추측되고 보고되는데 이는 대개 폐색전증과 심근경색증의 경우가 가장 흔히 보고된다. 외음부 수술 환자들은 수술 후 첫날부터 식이를 시작하며 대변을 부드럽게 할 수 있는 약제들을 같이 시작하는 것이 좋다. 침상안정은 2~3일 정도 권해지는데 이는 외음 수술부위를 가급적 많이 움직이지 않도록 하여 상처가 치유회복과정 이전에 불필요한 긴장과 견인이 많이 생기지 않도록 하여 창상치유를 촉진할 수 있다. 피하 헤파린 주사와 종아리 공기압압박기(pneumatic calf compressors)는 심부정맥혈전증을 예방하기 위하여 반드시 시행되는 것이 좋다. 회음부의 관리는 환자가 완전한 운동과 움직임을 할 수 있을 때까지 좌욕 혹은 월풀요법(whirlpool therapy) 또한 좋은 관리법일 수 있고 이후 회음부를 드라이기 등을 이용하여 잘 말려주는 것이 좋다. 흡입 배액관을 각각의 서혜수술 부위에 위치하고 5~7일간 유치하며 배액량과 성상을 관리하여 제거를 결정하는 것이 서혜 부위의 장액종 발생의 위험을 줄여줄 수 있다. 방광 도뇨관은 환자가 아주 잘 보행할 수 있을 때까지 유지하는 것이 좋다.[112,113]

참고문헌

1 Wertheim E. Zur Frage der Radicaloperation beim Uteruskrebs. Archiv für Gynäkologie 1900;61:627-68.

2 Latzko W, Schiffmann J. Klinisches und Anatomisches zur Radikaloperation des Gebarmutterkrebses. Zbl Gynakol 1919;34:589-705.

3 Peham H, Amreich I. Operative gynecology. Philadelphia: Lippincott; 1934.

4 Schauta F. Die Operation des Gebärmutterkrebses mittels des Schuchardtschen Paravaginalschnittes. Montasschr Z Geburtschilfe Gynakol 1902;15:133-52.

5 Schauta F. Die erweiterte vaginale Totalexstirpation des Uterus bei Kollumkarzinom. Wien: Safár; 1908.

6 Meigs J. Carcinoma of the cervix;The wertheim operation. Surg. Gynec. & Obst. 1944;78:195-9.

7 Meigs J. The Wertheim operation for carcinoma of the cervix. American Journal of Obstetrics and Gynecology 1945;49:542-53.

8 Meigs J. SURGICAL treatment of cancer of the cervix. New York: Grune & Stratton Real Academia Nacional de Medicina; 1954.

9 Brunschwig A, Daniel W. Total and anterior pelvic exenteration. I. Report of results based upon 315 operations. Surg Gynecol Obstet 1954;99:324-30.

10 Piver MS, Rutledge F, Smith JP. Five classes of extended hysterectomy for women with cervical cancer. Obstet Gynecol 1974;44:265-72.

11 Querleu D, Morrow CP. Classification of radical hysterectomy. Lancet Oncol 2008;9:297-303.

12 Fujii S, Takakura K, Matsumura N, Higuchi T, Yura S, Mandai M, et al. Anatomic identification and functional outcomes of the nerve sparing Okabayashi radical hysterectomy. Gynecol Oncol 2007;107:4-13.

13 Dargent D, Mathevet P. Schauta's vaginal hysterectomy combined with laparoscopic lymphadenectomy. Baillieres Clin Obstet Gynaecol 1995;9:691-705.

14 Berek JS, Hacker NF. Berek & Hacker's gynecologic oncology. 6th edition ed. Philadelphia: Wolters Kluwer Health; 2014.

15 Berek JS, Novak E. Berek and Novak's gynecology. Sixteenth edition ed. Philadelphia: Lippincott Williams & Wilkins; 2019.

16 Wertheim E. The extended abdominal operation for carcinoma uteri: based on 500 operated cases (Gradd H transl.). Am J Obstet Gynecol Dis Women Child 1912;66:169-232.

17 Cibula D, Abu-Rustum NR, Benedetti-Panici P, Kohler C, Raspagliesi F, Querleu D, et al. New classification system of radical hysterectomy: emphasis on a three-dimensional anatomic template for parametrial resection. Gynecol Oncol 2011;122:264-8.

18 Querleu D, Cibula D, Abu-Rustum NR. 2017 Update on the Querleu-Morrow Classification of Radical Hysterectomy. Ann Surg Oncol 2017;24:3406-12.

19 Hockel M. Laterally extended endopelvic resection: surgical treatment of infrailiac pelvic wall recurrences of gynecologic malignancies. Am J Obstet Gynecol 1999;180:306-12.

20 Jones HW, Rock JA. Te Linde's operative gynecology. Eleventh edition ed. Philadelphia: Wolters Kluwer; 2015.

21 http://seer.cancer.gov/csr/1975_2010/browse_csr.php?sectionSEL=5&pageSEL=-

sect_05_table.07.html (Accessed on March 12, 2014).

22 Lim MC, Won YJ, Ko MJ, Kim M, Shim SH, Suh DH, et al. Incidence of cervical, endometrial, and ovarian cancer in Korea during 1999–2015. J Gynecol Oncol 2019;30:e38.

23 http://www.seer.cancer.gov/statfacts/html/cervix.html. (Accessed on September 07, 2011).

24 Sonoda Y, Abu-Rustum NR, Gemignani ML, Chi DS, Brown CL, Poynor EA, et al. A fertility-sparing alternative to radical hysterectomy: how many patients may be eligible? Gynecol Oncol 2004;95:534–8.

25 Abu-Rustum NR, Sonoda Y. Fertility-sparing surgery in early-stage cervical cancer: indications and applications. J Natl Compr Canc Netw 2010;8:1435–8.

26 Bhosale PR, Iyer RB, Ramalingam P, Schmeler KM, Wei W, Bassett RL, et al. Is MRI helpful in assessing the distance of the tumour from the internal os in patients with cervical cancer below FIGO Stage IB2? Clin Radiol 2016;71:515–22.

27 Dargent D, Burn JL, Roy M, Remi I. Pregnancies following radical trachelectomy for invasive cervical cancer. Gynecol Oncol 1994;52:105. (Abstract).

28 Xu L, Sun FQ, Wang ZH. Radical trachelectomy versus radical hysterectomy for the treatment of early cervical cancer: a systematic review. Acta Obstet Gynecol Scand 2011;90:1200–9.

29 Israfil-Bayli F, Toozs-Hobson P, Lees C, Slack M, Ismail KM. Pregnancy outcome after elective cervical cerclage in relation to type of suture material used. Med Hypotheses 2013;81:119–21.

30 Nick AM, Frumovitz MM, Soliman PT, Schmeler KM, Ramirez PT. Fertility sparing surgery for treatment of early-stage cervical cancer: open vs. robotic radical trachelectomy. Gynecol Oncol 2012;124:276–80.

31 Pareja R, Rendon GJ, Sanz-Lomana CM, Monzon O, Ramirez PT. Surgical, oncological, and obstetrical outcomes after abdominal radical trachelectomy – a systematic literature review. Gynecol Oncol 2013;131:77–82.

32 Zhang Q, Li W, Kanis MJ, Qi G, Li M, Yang X, et al. Oncologic and obstetrical outcomes with fertility-sparing treatment of cervical cancer: a systematic review and meta-analysis. Oncotarget 2017;8:46580–92.

33 Plante M, Renaud MC, Francois H, Roy M. Vaginal radical trachelectomy: an oncologically safe fertility-preserving surgery. An updated series of 72 cases and review of the literature. Gynecol Oncol 2004;94:614–23.

34 Roy M, Plante M. Pregnancies after radical vaginal trachelectomy for early-stage cervical cancer. Am J Obstet Gynecol 1998;179:1491–6.

35 Steed H, Covens A. Radical vaginal trachelectomy and laparoscopic pelvic lymphadenopathy for preservation of fertility. Postgrad Obstet Gynecol 2003;23:1.

36 Covens A. Preserving fertility in early stage cervical cancer with radical trachelectomy. Contemp Obstet Gynecol 2003;48:46–66.

37 Shepherd JH, Spencer C, Herod J, Ind TE. Radical vaginal trachelectomy as a fertility-sparing procedure in women with early-stage cervical cancer–cumulative pregnancy rate in a series of 123 women. Bjog 2006;113:719–24.

38 Hertel H, Kohler C, Grund D, Hillemanns P, Possover M, Michels W, et al. Radical vaginal trachelectomy (RVT) combined with laparoscopic pelvic lymphadenectomy: prospective multicenter study of 100 patients with early cervical cancer. Gynecol Oncol 2006;103:506–11.

39   Dargent D, Martin X, Sacchetoni A, Mathevet P. Laparoscopic vaginal radical trachelectomy: a treatment to preserve the fertility of cervical carcinoma patients. Cancer 2000;88:1877-82.

40   Mathevet P, Laszlo de Kaszon E, Dargent D.[Fertility preservation in early cervical cancer]. Gynecol Obstet Fertil 2003;31:706-12.

41   Diaz JP, Sonoda Y, Leitao MM, Zivanovic O, Brown CL, Chi DS, et al. Oncologic outcome of fertility-sparing radical trachelectomy versus radical hysterectomy for stage IB1 cervical carcinoma. Gynecol Oncol 2008;111:255-60.

42   Wethington SL, Cibula D, Duska LR, Garrett L, Kim CH, Chi DS, et al. An international series on abdominal radical trachelectomy: 101 patients and 28 pregnancies. Int J Gynecol Cancer 2012;22:1251-7.

43   Burnett AF, Roman LD, O'Meara AT, Morrow CP. Radical vaginal trachelectomy and pelvic lymphadenectomy for preservation of fertility in early cervical carcinoma. Gynecol Oncol 2003;88:419-23.

44   Schlaerth JB, Spirtos NM, Schlaerth AC. Radical trachelectomy and pelvic lymphadenectomy with uterine preservation in the treatment of cervical cancer. Am J Obstet Gynecol 2003;188:29-34.

45   Kim CH, Abu-Rustum NR, Chi DS, Gardner GJ, Leitao MM, Jr., Carter J, et al. Reproductive outcomes of patients undergoing radical trachelectomy for early-stage cervical cancer. Gynecol Oncol 2012;125:585-8.

46   Zullo MA, Manci N, Angioli R, Muzii L, Panici PB. Vesical dysfunctions after radical hysterectomy for cervical cancer: a critical review. Crit Rev Oncol Hematol 2003;48:287-93.

47   Pieterse QD, Maas CP, ter Kuile MM, Lowik M, van Eijkeren MA, Trimbos JB, et al. An observational longitudinal study to evaluate miction, defecation, and sexual function after radical hysterectomy with pelvic lymphadenectomy for early-stage cervical cancer. Int J Gynecol Cancer 2006;16:1119-29.

48   Barnes W, Waggoner S, Delgado G, Maher K, Potkul R, Barter J, et al. Manometric characterization of rectal dysfunction following radical hysterectomy. Gynecol Oncol 1991;42:116-9.

49   Laterza RM, Sievert KD, de Ridder D, Vierhout ME, Haab F, Cardozo L, et al. Bladder function after radical hysterectomy for cervical cancer. Neurourol Urodyn 2015;34:309-15.

50   Kim HS, Kim M, Luo Y, Lee M, Song YS. Favorable factors for preserving bladder function after nerve-sparing radical hysterectomy: A protocol-based validation study. J Surg Oncol 2017;116:492-9.

51   Basaran D, Dusek L, Majek O, Cibula D. Oncological outcomes of nerve-sparing radical hysterectomy for cervical cancer: a systematic review. Ann Surg Oncol 2015;22:3033-40.

52   Ditto A, Martinelli F, Mattana F, Reato C, Solima E, Carcangiu M, et al. Class III nerve-sparing radical hysterectomy versus standard class III radical hysterectomy: an observational study. Ann Surg Oncol 2011;18:3469-78.

53   Kietpeerakool C, Aue-Aungkul A, Galaal K, Ngamjarus C, Lumbiganon P. Nerve-sparing radical hysterectomy compared to standard radical hysterectomy for women with early stage cervical cancer (stage Ia2 to IIa). Cochrane Database Syst Rev 2019;2:Cd012828.

54   ACOG Practice Bulletin No. 89. Elective and risk-reducing salpingo-oophorecto-

my. Obstet Gynecol 2008;111:231-41.

55 Canis M, Mage G, Pouly JL, Wattiez A, Manhes H, Bruhat MA. Laparoscopic diagnosis of adnexal cystic masses: a 12-year experience with long-term follow-up. Obstet Gynecol 1994;83:707-12.

56 Medeiros LR, Rosa DD, Bozzetti MC, Fachel JM, Furness S, Garry R, et al. Laparoscopy versus laparotomy for benign ovarian tumour. Cochrane Database Syst Rev 2009:Cd004751.

57 Mol F, van Mello NM, Strandell A, Strandell K, Jurkovic D, Ross J, et al. Salpingotomy versus salpingectomy in women with tubal pregnancy (ESEP study): an open-label, multicentre, randomised controlled trial. Lancet 2014;383:1483-9.

58 Workowski KA, Bolan GA. Sexually transmitted diseases treatment guidelines, 2015. MMWR Recomm Rep 2015;64:1-137.

59 Peters A, Wang K, Smith NM. Enhanced Recovery after Surgery (ERAS) Outcomes in Minimally Invasive Non-hysterectomy Gynecologic Procedures. J Minim Invasive Gynecol 2018;25:Sup1 S49.

60 Meltomaa SS, Taalikka MO, Helenius HY, Makinen JI. Complications and long-term outcomes after adnexal surgery by laparotomy and laparoscopy. J Am Assoc Gynecol Laparosc 1999;6:463-9.

61 Papadia A, Remorgida V, Salom EM, Ragni N. Laparoscopic pelvic and paraaortic lymphadenectomy in gynecologic oncology. J Am Assoc Gynecol Laparosc 2004;11:297-306.

62 Cosin JA, Fowler JM, Chen MD, Paley PJ, Carson LF, Twiggs LB. Pretreatment surgical staging of patients with cervical carcinoma: the case for lymph node debulking. Cancer 1998;82:2241-8.

63 Gold MA, Tian C, Whitney CW, Rose PG, Lanciano R. Surgical versus radiographic determination of para-aortic lymph node metastases before chemoradiation for locally advanced cervical carcinoma: a Gynecologic Oncology Group Study. Cancer 2008;112:1954-63.

64 Whitney CW, Spirtos N. Gynecologic Oncology Group Surgical Procedures Manual. Gynecologic Oncology Group 2010;Philadelphia.

65 Tse KY, Ngan HY. The role of laparoscopy in staging of different gynaecological cancers. Best Pract Res Clin Obstet Gynaecol 2015;29:884-95.

66 Walker JL, Piedmonte MR, Spirtos NM, Eisenkop SM, Schlaerth JB, Mannel RS, et al. Laparoscopy compared with laparotomy for comprehensive surgical staging of uterine cancer: Gynecologic Oncology Group Study LAP2. J Clin Oncol 2009;27:5331-6.

67 Kumar S, Al-Wahab Z, Sarangi S, Woelk J, Morris R, Munkarah A, et al. Risk of postoperative venous thromboembolism after minimally invasive surgery for endometrial and cervical cancer is low: a multi-institutional study. Gynecol Oncol 2013;130:207-12.

68 Chang DW, Suami H, Skoracki R. A prospective analysis of 100 consecutive lymphovenous bypass cases for treatment of extremity lymphedema. Plast Reconstr Surg 2013;132:1305-14.

69 Campisi C, Bellini C, Campisi C, Accogli S, Bonioli E, Boccardo F. Microsurgery for lymphedema: clinical research and long-term results. Microsurgery 2010;30:256-60.

70 외과학 제 2판. 대한외과학회 2017:1668~9.

71   Marschall MA, Cohen M. The use of greater omentum in reconstructive surgery. Surg Annu 1994;26:251-68.

72   Samson R, Pasternak BM. Current status of surgery of the omentum. Surg Gynecol Obstet 1979;149:437-42.

73   Berek JS. Ovarian, Fallopian Tube, and Peritoneal Cancer. Berek and Novak's gynecology. 16th Edition 2019:1097.

74   Rock JA. Ovarian Cancer. Te Linde's operative gynecology. 10th Edition 2008:1322.

75   Aarts JW, Nieboer TE, Johnson N, Tavender E, Garry R, Mol BW, et al. Surgical approach to hysterectomy for benign gynaecological disease. Cochrane Database Syst Rev 2015:Cd003677.

76   Walker JL, Piedmonte MR, Spirtos NM, Eisenkop SM, Schlaerth JB, Mannel RS, et al. Recurrence and survival after random assignment to laparoscopy versus laparotomy for comprehensive surgical staging of uterine cancer: Gynecologic Oncology Group LAP2 Study. J Clin Oncol 2012;30:695-700.

77   Nam JH, Park JY, Kim DY, Kim JH, Kim YM, Kim YT. Laparoscopic versus open radical hysterectomy in early-stage cervical cancer: long-term survival outcomes in a matched cohort study. Ann Oncol 2012;23:903-11.

78   Janda M, Gebski V, Davies LC, Forder P, Brand A, Hogg R, et al. Effect of Total Laparoscopic Hysterectomy 대 Total Abdominal Hysterectomy on Disease-Free Survival Among Women With Stage I Endometrial Cancer: A Randomized Clinical Trial. Jama 2017;317:1224-33.

79   Ramirez PT, Frumovitz M, Pareja R, Lopez A, Vieira M, Ribeiro R, et al. Minimally Invasive versus Abdominal Radical Hysterectomy for Cervical Cancer. N Engl J Med 2018;379:1895-904.

80   Bergmark K, Avall-Lundqvist E, Dickman PW, Henningsohn L, Steineck G. Vaginal changes and sexuality in women with a history of cervical cancer. N Engl J Med 1999;340:1383-9.

81   Bodurtha Smith AJ, Fader AN, Tanner EJ. Sentinel lymph node assessment in endometrial cancer: a systematic review and meta-analysis. Am J Obstet Gynecol 2017;216:459-76.e10.

82   Pakish JB, Lu KH, Sun CC, Burzawa JK, Greisinger A, Smith FA, et al. Endometrial Cancer Associated Symptoms: A Case-Control Study. J Womens Health (Larchmt) 2016;25:1187-92.

83   Park JY. Hysteroscopy in fertility-sparing management for early endometrial cancer: a double-edged sword. J Gynecol Oncol 2017;28:e16.

84   Dueholm M, Hjorth IM. Structured imaging technique in the gynecologic office for the diagnosis of abnormal uterine bleeding. Best Pract Res Clin Obstet Gynaecol 2017;40:23-43.

85   van Hanegem N, Prins MM, Bongers MY, Opmeer BC, Sahota DS, Mol BW, et al. The accuracy of endometrial sampling in women with postmenopausal bleeding: a systematic review and meta-analysis. Eur J Obstet Gynecol Reprod Biol 2016;197:147-55.

86   Radwan P, Radwan M, Polac I, Wilczynski JR. Detection of intracavitary lesions in 820 infertile women: comparison of outpatient hysteroscopy with histopathological examination. Ginekol Pol 2013;84:857-61.

87   Sousa R, Silvestre M, Almeida e Sousa L, Falcao F, Dias I, Silva T, et al. Transvaginal ultrasonography and hysteroscopy in postmenopausal bleeding: a prospective

study. Acta Obstet Gynecol Scand 2001;80:856–62.

88 Symonds I. Ultrasound, hysteroscopy and endometrial biopsy in the investigation of endometrial cancer. Best Pract Res Clin Obstet Gynaecol 2001;15:381–91.

89 Clark TJ, Voit D, Gupta JK, Hyde C, Song F, Khan KS. Accuracy of hysteroscopy in the diagnosis of endometrial cancer and hyperplasia: a systematic quantitative review. Jama 2002;288:1610–21.

90 Dueholm M, Hjorth IM, Secher P, Jorgensen A, Ortoft G. Structured Hysteroscopic Evaluation of Endometrium in Women With Postmenopausal Bleeding. J Minim Invasive Gynecol 2015;22:1215–24.

91 Egarter C, Krestan C, Kurz C. Abdominal dissemination of malignant cells with hysteroscopy. Gynecol Oncol 1996;63:143–4.

92 Obermair A, Geramou M, Gucer F, Denison U, Graf AH, Kapshammer E, et al. Does hysteroscopy facilitate tumor cell dissemination? Incidence of peritoneal cytology from patients with early stage endometrial carcinoma following dilatation and curettage (D & C) versus hysteroscopy and D & C. Cancer 2000;88:139–43.

93 Bradley WH, Boente MP, Brooker D, Argenta PA, Downs LS, Judson PL, et al. Hysteroscopy and cytology in endometrial cancer. Obstet Gynecol 2004;104:1030–3.

94 Takac I, Zegura B. Office hysteroscopy and the risk of microscopic extrauterine spread in endometrial cancer. Gynecol Oncol 2007;107:94–8.

95 Lo KW, Cheung TH, Yim SF, Chung TK. Hysteroscopic dissemination of endometrial carcinoma using carbon dioxide and normal saline: a retrospective study. Gynecol Oncol 2002;84:394–8.

96 Baker VL, Adamson GD. Threshold intrauterine perfusion pressures for intraperitoneal spill during hydrotubation and correlation with tubal adhesive disease. Fertil Steril 1995;64:1066–9.

97 Leveque J, Goyat F, Dugast J, Loeillet L, Grall JY, Le Bars S. Contracept Fertil Sex 1998;26:865–8.

98 Polyzos NP, Mauri D, Tsioras S, Messini CI, Valachis A, Messinis IE. Intraperitoneal dissemination of endometrial cancer cells after hysteroscopy: a systematic review and meta-analysis. Int J Gynecol Cancer 2010;20:261–7.

99 Chang YN, Zhang Y, Wang YJ, Wang LP, Duan H. Effect of hysteroscopy on the peritoneal dissemination of endometrial cancer cells: a meta-analysis. Fertil Steril 2011;96:957–61.

100 de Sousa Damiao R, Lopes RG, Dos Santos ES, Lippi UG, da Fonseca EB. Evaluation of the risk of spreading endometrial cell by hysteroscopy: a prospective longitudinal study. Obstet Gynecol Int 2009;2009:397079.

101 Selvaggi L, Cormio G, Ceci O, Loverro G, Cazzolla A, Bettocchi S. Hysteroscopy does not increase the risk of microscopic extrauterine spread in endometrial carcinoma. Int J Gynecol Cancer 2003;13:223–7.

102 Biewenga P, de Blok S, Birnie E. Does diagnostic hysteroscopy in patients with stage I endometrial carcinoma cause positive peritoneal washings? Gynecol Oncol 2004;93:194–8.

103 Kudela M, Pilka R. Is there a real risk in patients with endometrial carcinoma undergoing diagnostic hysteroscopy (HSC)? Eur J Gynaecol Oncol 2001;22:342–4.

104 Soucie JE, Chu PA, Ross S, Snodgrass T, Wood SL. The risk of diagnostic hysteroscopy in women with endometrial cancer. Am J Obstet Gynecol 2012;207:71.e1–5.

105 Dvorska M, Driak D, Svandova I, Sehnal B, Holy P, Benkova K, et al.[Significance

of hysteroscopic resection in diagnostics of endometrial cancer]. Ceska Gynekol 2010;75:105–8.

106 Dovnik A, Crnobrnja B, Zegura B, Takac I, Pakiz M. Incidence of positive peritoneal cytology in patients with endometrial carcinoma after hysteroscopy vs. dilatation and curettage. Radiol Oncol 2017;51:88–93.

107 Chen J, Clark LH, Kong WM, Yan Z, Han C, Zhao H, et al. Does hysteroscopy worsen prognosis in women with type II endometrial carcinoma? PLoS One 2017;12:e0174226.

108 Alonso S, Castellanos T, Lapuente F, Chiva L. Hysteroscopic surgery for conservative management in endometrial cancer: a review of the literature. Ecancermedicalscience 2015;9:505.

109 Laurelli G, Falcone F, Gallo MS, Scala F, Losito S, Granata V, et al. Long-Term Oncologic and Reproductive Outcomes in Young Women With Early Endometrial Cancer Conservatively Treated: A Prospective Study and Literature Update. Int J Gynecol Cancer 2016;26:1650–7.

110 Wang F, Yu A, Xu H, Zhang X, Li L, Lou H, et al. Fertility Preserved Hysteroscopic Approach for the Treatment of Stage Ia Endometrioid Carcinoma. Int J Gynecol Cancer 2017;27:1919–25.

111 Fan Z, Li H, Hu R, Liu Y, Liu X, Gu L. Fertility-Preserving Treatment in Young Women With Grade 1 Presumed Stage IA Endometrial Adenocarcinoma: A Meta-Analysis. Int J Gynecol Cancer 2018;28:385–93.

112 Berek J, S. Vulvar cancer. Berek and Novak's gynecology. 16th Edition 2019:1143–56.

113 Rock JA. Malignancyie of the Vulvar. Te Linde's operative gynecology. 10th Edition 2008:1322.

114 von Gruenigen VE, Gibbons HE, Gibbins K, Jenison EL, Hopkins MP. Surgical treatments for vulvar and vaginal dysplasia: a randomized controlled trial. Obstet Gynecol 2007;109:942–7.

115 Abell DA. Simple vulvectomy--a 10-year review. Aust N Z J Obstet Gynaecol 1973;13:8–14.

116 Di Saia PJ, Rich WM. Surgical approach to multifocal carcinoma in situ of the vulva. Am J Obstet Gynecol 1981;140:136–45.

117 Iversen T, Aas M. Lymph drainage from the vulva. Gynecol Oncol 1983;16:179–89.

118 Micheletti L, Levi AC, Bogliatto F, Preti M, Massobrio M. Rationale and definition of the lateral extension of the inguinal lymphadenectomy for vulvar cancer derived from an embryological and anatomical study. J Surg Oncol 2002;81:19–24.

119 Kuokkanen H, Mikkola A, Nyberg RH, Vuento MH, Kaartinen I, Kuoppala T. Reconstruction of the vulva with sensate gluteal fold flaps. Scand J Surg 2013;102:32–5.

120 Helm CW, Hatch KD, Partridge EE, Shingleton HM. The rhomboid transposition flap for repair of the perineal defect after radical vulvar surgery. Gynecol Oncol 1993;50:164–7.

121 Yii NW, Niranjan NS. Lotus petal flaps in vulvo-vaginal reconstruction. Br J Plast Surg 1996;49:547–54.

122 Warrier SK, Kimble FW, Blomfield P. Refinements in the lotus petal flap repair of the vulvo-perineum. ANZ J Surg 2004;74:684–8.

123 Dias AD. The superficial external pudendal artery (SEPA) axial-pattern flap. Br J Plast Surg 1984;37:256–61.

124 Shepherd JH, Van Dam PA, Jobling TW, Breach N. The use of rectus abdominis myocutaneous flaps following excision of vulvar cancer. Br J Obstet Gynaecol 1990;97:1020-5.

CHAPTER

10

중환자 치료

Critical Care

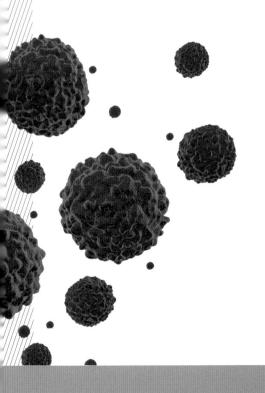

책임저자

신진우 | 가천대학교 의과대학 산부인과

집필저자

임소이 | 가천대학교 의과대학 산부인과

최윤석 | 대구가톨릭대학교 의과대학 산부인과

최철훈 | 성균관대학교 의과대학 산부인과

Gynecologic Oncology

심혈관 문제(Cardiovascular Issues)

고혈압성 응급
(Hypertensive Emergency)

근래에는 항고혈압제 약물의 폭넓은 사용으로 고혈압성 응급은 중환자질환의 주된 원인이 아니지만, 중증 고혈압은 아직도 매우 흔하므로, 진성 고혈압성 응급을 고혈압성 긴급(hypertensive urgency)과 구분해야 한다.[1]

1) 정의

고혈압성 위기(hypertensive crisis)는 심장, 혈관, 신장, 눈, 뇌와 같은 표적 기관 손상(target organ damage, TOD)이 가능한 혈압의 심각한 상승을 나타내는 총칭적 용어로 고혈압성 응급과 고혈압성 긴급 둘 다 포함하는 용어이다. 고혈압성 긴급은 급성 및 진행중인 표적기관손상이 없는 혈압상승이다. 고혈압성 응급은 급성, 현재 진행중인 표적기관손상 있는 혈압의 심각한 상승이 있는데, 고혈압성 뇌성병증(hypertensive encephalopathy)은 과민성(irritability), 두통, 의식 상태 변화를 특징으로 한다. 심각하고 빠른 혈압의 증가가 원인이다. 가속성-악성 고혈압(accelerated-malignant hypertension)은 안저검사상 유두부종(papilledema), 급성 망막출혈과 삼출이 나타난다.

2) 치료

급성이고, 진행성 표적기관손상이 없을 경우 혈압의 증가만 있으면 즉각적인 응급치료가 필요하지 않다. 진성 고혈압 응급을 발견할 경우, 즉시 치료를 시작해야 하며 가능하면 중환자실에서 치료하는 것이 좋다. 고혈압성 응급의 치료 목표는 과도하게 교정하지 않고, 기관 저관류 없이 동맥압을 저하시켜 표적기관 손상의 진행을 막는 것이다.[2] 고혈압성 응급에서 초기 치료로 경구 및 설하투여제는 쓰여서는 안 된다. 효과가 느리게 나타나고 반감기가 짧기 때문이다. Sodium Nitroprusside는 대부분의 고혈압성 응급에서 초기 치료로 쓰인다.[3] 고혈압성 응급의 치료에 사용되는 약제들은 염화나이트로프로사이드(Sodium Nitroprusside), 라베타롤(Labetalol), 니트로글리세린(Nitroglycerin), 하이드랄라진(Hydralazine), 에날라프릴랏(Enalaprilat), 니카르디핀(Nicardipine), 페놀도팜(Fenoldopam), 에스모롤(Esmolol), 펜토라민(Phentolamine) 등이 있다.[1,2]

급성 수술 후 심근경색
(Acute Postoperative Myocardial Infarction)

1) 급성관상동맥증후군(acute coronary syndrome, ACS)의 정의

급성관상동맥증후군은 불안정형 협심증(unstable angina), 비ST분절상승 심근경색증(non-ST elevation myocardial infarction, NSTEMI), ST분절상승심근경색증(ST-elevation myocardial infarction, STEMI)을 모두 포함하는 용어이다. 취약한 죽상경화반이 유발하는 병태생리를 갖기 때문에 이 3가지 질환을 하나의 증후군으로 부른다.[4] 급성관상동맥증후군 환자는 전형적으로 20분이상 지속되는 중증도-중증 흉부 불편감을 호소한다. 비전형적인 양상은 당뇨, 고령, 여성환자에게 더 흔히 나타난다. 감별진단에 신속한 심전도검사와 심장-특이적 혈청표지자가 필요하다. 심근괴사의 증거는 심장-특이적 혈청표지자의 상승으로 나타나며, 이런 경우 급성심근경색을 진단할 수 있다. 급성관상동맥증후군의 증상과 심전도상 ST분절상승을 보이는 경우 활발히 심근경색이 일어나고 있는 것을 의미하며, ST분절상승심근경색증 또는 ST분절상승 급성관상동맥증후군(ST-elevation acute coronary syndrome, STE-ACS)라고 한다. ST분절상승이 없는 환자들은 심장-특이적 혈청표지자의 상승 유무로 불안정 협심증 또는 비ST분절상승심근경색증으로 분류한다.[5,6]

2) 병태생리

죽상경화반에 침식이나 파열이 일어나면 조직인자가 노출되고 혈소판응집을 유발하고 응고인자를 활성화시켜 죽상경화반 위에 혈전이 형성되어 혈류를 차단하면서, 임상적으로 급성관상동맥증후군을 일으키게 된다. 생성된 혈전이 완전한 폐쇄를 일으키지 않을 경우 불안정형 협심증이나 비ST분절상승심근경색증이 되고, 완전한 폐쇄를 일으켜 혈류가 차단되게 되면 ST분절상승심근경색증이 발생한다.[4]

3) 진단

① 심전도검사: 불안정형 협심증 환자의 30~50%에서 ST 분절의 하강, 일시적인 ST 분절의 상승, 또는 T파의 역위소견이 관찰된다. 흉통이 없는 상태에서 검사할 경우 심전도가 정상일 수 있고, 불안정형 협심증이나 비ST분절상승심근경색증 환자의 약 60%에서는 심전도에서 특이적인 소견이 관찰되지 않는다.

② 심장-특이적 혈청표지자: CK-MB, troponin I, troponin T 등과 같은 지표들을 이용하여 심근 손상을 판단한다. 이 중 troponin은 심근 괴사에 가장 특이적인 지표이다.

③ 운동부하심전도: 주로 저위험군 환자를 대상으로 관상동맥질환의 유무를 평가하기 위해 시행한다.

④ 방사선동위원소 심근관류검사: 운동부하심전도검사보다 민감도와 특이도가 더 높지만 임상적으로 널리 이용되지 않는다.

⑤ 심초음파: 심실의 수축 기능을 평가하여 환자의 전반적 예후에 대한 정보도 얻을 수 있다. 흉통이 있을 때 국소벽운동장애가 없다면 급성관상동맥증후군의 가능성을 배제할 수 있다.

⑥ 관상동맥 전산화 단층촬영 혈관조영술: 경도 또는 중등도의 관상동맥 질환의 위험성이 있는 비전형적 흉통환자에서 관상동맥질환을 배제하고자 하는 경우 많이 이용한다. 한번의 검사로 많은 정보를 얻을 수 있는 장점이 있으나, 실제 관상동맥질환이 의심되는 환자에서 다른 비침습적 진단 기법과 비교하여 역할 및 적응증이 아직 확립되지 않았다.

4) 치료

① ST분절상승급성관상동맥증후군(STE-ACS): 즉각적인 심근경색관련 혈관을 개통시켜 정상적인 혈류를 회복하고 심근의 괴사를 막는 것이 치료목표이다. 혈전용해술은 가

능한 조기에 시행하는 것이 좋은데, 증상 발현 12시간 이내이고 심전도상 2개 이상의 연속된 유도에서 0.1 mV 이상의 ST분절상승 또는 새로 발생한 완전좌각차단이 있는 경우 시행한다. 증상 발현 24시간 이후이고 증상이 소실된 경우, 또는 심전도상 ST분절상승이 없는 경우라면 혈전용해술은 도움이 되지 않는다. 일차적 경피적관상동맥중재술은 흉통 발생 12시간 이내인 경우와 12시간 이후라도 심근 허혈에 의한 증상이 지속되는 경우 시행한다.[5-7]

② 비ST분절상승급성관상동맥증후군(NSTEMI): 약물치료는 항허혈치료와 항혈전치료를 동시에 시행한다. 항허혈 치료로 질산염제제와 베타차단제를 투여하고 통증이 조절되지 않으면 칼슘채널차단제를 추가할 수 있다. 항혈전치료는 항혈소판제제인 아스피린의 투여가 기본이다. 출혈의 위험이 높지 않으면 P2Y12 수용체차단제인 클로피도그렐을 같이 투여한다. 헤파린, 저분자량 헤파린, 폰다파리눅스(Fondaparinux), 또는 비발리루딘(Bivalirudin) 등을 사용하여 항응고치료를 같이 한다. 환자의 위험도에 따라 초기 보존적 치료는 우선 약물치료를 시행하고, 이후에도 반복적으로 심근 허혈 소견이 나타나거나 좌심실 구혈력(left ventricle ejection fraction, LVEF)이 40% 미만 또는 저위험군 이상의 소견을 보일 경우 관상동맥조영술을 시행한다. 약물치료에도 불구하고 안정상태에서 흉통이나 심근허혈소견이 반복되거나, troponin I, troponin T의 상승, 새로운 ST 분절의 하강, 울혈성 심부전 증상, 폐수포음(crackle sound), 승모판 역류를 동반한 흉통의 재발, 부하검사 양성, 좌심실 구혈률 <0.4, 저혈압, 지속성 심실빈맥, 6개월 이내 경피적관상동맥중재술의 기왕력, 관상동맥우회로술의 기왕력이 있으면 초기 침습적 치료로 금기가 없는 한 48시간 이내에 관상동맥조영술을 실시하고 결과에 따라 관상동맥재개통을 시행한다.[5]

울혈성 심부전
(Congestive Heart Failure)

1) 중환자실 상황에서의 특수한 급성 심부전

급성 심부전은 심부전의 증상이 갑자기 시작되거나 변해서 응급조치가 필요한 경우이며, 심부전증이 새로 발생하거나 기존의 만성심부전이 악화되어 발생하게 된다. 급성 폐부같은 응급 상황인 경우가 있으며, 다양한 원인과 유발요인이 있으므로 이를 찾아서 교정하는 것이 필수적이나 예후는 나쁘다.[8,9]

2) 급성심부전의 진단

전형적인 환자들은 관상동맥질환, 심근경색, 발작성 야간호흡곤란, 기좌호흡(orthopnea), 운동시 호흡곤란을 포함하는 주관적 병력을 가진다. 심부전과 관련된 신체소견으로 제3심음과 용적과부하가 있는데 경동맥 확장, 간경정맥 역류, 폐수포음, 하지부종이 있다. 흉부방사선검사시 심비대 또는 폐정맥 울혈소견이 보인다. 심전도 소견은 특이적이지 않으나 심방세동, 심실비후, 또는 이전 심근경색의 증거를 보일 수 있다. 진단의 보조 수단으로 심초음파를 시행하여 심실의 기능 이상을 확인할 수도 있으나, 폐질환의 악화와 자주 감별진단을 해야 하는 경우도 있다. 심장초음파 검사는 심장기능과 구조의 변화를 평가하는 중요한 진단법으로 급성 심부전의 원인과 급성관상동맥증후군의 진단에 필수적이다. 호흡곤란, 저혈압, 말초순환감소가 있는 환자에서는 폐동맥 도관을 이용하여 폐동맥압 쐐기압력과 체표면적당 분당 심박출량을 측정하고, 변화에 따라서 수축촉진제와 혈관확장제, 혈관 내 혈액보충제를 투여해야 한다.[9,10]

3) 치료

치료는 울혈성 증상의 완화, 혈역학적 안정, 체액량의 유지와 함께 심장, 신장 등의 장기 보호가 우선되어야 한다. 수액요법, 산소요법, 이뇨제 치료, 바소프레신 수용체 차단체, 혈압조절, 니트로글리세린(Nitroglycerin), 니트로프로사이드(Nitroprusside), 네시리타이드(Nesiritide)와 같은 혈관확장제, 도부타민(Dobutamine), 밀리논(Milrinone), 도파민(Dopamine), 레보시멘단(Levosimendan)와 같은 수축촉진제, 고용량 도파민(Dopamine), 에피네프린(Epinephrine), 페닐에프린(Phenylephrine), 바소프레신(Vasopressin)과 같은 혈관수축제 등의 약물을 사용하며, 대동맥내 풍선대위박동, 좌심실보조기구 등의 기계보조순환장치를 이용한다. 마지막 방법은 심장 이식이므로, 심장전문의와 조기에 협진해야 한다.[10~12]

부정맥(Arrhythmia)

수술 후 환자에서 나타나는 부정맥은 기저 심질환 혹은 내과적 전신질환이 있는 상황에서 나타나는 경우가 많고, 부정맥이 발생하면 심한 혈역학적 변화가 나타나서 임상경과를 급격히 악화시키는 원인이 될 수 있다.

1) 부정맥의 혈역학적변화

부정맥은 종류가 다양하며 혈역학적 상태도 일정하지 않으나 일반적으로 심박속도 이상을 야기시킴으로써 혈역학적 이상을 일으켜 현기증, 실신, 돌연사같은 심각한 임상적 문제를 일으킬 수 있다. 심장마비와 심각한 증상 및 징후가 동반된 빈맥 및 서맥은 즉각적인 치료를 해야 한다. 중환자들은 대부분 의식적 또는 무의식적으로 교감신경이 과다 항진되는 경우가 많아 심근에 스트레스가 가해지고 이차적으로 심근의 수축력이 감소하여 심부전이 발생할 수 있다. 심기능이 저하된 경우는 심박수가 빠르면 손상받은 심근의 산소요구량이 증가될 수 있어 목표 심박수를 60~80회/분으로 하는 것이 적당하다.

2) 발생 기전

흔한 원인은 심근 허혈, 심근경색, 전해질 이상, 약물, 감염, 수술 등이 있다. 중환자들은 여러 가지 동반 질환이 있는 경우가 많고 흔히 전해질 이상이나 자율신경의 변화로 부정맥이 발생하는 경우가 많다.

3) 심실성 부정맥

① 심실조기박동: 고령 남자, 저칼륨혈증, 감염, 허혈성 또는 염증성 심질환, 저산소증, 마

취, 수술 후 흔히 나타나므로 교정 가능한 원인이 있는지 살펴봐야 한다. 기저 심질환이 없으면 생존율이나 신체활동에 지장이 없다. 항부정맥제를 사용하면 항부정맥제의 proarrhythmia를 야기하는 역효과로 오히려 다른 부정맥이나 서맥, 심정지가 발생할 수 있으므로 예방적 사용은 필요가 없다.

② 가속화 심실율동: ST분절상승급성심근경색증의 20%에서 나타나며, 첫 2일 이내 흔하다. 대부분 수시간 내에 정상리듬으로 회복되고, 예후에 대한 영향은 없으면 치료할 필요가 없다.

③ 심실빈맥(ventricular tachycardia, VT): 증상의 중증도는 율동수, 지속시간, 기저심장 및 말초혈관질환의 중증도에 따라 달라진다. 지속성 심실빈맥은 다수가 허혈성 심질환을 가지고 있고, 저혈압과 의식소실, 심장마비를 일으킬 수 있고, 심실세동으로 악화될 수 있다. 이상 리듬이 보이는 맥박이 있으면서 증상이 있는 심실빈맥의 치료는 동기화된 직류전기 심율동전환 또는 환자가 안정적이라면 항부정맥제를 쓸 수 있다. 환자 상태가 안정적이라면 약물치료를 시도하고 불안정할 경우에는 즉각적으로 직류충격을 가한다. 저칼륨혈증이 있으면 심실빈맥이 빈번히 발생하므로, 심근경색증 환자에서는 칼륨농도를 즉각 측정하여 혈중농도를 4.5mEq/L, 마그네슘 농도를 2mEq/L이상으로 유지한다. 응급상황에서 사용할 수 있는 약제는 아미오다론(Amiodarone), 소타롤(Sotalol), 프로카인아마이드(Procainamide), 리도카인(Lidocaine) 등이다. 저혈압, 쇼크, 협심통, 심부전, 뇌저혈류상태의 소견이 있으면 즉각 직류충격을 시도한다. 심실빈맥이 정상리듬으로 전환되면 저산소증, 저혈압, 산-염기상태, 전해질불균형을 교정해야 한다. 항부정맥제는 심실빈맥의 종료 후 수 일 동안 투여하며, 약제불응성 심실빈맥은 재세동기를 이식할 수 있다.

④ 심실세동(ventricular fibrillation, VF): 심실세동은 심전도상 무질서한 모양으로 나타나며 QRS를 알아볼 수 없다. 신속히 치료하지 않으면 사망으로 이어진다. 심실세동은 심실빈맥에 선행하여 일어날 수 있으며 가장 흔하게 급성심근경색 환자에서 나타난다. 심정지가 일어났으면 흉골을 타격해보고 반응이 없으면 곧바로 직류제세동을 시행한다. 직류제세동기가 없으면 우선 심폐소생술을 시작하고, 준비되면 직류제세동을 시행한다. 첫번째 제세동 충격은 200J로 시행한다. 첫번째 충격에 반응이 없는 경우 두번째 충격을 200~300J로 시행하고, 여기에도 반응이 없으면 360J 이상으로 시행한다. 세 차례의 직류충격에도 제세동 되지 않으면 심폐소생술을 계속하면서 가능하면 기관내 삽관을 시행하고 정맥을 확보하여 에피네프린(Epinephrine) 0.5~1.0mg을 3~5분 간격으로 반복하여 정맥주사하거나, 바소프레신(Vasopressin) 40U를 1회 정맥주사하고 다시 360J로 재세동을 시도한다. 여기에도 실패한 경우 아미오다론(Amiodarone), 리도카인(Lidocaine), 마그네슘(Magnesium), 프로카인아마이드(Procainamide) 등의 항부정맥제와 완충액, 중탄산나트륨을 사용하고 제세동을 시도한다.[13]

4) 심실상성빈맥(supraventricular tachycardia)

① 동빈맥(sinus tachycardia): 동빈맥은 동방결절에서 기인하며 일차성 부정맥으로 간주되지 않는다. 중환자실에서의 동빈맥은 저체액량, 고열, 통증, 걱정, 쇼크, 저산소증, 혈관수축제나 근수축제 치료 중인 환자에서 생리학적 반응으로 나타날 수 있다. 치료는 기저 원인이 중요한데, 이는 감염과 고열치료, 용적회복술(volume repletion), 항불안제, 통증조절 등이다.

② 심방조기박동, 심방빈맥: 심방조기박동은 감염, 염증, 심근허혈과 같은 질환에서 흔하지만, 음주, 흡연, 카페인, 섭취 후에도 볼 수 있다. 심방빈맥은 관상동맥질환, 폐성심, 디기탈리스(Digitalis) 중독 등에서 흔히 볼 수 있으나 심질환이 없는 경우도 많다. 대부분 치료가 필요하지 않는다.

③ 심방조동(atrial flutter) 및 심방세동(atrial fibrillation): 심방세동(atrial fibrillation): 분당 350~600회 내에서 일어나는 무질서한 리듬으로 심전도상 p파를 알아보기 어렵다. 조직적인 심방수축의 소실은 피가 심방 내에 머물게 하며 이는 심장내 혈전형성과 혈전색전증이 발생하기 쉽게 된다. 심방세동은 만성 심폐질환 환자들에서 나타난다. 전도장애를 보이는 노인, 갑상선 중독증, 감염, 폐색전증, 급성알코올중독, 심막염, 스트레스와 같은 소견을 보이는 경우도 나타날 수 있고 수술 후에도 흔하게 나타난다. 급성심근경색 환자에서는 드물다. 심방조동은 종종 분당 150회인데 전형적인 톱니모양(saw tooth)이 심전도 기저선에 나타난다. 기저심장질환을 가진 환자에서 나타나며, 심장수술 후 흔하게 나타난다. 치료하지 않으면 심방세동으로 악화될 수 있다. 심방조동과 심방세동의 치료는 크게 두 가지로 항응고요법과 리듬조절 혹은 맥박수 조절인데 시간에 따라 달리한다. 24시간 이내이고 혈역학적 불안정하면 긴급직류제세동을 한다. 안정된 상태면 디기탈리스, 칼슘길항제, 베타차단제, 아미오다론 등으로 심실반응을 조절한다. 동율동으로 전환된 후 혈전색전 위험성이 있으므로 미리 항응고치료를 2~4주 하는 것이 좋다. 퇴원 시 정상 동율동이라도 심방세동이 반복적으로 발생했다면 항응고제를 투여해야 한다. 베타차단제는 심실반응을 조절하고 심방세동의 재발을 줄일 수 있다. 24~28시간 지속된 경우 기존 심질환이 있으면 아미오다론을 투여한다. 심질환이 없었으면 이부틸리드(Ibutilide), 플레시니드(Flecinide), 아미오다론을 투여한다. 심방세동이 2일 이상 지속되고 뇌색전증, 일과성 뇌허혈, 당뇨, 고혈압, 65세 이상의 고령은 혈전색전증의 고위험군으로 동율동 전환 전 최소 3주간, 이후 4주간 항응고치료가 필요하다.[14]

5) 서맥성부정맥: 동기능부전증후군(sick sinus syndrome)

동서맥, 동정지 또는 동방차단, 빈맥-서맥 증후군을 통틀어 말한다. 동서맥은 젊은 성인이나 운동선수에게 정상적으로 나타날 수 있고, 저체온증, 수면, 약제, 내인성 동결절 장애, 염증성질환, 심근증, 급성 하벽 심근경색증에서도 나타난다. 저혈압이나 이소성 심실율동이 없는 동서맥은 치료가 필요하지 않다. 말초관류가 저하되거나 혈압이 감소하는 상황이라면 아트로핀(Atropine), 이소프로테레놀(Isoproterenol)을 정주하거나 경정맥 임시형 심박동기를 삽입할 수 있다.

① 방실, 심실내전도차단: 1도 방실차단은 일반적으로 치료가 필요하지 않다. 2도 방실차단 중 1형은 심실율동이 분당 50회 이상이고 심실조기박동, 심부전, 각차단이 없으면 치료는 필요하지 않다. 분당 심박동수가 50회 미만이고 증상이 있으면 아트로핀을 사용하고 일시형 심박조율기는 거의 필요하지 않다. 2형은 임시형 경정맥 또는 경흉부조율로 맥박수를 분당 60회 정도로 유지한다.

② 서맥의 치료: 심박출량의 충분한 유지가 목적이다. 기도를 확보하고 필요하면 호흡보조장치를 이용한다. 산소를 투여하면서 심전도를 모니터하고 혈관을 확보한다. 말초기관관류가 잘되면 계속 관찰하고, 관류가 잘 되지 않으면 경피적 또는 경정맥 심장박동조율을 한다. 아스토핀(Astopine)과 에프네프린도 사용을 고려할 수 있다. 임상적으로 불안정한 환자들은 즉각적 경피적 또는 경정맥 심장박동주율이 필요하다. 동방결절 기능이상의 경우 영구적 심장박동조율로 증상을 완화시킬 수 있다.

6) 심장마비

① 정의: 인지할 수 있는 비침습적혈압과 펄스의 정지로 무맥성전기활동(pulseless electrical activity, PEA), 심실빈맥과 심실세동, 무수축으로 분류한다. 이 3가지 모두 무맥성 심장마비로 무맥성전기활동과 무수축의 치료는 비슷하며 가역적 원인의 확인과 약물적 중재를 해야 한다. 심실빈맥과 심실세동은 즉각적 전기적 제세동기로 치료한다.

② 무맥성 심실빈맥과 심실세동(pulseless VT and VF): 혈역학적 붕괴를 보이는 심실빈맥, 심실세동 확진 환자는 즉각 제세동기로 치료해야 한다. 초기치료 이후 지속되거나 재발될 경우, 심폐소생술이 첫 번째 제세동 충격 이후 즉시 재개되어야 하며 2분 동안 계속하고 마스크 또는 기관삽관으로 동시에 연속환기를 실시해야 한다. 2분 후 리듬과 박동을 재평가하고 호전이 없다면 제세동충격을 반복하고 심폐소생술을 반복한다. 정맥 확보 후 에피네프린 1mg을 3~5분 간격으로 정맥주사한다. 바소프레신 40U를 정주한다. 3번 충격을 가해도 지속되는 경우 아미오다론 또는 리도카인을 고려한다.

③ 무맥성전기활동과 무수축: 치료는 충분한 심폐소생술과 약물적 중재이다. 에피네프린 1mg을 정맥으로 매 3~5분간 주입하고 바소프레신 40U를 첫 번째 또는 두 번째 용량으로 대체될 수 있다. 만약 모니터상 느린 리듬이 보이면 아트로핀 1mg 정맥주사를 줄 수 있다. 정맥 확보가 어렵다면 약물은 기관 내로 줄 수 있고 용량은 2배로 준다. 심폐소생술은 환자 박동이 촉지되고, 혈압이 측정될 때까지, 또는 소생술이 실패할 때까지 시행되어야 한다. 소생술이 실패할 때까지의 기간은 정해지지 않았다. 환자가 박동을 되찾는다면 모니터상 혈압이 반드시 확인되어야 한다. 저혈압이 있으면 정맥용 혈관수축제와 정맥용 수액으로 치료한다. 동맥혈 가스검사와 다른 검사를 확인하여 비정상 소견들을 교정한다.[5]

CHAPTER 10 중환자 치료 Critical Care

호흡부전증

서론

급성호흡곤란증후군(acute respiratory distress syndrome)은 많은 연구가 진행되었음에도 불구하고 35~55%의 높은 사망률을 보이는 치명적인 질환으로, 대부분의 환자가 인공호흡기 치료를 필요로 하며, 호흡부전증과 연관된 다발성 장기부전증으로 사망하게 된다.[15-17] 또한 치료 후에도 많은 후유증을 유발할 수 있어서 조기 진단과 적절한 치료가 시행되어야 한다. 급성호흡곤란증후군의 정의, 역학, 발병 기전, 진단 및 치료 등 전반적인 사항에 대해 정리해 보고자 한다.

원인

급성호흡부전증은 폐렴이나 흡인성 폐렴, 폐좌상과 같은 폐의 직접적인 손상에 의해 발생하지만, 패혈증이나 화상, 수혈 등과 관련되어 폐의 직접적인 손상이 없이도 발생할 수 있다(표 10-1). 외과 환자에서는 수술 후 무기폐나 위내용물 또는 음식물의 흡인, 대량수혈 및 다발성 외상에 의해 발생할 수 있다.[16,18,19] 전체적으로 보면 패혈증이 가장 흔한 원인 질환으로, 발생 위험률이 약 40%에 이르며,[20,21] 여러 가지 위험인자들이 겹칠수록 그 발생 위험이 증가한다고 알려져 있고, 수혈 병력이 독립 위험인자로 알려져 있다.

표 10-1. 급성호흡부전증의 원인

직접 폐손상	간접 폐손상
흔한 원인	흔한 원인
• 폐렴 • 위내용물 흡인	• 패혈증 • 쇼크 • 대량수혈을 필요로 하는 다발성 손상
기타원인	기타원인
• 폐좌상 • 폐출혈 • 폐색전증 • 흡인성 폐렴 • 폐부종	• Pulmonary bypass • 약물중독 • 급성 췌장염 • 수혈

발생빈도

그 동안 급성폐손상과 급성호흡곤란증후군은 통일된 정의가 부족하였고, 원인 질환이 매우 다양했기 때문에 발생률에 대한 정확한 평가가 어려웠다. American-European Consensus Conference (AECC) 정의에 따른 최초의 역학조사인 Scandinavia 연구에서는 급성폐손상의 경우에는 인구 10만 명당 17.9명, 급성호흡곤란증후군의 경우에는 인구 10만 명당 13.5명 정도의 발생률을 나타내었다.[22] 일반적으로 중환자실에 입원한 환자의 약 7%에서 급성폐손상 혹은 급성호흡곤란증후군이 발생하고, 급성호흡부전으로 기계환기를 받고 있는 환자에서의 급성폐손상 혹은 급성호흡곤란증후군의 발생률은 11~23%라고 알려져 있다.

임상 양상

급성호흡곤란증후군의 임상 양상은 기저 질환, 폐의 손상 정도 그리고 동반된 장기들의 기능 부전에 따라 다양하게 나타날 수 있으며, 시간에 따른 특징적인 경과를 보인다. 처음 몇 시간 동안은 아무런 호흡기 증상이나 증후가 없을 수도 있다. 가장 먼저 나타나는 증상은 호흡수의 증가이고, 뒤이어 호흡곤란이 생긴다. 증상은 약 50%의 환자에서 유발 요인 발생 후 24시간 이내에 급격히 나타나는 것이 보통이지만, 드물게는 1~3일 후에 나타날 수도 있다.

대개 72시간 정도 지나면 약 85%의 환자가 임상적으로 명백한 증상을 호소하게 된다.[22] 환자는 불안하고 초조해 하며, 호흡곤란, 흉부불쾌감, 기침을 호소하는데, 이런 증상은 흉부 X-선에서 폐침윤이 나타나기 수시간 전에도 나타날 수 있다. 나이가 많은 노인환자들의 경우에는 원인을 모르는 의식장애로 나타나기도 한다. 이학적 검사에서 빈호흡, 빈맥과 호흡일의 증가가 관찰되며 수포음이 폐의 전폐야에서 들리는 경우가 많지만 간혹 정상일 수도 있다. 패혈증의 경우에는 저혈압, 고열이 흔히 동반된다.

환자들은 점차 호흡곤란이 심해지고 빈호흡을 하게되며 청색증을 보인다. 이학적 검사에서는 수포음이 점차 뚜렷해지며 폐부위에 따라서는 관상음이 들리기도 한다. 단순 흉부 X-선에서는 점차 양측 폐 전체에 걸친 광범위한 폐포침윤소견이 보이는데, 심장은 대개 정상 소견이며 흉막액이 나타나는 경우는 비교적 드물다. 질환이 진행됨에 따라서 단순히 주입되는 산소의 농도를 증가시켜서는 저산소증의 진행을 교정할 수 없게되어 결국 대부분의 환자는 기계 환기를 필요로 하게 된다.

분류

호흡부전은 크게 다음의 3가지 형태로 분류된다.

1) 제1형 저산소성 호흡부전증

제1형은 저산소성 호흡부전증이다. 저산소증이 특징이고 폐포의 화농성 물질(폐렴), 혈액(폐좌상), 액체(폐부종) 등에 의한 폐단락(shunting)으로 인해 폐포의 허탈이나 충만(flooding)이 원인이다. 이 형태는 주로 단락(shunting)에 의해 발생하므로 산소를 공급해 주어도 PaO_2가 낮다. 심장기능부전에 의해 발생하는 고압 폐부종은 경정맥팽창 또는 S3gallop 같은 액체과부하의 임상적 특징을 나타낸다. 이것은 침습적 감시법으로 확인할 수 있는데, 폐동맥폐쇄압이 18mmHg를 초과하는 것을 일반적으로 볼 수 있다. 저압폐부종은 폐동맥폐쇄압의 증가없이 발생하는데 패혈증(sepsis), 폐흡인(aspiration), 과다한 수혈, 쇼크, 췌장염, 양수 혹은 지방 색전증 같은 질환들에 동반한다.

2) 제2형 호흡부전증

제2형 호흡부전증은 $PaCO_2$의 증가가 특징이고, 호흡동기부족, 불충분한 기계적호흡기능, 과도한 호흡부담에 의한 저환기(hypoventilation)가 원인이다. 호흡동기가 소실된 환자는 정신 기능이 저하되며, 대부분의 호흡부전에 동반되는 호흡곤란이나 빈호흡의 증상을 나타내지 않는다. 불충분한 호흡 기전을 가진 환자는 negative inspiratory force (NIF)와 최대분당환기(maximal minute ventilation, MMV)의 감소를 나타낸다. 저항과 탄성 부하가 증가된 환자는 자발호흡에서 일회호흡량이 감소하며 삽관시 높은 기도 압력을 나타낸다. 이 형태는 만성 호흡부전 상태의 급성부전이라 불리며, COPD 같은 만성적 호흡장애 환자는 부가적으로 경한 바이러스성 폐렴이나 늑골골절 등의 상해를 입게 되어 호흡부전 상태에 빠지기도 한다.

3) 제3형 호흡부전증

제3형 호흡부전증은 저산소혈증, 저환기증 모두가 특징이고, 수술 후 환자에서 흔히 발생하는데 복부절개술, 장폐쇄증, 복수, 비만 등에서 횡경막이 제대로 움직이지 못해 복부 호흡이 감소되면서 기능적 잔기량(functional residual capacity, FRC)을 감소시킨다. 비록 특정 짓기는 어려우나 이 유형의 호흡 부전은 횡경막이 제대로 움직이지 못하고 복부 호흡이 감소되면서 무기폐가 악화되어 발생하며, 그 결과 진행성 호흡곤란이 일어나기 쉽다. 일반적으로 기능적 잔기량이 총폐용량(total lung capacity, TLC)의 25% 미만으로 감소하면(정상치: 총폐용량의 50%) 기도가 폐쇄된다. 기능적 잔기량이 총폐용량의 25% 이상이 되어도 기도가 폐쇄될 때가 있는데 대개의 경우 이러한 환자들은 노령이거나 흡연력이 있거나 폐부종이 있다. 또한 기능적 잔기량은 앙와위, 복부 절개술, 장폐색증, 복수, 비만 환자 등에서도 감소한다. 폐쇄용적이 증가하고 기능적 잔기량이 감소하는 이러한 복합적 양상은 수술을 받은 환자들에게 호흡부전의 위험을 가하게 되며 그 결과 폐렴이 발생하거나 기관내 삽관이 필요하게 된다.

진단

진단기준은 다음과 같다. ① 급성 발현, ② 양측 폐침윤, ③ 심장성 폐부종(cardiogenic pulmonary edema)이 없음, ④ 저산소증(PaO_2, $PiO_2 = 200$ 이하). 급성폐손상은 1-3 기준은 같고 PaO_2 : $PiO_2 = 300$ 차이만 다르다. 우선 흉부 X-선, 흉부전산화단층촬영 등의 영상검사가 도움이 된다. 실제로 흉부전산화단층촬영에서 중력부의 폐는 허탈되어 있으나, 비중력부의 폐포는 보존되어 있는 것을 발견한 이후로 치료에 많은 변화를 가져오게 되었다.[23,24] 항생제를 적절하게 사용하기 위해서는 기관지 폐포세척술과 세균배양검사를 시행하여, 항균 범위에 맞는 항생제를 선택하여야 한다. 혈역학적 감시나 평가도 진단에 중요하다. 하지만, 폐동맥관삽입은 환자의 치료 결과에 영향을 주지 못하는 것으로 알려지면서 최근에는 일반적으로 사용되지 않고 있으며, 이를 대체할 수 있는 덜 침습적인 방법들(PiCCO나 LiDCO)이 사용되고 있다. 또한 염증반응을 반영하는 표지자나 내피세포에서 분비되는 물질들을 포함하는 생체표지자들의 진단적 유용성에 대해 활발히 연구되고 있다.[25,26]

감별진단

급성호흡곤란증후군의 감별진단은 울혈성 심부전, 미만성 폐감염, 그리고 단순 흉부 X-선상 폐실질을 침범하면서 급성호흡부전을 일으키는 많은 질환들을 모두 포함한다. 심인성 폐부종은 가장 흔히 감별해야 할 질환으로 감별 자체도 어렵지만 혈증이나 심한 외상 등 급성호흡곤란증후군을 일으키는 원인 질환들의 치료 과정에서도 발생할 수 있다. 단순 흉부 X-선 소견으로는 심인성 폐부종과 급성호흡곤란증후군을 정확히 감별하기가 쉽지 않고 또한 두 질환이 공존할 수도 있기 때문에 심인성 폐부종이 존재하더라도 폐손상이나 투과성 폐부종의 존재를 배제하기는 어렵다. 따라서 심인성 폐부종이 의심되고 환자의 순환혈액량을 감소시킬 수 있는 상황이라면 조심스럽게 이뇨를 시켜보는 것도 감별진단의 한 방법이다. 뚜렷한 원인 질환 없이 갑작스럽게 동맥혈 저산소혈증과 단순 흉부 X-선상의 미만성 폐침윤을 보이는 환자들은 특히 감별진단이 어려운데, 이런 경우에 가장 흔한 원인은 감염에 의한 것이며 원인균을 찾기 위하여 각종 검체에 대한 배양 검사를 실시한다.

치료

급성호흡부전증의 치료는 기저질환에 대한 치료, 항생제, 조기경장영양, 스트레스성궤양의 예방과 심부정맥혈전증의 예방을 포함하는 지지 요법과 더불어 인공호흡기 치료가 주를 이루게 된다.[19,27,28] 특별한 치료제는 없으며 기저 질환에 대한 치료가 가장 우선적으로 시행되어야 하며, 폐부전증에 대한 보조 치료를 시행해야 한다. 최근 급성호흡곤란증후군의 사망률 감소는 각종 보존적인 치료법의 발달에 힘입은 바가 크다.[29] 급성호흡곤란증후군 환자를 치료하는 데 있어 처음 주의를 기울여야할 부분은 원인질환에 대한 이해이다. 특히 패혈증이나 폐렴과 같은 치료가 가능한 감염성 질환이 아닌가 하는 주의를 기울여야 한다. 복부감염증은 즉시 항생제나 수술적 치료를 해야 하며, 병원성 감염의 예방이나 조기 치료에 최선을 다해야 한다.

일단 호흡부전 증상이 나타나면 그 원인을 찾아서 치료한다. 폐청진, 소변량, 체중, 기록된 섭취량과 배출량의 측정 등의 방법을 동원하여 환자의 혈관 내 혈액량을 확인한다. 중앙감시카테터를 이용하여, 액체 과부하 상태 판단과 이뇨제의 사용여부를 결정한다. 감염 여부가 의심된다면 적절한 항생제를 사용해야 한다. 한편 적절한 영양 공급도 중요한데, 카테터에 의한 감염 위험성을 줄인다는 의미에서 경정맥 영양(parenteral nutrition)보다는 장관 급식(enteral feeding)을 통한 영양공급이 선호되고 있다.[30] 보조적인 치료로는 ① 조기 경장영양공급과 면역증강제제의 사용, ② 스트레스성 궤양의 예방 및 치료, ③ 정맥혈전증의 예방과 병행하여야 한다.

1) 비침습성 환기보조

기관내삽관을 생략하는 비침습성 환기보조법으로 산소 공급과 환기를 보조할 수 있다. 간헐적 양압호흡(intermittent positive pressure breathing, IPPB)을 매 2~4시간마다 시행하면 분비물의 제거에 도움이 된다. 얼굴에 꼭 맞는 마스크로 공급되는 지속성양성기도압력

(continuous positive airway pressure, CPAP)은 기능적잔기용량을 유지하고 회복시킬 수 있다. 이러한 치료는 환기에는 전혀 영향을 주지 않으며 이 처치와 연관되어 발생하는 공기연하를 배출하기 위한 비위내관이 필요하다. 이중평면성 양성기도압력(bilevel positive airway pressure, BIPAP)도 역시 꼭 맞는 마스크를 사용하지만, 이때는 호기말양압(positive end-expiratory pressure, PEEP)처럼 호기중의 기본압력을 공급하기 위한 환기장치가 필요하며 환자가 시작한 자발적 호흡 동안 더 높은 기도 압력을 요구한다. 여기서 공급된 흡기 압력은 적으나마 환기를 보조해주며, 호흡으로 인한 피로나 기관내삽관의 필요성을 최소화한다. CPAP 과 BIPAP은 단기치료법으로 적용되어야 한다. CPAP와 BIPAP하 환자들은 상태가 급속적으로 악화될 수 있으므로 지속적으로 감시하여야 한다.

2) 기계적 환기

기계적 환기가 필요한 적응증은, 부적절한 동맥 내 산소포화도, 부적절한 환기, 과다환기가 필요한 경우(뇌압이 증가했을때 뇌혈류량을 감소시키기 위해, 수술 후 폐동맥 고혈압이 있을 때), 심한 기도폐쇄증(만성폐쇄성 폐질환, 천식), 기계적으로 호흡량을 증가시켜야 할 폐실질질환(ARDS), 임상적으로 활력징후가 불안정한 쇼크 환자이다. 검사소견상 기계적 환기의 적응증은 표 10-2와 같다.

표 10-2. 검사소견상 기계적 환기의 적응증

Acute hypercapnia
Minute ventilation >10L/min
Respiratory rate/tidal volume >100
Vital capacity <10~15ml/kg body weight
Maximum inspiratory pressure < -20cmH$_2$O
Dead space/tidal volume <0.60
Acute hypoxemia (PaO$_2$ <50~60mmHg)

비기관(nasotracheal) 내 삽관은 구강기관내삽관보다 더 안정적이고 고정이 잘 되나, 부비동염과 출혈이 쉽게 발생한다. 구강기관내삽관은 머리의 움직임에 따라 2cm 이상 위치가 변할 수 있다. 예상치 못한 발관은 생명을 위협할 수 있으므로 기계적 인공환기 중인 환자의 신체를 고정시킨다. 기관내삽관으로 기도를 확보하면 기침이 잘 되지 않아 분비물이 축적되기도 한다. 인공 기도는 다량의 흡인을 방해할 수 있으나 인두로부터 기도로 잠재적인 병원균이 통과하는 것을 예방하지 못한다.

대부분의 환자는 삽관 후 처음 24~48시간 동안 인공호흡기에 의한 환기 보조를 받아야 한다. 이 때 환자의 휴식이 가능하며, 호흡근의 피로가 쌓이지 않는다. 초기 인공호흡기 설정은 환기율 8~16/분, 일회 호흡량: 8~10ml/kg, 흡기/호기 비율 1:4-1:2, 유속 40~100L/min, FIO$_2$: 산소포화도를 90% 이상 유지하기 위한 최저치로 한다. 그러나 환자마다 폐유순도, 산소화, 대사율 등이 다르므로, 인공 호흡기 설정에 세밀한 조절이 필요하다.

PEEP는 1967년에 Ashbaugh와 Petty에 의해 제창되었고, 산소화를 향상시킬 수 있으며 기계호흡을 하고 있는 환자의 대부분에게 사용된다. PEEP는 높은 평균기도압 때문에 허탈된 폐포를 펼쳐줌으로써 기능적 잔기량을 회복시키며, FiO_2를 60% 이하로 저하시키고, 환자의 산소화를 개선시킨다. ARDS에서 PEEP는 폐와 혈관에서 수분을 폐포 내부로부터 간질과 폐포외 공간으로 재분배 시킨다. PEEP와 기능적 잔기량, 산소화는 일정 범위에서는 서로 직선적인 연관이 있으나 어느 범위 이상에서는 PEEP의 부가적인 증가가 더 이상 기체 공간의 회복에 도움을 주지 않으며 산소화도 개선되지 않는다. PEEP가 과도한 경우 흉강 내압의 증가, 정맥혈 순환의 방해, 정상 폐포의 과팽창 등으로 인하여 높은 V/Q 부분과 사강이 증가한다. PEEP의 적용시 심박출량의 감소를 최소로 하는 최적의 PaO_2를 결정하기 위하여 PEEP를 3~5cmH_2O 증가시키고, 15~20분 후에 평가한다.

현대식 환기장치는 내장된 컴퓨터장치로 호흡 주기 중 민감도, 호흡량, 압력, 흡기 시간, 호흡수와 유속까지도 임의로 변경시킬 수 있다. 그러나 세 가지 표준적인 환기 방식을 사용한다: (1) 보조 조절 방식(assist-control, A/C), (2) 동시적 간헐성 강제 환기(synchronized intermittent mandatory ventilation, SIMV)-용적주기방식, (3) 압력 보조 환기(pressure-support ventilation, PSV)-압력주기방식. A/C 방식은 민감도, 일회 호흡량, 유속, 유량 파형(flow waveform)과 환기 회수로 구성된 방식이다. 환자가 음성 흡기 압력을 발생함으로써, 민감도 역치(보통- 2cmH_2O) 이하의 호흡을 시작할 때, 인공호흡기는 미리 설정된 일회호흡량을 정해진 유속과 파형으로 공급한다. A/C 방식은 호흡수와 일회호흡량을 보장해준다. 그러므로 깊이 마취된 환자가 자신의 노력 없이도 일회호흡량을 공급 받을 수 있다. 이 방식은 환자가 설정 호흡률 이상의 호흡을 할 경우, 미리 설정된 일회호흡량과 유속으로 보조된다는 면에서 환자와 동시성을 보장한다. 이 방식의 잠재적 단점은 호흡성 알칼리증, COPD 환자에서 공기 포획과 높은 유속이 필요한 환자에서 인공호흡기와의 부조화 발생 등이다. SIMV 는 민감도와 일회호흡량, 유속, 유량파형, 호흡수가 고정되는 A/C 방식과 유사하다. SIMV는 A/C 방식처럼 최소 환기를 보장하나 설정된 인공 호흡수 사이에 보조가 되지 않은 자발적인 환기가 가능하다. SIMV로 호흡적응훈련이 가능하며, PSV와 함께 사용되어 다양한 환기 보조가 가능하다. PSV는 민감도와 압력만을 지정하는 유량 주기 환기방식이다. 환자가 민감도 역치보다 높은 음압을 만들어 내면 호흡이 진행되는 동안 인공호흡기 회로내 압력이 급격히 상승한다. 유속은 환자가 결정하므로 환자와 인공호흡기 간의 동시성이 잘 구축되면 흡기의 감속 단계의 유량 역치에 이르면 압력 보조는 정지한다. 이 방식은 지정된 호흡수와 일회호흡량이 없고 SIMV나 PSV의 안전 장치를 갖추지 못하였으므로 상태가 급속도로 나빠지는 환자에서나 호흡 동기가 저하된 환자에서는 사용하지 않으며, 호흡 적응 훈련에 적합하다.

3) 기계호흡으로부터의 이탈

호흡기 이탈과 성공적인 발관은 여러 요인에 의해 결정된다. 우선, 환자는 활동성 호흡기 감염이나 다량의 분비물을 내지 않아야 한다. 환자의 의식 상태도 또렷하고 안정적이어서 스스로 기도를 보호할 수 있고 호흡기 세척이나 이동이 필요한 의료 처치에 협조할 수 있어야 한다. 발관을 시도하기 전에 P/F비율이 300 이상이 되도록 적절한 산소의 공급이 이루어지는지, 최저값 기준 음압흡입력(negative inspiratory force)이 -25cmH$_2$O 이상이 되도록 호흡기계역학이 충분한지, rapid shallow breathing index (RR/VT in liters)가 100 이하인지의 여부 등을 확인해야 한다(표 10-3).

표 10-3. 기계 호흡으로부터의 이탈 기준점

- 임상적으로 안정
- 자기 호흡이 있다
- 1분당 호흡수: 30회 이하
- 음성 들숨압(negative inspiratory pressure): -20~-30cmH$_2$O 이상
- 분당환기량: 10~15t 이하
- 일회호흡량: 5ml/kg 이상

발관이 불가능하다면 다른 원인들을 의심해야 한다. 즉, 직경이 작은 기관내관으로 인한 과부하, 기관지 경련, 호흡기 충만(고압/저압 폐부종)으로 인한 폐유순도 감소, 과다한 분비물, CO$_2$ 과다생성, 패혈증으로 인한 과도한 분시환기량 등을 고려해야 한다. 또한, 약물 마비의 효과가 아직 남아있거나 전해질의 불균형, 영양부족, 수술, 종양, 외상 등으로 인한 횡경막 마비 등의 원인이 되어 발생하는 호흡기계역학의 약화, 호흡근의 위축도 고려해야 한다. 심근 경색이나, 불안 같은 호흡기 외적인 요인들도 평가해야 한다. 이러한 요인이 개선될 때까지는 호흡기이탈을 시행하지 않아야 한다.

예후

급성호흡곤란증후군의 대부분의 사망은 유발요인 발생 후 첫 2주 내에 발생한다. 질환의 처음 3일 간은 원인 질환의 악화에 의한 사망이 대부분이며 그 후에는 패혈증이 사망의 주된 원인이다. 과거 1980년대에는 급성호흡곤란증후군에 의한 사망률이 53~68%에 이르렀으나 최근의 보고는 32~45% 정도로 좋아지는 추세이다. 초기에 사망률이 높았던 이유 중의 하나는 기계환기법에 의해 발생한 폐손상이었을 것으로 추정하고 있으며, 최근 사망률이 감소한 이유는 명백하지는 않지만 감염관리, 영양 요법 등 보존적 치료법이 발전했기 때문인 것으로 보고 있다. 예후를 예측할 수 있는 지표로는 기능 부전을 보이는 장기의 수, 간부전의 존재, 장기의 기능부전 기간, 연령, 패혈증 여부 등이다.

결론

호흡부전은 외과적 치료에서 아주 흔하다. 실제로 외과 환자에서 급성호흡부전증은 폐 자체의 손상에 의한 것도 있지만 복강 내 감염이나 패혈증, 다발성 외상 등 여러 가지 원인에 의해 발생하므로, 폐부전증에 대한 치료뿐만 아니라 기저 질환에 대한 적극적인 치료가 중요하다. 또한 이와 더불어 영양공급과 기타 합병증을 예방할 수 있는 보조 치료가 동반되어야 한다. 서로 다른 유형의 호흡부전이 비슷한 징후와 증상을 나타내므로 산

소공급과 환기의 원리를 잘 숙지하는 것은 정확한 진단과 치료에 필수적이다. 심한 호흡부전증 환자를 치료하기 위해서는 인공호흡기의 기계적 성질과 환기 방식을 정확히 알아야 하며 신중한 외과적 처치의 필요성을 잘 이해하여야 한다.

급성신손상(Acute Kidney Injury)

급성신손상(acute kidney injury)은 급격한 신장 기능저하로 인해 신장으로 배설되어야 할 요소질소를 포함한 체내 노폐물이 체내에 누적되는 것을 말한다. 과거에는 급성신부전 (acute renal failure)이라는 명칭을 사용해 오다가, 투석 치료가 필요할 정도의 심한 기능소실이 오기 전인 기능 손상 단계를 포함하는 포괄적인 증후군으로 정의하여 급성신손상이라는 용어로 대체되었다. 신장의 기능 손상이 일어나는 단계에서 예방적, 치료적 접근을 하는 것이 신기능 소실을 예방하고 예후를 향상시킬 수 있기 때문이다.[31,32] 명칭은 신손상이지만, 실제로는 신장의 기질적 손상이 없어도 신장의 기능장애가 있으면 포함된다. 예를 들어 혈량저하증으로 인하여 콩팥혈류량이 저하되면서 소변감소증이 있는 경우나 요관폐쇄로 인한 물콩팥증(hydronephrosis)과 소변감소증이 있는 경우도 이 범주에 포함된다.

급성신손상은 대사성산증, 고칼륨혈증, 요독증, 체액 저류, 다른 장기 이상을 동반할 수 있으며, 심한 경우에 적절한 치료가 이루어지지 않으면 사망할 수 있다. 장기부전의 흔한 형태 중 하나이며, 외과계 중환자실 환자의 약 20% 정도에서 동반되고 약 5% 정도가 혈액투석치료가 필요하다.[31] 외과적 환자는 수술, 기저 질환(만성신장질환, 고혈압, 당뇨, 심질환, 간질환), 패혈증 등의 영향으로 급성신손상이 더 생기기 쉬운 경향이 있다.[33]

진단기준

급성신손상의 진단 기준과 정의는 RIFLE 기준과 AKIN 기준을 사용하고 있다.[34,35] 2002년에 'Acute Dialysis Quality Initiative Group'에서 급성신손상의 진행 단계에 따라 Risk, Injury, Failure, Loss, End-stage renal disease(첫 글자를 딴 약자에 따라 RIFLE criteria)의 5단계로 분류하는 기준을 제시하였다. 그 후 'Acute Kidney Injury Network (AKIN)'에서 RIFLE criteria의 단점을 보완하기 위해 AKIN criteria를 정하였다(표 10-4). 실제 임상에서는 이 두 가지 분류가 모두 사용되고 있다. 급성신손상의 첫 징후는 소변감소증이다. 소변감소증은 소변량이 0.5mL/kg/hr 이하, 혹은 400mL/day 이하로 정의된다. 소변감소증이 생기면 즉시 환자의 체액 균형, 섭취와 배설의 양(intake and output), 혈류역학(hemodynamics) 상태를 점검하여야 한다. 수술이나 시술을 받은 환자라면, 출혈이 원인은 아닌지 점검하여야 하고, 새로 사용하고 있는 약제가 원인이 아닌지 생각해 보아야 한다.

표 10-4. 급성신손상의 RIFLE 및 AKIN 기준

Categories	Serum Creatinine Criteria	Urine Output Criteria
RIFLE		
Risk	Increase in sCr X 1.5 or >25% decrease in GFR	UO <0.5mL/kg/h for 6 hours
Injury	Increase in sCr X 2 or >50% decrease in GFR	UO <0.5mL/kg/h for 12 hours
Failure	Increase in sCr X 3 or >75% decrease in GFR or sCr ≥4.0mg/dL with an acute increase of ≥0.5mg/dL	UO <0.3mL/kg/h for 24 hours or Anuria for 12 hours
Loss	Complete loss of kidney function for >4 weeks	
ESRD	Loss of kidney function for >3 months	
AKIN		
Stage 1	1.5~1.9 times baseline or ≥0.3mg/dL (≥26.5 μmol/L) increase	UO <0.5mL/kg/h for 6~12 hours
Stage 2	2.0~2.9 times baseline	UO <0.5mL/kg/h for ≥12 hours
Stage 3	≥3 times baseline or Increase in sCr to ≥4.0mg/dL (≥353.6μmol/L) or Initiation of renal replacement therapy or, In patients <18 years, decrease in eGFR to <35mL/min per 1.73m^2	UO <0.3mL/kg/h for ≥24 hours or Anuria for ≥12 hours

Abbreviations: sCr; serum creatinine, UO; urine output, ESRD; end-stage renal disease, eGFR; estimated glomerular filtration rate.
The AKIN criteria require the increase in serum creatinine to occur within 48 hrs.
Adapted from Acute renal failure – definition, outcome measures, animal models, fluid therapy and information technology needs: the Second International Consensus Conference of the Acute Dialysis Quality Initiative (ADQI) Group. Crit Care 2004;8:R204–12, and KDIGO clinical practice guidelines for acute kidney injury. Nephron Clin Pract 2012;120(4):c179–84.

원인

급성신손상은 크게 다음과 같은 세 가지 부류로 나누어 진다.

(1) 콩팥전 원인(prerenal causes secondary to diminished renal perfusion)

(2) 콩팥 원인(intrinsic or parenchymal causes)

(3) 콩팥후 원인(postrenal obstructive causes)

콩팥전 원인은 혈량저하증이나 심부전증과 같이 콩팥혈류량 저하를 초래하는 것들이며, 외과적 환자에서 발생하는 급성신손상 원인의 대부분(~ 90%)을 차지한다.[33] 콩팥 원인은 급성요세관괴사(acute tubular necrosis)나 급성간질성신염(acute interstitial nephritis)에 의해 발생한다. 급성요세관괴사는 대부분 콩팥전 원인에 의해 신허혈이 지속되어 발생하거나, 패혈증, 신독성을 가진 약제, 횡문근융해(rhabdomyolysis)에 의해 초래될 수 있다. 콩팥후 원인은 요로 폐쇄로 인해 발생하는 것을 말한다. 종양치료를 받는 외과계 환자

에서 발생하는 급성신손상의 원인들은 표 10-5와 같다.

371

표 10-5. 수술하는 종양 환자에서 급성신손상의 흔한 원인

I. Prerenal
a. Hypotension
b. Hypovolemia (diarrhea, vomiting, anemia)
c. Heart failure
d. Sepsis
e. Drugs: angiotensin converting enzyme (ACE) inhibitors, nonsteroidal anti-inflammatory drugs (NSAIDs)
II. Intrinsic (Renal)
a. Acute tubular necrosis
1. Ischemia (shock, severe sepsis)
2. Nephrotoxic agents (radiographic contrast, Aminoglycosides, cisplatin, amphotericin)
3. Pigment nephropathy – rhabdomyolysis (myoglobin)
b. Acute interstitial nephritis
1. Allergic nephritis (drugs such as antibiotics)
2. Cancer infiltration
c. Glomerulonephritis
1. Amyloidosis
2. IgA nephropathy
3. Membranous glomerulonephritis
d. Renal tubular obstruction
1. Urate crystals (tumor lysis syndrome)
2. Light chains (multiple myeloma)
3. Drugs – acyclovir, methotrexate
III. Postrenal
a. Bladder dysfunction – drugs, nerve injury
b. Ureteral obstruction – cancer

Adapted from Acute renal failure in the surgical setting. ANZ J Surg 2003; 73: 144–153; and Clinical review: Specific aspects of acute renal failure in cancer patients. Crit Care. 2006; 10: 211–217.

부인암으로 치료받는 환자에서 드물지 않게 생길 수 있는 급성신손상의 원인으로는 수술과 연관된 출혈로 인한 혈량저하증, 항암치료로 인한 호중성백혈구감소증(neutropenia)에 동반되는 패혈증에 의해 콩팥혈류량 감소로 급성신손상이 발생할 수 있고, 자궁경부암을 비롯한 부인암이 진행되면서 요관 폐쇄가 생길 수 있다. 부인암 치료에는 시스플라틴과 같은 신독성이 있는 항암제를 사용하는 빈도가 높기 때문에 주의가 필요하고, 흔히 사용하고 있는 항생제, 진통제, CT 촬영 시 사용되는 조영제도 신장 손상을 유발할

수 있다는 점을 염두에 두어야 한다.

고형암 치료 과정에서는 드물기는 하지만, 항암치료를 받는 암환자에서는 종양용해증후군(tumor lysis syndrome)도 급성신손상의 한 원인으로 고려되어야 한다. 주로 혈액암에서 주로 발생하지만, 고형 암에서도 항암제에 반응이 아주 좋을 때는 발생할 수 있다. 많은 종양 세포가 급속도로 파괴되면서, 세포 내에 있던 인산염(phosphate)과 다른 전해질이 갑자기 유리되어, 고칼륨혈증, 저칼슘혈증, 고인산혈증, 요독증, 크레아티닌 증가와 같은 이상이 생기게 된다.[36] 예방하는 방법은 충분한 수액 요법, Allopurinol이나 Rasburicase와 같은 Urate oxidase를 사용하는 방법이 있다. 치료는 즉각적인 혈액 투석이다.[37]

진단 및 검사

세 가지 부류에 따라 치료가 다르므로, 소변감소증 환자에서 진단적 접근의 첫 단계는 이 세 가지 부류 중 어느 원인에 의한 것인지 알아내는 것이다.

소변이 전혀 나오지 않는 경우라면 제일 먼저 도뇨관이 막히거나, 잘못 들어가 있는 것은 아닌지 확인이 필요하다. 다음은 초음파 검사를 통하여 물콩팥증이 있는지 확인해 보아야 한다. 초음파 상 물콩팥증이 있으면 요관 폐쇄를 의미하지만, 요관 폐쇄가 있어도 물콩팥증이 보이지 않는 경우도 있기 때문에 정맥신우조영술(intravenous pyelography), 컴퓨터 단층 촬영과 같은 추가적인 영상검사가 필요할 수 있다.[38]

요로 폐쇄가 아니라면, 다음 단계로 콩팥전 원인과 콩팥 원인을 감별하는 것이 필요하다. 우선 이학적 검사를 통하여 결막이 창백한지, 혀가 말라 있는지, 누운 자세에서 경정맥은 이완되어 보이는지, 하복부에 방광이 팽창되어 만져지는지 확인해야 한다.

검사실 검사로는 소변과 혈액의 나트륨과 크레아티닌 농도 및 오스몰농도, 일반 소변 검사, 혈액요소질소 농도 측정 등이 필요하다. 소변의 나트륨 농도가 <20mEq/L라면 콩팥전 원인으로 판단할 수 있고, >40mEq/L인 경우는 콩팥 원인으로 생각할 수 있다.[39] 그러나, 소변의 전해질 검사는 당뇨 환자, 기저 신장 질환이 있는 경우, 이뇨제를 이미 사용한 경우에서는 신뢰할 수 없기 때문에 판단에 주의를 요한다.

FeNa (fractional excretion of sodium)를 계산하는 방법은 소변의 나트륨 농도만을 평가하는 것보다 좀 더 정확한 방법이다.[40]

FeNa가 <1%이면 콩팥전 원인이고, >2%이면 콩팥 혹은 콩팥후 원인으로 볼 수 있다. 그러나, 만성신부전이나 이뇨제 사용 후에는 높게 나올 수 있고, 패혈증으로 인한 신부전증, 조영제, 혈색소뇨 등과 같은 경우에는 낮게 나올 수 있으므로, 판단에 주의를 요한다.[41]

치료

급성신손상이 있는 경우 우선적인 처치는 ① 결정질용액(crystalloid solution)을 충분히 주고 반응을 관찰하고, ② 신독성이 있는 약제는 중단하고, ③ 급성신손상을 유발한 원인을 찾아서 치료하는 것이다.

위의 여러 가지 검사로도 콩팥전 원인과 콩팥 원인의 감별이 어려운 경우도 많기 때문에, 콩팥전 원인이 배제되지 않는 경우라면, 우선 정맥으로 수액을 주고 그 반응을 관찰해 보는 것이 필요하다. 콩팥전 원인으로 신장 관류저하가 지속되면 결국 신장 실질의 손상이 초래될 수 있기 때문이다. 결정질용액으로 500~1,000mL를 30분에 걸쳐서 주고, 소변량 증가와 같은 반응이 있거나 과다혈량(hypervolemia, volume overload)이 우려될 때까지 계속 한다.[42] 만약 충분한 수액요법에도 불구하고 소변이 나오지 않는 경우라면 콩팥 원인일 가능성이 높고, 이런 경우에 과다한 수액 투여는 과다혈량으로 인한 폐부종과 같은 문제를 초래하므로, 콩팥 원인으로 판단되면 즉시 수액 투여양을 최소로 제한하여야 한다. 소변이 전혀 나오지 않는다면, 하루 투여해야 할 수액의 최소양은 불감상실(insensible loss)을 보충하는 10~15mL/kg/day 정도의 양이다.

실제 많은 임상 의사들이 소변량을 유지하기 위해 이뇨제를 사용하지만, 이런 방법은 콩팥전 원인인 경우에는 이뇨제 자체가 혈량저하증을 악화시켜 신손상을 더 악화시킬 수 있고, 사망률을 줄여주지 못하며, 투석 요구도를 줄이지 못한다는 연구 결과들이 있어서 일반적으로 추천되지 않는다.[43]

급성신손상의 가장 좋은 치료는 예방이다. 일단 급성신손상이 생기면, 신장 기능을 회복시킬 수 있는 방법은 없다. 치료의 목표는 신독성을 가진 약제를 중단하고, 혈량저하증에 의한 신장 저관류로 인해 신장이 더 이상 손상을 받지 않도록 하는 것과, 신장으로 배설되는 약제의 용량을 조절하는 것이다. 용량을 조절하거나 중단해야 하는 약제는 항생제, NSAIDs, 고혈압 약제, 마약성 진통제 등 매우 많다. 진단이 불확실하거나, 적절한 치료에도 급성신손상이 지속된다면 신장 내과에 의뢰를 하는 것이 좋다.

혈액 투석이 필요한 경우에는 ① 고칼륨혈증, ② 폐부종, ③ 교정되지 않는 체액량 과다, ④ 대사성 산증, ⑤ 요독증에 의한 증상(encephalopathy, bleeding from platelet dysfunction, pericarditis)이 있다.

이러한 경우에서 혈액 투석의 필요성을 결정하는 절대적 기준은 없지만, 일반적으로 생명을 위협할 정도로 심한 경우인지가 판단기준이 되며, 대략 AKIN stage 3 이상인 경우에서 증상과 검사 결과를 보고 결정하게 된다. 투석 방법의 선택(intermittent vs. continuous), 투석의 시작 시점, 투석 빈도의 최선이 어느 것인지는 여전히 확실하지 않다.[44]

투석 방법은 간헐적 혈액투석(intermittent hemodialysis)과 지속적인 신대체요법(continuous renal replacement therapy)이 있다. 간헐적 혈액투석은 350mL/min에 이르는 고유속(high flow rate)을 사용하기 때문에 빈맥과 저혈압을 초래할 수 있으므로, 혈류역동학적으로 불안정한 환자에게는 상대적 금기이다. 중환자실에서 치료받는 환자라면 혈류역동학적으로 불안정한 경우가 많고 거동이 어려운 경우가 많으므로 저유속(low flow rate)을 사용하는 지속적인 신대체요법이 더 적합하다. 그러나, 지속적인 신대체요법은 느린 유속으로 인하여 정맥관이 혈전으로 막힐 수 있어서 헤파린과 같은 항응고제를 사용하게 되는데, 출혈성 경향이 있는 환자라면 부담이 될 수 있다.[45]

혈액투석이 필요한 정도로 심한 급성신손상이 초래되면, 투석치료를 하면서 신기능이 회복되어 소변이 충분히 나올 때까지 기다리는 수밖에 없다. 투석을 요하는 심한 급성신손상이 있는 환자의 90% 이상이 회복되기는 하지만, 5~10%는 만성 신부전으로 이행되어 평생 투석치료를 받거나 신장 이식이 필요하게 되며, 회복하는 환자의 경우도 향후 만성 신부전이 생길 위험이 높아지게 된다.[46,47] 앞서 언급한 바와 같이 급성신손상은 예방하는 것이 최선이며, 특히 혈량저하증으로 인한 콩팥혈류량 감소가 생기지 않도록 주의하고, 부인암 치료 과정에서 사용되는 약제들이 신손상을 유발할 수도 있다는 점을 유념해야 한다.

수혈(Blood Replacement Issues)

빈혈 및 적혈구 제재
(Anemia/RBC)

1) 빈혈의 발생빈도와 병인(prevalence and pathogenesis)

빈혈은 중증환자들에게 흔히 발생하는 문제로, 중증환자들은 심박출량 감소, 순환적혈구괴(red cell mass)의 감소, 적혈구 손실로 인한 순환혈액량의 감소, 산-염기 평형이상으로 인한 산소 전달과 소비에 이상이 있을 수 있다. 중증 환자에서 빈혈의 원인은 다양한데 출혈 또는 용혈로 인한 형성혈액 손실, 사용 가능한 철의 기능적 감소, 적혈구형성인자(erythropoietin)의 감소 등이 있다.[48]

2) 중환자에서 빈혈 교정

빈혈은 전통적으로 적혈구 수혈을 통해 교정한다. 수혈 지표와 각 센터들의 지침은 다양하며, 중환자실에서의 빈혈에 대한 최적의 치료방법은 아직까지 정해지지 않았다. 수혈 기준을 혈색소 10g/dL 미만인 경우로 하는 것과 더 제한적 기준을 적용하여 7g/dL 미만인 경우가 있다. 더 제한적 기준을 적용하여 수혈해도 임상적 결과가 나쁘지 않았기 때문에 중증환자에서 혈색소 농도 7~9g/dL 정도를 제안하고 있다. 수혈을 할 때에는 산소 운반에 영향을 주는 전신적 장기 기능 이상, 예상되는 혈액 손실, 전반적인 환자의 치명률 등을 고려해야 한다.[48]

3) 용량과 투여

농축 적혈구(packed RBC) 한 단위는 약 300mL로 일반적으로 2~3시간에 걸쳐서 투여한다. 건강한 사람에서 농축 적혈구 한 단위를 수혈하면 혈색소는 약 1g/dL, 적혈구용적율은 약 3% 상승한다. 수혈 전에 반드시 ABO형에 대한 환자 혈액을 검사해야 하지만, 응급상황에서는 Rh 음성 O형 적혈구를 줄 수 있다.[48]

4) 적혈구 제재의 유형

① 전혈(whole blood): 최근 자가공혈상항에서 사용되고 있다. 적혈구, 혈소판, 혈장단백 등의 모든 정상 성분이 포함되어 있다.

② 농축적혈구: 보존액에 부유시킨 적혈구 약 200mL를 포함한다. 각 수혈팩의 적혈구 용적률은 55~60%이며, 약 200mg의 철분을 포함한다.

③ 감마선 조사(Gamma-irradiated) 혈액: 체외-빔조사(eternal-beam radiation)을 혈액 단위에 적용한다. 공여자의 T림프구세포를 파괴하여 조혈모세포 이식 환자와 중증면역결핍환자에서 이식편대숙주병을 예방하기 위해서 이다.

④ 거대세포바이러스 항체-음성(cytomegalovirus Antibody-negative) 혈액: 거대세포바이러스에 감염될 경우 합병증의 위험이 높은 이식 환자나 임산부 같은 환자 중 거대세포바이러스-음성으로 확인된 경우 사용한다.

⑤ 세척적혈구(washed RBCs): 공여자의 혈청을 최대한 제거하기 위해 공여자의 세포에 생리식염수 세척 과정을 적용한다. 면역글로불린 A (immunoglobulin A, IgA) 결핍 환자 또는 수혈 중 아나필락시스 위험이 높은 경우 흔하게 사용되는 방법이다.

5) 수혈의 합병증

① 단기수혈부작용

i. 급성용혈성 반응(acute hemolytic reaction): 가장 심각하고 즉각적으로 생명을 위협하는 수혈의 합병증이다. 수혈 초기 첫 수분 이내로 급성으로 발열, 호흡곤란, 빈맥, 요통, 저혈압, 오한, 흉통 등의 증상을 보인다. 만약 급성 용혈성 반응이 의심되면 즉시 주입을 멈춰야 하며 혈액은행에 보고하도록 한다.

ii. 지연용혈성 반응(delayed hemolytic reactions): 지연용혈성반응은 주로 수혈 후 24~48시간이 지나 발생하며, 7~10일까지도 발생 할 수 있다. 대부분 무증상이지만 갑작스러운 혈색소 농도의 감소나 양성쿰즈검사(Coombs test)와 간접빌리루빈 농도의 증가와 같은 용혈을 시사하는 검사결과 등이 나타날 수 있다.

iii. 비용혈성 발열성 반응(nonhemolytic febrile reactions): 수혈의 약 1%에서 발생한다. 갑작스러운 체온의 증가가 발생하며, 이전에 여러 번 수혈을 받아 동종 면역이 있는 환자에서 더 흔하다. 해열제로 치료한다.

iv. 알레르기 반응(allergic reactions): 알레르기성 반응은 수혈된 공여자 산물의 알레르기항원에 의해 발생하며, 두드러기, 기관지 연축(bronchospasm) 같은 증상이 있다. 항히스타민제제로 치료한다.

v. 수혈 관련 급성폐손상(transfusion-related acute lung injury): 수혈 관련 급성폐손상이 발생하는 기전은 잘 알려지지 않았지만, 면역항체-매개 과정 및 비면역기전등이 원인으로 제시되고 있다. 임상양상으로 폐혈관구조물의 미만성 모세혈관 손상으로 인해 갑작스러운 호흡곤란, 저산소증, 발열, 급성호흡곤란증후군과 유사한 용적과다 또는 심부전 소견 없는 양측성 폐침윤 등으로 나타난다. 대부분 자연 치유되며 보존적 치료

를 하지만, 심하면 기계 호흡이 필요한 경우도 있다.

vi. 세균감염: 혈액 단위는 에르시니아(Yersinia enterocolitica) 또는 다양한 그람음성균 등 낮은 온도에서 증식할 수 있는 균을 포함한 각종 세균들에 의해 오염될 수 있으나, 일회용 플라스틱 혈액팩이 도입된 이래 세균감염 발생률은 매우 감소했다.

② 장기수혈부작용(long-term transfusion risks)

i. 바이러스 감염: A형간염, B형간염, C형간염, 사람면역결핍바이러스(HIV), 사람 T림프구 친화성바이러스(human T lymphotropic virus) 1과 2, Parvovirus B19 와 같은 바이러스 가 수혈을 통해 감염될 수 있다. 최근 모든 혈액 제재는 B형간염, 사람면역결핍바이러 스, 사람 T림프구친화성바이러스 1과 2를 선별검사 하고 있다.

ii. 철분과다(iron overload): 2차적인 철분과다증후군은 환자가 수혈 받은 혈액 제제의 수 와 비례해서 발생한다. 오랫동안 여러 번 수혈을 받은 환자들에서 위험이 높다. 농축 적혈구 각 mL당 약 1mg의 철분을 포함하고 있으며, 혈액 손실 없이 반복해서 수혈을 받은 환자는 인체의 철분 처리 능력을 넘어선 양을 투여받게 되고, 그 결과 심근, 골 수, 간 등의 조직에 철분이 침착된다.

혈소판감소증 (Thrombocytopenia)

중환자에서 혈소판감소증은 매우 흔하다. 혈소판의 정상 수치는 150,000~450,000/uL 사이인데, 혈소판 수의 절대값도 중요하지만 혈소판 수의 변화, 특히 1/2 이상 감소하는 것은 헤파린유발 혈소판감소증(heparin induced thrombocytopenia, HIT)과 같은 긴급히 주 의를 기울여야 할 심각한 임상적 문제의 증거가 될 수 있다. 점막피부 출혈이 혈소판감 소증의 전형적인 징후라는 것은을 기억해야 한다. 수술 후 환자에서는 보통 혈소판이 50,000/uL 미만으로 감소했을 때 혈소판감소증으로 인한 출혈이 발생하며, 5,000/uL 미 만으로 낮아질 경우 자연 출혈이 발생할 수 있다.[49]

1) 원인

① 중환자실에서 혈소판 감소증의 원인은 약물에 의한 유발(헤파린, H2 수용체 차단제, GP-2b3a 억제제, 항생제, 알코올), 패혈증, 대량 출혈, 미세혈관병증용혈빈혈(microangiopathic hemolytic anemia)에 동반된 혈소판감소증, 혈전성혈소판감소성자반증(thrombtic thrombocytopenic purpura, TTP), 용혈요독증후군(hemolytic uremic syndrome, HUS), 파종혈관 내응고(disseminated intravascular coagulation, DIC) 등이 있다.

② 혈소판 감소증을 유발할 수 있는 약들로 혈소판생산감소(항암제: Busultan, Cyclophosphamide, Cytosine arabinoside, Daunorubicin, Mesothrexate, 6-mercaptopurine, Vinca alkaloids, Estrogens, Ethanol, Linezolid, Thiazide Diuretics) 면역반응연과 혈소판 파괴(Abciximab, Amphotericin B, Aspirin, Carbamazepine, Chloroquine, Cimetidine, Clopidogrel, Digoxin, Eptifibatide, Heparin, Meropenem, Phenytoin, Piperacillin, Quinine, Ranitidine, Trimethoprim/Sulfamethoxazole, Valproic acid, Vancomycin), 기전불명(Fluconazole, Ganciclovir, Nitrofurantoin, Rifampin, Valganciclovir) 등이 있다.

2) 진단

철저한 병력과 신체검사로 진단적 접근을 시작하고, 말초혈액도말검사(peripheral blood smear)를 시행한다. 처방 받은 의약품 및 일반의약품에 대한 주의를 기울여야 한다.

3) 치료

원인에 따라 치료가 다르며, 혈소판수혈의 적응증은 혈소판감소증의 원인과 출혈의 유무에 따라 좌우된다. 출혈에 의한 혈소판감소증은 혈소판을 수혈하지만 혈전성혈소판감소성자반증, 용혈요독증후군은 혈소판 수혈이 금기이며, 환자의 생명을 위협하는 출혈이 있지 않는 한 수혈을 하지 말아야 한다. 다른 원인들의 경우 혈소판 수치가 10,000/uL 미만이라면 자발적 두개내출혈을 예방하기 위해 예방적 혈소판 수혈을 한다. 대수술을 할 경우 혈소판 수가 100,000/L 이상이어야 하며, 작은 시술의 경우 50,000/uL 이상을 유지해야 한다. 출혈 없이 혈소판이 파괴된 경우 혈소판수혈의 적응증이 아니다.[48,49]

Plasma Fractions 과 그외 인자들

1) 신선동결혈장(fresh-frozen plasma, FFP)

혈액응고인자 결핍이나 응고장애 상황에서 투여한다. 와파린 해독작용을 위해 또는 중증 파종성혈관내응고시 투여한다. 신선동결혈장은 전혈에서 분리된 혈장이며 수집 후 6시간 이내에 -30℃ 이하로 유지한다. 신선동결혈장 한 단위는 약 200~250mL의 부피를 가지며 신선한 혈액에 존재하는 모든 응고인자를 포함한다. 신선동결혈장 수혈의 적응증은 다음과 같다. (a) 특정 응고인자가 부족한 응고인자결핍질환(특히 factor V), (b) 심한 간질환을 동반한 여러 응고인자 결핍, (c) 방대한 수혈.[48]

2) 동결침전물(cryoprecipitate)

피브리노겐 결핍 시 투여한다.

3) Factors III와 IX concentrates

각각 혈우병 A 또는 B의 치료 시 투여한다.

4) Recombinant factor VIIa

혈우병 A와 B로 인해 발생한 출혈 합병증, factor VII 결핍증에 투여한다.

파종성혈관내응고
(Disseminated Intravascular Coagulation, DIC)

1) 원인

파종성혈관내응고를 유발하는 원인은 다양하며, 패혈증, 외상, 중추신경손상, 열사병(heat stroke), 화상, 독사물림, 태반박리, 자궁무력증, 지방색전증, 종양 용해 증후군(tumor lysis syndrome), 급성용혈수혈반응(acute hemolytic transfusion reaction) 등이 있으며, 연관된 대부분의 질환들은 조직손상, 신생물, 감염 또는 산과적 응급 등의 상황이다.[50]

2) 병태생리학

파종성혈관내응고는 정상적 응고 과정이 빠르고 강하게 전신적으로 활성화된 소모성 응고병증(consumptive coagulopathy)이다. 응고인자와 섬유소용해인자 및 그 억제제의 소모로 인해, 응고과정 조절에 불균형이 발생한다. 과량의 섬유소응괴가 작은 혈관과 중간크기의 혈관에 형성되어 혈전폐색 및 말단기관 손상을 유발한다, 적절한 생리적 보상작용이 없을 경우 응고인자는 빠르게 소모되어 출혈이 발생한다.[50]

3) 진단

PT/aPTT/TT 연장, 혈소판감소증 미세혈관병병증용혈빈혈(microangiopathic hemolytic anemia) 등이 특징적으로 나타난다. 질병경과 초기에는 병적인 보상으로 섬유소원 농도는 정상일 수 있지만, 중증의 경우 심각한 저섬유소원혈증이 나타난다. D-dimer, FDP는 선별검사에서 연장된 응고시간을 보이며, 혈소판감소증이 동반된 다른 응고질환들과 파종성혈관내응고를 구별하는 데 유용하다.[50,51]

4) 치료

치료의 일차적 목표는 파종성혈관내응고를 유발한 기저질환을 치료하는 것이다. 때로는 기저질환만 치료해도 파종성혈관내응고의 진행을 막을 수 있으나, 대부분의 증례에서 쉽지 않으므로 환자는 대개 추가적으로 보존적 치료가 필요하다. 산증은 응고장애를 악화시킬 수 있기 때문에 적절한 관류를 유지하기 위한 소생술이 필수적이다. 신성동결혈장, 동결침전제제, 혈소판의 역할은 불분명하다. 출혈 중인 환자에게는 혈소판 수를 50,000/uL 넘게 유지하기 위해 혈소판 수혈이 일반적으로 시행된다(주로 한 공여자의 혈소판 또는 혈소판 농축물 4~6단위). 동결침전제제(주로 10단위)로 섬유소원 농도가 60mg/dL를 넘도록 유지한다.[51]

중환자실 환자의 감염(Infection in Intensive Care Unit)

부인과 수술을 받는 환자의 약 8~10%에서 원내 감염이 발생할 수 있고, 원내 감염의 80% 이상은 중심정맥관을 통한 감염, 인공호흡기 사용과 연관된 폐렴, 도뇨관과 연관된 요로 감염이다.[52] 창상 감염의 발생을 줄이기 위해서는 피부 절개 15~60분 전에 예방적 항생제를 사용하는 것이 좋다.[53] 부인과 수술 환자에서는 예방적 항생제로는 1세대 혹은 2세대 세팔로스포린 계열의 항생제가 추천된다.[52,53] 만약 세팔로스포린이나 페니실린계 항생제에 알레르기가 있는 경우라면, 클린다마이신+퀴놀론(시프로플록사신 또는 레보플록사신)을 사용하거나, 아즈트레오남(Aztreonam)을 사용하는 것이 좋다.[52,53]

항암제 사용과 연관된 호중성백혈구감소증이 생기면 플루오로퀴놀론(Fluoroquinolone)을 예방적으로 사용하는 것이 호중성백혈구감소증과 연관된 발열의 빈도를 줄이고, 사망률을 줄이는데 도움이 된다.

열이 나면 우선 감염의 원인 부위를 찾기 위해 노력해야 한다. 이학적 검사를 통해 모든 창상, 기구들을 점검하고, 호흡기 감염, 요로 감염, 복강 내 감염 등의 가능성을 점검하여야 한다. 감염의 근원지를 찾지 못하는 경우에는 영상학적 검사와 혈액 검사를 시행해야 한다. 발열이 있는 환자의 대부분은 감염이 원인이지만, 감염 이외의 원인에 의한 것일 수도 있다. 감염이 생기게 되면 먼저 가능성이 있는 세균에 대한 광범위 항생제를 선택하여 투여하고, 배양 검사와 항생제 감수성 결과가 나오는 대로 필요시에 교체해 주는 것이 필요하다.[54] 또한 감염의 근원을 제거할 수 있다면 빨리 제거해 주어야 한다.

패혈증(Sepsis)

패혈증이란 감염에 의해 주요 장기의 관류 저하와 장기부전을 초래하는 매우 치사율이 높은 질환이다. 과거에는 전신적 염증반응 증후군(systemic inflammatory response syndrome, SIRS)이 감염에 의해 초래된 경우로 정의하였는데, 실제 'SIRS' 없이도 감염에 의해 급성장기부전이 초래되는 경우도 있어서 좀더 명확한 임상적 정의가 필요하였다. 2016년에 'Sepsis definitions task force'는 패혈증을 '감염에 대한 인체의 잘못 조절된 반응으로 인해 급성장기부전이 초래되는 경우'라고 정의하였다(표 10-6). 또한, 패혈성 쇼크는 '패혈증이 초래한 순환계 이상과 세포/대사 이상이 상당한 치사율 증가를 가져올 만큼 심각한 경우로 정의하였다.

표 10-6. 패혈증과 패혈성 쇼크의 정의와 기준('Sepsis-3' criteria)

Condition	Definition	Common clinical features	'Sepsis-3' criteria
Sepsis	A life-threatening organ dysfunction caused by a dysregulated host response to infection	Include signs of infection, with organ dysfunction, plus altered mentation; tachypnea; hypotension; hepatic, renal, or hematologic dysfunction	Suspected (or documented) infection and an acute increase in ≥2 sepsis-related organ failure assessment (SOFA) points
Septic shock	A subset of sepsis in which underlying circulatory and cellular/metabolic abnormalities lead to substantially increased mortality risk	Signs of infection, plus altered mentation, oliguria, cool peripheries, hyperlactemia	Suspected (or documented) infection plus vasopressor therapy needed to maintain mean arterial pressure at ≥65mmHg and serum lactate >2.0mmol/L despite adequate fluid resuscitation

Adapted from Assessment of Clinical Criteria for Sepsis: For the Third International Consensus Definitions for Sepsis and Septic Shock (Sepsis-3). JAMA 2016;315:762-74.

이러한 정의를 실제 임상에서 쉽게 적용할 수 있도록, 'Sepsis-3 clinical criteria'를 정하였는데, 패혈증이란 ① 감염이 의심되거나 확인이 되었고, ② 급성장기부전이 동반된 경우라고 정의하였다. 급성장기부전 동반 여부는 SOFA score[the sequential (or sepsis-related) organ failure assessment score]가 기준에서 2점 이상 증가한 경우이다.

패혈성 쇼크는 상기 패혈증의 기준과 더불어 ① 평균 동맥압을 ≥65mmHg로 유지하기 위해 승압제가 필요하고, ② 충분한 수액 보충에도 불구하고 serum lactate 농도가 >2.0mmol/L 인 경우라고 정의하였다(표 10-6).

패혈증은 다양한 감염에 의해 초래될 수 있으며 폐렴, 복강 내 감염, 생식 요로계 감염 등이 흔한 원인들이다. 부인암으로 치료받는 환자는 기저질환이 없는 경우에는 패혈증이 초래되는 경우가 흔치 않으나, 항암치료를 하는 과정에서 생길 수 있는 면역 저하와 호중성백혈구감소증으로 감염에 취약해진 상황에서는 가끔 발생할 수 있기 때문에 주의를 요한다.

감염에 의한 직접적인 장기손상뿐 아니라, 감염에 대한 인체의 면역반응에 의해서도 장기 손상이 초래된다. 조직으로 산소 전달이 감소하고, 손상된 조직과 괴사된 세포는 DAMPs (damage-associated molecular patterns)를 유리하고, 이는 백혈구 활성화를 촉진하여 혈관 내피 손상, 혈액 응고기전의 활성화를 초래한다. 이런 변화들은 혈관의 이완과 저혈압, 조직 부종, 상대적 혈량저하증을 초래하고, 범발성 혈액응고장애와 장기부전을 초래하게 된다.

장기부전 동반 여부는 'SOFA score'를 사용하여 평가한다.[55] SOFA score는 호흡기, 혈액응고, 간담도, 심혈관계, 중추신경계, 신장 기능에 대한 6가지 평가항목으로 구성되어 있고, 각 항목별로 4점까지 중증도에 따른 점수가 매겨지며, ≥2점 점수가 증가하면 장기부전이 존재하는 것으로 평가하고 2점씩 증가할 때마다 약 10% 정도의 치사율 증가를 예측하게 된다(표 10-7).

표 10-7. The SOFA score

SOFA score	1	2	3	4
Respiration PaO$_2$/FiO$_2$, mmHg	<400	<300	<200	<100
Coagulation Platelets X 10^3/mm^3	<150	<100	<50	<20
Liver Bilirubin, mg/dL(μmol/L)	1.2~1.9 (20~32)	2.0~5.9 (33~101)	6.0~11.9 (102~204)	>12.0 (>204)
Cardiovascular Hypotension	MAP <70mmHg	Dopamine ≤5 Or Dobutamine (any dose)	Dopamine >5 Or Epinephrine ≤0.1 Or Norepinephrine ≤ 0.1	Dopamine >15 Or Epinephrine >0.1 Or Norepinephrine >0.1
Central nervous system Glasgow Coma Score	13~14	10~12	6~9	<6
Renal Creatinine, mg/dL (μmol/L) or urine output	1.2~1.9 (110~170)	2.0~3.4 (171~299)	3.5~4.9 (300~440) Or <500mL/day	>5.0 (>440) Or <200mL/day

Adrenergic agents administered for at least 1 h (doses given are in μg/kg·min).

Adapted from The SOFA (Sepsis-related Organ Failure Assessment) score to describe organ dysfunction/failure. On behalf of the Working Group on Sepsis-Related Problems of the European Society of Intensive Care Medicine. Intensive Care Med 1996;22:707-10.

2002년에 시작된 'The Surviving Sepsis Campaign'(www.survivingsepsis.org)은 패혈증 치료의 예후 향상을 위해 표준적인 치료지침을 제시했으며, 그 후 수 차례 개정을 거쳐 현재는 2016년에 개정된 지침서가 나와있다.[56,57]

패혈증과 패혈성 쇼크는 응급 질환이며, 의심되면 즉각적으로 치료를 시작해야 한다. 첫 1시간 내에 시작해야 할 필수적인 것들은 'hour-1 bundle'이라고 부르며, 다음과 같은 처치들이다.[58]

① 혈액 젖산 농도(serum lactate level)를 검사한다. 첫 검사 결과가 >2mmol/L이면 재검사를 시행한다.

② 항생제 시작 전에 혈액 배양검사를 시행한다.

③ 광범위 항생제를 투여한다.

④ 저혈압이 있거나 혈액 젖산 농도가 ≥4mmol/L로 높으면, 결정질용액(crystalloid fluid) 30mL/kg 양을 빠르게 정주해야 한다.

⑤ 수액요법으로도 평균 동맥압이 ≥65mmHg로 유지되지 않으면, 승압제를 사용한다.

상기 수액요법 이후에도 활력징후, 소변양 등을 평가하면서 추가적인 수액요법이 필요하면 계속 한다. 수액은 결정질용액을 사용하는 것이 좋고, 교질용액(colloid solution: hydroxyethyl starch, gelatin 등)은 추천되지 않는다. 다만 알부민 용액은 혈액의 단백질 농도가 낮은 경우 사용하는 것이 추천된다.

일차적으로 사용하는 항생제 선택은 ① 피페라실린-타조박탐(Piperacillin-tazobactam),

② 세페핌(Cefepime), ③ 메로페넴(Meropenem) 혹은 이미페넴-실라스타틴(Imipenem-cilas-tatin) 사용이 추천된다. 페니실린이나, 세팔로스포린계 항생제에 과민반응이 있는 경우는 ① 아즈트레오남, ② 시프로플록사신 혹은 레보플록사신과 같은 항생제를 사용하고 필요시 반코마이신(Vancomycin)을 추가할 수 있다. 혈액 배양 결과가 나오고, 감수성 결과가 나오면 적절한 항생제로 교체할 수 있다.

감염의 근원이 발견되고 제거할 수 있는 것이라면, 가능하면 빨리 제거해 주어야 한다. 중심정맥관이 감염의 원인으로 의심되면 제거해야 한다.

승압제는 노르에피네프린(Norepinephrine)이 가장 좋은 선택이다. 빈맥 발생의 위험이 낮고, 서맥이 있는 경우와 같은 선택적인 경우에는 도파민을 대신 사용할 수도 있다. 바소프레신은 노르에피네프린 양을 줄이기 위해 같이 사용하는 경우도 있다.

혈색소가 7.0 g/dL 이하인 경우에 적혈구 농축액 수혈을 하고, 신선동결혈장은 출혈이 없으면 가급적 수혈하지 않는 것이 좋다. 혈소판 수혈은 출혈이 없다면 <10,000/mm³일 때만 하고, 만약 출혈의 위험이 있으면 <20,000/mm³이면 하도록 한다. 수술이나 침습적인 시술을 해야 할 때는 ≥50,000/mm³을 유지하는 것이 필요하다.

과다 출혈에 의해 희석범발성혈액응고장애(dilutional disseminated intravascular coagulop-athy)가 초래된 경우에는 신선동결혈장과 혈소판을 충분히 수혈하는 것이 도움이 되지만, 패혈증의 경우에는 그렇지 않다는 것에 주목해야 한다. 패혈증의 경우에는 혈관내피세포가 손상 받아서 혈관 내에서 혈액응고가 이루어지고 혈전이 생기면서 혈소판과 응고인자가 소모되어 범발성혈액응고장애가 발생하기 때문에 신선동결혈장과 혈소판 수혈은 혈관 내 응고 과정의 재료가 되어 장기허혈증과 장기 부전을 더 악화시킬 수 있으므로 출혈이 문제되지 않는 한 가급적 수혈을 피하는 것이 필요하다.

그 외 호흡 부전에 빠지면 인공호흡기 사용이 필요할 수 있고, 급성신손상으로 투석 치료가 필요하면 투석치료를 해야 한다. 투석의 방법은 패혈증과 같이 활력 징후가 불안정한 경우에는 지속성신대체요법(continuous renal replacement therapy, CRRT)이 적절하다. 정맥 혈전색전증을 예방하기 위한 헤파린 요법은 금기가 없다면 사용하는 것이 좋다.

패혈증은 치사율이 높은 질환이므로 의심되면 즉각적인 검사와 치료를 시작하고, 중환자실에서 치료를 해야 한다. 항생제 사용에 대한 감염내과와의 협진이 필요하고, 장기 부전이 동반된 패혈성 쇼크가 생기면, 인공호흡기 사용, 혈액투석 등의 치료가 필요해지기 때문에 내과 각 분과와의 협력이 필요하다. 감염의 원인이 된 병소를 제거할 수 있는지 여부가 예후에 영향을 주기 때문에 원인 병소를 찾기 위한 노력이 필요하고, 제거할 수 있다면 가급적 빨리 제거해 주어야 한다.

발열성 호중구감소증
(Febrile Neutropenia)

항암치료와 연관되어 발생한 호중구감소증(absolute neutrophil count[ANC] ≤500 cells/mm³)이 있는 상태에서 열(≥38.3℃)이 나는 경우는 패혈증과 같은 심각한 감염이 동반될 수 있으므로 특별한 주의를 요한다. 주된 원인은 세균이나 진균 감염이지만, 약제, 수혈,

G-CSF 사용과 같은 비감염성 원인에 의한 발열일 수도 있다.

초기 검사는 감염의 원인이 되는 병소를 찾고, 가능성 높은 원인균을 추정하는데 초점이 맞추어져야 한다. 호중성백혈구감소증 환자에서 발견되는 감염 원인균은 *Coagulase-negative staphylococcus, Staphylococcus aureus, Streptococcus pneumoniae, Streptococcus viridans*와 같은 그람 양성균, 그리고 *Escherichia coli, Klebsiella, Enterobacter, Pseudomonas* 등의 그람 음성균들이다.

먼저 병력 청취를 통해 발열 이외의 다른 증상, 동반된 질환, 현재 사용 약제, 최근 항암치료여부 등을 파악해야 한다. 또한 신체 진찰을 통하여 감염 병소를 찾기 위해 노력해야 한다.

우선적으로 필요한 검사는 complete blood count with differential count, blood urea nitrogen, creatinine, electrolyte, total bilirubin, liver function test이며, 증상에 따라 동맥혈 가스분석이나 소변검사도 포함된다. 혈액배양검사는 각기 다른 부위의 정맥 채혈을 통하여 적어도 두 개 이상을 시행해야 한다. 중심정맥관이 있는 경우라면 정맥관에서도 배양 검사를 시행하여야 한다.

설사를 하는 경우라면 Clostridium difficile toxin 검사와 대변 배양 검사가 필요할 수 있다. 요로 감염 증상이 있는 경우, 도뇨관을 사용하고 있는 경우, 소변검사 상 이상이 있는 경우에는 소변 배양 검사를 하는 것이 좋다. 흉부 X 선 검사는 기침 등의 호흡기 증상이 있는 경우에는 반드시 필요하고, 증상이 없더라도 시행해 두면 향후 호흡기 이상의 발생여부를 평가하는 데 도움이 된다.

치료적 접근은 먼저 위험도를 평가하여 고위험군과 저위험군으로 나누는 것으로 시작한다. 위험도 평가를 통해 예후를 예측할 수도 있지만, 주된 목적은 입원 치료를 통한 주사용 항생제를 사용할 것인지, 통원 치료로 경구용 항생제로 치료할 것인지를 결정하기 위함이다.

심한 호중구감소증(ANC ≤100cells/mm³)이 있는 기간이 7일을 초과하는 경우를 고위험군으로 간주하며, 입원과 주사용 항생제를 통한 치료가 필요하다. 호중구감소증 동반 기간이 7일 이내이고, 다른 동반 질환(저혈압, 폐렴, 최근 발생한 복통이나 신경학적 이상 등)이 별로 없다면 저위험군으로 분류하고, 경구용 항생제 사용과 통원치료가 가능하다. 좀더 객관적인 위험도 평가를 위해 'Multinational Association for Supportive Care in Cancer (MASCC) risk index'를 사용할 수도 있다.[59]

배양검사 결과가 나오기 전에는 가능한 원인균을 치료하기 위한 광범위 항생제를 사용하게 되는데, 고위험군의 경우 세페핌(Cefepime), 카바페넴[Carbapenem(메로페넴, Meropenem), 이미페넴-실라스타틴(Imipenem-cilastatin)], 피페라실린-타조박탐(Piperacillin-tazobactam)과 같은 단일 항생제 사용이 추천된다. 저혈압이나 폐렴이 동반된 경우, 혹은 항생제 내성이 의심되는 경우에는 아미노글리코사이드(Aminoglycoside), 플루오로퀴놀론, 반코마이신과 같은 항생제를 추가할 수 있다.

저위험군의 경우에는 경구용 항생제 치료가 가능하고, 시프로플록사신 + 아목시실린-

클라불라네이트(Amoxicillin-Clavulanate) 조합이 추천된다. 레보플록사신, 시프로플록사신, 시프로플록사신 + 클린다마이신도 사용 가능하다.

항생제를 사용하고 2~4일 이후에도 발열이 지속된다면, 항생제 교체 여부를 고려해야 한다. 광범위 항생제를 4~7일 이상 사용했는데도 발열이 지속된다면, 항진균제를 추가해야 한다. 항생제는 적어도 호중구감소증이 있는 기간 동안은 계속 사용하여야 하며, 통상적으로 ANC $\geq$500cells/mm^3 이상이 될 때까지 사용한다.

호중구감소증이 있고 아직 발열이 없는 경우에는 조혈성장인자(hematopoietic growth factors: G-CSF or GM-CSF)를 예방적으로 사용하는 것이 추천되지만, 발열이 생긴 후에는 일반적으로 추천되지 않는다.

페니실린계 항생제에 알레르기가 있는 환자의 대부분은 세팔로스포린계 항생제를 사용할 수 있지만, 두드러기나 기관지 경련과 같은 급성 과민반응의 증상이 있는 경우는 시프로플록사신 + 클린다마이신 혹은 아즈트레오남 + 반코마이신을 사용해야 한다.

참고문헌

1 Calhoun DA, Oparil S. Treatment of hypertensive crisis. N Engl J Med 1990;323:1177-83.

2 Chobanian AV, Bakris GL, Black HR, Cushman WC, Green LA, Izzo JL, Jr., et al. The Seventh Report of the Joint National Committee on Prevention, Detection, Evaluation, and Treatment of High Blood Pressure: the JNC 7 report. JAMA 2003;289:2560-72.

3 Elliott WJ. Clinical features in the management of selected hypertensive emergencies. Prog Cardiovasc Dis 2006;48:316-25.

4 Thygesen K, Alpert JS, White HD, Joint ESCAAHAWHFTFftRoMI. Universal definition of myocardial infarction. J Am Coll Cardiol 2007;50:2173-95.

5 Anderson JL, Adams CD, Antman EM, Bridges CR, Califf RM, Casey DE, Jr., et al. ACC/AHA 2007guidelines for the management of patients with unstable angina/non-ST-Elevation myocardial infarction: a report of the American College of Cardiology/American Heart Association Task Force on Practice Guidelines (Writing Committee to Revise the 2002 Guidelines for the Management of Patients With Unstable Angina/Non-ST-Elevation Myocardial Infarction) developed in collaboration with the American College of Emergency Physicians, the Society for Cardiovascular Angiography and Interventions, and the Society of Thoracic Surgeons endorsed by the American Association of Cardiovascular and Pulmonary Rehabilitation and the Society for Academic Emergency Medicine. J Am Coll Cardiol 2007;50:e1-e157.

6 Antman EM, Anbe DT, Armstrong PW, Bates ER, Green LA, Hand M, et al. ACC/AHA guidelines for the management of patients with ST-elevation myocardial infarction; A report of the American College of Cardiology/American Heart Association Task Force on Practice Guidelines (Committee to Revise the 1999 Guidelines

for the Management of patients with acute myocardial infarction). J Am Coll Cardiol 2004;44:E1-E211.

7　Kushner FG, Hand M, Smith SC, Jr., King SB, 3rd, Anderson JL, Antman EM, et al. 2009 focused updates: ACC/AHA guidelines for the management of patients with ST-elevation myocardial infarction (updating the 2004guideline and 2007 focused update) and ACC/AHA/SCAI guidelines on percutaneous coronary intervention (updating the 2005guideline and 2007 focused update) a report of the American College of Cardiology Foundation/American Heart Association Task Force on Practice Guidelines. J Am Coll Cardiol 2009;54:2205-41.

8　Filippatos G, Zannad F. An introduction to acute heart failure syndromes: definition and classification. Heart Fail Rev 2007;12:87-90.

9　Dickstein K, Cohen-Solal A, Filippatos G, McMurray JJ, Ponikowski P, Poole-Wilson PA, et al. ESC guidelines for the diagnosis and treatment of acute and chronic heart failure 2008: the Task Force for the diagnosis and treatment of acute and chronic heart failure 2008 of the European Society of Cardiology. Developed in collaboration with the Heart Failure Association of the ESC (HFA) and endorsed by the European Society of Intensive Care Medicine (ESICM). Eur J Heart Fail 2008;10:933-89.

10　Hunt SA, Abraham WT, Chin MH, Feldman AM, Francis GS, Ganiats TG, et al. 2009 Focused update incorporated into the ACC/AHA 2005 Guidelines for the Diagnosis and Management of Heart Failure in Adults A Report of the American College of Cardiology Foundation/American Heart Association Task Force on Practice Guidelines Developed in Collaboration With the International Society for Heart and Lung Transplantation. J Am Coll Cardiol 2009;53:e1-e90.

11　Shin DD, Brandimarte F, De Luca L, Sabbah HN, Fonarow GC, Filippatos G, et al. Review of current and investigational pharmacologic agents for acute heart failure syndromes. Am J Cardiol 2007;99:4A-23A.

12　Sarkar K, Kini AS. Percutaneous left ventricular support devices. Cardiol Clin 2010;28:169-84.

13　White RD. 2005 American Heart Association Guidelines for Cardiopulmonary Resuscitation: physiologic and educational rationale for changes. Mayo Clin Proc 2006;81:736-40.

14　Sato H, Ishikawa K, Kitabatake A, Ogawa S, Maruyama Y, Yokota Y, et al. Low-dose aspirin for prevention of stroke in low-risk patients with atrial fibrillation: Japan Atrial Fibrillation Stroke Trial. Stroke 2006;37:447-51.

15　Bersten AD, Edibam C, Hunt T, Moran J, Australian, New Zealand Intensive Care Society Clinical Trials G. Incidence and mortality of acute lung injury and the acute respiratory distress syndrome in three Australian States. Am J Respir Crit Care Med 2002;165:443-8.

16　Brun-Buisson C, Minelli C, Bertolini G, Brazzi L, Pimentel J, Lewandowski K, et al. Epidemiology and outcome of acute lung injury in European intensive care units. Results from the ALIVE study. Intensive Care Med 2004;30:51-61.

17　Rubenfeld GD, Caldwell E, Peabody E, Weaver J, Martin DP, Neff M, et al. Incidence and outcomes of acute lung injury. N Engl J Med 2005;353:1685-93.

18　Bernard GR, Artigas A, Brigham KL, Carlet J, Falke K, Hudson L, et al. The American-European Consensus Conference on ARDS. Definitions, mechanisms, relevant outcomes, and clinical trial coordination. Am J Respir Crit Care Med 1994;149:818-24.

19 Johnson ER, Matthay MA. Acute lung injury: epidemiology, pathogenesis, and treatment. J Aerosol Med Pulm Drug Deliv 2010;23:243-52.

20 Pepe PE, Potkin RT, Reus DH, Hudson LD, Carrico CJ. Clinical predictors of the adult respiratory distress syndrome. Am J Surg 1982;144:124-30.

21 Hudson LD, Milberg JA, Anardi D, Maunder RJ. Clinical risks for development of the acute respiratory distress syndrome. Am J Respir Crit Care Med 1995;151:293-301.

22 Luhr OR, Antonsen K, Karlsson M, Aardal S, Thorsteinsson A, Frostell CG, et al. Incidence and mortality after acute respiratory failure and acute respiratory distress syndrome in Sweden, Denmark, and Iceland. The ARF Study Group. Am J Respir Crit Care Med 1999;159:1849-61.

23 Caironi P, Langer T, Gattinoni L. Acute lung injury/acute respiratory distress syndrome pathophysiology: what we have learned from computed tomography scanning. Curr Opin Crit Care 2008;14:64-9.

24 Gattinoni L, Caironi P, Valenza F, Carlesso E. The role of CT-scan studies for the diagnosis and therapy of acute respiratory distress syndrome. Clin Chest Med 2006;27:559-70; abstract vii.

25 Bhargava M, Wendt CH. Biomarkers in acute lung injury. Transl Res 2012;159:205-17.

26 Cross LJ, Matthay MA. Biomarkers in acute lung injury: insights into the pathogenesis of acute lung injury. Crit Care Clin 2011;27:355-77.

27 Saguil A, Fargo M. Acute respiratory distress syndrome: diagnosis and management. Am Fam Physician 2012;85:352-8.

28 Cortes I, Penuelas O, Esteban A. Acute respiratory distress syndrome: evaluation and management. Minerva Anestesiol 2012;78:343-57.

29 Abel SJ, Finney SJ, Brett SJ, Keogh BF, Morgan CJ, Evans TW. Reduced mortality in association with the acute respiratory distress syndrome (ARDS). Thorax 1998;53:292-4.

30 Heyland DK, Cook DJ, Guyatt GH. Enteral nutrition in the critically ill patient: a critical review of the evidence. Intensive Care Med 1993;19:435-42.

31 Ad-hoc working group of E, Fliser D, Laville M, Covic A, Fouque D, Vanholder R, et al. A European Renal Best Practice (ERBP) position statement on the Kidney Disease Improving Global Outcomes (KDIGO) clinical practice guidelines on acute kidney injury: part 1: definitions, conservative management and contrast-induced nephropathy. Nephrol Dial Transplant 2012;27:4263-72.

32 Brochard L, Abroug F, Brenner M, Broccard AF, Danner RL, Ferrer M, et al. An Official ATS/ERS/ESICM/SCCM/SRLF Statement: Prevention and Management of Acute Renal Failure in the ICU Patient: an international consensus conference in intensive care medicine. Am J Respir Crit Care Med 2010;181:1128-55.

33 Novis BK, Roizen MF, Aronson S, Thisted RA. Association of preoperative risk factors with postoperative acute renal failure. Anesth Analg 1994;78:143-9.

34 Bellomo R, Ronco C, Kellum JA, Mehta RL, Palevsky P, Acute Dialysis Quality Initiative w. Acute renal failure - definition, outcome measures, animal models, fluid therapy and information technology needs: the Second International Consensus Conference of the Acute Dialysis Quality Initiative (ADQI) Group. Crit Care 2004;8:R204-12.

35 Mehta RL, Kellum JA, Shah SV, Molitoris BA, Ronco C, Warnock DG, et al. Acute Kidney Injury Network: report of an initiative to improve outcomes in acute kidney

injury. Crit Care 2007;11:R31.

36 Darmon M, Ciroldi M, Thiery G, Schlemmer B, Azoulay E. Clinical review: specific aspects of acute renal failure in cancer patients. Crit Care 2006;10:211.

37 Tiu RV, Mountantonakis SE, Dunbar AJ, Schreiber MJ, Jr. Tumor lysis syndrome. Semin Thromb Hemost 2007;33:397–407.

38 Maillet PJ, Pelle-Francoz D, Laville M, Gay F, Pinet A. Nondilated obstructive acute renal failure: diagnostic procedures and therapeutic management. Radiology 1986;160:659–62.

39 Subramanian S, Ziedalski TM. Oliguria, volume overload, Na+ balance, and diuretics. Crit Care Clin 2005;21:291–303.

40 Miller TR, Anderson RJ, Linas SL, Henrich WL, Berns AS, Gabow PA, et al. Urinary diagnostic indices in acute renal failure: a prospective study. Ann Intern Med 1978;89:47–50.

41 Steiner RW. Interpreting the fractional excretion of sodium. Am J Med 1984;77:699–702.

42 Vincent JL, Gerlach H. Fluid resuscitation in severe sepsis and septic shock: an evidence-based review. Crit Care Med 2004;32:S451–4.

43 Bagshaw SM, Delaney A, Haase M, Ghali WA, Bellomo R. Loop diuretics in the management of acute renal failure: a systematic review and meta-analysis. Crit Care Resusc 2007;9:60–8.

44 Weisbord SD, Palevsky PM. Acute renal failure in the intensive care unit. Semin Respir Crit Care Med 2006;27:262–73.

45 O'Reilly P, Tolwani A. Renal replacement therapy III: IHD, CRRT, SLED. Crit Care Clin 2005;21:367–78.

46 Dennen P, Douglas IS, Anderson R. Acute kidney injury in the intensive care unit: an update and primer for the intensivist. Crit Care Med 2010;38:261–75.

47 Kellum JA, Lameire N, Group KAGW. Diagnosis, evaluation, and management of acute kidney injury: a KDIGO summary (Part 1). Crit Care 2013;17:204.

48 Hebert PC, Wells G, Blajchman MA, Marshall J, Martin C, Pagliarello G, et al. A multicenter, randomized, controlled clinical trial of transfusion requirements in critical care. Transfusion Requirements in Critical Care Investigators, Canadian Critical Care Trials Group. N Engl J Med 1999;340:409–17.

49 Samama CM, Djoudi R, Lecompte T, Nathan N, Schved JF, French Health Products Safety Agency Expert G. Perioperative platelet transfusion. Recommendations of the French Health Products Safety Agency (AFSSAPS) 2003. Minerva Anestesiol 2006;72:447–52.

50 Hoffman M. A cell-based model of coagulation and the role of factor VIIa. Blood Rev 2003;17 Suppl 1:S1–5.

51 Levi M, Ten Cate H. Disseminated intravascular coagulation. N Engl J Med 1999;341:586–92.

52 Flodgren G, Conterno LO, Mayhew A, Omar O, Pereira CR, Shepperd S. Interventions to improve professional adherence to guidelines for prevention of device-related infections. Cochrane Database Syst Rev 2013:CD006559.

53 Clifford V, Daley A. Antibiotic prophylaxis in obstetric and gynaecological procedures: a review. Aust N Z J Obstet Gynaecol 2012;52:412–9.

54 O'Grady NP, Barie PS, Bartlett J, Bleck T, Garvey G, Jacobi J, et al. Practice pa-

rameters for evaluating new fever in critically ill adult patients. Task Force of the American College of Critical Care Medicine of the Society of Critical Care Medicine in collaboration with the Infectious Disease Society of America. Crit Care Med 1998;26:392-408.

55 Vincent JL, Moreno R, Takala J, Willatts S, De Mendonca A, Bruining H, et al. The SOFA (Sepsis-related Organ Failure Assessment) score to describe organ dysfunction/failure. On behalf of the Working Group on Sepsis–Related Problems of the European Society of Intensive Care Medicine. Intensive Care Med 1996;22:707-10.

56 Rhodes A, Evans LE, Alhazzani W, Levy MM, Antonelli M, Ferrer R, et al. Surviving Sepsis Campaign: International Guidelines for Management of Sepsis and Septic Shock: 2016. Crit Care Med 2017;45:486-552.

57 Rhodes A, Evans LE, Alhazzani W, Levy MM, Antonelli M, Ferrer R, et al. Surviving Sepsis Campaign: International Guidelines for Management of Sepsis and Septic Shock: 2016. Intensive Care Med 2017;43:304-77.

58 Levy MM, Evans LE, Rhodes A. The Surviving Sepsis Campaign Bundle: 2018 update. Intensive Care Med 2018;44:925-8.

59 Klastersky J, Paesmans M, Rubenstein EB, Boyer M, Elting L, Feld R, et al. The Multinational Association for Supportive Care in Cancer risk index: A multinational scoring system for identifying low–risk febrile neutropenic cancer patients. J Clin Oncol 2000;18:3038-51.

CHAPTER

11

완화의료

Supportive Care

책임저자

권상훈 | 계명대학교 의과대학 산부인과

집필저자

송민종 | 가톨릭대학교 의과대학 산부인과

윤보성 | 차의과학대학교 의학전문대학원 산부인과

정현훈 | 서울대학교 의과대학 산부인과

주원덕 | 차의과학대학교 의학전문대학원 산부인과

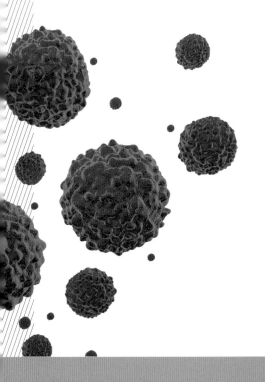

Gynecologic Oncology

완화의료의 이해

완화의료(supportive care)란 증상을 경감 또는 없애거나 예방하기 위해 행해지는 학제간 의료(multidisciplinary care)라 정의할 수 있고, 1990년대부터 각광받은 분야이다. 완화의료와 비슷한 의미로 사용되는 명칭은 '말기치료' 및 '호스피스'가 있고, 영어로는 좀 더 다양하게 'terminal care', 'death and dying', 'hospice', 'end-of-life care', 'comfort care' 및 'palliative care'가 있다. 완화의료의 대상자는 말기 암 환자가 주인데, 암 관리법상 말기 암 환자의 정의는 '적극적 치료에도 불구하고 근본적 회복이 불가능하고 점차 증상이 악화되어 수개월 내에 사망할 것으로 예상되는 암 환자'라 할 수 있다.[1] 또한, 호스피스 완화의료란 '통증과 증상의 완화 등을 포함한 신체적, 심리사회적, 영적 영역에 대한 종합적인 평가와 치료를 통하여 말기 암 환자와 그 가족의 삶의 질을 향상시키는 것을 목적으로 하는 의료'라 정의내리고 있다(그림 11-1).[1] 결국 임종을 앞둔 환자 혹은 진행된 암을 치료받는 환자와 그의 가족 그리고 의료인의 유기적 관계를 기술하고 있다. 여기서 말하는 가족 구성원은 환자 본인, 친구 및 친척을 포함한 그의 동료를 말한다. 완화의료의 참여 전문가는 사회복지사, 성직자, 영양사, 방사선 종양학자, 종양학자, 통증 조절 전문가, 심리학자, 물리치료사 및 간병인 등으로 구성된다.

그림 11-1. 완치의료와 완화의료의 스펙트럼

삶의 질은 여러 의학 분야뿐만 아니라, 완화의료에서도 중요한 관심분야이다. 임상에서 치료는 환자의 생존 향상 이외에도, 치료 독성과 증상 완화의 적절한 균형에 근거해 효과를 판정한다. 따라서 연구자들 및 임상의사들은 임상시험과 지역사회의료에서 이러한 개념을 기반으로 삶의 질을 측정해왔고, 삶의 질 변화를 정의하고 나아가 이러한 치료가 '생존(survivorship)'을 향상시킬 수 있다고 보았다. 1998년도에 Institute of Medicine's Committee on Care at the End of Life와 American Society of Clinical Oncology (ASCO) Task Force on Cancer Care at the End of Life, 두 기관에서는 이 포괄적 치료에 관한 임상가의 의무를 제시하였고,[2] 2015년도에 미국부인종양학회(Society of Gynecologic Oncology, SGO)에서 제시한 권고안에는 말기 혹은 재발성 부인암 환자는 완화의료를 할 수 있는 기관으로 이송하며, 죽음에 가까운 환자는 불필요한 항암화학요법이나 수술은 피하라고 권고하고 있다.[3] 완화의료의 목적은 환자를 힘들게 하는 증상을 적극적으로 조절함으로써 삶의 질을 최대한 영위하게 하며, 환자 스스로 평화롭게 그리고 사랑하는 사람들과 편안한 죽음을 맞이할 수 있는 시간을 주는 것이다.

부인암 환자에서 삶의 질

난소암 환자에서 삶의 질

난소암은 대부분 진행된 상태에서 발견되기 때문에, 진단 시 이미 삶의 질 저하가 나타날 수 있다. 따라서 삶의 질 파악은 진단 시뿐만 아니라 수술 및 항암화학요법 시 모두 평가되어야 하고, 임상시험에서도 연구 전반적인 과정에서 삶의 질이 평가된다. 임상시험에서 난소암 환자의 삶의 질 측정은 Functional Assessment of Cancer Therapy-Ovarian (FACT-O)를 주로 이용한다.[4] 이는 FACT-G (general)(표 11-1)에 난소암에 특화된 질문이 포함되어 있다. FACT-G는 신체적 안녕(physical well-being), 사회/가족의 안녕(social/family well-being), 정서적 안녕(emotional well-being) 및 기능적 안녕(functional well-being)의 4개 하위영역으로 구성되어 있고, 각 항목은 0~4점이고, 0점은 '전혀 아니다', 4점은 '매우 그렇다'로 평가한다. 세부적으로, 신체적 안녕은 통증, 오심 및 에너지부족과 같은 신체적 증상이 삶에 주는 영향 정도와 힘들게 하는 정도를 측정한다. 사회/가족의 안녕은 친구, 가족 및 동반자에게서 받는 감정적 지지에 대해 측정하고, 감정적 안녕은 질병과 연관해서 환자가 느끼는 기분과 감정을 측정하고, 해당질병으로 인한 사망에 대하여 얼마나 불안한지를 묻는다. 마지막으로 기능적 안녕은 일, 수면 및 인생을 즐기는 능력과 같은 사회 안에서 기능 수행 능력을 평가한다. 결국 이 하위 항목은 환자가 병을 받아들이고, 다시 '정상적' 삶으로 돌아가는 능력을 평가하는 것이다. FACT-O의 마지막 부분에는 난소암에서 나타나는 특별한 증상, 일상을 바꾸는 변화 및 항암화학요법에 대해 측정한다(표 11-1).

미국에서 시행된 전향적 무작위 임상시험들, 특히 미국부인암연구회(Gynecologic Oncology Group, GOG)는 삶의 질을 측정하기 위해 주로 FACT-O를 사용하였다. FACT-O를 사용한 첫 번째 GOG 연구는 2005년도에 Wenzel 등에 의해 발표된 GOG 152로,[5] 진행된 난소암 환자의 이차종양감축술(secondary cytoreduction)에 관한 무작위 임상연구에서 삶의 질을 측정하였다. 결과, 향상된 삶의 질은 생존율 향상과 연관이 있었고, 비록 이차종양감축술 유무에 따른 삶의 질 차이는 없었으나, 치료 후 6개월, 12개월에 측정한 삶의 질은 두 그룹 모두 향상하였다.

둘째로, GOG 172는 3상 임상연구로 복강 내(intraperitoneal, IP) 및 정맥(intravenous, IV) 복합 항암화학요법과 기존의 IV 항암화학요법을 비교하였고, IP 그룹에서 좀 더 긴 생존기간을 보였다.[6] 하지만, 생존 결과에 비해 독성이 문제였는데, IP 치료를 받은 환자에서 4차 치료 전 및 치료 후 3-6주 뒤 삶의 질이 더 불량하였다. 그러나 치료 후 1년 동안 전

표 11-1. 삶의 질 측정도구

FACT-G	FACT-O (난소암 특화 항목)	QLQ-C30
신체적 안녕	수태 염려	1. 숨참
1. 기운없음	성생활 흥미	2. 통증
2. 오심	신체 외모 평가	3. 휴식
3. 가족요구의 부합문제	위장 부종	4. 수면
4. 통증	체중감량	5. 쇠약
5. 치료의 부작용	장 조절	6. 식욕부진
6. 병듦	구토	7. 오심
7. 침상생활	탈모	8. 구토
사회/가족의 안녕	식욕	9. 변비
1. 친구와의 친밀도	활동능력	10. 설사
2. 가족의 지지	여성성 인지	11. 피로
3. 친구의 지지	위장장애	12. 침상안정
4. 가족의 질병 인지		13. 힘쓰는 일 곤란
5. 질병에 관한 가족의 대화 만족도		14. 장시간 걷기
6. 동반자와의 감정		15. 단시간 걷기
7. 성생활의 만족도		16. 일상기능의 도움
정서적 안녕		17. 일 혹은 일상생활의 한계
1. 슬픔		18. 취미 혹은 여가생활의 한계
2. 질병 관리의 만족도		19. 집중곤란
3. 질병 극복의 희망 상실		20. 긴장감
4. 신경증		21. 걱정
5. 죽음의 걱정		22. 짜증
6. 상태 악화의 걱정		23. 우울
기능적 안녕		24. 기억력감퇴
1. 직장 복귀 능력		25. 가정생활에 영향을 주는 신체상태
2. 충분한 직장생활		26. 사회생활에 영향을 주는 신체상태
3. 삶 즐기기		27. 경제적 어려움에 영향을 주는 신체상태
4. 질병의 인정		
5. 수면		
6. 취미생활 즐기기		
7. 삶의 질 항목		

DiSaia PJ et al., Clinical gynecologic oncology. 9th ed. Elsevier; 2018

체 삶의 질 차이는 없었다. 무진행생존율(progression-free survival, PFS)과 전체생존율(over-all survival, OS)의 향상을 보였음에도 불구하고, IP 그룹의 삶의 질 측면에서 치료 중 및 치료 후의 신체적, 기능적 안녕은 감소하였다. 신경독성 및 하복부 불편감 또한 IP 그룹

에서 두드러졌다.[7]

셋째로, 2013년에 Monk 등은 3상 무작위 임상시험으로 카보플라틴, 파클리탁셀 후 베바시주맙(Bevacizumab) 추가에 따른 치료 효과 및 삶의 질 비교 연구를 발표하였다.[8] GOG 218은 총 22차의 베바시주맙과 위약을 비교하였고, 항암화학요법을 같이 시행한 초반 6차까지는 베바시주맙 사용 시 삶의 질 점수가 더 낮았다. 여기서 중요한 점은 무 진행생존율을 연장시킨다는 것이 삶의 질 향상을 의미하는 것은 아니라는 점이다.

유럽 연구에서는 미국과는 다른 삶의 질 평가도구인 European Organization for Research and Treatment of Cancer Quality of Life Questionnaire Core 30 (EO-RTC QLQ-C30) version 3(표 11-1)를 이용하였다. 2010년에 Vergote 등은 선행항암화학요 법(neoadjuvant chemotherapy) 후 종양감축술과 일차종양감축술 후 항암화학요법 두 가지 를 비교하였고, 두 그룹은 유사한 전체생존율을 보였다.[9] 삶의 질 평가에서는 두 그룹 간의 유의한 삶의 질 차이는 없었다. 다만, 일차종양감축술 그룹에서 기초조사 시에 통 증이 좀 더 있었고, 호흡곤란은 적었다고 하였다. 또한, AURELIA trial은 백금 저항성 재 발성 난소암 환자에서 의료진의 선택에 따라 항암화학요법에 베바시주맙의 사용 유무를 결정하였다.[10] 그 결과 베바시주맙 사용 시 약 15% 정도의 삶의 질 향상을 보였고, 특히 복부 및 위장 증상의 향상이 있었다. CALYPSO trial은 백금 민감성 재발성 난소암 환자 에서 카보플라틴 + 페길화 리포솜 독소루비신(pegylated liposomal doxorubicin) 사용이 카 보플라틴 + 파클리탁셀 사용에 비해 삶의 질 점수가 높았고, 종양- 및 항암화학요법-관 련 증상은 감소하였다고 발표한 또 다른 유럽 연구이다.[11]

자궁경부암 환자에서 삶의 질

자궁경부암에서 항암화학요법 및 방사선 요법은 성기능 장애 및 비뇨기, 장 장애와 같은 증상을 유발할 수 있다. 자궁경부암의 삶의 질 측정도구도 난소암과 유사하게 FACT-Cx 와 EORTC QLQ-CX24 두 가지 측정도구가 이용된다. FACT-Cx는 FACT-G에 더해서 자 궁경부암의 특화된 관심 부분 7가지인 질 분비물, 출혈, 냄새, 질 수축 혹은 단축, 변비 및 배뇨장애가 포함된다.

2006년도에 McQuellon 등에 의해 보고된 GOG 169는 진행된 자궁경부암에서 시스 플라틴과 시스플라틴 + 파클리탁셀을 비교한 무작위 연구이며, 삶의 질 결과도 발표되 었다.[12] 일반 집단에 비해 삶의 질은 감소했지만, 두 그룹 간의 삶의 질 차이는 없었다. 시스플라틴 + 파클리탁셀 병합요법이 더 향상된 반응률과 무진행생존율을 보였고, 삶의 질 저하도 없었다. 2005년에 Monk 등에 의해 발표된 GOG 179의 삶의 질 결과는, 진행 된 혹은 재발성 자궁경부암에서 시스플라틴과 시스플라틴 + 토포테칸 병합요법을 비교 하였다.[13] FACT-Cx를 이용한 삶의 질 결과, 두 그룹 간의 유의미한 차이가 있었다. 흥미 로운 점은 삶의 질과 전체생존율의 관계였는데, FACT-Cx의 점수가 높을수록 전체생존 율이 향상되었다. 하지만, GOG 204에서는 시스플라틴 + 토포테칸의 삶의 질 차이는 없 었고, 시스플라틴에 파클리탁셀, 토포테칸, 젬시타빈 혹은 비노렐빈 4가지를 각각 병합한 모든 방법에서 삶의 질 차이가 없었다.[14] 2015년에 Penson 등에 의해 발표된 GOG 240에서는 진행된 혹은 재발성 자궁경부암에서 표준 항암화학요법에 베바시주맙이 추가된 결과를 발표하였고, 결과 삶의 질 차이는 없었다.[15]

| 자궁내막암
환자에서 삶의 질 | 자궁내막암은 조기에 진단되는 경우가 많아 삶의 질에 집중해서 평가한 연구가 많지 않다. GOG에서 자궁내막암 환자의 삶의 질을 보고한 연구는 두 개뿐이고, 자궁내막암에 특화된 삶의 질 하부영역은 포함되지 않았다. 2007년도에 Bruner 등이 GOG 122에서 자궁내막암 환자의 전복부 방사선치료(whole-abdominal irradiation, WAI)와 복합항암화학요법을 비교연구 하였고, 삶의 질도 측정하였다.[16] 이 연구에서 이용된 삶의 질 측정도구는 FACT-G, Fatigue Scale (FS), Assessment of peripheral neuropathy (APN) 및 Functional alterations due to changes in elimination (FACE) 4가지였고, 치료 전 후의 삶의 질을 측정하였다. WAI 그룹에서 FS와 FACE 점수가 낮았지만, 몇몇 시기에는 점수가 높기도 했다. 반대로 APN 점수는 복합항암화학요법에서 더 낮았다. FACT-G 점수는 어느 시기에서도 두 그룹 간의 차이는 없었다. |

2009년도에 유럽의 Post-Operative Radiation Therapy in Endometrial Cancer (PORTEC-2) 연구가 발표되었고, 이는 외부 방사선치료와 질강내 근접 방사선치료의 효과를 비교하였다.[17] 두 그룹 간 성기능 차이는 유의하게 없었지만, 두 그룹 모두 성기능의 저하를 보였다. 질강내 근접 방사선치료 그룹에서 외부 방사선치료에 비해 부작용이 적어 사회적 기능이 더 좋았고, 위장증상은 적었으며, 활동의 제한도 적었다. 결론적으로 삶의 질 변화에는 많은 영향을 주지 않으면서 효과적인 방법이라 할 수 있겠다. 다른 GOG 연구에서는 Kornblith 등이 복강경 수술과 개복술을 비교한 LAP-2 연구의 삶의 질 결과를 발표하였다.[18] 삶의 질 차이는 복강경 수술 그룹에서 좀 더 좋았으나 정도는 중간 정도였다. 하지만, 6개월째의 삶의 질 차이는 오직 신체 이미지만 복강경 수술 그룹에서 좋았고, 다른 삶의 질은 두 그룹 간의 차이가 없었다.

최근 자궁내막암 연구에서는 환자의 특성상 비만 발병률이 높아 식이 및 운동 중재에 초점을 두고 있다. 자궁내막암에서 체질량지수와 삶의 질을 메타분석한 자료에 따르면, 확실히 비만인 경우 신체적, 사회적 및 역할 기능이 떨어짐을 알 수 있다.[19] 100명의 병기 I-IIIA기 자궁내막암 환자에서 치료 종료 후 집에서 운동하기 중재(home-based exercise intervention)를 6개월 동안 시행한 경우, 비만환자의 삶의 질 향상이 좀 더 적기는 했지만, 비만이 있는 혹은 없는 그룹 모두 6개월 동안 중재한 그룹에서 삶의 질이 향상되었다.[20]

일반적인 신체 증상의 관리

암성 피로
(Cancer-related Fatigue)

피로는 부인암 환자가 암과 암에 대한 치료를 통해 경험할 수 있는 가장 흔하고 고통스러운 부작용 중 하나이다. 미국종합암네트워크(National Comprehensive Cancer Network, NCCN) 가이드라인에서는 이러한 암성 피로(cancer-related fatigue)를 암 또는 암 치료와 연관되어 나타나며 최근의 활동에 비례하지 않고 일상적인 기능을 방해하는 불편하고 지속적이며 주관적인 육체적, 정신적, 인지적 감각으로 정의하고 있다.[21] 암성 피로의 유병률은 매우 높아 50~90%의 암환자들이 암성 피로를 경험하게 되며 암을 진단받은 시점보다 항암화학요법이나 방사선 요법 등의 암 치료 중에 환자가 느끼는 암성 피로는 증가하는 경향을 보인다.[22]

암성 피로의 원인은 불분명하며 다양한 기전들이 암성피로를 유발할 수 있다.[23] 암성 피로의 기전은 암과 암 치료에 의한 빈혈, 통증, 신진대사조절장애, 일주기리듬의 파괴(불면), 염증과 스트레스 근육신진대사조절장애, 신경심리적 손상, 면역활성화, 시상하부-뇌하수체축(hypothalamic-pituitary axis, HPA)에 영향을 미치는 호르몬 변화, 조기폐경 등이 있다.[24]

암성 피로는 암환자들에게 흔하게 발생하는 육체적, 정신적으로 고통스럽고 조절하기 어려운 증상으로 암과 관련된 피로 증상은 휴식으로도 완화되지 않고 치료 후에도 개선되지 않을 가능성이 크다.[25] 이는 암환자들의 정상적인 생활과 삶의 질을 향상시키는 데 있어 중대한 장애물이 될 수 있다.[26]

암성 피로는 부인암 환자에서 빈발하는 증상이며 최근 20년간 발생에 대한 많은 근거 및 연구결과들이 축적되어 왔음에도 불구하고 여전히 잘 보고되지 않고, 잘 진단되지 않으며, 적절하게 치료되지 않고 있는 실정이다. 이는 의료진이 암성 피로에 대하여 잘 이해하지 못하고 있거나 환자가 암성 피로의 증상을 불가피하고 고칠 수 없는 부작용으로 생각하고 만약 이러한 증상을 의료진에게 호소하는 경우에는 딜 효과적인 치료법으로 전환할 지도 모른다는 불안감 때문에 증상 자체를 의료진에게 알리지 않는 경우가 많기 때문이다. 이 때문에 환자와 의료진 사이에서 암성 피로와 관련된 대화는 거의 이루어지지 않는 것으로 알려져 있다.[27] 그리고 암성 피로에 대한 치료 방법 및 치료 효과를 평가하는 도구가 부족한 것도 적극적인 암성 피로의 관리에 걸림돌이 되고 있다. 따라서 암성 피로에 대한 관리는 환자에게는 매우 중요하고 의료진에게는 매우 어려운 것으로 인식된다.

암성 피로는 환자에게 생리적, 심리적, 기능적, 사회적 영향을 미치는 다차원적이며 주관적인 증상이다. 의료진과 환자들은 대부분 일반적인 사람들이 느끼는 정상적인 피로와, 암성 피로를 구분할 수 있다. 암환자에서 피로는 특징적으로 시간의 경과에 따라 악화되며, 신체 활력, 정신력 및 심리적 상태의 위축을 보인다(표 11-2).[28]

표 11-2. 암성 피로의 제안된 평가기준

지난 한달 동안 아래와 같은 증상이 동일한 2주 동안 거의 매일 흔하게 나타나는 경우
- 현저한 피로, 활력의 감소, 또는 휴식의 필요성 증가, 평소와 다른 최근 활동 수준의 변화

위의 증상에 더하여 아래 증상들 중 5가지 이상이 나타나는 경우
- 전신쇠약 또는 다리가 무거운 느낌
- 주의집중력 감소
- 일상적인 활동 참여에 대한 동기 또는 관심의 감소
- 불면증 또는 과수면증
- 상쾌함 또는 피로에서 회복되었다는 느낌이 들지 않는 수면의 경험
- 무기력함을 극복하기 위해 애써야 할 필요성의 인지
- 피로를 느낄 때 현저한 감정반사행동(emotional reactivity)의 표출
- 슬픔, 좌절, 분노, 또는 예민함 등
- 피로감으로 인해 일상 업무 수행이 어려움
- 단기 기억력의 문제 인식
- 활동한 후의 권태감
- 사회적, 직업적 또는 기타 중요한 기능적 영역에서 곤란한 경우나 장애를 유발할 수 있는 증상들
- 암이나 암치료의 결과로 나타나는 증상으로 문진, 신체검사, 또는 진단검사 등의 이상 소견을 동반하는 경우
- 동반된 정신과 질환(우울증, 신체화장애, 섬망 등)의 결과로 나타나는 것이 아닌 증상

DiSaia PJ et al., Clinical gynecologic oncology. 9th ed. Elsevier(2018)

특히 암환자에서 치료로 인해 발생하는 피로의 경우 치료와 증상 발현 사이에 시간적인 인과관계가 명확하게 존재한다. 예를 들어 항암화학요법을 시행 받는 환자들의 경우, 피로 증상은 치료 시작 후 2~3일 사이에 가장 심해지며 다음 항암화학요법 시기 전까지 서서히 호전되는 양상을 보인다. 방사선 분할 치료를 받는 경우에는 치료 시작 후 시간이 경과함에 따라 증상이 누적되며 몇 주에 걸쳐 점점 심해진다.[29] 이러한 증상은 항암화학요법 및 방사선치료가 종료된 후 장기적으로 지속되기도 한다. 암성 피로와 인구통계학적, 생리학 및 심리사회적인 요인들 간의 인과관계는 잘 알려져 있지 않다. 증상을 유발시키거나 지속 또는 악화시키는 명확한 원리 또한 알려져 있지 않다. 다양한 선행 요인들이 중첩되어 암성 피로를 유발한다고 볼 수 있으며 향후 이러한 기전들의 규명 및 최적의 치료법 확립을 위한 연구가 더 필요할 것으로 보인다(표 11-3).[30]

암성 피로에 대한 치료 전략을 세우기 위해서는 암성 피로에 접근하기 위한 선별 도구가 있어야 한다(그림 11-2).

암성 피로를 선별하기 위한 간단한 질문은 다음과 같다: 지난 7일 동안 당신의 피로도를 0에서 10으로 점수화했을 때 몇 점을 줄 것인가? 0에서 3점은 경증, 4에서 6점은 중등도, 7에서 10점은 중증으로 볼 수 있다. 중등도에서 중증 범위에 있는 환자들에게는 즉시 암성 피로의 관리를 위한 평가를 시행할 필요가 있으나, 경증의 환자들은 시간을 두고 선별검사를 다시 시행할 수 있다.[30] 이후 환자들은 암에 대한 적극적인 치료를 받고 있는지, 치료가 끝났는지, 말기 상태인지에 따라 암성 피로에 대한 관리가 다르게 이루어질 수 있다. 중등도 또는 중증의 암성 피로를 보이는 환자들에 있어서는 피로와 관련된 구체적인 증상들, 신체 진찰, 진단검사 및 영상검사에 대한 종합적인 평가가 이루어

표 11-3. 암성피로의 잠재적인 선행요인

부담되는 증상
통증
불안과 우울감
스트레스

수면장애
폐쇄성 수면무호흡증(obstructive sleep apnea)
하지불안증후군(restless leg syndrome)
혈관운동증상(vasomotor symptom)
불면증

영양상태 불균형
체중 및 칼로리 섭취의 변화
수액 및 전해질 불균형

신체기능 상태(functional status)의 감소
신체활동수준
기능저하(deconditioning)

내과적 문제
다양한 원인에 의한 빈혈
심장기능부전/ 폐기능부전/ 신장기능부전/ 간기능부전/ 내분비기능부전
근골격계 합병증
류마티스질환

약물
진정제(sedative agents)
베타차단제
기타(약물상호작용 및 기타약물에 의한 부작용)

암 치료에 의해 유발되는 영향
항암화학요법
방사선요법
수술
골수이식
생체반응조절제(interferon, G-CSF, Bevacizumab 등)
호르몬치료
면역치료(안면홍조, 갑상선기능저하증, 성선기능저하증, 부신기능부전 유발 가능)

저야 하며, 이를 토대로 암성 피로의 발생 기전과 그 기전에 따른 치료방침을 수립해야 한다.[31]

환자들은 암성 피로를 불쾌감, 기력저하, 근력감소, 불면증, 인지능력저하 등의 증상 또는 이러한 증상들의 조합으로 호소한다. 문진을 통한 기존의 정신과적 질병상태 등의 감별, 신경학적 및 심리적인 평가 등이 이러한 증상들의 범위를 명확하게 하고, 이에 따른 치료 방침의 결정하는 데에도 도움을 줄 것이다. 이외에도 증상 발현의 시점 및 지속 기간을 평가함으로써 급성 및 만성 피로를 구분지을 수 있다. 급성 피로는 빠르게 호전될 것으로 예측할 수 있는 반면에 만성 피로는 수주에서 수개월 혹은 그 이상으로 지속될 것을 예측할 수 있다.[29] 만성 암성 피로 환자들은 대부분 더욱 세밀한 평가가 필요하며 단기 및 중장기적인 목표를 가지고 치료 방향을 수립해야 한다. 암과 관련된 피로를 평

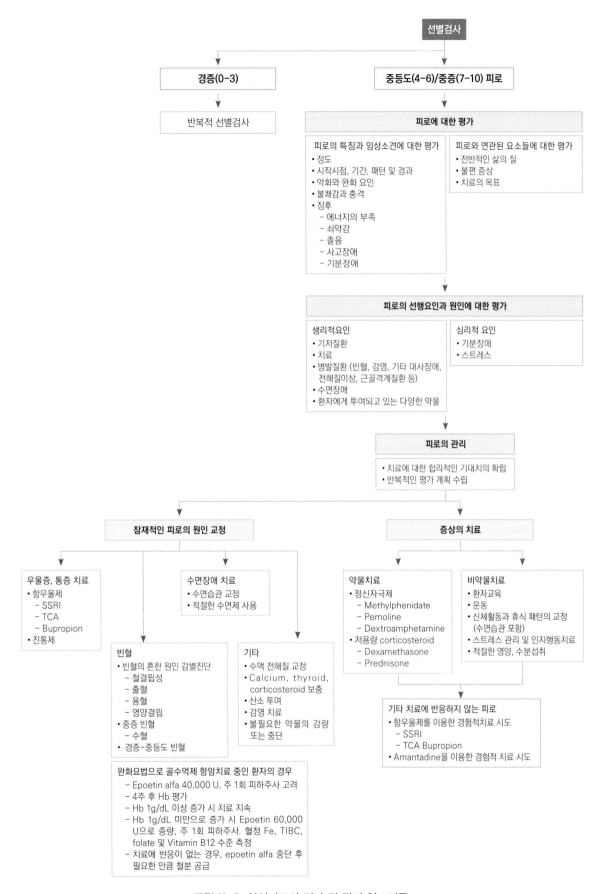

그림 11-2. 암성피로의 평가 및 관리 알고리즘

Portenoy RK, et al., Oncologist, 1999;4(1):1-10

가할 때는 삶의 질, 피로 이외의 증상들 및 질병 상태뿐만 아니라 점진적인 체력 감소, 정신과적 질환, 사회적 고립, 금전적 문제 및 정신적인 스트레스 등 폭 넓은 문제들에 대해서도 고려할 필요가 있다. 암환자의 최적화된 치료에는 이러한 요소들에 대한 포괄적인 평가가 포함되어야 하며, 삶의 질을 유지 혹은 개선시키는 방향으로 이루어져야 한다. 효과적인 치료 전략을 세우기 위해서는 환자 치료에 대해 포괄적인 방식으로 접근하여 피로를 개선시켜야 한다. 환자를 치료할 때 피로의 양상, 치료의 옵션, 예상되는 결과를 평가하는 것이 치료의 핵심이다.[32]

암성 피로에 대하여 처음에 접근할 때는 발현된 증상뿐만 아니라 가능한 원인들을 최대한 교정시켜줄 필요가 있다. 이는 중추신경계에 작용하는 약물의 중단, 수면장애에 대한 치료, 빈혈 혹은 대사성질환의 교정, 그리고 우울증 등의 정신과적 질환에 대한 치료 등이 포함된다. 이와 같은 치료를 위해서는 NCCN 가이드라인에 기술된 통증, 정신적 스트레스, 빈혈, 그리고 영양에 대한 접근 방식을 참고하는 것이 도움이 될 수 있다.

일반적으로 암과 관련된 피로의 초기 치료에는 교육과 상담이 권고된다. 환자들과 가족은 피로의 정도를 일기 혹은 스케일에 기록하도록 교육받고, 증상이 나타나는 시점과 악화 요인에 대해 기록하도록 교육받는다. 요실금에 대한 치료 방식과 유사하게, 환자들은 불필요한 에너지 소모를 유발할 만한 지치는 행동 및 습관을 교정하는 등의 행동 교정에 대한 교육을 받게 된다.

이와는 반대로 암과 관련된 피로를 치료하는 데 오히려 신체 활동을 늘리는 방법도 제안되고 있다.[31] US Surgeon General의 '신체활동이 건강과 질환에 미치는 영향에 대한 보고'에 의하면 회복중인 암환자들에게 하루에 30분 동안 운동을 시키는 것이 도움이 된다고 보고하였고, Cochrane 분석 연구에서도 운동 치료가 암환자에 있어서 암성 피로를 완화시키고 삶의 질을 개선시키는 데 효과가 있는 것으로 보고하였다.[33,34] NCCN 가이드라인에서는 적극적인 암치료를 받고 있거나 치료가 끝난 환자에서 유발된 암성 피로의 치료 방침에 다양한 운동요법을 포함하고 있다. 그러나 특정한 환자들에 있어서는 전문적인 물리치료가 필요할 수 있으며 특히 뼈전이, 호중구감소증, 혈소판감소증, 빈혈, 발열이나 활동성 감염, 암의 전이나 동반된 질환에 의해 운동제한, 낙상의 위험성이 있는 환자들에 있어서는 운동치료를 권고할 때 주의를 기울일 필요가 있다. NCCN 가이드라인에는 운동요법 이외의 마사지, 침술요법, 심리사회적 치료 등의 다양한 치료방법들도 소개되고 있다.

피로와 관련된 우울증 환자들에서는 항우울제를 이용한 치료가 반드시 필요하다. 전체 암환자들의 25%는 투병기간 동안 우울증을 경험하게 된다. 그 중에서도 진행된 암인 경우, 통증 등의 조절되지 않는 증상이 동반된 경우, 그리고 이전부터 정신질환이 있었던 환자들에서 우울증이 발생할 확률이 높다. 우울증과 암성 피로 사이의 연관성은 잘 알려져 있지는 않지만, 두 질환은 보통 동시에 병발하며 삶의 질을 저하시킨다. 이와 같이 암환자들에 있어 우울증은 높은 발병률을 보이지만 보통은 진단이 어렵기 때문에 적절하게 치료되지 않는 경우가 많다. 이와 같은 사실은 피로를 호소하는 환자가 어느 정도의 기분 저하 증상을 보이는 경우 항우울제 치료를 시도해 볼 만한 근거가 되며, 이 치료는 불안 또는 통증과 같은 증상에도 적용해볼 수 있다. 우울감, 불안 등의 기분 장애와 통증, 피로 등의 신체 증상이 동시에 나타나는 경우에는 아래와 같은 이유로 집중 심리적 상담 치료가 도움이 될 수 있다. 첫째, 심리사회적 치료는 환자에게 있어 우울감을 일으키는 본인의 걱정거리를 대면 할 수 있는 기회를 준다. 둘째, 우울 또는 불안감은 통증과 같은 기존에 있던 신체 증상을 악화시킬 수 있다. 따라서 심리적 상담 치료는 기분 장애뿐만 아니라 이로 인해 유발되는 피로와 통증 증상도 개선시키는 이중효과가 있다. 셋째, 심리적 상담 치료는 환자들에게 시간과 체력 관리에 대한 중요한 행동 및 습관 변화에 도움을 주며, 이로 인해 환자들이 육체적, 감정적 에너지를 아낄 수 있도록 도와준다.[29]

빈혈은 암성 피로의 유발의 중요한 가역적 원인 중 하나로 실제로 심한 빈혈이 있는 환자에게 수혈을 시행한 후 피로 증상이 상당 부분 호전되는 효과를 볼 수 있다. 빈혈이 있는 경우에는 철분결핍, 비타민B12 또는 엽산 결핍, 출혈이나 용혈과 같은 교정 가능한 원인을 반드시 확인해야 하며 교정 가능한 요소가 없거나 교정에도 불구하고 빈혈이 지속되는 경우에는 수혈을 하거나 미국임상암학회/미국혈액종양학회(American Society of Clinical Oncology, ASCO/American Society of Hematology, ASH) 임상권고안에 따라 적혈구생성촉진인자자극제(erythropoietin stimulating agents, ESA)를 투여하여 빈혈을 교정한다.[35] 부인암은 다른 암들과 비교했을 때, 혈색소 수준이 10.0g/dL 미만[grade≥2 Common Terminology Criteria of Adverse Events (CTCAE) grading of myelosuppression]인 심한 빈혈을 자주 동반한다. 빈혈은 수행 상태(performance status)의 저하와 명확한 연관성이 있을 뿐만 아니라 종양에 대한 방사선 및 항암화학요법의 치료효과에도 영향을 준다. 일반적으로 종양이 치료에 반응하는 최적의 혈색소 수준은 12~14g/dL으로 알려져 있으며, 대부분의 부인종양학자들은 방사선 및 항암화학요법 시행 시 혈색소 수준을 10g/dL 이상으로 유지할 것을 권고하고 있다.[36]

최근 20년 동안 적혈구생성촉진인자자극제의 빈혈 교정 및 암성 피로의 증상 개선 효과를 입증하기 위한 수 많은 무작위 대조군 연구들이 진행되었는데, 적혈구생성촉진인자자극제의 사용 결과에서 혈색소 수준의 꾸준한 증가, 수혈 필요성의 감소, 에너지수준의 증가, 암성 피로의 증상 개선 및 전반적인 삶의 질 향상을 보였다.[37]

암과 관련된 빈혈을 치료할 때 수혈을 시행하는 것도 한 가지 방법이다. 그러나 수혈은 감염, 알레르기 반응 및 의료센터에서 꼭 시행 받아야 하는 점에 있어서 결과가 안 좋고 삶의 질이 저하될 수 있다. 따라서 많은 의료진들은 수혈 대신 적혈구생성촉진인자자극제를 빈혈을 치료할 때 사용하게 된다. 현재 가장 많이 사용되는 적혈구생성촉진인자자극제는 재조합인간적혈구생성촉진인자(recombinant human erythropoietin, rHEPO) 형태인 에포에틴알파(epoetin alfa, Procrit®)와 다베포에틴알파(darbepoetin, Aranesp®)로 두 약물 모두 최근에 발표된 실제 임상연구결과 혈색소 수준의 증가를 보인 반면 심각한 부작용은 보고되지 않았다. 따라서 두 약물 모두 항암화학요법에 의해 유발된 빈혈에 안전하고 효과적으로 사용이 가능하며 그 결과 에너지수준의 증가, 암성 피로의 증상 개선 및 전반적인 삶의 질 향상을 보였다.[38] 에포에틴알파가 다베포에틴알파보다 반감기가 길어 투여 횟수를 줄일 수 있는 장점은 있지만, 이외 특별한 장점을 가지지는 않는다. 그러나 이러한 치료 요법에도 위험요소가 있는데, 정맥 혈전증의 발생률이 증가한다는 것이다.[39] 또한 몇몇 연구에 따르면 이러한 약물들의 투여가 일부 환자의 사망률을 증가시킬 수 있다는 우려가 있으며, 한 메타분석연구는 이 약물들의 치료로 인해 사망률이 17% 증가하였고 생존율이 6% 악화되었다고 보고하였다.[40] 따라서 빈혈을 교정해야 하는 암환자들에게 이러한 성장 인자를 사용하기 전에 위험도와 장점에 대한 충분한 설명이 이루어져야 한다. 현재의 NCCN 및 ASCO/ASH (2019)의 적혈구생성촉진인자자극제(ESA) 사용에 대한 임상권고안은 아래와 같다.

① 암에 대한 치료 목적으로 골수억제성 항암화학요법을 시행 받는 환자들에서 ESA는 권고되지 않는다.
② 완화 목적으로 항암화학요법을 시행받는 경우에만 혈색소 수준이 10g/dL 미만으로 감소한 경우에 환자의 동의하에 ESA를 투여하는 것을 권고하고 있다.
③ 적혈구 성분 수혈도 또한 빈혈 치료의 옵션이 될 수 있다.
④ 골수이형성증후군을 환자를 제외하고는 항암화학요법과 관련이 없는 빈혈환자에게 ESA를 투여해서는 안 된다.
⑤ ESA 사용 중 혈색소 수준이 수혈을 피하기 위해 요구되는 최저 수준까지밖에 증가되지 않는다면 환자의 철결핍성 유무에 관계없이 혈색소의 반응을 향상시키고 수혈의 필요성을 줄이기 위해 철분을 보충할 수 있다.

암성 피로의 증상 치료를 위해 메칠페니데이트(Methylphenidate), 페몰린(Pemoline), 덱스트로암페타민(Dextroamphetamine), 모다피닐(Modafinil) 등의 다양한 정신자극제(pychostimulants) 사용이 시도되었는데 그 중 가장 많이 연구되고 일차적으로 널리 사용되고 있는 약물은 메칠페니데이트이다. 이 약물은 5개의 무작위 대조군 연구에서 암성 피로의 증상인 무기력, 우울감 및 인지장애를 개선시키는 데 효과가 있다고 보고되었다. 메칠페니데이트는 5~10mg/회 용량을 1~2회/일(아침에 투여 후 필요시 점심에 추가 투여)의 용법으로 경구 투여한다. 내성이 생길 경우 용량을 증가시킬 수 있으며 대부분의 환자들은 하루에 60mg 이하의 용량으로 조절되지만, 가끔 더욱 더 높은 용량이 필요한 경우도 있다.[41] 페몰린은 교감신경흥분작용이 덜하고 씹어서 복용하거나 구강 점막 흡수가 가능하기 때문에 경구용 약제를 복용하기 힘든 환자들에게 투여할 수 있다. 무작위 대조군 연구에서 덱스암페타민은 말기 진행암 환자의 암성 피로를 수일간 개선시켰으나 8일 이상의 효과는 없었으며,[42] 모다피닐은 적극적인 암치료를 받고 있는 환자에서 발생하는 중증의 암성피로에서만 치료 효과를 보였다.[41] 정신자극제 투여 시 나타날 수 있는 부작용으로는 두통과 오심이 가장 흔하며 식욕부진, 불면, 떨림, 불안, 섬망, 빈맥 등의 증상도 나타날 수 있다. 이러한 부작용을 줄이고 안전하게 사용하기 위해서는 천천히 용량

조절을 할 필요가 있다.[32]

부신피질호르몬(corticosteroids)들은 진행암 또는 말기암 및 다양한 증상들을 가진 암환자들에서 암성 피로를 치료할 때 권고되고 있으나 경험적, 고식적인 사용이며 이에 대한 임상연구결과는 매우 부족하다. 덱사메타손(Dexamethasone) 및 프레드니손(Prednisone)이 가장 흔하게 사용되지만 이 약물들의 효과를 입증할 만한 임상연구는 진행된 바가 없다.[31]

세로토닌 5-HT3 수용체 길항제(selective serotonin reuptake inhibitor, SSRI)나 2차아민삼환계우울제 및 부프로피온(Bupropion)은 가끔 기분에 변화와 별개로 활력의 증가 효과를 보이는 경우가 있다. 이러한 이유로 우울증이 없는 피로 환자들에게 경험적으로 사용된 바 있다. 이러한 적응증으로 상기 약물을 사용한 경험이 매우 적기 때문에 이러한 약물은 중증이나 치료가 어려운 암성 피로인 경우에만 제한적으로 사용되어야 한다.

아만타딘(Amantadine)은 다발성 경화증이 있는 환자들이 피로를 호소하는 경우에 주로 사용되어 왔지만, 암성 피로 환자에 한 증상 개선 효과에 대해서는 연구된 바가 없다. 이 약물은 대부분 효과 및 내성이 좋아서 중증도의 피로를 호소하는 암환자들에 있어 경험적으로 사용해 볼 수도 있다.[32]

암과 관련된 피로에 대한 비약물적인 치료는 주로 임상적인 경험을 토대로 권고되고 있다. 이러한 치료를 결정할 때는 환자의 선호도가 고려되어야 한다. 특히, 환자별 맞춤형 수면 위생 원칙이 확립되어야 하며, 이는 규칙적인 취침과 기상시간, 그리고 취침 전하는 일상적인 행동들 등이 포함된다. 환자들은 또한 취침 전에 정신자극제 및 중추신경계억제제를 피하도록 교육받아야 한다. 적어도 취침시간 6시간 전에 규칙적인 운동을 하는 것은 수면을 돕지만, 늦은 오후나 저녁에 낮잠을 자는 행동은 수면을 방해할 수 있다.

암과 이에 대한 치료는 환자들의 식이 섭취에 영향을 줄 수 있다. 적극적인 치료를 시행할수록, 환자들의 체중, 수화상태(hydration state), 전해질 불균형 등이 모니터링 되어야 하며, 가능한 최적의 컨디션으로 유지되어야 한다. 규칙적인 운동은 식욕에 도움이 되어 영양상태를 개선시킬 수 있다. 영양 상담 및 지도를 위해 영양사에게 자문을 구하는 것도 도움이 된다.

현재 NCCN 가이드라인에서는 암성 피로를 암환자의 활력 징후 중 하나로 포함시켜야 한다는 것을 강조하고 있으며, 환자의 수면 위생 개선의 중요성에 대해 언급하고 있다. 또한 환자뿐만 아니라 환자의 가족에 대한 교육 또한 권고하고 있다. 요약하자면, 암성 피로의 적절한 관리를 위해서는 의료진과 환자 간의 적극적인 의사소통을 통해 암성 피로를 진단하는 것이 가장 중요하며 치료에는 환자의 신체활동에 대한 치료, 심리사회적 치료, 영양상담, 그리고 수면 치료 등이 포함되어야 한다. 정신자극제와 같은 약물요법도 사용될 수 있으나, 암성 피로와 동반되어 나타나는 질환들, 수면, 통증, 빈혈 및 기분 장애를 해결하기 위한 약물들을 고려하여 사용하는 것이 중요하다.

암 치료에 있어 암환자의 통증은 삶의 질을 저하시키는 요인이다. 암환자의 통증 유병률은 진행암 환자의 64%에 이르며, 이 중 약 43%에서 통증 조절이 불충분하다고 보고되었다. 국내 연구에 따르면, 암 환자의 52%가 통증을 호소했으며 호스피스완화의료전문기관에 입원한 말기 암환자의 반수가 입원 당시 중등도 이상의 통증을 호소하였다.

암성 통증은 생리학적 기전에 따라 크게 통각수용통증(nociceptive pain)과 신경병증통증(neuropathic pain)으로 나뉜다. 통각수용통증은 장기 손상에 의해 통각수용체가 자극되어 생기는 통증으로, 체성 통증 및 내장성 통증으로 분류한다. 신경병증통증은 중추신경계 및 말초신경계 이상에 의한 통증으로, 손상된 신경의 지배 영역의 감각이상 혹은 통증을 유발하지 않는 자극에도 통증을 느끼는 이질통(allodynia) 등의 신경학적 이상 증상을 동반한다. 통각수용통증은 비마약성 및 마약성 진통제로 대부분 조절이 가능 한 반면, 신경병증통증은 진통제 치료에 보조진통제 병합 투여 및 중재적 통증 치료 등이 필요한 경우가 많다. 진행암 환자에서는 대부분 두 가지 통증기전이 혼재되어 있다.

암성 통증은 또한 통증의 시간적 발생 양상에 따라 지속 통증과 돌발 통증으로 나뉜다. 돌발 통증은 통증이 조절된 상태에서 간헐적으로 악화되는 통증으로, 움직일 때 악화되는 통증이나 일시적으로 통증이 악화되는 경우 등이 해당된다. 돌발 통증은 암환자의 약 60%, 호스피스에 입원한 환자의 약 80%에서 보고되었다.

1) 암성 통증평가의 일반원칙

- 모든 암환자 진료 시 반드시 통증 유무를 확인한다.
- 통증 평가 도구를 사용하여 통증 유무를 선별하고 통증 강도를 측정하여 기록한다.
- 기존에 통증이 있었던 환자와 새로이 통증을 호소하는 환자를 포함하여 통증을 호소하는 모든 환자에게 포괄적 통증 평가를 시행한다.
- 효과적인 통증 관리를 위해, 환자와 가족에게 가정에서도 평가 도구를 사용하도록 교육한다.

2) 포괄적 통증평가

암성 통증에 대한 포괄적 평가의 목표는 다음과 같다.
- 통증의 원인과 기전을 찾는다.
- 통증 표현에 영향을 미칠 수 있는 요인을 분석한다.
- 모든 요인을 종합하여 적절한 치료 방법을 찾는다. 심한 통증을 호소하는 환자의 경우 응급 상황에 준하여 신속하고 적절한 통증 조절이 필요하다.

3) 지속적 통증평가

- 주기적으로 통증 치료의 효과, 부작용 및 치료에 대한 순응도 등을 평가한다.
- 숫자통증등급 등 척도 호전 여부 및 환자의 주관적인 통증 호전 정도를 평가한다.
- 입원 환자에게 마약성 진통제 투여 시 정맥 투여 15분 후 또는 경구 속효성 제제 투여

1시간 후에 통증을 재평가한다.

● 외래 환자의 경우 통증 정도에 따라 수일에서 수주마다 재평가한다.

● 변비, 오심/구토, 졸림 및 기타 신경계 부작용에 대해 평가한다.

● 통증의 양상이 변화하거나 새로운 통증이 발생했을 때에는 통증을 전반적으로 재평가한다.

● 환자와 가족에게 통증 양상 변화 등을 보고할 수 있는 통증 자가 기록지의 이용 등을 교육한다.

4) 암성 통증 치료 원칙(그림 11-3)

● 환자 개개인 별로 적합한 치료 방법을 선택한다.

● 다학제적 치료 계획을 세운다.

● 통증 관리에 대해 환자와 가족을 교육한다.

그림 11-3. 암성 통증 치료 원칙
*NRS; numeric rating scale
암성 통증관리지침 권고안. 보건복지부 6th Ed. 2015

5) 마약성 진통제

① 일반원칙

● 환자마다 적절한 마약성 진통제의 종류, 용량, 투여 경로를 개별화하여 선택한다.

● 진통제 투여 경로는 경구를 우선으로 하되, 상황에 따라 적절한 경로를 선택한다.

- 적정 용량은 부작용 없이 통증이 조절되는 용량으로, 환자마다 개별화하여 투여한다.
- 통증 강도의 어느 단계에서나 마약성 진통제를 투여하여 통증을 조절할 수 있다.
- 신기능/간기능 저하, 만성 폐질환, 호흡기 합병증, 전신 쇠약 환자의 경우 용량 적정에 주의한다.
- 서방형 진통제를 주기적으로 투여하고, 돌발 통증에 대비하여 속효성 진통제를 처방한다.
- 고용량의 진통제 필요시 복합 성분 마약성 진통제보다 단일 성분 마약성 진통제를 투여한다.
- 마약성 진통제 용량을 충분히 증량해도 통증이 지속되거나 지속적인 부작용 발생 시 통증을 재평가하고 진통제 전환(rotation), 보조진통제 투여, 중재적 통증 치료 등을 고려한다.

② 마약성 진통제의 종류 및 선택

- 마약성 진통제 수용체에 대한 작용에 따라 순수 작동제, 부분 작동제, 혼합 작동-길항제로 분류한다.
- 암성 통증 치료를 위해서는 순수 작동제를 투여한다. 단 페치딘(Pethidine)은 반복 투여 시 대사 산물 축적으로 발적 및 부정맥 발생 위험이 있어 만성 암성 통증 조절에 사용하지 않는다.
- 혼합형 작동-길항제는 순수 작동제 투여 중인 환자에게 투여 시 금단증상 및 통증 악화를 유발하므로 암성 통증 조절에 사용하지 않는다.
- 통증 강도, 현재 치료 중인 진통제, 동반 질환, 전신 상태를 고려하여 각 환자에게 적절한 약제를 선택한다.

③ 마약성 진통제의 용량 적정

- 마약성 진통제 투여력이 없는 환자의 경우 초기 용량은 경구 모르핀 5~15mg(혹은 동등 진통 용량의 다른 마약성 진통제)을, 마약성 진통제를 투여 중인 환자의 경우 이전 24시간 투여량의 10~20%을 속효성 제제로 투여한다.
- 경구 속효성 제제는 투여 60분, 주사제는 투여 15분 후 진통 효과와 부작용을 평가한다.
- 통증이 감소하면 동일 용량으로 필요시 반복 투여한다.
- 통증이 지속되거나 악화되는 경우 용량을 50~100% 증량하여 투여 후 재평가한다. 통증이 감소할 때까지 2~3회 반복한다.
- 용량 증량을 반복해도 통증이 조절되지 않는 경우 통증을 포괄적으로 재평가하고 주사 마약성 진통제로 용량 적정 및 치료 계획을 재검토한다.
- 속효성 진통제로 안정적으로 통증이 조절되는 경우 이전 24시간 동안 투여한 마약성 진통제의 총량에 근거하여 지속성 진통제(속효성 진통제 24시간 요구량의 50%) 및 돌발 통증에 대비한 속효성 진통제를 처방한다.
- 통증이 NRS 3 이하이면서 지속적인 부작용 발생 시 진통제 용량을 10~25% 정도 감

량 후 재평가한다.

6) 돌발 통증관리

● 돌발 통증에 대비하여 속효성 진통제(이전 24시간 투여된 마약성 진통제의 10~20%)를 처방한다.

● 특정 상황에서 발생하는 통증(incident pain)은 통증을 유발하는 상황(예: 움직일 때)이 발생하기 전에 미리 속효성 진통제를 투약한다.

● 펜타닐 경점막 속효성 제제는 경구 모르핀으로 60mg/일(혹은 동등 진통 용량의 다른 마약성 진통제) 이상의 용량으로 1주일 이상 투여한 환자의 돌발 통증 조절을 위해 투여한다. 마약성 진통제를 처음 사용하는 환자에게는 사용하지 않는다.

7) 불응성 암성통증

암성 통증 환자의 약 10%에서는 적절한 진통제 치료에도 불구하고 통증 조절이 어려울 수 있다. 일반적인 진통제 치료에 반응하지 않는 경우 환자와 통증에 대한 철저한 포괄적 재평가와 다학제적 접근이 필요하다.

8) 중재적 통증치료

중재적 통증 치료는 약물을 사용하여 통증 전달을 억제하거나 지속적으로 척수강이나 신경총에 약물을 투여하여 통증을 조절하는 방법이다. 일반적으로는 중재적 통증 치료 단독으로 통증 해소를 기대하기는 어려우며 약물 치료와 함께 사용할 경우 통증을 줄이고, 진통제 증량에 따른 부작용 감소 효과를 기대할 수 있다. 그러므로 중재적 통증 치료를 통증 조절의 최후의 수단으로 고려하거나 과도한 효과를 기대하기보다는 약물치료를 비롯한 포괄적 통증 치료의 한 부분으로 활용하는 것이 바람직하다.

오심 및 구토

부인암 환자에서 오심과 구토는 암 치료 중에 흔하게 나타나는 부작용이며 환자들이 참기 힘들어하는 증상이다. 오심과 구토는 주로 항암화학요법이나 방사선요법에 의해 유발되며 환자의 삶에 질에 중대한 영향을 미칠 뿐만 아니라 암의 치료 결과에도 영향을 미칠 수 있다. 따라서 환자의 암 치료에 대한 순응도를 유지하기 위해 오심과 구토를 예방하고 치료하는 것은 매우 중요하다.

항암화학요법 유발성 오심/구토(chemothrapy induced nausea and vomiting, CINV)는 항암화학요법을 받는 환자의 60~80%에서 발생할 수 있다.[43] 오심/구토는 생리학적인 원인, 약제 관련한 원인, 물질대사 관련 원인, 심리학적 원인 등이 복합적으로 작용하여 나타난다. NCCN에서는 항암화학요법에 사용되는 약제를 구토유발위험성에 따라 고위험, 중등도위험, 저위험 및 최소위험 구토유발군(high risk, moderate risk, low risk and minimal risk emetic)으로 분류하였고 이로 인해 유발되는 CINV를 급성(acute onset), 지연성(delayed onset), 예기성(anticipatory), 돌발성(breakthrough), 난치성(refractory) 등 다섯 개의 유형으로 분류하였다(표 11-4).[44]

표 11-4. 오심과 구토의 유형

유형	내용
급성 (acute onset)	• 약물 투여 후 수 분에서 수 시간 내에 발생 시간 내에 발생 후 처음 24시간 이내에 소실 • 구토의 강도는 5~6시간 후에 가장 심해짐
지연성 (delayed onset)	• 약물 투여 후 24시간 이후에 발생 • 약물 투여 후 48~72시간 후 가장 심해지며 6~7일간 지속될 수 있음
예기성 (anticipatory)	• CINV를 경험한 환자에서 다음 번 항암화학요법 시작 전에 발생하는 오심과 구토 • 항암화학요법과 연관된 감각적 자극에 의해 유발되는 일차적 조건반사 • 구토보다는 오심이 흔함
돌발성 (breakthrough)	• 오심 구토에 대한 예방조치에도 불구하고 오심이나 구토를 나타내거나 항구토제로 증상을 조절해야 하는 경우를 일컬음
난치성 (refractory)	• 이전 항암화학요법 사이클에서 오심 구토에 대한 예방적 조치나 치료가 효과가 없었던 상태에서 후속 항암화학요법 사이클 중에 매번 발생하는 오심/구토

NCCN guideline, Antiemesis Version.1(2019)

급성 CINV는 항암 투여 직후부터 24시간 내로 발생하는 오심/구토이며 술을 잘 못 마시고, 멀미나 임신 중 입덧의 병력이 있는 50세 미만의 여성에서 증가하는 경향을 보인다. 지연성 CINV는 24시간 이후에 발생하여 48~72시간에 가장 심해지고 6~7일에 걸쳐 회복되는 오심/구토를 말한다. 주로 시스플라틴, 카보플라틴, 사이클로포스파마이드 또는 독소루비신 투여와 연관이 있는 것으로 알려져 있다. 예기성 CINV는 항암화학요법 중 CINV를 경험한 환자에서 학습되어 다음 항암치료 전에 나타나는 일차적 조건 반응이며 냄새, 소리, 맛 등의 감각 자극으로 촉발될 수 있다. 전형적으로 과거에 항암화학요법 기왕력이 없거나 젊은 환자에서 호발하는 것으로 알려져 있는데 이는 젊은 사람들이 일반적으로 더 적극적인 항암화학요법을 시행 받는 경우가 많고 노인보다 구토조절기능이 약하기 때문인 것으로 보고되고 있다. 돌발성 CINV는 오심과 구토 예방 가이드라인에 따라 약물 처치를 하였음에도 불구하고 항암화학요법 시행 후 5일 이내에 나타나는 오심 또는 구토를 말하며 마지막으로 난치성 CINV는 오심 구토 예방 가이드라인을 적용하였음에도 불구하고 항암화학요법 시행 때마다 매번 나타나는 오심/구토로 정의할 수 있다.[45]

CINV의 예방과 치료에는 다양한 약물들이 사용되고 있는데 세로토닌 5-HT3 수용체 길항제(5-HT3 serotonin receptor antagonists, 5-HT3RA), 뉴로키닌-1수용체길항제(neurokinin-1 receptor antagonists, NK-1RA), 코르티코스테로이드(corticosteroids) 등의 세 가지 약물이 대표적이며, 도파민수용체길항제(dopamine receptor antagonists), 벤조디아제핀(benzodiaze-pines), 비정형항정신병 약물인 올란자핀(olanzapine), 대마추출물인 카나비노이드(cannabi-noid) 등도 제한된 범위에서 사용되고 있다.[46]

세로토닌 5-HT3 수용체 길항제는 말초위장관과 화학수용체유발영역(chemoreceptor

trigger zone, CTZ)에 있는 세로토닌 수용기를 차단하여 구토를 예방한다. 1세대 약물인 온단세트론(Ondansetron), 돌라세트론(Dolasetron), 그라니세트론(Granisetron) 등은 3~9시간의 반감기를 가지고 있어 일반적으로 급성 CINV에서 사용되며, 2세대 약물인 팔로노세트론(Palonosetron)은 40시간의 긴 반감기를 가지고 있어 지연성 CINV에서도 효과를 나타낸다.[46] 세로토닌 5-HT3 수용체 길항제의 일반적인 부작용은 두통, 변비, 간 아미노전이효소(aminotransferase) 상승 등이 있으며, QT간격연장증후군 환자에서 온단세트론과 돌라세트론은 주의해서 사용해야 한다.

뉴로키닌-1수용체길항제는 뉴로키닌-1 수용체에서 물질P(substance P)의 결합을 차단함으로써 말초 및 중추성 작용을 한다.[47] 현재 단독 제형으로 사용되는 약물로는 아프레피탄트(Aprepitant), 포사프레피탄트(Fosaprepitant), 롤라피탄트(Rolapitant) 등이 있으며, 네튜피탄트(Netupitant)와 포스네튜피탄트(Fosnetupitant) 등의 약물은 세로토닌 5-HT3 수용체 길항제인 팔로노세트론과 고정된 용량의 복합제형으로 출시되어 급성 및 지연성 CINV에 사용되고 있다. 뉴로키닌-1수용체길항제는 급성 CINV의 치료 시 단독으로 사용되기보다는 세로토닌 5-HT3 수용체 길항제 및 부신피질호르몬과 조합을 이루어 사용된다. 아프레피탄트는 지연성 CINV에서도 사용이 가능하다.[45] 이 약물들의 일반적인 부작용은 설사, 피로 및 오심 등이 있다. 그러나 아프레피탄트는 덱사메타손의 혈중농도를 증가시키기 때문에 병용 시에는 덱사메타손의 감량이 필요하다. 아프레피탄트와 포사프레피탄트는 항정신병약물인 피모자이드(Pimozide)를 복용 중인 환자에게는 금기이다. 이 약물들은 피모자이드의 혈중농도를 증가시키고 이로 인해 QT간격연장증후군 등의 치명적인 부작용을 일으키기 때문이다. 아프레피탄트와 포사프레피탄트는 또한 와파린을 복용 중인 환자에서도 국제정상화비율(international normalized ratio, INR)을 감소시킬 수 있기 때문에 주의해서 사용해야 한다. 롤라피탄트의 흔한 부작용은 딸꾹질, 어지럼증, 중성구감소증이며 항정신병약물인 치오리다진(Thiridazine)을 복용중인 환자에서는 금기이다. 피모자이드를 복용 중인 환자에서도 병용은 피해야 한다. 5-HT3 수용체 길항제와 뉴로키닌-1수용체길항제 복합제인 네퓨피탄트/팔로노세트론(NEPA)의 부작용은 무력증, 소화불량, 피로, 딸꾹질, 홍반, 중성구감소증 등이 있으며 중증의 간, 신장 기능장애 환자에선 사용을 피해야 한다.[46]

부신피질호르몬은 다른 약제의 효과를 향상시키기 위해 자주 사용되지만 아직 항구토작용은 명확하게 규명되지 않았으며 진행된 암 환자들에서 오심, 구토를 유발할 수 있는 부신 기능 부전을 회복시켜주는 역할을 하는 것으로 추정된다. 부신피질호르몬 중에서는 덱사메타손이 가장 흔하게 사용되며 다른 항구토제들과 병용하여 급성, 지연성 CINV에 사용된다. 덱사메타손은 또한 저위험 구토유발군 항암화학요법에 단독으로 사용되기도 한다.[45]

도파민수용체길항제는 CINV를 치료하기 위한 초창기의 시도 때부터 현재까지 사용되고 있다. 대표적인 약물로는 메토클로프라마이드(Metoclopramide)와 프로클로르페라진(Prochlorperazine) 등이 있다. 이 약물들은 현재 돌발성 CINV의 치료에 사용되며 가장 흔한 부작용은 추체외로증상(extrapyramidal symptoms)이다. 비전형 항정신병약물인 올란자핀은 허가사항을 벗어나 사용되고 있지만(off-label use) 돌발성 CINV에서 주목할 만한 치료 효과를 보여주고 있다. 이 약물의 일반적인 부작용은 진정, 피로, 두통, 구강건조, 고혈당, 설사, 추체외로증상 등이 있으며 노인에서 사용 시 주의를 기울여야 한다. 벤조디아제핀은 예기성 CINV에 가장 많이 사용되며 돌발성, 난치성 CINV에 사용되기도 한다. 대표적인 약물은 로라제팜(Lorazepam)이다.[43] 합성카나비노이드(synthetic cannabinoid)인 드로나비놀(Dronabinol)과 나빌론이 돌발성, 불응성 CINV에 사용하도록 FDA 승인을 받아 CINV 치료에 사용되고 있다. 그러나 이 약물들은 정신적, 신체적 의존성이 있는 약물이기 때문에 주의해서 사용해야 한다. 나빌론이 스케줄 II 약물(schedule II drug)로 스케줄 III 약물(schedule III drug)인 드로나비놀보다 의존성이 더 강하다.

오심과 구토를 조절하는 다양한 약제들은 서로 다른 기전으로 작용하기 때문에 병합해서 사용할 경우 치료효과를 극대화 시킬 수 있고 부작용은 감소시킬 수 있다. 항구토 치료에 대한 NCCN guideline에서는 고위험 구토유발군과 중등도위험 구토유발군 구토유발 항암요법을 시행하는 환자에서는 급성, 지연성 CINV 예방에 상기 항구토약물들을 병용해서 사용할 것을 권고하고 있다(표 11-5).

저위험과 구토유발군 항암화학요법에서는 CINV예방을 위해 덱사메타손(8~12mg PO 또는 IV 1회), 메토클로프라마이드(10~20mg PO 또는 IV 1회), 프로클로르페라진(10mg PO 또는 IV 1회), 5-HT3 수용체 길항제(달로세트론 100mg PO 1회 또는 그라니세트론 1~2mg PO 1회 또는 온단세트론 8~16mg PO 1회) 중 한 가지를 선택해서 사용할 것을 권고하고 있다.[43] 그리고 최소위험 구토유발군 항암화학요법에서는 예방적 항구토제 사용이 불필요하다고 기술하고 있다.

돌발성 오심/구토 치료의 원칙은 현재 사용 중인 약물에 다른 종류의 약물 한 가지를 추가하는 것이다. 급성, 지연성 CINV의 예방에 올란자핀을 사용하지 않았던 경우에는 올란자핀을 일차적으로 사용하며, 벤조디아제핀, 도파민수용체길항제, 5-HT3 수용체 길항제, 부신피질호르몬제 및 카나비노이드를 사용할 수 있다(그림 11-4). 올란자핀과 로라제팜을 병용하는 경우에는 로라제팜은 경구투여만 가능하다.

고위험 구토유발군 비경구투여 항암화학요법		중등도위험 구토유발군 비경구투여 항암화학요법	
Day 1: A, B, C 옵션 중 선택, 항암화학요법 시작 전 투여 (all category 1)		**Day 1: A, B, C 옵션 중 선택, 항암화학요법 시작 전 투여 (all category 1)**	
A	**NK1 RA (1개 선택)*** • Aprepitant 125mg PO 1회 • Aprepitant (injectable emulsion) 130mg IV 1회 • Fosaprepitant 150mg IV 1회 • Netupitant 300mg/palonosetron 0.5mg(복합제형) IV 1회 • Fosnetupitant 235mg/palonosetron 0.25mg(복합제형) IV 1회 • Rolapitant 180mg PO 1회 **5-HT3 RA (1개 선택)**** • Dolasetron 100mg PO 1회 • Granisetron 10mg SQ 1회 또는 2mg PO 1회 또는 0.01mg/Kg(최대 1mg) IV 1회 또는 3.1mg 경피패취 (첫 항암화학요법 24~48시간 전 부착) • Ondansetron 16~24mg PO 1회 또는 8~16mg IV 1회 • Palonosetron 0.25mg IV 1회 **Dexamethasone 12mg PO/ IV 1회**	D	**5-HT3 RA (1개 선택, A와 동일)** • Dolasetron 100mg PO 1회 • Granisetron 10mg SQ 1회 또는 2mg PO 1회 또는 0.01mg/Kg(최대 1mg) IV 1회 또는 3.1mg 경피패취 (첫 항암화학요법 24~48시간 전 부착) • Ondansetron 16~24mg PO 1회 또는 8~16mg IV 1회 • Palonosetron 0.25mg IV 1회 **Dexamethasone 12mg PO/ IV 1회**
B	• Olanzapine 5~10mg PO 1회 • Palonosetron 0.25mg IV 1회 • Dexamethasone 12mg PO/IV 1회	E	• Olanzapine 5~10mg PO 1회 • Palonosetron 0.25mg IV 1회 • Dexamethasone 12mg PO/IV 1회
C	• Olanzapine 5~10mg PO 1회 • NK1 RA (1개 선택, *와 동일) • 5-HT3 RA (1개 선택, **와 동일) • Dexamethasone 12mg PO/ IV 1회	F	• NK1 RA (1개 선택, *와 동일) • 5-HT3 RA (1개 선택, **와 동일) • Dexamethasone 12mg PO/ IV 1회 ※ NK1 RA는 추가적인 구토의 위험요소가 있는 환자나 이전의 부신피질호르몬+5-HT3 RA 치료에 실패한 환자에서 추가되어야 함
Day 2, 3, 4		**Day 2, 3**	
A	• Aprepitant 80mg PO 1회/일(Day 2, 3) (Day 1에 Aprepitant PO을 시행한 경우) • Dexamethasone 8mg PO/IV 1회/일 (Day 2, 3, 4)	D	Dexamethasone 8mg PO/IV 1회/일(Day 2 ,3) 또는 5-HT3 RA 단독치료 • Granisetron 1~2mg PO 1회/일 또는 0.01mg/Kg(최대 1mg) IV/일(Day 2,3) • Ondasetron 8mg PO 2회/일 또는 16mg PO 1회/일 또는 8~16mg IV 1회/일(Day 2, 3) • Dolasetron 100mg PO 1회/일(Day 2, 3)
B	• Olanzapine 5~10mg PO 1회/일(Day 2,3,4)	E	• Olanzapine 5~10mg PO 1회 /일(Day 2, 3)
C	• Olanzapine 5~10mg PO 1회/일(Day 2,3,4) • Aprepitant 80mg PO 1회/일(Day 2,3) (Day 1에 Aprepitant PO을 시행한 경우) • Dexamethasone 8mg PO/IV 1회/일(Day 2 ,3, 4)	F	• Aprepitant 80mg PO 1회/일(Day 2, 3) (Day 1에 Aprepitant PO을 시행한 경우) • ± Dexamethasone 8mg PO/IV 1회/일(Day 2, 3)

NCCN guideline, Antiemesis Version.1, 2019

- **비정형 항정신병약물(Atypical antipsychotic)**
  - 올란자핀(Olanzapine) 5~10mg 매일 경구 투여(category 1)
- **벤조디아제핀(Benzodiazepine)**
  - 로라제팜(Lorazapam) 0.5~2mg , 6시간마다 경구, 설하 또는 정맥 내 투여
- **카나비노이드**
  - 드로나비놀(Dronabinol) 캡슐 5~10mg 또는 드로나비놀 경구액 2.1~4.2mg/m^2, 매일 3~4회 경구 투여
  - 나빌론(Nabilone) 1~2mg PO 1일 2회
- **기타**
  - 할로페리돌(Haloperidol) 0.5~2mg, 4~6시간마다 경구 또는 정맥 내 투여
  - 메토클로프라마이드(Metoclopramid) 10~20mg, 4~6시간마다 경구 또는 정맥 내 투여
  - 스코폴라민(Scopolamine) 1.5mg 패취, 72시간 마다 경피적 투여
- **페노치아진(Phenpthiazine):**
  - 프로클로르페라진(Prochlorperazine) 25mg, 좌제 12시간마다 투여 또는 10mg, 6시간마다 경구 또는 정맥 내 투여
  - 프로메타진(Promethazine) 25mg, 좌제 6시간마다 투여 또는 12.5~25mg, 4~6시간마다 경구 또는 정맥 내 투여
- **5-HT3 수용체 길항제**
  - 돌라세트론(Dolasetron) 100mg, 매일 경구 투여
  - 그라니세트론(Granisetron) 1~2mg, 매일 경구 투여 또는 1mg, 1일 2회 경구 투여 또는 0.01mg/Kg(최대 1mg) 매일 정맥 내 투여 또는 3.1mg 패취, 7일간 24시간마다 경피적 투여
  - 온단세트론(Ondansetron) 16~24mg, 매일 경구 투여 또는 8~16mg, 매일 정맥 내 투여
- **부신피질호르몬**
  - 덱사메타손(Dexametasone) 12mg, 매일 경구 또는 정맥 내 투여

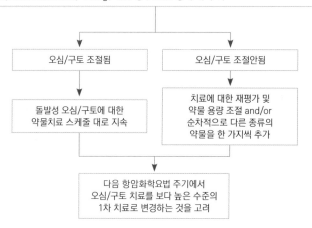

그림 11-4. 돌발성 CINV의 치료

NCCN guideline, Antiemesis Version. 1, 2019

예기성 CINV는 예방이 가장 중요하며 약물로는 기억 상실 효과가 있는 로라제팜을 주로 사용한다. 로라제팜은 0.5~2mg을 항암화학요법 전날 밤과 다음 날 항암화학요법 시작 1~2시간 전에 경구 투여한다. 급성, 지연성 CINV를 예방할 수 있는 최적의 항구토치료를 시행해야 하며 증상을 촉발시킬 만한 강렬한 냄새 등의 자극을 피하는 것이 도움이 된다. 약물치료와 더불어 이완/체계적 탈감작법, 수면치료, 근육이완운동, 주의력 분산(cognitive distraction), 요가 등의 행동치료가 필요하며 침술과 지압도 치료에 도움을 줄 수 있다.[43]

식사할 때 간헐적으로 발생하는 것이 아니라 하루 종일 오심을 호소하는 환자들의 경우 중추 신경계 병변이 있거나 근위 소장 폐색이 있을 수 있기 때문에 이에 대한 평가가 필요하며 난치성CINV인 경우 오심, 구토를 일으키는 다른 원인들을 반드시 고려해 보아야 한다.[29]

마지막으로 방사선요법에 의한 오심/구토(radiation induced nausea and/or vomiting, RINV)는 상복부나 전신방사선요법(total body irradiation, TBI)를 받은 환자에서 주로 나타난다. 항구토치료는 방사선요법을 시행하는 날마다 방사선요법 시행 전에 5-HT3 수용체 길항제(그라니세트론 2mg, 경구투여 또는 온단세트론 8mg, 1일 2회 경구투여) 이용해서 치료하며 덱사메타손(4mg, 매일 경구 투여)을 추가할 수도 있다. 돌발성 RINV인 경우에는 돌발성 CINV 치료 프로토콜에 따라 치료를 시행한다.[43]

설사 및 변비

설사는 골반 방사선과 전신화학요법의 흔한 합병증이다. 일반적으로 로페라마이드(Loperamide)와 같은 장내 마약성 진통제 수용체 작용제로 관리할 수 있다. 드물게 아편이나 옥트레오티드(octreotide)의 팅크제(Tincture)가 분비성 설사나 불응성 설사에 필요하기도 하다(표 11-6).

이전에 항균 치료를 받았거나 면역력이 떨어진 환자는 설사에 대한 치료 전 클로스트리듐디피실레(clostridium difficile) 검사를 받아야 한다. 발견되면 메트로니다졸이나 반코마이신 요법이 보통 효과적이다. 드물게, 클로스트리듐디피실레 감염증상을 억제하기 위해 콜레스티라민(Cholestyramine)이 필요하다. 살모넬라(Salmonella), 시겔라(Shigella), 대장균(Escherichia coli), 기생충처럼 특이한 전염성 원인에 대한 검사들은 비용 효과적이지 못했다.

변비는 암이 진행된 환자들에게 매우 흔하게 존재한다. 마약성 진통제를 복용하는 환자의 90%에서 배변의 어려움을 겪고 있다. 고식적 치료에서 한 가지 중요한 규칙은 "마약성 진통제를 처방하는 손이 동시에 완하제를 처방한다."는 것이다. 변비의 다른 원인은 진행성 병변, 항콜린제제, 고섬유식을 먹지 못함, 유체섭취부족, 활동 부족 등이다.

마약성 진통제로 인한 변비에 대한 구체적인 논의는 반드시 있어야 한다. 물론 변비에 사용되는 마약성 진통제에 대한 내성은 일어나지 않는다. 일반적으로 센나(Senna)/도큐세이트(Docusate)와 같이 경미한 자극성 완하제와 변비약제는 예방적으로 사용되어야 한다. 적절한 음료 섭취와 신체 활동도 권장되어야 한다. 대변의 섬유 함량을 증가시키는 메타무실(Metamucil) 같은 약물은 사용하지 않는 것이 좋다. 변비가 지속되면 장폐색 등 2차적 원인을 고려해야 한다. 변에 의한 장막힘을 배제한 다음에는 이차 항변비제를 고려해야 한다. 이 작용제로는 수산화 마그네슘(Magnesium hydroxide) 또는 구연산(Citrate), 비사코딜(Bisacodyl), 락툴로오즈(Lactulose), 소르비톨(Sorbitol), 폴리에틸렌글리콜(Polyethylene glycol), 날록세골(Naloxegol), 메틸날트렉손(Methylnaltrexone) 등이 있다. 메토클로프라미드(Metoclopramide)와 같은 제제나 여러 관장 등이 추가될 수 있다. 일반적인 접근방

표 11-6. 지사제

약제		용량	주의
antisecretory	Bismuth subsalicylate	2 tables 혹은 30ml를 1시간 간격으로 하루 8회 (일반적) 혹은 4회/일(최대)	Aspirin을 포함하고 있어 aspirin의 하루 최대용량에 대한 주의가 필요함. Reye 증후군 발생 위험성 있음. 위장관 영상의학 검사에 방해될 수 있음. 대변색이 회색-검은색으로 보일 수 있음
	Octreotide	0.1~0.5mg을 하루 2~3회 피하주사 (최대 2.4mg/일)	투석이 필요하거나 간경화가 있을 경우 50% 감량
antiperistaltic	Loperamide	4mg; 이후 매 배변 시 2mg(최대 8mg/일) 유지: 2~4mg 6시간 간격	
	Diphenoxylate/ Atropine	2tablets 혹은 10 ml (5mg diphenoxylate)씩 4회(최대 20mg/일)	간-신장 질환이 있을 경우 극도의 주의 요함 간성혼수의 위험성 있음
	Difenoxin/ Atropine	2tablets; 이후 매 무른 대변마다 1tablet 유지: 1tablet 3~4시간 간격(최대 8 tablets/일)	간-신장 질환이 있을 경우 극도의 주의 요함 간성혼수의 위험성 있음
	Opium	0.6mL씩 4회	
	Codeine	15~60mg 4시간 간격	

식은 대변 연화제과 장운동 촉진제를 시작하는 것이다. 48시간 안에 변이 나오지 않으면 마그네시아유(milk of magnesia)나 락툴로오즈를 추가 투여해야 한다. 72시간이 지나도 장이 움직이지 않으면 변에 의한 장막힘을 평가하고 치료해야 한다. 변에 의한 장막힘이 없을 경우 관장, 미네랄 오일 또는 구연산 마그네슘과 같은 제제를 시도해야 한다. 변에 의한 장막힘이 있을 경우 글리세린 좌약 또는 오일 보존 관장제를 사용해야 한다.

변비의 대사적 원인으로는 고칼슘혈증과 저칼륨혈증이 있다. 변비를 호소할 때 장폐색 및 척수 압박에 대한 평가가 고려되어야 한다. 직장 수지 검사는 이러한 호소를 평가할 때 매우 중요하다.

진행된 암에 의한 2차적 장폐색에 대한 비수술적 치료에 대하여 몇 가지 방법들이 가능하다. 이러한 치료법에 대한 논의는 추후에 다루기로 한다.

악액질 및 영양실조

Femia와 Goyette은 악액질(cachexia)을 2개월에서 6개월 동안 체중의 5%가 넘는 감량으로 정의하였다. 분명히 악액질은 암 자체가 근육 단백질 분해와 포도당 대사 등의 신진대사를 증가시키고, 암에 대한 치료는 식욕과 음식 섭취에 영향을 미치기 때문에 영양상태와 관련이 있다. 문헌은 이러한 변화에 의해 환자의 체형, 그리고 삶의 질이 변화한다는 사실을 뒷받침하고 있다. 게다가, 영양실조가 부인암 환자들의 불량한 예후에 기여한다는 것은 명백하다. 종양학자들은 치료를 받고 있는 환자들의 영양실조가 치료에 대한 반응과 삶의 질에 부정적인 영향을 미칠 수 있음을 분명하게 인식해야 한다.

이러한 점들에 대해 주의하고 식이보조와 Ensure 등을 이용하여 경구영양보충을 함으로써 일부 환자의 치료에 대한 반응을 향상시킬 수 있다. 영양상담, 경구 영양보조제, 그리고 가정에서의 경정맥영양 등은 삶의 질을 향상시킬 수 있다. 마지막으로 초산메게스트롤(Megestrol acetate)과 같은 식욕 촉진제가 암과 관련된 거식증과 악액질을 개선한다고 여겨지고 있지만, 생존이나 전반적인 삶의 질에 영향을 미치지는 않았다. 그러나, 주목할 것은, 초산메게스트롤은 어떤 아이코사펜타엔산(Eicosapentaenoic acid) 또는 마리화나 유도체보다 더 효과적이라고 생각되고 있고, 코르티코스테로이드만이 초산메게스트롤과 유사한 효과를 보일 수 있다. 초산메게스트롤은 6배 정도의 정맥혈전색전증의 위험성을 안고 있으며, 이 점 때문에 부인암에서의 사용이 제한된다고 여겨질 수도 있다.

이와 반대로, 지지적 혹은 고식적 치료에서 영양과 수분 공급에 대한 종양학자와 환자의 의견이 다를 수 있다. Brown 등은 63%의 환자들은 호흡기 지원을 받는 상황이 제한되는 상황에서도 영양과 수분이 계속되기를 원한다고 하였다. 환자들이 영양의 단절에 동의하지 않는다 해도 완화 환경에서의 영양실조의 관리는 여전히 논쟁의 여지가 있다. 예를 들어 완전비경구영양(total parenteral nutrition, TPN)이나 가정에서의 경정맥영양이 말기 환자들에게 불필요하다고 여겨지기도 하지만, 기대 수명이 3개월 이상인 일부 환자들에게는 긍정적인 효과가 있다는 증거들이 있다. TPN은 그 자체로 위험과 불편함을 수반하므로, 삶의 질에 대한 보다 확실한 연구들이 필요하다.

부인암에서 호르몬 요법

호르몬 요법의 필요성

폐경 전 부인암 환자들은 치료 과정에서 조기폐경상태가 되기 쉽다. 양측 난소난관절제술을을 시행하는 경우, 그리고 항암화학요법, 방사선요법으로 인해 난소기능을 상실할 수 있다. 폐경 후 증상이 있거나, 무증상 젊은 여성도 금기사항이 아니라면 호르몬요법이 필요하다. 호르몬요법을 시행하지 않는 경우 삶의 질 저하는 물론 심혈관질환과 골다공증성 골절로 생존기간이 단축될 수 있기 때문이다. 호르몬요법이 권장되지 않는 암종에서는 폐경기 증상 완화를 위한 비호르몬요법, 골다공증성 골절예방을 위해 비스포스포네이트(Bisphosphonate) 제제가 권장된다.

암종별 호르몬 요법

부인암에서 암종별 재발 위험도에 따른 호르몬요법 권고사항은 표 11-7와 같다.[48]

표 11-7. 암종별 재발 위험도에 따른 호르몬요법 권고사항

호르몬대체요법	권장	중립	상대적 금기	금기
유방암		유방암이 없는 BRCA1/2 돌연변이 보인자		
자궁체부암	조기 저위험 자궁내막(에스트로겐+프로게스테론: 권장, 에스트로겐 단독: 중립)	에스트로겐 비의존형 자궁내막암 암육종 선육종	평활근육종 진행성 고위험 자궁내막암	자궁내막 간질육종
난소암		상피성 난소암 생식세포종양	과립막세포종 자궁내막암	
자궁경부암	선암(에스트로겐+프로게스테론)	편평상피세포암		
질암		편평상피세포암		
외음부암		편평상피세포암		

1) 유방암

호르몬요법은 유방암 재발률을 상승시킨다.[49] 티볼론(Tibolone)도 정상 골밀도를 가진 여성에서 유방암 재발률을 상승시킨다.[50] 따라서, 유방암은 호르몬요법의 금기사항이다. 질건조증 치료에 사용되는 국소 에스트로겐 요법은 아로마타아제(aromatase) 억제제 사용자에게는 금기사항이다. BRCA 돌연변이 양성으로 예방적 난소부속기절제술을 받은 여성은 유방암 과거력이 없다면 50세까지 호르몬요법을 시행하고 예방적 유방절제술을 받은 경우에도 마찬가지이다.

2) 자궁체부암

자궁내막암의 호르몬 요법에 대한 여러 후향적 연구들과 한 RCT에서 재발율과 생존율이 유사하였다.[48,51] 수술적 폐경으로 증상이 있는 조기 저위험 자궁내막암 여성, 특히 젊은 여성은 에스트로겐 감소로 인한 합병증 예방을 위해 호르몬치료를 고려해야한다. 그러나, 진행성 고위험 자궁내막암 환자는 호르몬 요법이 권장되지 않는다.[52] 메타분석 연구에서 에스트로겐-프로게스테론 병합요법은 재발방지 효과를 나타내었다.[53] 에스트로겐 비의존성 자궁내막암은 에스트로겐 감수성이 없으므로 호르몬요법이 가능하다.

자궁육종 중 자궁내막 간질육종(endometrial stromal sarcoma)는 에스트로겐 및 프로게스테론 수용체를 과발현하며 에스트로겐 단독요법과 타목시펜은 예후에 나쁜 영향을 준다고 보고되어 호르몬요법은 금기사항이다. 평활근육종(leiomyosarcoma)는 에스트로겐 및 프로게스테론 수용체를 과발현 하지만 난소절제술이 생존율을 향상시키지 않는다. 그러나 호르몬요법을 시행하기에는 위험하여 추천되지 않는다. 암육종(carcinosarcoma)와 선육종(adenosarcoma)는 호르몬요법이 가능하다.[48]

3) 난소암

상피성 난소암 환자의 호르몬요법은 재발을 증가시키지 않았고 오히려 일부 연구에서는

생존율을 향상시켰다. 생식세포종양에서도 호르몬요법이 재발을 증가시키지 않는다고 여겨진다. 자궁내막양 난소암은 에스트로겐 수용체를 가지고 있어 일반적으로 호르몬요법이 권장되지 않으나, 자궁내막양 자궁내막암에서는 호르몬요법이 권장된다는 점에서 불합리한 점이 있다. 성기삭기질종양인 과립막세포종은 호르몬요법이 권장되지 않는다.[48]

4) 자궁경부암, 질암, 외음부암

자궁경부암의 90%는 편평상피세포암으로 여성호르몬과 무관하므로 폐경 전 여성은 광범위 자궁절제술을 받을 때 난소를 보존하며 난소전위술로 골반강 방사선치료 범위 밖으로 난소의 위치를 옮겨 방사선치료로 인한 조기난소부전을 예방한다. 이러한 노력에도 불구하고 치료 후 조기난소부전이 빈번하게 발생하며 호르몬요법이 필요하다. 자궁경부암의 10%를 차지하는 선암은 자궁내막암과 유사한 특성을 갖고 있어 에스트로겐-프로게스테론 병합요법이 권장된다. 질암과 외음부암은 대부분 편평상피세포암으로 자궁경부암과 유사하며 호르몬요법이 가능하다.[48]

진행성 및 재발성 난소암에서 삶의 질 관련 증상

흉막삼출

호흡곤란(dyspnea)은 호흡기 장애(respiratory distress)의 주관적 증상인데, 이 증상의 완화치료는 이를 다룰 수 있는 전문 의료진이 시행해야 한다. 호흡곤란 증상은 환자의 나쁜 예후를 의미할 뿐 아니라 사망이 예견되는 증상이어서, 사망에 가까워진 시기에 삶의 질 향상을 위해 잘 다뤄져야 하는 중요한 증상이기 때문이다.

호흡곤란은 아래 3가지 이유로 작용한다. 첫째, 흉막삼출과 같은 폐쇄성 문제, 둘째, 암악액질이나 영양실조 및 쇠약 그리고, 셋째, 대사성 산증이나 빈혈과 같은 환기요구의 증가를 들 수 있다. 흉막삼출로 인해 발생하는 호흡곤란은 난소암 환자에서 자주 접하게 된다. 근본적인 암치료를 통해 흉막삼출을 교정할 수 있으나, 말기암환자에서는 항암화학요법이나 여타 치료가 흉막삼출을 호전시키지 못할 수 있다. 흉막삼출의 증상을 호전시키기 위해 주로 흉강천자(thoracentesis)나 화학적 흉막유착술(chemical pleurodesis)을 우선적으로 시행한다.[3] 이러한 물리적 조절이 시행될 수 없는 상황이거나 호흡곤란 증상만을 완화시킬 경우에는 마약성 진통제나 산소치료를 이용할 수 있다. 마약성 진통제는 모르핀이 주로 쓰이며, 처음 사용하는 경우에는 2시간마다 2.5~10mg 경구복용 혹은 2시간마다 1~3mg 정맥주사로 시작하는 것이 효과적이고, 이전에 모르핀을 사용했던 환자는 25%의 용량을 증량하여 사용한다.[54] 최근에는 펜타닐(Fentanyl)과 옥시코돈(Oxycodone)과 같은 마약성 진통제 사용에 관한 근거도 제시되었다.[55] 전신적 마약성 진통제 사용에 추가해서 환자의 불안을 감소시키기 위해 벤조디아제핀 계열인 로라제팜을 4

시간마다 0.25~1mg 경구복용을 한다.[54] 무엇보다 호흡곤란 발생 예방을 위해 일상의 활동을 간병인이 잘 계획하여 환자가 활동 수정(activity modification)을 할 수 있게 하는 것이 중요하다.

소장 폐색

난소암은 특징적으로 장간막 및 장 표면에 전이하여 소장을 외부에서 압박할 수 있어 소장 폐색이 발생할 수 있다. 증상은 주로 장 급통증(colic), 지속적인 복통, 오심 및 구토로 나타나고, 거의 대부분 오심, 구토는 보존적 치료에 완화되고, 장연관 증상은 일차종양감축술과 시스플라틴 기반 항암화학요법 시행 후 좋아질 수 있다.[56] 재발성 난소암에서 발생한 장폐색의 치료는 폐색위치의 영상학적 확인, 수분 공급, 전해질 교정, 비경구영양법(parenteral alimentation), 위장관삽관 및 감압이다. 최근 후향적 연구에서는 장폐색 재발 면에서 항암화학요법과 수술의 성적이 비슷했지만, 수술이 좀 더 높은 이환율을 보였다. 물론 보존적 치료만 시행하는 경우에는 장폐색 재발이 더 빠르게 나타났다. 하지만, 증상이 악화되거나 사망에 이를 수 있는 상황이라면 적절한 시기에 증상완화 수술이 고려되어야 한다. 수술의 종류는 병의 진행 정도 및 폐색의 수 및 위치를 고려하여 정한다. 만일, 폐색이 한 곳에 국한되어 있다면, 잘라내거나 우회로 수술을 한다. 이차종양감축술의 성공여부는 수술 후 잔존 병변의 항암제 민감도에 의존하기 때문에 절제보다는 우회로 수술이 좀 더 고려된다. 또한, 소장결장연결술(enterocolostomy)과 같은 장 우회로 수술은 광범위한 절제보다 이환율이 적다. 수술 당시 위장관 튜브 끝의 풍선을 촉진함으로써 폐색의 위치를 확인할 수 있고 side-to-side 방법으로 소장을 대장의 가장 적절한 위치에 문합한다. 드물게 대장이 암덩이에 둘러싸여 있는 경우가 있기 때문에, 수술 전에 가스트로그라핀(Gastrografin) 관장으로 우회로수술을 시행할 대장의 하부 부위에 폐색이 없는 것을 확인하여야 한다. 재발성 난소암에서는 폐색 부위가 여러 곳인 경우가 많은데, 이런 경우 장분획을 잘라내는 수술은 적절하지 않다.[57] 경피적내시경위조루술(percutaneous endoscopic gastrostomy)은 입으로 물을 마실 수 있게 해주고, 옥트레오타이드의 사용이 위장관액 분비를 감소시켜서 삶의 질 향상과 재원일 수 감소를 가능케 할 수 있다.[58] 적절한 장전환술(intestinal diversion)을 위해서 회장연결술(ileostomy)이나 근위공장연결술(proximal jejunostomy)이 필요할 수도 있고, 반대로 병의 진행 정도가 심해서 장수술의 위험이 크다면 증상 완화를 위한 위연결술(gastrostomy)을 시행해서 위감압을 할 수 있다.

복수

암성 복수는 대부분 복강내암 때문에 발생하기 때문에, 악성 종양을 치료함으로써 암성 복수도 해결할 수 있다. 하지만, 복강내암이 치료에 효과적이지 않다면, 암성복수 자체를 치료함으로써 증상을 호전시켜야 한다. 이뇨제, 염분 및 수분제한과 같은 고식적 치료는 그다지 효과적이지 않다. 따라서, 주로 치료적 천자(therapeutic paracentesis)를 시행하지만, 단백질과 전해질의 불균형을 유발할 수 있다. 이러한 이유로 복강 내 면역치료(IP immunotherapy)와 Denver 복강정맥션트(peritoneal venous shunt)를 이용한 배액이 사용되기도 한다. 한 연구에서는 42명의 환자를 대상으로 복수를 혈관으로 배액시키는 복강정맥션트로 5년간 치료하였다.[59] 결과 증상은 완화되었고, 혈행성 전이나 범혈관성 응고장애는 나타나지 않았다.

이뇨제 및 주기적 복수천자 치료와 영구적인 카테터 삽입 치료 결정은 증례마다 다르다. 최근 복수-특이 암세포(ascites-specific malignant cells) 특히, epithelial cell adhesion molecule (EpCAM)의 단클론항체를 이용한 1/2상 임상연구는 있지만,[60] 무작위 연구는 거의 없다. 혈관내피성장인자(vascular endothelial growth factor, VEGF)는 혈관 혈관투과성을 증가시키기 때문에 복수 형성을 촉진시킬 수 있어 혈관내피성장인자 길항제를 이용해 복수를 줄이려는 노력도 있다.[61] 재발한 여성이 복수 및 장폐색을 보이는 경우 완치의 희망은 어렵다. 그러나, 완치는 안되더라도 증상 완화를 위한 항암화학요법, 수술, 배액 및 완화치료의 노력은 필요하다.

진행성 및 재발성 자궁내막암과 자궁경부암에서 삶의 질 관련증상

요관폐색

자궁경부암 혹은 자궁암으로 인해 발생하는 양측 요관폐색과 요독증(uremia)은 임상의에게 심각한 딜레마를 불러올 수 있다. 치료는 이전에 방사선치료를 받지 않은 환자와 방사선치료 후 재발한 환자로 나눈다.

첫째, 아직 치료가 안된 암이나 수술 후 골반부위 재발로 발생한 양측 요관폐색은 요로전환술(urinary diversion) 시행 후 적절한 방사선치료를 고려해야 한다. 하지만, 요독증이 심해지면, 완화치료 단독이 적극적인 치료의 대안으로 고려되어야 한다. 완화요법의 효과가 좋지 않다면, 방광경을 이용한 역행성(retrograde) 요관 스텐트 삽입을 고려하고, 이것이 불가능하다면 경피적콩팥창냄술(percutaneous nephrostomy) 시행 후 선행성(antegrade) 요관 스텐트를 삽입한다. 다음선택은 요관통로(urinary conduit)과 같은 수술적 요로전환술인데, 양측 요관을 회장 부위에 문합(Bricker procedure)하거나, 장 부분을 이용해 주머니를 만든다. 요로전환술은 가능하면 방사선치료전에 시행되어야 수술 범위를 결정할 수 있다.

둘째, 최대 용량의 방사선치료를 받은 환자에서 양측 요관폐색이 발생하는 경우는 더욱 심각하다. 단순 방사선조사의 섬유화로 인한 폐색은 5% 미만 정도이므로 재발에 의해 발생한 것인지를 감별하기 위해 마취로 진찰, 방광경, 직장경을 이용한 생검이 필요하다. 만일 재발로 인한 것이 아니라면 요관의 단순 치환술로 해결할 수 있다. 하지만, 요관폐색이 재발에 의한 것이 확실하다면, 결정은 매우 어려워진다. Brin 등은 진행된 골반암으로 인해 발생한 요관폐색 환자 47명에게 요관치환술을 시행하였다.[62] 결과는 실망적이었고, 평균 생존기간은은 5.3개월이었고, 오직 50% 환자만 3개월 동안 생존했고, 20% 환자만 6개월 동안 생존했다. 치환술 시행 후 생존 일수의 63.8%를 병원에서 지내야 했다.

누공

요관 혹은 대장 누공(fistula)은 진행된 자궁경부암 및 자궁체부암에서 흔하게 발생하는 합병증이다. 이 증상은 환자의 삶의 질에 영향을 줄 수 있어, 증상을 완화시키기 위한 치환술이 고려되어야 한다. 방광으로 배액은 수술적 치환술 없이도 효과적으로 요관 누공과 연관된 요실금을 줄여줄 수 있다. 또한, 경피적콩팥창냄술과 요관결찰(ureteral ligation)을 시행할 수도 있다. 종종 적절하게 요관 치환을 시키기 위해 요관통로 혹은 다른 수술적 치료가 필요할 수도 있다. 하지만, 재발성 암으로 인해 생긴 요관 누공은 수술 성적이 좋지 않다.[63]

대장-질 누공(colovaginal fistula)은 일반적으로 결장창냄술(colostomy)로 해결할 수 있다. 아직 고리결장창냄술(loop colostomy)에 대해 논란은 있지만, 누공으로 변이 새는 것을 막을 수 있다. 하지만, 다른 술자들은 하트만 주머니(hartmann pouch)를 만드는 끝결장창냄술(end colostomy)이 좀 더 완벽하게 변이 새는 것을 막을 수 있다고 하였다.

성기능 장애

성기능 장애는 외음부암, 질암 및 자궁경부암의 치료 시 흔하게 발생하는데, 이는 광범위 절제술 및 방사선치료가 흔하게 사용되기 때문이다. 광범위 자궁절제술을 시행한 환자의 4~100%에서 질이 짧아짐을 호소하였고, 17~58%에서 윤활액의 감소를 호소하였다.[64] 그러나, 최근까지도, 성자극시 질의 탄력도나 외음부 부종이 줄었다는 데이터는 없다. 1999년에 New England Journal of Medicine에 게재된 스웨덴 논문에서는 초기 자궁경부(23%)에서 대조군(4%)에 비해 치료 후 질탄력도의 감소를 호소하였다.[65] 또한, 자궁경부암 환자에서 대조군에 비해 윤활액의 감소와 질 길이의 감소를 호소하였다. 오르가즘의 빈도와 정도는 두 그룹 간에 비슷하였고, 성교통은 자궁경부암 환자에서 더 발생하였다. 이 연구에서 광범위 절제술과 방사선치료를 비교했을 때에는 성기능장애의 차이는 없었다. 물론 전향적 연구 결과는 없지만, 방사선치료를 받은 환자에서는 질 길이와 탄력을 유지하기 위해서 정기적인 질 확장술(vaginal dilatation)이 권고된다. 호르몬요법과 윤활제사용 또한 성기능을 향상시키는 적절한 방법이다. 부인암 수술로 인해 발생한 성교통은 성욕구를 감소시키고, 성관계를 피하게 되어 상대와의 관계를 어렵게 만들

수 있다. 따라서 성교통은 평가 및 치료가 잘 이루어져야 한다. 암환자에서 성욕구 감소는 흔하고 어려운 문제이고, 건강을 회복한 후에도 좋아지지 않는 경우가 많다. 따라서 치료상담과 지지가 상황을 극복하기 위해 필요하다.

참고문헌

1. Cancer control act, Law No.11690 (Mar 23, 2013).

2. Mancini I, Bruera E. Constipation in advanced cancer patients. Support Care Cancer 1998;6:356-64.

3. Landrum LM, Blank S, Chen LM, Duska L, Bae-Jump V, Lee PS, et al. Comprehensive care in gynecologic oncology: The importance of palliative care. Gynecol Oncol 2015;137:193-202.

4. Basen-Engquist K, Bodurka-Bevers D, Fitzgerald MA, Webster K, Cella D, Hu S, et al. Reliability and validity of the functional assessment of cancer therapy-ovarian. J Clin Oncol 2001;19:1809-17.

5. Wenzel L, Huang HQ, Monk BJ, Rose PG, Cella D. Quality-of-life comparisons in a randomized trial of interval secondary cytoreduction in advanced ovarian carcinoma: a Gynecologic Oncology Group study. J Clin Oncol 2005;23:5605-12.

6. Armstrong DK, Bundy B, Wenzel L, Huang HQ, Baergen R, Lele S, et al. Intraperitoneal cisplatin and paclitaxel in ovarian cancer. N Engl J Med 2006;354:34-43.

7. Wenzel LB, Huang HQ, Armstrong DK, Walker JL, Cella D, Gynecologic Oncology G. Health-related quality of life during and after intraperitoneal versus intravenous chemotherapy for optimally debulked ovarian cancer: a Gynecologic Oncology Group Study. J Clin Oncol 2007;25:437-43.

8. Monk BJ, Huang HQ, Burger RA, Mannel RS, Homesley HD, Fowler J, et al. Patient reported outcomes of a randomized, placebo-controlled trial of bevacizumab in the front-line treatment of ovarian cancer: a Gynecologic Oncology Group Study. Gynecol Oncol 2013;128:573-8.

9. Vergote I, Trope CG, Amant F, Kristensen GB, Ehlen T, Johnson N, et al. Neoadjuvant chemotherapy or primary surgery in stage IIIC or IV ovarian cancer. N Engl J Med 2010;363:943-53.

10. Stockler MR, Hilpert F, Friedlander M, King MT, Wenzel L, Lee CK, et al. Patient-reported outcome results from the open-label phase III AURELIA trial evaluating bevacizumab-containing therapy for platinum-resistant ovarian cancer. J Clin Oncol 2014;32:1309-16.

11. Brundage M, Gropp M, Mefti F, Mann K, Lund B, Gebski V, et al. Health-related quality of life in recurrent platinum-sensitive ovarian cancer--results from the CALYPSO trial. Ann Oncol 2012;23:2020-7.

12. McQuellon RP, Thaler HT, Cella D, Moore DH. Quality of life (QOL) outcomes from a randomized trial of cisplatin versus cisplatin plus paclitaxel in advanced cervical cancer: a Gynecologic Oncology Group study. Gynecol Oncol 2006;101:296-304.

13 Monk BJ, Huang HQ, Cella D, Long HJ, 3rd. Quality of life outcomes from a randomized phase III trial of cisplatin with or without Topotecan in advanced carcinoma of the cervix: a Gynecologic Oncology Group Study. J Clin Oncol 2005;23:4617-25.

14 Cella D, Huang HQ, Monk BJ, Wenzel L, Benda J, McMeekin DS, et al. Health-related quality of life outcomes associated with four cisplatin-based doublet chemotherapy regimens for stage IVB recurrent or persistent cervical cancer: a Gynecologic Oncology Group study. Gynecol Oncol 2010;119:531-7.

15 Penson RT, Huang HQ, Wenzel LB, Monk BJ, Stockman S, Long HJ, 3rd, et al. Bevacizumab for advanced cervical cancer: patient-reported outcomes of a randomised, phase 3 trial (NRG Oncology-Gynecologic Oncology Group protocol 240). Lancet Oncol 2015;16:301-11.

16 Bruner DW, Barsevick A, Tian C, Randall M, Mannel R, Cohn DE, et al. Randomized trial results of quality of life comparing whole abdominal irradiation and combination chemotherapy in advanced endometrial carcinoma: A gynecologic oncology group study. Qual Life Res 2007;16:89-100.

17 Nout RA, Putter H, Jurgenliemk-Schulz IM, Jobsen JJ, Lutgens LC, van der Steen-Banasik EM, et al. Quality of life after pelvic radiotherapy or vaginal brachytherapy for endometrial cancer: first results of the randomized PORTEC-2 trial. J Clin Oncol 2009;27:3547-56.

18 Kornblith AB, Huang HQ, Walker JL, Spirtos NM, Rotmensch J, Cella D. Quality of life of patients with endometrial cancer undergoing laparoscopic international federation of gynecology and obstetrics staging compared with laparotomy: a Gynecologic Oncology Group study. J Clin Oncol 2009;27:5337-42.

19 Smits A, Lopes A, Bekkers R, Galaal K. Body mass index and the quality of life of endometrial cancer survivors--a systematic review and meta-analysis. Gynecol Oncol 2015;137:180-7.

20 Basen-Engquist K, Carmack C, Brown J, Jhingran A, Baum G, Song J, et al. Response to an exercise intervention after endometrial cancer: differences between obese and non-obese survivors. Gynecol Oncol 2014;133:48-55.

21 Mock V, Atkinson A, Barsevick A, Cella D, Cimprich B, Cleeland C, et al. NCCN Practice Guidelines for Cancer-Related Fatigue. Oncology (Williston Park) 2000;14:151-61.

22 Morrow GR, Shelke AR, Roscoe JA, Hickok JT, Mustian K. Management of cancer-related fatigue. Cancer Invest 2005;23:229-39.

23 Ryan JL, Carroll JK, Ryan EP, Mustian KM, Fiscella K, Morrow GR. Mechanisms of cancer-related fatigue. Oncologist 2007;12 Suppl 1:22-34.

24 Mehnert A, Scherwath A, Schirmer L, Schleimer B, Petersen C, Schulz-Kindermann F, et al. The association between neuropsychological impairment, self-perceived cognitive deficits, fatigue and health related quality of life in breast cancer survivors following standard adjuvant versus high-dose chemotherapy. Patient Educ Couns 2007;66:108-18.

25 Hofman M, Ryan JL, Figueroa-Moseley CD, Jean-Pierre P, Morrow GR. Cancer-related fatigue: the scale of the problem. Oncologist 2007;12 Suppl 1:4-10.

26 Curt GA, Breitbart W, Cella D, Groopman JE, Horning SJ, Itri LM, et al. Impact of cancer-related fatigue on the lives of patients: new findings from the Fatigue Coalition. Oncologist 2000;5:353-60.

27 Patrick DL, Ferketich SL, Frame PS, Harris JJ, Hendricks CB, Levin B, et al. National Institutes of Health State-of-the-Science Conference Statement: Symptom

Management in Cancer: Pain, Depression, and Fatigue, July 15-17, 2002. J Natl Cancer Inst 2003;95:1110-7.

28 Smith GF, Toonen TR. Primary care of the patient with cancer. Am Fam Physician 2007;75:1207-14.

29 DiSaia PJ, Creasman WT, Mannell RS, McMeekin S, Mutch DG. Clinical gynecologic oncology. 9th ed. Philadephia, PA: Elsevier; 2018.

30 Aistars J. Fatigue in the cancer patient: a conceptual approach to a clinical problem. Oncol Nurs Forum 1987;14:25-30.

31 National Comprehensive Cancer Network. Cancer-related fatigue v2019. In: Clinical practice guidelines in oncology.; c2019[cited 2019 Jun]. Available from: https://www.nccn.org/professionals/physician_gls/pdf/fatigue.pdf.

32 Portenoy RK, Itri LM. Cancer-related fatigue: guidelines for evaluation and management. Oncologist 1999;4:1-10.

33 Mishra SI, Scherer RW, Snyder C, Geigle PM, Berlanstein DR, Topaloglu O. Exercise interventions on health-related quality of life for people with cancer during active treatment. Cochrane Database Syst Rev 2012:Cd008465.

34 Mishra SI, Scherer RW, Geigle PM, Berlanstein DR, Topaloglu O, Gotay CC, et al. Exercise interventions on health-related quality of life for cancer survivors. Cochrane Database Syst Rev 2012:Cd007566.

35 Bohlius J, Bohlke K, Castelli R, Djulbegovic B, Lustberg MB, Martino M, et al. Management of Cancer-Associated Anemia With Erythropoiesis-Stimulating Agents: ASCO/ASH Clinical Practice Guideline Update. J Clin Oncol 2019;37:1336-51.

36 Vaupel P, Thews O, Mayer A, Hockel S, Hockel M. Oxygenation status of gynecologic tumors: what is the optimal hemoglobin level? Strahlenther Onkol 2002;178:727-31.

37 Tonia T, Mettler A, Robert N, Schwarzer G, Seidenfeld J, Weingart O, et al. Erythropoietin or darbepoetin for patients with cancer. Cochrane Database Syst Rev 2012;12:Cd003407.

38 Aapro M, Spivak JL. Update on erythropoiesis-stimulating agents and clinical trials in oncology. Oncologist 2009;14 Suppl 1:6-15.

39 Rodriguez Garzotto A, Cortijo Casacajares S, Pernaut C, Ruiz Ares GJ, Otero Blas I, Heine O, et al. Erythropoiesis-stimulating agents for the treatment of chemotherapy-induced anemia: comparisons from real-world clinical experience. J Blood Med 2014;5:43-8.

40 Bohlius J, Schmidlin K, Brillant C, Schwarzer G, Trelle S, Seidenfeld J, et al. Recombinant human erythropoiesis-stimulating agents and mortality in patients with cancer: a meta-analysis of randomised trials. Lancet 2009;373:1532-42.

41 Mohandas H, Jaganathan SK, Mani MP, Ayyar M, Rohini Thevi GV. Cancer-related fatigue treatment: An overview. J Cancer Res Ther 2017;13:916-29.

42 Berkovitch M, Pope E, Phillips J, Koren G. Pemoline-associated fulminant liver failure: testing the evidence for causation. Clin Pharmacol Ther 1995;57:696-8.

43 Sommariva S, Pongiglione B, Tarricone R. Impact of chemotherapy-induced nausea and vomiting on health-related quality of life and resource utilization: A systematic review. Crit Rev Oncol Hematol 2016;99:13-36.

44 NCCN Clinical Practice Guidelines in Oncology: Antiemesis, version 1.2019.; c2019[cited 2019 Jun]. Available from: https://www.nccn.org/professionals/physician_gls/pdf/antiemesis.pdf.

45 Roila F, Molassiotis A, Herrstedt J, Aapro M, Gralla RJ, Bruera E, et al. 2016 MAS-

CC and ESMO guideline update for the prevention of chemotherapy- and radiotherapy-induced nausea and vomiting and of nausea and vomiting in advanced cancer patients. Ann Oncol 2016;27:v119-v33.

46 Adel N. Overview of chemotherapy-induced nausea and vomiting and evidence-based therapies. Am J Manag Care 2017;23:S259-s65.

47 Diemunsch P, Grelot L. Potential of substance P antagonists as antiemetics. Drugs 2000;60:533-46.

48 Deli T, Orosz M, Jakab A. Hormone Replacement Therapy in Cancer Survivors - Review of the Literature. Pathol Oncol Res 2019.

49 Holmberg L, Anderson H. HABITS (hormonal replacement therapy after breast cancer--is it safe?), a randomised comparison: trial stopped. Lancet 2004;363:453-5.

50 Bundred NJ, Kenemans P, Yip CH, Beckmann MW, Foidart JM, Sismondi P, et al. Tibolone increases bone mineral density but also relapse in breast cancer survivors: LIBERATE trial bone substudy. Breast Cancer Res 2012;14:R13.

51 Barakat RR, Bundy BN, Spirtos NM, Bell J, Mannel RS. Randomized double-blind trial of estrogen replacement therapy versus placebo in stage I or II endometrial cancer: a Gynecologic Oncology Group Study. J Clin Oncol 2006;24:587-92.

52 The NAMS 2017 Hormone Therapy Position Statement Advisory Panel. The 2017 hormone therapy position statement of The North American Menopause Society. Menopause. 2017 Jul;24 (7):728-75.

53 Shim SH, Lee SJ, Kim SN. Effects of hormone replacement therapy on the rate of recurrence in endometrial cancer survivors: a meta-analysis. Eur J Cancer 2014;50:1628-37.

54 NCCN Clinical Practice Guidelines in Oncology: Palliative Care, version 2.2019. c2019[cited 2019 Feb]. Available from: https://www.nccn.org/professionals/physician_gls/pdf/palliative.pdf.

55 Hui D, Xu A, Frisbee-Hume S, Chisholm G, Morgado M, Reddy S, et al. Effects of prophylactic subcutaneous fentanyl on exercise-induced breakthrough dyspnea in cancer patients: a preliminary double-blind, randomized, controlled trial. J Pain Symptom Manage 2014;47:209-17.

56 Bryan DN, Radbod R, Berek JS. An analysis of surgical versus chemotherapeutic intervention for the management of intestinal obstruction in advanced ovarian cancer. Int J Gynecol Cancer 2006;16:125-34.

57 Pothuri B, Meyer L, Gerardi M, Barakat RR, Chi DS. Reoperation for palliation of recurrent malignant bowel obstruction in ovarian carcinoma. Gynecol Oncol 2004;95:193-5.

58 Mangili G, Aletti G, Frigerio L, Franchi M, Panacci N, Vigano R, et al. Palliative care for intestinal obstruction in recurrent ovarian cancer: a multivariate analysis. Int J Gynecol Cancer 2005;15:830-5.

59 Campioni N, Pasquali Lasagni R, Vitucci C, Filippetti M, Spagnoli A, Pompei S, et al. Peritoneovenous shunt and neoplastic ascites: a 5-year experience report. J Surg Oncol 1986;33:31-5.

60 Burges A, Wimberger P, Kumper C, Gorbounova V, Sommer H, Schmalfeldt B, et al. Effective relief of malignant ascites in patients with advanced ovarian cancer by a trifunctional anti-EpCAM x anti-CD3 antibody: a phase I/II study. Clin Cancer Res 2007;13:3899-905.

61   Smith EM, Jayson GC. The current and future management of malignant ascites. Clin Oncol (R Coll Radiol) 2003;15:59–72.

62   Brin EN, Schiff M, Jr., Weiss RM. Palliative urinary diversion for pelvic malignancy. J Urol 1975;113:619–22.

63   Penalver MA, Barreau G, Sevin BU, Averette HE. Surgery for the treatment of locally recurrent disease. J Natl Cancer Inst Monogr 1996:117–22.

64   Bertelsen K. Sexual dysfunction after treatment of cervical cancer. Dan Med Bull 1983;30 Suppl 2:31–4.

65   Bergmark K, Avall-Lundqvist E, Dickman PW, Henningsohn L, Steineck G. Vaginal changes and sexuality in women with a history of cervical cancer. N Engl J Med 1999;340:1383–9.

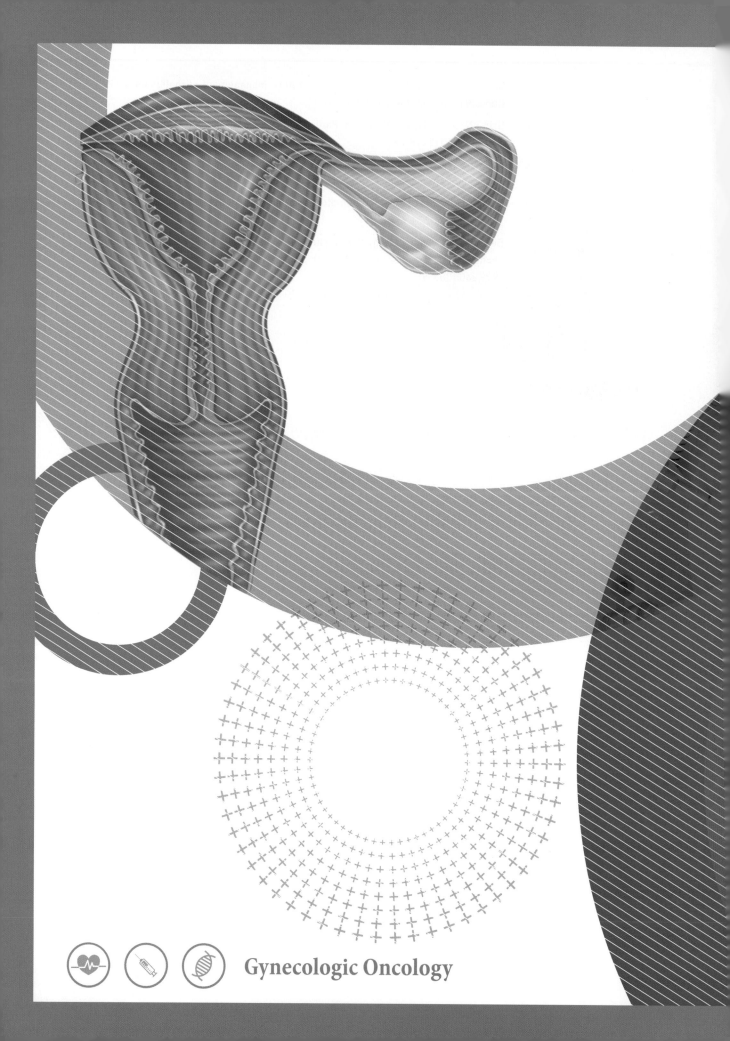

Gynecologic Oncology

SECTION 3

해부학적 부위별 질환

Anatomical Site-specific Disease

CHAPTER

12

자궁경부 전암병변

Preinvasive Disease of Uterine Cervix

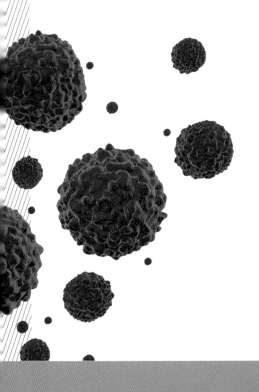

책임저자

이낙우 | 고려대학교 의과대학 산부인과

집필저자

김성민 | 차의과학대학교 산부인과

김진휘 | 가톨릭대학교 의과대학 산부인과

박성호 | 한림대학교 의과대학 산부인과

송재윤 | 고려대학교 의과대학 산부인과

장하균 | 고려대학교 의과대학 산부인과

Gynecologic Oncology

용어

분류

자궁경부 상피내종양(cervical intraepithelial neoplasia, CIN)은 자궁경부상피에 국한되어 암세포로 변화되는 과정의 중간 단계 이형성(dysplastic) 세포들이 존재하는 경우를 말한다. 초기 연구들을 통해 이 병변은 치료하지 않을 경우 암으로 진행할 수 있는 것으로 알려졌다.[1] 선별검사로 인해 자궁경부암의 발생은 감소하고 있지만 그 전단계인 자궁경부 상피내종양은 여전히 지속적으로 발생하고 있으며 발생 연령은 점점 어려지는 추세이다. 자궁경부 전암병변은 역사적으로 1888년 John Williams에 의해 처음으로 언급된 후 자궁경부암의 초기 조직학적 변화의 형태로서 형태학적으로 암과 유사하지만 기저막을 침범하지 않는 병변인 자궁경부 상피내암(carcinoma in situ, CIS)으로 기술되었다.[3] 이후 1950년대에 이르러, 자궁경부 상피내암의 기준에는 부합하지 않지만, 자궁경부 상피에서 조직학적 이상의 존재가 점차 명백해졌고 이러한 병변은 자궁경부 상피내암에 비해 침윤 암으로 진행하는 위험도가 낮은 것으로 밝혀졌다.

1953년 Reagan은 그리스어로 나쁘다(bad)는 의미의 'dys'와 암성 병변이 아니라는 (molding) 의미의 'plasia'를 이용하여 이형증(dysplasia)이라는 용어를 사용하여 병변의 진행 정도에 따라 경도(mild), 중등도(moderate), 중증(severe)으로 분류하였다.[4]

이후 연구자마다 다양한 방법으로 이러한 전암병변을 기술 하다가 1967년 Richart가 핵 이상, 비정상적인 세포 분열 양상, 상피 분화 상실, 세포 조직 붕괴를 특징으로 자궁경부 상피내종양의 개념을 세우면서 가장 큰 변화를 맞게 되었다. 진행성 병변이라는 개념에 따라 자궁경부 상피내종양은 처음에 자궁경부 변형대의 기저막에서 작은 비정형세포로 시작되어 점점 크기가 증가하여 비정형세포가 상피의 전층을 차지한 후 침윤성 암으로 진행한다고 생각하였다. 자궁경부 상피내종양은 기저막에서 최상표피까지 비정상세포의 치환 정도에 따라 등급을 나누게 되는데 비정상세포가 하부 1/3을 치환한 경우 경증 자궁경부 상피내종양(CIN1), 하부 2/3까지 치환한 경우 중등도 자궁경부 상피내종양 (CIN2), 전층을 치환한 경우 중증 자궁경부 상피내종양(CIN3)으로 분류하였다.[5]

최근 하부생식기관의 편평세포병변과 인유두종바이러스의 연관성이 증명되었고 여러 가지 바이오마커를 사용할 수 있게 되면서 LAST (the lower anogenital squamous terminology)라는 새로운 통합된 명명체계가 소개되었다.[6] 이 체계에 따르면 조직학적으로 인유두종바이러스 감염과 경증 자궁경부 상피내종양(CIN1)은 매우 유사하여 구분하기 어려워 저등급 편평상피내병변(low-grade squamous intraepithelial lesion, LSIL)으로 분류하고 중등도 자궁경부 상피내종양(CIN2), 중증 자궁경부 상피내종양(CIN3), 자궁경부 상피내암 (carcinoma in situ, CIS)은 고등급 편평상피내병변(high-grade squamous intraepithelial lesion, HSIL)으로 분류한다. 특히, 인유두종바이러스 감염에 의한 세포증식을 효과적으로 반영하는 p16 면역조직화학염색을 이용하면 실제 암발생 가능성이 있는 전암병변과 단순감염상태를 구분하여 일관된 치료가이드라인을 만드는 데 도움을 준다(그림 12-1).

LAST System	Cytology	LSIL	HSIL		
	Histology	LSIL	p16 staining should be performed	HSIL	
Bethesda Classification System	Cytology	LSIL	HSIL		
	Histology	CIN 1	CIN 2	CIN 3	
Previous terminology		Mild dysplasia	Moderate dysplasia	Severe dysplasia	Carcinoma in situ
Histologic images		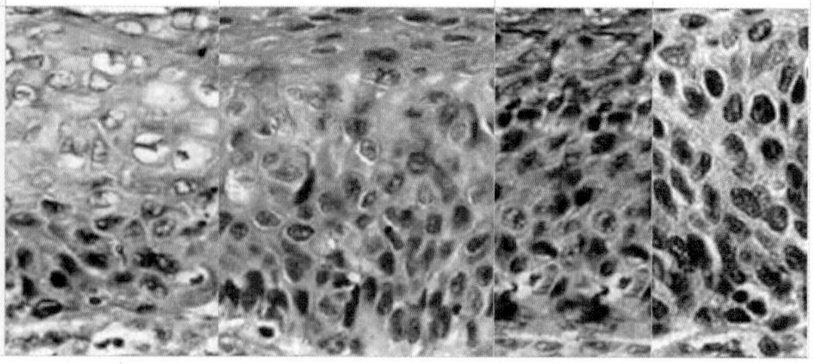			

그림 12-1. 자궁경부 전암병변의 여러 가지 명명 체계와 조직소견
Darragh TM et al. Int J Gynecol Pathol. 2013;32:76-115.

1) 자궁경부 편평원주이행대(squamocolumnar junction)

자궁경부의 상피는 내자궁경부(endocervix)에 위치하는 점액을 분비하는 길게 생긴 단층의 원주상피세포와 외자궁경부(exocervix)에 위치하는 납작한 편평상피세포로 이루어져 있고 두 상피가 만나는 부위를 편평원주이행대(squamocolumnar junction, SCJ)라고 부른다.

편평원주이행대의 위치는 나이와 호르몬의 영향에 따라 변하게 된다. 사춘기, 임신 중 또는 피임약을 복용하면 에스트로겐에 의해 편평원주이행대가 외자궁경부 쪽으로 이동하게 된다. 반대로 폐경기나 장기간의 수유, LNG-IUD를 사용하는 등 에스트로겐이 줄어드는 경우와 정상적으로 진행하는 편평상피화생(squamous metaplasia)의 경우 내자궁경부 쪽으로 이동한다(그림 12-2).[7]

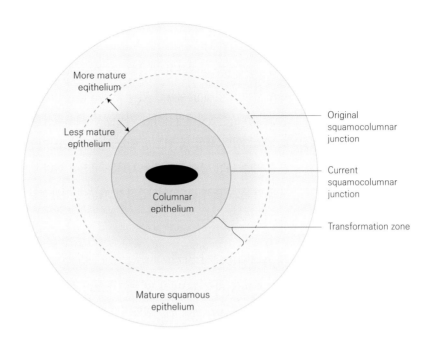

More mature
eqithelium

Less mature
epithelium

Columnar
epithelium

Original
squamocolumnar
junction

Current
squamocolumnar
junction

Transformation zone

Mature squamous
epithelium

그림 12-2. **자궁경부와 변형대**

2) 편평상피화생(squamous metaplasia)

사춘기가 되어 혈중 에스트로겐이 증가하면 하부 생식기관의 비각질 편평상피(non-keratinized squamous epithelium)에서 당원(glycogen)의 저장이 증가하게 된다. 당원은 젖산균(lactobacilli)의 영양원으로 쓰이기 때문에 질내 세균무리에서 젖산균이 대부분을 차지하게 된다. 이 세균은 젖산을 생산해서 질내 산도는 4.5 이하로 내려간다. 이렇게 낮아진 산도는 원주세포가 편평상피세포로 대체되는 편평상피화생의 원인으로 생각된다. 자궁경부상피 아래의 상대적으로 미분화된 예비세포(reserve cell)들은 새로운 화생세포의 전구세포로 사용되어 편평상피세포로 분화하게 된다. 이 정상과정은 최초의 편평원주이행대와 현재의 이행대 사이에 변형대(transformation zone)라는 넓어진 화생상피의 띠를 형성하게 된다.

3) 변형대(transformation zone)

거의 대부분의 자궁경부 종양은 현재의 편평원주이행대에 가까운 변형대에서 발생한다.[7] 자궁경부의 예비세포와 미성숙 화생세포는 인유두종바이러스 감염이나 다른 발암물질에 취약하다.[8] 편평상피화생은 사춘기와 임신 중에 가장 활발하게 이뤄지기 때문에 어린 나이에 성관계를 시작하고 임신을 하는 것이 자궁경부암의 위험 요소가 될 수 있다.

질확대경검사
(Colposcopy)

1925년 독일의 Hinselmann은 Leitz의 양안 해부 현미경에 광원을 부착시켜 외자궁경부를 30배까지 확대하여 관찰할 수 있는 최초의 질확대경을 만들었다. 이를 이용하면 침윤 암의 주변에서 침윤전 변화를 관찰할 수 있다는 점을 근거로 질확대경의 중요성을 강조하였다.[9] 질확대경검사는 자궁경부 세포검사의 위음성률을 보완할 수 있고 무작위로 시행되었던 생검 및 원추절제술로 인한 출혈, 감염, 불필요한 조직손상에 의한 자궁경관 무력증 등의 합병증을 감소시키는 장점이 있다. 그러나 고가의 장비가 필요하고 검사자에 따른 주관적 판단에 의존하기 때문에 객관적인 결과를 얻기 위해 숙련된 검사자가 필요한 단점이 있다.[10]

1) 질확대경검사 방법

2017년 미국 자궁경부병리 및 콜포스코피 학회(American Society for Colposcopy and Cervical Pathology, ASCCP)에서는 질확대경검사의 요소와 각각에 해당하는 내용을 표준화하였다(표 12-1).[11]

먼저 육안으로 외음부와 질부를 관찰한 후 질경을 넣고 전체 외자궁경부와 가능하다면 내자궁경부를 노출시킨다. 거즈를 이용하여 자궁경부 점액을 제거 후 질확대경검사를 시행하는 데 자궁경부 세포검사 및 HPV 검사는 초산을 도말하기 전에 시행한다. 3~5% 초산에 완전히 적셔진 거즈를 자궁경부에 접촉시킨 후 자궁경부의 변화를 관찰하는데, 이러한 변화는 30초에서 2분 정도가 소요되고 자연적으로 소실되므로 초산의 반복적인 사용이 요구된다. 생검은 가장 나빠 보이는 위치에서 최소 2번에서 4번까지 시행할 수 있다. 대부분의 경우 편평원주이행대에 가장 나쁜 병변이 위치하므로 이행대 주변을 주의해서 관찰해야 한다. 생검은 기질을 충분히 포함시킬 수 있게 직각으로 시행하며 즉시 포르말린 고정액에 넣는다.

2) 질확대경검사 소견

2011년 International Federation of Cervical Pathology and Colposcopy (IFCPC)에서는 새로운 질확대경검사 용어를 정리하였다. 5가지 section으로 나누어 각각에 해당하는 용어를 통일하여 진단과 치료 연구에서 통일된 용어로서 사용되고 있다(표 12-2).

대표적인 비정상 질확대경검사 소견은 다음과 같다.

① 초산백 상피(acetowhite epithelium)

육안적으로는 정상으로 보이지만 3~5% 초산을 도포한 후 흰색으로 변하는 상피를 초산백 상피라고 부른다. 초산은 핵과 세포질의 단백을 응고시켜 빛이 상피를 통과하기 어렵게 하여 흰색으로 보이게 한다. 자궁경부 상피내종양의 비정형세포들은 병변의 정도에 따라 단백의 양이 증가하며, 핵과 세포질 비가 증가되고 세포의 수가 증가하기 때문에 이러

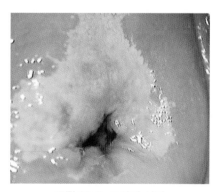

그림 12-3. 초산백 상피
(acetowhite epithelium)

표 12-1. 질확대경검사(colposcopy) 표준화 술기

	전체적인 질확대경검사 술기	최소 질확대경검사 술기

질확대경검사 전 평가	• 다음과 같은 내용을 평가하고 기술해야 함
	  – 질확대경검사 적응증
	  – 이전 자궁경부 세포검사, 질확대경검사, 치료 병력
	  – 분만력
	  – 피임법
	  – 임신 여부
	  – 폐경 여부
	  – 자궁절제술 시행 여부
	  – 흡연력
	  – 사람면역결핍바이러스 감염 여부
	  – 사람유두종바이러스 예방백신 접종 여부
	• 검사 전 사전 동의서(informed consent) 작성
		• 다음과 같은 내용을 평가하고 기술해야 함
		  – 질확대경검사 적응증
		  – 임신 여부
		  – 폐경 여부
		  – 자궁절제술 시행 여부
		
		• 검사 전 사전 동의서(informed consent) 작성

검사	• 육안으로 외음 및 질 상태 검사 • 3~5% 초산을 바른 후 여러 확대율을 사용하여 자궁경부 검사 • 일반 밝은 불빛과 적색 필터(파란색 또는 녹색) 불빛을 이용한 자궁경부 검사 • 여러 확대율을 사용하여 질 상부 검사	• 육안으로 외음 및 질 상태 검사 • 3~5% 초산을 바른 후 여러 확대율을 사용하여 자궁경부 검사

서술	• 도표나 사진을 사용하여 소견을 가능하면 주석을 달아서 표시
	  – 소견은 반드시 전자의무기록을 이용하여 저장
	• 자궁경부 가시성을 표시(fully/not fully)
	• 편평원주이행대 가시성을 표시(fully/not fully) – 편평원주이행대를 완전히 확인하기 위해 자궁경부를 움직이는 기구를 사용했는지 기술
	• 질확대경검사 소견을 기술
	  – 초산백 존재 여부(yes/no)
	  – 병변 존재 여부(yes/no)
	  – 병변이 존재한다면, 병변의 범위, 크기, 위치 모양(색, 윤곽, 경계, 혈관 변화) 등을 기술
	• 질확대경검사 추정 진단을 기술
		• 최소한 서술하는 방식으로 소견을 기술
		
		• 편평원주이행대 가시성을 표시(fully/not fully)
		
		• 질확대경검사 소견을 기술
		  – 초산백 존재 여부(yes/no)
		  – 병변 존재 여부(yes/no)
		
		• 질확대경검사 추정 진단을 기술

조직검사	• 조직검사를 시행했다면, 편평원주이행대에서 시행하고 위치를 기술해야 함 • 자궁내경관 조직검사를 시행했다면 방법을 표시	• 조직검사를 시행했다면, 편평원주이행대에서 시행 • 자궁내경관 조직검사를 시행했는 여부를 기술
시술 후 조치	• 환자에게 결과와 치료 계획을 알릴 방안을 서술	• 결과 통보 일정을 조율

한 변화가 강하게 나타난다(그림 12-3).

편평상피의 표면 또는 표면 가까이에 위치하는 상피 세포들은 편평하고 길며, 핵이 매우 작고 세포질 내에 많은 당원을 함유하고 있다. 이런 물리적 특성으로 인해 초산이 성숙한 상피세포에는 거의 효과를 나타내지 못하기 때문에 분명한 효과가 나타날 수 있는 깊은 층으로 초산이 침투하지 못한다. 따라서 대부분의 빛이 표면 세포들을 통과하여 모세 혈관내의 적혈구들을 조명할 수 있게 되어 색이 변하지 않게 된다. 원주상피는 초산을 도포한 후 세포 내의 점액 또는 단백을 응고시켜 흰색으로 나타나지만 단층이므로

표 12-2. 질확대경검사(colposcopy) 표준화 용어

해당 부분	패턴
일반적인 평가	• 검사가 적절했는지 부적절했는지 이유를 명시(예: 염증으로 자궁경부 확인 어려움, 출혈, 흉터 존재) • 편평원주이행대 가시성: 완전히 관찰함, 부분적으로 관찰함, 보이지 않음 • 변형대 타입 1, 2, 3
정상 질확대경검사 소견	• 최초의 편평상피세포: 성숙, 위축 • 원주세포; 전위(ectopy)/외반(ectropion) • 화생의 편평상피세포; 나보티안 낭종; 샘 개구부(crypt openings) • 임신 중 탈락막 현상(deciduosis in pregnancy)
비정상 질확대경검사 소견	• 일반 원칙 　– 병변의 위치: 변형대 안쪽 혹은 바깥쪽; 시계방향으로 병변의 위치 　– 병변의 크기: 병변이 덮고 있는 자궁경부 사분면의 숫자 　– 병변의 크기를 자궁경부의 퍼센트로 표시 • Grade 1 (minor): 세밀한 모자이크(fine mosaic); 세민한 점적(fine punctation); 얇은 초산백 상피(thin acetowhite epitheilum); 불규칙한 지도모양 경계(irregular, geographic border) • Grade 2 (major): 날카로운 경계(sharp border); 내부 경계 징후(inner border sign); 능선 징후(ridge sign); 두꺼운 초산백 상피(dense acetowhite epithelium); 거친 모자이크(coarse mosaic); 거친 점적(coarse punctation); 초산백 상피의 빠른 출현(rapid appearance of acetowhitening); 소맷동 모양의 샘 개구부(cuffed crypt openings) • 비특징적인 소견 　– 백반증(leukoplakia) – 각화증(keratosis)/과각화증(hyperkeratosis), 미란(erosion) 　– 루골 용액에 염색 여부(Schiller's test)
침습 의심 소견	• 비정형 혈관 • 추가 소견: 취약 혈관(fragile vessels), 불규칙한 표면(irregular surface), 외성장 병변(exophytic lesion), 괴사(necrosis), 궤양화(ulceration), 육안상 종양
여러 가지 기타 소견	• 선천성 변형대, 콘딜로마, 폴립(외자궁경부 또는 내자궁경부), 염증, 협착, 선천성 기형, 치료후 결과, 자궁내막증식증

투명하게 관찰된다. 화생편평세포들은 성숙된 세포에 비해 세포질이 적고 단백이 풍부하며 핵이 크기 때문에 초산에 의해 백색으로 변할 수 있지만 비정형 세포들과 달리 비교적 얇기 때문에 전체적인 효과는 투명하게 나타난다.[10]

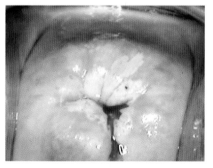

그림 12-4. 백반증(leukoplakia)

② 백반증(leukoplakia)

백반증 또는 백반은 초산을 도포하기 전에도 육안으로 관찰되는 융기된 흰색 영역을 말한다. 이것은 상피세포 표면에 있는 비후되고 각화된 케라틴 층에 의해 발생한다. 정상적인 자궁경부 편평상피는 케라틴을 생산하지 않는다. 백반증은 주로 외상, 만성 감염, 또는 종양과 같이 상피를 자극하는 원인이 있을 때 그 결과로서 발생된다. 백반증은 흔히 양성 소견이지만 양성 과각화증과 종양을 감별하기 위해 조직 표본을 반드시 채취해야 한다. HPV 감염과 연관하여 발생할 수 있고 각화성 암과 같은 병변의 분명한 소견이 백반증이기 때문에 반드시 생검을 실시해야 한다(그림 12-4).[10]

③ 점적(punctation)

점적은 백색 배경에 일련의 붉고 작은 점이 보이는 질확대경 소견이다. 기질이 상피표면

으로 손가락모양으로 융기한 유두 속에 표면과 수직으로 돌출한 모세혈관 구조물 때문에 나타난다. 화생과정에서 정상적으로는 원주상피의 유두상 혈관이 소실되지만 자궁경부 상피내종양에서는 소실되지 않고 더욱 두드러지게 된다. 점적이 초산백 상피의 영역에서 관찰되면서 서로 멀리 위치하면 이 상피가 고등급 자궁경부 상피내종양과 연관되어 있을 가능성이 높다.

그림 12-5. 모자이크(mosaic)

④ 모자이크(mosaic)

한데 뭉쳐 있는, 대략 원형 또는 다각형 모양인 초산백 상피세포를 둘러싸고 있는 말초 모세혈관을 모자이크라고 한다. 이때 상피세포는 조약돌 또는 타일과 같은 모양을 하고 있다. 또한 융합된 많은 말초 점적 혈관이나 자궁경부에 존재하는 분비샘 입구 주변의 혈관들에 의해서도 모자이크가 만들어질 수 있다. 일반적으로 모자이크 소견은 고등급 병변과 관련되어 있다(그림 12-5).

⑤ 비정형 혈관(atypical vessel)

상피내 병변이 침윤암으로 진행됨에 따라 종양 주변에 혈관형성인자들이 유리되어 비정상 혈관으로 알려져 있는 이상 혈관들을 발생시킨다. 이들은 정상 분지되는 혈관 양상이 아닌 비분지성 혈관들로서 corkscrew, comma, 또는 hairpin 양상을 보인다(그림 12-6).

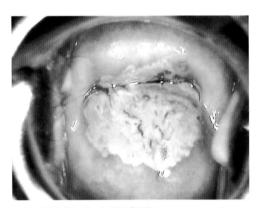

그림 12-6. 비정형 혈관(atypical vessel)

3) 질확대경검사 등급체계

질확대경에 의한 철저하고 체계적인 평가의 목적은 가장 비정상적인 병변을 선택하여 생검을 실시하고 침윤암의 존재를 배제하는 것이다. 초기 Burghardt, Coppleson, Kolstadt, Stafl들에 의해 고등급병변을 발견할 수 있는 소견들에 대한 기준이 정의되었으며 1984년 Reid 등에 의해 개발된 Reid's colposcopic index는 질확대경으로 관찰되는 병변의 정도를 네 가지 증후들을 이용한 채점 체계로 평가함으로써 고등급과 저등급 변화들을 감별하고, 정확한 생검장소를 표적할 수 있을 뿐만 아니라 질확대경검사로 조직학적 진단을 예측할 수 있도록 고안되었다(표 12-3).[12]

표 12-3. 수정된 Reid 질확대경검사 등급체계

질확대경검사 소견	0점	1점	2점
색깔	• 낮은 강도의 초산백(완전히 불투명하지 않음); 희미한 초산백. 투명하거나 반투명한 초산백 • 변형대 넘어 존재하는 초산백 • 격렬하게 빛나는 표면을 갖는 순수 하얀색(드묾)	• 중등도의 회백색이면서 빛나는 표면(대부분의 병변이 여기에 속함)	• 칙칙하거나, 불투명하거나, 회색이 도는 흰색이거나 회색
병변의 경계 및 표면 윤곽	• 미세콘딜로마 또는 미세유두상 윤곽을 갖으며 희미한 경계를 갖는 편평한 병변 • 깃털 모양이거나 세밀한 부채꼴 모양의 경계 • 각지거나 삐죽비죽한 병변 • 변형대 넘어 존재하는 3개의 위성 병변	• 규칙적인 모양 • 부드럽고 일직선의 경계를 갖는 대칭적인 병변	• 다른 소견들 간에 경계가 말리거나 껍질이 벗겨진 듯하면서 확실히 구분되는 경우 – 중심부는 고등급 변화이고 경계부는 저등급 변화임
혈관	• 세밀하면서 하나의 직경을 갖는 혈관이 가깝게 존재 • 미세한 점적(punctation)이나 모자이크(mosaic)는 제대로 형성되지 않음 • 변형대 경계 넘어의 혈관 • 미세콘딜로마 또는 미세유두상 병변 내의 미세한 혈관	• 혈관이 없음 (absent vessels)	• 구분이 잘되는 거친 점적(punctation) 또는 거친 모자이크(mosaic)
요오드 염색	• 적갈색(mahogany brown)으로 요오드 염색 • 다음 내용은 염색은 되나 의미가 없음; 위 3개의 소견에서 3점 이하로 평가되는, 변형대 넘어의 병변이 노란색으로 염색되는 경우, 질확대경검사에서 매우 뚜렷하며 요오드 염색이 안된다고 알려진 경우(이런 경우는 대부분 이상각화증(parakeratosis)임	• 부분 요오드 염색 – 다갈색이면서 얼룩덜룩함	• 요오드 염색이 안되는 의미 있는 병변 – 즉, 위 3개의 소견에서 4점 이상이 되는 병변에서 안되는 경우

※ 전체 점수
• 0~2: CIN1일 가능성이 있음
• 3~4: CIN1 또는 CIN2 병변이 걸쳐 있을 가능성이 있음
• 5~8: CIN2/3일 가능성이 있음

인유두종바이러스(Human Papillomavirus, HPV)

자궁경부 상피내종양은 HPV 지속 감염으로 인해 나타나는 세포 이상이다.[13] HPV 감염은 고등급 자궁경부 상피내종양 발생 위험성을 250배 증가시킨다.[14] HPV는 여성 생식기 외 두경부암 등 다른 암의 원인으로도 알려져 있으며, 모든 암종의 약 5%에서 인과관계를 가지는 것으로 보고되고 있다.[15]

인유두종바이러스의 종류

HPV는 단백캡시드(protein capsid)를 가진 단순, 이중가닥 DNA 바이러스이다. HPV는 유전적 상동성(homology)의 정도에 따라 분류되며 190여 종류가 알려져 있고 이중 40여종이 하부생식기관에 감염된다.[35] 임상적으로 HPV는 암유발성(oncogenicity)에 따라 고위

험군과 저위험군으로 분류되는데 저위험 HPV는 암유발성이 거의 없으며 이 중 6, 11형 HPV는 대부분의 양성 성기사마귀를 유발한다.[17]

그에 반해 16, 18, 31, 33, 35, 39, 45, 51, 52, 56, 58, 59형 고위험 HPV는 약 95%의 자궁경부 상피내종양과 자궁경부암을 유발한다.[18] 특히, 16형 HPV는 자궁경부암(55%) 및 고등급 자궁경부 상피내종양(45%)에서 가장 흔하게 발견된다.[19] 이것은 16형이 지속감염의 가능성이 가장 높은 것과 연관이 있다.[20] 16형 HPV는 저등급 자궁경부 상피내종양 및 정상 세포검사 결과를 보이는 여성에서도 가장 흔하게 발견된다.[21]

18형 HPV는 16형에 비해 유병률이 낮지만 편평세포 자궁경부암의 13%에서 발견되며 선암 및 선편평세포암의 37%에서 발견된다.[19] 16형과 18형은 전체 자궁경부암의 약 70%에 연관된다.

인유두종바이러스의 전파(Transmission)

일반적으로 HPV는 바이러스에 감염된 상대방과의 성관계를 통해 성기 피부, 점막 또는 체액의 직접 접촉으로 전파된다.[22] HPV는 성접촉을 통해 생긴 작은 상처를 통해 기저 세포층과 기저막에 감염이 되고 일단 감염이 된 후 기저 세포는 바이러스의 저장소가 된다(그림 12-7).

생식기에 HPV가 감염될 때는 대부분 한 곳 이상의 하부 생식기관에 감염된다.[23] 따

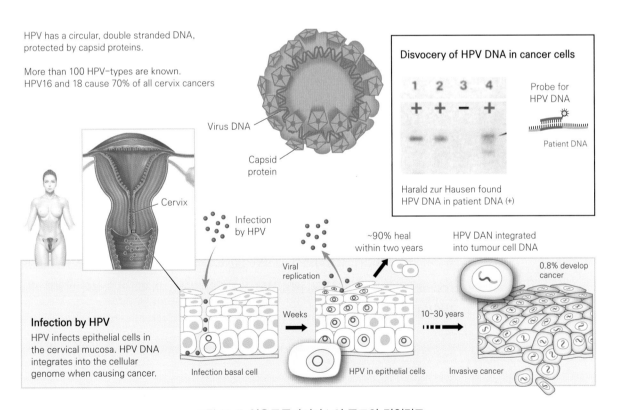

HPV has a circular, double stranded DNA, protected by capsid proteins.

More than 100 HPV-types are known. HPV16 and 18 cause 70% of all cervix cancers

Virus DNA

Capsid protein

Disvocery of HPV DNA in cancer cells

1 2 3 4

+ + − +

Probe for HPV DNA

Patient DNA

Harald zur Hausen found HPV DNA in patient DNA (+)

Cervix

Infection by HPV

~90% heal within two years

HPV DAN integrated into tumour cell DNA

Viral replication

0.8% develop cancer

Infection by HPV

HPV infects epithelial cells in the cervical mucosa. HPV DNA integrates into the cellular genome when causing cancer.

Weeks

10–30 years

Infection basal cell

HPV in epithelial cells

Invasive cancer

그림 12-7. 인유두종바이러스의 구조와 감염경로

The Nobel Committee for Physiology or Medicine, 2008

라서 자궁경부가 가장 취약한 부분이긴 하지만 생식기의 한 곳에 발생한 종양은 다른 곳의 종양 발생 위험성도 증가시킨다. 또한 동시에 또는 시간 차이를 두고 여러 종류의 HPV 감염이 흔하다.[20]

생식기 감염의 유병률이 높음에도 불구하고 일시적인 피부 집락형성을 제외하면 수직 감염은 매우 드물다. 수직감염은 모체의 성기사마귀 여부나 분만 방법과 연관성이 없었다. 따라서 심각한 출혈이 발생할 수 있는 큰 성기사마귀를 가진 경우를 제외하면 모체의 HPV 감염 때문에 제왕분만을 하는 것은 추천되지 않는다.[24]

인유두종바이러스 감염의 역학 (Epidemiology)

생식기 HPV 감염은 성 매개 감염 중에서 가장 흔한 감염이다. 전세계적으로 유병률은 약 11.7%, 동아시아의 경우 12.6% 정도로 추정된다.[25] 검사 방법 및 연구 대상자에 따라 차이가 있지만 국내의 경우 정상 자궁경부 세포검사 결과를 가진 여성에서 34.2%의 유병률이 보고되었다.[26] 유병률은 25세 이전에 가장 높고 나이에 따라 감소하게 된다.

자궁경부 세포검사가 정상인 국내 여성에서 HPV 유형의 분포에 대해서는, 연구마다 차이가 있지만, 16형이 국내에서는 지배적인 유형이며, 70, 52, 58, 66, 18, 56, 51, 35, 68형이 뒤따른다.[25] 특히 국내에서는 52형(2.3%)과 58형(0.9%)의 유병률이 다른 나라 지역에 비해 높았다.[27]

병변이 심해짐에 따라 HPV 감염 유병률이 증가하게 되는데, 저등급 병변[비정형 편평상피세포(ASCUS), 저등급 편평상피내병변(LSIL), 경증 자궁경부 상피내종양(CIN1)]을 가진 경우 60%, 고등급 병변[고등급 편평상피내병변(HSIL), 중등도 및 중증 자궁경부 상피내종양(CIN2,3)]에서 85.8%, 자궁경부암 병변에서 95.8%의 조정 유병률이 보고되었다.[27]

인유두종바이러스의 발암기전

HPV는 자궁경부 세포를 악성화시키거나, 무한하게 생존할 수 있는 영구 불멸화 능력(immortalization)을 갖고 있다.[28] HPV는 6개의 조기 단백질(early protein; E1, E2, E4~E7)과 두 개의 후기 단백질(late protein; L1, L2)을 전사하고 숙주의 세포 분자 경로에 끼어들어 DNA를 합성한다.[29]

E6 단백질은 p53 종양억제유전자 단백질과 결합하여 p53 단백질을 분해시킴으로써 세포 주기를 합성기로 진행시켜서 세포의 성장을 지속시킨다.[30] E7 단백질은 종양억제 유전자 Rb 단백질과 결합하면서 전사인자인 E2F가 유리되게 하여 세포주기를 활성화하는 유전자들을 가동시키고, p21, AP-1 유전자의 기능을 억제하여 악성화 변형과 영구 불멸화를 유발하게 된다.[31]

인유두종바이러스 감염의 자연사 (Natural History)

대부분의 경우 특히, 사춘기여아 및 젊은 여성에서 HPV 감염은 증상 발현 여부와 관계 없이 9~15개월 이내 자연 소실된다.[32] 저위험 HPV의 경우에는 더 빨리 소실된다(그림 12-8).[33]

HPV에 감염된 아주 소수의 여성에서 지속 감염이 발생하고 자궁경부 상피내종양으로 진행하게 되는데, 이와 연관된 위험 요소는 고령, 흡연, 피임약의 사용 및 동반된 다른 성 매개질환이 있는 경우 등이다.[34]

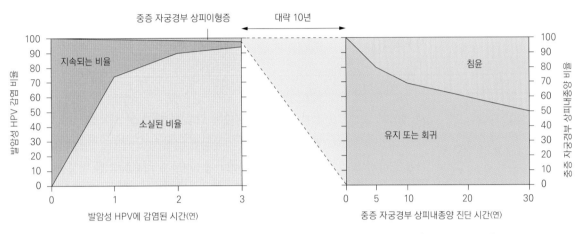

그림 12-8. 인유두종바이러스 감염의 자연사(natural history)

인유두종바이러스 예방백신

생식기에 감염된 HPV의 지속 감염은 점차 진행되어 전암 단계인 상피내종양으로 이행할 수 있는데 이는 CIN1, CIN2, CIN3를 거쳐 자궁경부암으로 진행하게 된다. HPV는 자궁경부암 이외에도 외음암, 질암, 항문암, 음경암, 구강인두암 등을 유발하기도 한다.[36] 현재 상용화된 자궁경부암 백신은 HPV 감염 예방백신을 말하며 이 백신은 체내에 HPV에 대한 항체를 형성시켜 HPV 지속감염부터 예방할 수 있게 하여 결국 악성 종양을 예방하는 것으로 4가 백신과 9가 백신, 2가 백신 세 종류가 있다.

인유두종바이러스 예방백신의 구성

현재 임상에서 이용되고 있는 HPV 예방백신은 항원으로 바이러스유사입자(virus-like particle, VLP)와 면역반응을 증강시키기 위한 항원보강제로 구성되어 있다. 효모균(yeast) 이나 바큘로바이러스(baculovirus)를 이용한 유전자 재조합 기술로 HPV L1 단백을 대량으로 생성하고 실제 HPV 바이러스와 유사하지만 내부에 HPV DNA를 전혀 가지고 있지 않은 빈 공과 같은 VLP구조를 형성한다. 따라서 VLP는 감염 가능성이나 발암 가능성이 전혀 없는 안전한 제제이다. 현재 시판되고 있는 세 가지 HPV 백신은 4가 백신, 9가 백신 그리고 2가 백신이 있는데 4가 백신의 경우 HPV 6, 11, 16, 18형의 L1 VLP를 함유하고 있고 9가 백신의 경우 HPV 6, 11, 16, 18, 31, 33, 45, 52, 58형의 L1 VLP을 함유하고 있으며 2가 백신의 경우 HPV 16, 18형의 L1 VLP를 함유하고 있다. HPV 6, 11형은 생식기 사마귀의 주요 원인이지만 자궁경부암과는 관련이 없는 저위험군 HPV 이므로 자궁경부암의 예방이 아니라 생식기 사마귀의 예방과 관련이 있다. 항원의 면역 반응을 높이기 위한 항원보강제는 4가 백신과 9가 백신의 경우의 경우 이미 다른 백신에 많이 이용되었던 알루미늄염(aluminum hydroxyl-phosphate sulphate)이 사용되었고 2가 백신의 경우에는 알루미늄염에 3-O-desacyl-4'monophosphoryl lipid A가 첨가된 ASO4가 사용되었다.

백신의 효과

세 종류의 백신은 9~26세 여성에서 접종이 권장되는데 모두 3회 접종(4가, 9가 백신은 0, 2, 6개월; 2가 백신은 0, 1, 6개월)이 원칙이며 가능하면 성접촉이 시작되기 전에 접종하는 것이 가장 이상적이다. 최근 9~13 (14)세 연령의 청소년들을 대상으로 한 임상시험 결과 세 백신 모두 2회 접종(0, 6개월) 후 항체 역가가 15~26세 여성의 3회 접종 후 항체 역가보다 낮지 않아서 이들 연령에서는 세계보건기구(World Health Organization, WHO)에서도 2회 접종을 권고하고 있다.[37] 4가 백신의 효과는 FUTURE I과 FUTURE II 3상 임상시험 결과 HPV 16형과 18형에 의한 CIN2는 ATP (according to protocol)군에서 100% (95% Confidence Interval [CI] 94.7%-100%), CIN3는 96.8% (95% CI 88.1%-99.6%), AIS 100% (95% CI 30.9%-100%)의 예방효과를 나타냈다.[38] 한편 intention to treat (ITT)-naive군에서도 HPV 16형과 18형에 의한 CIN2, CIN3, AIS를 각각 100% 예방하였다. 4가 백신은 자궁경부암 예방 외에 부가적으로 HPV naive 여성에서 HPV 6, 11형에 의한 생식기 사마귀를 100% 예방하였다.[38,39] 2가 백신의 경우는 PATRICIA 3상 임상시험 결과 ATP군에서는 HPV 16, 18형에 의한 CIN2 이상의 병변(CIN2+)은 94.9% (95% CI 87.7%-98.4%), CIN3 이상의 병변(CIN3+)은 91.7% (95% CI 66.6%-99.1%), AIS는 100% (95% CI -8.6%-100%)를 예방하였다. TVC (total vaccine cohort)-naive군에서는 CIN2+가 99.0%, CIN3+는 100%, AIS는 100%를 예방하였으며 HPV 16, 18형을 포함한 모든 유형의 CIN3+를 93.2% (95% CI, 78.9%-98.7%)를 예방하였다.[40] 4가 백신과 2가 백신의 효과에 대한 직접적 비교 임상연구는 없었고 각각의 3상 임상시험에 따른 백신의 효과는 대상 여성군에 따라 달라질 수 있기 때문에 자궁경부암 예방에 어느 백신이 더 효과적인지는 알 수 없다. 4가 백신과 2가 백신은 전체 자궁경부암의 약 70%를 예방할 것으로 알려져 있는데, 4가 백신에서 다섯 유형 항원(HPV 31/33/45/52/58)을 더 추가로 포함한 9가 백신의 최근 임상시험 결과, 백신이 포함하고 있는 아홉 개 모든 HPV 유형에서 예방효과가 확인되었다.[41] 9가 백신은 이론적으로는 전체적으로 90% 이상 자궁경부암을 예방할 수 있을 것으로 추정되지만 지역별로 각 유형별 HPV 감염률에 차이가 있을 수 있으므로 4가 백신에 비하여 9가 백신의 자궁경부암 예방 효과에 대한 이득은 나라에 따라서 차이가 있을 수 있다. 접종 횟수에 대한 연구에서 2가 백신의 경우 9~14세 소녀를 대상으로 2회 접종과 이전의 대규모 임상시험에서 실제 임상적 효과를 나타낸 15~25세 연령의 3회 접종군을 비교하였을 때 9~14세 연령의 2회 접종군이 15~25세 연령의 3회 접종군에 비하여 항체 형성이 우월한 것으로 보고하였다.[42] 4가 백신의 경우에도 9~13세 여아에서는 효과가 입증된 16~26세 여성에서 3회 접종군에 비하여 항체 형성이 열등하지 않다고 보고되었다.[43] 단 2회 접종 시에는 두 백신 모두 첫 접종 후 6개월 이후에 두 번째 접종을 하도록 권고하였다. 한편 15세 이상의 연령에서는 두 백신 모두 기존과 같이 3회 접종을 권고하고 있다.

인유두종바이러스 예방백신 접종 지침

우리나라에서도 4가 백신은 2007년 6월, 2가 백신는 2008년 7월, 9가 백신은 2016년 7월에 각각 허가되어 임상에 도입되었다. 이 세 가지 예방백신에 대한 접종권고위원회(Advisory Committee on Immunization Practices, ACIP), 대한부인종양학회의 임상 권고안, 미국 암학회(American Cancer Society, ACS)의 지침은 다음과 같다.

1) 접종 시기

ACIP와 ACS의 지침 모두 11~12세의 접종시기를 추천하고 있으며 9세부터 접종을 시작할 수 있다고 권고하였다. 따라잡기(catch-up) 접종은 ACIP에서는 13~26세까지, ACS에서는 13~18세에서 성관계 여부와 관계없이 투여 가능하며 접종 전에 HPV 검사나 자궁경부 세포검사를 시행할 필요는 없다. ACIP와 ACS 지침에서는 9세 이하나 26세 이상의 여성 및 남성에 대한 투여는 권고되지 않는다. 우리나라 권고안에서도 4가 백신인 경우에는 9~26세의 여성, 9~15세 남성, 2가 백신인 경우에는 10~25세의 여성으로 정하고 있다. 9가 백신의 경우에는 9~26세 여성, 9~15세 남성으로 정하고 있다. 최적 접종 연령은 성접촉을 시작하는 평균연령을 고려하여 15~17세를 권장하고 있다. 중년 여성에서는 현재까지 발표된 연구 결과는 없지만 유효성과 면역원성 연구 결과에 근거하여 접종 가능한 연령을 4가 백신은 27~45세, 2가 백신은 26~55세로 두고 있다. 9가 백신의 경우에도 중년여성(27~45세)에서는 개인별 위험도에 대한 임상적 판단과 접종 대상자의 상황을 고려하여 9가 백신의 접종 여부를 결정해야 한다. 참고로, 유럽연합에서는 9가 백신을 9세 이상의 남성 및 여성에게 접종할 수 있다고 하였으며, 캐나다에서는 9~45세 여성 및 9~26세 남성에게 접종할 수 있다고 권고하고 있다.

2) 접종 간격

4가 백신인 경우 2, 3차 접종을 1차 접종 후 2, 6개월 후에 시행하며, 1~2회 사이의 간격이 최소 4주, 2~3회 사이의 간격이 최소 12주가 되어야 하고 이보다 짧은 경우 재접종 하여야 한다. 2가 백신인 경우에는 1차 접종 이후 1, 6개월 후에 2, 3차 접종을 시행한다. 9가 백신의 경우 만 9~14세는 1차 접종 후 1~12개월 사이에 2회 접종을 하고, 만 15~26세는 1차 접종 후 2, 6개월 후에 2, 3차 접종을 시행한다. 접종 사이의 간격이 길어진 경우는 가능한 빨리 접종하면 되고 처음부터 다시 접종하지는 않는다.

3) 다른 백신과의 병합 투여

HPV 예방백신은 다른 백신(디프테리아-파상풍-백일해-소아마비 백신)의 추가 접종과 함께 접종할 수 있으며 A형이나 B형 간염백신과 함께 접종할 수 있다.[37] HPV 예방백신을 동시에 다른 백신과 함께 접종할 경우 일부 항체 역가가 약간 낮기는 하지만 임상적으로는 의미가 없으며 동시에 접종하더라도 반드시 각각 다른 부위에 접종하여야 한다. 그러나 독감, 홍역, 유행성 이하선염, 풍진 백신과의 동시 접종은 보고되어 있지 않다.

4) 백신의 부작용

백신의 안전성에 관해서는 최근 세계보건기구 국제백신안전자문위원회(Global Advisory Committee for Vaccine Safety, GACVS)가 임상시험과 시판 후 조사 자료를 모두 검토하여 결론적으로 HPV 예방백신은 매우 안전하다는 견해를 제시하였다.[37] 가장 흔하게 관찰되는 국소부작용은 주사부위 통증(70~80%)이었으며, 부종과 발적이 약 25%에서 나타나며 심각한 부작용은 3% 미만에서만 나타났다고 보고되고 있다. 두 가지 백신 모두 전신부작용은 발열이 11~16%로 가장 흔하였다. 그 외의 전신부작용으로 구토, 인후두염, 현기증 등이 1~6%의 빈도로 보고되었고 기관지연축, 위장관염, 고혈압, 질출혈, 운동장애 등이 백신과 관련된 심각한 부작용으로 0.1% 미만에서 보고되었으나 대조군과 차이는 없었다. 백신 접종과 관련된 사망은 아직까지 보고되지 않았다.

5) 특별한 상황에서의 백신 접종

임신의 예후 및 태아 기형과 관계는 없는 것으로 보고되었지만 임신 중의 백신은 권장되지 않는다. 백신 접종 후 임신을 알게 되었다면 나머지 접종은 출산 뒤로 미루고 계속 임신을 유지하면 된다. 수유중 백신 투여는 4가 백신에서만 연구가 되었고 접종 가능하다. 설사나 경한 상기도 감염 등의 경한 급성 질환은 백신 투여의 금기가 되지 않지만 중증의 급성 질환의 경우 백신 접종을 연기한다. 투약이나 질병으로 면역력이 약화된 경우에도 투여는 가능하지만 백신의 효과는 정상인 보다 낮을 가능성이 있다. 백신의 성분에 과민반응이 있는 사람은 금기 대상이며 4가 백신의 경우 효모에 알레르기 반응이 있는 사람에서는 아나필락시스의 위험이 있다. HPV 관련 병변이 있거나 자궁경부 세포검사 또는 HPV 검사에서 양성인 환자에서도 아직 감염되지 않은 HPV 유형에 대해서는 예방효과가 있으므로 투여는 가능하나 이미 감염된 유형에 대한 방어나 치료 효과는 없음을 알려야 한다.

국가 예방접종 사업

HPV 예방백신은 많은 국가에서 필수 예방접종 프로그램으로 운영되고 있다. HPV 백신의 비용효과 분석은 해당 국가에서 백신의 가격, 국가필수예방접종 운영 경비, HPV 감염률, 접종방법(2회 혹은 3회 접종), 자궁경부암 검진율, 자궁경부암의 진단과 치료에 필요한 비용 등에 의해 결정된다. 나라마다 보건의료 자원의 차이가 존재하겠지만 전 세계적으로 대부분의 국가에서 사춘기 이전 연령에서 여아들에게 접종하는 것은 비용효과적일 것으로 제시되고 있다. 이에 따라 대부분의 국가에서 필수예방접종의 연령을 11~12세로 하는 경우가 많은데 우리나라에서도 2016년 6월부터 4가 백신과 2가 백신 모두 국가 예방 접종에 포함되었으며 12세를 대상으로 하고 있다.

치료백신

최근에는 T-림프구의 면역반응을 이용한 치료백신의 임상시험이 진행되고 있다. 치료백신은 예방백신과 달리 이미 HPV에 감염된 세포를 치료하는 목적이므로 L1단백을 이용하는 것이 아니라 HPV 16형 혹은 18형의 E6 혹은 E7을 이용한 펩타이드, 유전자 재조합 DNA 혹은 바이러스 벡터를 활용한다.

자궁경부암 선별검사와 인유두종바이러스 검사(Screening, HPV DNA Testing)

자궁경부암 선별검사

1950년대 이후로 미국에서 자궁경부암의 발병률과 사망률은 꾸준히 감소하였다.[44,45] 그 외에도 여러 선진국에서 자궁경부 세포검사를 통한 선별검사가 성공적으로 널리 이용되면서 자궁경부암의 발병률 및 사망률이 감소하게 되었다.[46,47]

2001 베데스다 체계 (Bethesda System)

자궁경부 세포검사 진단에 의한 베데스다 체계(Bethesda System)는 원래 베데스다 의사에 의해 1988년 미국국립암연구소(US National Cancer Institue, NCI) 워크숍에서 개발되었다.[48] 1991년에 NCI의 두 번째 워크숍에서 실험실과 임상 경험을 바탕으로 베데스다 체계를 검토하고 수정하였다.[49] 개정된 1991 베데스다 체계는 세 가지 구성 요소를 가진다. (1) 자궁경부 세포검사의 세포 수집의 적정성에 대한 설명, (2) 일반적인 분류(예를 들어 정상 범위 내 또는 정상 범위 내에 있지 않음), (3) 세포학적 이상에 대한 기술 등이 이에 포함된다. 자궁경부 전암병변의 비정상 형태는 ASCUS, LSIL 및 HSIL의 세 가지 범주로 분류되었으나 2001년 NCI는 베데스다 체계를 재평가하고 업데이트하여 표준적인 보고용어와 기준을 만들었고, 이로 인해 병리학자와 임상의 사이의 의사소통이 개선되었다. 2001년 개정된 베데스다 분류 체계에서 업데이트된 내용은 의미 미결정 비정형 편평상피세포(ASC-

표 12-4. 2001 베데스다 분류 체계

Specimen type
• Conventional smear, liquid-based, or other technique

Specimen adequacy
• Satisfactory for evaluation (description includes quality indicators, including endocervical/transformation zone component and obscuring blood or inflammation)
• Unsatisfactory due to…(specify reason)

General categorization (optional)
• Negative for intraepithelial lesion or malignancy
• Epithelial cell abnormality (specify squamous or glandular)
• Other: see interpretation/result (eg, endometrial cells in woman ≥age 40

Automated review
• If examined by a device, specify device and result

Ancillary testing
• Describe method and result (eg, molecular testing)

Interpretation/result
Negative for intraepithelial lesion or malignancy (when there is absence of neoplasia this should be stated specifically, regardless of other findings)

• In addition describe, if present:
  – Infection (Trichomonas vaginalis, Candida spp, shift in flora consistent with bacterial vaginosis, Actionmyces spp, cellular changes)
• Other nonneoplastic findings, such as, but not limited to:
  – Reactive cellular changes associated with inflammation/cellular repair, radiation, or an intrauterine contraceptive device
  – Glandular cells after hysterectomy
  – Atrophy
• Other
  – Endometrial cells (in a woman ≥age 40) and specify whether negative for squamous intraepithelial lesion

Epithelial cell abnormalities

• Squamous cell
  – Atypical squamous cells (ASC) of undetermined significance (ASC-US)
  – Atypical squamous cells (ASC), cannot exclude HSIL (ASC-H)
  – Low grade wquamous intraepithelial lesion (LSIL)
    cellular changes consistent with HPV, mild dysplasia, CIN 1
  – High grade squamous intraepithelial lesion (HSIL) moderate/severe dysplasia, CIN 2, CIN 3, CIS indicate if there are features suspicious for invasion (if invasion suspected)
  – Squamous cell carcinoma
• Glandular cell
  – Atypical
    Endocervical cells
    Endometrial cells
    Not otherwise specified
  – Atypical, favor neoplasatic
    Endocervical cells
    Not otherwise specified
  – Endocervical adenocarcinoma in situ (AIS)
    Adenocarcinoma
• Other malignant neoplasms (specify)

Educational notes and suggestions
• Suggestions should be concise and consistent with clinical follow-up guidelines published by professional organizations

US)로부터 HSIL을 배제할 수 없는 비정형 편평상피세포(ASC-H)를 세분화한 것과 비정형 선세포(AGC)를 비특이성 비정형 선세포(AGC-NOS)와 종양성 비정형 선세포(AGC-favor neo-plasia)로 세분화한 것이다(표 12-4).

선별검사 시작 및 종료 연령

자궁경부암 선별검사의 대상은 만 20세 이상의 성경험이 있는 모든 여성으로 한다.[50~52] 20세 미만의 여성의 경우 매우 높은 HPV 감염률과 그에 상응하는 높은 자연치유율, 또한 침윤성 자궁경부암의 매우 낮은 발생빈도를 고려할 때 선별검사의 시행은 권장되지 않으나 자궁경부암 및 전암병변이 의심되는 경우 시행할 수 있다.

자궁경부암 선별검사는 최근 10년간 세 번 이상의 연속된 자궁경부 세포검사에서 음성으로 판정된 경우 70세에 종료할 수 있다. 단, 최근 20년간 중등도 이상의 상피내종양 병력이 있는 여성의 경우 혹은 세포검사의 결과를 알 수 없는 경우 연령에 관계없이 선별검사를 지속한다.

자궁경부 세포검사의 시행 간격

서양의 권고안이 자궁경부 세포검사 단독으로 3년 주기를 권장하고 있으나, 국내 국가암 검진프로그램에서는 상대적으로 높은 자궁경부암 발생 빈도, 선별검사를 위한 접근성의 용이함, 상대적으로 저렴한 선별검사 수가를 고려할 때 만 20세 이상 70세 이하의 여성에서 매 2년 간격으로 자궁경부 세포검사를 시행하고 있다.

전통적 자궁경부 세포검사의 검사 수행 특성

메타분석[53]에서 자궁경부 세포검사는 높은 위음성률을 보였고, CIN2와 CIN3에 대한 민감도는 50~60% 수준이었다.[54] 다른 대규모 리뷰 연구에서도 전통적 자궁경부 세포검사의 민감도는 51%로 보고되었다. 높은 위음성률의 주요 요인은 부적절한 표본 수집의 문제와 검사실에서의 오류 등이 있다.

이 검사의 단점은 자궁 경부의 염증 상태 혹은 에스트로겐의 영향에 따라 세포의 형태가 많은 영향을 받을 수 있다는 점이다. 따라서 환자는 검사 전 적어도 48시간 동안 뒷물이나 탐폰, 질 내 사정, 질정제 투약 등을 하지 말아야 한다. 방문하기 48시간 전부터 성교를 피해야 하며, 월경 중이라면 일정을 재조정해야 한다. 최상의 결과를 위해 내자궁경부와 외자궁경부를 모두 채취해야 하며 spatula과 cytobrush를 같이 사용하여 세포를 얻는 것이 좋다.[55]

액상 자궁경부 세포검사
(Liquid-based Cytology, LBC)

액상 자궁경부 세포검사(liquid-based cytology, LBC)는 전통적 자궁경부 세포검사의 대체 방법이다. 자궁경부 세포 검체를 유리 슬라이드 위에 도말하는 대신, 20mL의 완충 알콜성 액체 보존제를 포함하는 용기에서 헹군다. 두 가지 액상 자궁경부 세포검사의 기술이 가능하며, ThinPrep 방법(cytyc corporation, boxborough, MA) 및 SurePath (becton dickinson and company, franklin lakes, NJ, USA) 방법이 있다. 이 검사는 하나의 검체로 인유두종바이러스 검사 및 성병 검사 등 다른 검사를 동시에 시행할 수 있는 장점이 있다. 또한 액상 자궁경부 세포검사는 기존의 도말검사 보다 판독에 부적절한 검체가 더 적은 것으로 나타났다. 반면 액상 자궁경부 세포검사의 비교 성능에 대한 대규모 메타 분석에서 CIN2-3 검출 민감도는 전통적 세포검사와 유사했지만, ASCUS 감지 임계값에서 CIN2-3 검출 특이도는 다소 낮았다.[56] 네덜란드 임상시험 결과에서도 액상 자궁경부 세포검사의 CIN2-3 검출에 대한 상대 민감도 및 양성예측도가 기존의 세포검사보다 좋지 않은 것으로 나타났다.[57] 호주에서도 액상 자궁경부 세포검사로 선별검사 방법을 변경하는 것의 비용 효과성을 분석하였을 때, 기존 도말검사에 비해 사회적 부담이 있을 수 있어 대체 검사법으로 인정받지 못하였다.[58]

결론적으로 현재까지의 연구 결과 액상세포 검사는 기존의 세포검사 방법에 비하여 민감도, 특이도를 높이지 않는 것으로 알려져 있다.[57,59,60] 다만 부적절한 검체의 발생 빈도를 줄이는 효과가 있다. 우리나라 현실을 반영할 때 기존의 자궁경부 세포검사와 액상 자궁경부 세포검사 모두 세포검사방법으로 선택할 수 있다.

HPV DNA 검사
(HPV DNA Testing)

자궁경부암 발병에서 HPV의 주요 역할을 이해하면 세포검사 이외의 2가지 예방 전략에 대해 생각해볼 수 있다. 여기에는 예방백신으로 1차 예방을 하는 것과 HPV 검사를 이용한 2차 예방(선별검사)을 강화하는 것이 있다.[61] 2차 예방법에는 CIN2-3 치료 후 추적 검사로 HPV 검사를 사용하는 것이 포함되며, 이 외에도 세포검사에서 LSIL 결과 확인 후 HPV 검사를 시행하는 것, 1차 선별검사 때부터 검사하는 것 등이 있다.

자궁경부암 조기검진을 위해 자궁경부 세포검사를 이용할 경우 상피내종양과 자궁경부암을 조기진단하는 이점은 있지만, 세포검사가 가지고 있는 높은 위음성률과 같은 단점은 무시할 수 없다.[62] 더욱이 고위험군 HPV 감염이 자궁경부암의 필요 조건으로 알려져 있기 때문에 고위험군 HPV 검사가 자궁경부 세포검사의 보조 방법으로 사용되고 있다. 지금까지 보고된 많은 연구에서 HPV 검사가 세포검사에 비해 고등급 병변에 대한 민감도가 더 높은 것으로 나타났다.[63-65] 30~69세 사이의 9,667명의 여성에서 자궁경부 세포검사와 HPV 검사를 비교한 무작위 연구에서 고등급 병변을 발견하는 민감도가 자궁경부 세포검사, HPV 검사, 또는 두 가지 방법으로 복합할 경우에 각각 56.4%, 97.4%, 100%로 나왔다.[33] 위 세 가지 경우의 특이도는 97.3%, 94.3%, 92.5%이었다. 세포검사와 HPV 검사 모두 음성인 여성은 CIN2가 발견될 확률이 1,000분의 1 이하였고 CIN3의 경우는 더욱 낮았다.[65]

따라서, 여성에서 세포검사의 높은 위음성률을 낮추기 위한 방법으로 HPV 검사를 시행하고 있으며 HPV 검사 방법은 Hybrid Capture 2 (HC2) 외에도 DNA chip 검사와 PCR (Polymerase-Chain Reaction) 기반의 검사 모두 인유두종바이러스 감염을 진단하기 위해 사용할 수 있다.[64,66,67]

HPV의 유형에 따라 고등급 병변이 발생하는 확률이 다른 결과에 근거하여, 정상 세포 검사/양성 HPV의 결과를 보이는 여성에서는 HPV 유형 검사를 시행할 수 있다.[65,68,69] 만약 고위험군인 16번이나 18번 HPV가 발견되었다면 부인종양전문의에게 의뢰하여 질 확대경검사를 시행해야 한다. 16이나 18번 이외의 고위험 HPV에 감염된 여성에서는 HPV 유형 검사를 1년 후에 시행할 수 있다.

1) ASCUS 및 LSIL 세포검사 후 HPV 유형 검사

미국을 비롯한 많은 국가에서는 ASCUS 결과가 나온 여성 중 HPV 유형을 검사하여 임 상적으로 의미가 있는 소수의 여성에서만 질확대경검사를 시행하고, 그렇지 않은 여성 들에서는 과도한 검사를 피할 수 있도록 하는 권고안을 시행하고 있다. HPV 유형 검사 에 대한 미국의 지침은 ASCUS/LSIL Triage Study (ALTS)에 기인하며, 이 연구는 ASCUS 및 LSIL 결과가 나온 여성에서 CIN3을 검출하는 다기관 무작위 시험이었다.[75-77] 비정상 세포검사 결과가 나온 여성은 ① 즉각적인 질확대경검사(표준 기준), ② Hybrid Capture 2 (HC2)와 액상 자궁경부 세포검사 결과 및 HSIL 임계값에 근거한 질확대경검사 또 는, ③ 세포검사 만을 반복한 선별 검사를 시행하였다. 이 연구에는 25세의 중간 연령대 를 가진 대다수의 젊은 여성이 대상이었고, 2년간 질확대경검사를 시행하였다. ASCUS 집단에서 CIN 2-3의 전체 백분율은 15.4%였고, 이 군에서 HPV 유형 검사는 질확대경 검사와 유사한 민감도를 보였다. 그러나 이 여성 중 오직 절반만이 CIN 3 검출을 위해 질확대경검사를 하도록 의뢰되었다. ASCCP의 2001 Guidelines에 따르면, 액상 자궁경 부 세포검사가 1차 선별검사로 사용되었을 때 ASCUS 결과에 대한 검사로 HPV 검사가 선호되었다.[76] 이 권장 사항은 2012년 ASCCP 가이드라인에서 20세에서 24세 사이의 여성과 노인 여성에서 ASCUS 선별을 위한 수용 가능한 옵션으로 포함되었다.[78] 국제 메타 분석 결과에 따르면 ASCUS와 LSIL이 있는 여성에서 HPV 유형 검사를 하는 것이 CIN2-3의 검출 민감도를 증가시켰다.[70] 그러나 두 집단의 여성들은 특이성에서 서로 상 충 관계가 있었다. ASCUS에 대해 반복적으로 세포검사를 하는 것과 HPV 유형 검사를 하는 것은 특이도 감소가 없는 반면, LSIL이 있는 여성에서 HPV 검사를 하는 것은 반복 적인 세포검사에 비하여 특이도가 낮다.[70] 따라서 LSIL이 있는 여성에서 HPV 검사를 할 때는 비용 효율성에 대해 고민 후 결정해야 한다.

2) 1차 인유두종바이러스 선별검사(primary HPV screening)

HPV 검사는 자궁경부 세포검사보다 민감하고 재현성이 높기 때문에 모든 연령층에서 최소 5년까지 검진 간격을 안전하게 연장할 수 있다.[79] HPV 검사는 국제암연구기관(International Agency for Research on Cancer, IARC)에서 자궁경부암 선별검사 방법으로 승인되 었다. 일반적으로 HPV 검사는 선별검사 초기에 CIN2-3의 진단을 증가시키지만, 추적관 찰에서는 감소시켰다. 영국의 ARTISTIC 임상 시험에서는 HPV를 이용한 세 번째 선별검 사에서 질병이 감소했다고 보고하였다.[80] HPV를 이용한 선별검사 후 침윤성 자궁경부암의 비율도 감소된 것이 입증되었다.[63,81] 175,000명의 여성에 대한 유럽의 종단 데이터 연구 분석 결과,[82] 단기 추적관찰(2년 또는 그 미만)에서는 침윤성 자궁경부암을 예방하는 데에 HPV 검사와 세포검사가 유사한 능력을 보여주었으나, 5년으로 간격을 늘렸을 때는 HPV 검사가 60~70% 증가된 침윤성 자궁경부암 예방 효과가 나타났다. 종단분석 결과 정상 세포검사군에 비하여 HPV 음성군에서 CIN3 이상 질병의 발생률이 낮아지는 것으로 나타났고, 다른 HPV 유형에 비해 16형 양성인 여성에서 시간이 지남에 따라 자궁경부암 발생률이 늘어났다.[62,83,84] 이러한 연구 결과들을 바탕으로 대한산부인과학회 및 대한부인종양학회에서는 '고위험군 인유두종바이러스 검사는 현존 자궁경부 세포검사를 대체하는 1차 선별검사 방법으로 고려될 수 있고, 선별검사 간격은 3년 이상 5년 미만을 권고한다' 라고 입장을 표명한 바 있다.[137]

예방백신 접종은 기존 HPV 감염의 제거에 영향을 미치지 않는다.[85] 예방 접종 여부에 관계없이 HPV 유형검사를 통해 위험도를 분류할 수 있다.

3) CIN 치료 후 HPV 추적검사

최근의 메타분석에 따르면 추적 검사 목적으로 시행할 때, 자궁경부 세포검사와 비교하여 HPV 검사는 재발성 또는 잔류성 고등급 병변을 검출하는 상대 민감도를 21~25% 증가시켰고, 비슷한 특이도를 보였다.[70] 따라서 치료 후 추적관찰에서 HPV 검사를 사용하면 지속적 또는 재발성 질병을 조기 진단할 수 있다.[71] 치료 후 HPV 검사의 권장 사항 및 비용 효율성에 대해서는 여러 의견이 있다. 한 미국 연구에 따르면 치료 후 HPV 검사는 비용 효과가 없다고 하였고[72], 또 다른 미국 연구에 따르면 세포검사와 HPV 동시 검사가 치료 후 위험도를 5년 간격으로 충분히 낮출 수는 없을지라도, 단독 검사보다 동시 검사를 하는 것이 더 낫다고 하였다.[73] 그러나 최근 영국의 연구와 비용 효과 적합성 분석에 따르면, 자궁경부 세포검사의 추적 관찰을 위해 치료 후 매년 방문하는 것보다 치료 후 HPV 검사를 한 번 받는 것이 더 비용적인 면에서 효과적일 수 있다고 하였다.[74]

자궁경부 세포검사에 대한 예방접종의 효과	예방 백신의 접종으로 향후 자궁경부 상피내종양 및 자궁경부암 발생률의 감소가 예상되나 선별검사 주기의 변경은 현행 검진 주기를 원칙으로 하며 향후 임상적 데이터가 축적된 후 재검토가 필요하다.
자궁절제술 후의 자궁경부 세포검사의 추적관찰	자궁경부를 포함한 자궁절제술을 시행한 여성의 경우라 하더라도 중등도 자궁경부 상피내종양 이상의 병력이 있는 경우나, 과거 선별검사의 결과를 알 수 없는 경우에는 선별검사를 지속한다.

비정상 자궁경부 세포검사 결과에 대한 관리
(Managing Abnormal Cervical Cancer Screening Test Results)

2012 ASCCP 비정상 자궁경부암 선별검사 치료 지침

2012년 ASCCP 가이드라인에 따르면 30~64세의 여성에게 5년 간격으로 자궁경부 세포검사와 HPV 검사의 동시 시행을 자궁경부암 선별검사 전략 중 선호 방법으로 규정하고 있다.[78]

2012년 선별검사 가이드라인에서 권장하는 3년 간격의 자궁경부 세포검사 또는 5년 간격 동시 시행으로 CIN3의 위험도가 낮다면 이러한 검사로의 복귀는 안전한 것으로 고려될 수 있다. 그러나 고등급 자궁경부 상피내종양, 선상피내암 및 미세침습 자궁경부암의 병력이 있는 여성의 경우, 치료 후 및 초기 정상감시 이후에도 CIN3의 발생 위험도가 수 년간 증가되었다. 미국의 추적 조사 자료는 이 여성들에 대한 5년 정기 검진 간격으로의 복귀를 권고하기에는 불충분하며, 치료 후에도 진행되는 위험은 5년 재검사의 정도로 낮아지지 않을 것이다.

내자궁경부 세포 채취(endocervical sampling)의 역할은 논란의 여지가 남아 있다. 내자궁경부 솔질은 내자궁경부 긁어냄술과 비교하여 비슷한 특이도를 보이고, 민감도가 우수할 수 있지만, 간질(stroma)이 없기 때문에 등급을 결정하기가 더욱 어려운 점이 있다.[88] 두 검사 모두 내자궁경부 세포 채취에 적합한 것으로 간주된다. ASCUS 및 LSIL 검사결과의 여성을 위한 내자궁경부 세포 채취의 2006 가이드 라인에 정의된 적응증은 ASC-H 및 HSIL 검사결과가 있는 여성과 마찬가지로 유효하다.

2012 선별검사 가이드라인에서는 청소년 검진을 권고하지 않는다.[89] 자궁경부암의 위험은 25세 미만의 여성에게 여전히 낮다.[90] HPV 감염은 예방 접종을 받지 않은 여성에

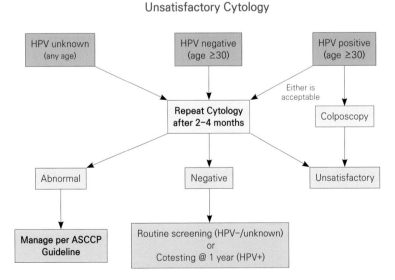

그림 12-9. 자궁경부 세포검사 결과가 부적합할 때의 처치

서 흔하게 발생하며,[91] 병변은 종종 호전된다.[92,93] 21~24세 연령대의 자궁경부암 발생률은 낮지만 미국의 경우 청소년층의 자궁경부암 발생 위험률보다 10배 높다.[90] 이런 높은 발생 위험도에도 불구하고 보수적이고 예측 가능한 추적 관찰을 해도 될 정도의 발생률에 해당하기 때문에 이 연령에서도 선별검사를 권고하지는 않는다(그림 12-9).

이러한 ASCCP의 가이드라인은 국제적인 영향을 미치지만, 미국의 자궁경부암 검진 시스템을 위해 설계되었고 한국의 상황과는 다를 수 있어 적절하게 적용해야 한다.

한국에서의 비정상 자궁경부 세포검사의 치료 권고
(2020 대한부인종양학회 자궁경부암 조기 검진을 위한 진료권고안)

1) 자궁경부 세포검사 결과가 부적합할 때의 처치

비정형 편평상피세포(ASC)는 ASCUS (Atypical Squamous Cells of Undetermined Significance)와 ASC-H (Atypical Squamous Cells, cannot rule out a High grade lesion)로 구분된다. ASC-H와 비교하여 ASCUS 결과를 보이는 여성은 고등급 자궁경부 상피내종양이나 침윤성 자궁경부암의 가능성이 더 낮다.[94] 따라서, ASCUS 세포검사 결과만으로 절제술 등의 치료를 권하지 않으며, 질확대경 등 조직검사 소견을 기반으로 치료 방침을 결정해야 한다. 반면, ASC-H를 보이는 여성에서는 고등급 병변의 가능성이 높기 때문에 이런 환자들은 HSIL을 보이는 환자들과 같은 방법으로 관리해야 한다.

① ASCUS의 치료 권고

자궁경부 세포검사 결과가 ASCUS로 나왔을 경우 반복적인 자궁경부 세포검사, 고위험군 HPV 검사를 시행할 수 있다.[95,96] 6개월마다 반복적으로 자궁경부 세포검사를 시행하였을 때 이후 검사에서 ASCUS 이상으로 세포검사 결과가 나온다면 질확대경검사를 반드시 시행해야 한다.[97] 결과가 음성(negative for intraepithelial lesion or malignancy)으로 나왔을 경우에는 일반 선별검사 프로그램으로 복귀할 수 있다. ASCUS를 보이는 환자군에서 HPV 검사는 고등급 상피내종양을 효과적으로 선별할 수 있으므로 질확대경검사 전 시행할 것을 권장한다. 고위험 HPV 검사가 음성일 경우 질확대경검사 없이 일반 선별검사 프로그램으로 복귀할 수 있다. 다만, 표준화되지 않은 국내 HPV 검사와 질확대경검사 비용을 고려할 때 HPV 결과에 상관없이 질확대경검사 시행을 고려할 수 있다. HPV 검사 결과 바이러스가 양성으로 나온 경우 질확대경 검사를 시행한다.

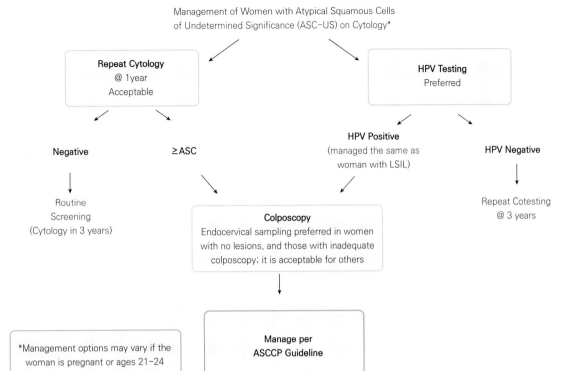

Management of Women with Atypical Squamous Cells
of Undetermined Significance (ASC-US) on Cytology*

Repeat Cytology
@ 1year
Acceptable

HPV Testing
Preferred

Negative

≥ASC

HPV Positive
(managed the same as
woman with LSIL)

HPV Negative

Routine
Screening
(Cytology in 3 years)

Repeat Cotesting
@ 3 years

Colposcopy
Endocervical sampling preferred in women
with no lesions, and those with inadequate
colposcopy; it is acceptable for others

*Management options may vary if the
woman is pregnant or ages 21-24

**Manage per
ASCCP Guideline**

그림 12-10. ASCUS의 치료 지침

② ASC-H의 치료 권고

세포검사 결과가 ASC-H로 나왔을 경우 권고하는 추가 검사는 질확대경검사이다.[97] 조직 검사에서 중등도 자궁경부 상피내종양(CIN2) 이상의 병변이 나오지 않을 경우 세포검사, 조직검사 및 질확대경검사 소견을 재판독할 수 있다. 또한, 이런 경우에는 6개월 간격으로 자궁경부 세포검사와 질확대경검사를 시행할 수 있다. 6개월 간격으로 2회 연속 정상으로 판독될 경우 일반 선별검사 프로그램으로 복귀할 수 있다. 만약 중등도 자궁경부 상피내종양(CIN2) 이상의 병변으로 확인된 경우라면 진단 목적의 절제술을 반드시 시행하여야 한다.

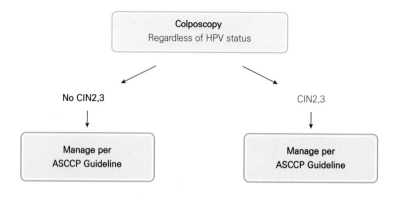

그림 12-11. ASC-H의 치료 지침

2) 비정형 선세포(atypical glandular cells, AGC)

반응성 세포변화 또는 용종 같은 양성 질환에 의하여 비정형 선세포(AGC)가 나오는 경우가 종종 있지만, 약 45%의 환자에서는 자궁경부 상피내종양, 자궁경부암, 자궁경부 선상피내암, 자궁내막암, 난소암, 난관암 등과 관계된 경우가 있다.[97,100] 이전 연구 결과에 따르면 AGC로 나온 여성의 9~38%에서 고등급 자궁경부 상피내종양, 자궁경부 선상피내암, 악성 종양 등이 발견되었다.[97]

AGC를 보이는 여성에서 시행하는 검사 중 충분한 민감도를 갖는 단일검사는 아직 없다.[101] 따라서, AGC의 결과를 갖는 여성에서는 여러 검사를 복합적으로 시행해야 한다.

① AGC의 치료 권고

세포검사에서 AGC가 나온 경우, HPV 검사, 질확대경검사, 내자궁경부 소파술을 시행해야 한다.[94,102,103] 자궁내막 조직검사도 35세 이상의 여성에서는 반드시 시행하여야 한다.[94,102,103] 35세 이하의 여성에서 자궁내막 조직검사는 비만, 불임, 타목시펜 복용, 무월경, 다낭성 난소 증후군 같은 자궁내막암의 위험인자를 갖고 있거나 비정상적인 질출혈의 병력이 있는 경우 또는 비정상 자궁내막 세포가 보인 경우에는 반드시 시행해야 한다.[104] 질확대경 조직검사와 내자궁경부 긁어냄술에서 자궁경부 상피내종양이나 선상피내암이 발견된 경우 진단 목적의 절제술이 반드시 시행되어야 한다. 하지만, 만족스러운 질확대경검사 조건에서 CIN1과 내자궁경부 긁어냄술에서 음성 소견을 보이는 경우에는 6개월 간격으로 반복 자궁경부 세포검사를 시행하거나 12개월에 HPV 검사를 시행할 수 있다. 경과 관찰위해 시행한 자궁경부 세포검사에서 ASCUS 이상으로 나온 경우 질확대경검사를 시행해야 한다.[104]

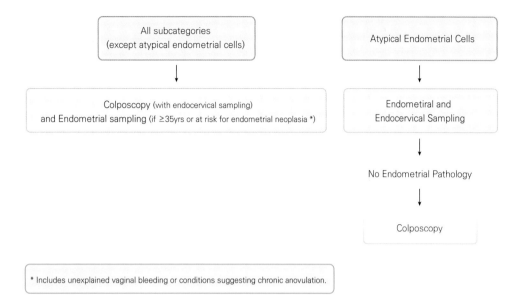

B   Initial Workup of Women with Atypical Glandular Cells (AGC)

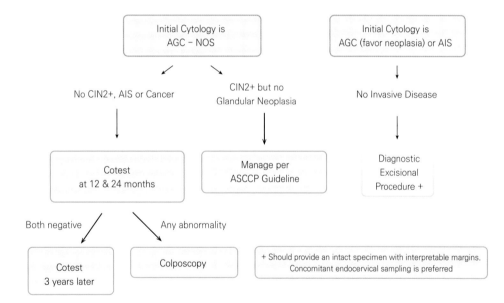

그림 12-12. 비정형 선세포의 치료 지침

3) 저등급 편평상피 내 병변(low-grade squamous intraepithelial lesion, LSIL)

LSIL은 고위험군 HPV 감염과 매우 밀접한 관계를 갖고 있다. 최근 메타 분석에 따르면 LSIL 여성에서 HPV 감염률과 16/18번 HPV 추정 감염률이 각각 72.9%와 26.7%에 이른다.[105] 또한, LSIL 여성에서 질확대경 조직검사를 시행할 경우 고등급 병변 이상의 결과가 나올 확률은 11~14%에 이른다.[106,107]

① LSIL 치료 권고

LSIL 결과를 갖는 여성에서는 선별검사로 HPV 검사를 했는지에 따라 다르다. HPV 검사가 음성인 경우는 1년 이내에 자궁경부세포검사와 HPV 검사를 다시 시행하는 것을 권고한다. 두 검사에서 모두 음성이 나온다면 일반 선별검사 프로그램으로 복귀할 수 있다. 반면 검사를 하지 않았거나 검사결과가 양성인 경우는 질확대경검사를 시행해야 한다. 질확대경검사 시 전체 변이대가 충분히 관찰되는지에 따라 추가 검사여부가 결정된다. 내자궁경부 긁어냄술은 임산부를 제외하고, 자궁경부에 병변이 관찰되지 않거나 부적합한 질확대경검사 결과(unsatisfactory colposcopy)를 보이는 여성에서 고려해야 한다.[97,104] 내자궁경부 긁어냄술에서 CIN2/3 같은 고등급 병변이 확인되었을 때는 절제술이 반드시 이뤄져야 한다. 질확대경검사를 통한 조직검사에서 CIN2-3가 발견된다면, 진단 목적의 절제술이 시행되어야 한다.[97,104]

Management of Women with Low-grade Squamous Intraepithelial Lesions (LSIL)*

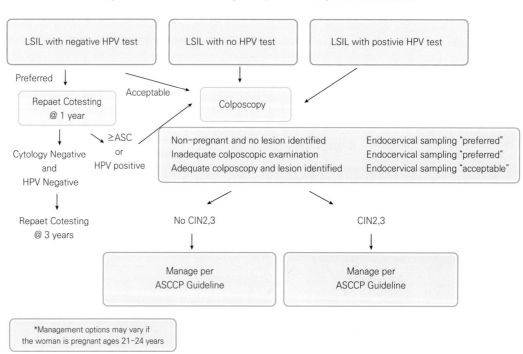

그림 12-13. LSIL의 치료 지침

4) 고등급 편평상피 내 병변(high-grade squamous intraepithelial lesion, HSIL)

세포검사에서 HSIL이 관찰되는 것은 고등급 병변이나 침윤성 암의 가능성이 높다는 점을 의미한다. HSIL의 결과가 나온 여성에서 질확대경 조직검사에 의해 고등급 병변이 확인되는 경우는 60~70% 정도 해당되며 환상투열요법에 의한 경우는 84~97% 정도 발견된다.[97,109] 또한, HSIL 여성에서 최대 18.8%에서 침윤성 자궁경부암으로 나온다.[110] 따라서, HSIL이 나온 여성에서는 세포검사나 인유두종바이러스 검사를 통해 경과 관찰하는 것은 적절하지 않다. 질확대경 검사에서 고등급 병변이 확인되지 않았다고 하더라도,

검사상에서 병변을 놓쳤을 가능성이 있기 때문에 이런 여성의 대부분에서는 결과적으로 진단 목적의 절제술이 시행하게 된다.[97]

① HSIL 치료 권고

HSIL이 나온 경우, 청소년 시기의 여성을 제외하고, 질확대경검사 없이 환상투열절제술이나 원추절제술을 포함한 즉각적인 진단 목적의 절제술을 시행할 수 있다.[111-113] HSIL 여성의 추가 검사는 질확대경검사의 적합여부에 따라 달라진다. 적합한 질확대경검사가 시행된 여성의 경우 추가 검사는 병변이 보이는지 여부에 따른다. 질확대경검사에서 병변이 관찰되지 않는다면 내자궁경부 긁어냄술을 반드시 시행해야 한다.[104] 만약 내자궁경부 소파술에서 정상으로 나온다면 세포검사와 질확대경검사를 6개월마다, 2회 연속 정상으로 나올 때까지 시행할 수 있다. 내자궁경부 긁어냄술에서 자궁경부 전암병변으로 진단된다면 진단 목적의 절제술을 시행해야 한다.

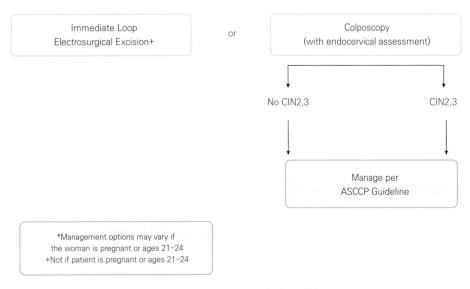

그림 12-14. HSIL의 치료 지침

자궁경부 전암병변의 치료

병변에 따른 치료

1) 경증 자궁경부 상피내종양(CIN1)

CIN1은 HPV 감염의 병리조직학적 징후이다. 그러나 이는 자궁경부암의 전구병변은 아닌 것으로 여겨진다.[114] 89명의 여성을 대상으로 시행한 전향적 연구에서 1년간 3개월 간격으로 추적 자궁경부 세포 검사를 시행하였을 때 75.3%의 대상자에서 자발적 호전(spontaneous resolution)이 관찰되었다.[115] 또 다른 145명을 대상으로 한 연구에서는 2년

의 추적 관찰기간 동안 81.1%의 LSIL 환자가 호전되었다.[116]

ASCCP 가이드라인에서는 CIN1이 적합한 질확대경 조직검사를 통해 확인된 경우에는 1년 후에 세포검사 및 HPV 추적 검사를 함께 시행할 것을 권장하고 있다. 이 때 세포검사와 바이러스 검사가 모두 음성이 나온 경우엔 다시 일반 추적 검사를 시행할 수 있다. 추적 검사에서 이상 소견이 발견된 경우 다시 질확대경검사를 시행하여 병변에 대한 재평가가 이루어지도록 한다. 21~24세의 젊은 여성의 경우에는 1년, 2년 후 세포검사 만을 반복한 후 ASCUS 이상의 비정상 소견이 발견될 경우 질확대경검사를 시행한다.[117] 이 가이드라인은 미국에서 개발된 것으로, 우리나라의 경우 자궁경부암의 발생률이 지속적으로 감소하고 있기는 하지만 여전히 서양에 비해서는 높은 상태이며, 낮은 의료 수가, 쉬운 병원에 대한 접근성 등을 고려할 때 미국의 가이드라인을 그대로 적용하는 것은 무리가 있을 수 있다.

2020년 발간 예정인 대한부인종양학회의 '자궁경부 조기검진을 위한 진료권고안'에서는 질확대경 조직검사를 통해 CIN1이 진단된 경우 두 가지 선택사항을 제시하고 있다. 첫째로 HPV 검사를 1년 후에 시행하여 음성이 나올 경우 일반 선별검사로 복귀하며 양성이 나올 경우 질확대경검사를 시행하여 재평가를 하도록 권장하고 있다. 두 번째 선택사항으로 6개월/12개월 뒤 자궁경부 세포검사를 시행하도록 하고 있는데, 여기서 AS-CUS 이상의 소견이 관찰될 경우 즉시 질확대경검사를 시행하며, 두 번의 검사에서 모두 정상 소견을 보일 경우 일반 선별검사로 복귀할 것을 제시하고 있다.[118]

적합한 질확대경 조직검사에서 지속적으로 CIN1이 확인될 경우에는 지속적인 추적 검사 외에, 소작(ablation) 혹은 절제(excision)를 통해 변형대(transformational zone)를 파괴시키는 방법을 환자에게 선택하게 할 수 있다.[117] 그러나 질확대경검사가 부적절했다면 소작 절제 치료는 반드시 삼가야 한다. 지속적인 스테로이드 복용, 항암치료, 혹은 면역억제 치료를 필요로 하는 만성 전신 면역저하 환자에 있어서는 계속 경과관찰만을 지속하는 것은 부적합할 수 있다.

세포 검사상 ASC-H 또는 HSIL 소견을 보였던 환자에서 조직검사상 CIN1이 확인된 환자의 경우는 병변이 질확대경검사에서 관찰되지 않았을 수 있으며, 특히 변형대가 관찰되지 않은 경우 내자궁경부 긁어냄술을 고려해야 한다. 또는 검사상 오류일 수 있으므로 6개월 간격으로 세포검사 및 질확대경검사를 반복하여 두 번 연속 음성이 확인될 때까지 관찰하거나 환상투열절제술(loop electrosurgical excision procedure, LEEP) 또는 원추절제술(conization)을 시행할 수 있다.

대부분의 LSIL 그리고 HSIL 절반 정도는 세포검사에서 처음 진단된 이후 2년 이내에 정상 세포로 회귀한다. 그러므로 CIN1/2인 여성에서 활발한 감시를 시행하는 방법이 제시되기도 했다.[119]

2) 중등도/중증 자궁경부 상피내종양(CIN2/3)

CIN2/3는 자궁경부암의 전구병변으로 여겨지므로 반드시 치료가 필요하다. 적합한 질확대경검사 및 조직검사를 통해 진단된 해당 병변은 변형대의 절제 또는 전기소작을 통한 변형대의 파괴가 필요하다. 그러나 질확대경검사가 적합하지 않았거나, 재발한 CIN2/3인 경우, 또는 내자궁경부 긁어냄술에서도 병변이 발견된 경우에는 단순 전기소작은 피해야 한다.

ASCCP 가이드라인에서는 12개월 및 24개월에 세포검사 및 HPV 검사를 함께 시행하여 연속 음성이 나온 경우 일반 선별검사로 복귀하도록 권장하고 있다.

한국의 특성을 고려한 대한부인종양학회 진료권고안에서는 환상투열절제술 혹은 원추절제술을 통한 치료 결과에서 그 이상의 병변이 발견되지 않고 경계부위(margin)에서 이상소견이 없는 경우, 6개월에서 12개월 이내에 세포검사와 HPV 검사를 시행할 것을 권장한다. 만약 모두 음성이라면 일반 선별검사 프로그램으로 복귀할 수 있다. 환상투열절제술(혹은 원추절제술) 후 경계부위에 병변이 있는 경우에는 6개월 이내 세포검사를 우선적으로 권고하되 환상투열절제술(혹은 원추절제술)을 다시 시행하거나, 이를 다시 시행하기 어려운 경우는 자궁절제술을 시행할 수 있다. 만약 미세침습병변이 의심이 된다면 재절제 치료를 시행하거나 자궁절제술을 고려할 수 있다. 절제술이 아닌 전기소작술을 통한 치료를 한 경우엔 경계부위 양성 여부를 판단할 수 없으며, 이 경우 6개월 후 세포검사 혹은 12개월 후 HPV 검사를 시행한다.

위의 일반적인 치료법이 적용되지 않는 두 가지 경우가 있는데, 첫째로 만약 임신을 한 여성에서 CIN2/3가 진단된 경우에는, 침윤성 병변이 아니라면 분만 후 6주까지 세포검사와 질확대경검사를 반복하며 관찰하는 것이 안전하다. CIN2/3를 진단받은 임산부 78명 중 62% 정도가 분만 후 정상으로 복귀되었다는 보고가 있다.[120] 이 연구에서 경과관찰 기간 중 침윤성 악성 종양이 발견된 경우는 없었다. 두번째로 20세 이하의 젊은 여성에서 고등급 병변이 진단된 경우엔 상기의 치료를 시행할 수 있지만, 이런 여성에서는 HPV의 감염률과 자연 치유율이 높으므로 6개월마다 세포검사와 질확대경검사를 반복하면서 경과를 관찰하는 방법을 선택할 수 있다.[32]

CIN2/3는 다양한 방법을 통해 치료할 수 있는데 가장 선호되는 치료법은 환상투열절제술이다.[121] 이를 통해 잠복해 있는 미세침윤성 병변을 발견할 수 있다. 특히 내자궁경부에 고등급 병변이 존재할 경우, 미세침윤암 또는 침윤암이 세포검사나 질확대경검사, 조직검사 등에서 의심이 될 경우에는 냉동치료(cryotherapy), 레이저 소작(laser ablation) 및 다른 치료법은 적합하지 않다.

자궁경부 전암병변 치료의 종류

1) 환상투열절제술(loop electrosurgical excision procedure, LEEP)

환상투열절제술은 자궁경부 전암병변을 진단하고 치료할 수 있는 중요한 치료법이다. 이를 통해 외래 검사에서 의심되는 병변이 있을 경우 즉시 진단 및 치료가 이루어질 수 있다는 큰 장점이 있다.[122] 이 술기를 통해 자궁경부 조직을 보존하면서 병변을 소작 절제함과 동시에 안전하게 전체 병변에 대한 조직학적 평가를 할 수 있다(그림 12-15).

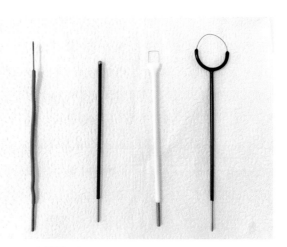

그림 12-15. **A** LEEP generator, **B** LEEP wire

환상투열절제술을 통해 전기로 자궁경부 조직에 영향을 주는 것은 사용하는 철사의 굵기와 전압, 그리고 조직의 수분 함량이다. 만약 전압이 낮거나 철사의 직경이 클 경우에는 조직에 대한 열손상이 과도하여 조직이 소작되어 버릴 수 있다. 따라서 전압을 35~55 와트(watts)로 높이고 철사를 굵기 0.5mm 정도로 얇게 사용하면 조직의 열손상을 최소화하여 전기절제를 시행할 수 있다. 수분으로 덮인 조직과 환상 모양의 철선이 만나는 접점을 증기가 감싸게 되면서 조직의 절개가 이루어지게 되며, 이 증기가 조직을 파고 들면서 절제술이 이루어진다. 절제 후에는 직경 5mm 정도 크기의 공모양의 전극을 가진 철선을 약 50왓트의 전압을 이용하여 절제된 자궁경부 표면에 적용하여 남은 조직을 소작한다. 이를 전기고주파요법(electrofulguration)이라고 부르며, 열손상을 이용하여 지혈을 시킬 수 있다. 전기고주파요법이 과도할 경우 딱지가 많이 앉게 되어 환자는 분비물이 증가하게 되고 감염 및 지연성 출혈의 위험성이 증가한다.

환상투열절제술을 시행하기 위해서는 우선 나일론(nylon) 또는 플라스틱 코팅이 되어 있는 비전도 질경(speculum)을 이용하여 자궁 경부를 노출시킨다. 질확대경을 통해서 병변의 위치와 범위, 변형대를 확인한 후 절제하기 적합한 고리(loop)의 크기를 선택한다. 루골 용액(Lugol's slolution)을 미리 도포하면 절제 범위를 결정하는 데 도움이 될 수 있다. 자궁경부에 1~2% 리도케인(Lidocaine) 국소마취제를 약 5cc 정도 골고루 주입한 후 환자의 다리에 접지 패드를 부착한다. 전기발생기의 전압을 35~55와트로 맞춘 후 작동시켜 병변을 절제한다. 이때 기계 종류에 따라 페달 형식이나 손 조작으로 작동시킬 수 있으며, 고리를 이용하여 병변을 절제한다. 병변이 클 경우 여러 번에 걸쳐 나누어 절제할 수 있다. 절단부의 기저부위(base)는 공 모양의 전극을 이용하여 40~60와트로 소작해준다.

환상투열절제술은 조산, 조기양막파수, 저체중아 발생과 관련 있는 것으로 알려져 있다.[123] 따라서 환상투열절제술은 무분별하게 시행되어서는 안되며, 조직학적으로 자궁경부 상피내병변이 확인된 경우에만 시행되어야 한다. '보는 즉시 치료(see and treat)'가 필요한 특수한 상황이나 환자 추적 관찰이 불가능한 의료 환경에서는 환상투열절제술이 즉시 필요하겠지만, 환상투열절제술을 통해 변형대 전체를 절제하는 것은 산과적 예후에 안 좋은 영향을 줄 가능성이 있으므로 주의를 요한다.[124] 특히 젊은 여성일수록 변형대가 크고 미성숙한 경향을 보여 초산백반응(acetowhite) 영역이 넓기 때문에 더욱 신중을 기할 필요가 있다. 이 술기로 인한 합병증은 대부분 경미하며 단순 전기 소작이나 원추절제술(conization)에 비해 나쁘지 않다. 수술 중·후의 출혈과 자궁경부 협착이 낮은 비율로 일어날 수 있다. 그러나 열 손상으로 인한 인공불순물로 인해 변연부 상태를 판단하는 데 방해가 될 수 있다.

2) 냉동치료(cryotherapy)

냉동치료는 1968년에 처음 소개된 술기로, 일산화질소 혹은 이산화탄소 가스를 이용하여 영하 20~30도의 낮은 온도를 이용하여 치료하는 것으로, 낮은 온도를 이용하여 세포 내 존재하는 수분을 결정화하고 세포를 파괴시켜 자궁경부의 상피세포를 손상시키는 것이다. 가장 적합한 냉동접촉단자는 19mm와 25mm의 소형 원뿔모양 단자이다(그림 12-16).

접촉단자의 5mm 거리를 두고 냉동구(ice ball)가 만들어져 자궁경부를 얼리게 되며, 이를 위해서는 측면으로 냉동 범위가 7mm 정도까지 이루어져야 한다. 냉동단자는 병변과 변형대 전체를 덮을 수 있어야 한다.

만약 변형대가 큰 환자인 경우, 여러 번 반복적으로 시행할 필요가 있어 치료시간이 길어지고 환자가 불편할 수 있다. 따라서 냉동치료는 주로 작은 바깥자궁목 병변의 치료에 적합하다. 가장 효과적인 냉동치료 방법은 동결-해동-동결 방법으로 여겨진다.[126] 냉동치료는 경우에 따라 낮은 치료 실패율을 보이는 적합한 치료이다. 합병증 발생률은 매우 낮으며 자궁경부 협착은 매우 낮은 확률로 발생하며 출혈도 매우 드물지만 감염은 종종 발생한다.[126] 치료 후에 환자는 2~3주간 수분이 많고 피가 비치는 다량의 질 분비물을 호소할 수 있으며, 치료 후에는 4주간 성관계와 탐폰(tampon) 사용을 삼가야 한다.

치료 성공률은 병변의 등급에 따라 달라지며 CIN3에서는 다소 높은 치료 실패율을 보인다.[127] 또한 병변의 크기가 작을수록 성공률이 높으며, 내자궁경부 샘에 침범이 있

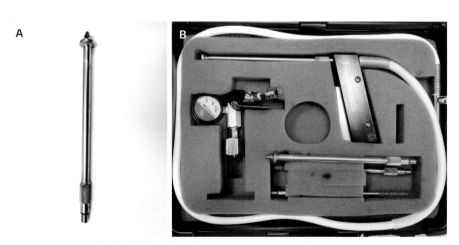

그림 12-16. **A** Cryotherapy probe, **B** cryotherapy tool

는 경우 치료 실패율이 27%로 보고되었다.[128] 37,142명의 CIN 1/2/3를 가진 여성의 데이터베이스를 이용한 대규모 후향적 연구에서는 냉동치료가 다른 치료법들과 비교할 때 치료 후 지속성, 재발성 병변이 의미있게 많이 나타나는 것으로 확인되었다.[129] 냉동치료와 열소작치료를 비교한 내용을 표로 정리하였다(표 12-5).

표 12-5. 냉동치료와 열소작 치료

항목	냉동치료	열소작 치료
치료효과	메타분석상 CIN2/3에서 85~92%에 달함[130]	메타분석상 CIN2/3에서 85~95%로 보고됨[131]
치료시간	치료에 소요되는 시간은 3분 동결-5분 해동-3분 동결, 또는 동결 단독 5분	30초~1분 열 소작 적용
기계 무게	가스 실린더 무게 15~20kg	열소작 기계 3~4kg
비용	압축 가스 유지비용 발생	초기 기계 비용 외에 유지비용은 많지 않음
전기	불필요	필요
부작용	거의 보고된 바 없음	소수의 경증만 보고됨
마취	불필요	불필요

3) 레이저 소작(laser ablation)

이산화탄소 레이저는 병변의 범위가 확실히 측정되고 깊이가 정확히 결정된 경우 병변을 기화시켜 치료한다(그림 12-17).[132]

최소량의 열손상만으로도 병변의 확실한 기화를 위해서 레이저는 집도의가 조절 가능한 범위 내에서 가장 높은 출력으로 사용되는 것이 좋다. 이는 최소 25와트 이상 되어야 하며 보통 60와트 이상이 선호된다. 질확대경을 통해 병변을 상세히 파악한 후 범위를 정한 후 치료해야 하며, 어떤 부분을 선택적으로 소작하는 것보다는 변형대 전체를 소작하는 것이 치료율이 더 높다.

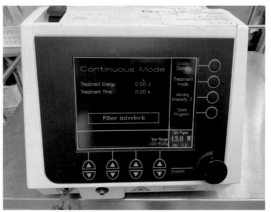
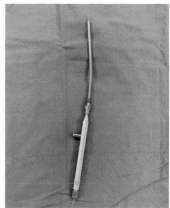

그림 12-17. 레이저 generator와 tip & wire

이산화탄소 레이저의 장점은 확실히 결정된 깊이만큼의 조직만 파괴시킬 수 있다는 점이다. 주로 자궁경부 전암병변의 샘침범 깊이는 5.2mm 정도이고 침범되지 않은 샘의 깊이는 7.9mm 정도이고, 샘와(gland crypt)의 빈도가 많고 깊이가 깊으면 전암병변의 등급이 높아진다. 변형대는 주로 7~10mm의 깊이면 모두 파괴될 수 있어 레이저로 충분히 치료할 수 있다.

레이저를 이용한 변형대 소작은 주로 국소마취하에 이루어진다. 먼저 1% 리도케인 용액 등의 국소마취제 4~6ml를 자궁 경부에 투여한다. 약물 투여는 천천히, 그리고 얕게 주입해야 한다. 깊이 주입하거나 자궁 경부 주변에 주입하게 된다고 해서 더 잘 마취되는 것이 아니며 오히려 환자에게 불편감을 느끼게 하고 출혈을 야기할 수 있다. 레이저 소작술에서는 출혈이 생기는 경우는 많지 않다. 레이저를 이용한 변형대 소작술은 선택적인 전암병변 환자에 있어 훌륭한 치료법으로 일차 치료 성공률이 95%에 달하며 술기로 인한 이환은 거의 없는 것으로 보고되었다.[133]

4) 자궁경부 원추절제술

자궁경부 원추절제술은 변형대를 수술적으로 절제하는 것을 의미한다. 질확대경검사가 가능하기 이전에는 자궁경부 원추절제술이 세포검사 이상이 있을 경우 시행하는 평가의 표준이었다. 원추절제술은 상피내병변의 절제 치료의 기능뿐만 아니라 침윤암의 가능성을 평가할 수 있는 진단 검사의 기능도 가지고 있는 술기이다. 원추절제술은 수술용 칼날(cold-knife)을 이용하여 수술실에서 시행하거나 레이저를 이용하여 외래 또는 수술실에서 시행할 수 있다(그림 12-18).

원추절제술의 적응증으로는 CIN2-3 또는 AGC, 1년 이상 CIN1이 지속되는 경우, 제자리선암이 있는 경우, 질확대경검사가 부적절한 경우, 내자궁경부 병변이 의심되는 경우, 세포검사/조직검사/질확대경검사의 결과들이 불일치한 경우, 미세침윤암이 의심될 경우, 질확대경검사상 침윤암을 배제할 수 없는 경우 등에 시행한다.

원추절제술의 술기는 다음과 같은 순서로 이루어진다. 우선 수술 전 질확대경검사를 통해 병변을 상세하게 확인하여 변연부와 변형대를 확인한다. 루골 용액을 활용할 수 있

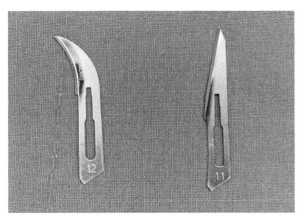
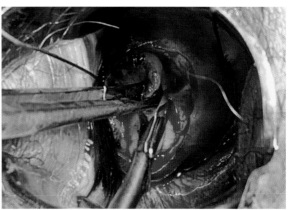

그림 12-18. Cold-knife conization에 사용 가능한 blade의 종류와 Cold-knife를 이용한 conization 장면

다. 선택적으로 출혈 예방을 위한 목적으로 자궁경부의 3시와 9시 방향에 측면 봉합을 시행한다. 수술용 칼날을 이용하여 시행할 경우에는 혈관수축제를 주사기를 통해 자궁경부에 투여한다. 병변을 칼날 또는 전기소작 도구를 이용하여 절제한 후, 절제된 병변의 12시 방향을 표시하는 봉합을 시행하여 병리 의사가 병변의 방향성을 확인할 수 있게 한다. 술기 마지막에는 절제부위의 기저부위 및 변연부를 전기 소작하여 지혈과 동시에 남아있을 수 있는 병변의 소작을 도모한다.

원추절제술은 고등급 전암병변에서도 95% 이상의 치료 성공률을 기록한다. 원추절제술 후 변연부(margin)에 병변이 남아있는 경우 재발률이 증가한다. 내자궁경부 샘의 침범 또한 재발의 위험인자이다. 원추절제술과 환상투열절제술을 비교할 때, 환상투열절제술이 더 간단한 술기이며, 단기 치료 결과가 비슷한 것으로 나타났으며, 전향적 연구에서 자궁경부 상피내병변의 재발률 및 산과적 예후가 차이가 없는 것으로 나타났다(표 12-6). [134] 97명의 환자로부터 447개의 조직병리 슬라이드를 분석한 연구에서, 원추절제술이 깊이가 얕을수록 변연부 양성 소견이 많은 것으로 나타났으며 20mm 정도의 깊이로 절제할 것을 권장하였다. [135] 병변을 냉동 또는 열소작으로 파괴하는 치료와 절제하는 치료에 대한 비교는 표 12-7에 기술하였다.

5) 자궁절제술(hysterectomy)

자궁절제술을 필요로 하는 자궁 출혈이나 근종 등 다른 부인과적 문제가 존재하거나 재발성 자궁경부 전암병변으로 다른 치료가 힘들 경우 선택할 수 있다. 또한 조직검사 결과상 미세침윤암이 의심될 때에도 시행할 수 있다. 다른 치료법들과 비교할 때 자궁절제술을 시행한 경우 통계적으로 유의하게 합병증 발생률이 높다.

자궁절제술을 결정하기 전에는 질확대경을 통한 병변의 평가가 반드시 이루어져야 하

표 12-6. 각 술기별 산과적 예후 비교

	Cold knife	Laser	LEEP	Total
Patients ≤40 years	25	27	22	74
Secondary sterility	1	0	0	1
Number of pregnancy	13	25	12	50
Early miscarriage	1 (7.7%)	4 (16%)	1 (8.3%)	6 (12%)
Ectopic pregnancy	1 (7.7%)	1 (4%)	0	2 (4%)
Induced abortion	2 (15.4%)	3 (12%)	2 (16.7%)	7 (14%)
Pregnancies >1 trimester	9	17	9	35
Late miscarriage	0	0	0	0
Threatened preterm delivery	0	2 (11.8%)	1 (11.1%)	3 (8.6%)
PROM and preterm delivery	0	0	1 (11.1%)	1 (2.9%)
Cesarean section	2 (22.2%)	4 (23.5%)	3 (33%)	9 (25.7%)

PROM: preterm rupture of membrane

표 12-7. 파괴(destructive) 치료와 절제(excision) 치료의 장단점

	장점	단점
파괴치료 (냉동치료, 레이저소작치료)	1. 단순하고 비용이 저렴한 편이다. 2. 누구나 쉽게 사용할 수 있다. 3. 전문가에 의해 사용될 경우 효과적인 치료이다. 4. 조직학적 검사에 대한 비용이 필요치 않다.	1. 변형대에 대한 조직학적 평가가 불가능하다. 2. 실제 진단이 불확실할 수 있다. 3. 암을 배제할 수 없다. 4. 병변 깊이에 대한 평가가 불가능하다. 5. 병변 변연부의 잔존병변 여부를 알 수 없다.
절제치료 (환상투열절제술, 원추절제술)	1. 확실한 조직학적 평가가 가능하다. 2. 이전 조직검사상 발견되지 않은 침윤암 여부를 확인할 수 있다. 3. 병변의 범위 및 깊이, 변연부 잔존병변에 대한 정확한 평가가 가능하다. 4. 우수한 치료효과를 가진다.	1. 적절한 병변 절제를 위한 훈련이 필요하다. 2. 통증을 많이 동반하므로 대게 국소마취 혹은 전신마취를 요한다. 3. 부수적 비용(조직검사, 투약 비용 등)이 발생할 수 있다.

는데, 질확대경상 변형대가 잘 관찰되지 않거나 세포검사, 바이러스검사, 질확대경검사에서 침윤암의 가능성이 있는 경우, 그리고 그리고 내자궁경부 조직에서 고등급 병변이 확인된 경우 등에서는 침윤암 감별을 위해 원추절제술을 꼭 시행해야 한다. 자궁절제술을 시행한 경우엔 질원개(vaginal vault)에 대해서 매년 세포검사를 시행해야 한다.

6) 질강내 근접 방사선치료(intracavitary brachytherapy)

자궁경부 전암병변은 골반 림프절로 전이될 위험성이 없으므로, 수술이 불가능한 환자에 있어서는 질강내 근접 방사선치료가 치료 선택 사항으로 고려될 수 있다. 21명의 소규모 환자를 대상으로 한 연구에서 치료율은 100%로 보고되었으며, 치료와 관련된 부작용은 보고되지 않았다. A지점(point A)에 조사된 평균 방사선 조사량은 4,612cGy였으며, 자궁경부 표면의 평균 조사량은 9,541cGy였다.[136]

참고문헌

1 Koss Lg Fau - Stewart F, Stewart F Fau - Foote FW, Foote Fw Fau - Jordan MJ, Jordan Mj Fau - Bader GM, Bader Gm Fau - Day E, E. D. - Some Histological Aspects of Behavior of Epidermoid Carcinoma in Situ and Related Lesions of the Uterine Cervix. A Long-Term Prospective Study. Cancer 1963;16:1160-211.

2 Chang HK, Seo S-S, Myong J-P, Yu YL, Byun SW. Incidence and costs of cervical intraepithelial neoplasia in the Korean population. J Gynecol Oncol 2019;30.

3 Williams J e. On Cancer of the Uterus: Being the Harveian Lectures for 1886. London: Lewis. H. K; 1886.

4 Reagan JW, Seidemann IL, Saracusa Y. The cellular morphology of carcinoma in situ and dysplasia or atypical hyperplasia of the uterine cervix. Cancer. 1953;6:224-34. doi: 10.1002/97-0142 (195303)6:2<224::aid-cncr2820060203>3.0.co;2-h.

5   Richart RM. Natural history of cervical intraepithelial neoplasia. Clinical Obstetrics and Gynecology 1967;10:748-84.

6   Darragh TM, Colgan TJ, Thomas Cox J, Heller DS, Henry MR, Luff RD, et al. The Lower Anogenital Squamous Terminology Standardization project for HPV-associated lesions: background and consensus recommendations from the College of American Pathologists and the American Society for Colposcopy and Cervical Pathology. Int J Gynecol Pathol 2013;32:76-115.

7   Anderson MC, Brown CL, Buckley CH, Fox H, Jenkins D, Lowe DG, et al. Current views on cervical intraepithelial neoplasia. J Clin Pathol 1991;44:969-78.

8   Stanley M. Pathology and epidemiology of HPV infection in females. Gynecol Oncol 2010;117:S5-10.

9   Fusco E, Padula F, Mancini E, Cavaliere A, Grubisic G. History of colposcopy: a brief biography of Hinselmann. J Prenat Med. 2008;2:19-23.

10 이연수 배. 자궁경부촬영진원색도감. 서울: 도서출판 칼비서적; 1999.

11 Wentzensen N, Massad LS, Mayeaux EJ, Jr., Khan MJ, Waxman AG, Einstein MH, et al. Evidence-Based Consensus Recommendations for Colposcopy Practice for Cervical Cancer Prevention in the United States. J Low Genit Tract Dis. 2017;21:216-22. doi: 10.1097/LGT.0000000000000322.

12 Reid R, Stanhope CR, Herschman BR, Crum CP, Agronow SJ. Genital warts and cervical cancer. IV. A colposcopic index for differentiating subclinical papillomaviral infection from cervical intraepithelial neoplasia. Am J Obstet Gynecol. 1984;149:815-23. doi: 10.1016/0002-9378 (84)90597-0.

13 Walboomers JM, Jacobs MV, Manos MM, Bosch FX, Kummer JA, Shah KV, et al. Human papillomavirus is a necessary cause of invasive cervical cancer worldwide. J Pathol 1999;189:12-9.

14 Liaw KL, Glass AG, Manos MM, Greer CE, Scott DR, Sherman M, et al. Detection of human papillomavirus DNA in cytologically normal women and subsequent cervical squamous intraepithelial lesions. J Natl Cancer Inst 1999;91:954-60.

15 Steben M, Duarte-Franco E. Human papillomavirus infection: epidemiology and pathophysiology. Gynecol Oncol 2007;107:S2-5.

16 Burk RD, Harari A, Chen Z. Human papillomavirus genome variants. Virology 2013;445:232-43.

17 Lacey CJ, Lowndes CM, Shah KV. Chapter 4: Burden and management of non-cancerous HPV-related conditions: HPV-6/11 disease. Vaccine 2006;24 Suppl 3:S3/35-41.

18 Bosch FX, Munoz N. The viral etiology of cervical cancer. Virus Res 2002;89:183-90.

19 Smith JS, Lindsay L, Hoots B, Keys J, Franceschi S, Winer R, et al. Human papillomavirus type distribution in invasive cervical cancer and high-grade cervical lesions: a meta-analysis update. Int J Cancer 2007;121:621-32.

20 Rodriguez AC, Schiffman M, Herrero R, Hildesheim A, Bratti C, Sherman ME, et al. Longitudinal study of human papillomavirus persistence and cervical intraepithelial neoplasia grade 2/3: critical role of duration of infection. J Natl Cancer Inst 2010;102:315-24.

21 Herrero R, Hildesheim A, Bratti C, Sherman ME, Hutchinson M, Morales J, et al. Population-based study of human papillomavirus infection and cervical neoplasia in rural Costa Rica. J Natl Cancer Inst 2000;92:464-74.

22 ACOG Practice Bulletin. Clinical Management Guidelines for Obstetrician-Gynecologists. Number 61, April 2005. Human papillomavirus. Obstet Gynecol

2005;105:905-18.

23 Spitzer M, Krumholz BA, Seltzer VL. The multicentric nature of disease related to human papillomavirus infection of the female lower genital tract. Obstet Gynecol 1989;73:303-7.

24 Altekruse SF, Lacey JV, Jr., Brinton LA, Gravitt PE, Silverberg SG, Barnes WA, Jr., et al. Comparison of human papillomavirus genotypes, sexual, and reproductive risk factors of cervical adenocarcinoma and squamous cell carcinoma: Northeastern United States. Am J Obstet Gynecol 2003;188:657-63.

25 Bruni L, Diaz M, Castellsague X, Ferrer E, Bosch FX, de Sanjose S. Cervical human papillomavirus prevalence in 5 continents: meta-analysis of 1 million women with normal cytological findings. J Infect Dis 2010;202:1789-99.

26 Lee EH, Um TH, Chi HS, Hong YJ, Cha YJ. Prevalence and distribution of human papillomavirus infection in Korean women as determined by restriction fragment mass polymorphism assay. J Korean Med Sci 2012;27:1091-7.

27 Bae JH, Lee SJ, Kim CJ, Hur SY, Park YG, Lee WC, et al. Human papillomavirus (HPV) type distribution in Korean women: a meta-analysis. J Microbiol Biotechnol 2008;18:788-94.

28 Hudson JB, Bedell MA, McCance DJ, Laiminis LA. Immortalization and altered differentiation of human keratinocytes in vitro by the E6 and E7 open reading frames of human papillomavirus type 18. J Virol 1990;64:519-26.

29 Hebner CM, Laimins LA. Human papillomaviruses: basic mechanisms of pathogenesis and oncogenicity. Rev Med Virol 2006;16:83-97.

30 Scheffner M, Huibregtse JM, Vierstra RD, Howley PM. The HPV-16 E6 and E6-AP complex functions as a ubiquitin-protein ligase in the ubiquitination of p53. Cell 1993;75:495-505.

31 Arroyo M, Bagchi S, Raychaudhuri P. Association of the human papillomavirus type 16 E7 protein with the S-phase-specific E2F-cyclin A complex. Mol Cell Biol 1993;13:6537-46.

32 Ho GY, Bierman R, Beardsley L, Chang CJ, Burk RD. Natural history of cervicovaginal papillomavirus infection in young women. N Engl J Med 1998;338:423-8.

33 Moscicki AB, Shiboski S, Hills NK, Powell KJ, Jay N, Hanson EN, et al. Regression of low-grade squamous intra-epithelial lesions in young women. Lancet 2004;364:1678-83.

34 Schiffman MH. Recent progress in defining the epidemiology of human papillomavirus infection and cervical neoplasia. J Natl Cancer Inst 1992;84:394-8.

35 de Villiers EM. Cross-roads in the classification of papillomaviruses. Virology 2013;445:2-10.

36 Kim B-G. Update of human papillomavirus vaccination. J Korean Med Assoc 2015;58:313-8.

37 Organization WH. Human papillomavirus vaccines: WHO position paper, October 2014. Weekly Epidemiological Record= Relevé épidémiologique hebdomadaire 2014;89:465-91.

38 Group FIIS. Four year efficacy of prophylactic human papillomavirus quadrivalent vaccine against low grade cervical, vulvar, and vaginal intraepithelial neoplasia and anogenital warts: randomised controlled trial. The BMJ 2010;341.

39 Garland S. Females United to Unilaterally Reduce Endo/Ectocervical Disease (FUTURE) I Investigators. Quadrivalent vaccine against human papillomavirus to pre-

vent anogenital diseases. N Engl J Med 2007;356:1928-43.

40 Paavonen J. HPV PATRICIA Study Group. Efficacy of human papillomavirus (HPV)-16/18 AS04-adjuvanted vaccine against cervical infection and precancer caused by oncogenic HPV types (PATRI-CIA): final analysis double-blind, randomised study in young women. Lancet 2009;374:301-14.

41 Joura E, team V-s. Efficacy and immunogenicity of a novel 9-valent HPV L1 virus-like particle vaccine in 16-to 26-year-old women. EUROGIN Congress. 2013, 3-6.

42 Romanowski B, Schwarz TF, Ferguson LM, Ferguson M, Peters K, Dionne M, et al. Immune response to the HPV-16/18 AS04-adjuvanted vaccine administered as a 2-dose or 3-dose schedule up to 4 years after vaccination: results from a randomized study. Human vaccines & immunotherapeutics 2014;10:1155-65.

43 Kim M-K, No JH, Song Y-S. Human Papillomavirus Vaccine. J Korean Med Assoc 2009;52:1180-6.

44 Ponten J, Adami HO, Bergstrom R, Dillner J, Friberg LG, Gustafsson L, et al. Strategies for global control of cervical cancer. Int J Cancer 1995;60:1-26.

45 Siegel R, Naishadham D, Jemal A. Cancer statistics, 2013. CA Cancer J Clin 2013;63:11-30.

46 Gustafsson L, Ponten J, Bergstrom R, Adami HO. International incidence rates of invasive cervical cancer before cytological screening. Int J Cancer 1997;71:159-65.

47 Simonella L, Canfell K. The impact of a two- versus three-yearly cervical screening interval recommendation on cervical cancer incidence and mortality: an analysis of trends in Australia, New Zealand, and England. Cancer Causes Control 2013;24:1727-36.

48 The 1988 Bethesda System for reporting cervical/vaginal cytological diagnoses. National Cancer Institute Workshop. Jama 1989;262:931-4.

49 The Bethesda System for reporting cervical/vaginal cytologic diagnoses: revised after the second National Cancer Institute Workshop, April 29-30, 1991. Acta Cytol 1993;37:115-24.

50 Insinga RP, Glass AG, Rush BB. Diagnoses and outcomes in cervical cancer screening: a population-based study. Am J Obstet Gynecol 2004;191:105-13.

51 Sigurdsson K. Cervical cancer: cytological cervical screening in Iceland and implications of HPV vaccines. Cytopathology 2010;21:213-22.

52 Sigurdsson K, Sigvaldason H. Is it rational to start population-based cervical cancer screening at or soon after age 20? Analysis of time trends in preinvasive and invasive diseases. Eur J Cancer 2007;43:769-74.

53 Fahey MT, Irwig L, Macaskill P. Meta-analysis of Pap test accuracy. Am J Epidemiol 1995;141:680-9.

54 Cuzick J, Clavel C, Petry KU, Meijer CJ, Hoyer H, Ratnam S, et al. Overview of the European and North American studies on HPV testing in primary cervical cancer screening. Int J Cancer 2006;119:1095-101.

55 Martin-Hirsch P, Lilford R, Jarvis G, Kitchener HC. Efficacy of cervical-smear collection devices: a systematic review and meta-analysis. Lancet 1999;354:1763-70.

56 Arbyn M, Bergeron C, Klinkhamer P, Martin-Hirsch P, Siebers AG, Bulten J. Liquid compared with conventional cervical cytology: a systematic review and meta-analysis. Obstet Gynecol 2008;111:167-77.

57 Siebers AG, Klinkhamer PJ, Grefte JM, Massuger LF, Vedder JE, Beijers-Broos A, et

al. Comparison of liquid-based cytology with conventional cytology for detection of cervical cancer precursors: a randomized controlled trial. Jama 2009;302:1757-64.

58 Canfell K. Models of cervical screening in the era of human papillomavirus vaccination. Sex Health 2010;7:359-67.

59 Taylor S, Kuhn L, Dupree W, Denny L, De Souza M, Wright TC, Jr. Direct comparison of liquid-based and conventional cytology in a South African screening trial. Int J Cancer 2006;118:957-62.

60 Coste J, Cochand-Priollet B, de Cremoux P, Le Gales C, Cartier I, Molinie V, et al. Cross sectional study of conventional cervical smear, monolayer cytology, and human papillomavirus DNA testing for cervical cancer screening. Bmj 2003;326:733.

61 Schiffman M, Wentzensen N, Wacholder S, Kinney W, Gage JC, Castle PE. Human papillomavirus testing in the prevention of cervical cancer. J Natl Cancer Inst 2011;103:368-83.

62 Khan MJ, Castle PE, Lorincz AT, Wacholder S, Sherman M, Scott DR, et al. The elevated 10-year risk of cervical precancer and cancer in women with human papillomavirus (HPV) type 16 or 18 and the possible utility of type-specific HPV testing in clinical practice. J Natl Cancer Inst 2005;97:1072-9.

63 Moscicki AB, Shiboski S, Hills NK, Powell KJ, Jay N, Hanson EN, et al. Regression of low-grade squamous intra-epithelial lesions in young women. Lancet 2004;364:1678-83

64 Schlecht NF, Platt RW, Duarte-Franco E, Costa MC, Sobrinho JP, Prado JC, et al. Human papillomavirus infection and time to progression and regression of cervical intraepithelial neoplasia. J Natl Cancer Inst 2003;95:1336-43.

65 Doorbar J. Papillomavirus life cycle organization and biomarker selection. Dis Markers 2007;23:297-313.

66 Nobbenhuis MA, Helmerhorst TJ, van den Brule AJ, Rozendaal L, Voorhorst FJ, Bezemer PD, et al. Cytological regression and clearance of high-risk human papillomavirus in women with an abnormal cervical smear. Lancet 2001;358:1782-3.

67 Stoler MH. Human papillomaviruses and cervical neoplasia: a model for carcinogenesis. Int J Gynecol Pathol 2000;19:16-28.

68 Castle PE, Schiffman M, Bratti MC, Hildesheim A, Herrero R, Hutchinson ML, et al. A population-based study of vaginal human papillomavirus infection in hysterectomized women. J Infect Dis 2004;190:458-67.

69 Castle PE, Jeronimo J, Schiffman M, Herrero R, Rodriguez AC, Bratti MC, et al. Age-related changes of the cervix influence human papillomavirus type distribution. Cancer Res 2006;66:1218-24.

70 Arbyn M, Ronco G, Anttila A, Meijer CJ, Poljak M, Ogilvie G, et al. Evidence regarding human papillomavirus testing in secondary prevention of cervical cancer. Vaccine 2012;30 Suppl 5:F88-99.

71 Kocken M, Uijterwaal MH, de Vries AL, Berkhof J, Ket JC, Helmerhorst TJ, et al. High-risk human papillomavirus testing versus cytology in predicting post-treatment disease in women treated for high-grade cervical disease: a systematic review and meta-analysis. Gynecol Oncol 2012;125:500-7.

72 Melnikow J, Kulasingam S, Slee C, Helms LJ, Kuppermann M, Birch S, et al. Surveillance after treatment for cervical intraepithelial neoplasia: outcomes, costs, and cost-effectiveness. Obstet Gynecol 2010;116:1158-70.

73 Katki HA, Schiffman M, Castle PE, Fetterman B, Poitras NE, Lorey T, et al. Five-year

risk of recurrence after treatment of CIN 2, CIN 3, or AIS: performance of HPV and Pap cotesting in posttreatment management. J Low Genit Tract Dis 2013;17:S78-84.

74　Legood R, Smith M, Lew JB, Walker R, Moss S, Kitchener H, et al. Cost effectiveness of human papillomavirus test of cure after treatment for cervical intraepithelial neoplasia in England: economic analysis from NHS Sentinel Sites Study. Bmj 2012;345:e7086.

75　Sherman ME, Schiffman M, Cox JT. Effects of age and human papilloma viral load on colposcopy triage: data from the randomized Atypical Squamous Cells of Undetermined Significance/Low-Grade Squamous Intraepithelial Lesion Triage Study (ALTS). J Natl Cancer Inst 2002;94:102-7.

76　Wright TC, Jr., Cox JT, Massad LS, Twiggs LB, Wilkinson EJ. 2001 Consensus Guidelines for the management of women with cervical cytological abnormalities. Jama 2002;287:2120-9.

77　Schiffman M, Solomon D. Findings to date from the ASCUS-LSIL Triage Study (ALTS). Arch Pathol Lab Med 2003;127:946-9.

78　Massad LS, Einstein MH, Huh WK, Katki HA, Kinney WK, Schiffman M, et al. 2012 updated consensus guidelines for the management of abnormal cervical cancer screening tests and cancer precursors. J Low Genit Tract Dis 2013;17:S1-s27.

79　Schiffman M. Integration of human papillomavirus vaccination, cytology, and human papillomavirus testing. Cancer 2007;111:145-53.

80　Kitchener HC, Gilham C, Sargent A, Bailey A, Albrow R, Roberts C, et al. A comparison of HPV DNA testing and liquid based cytology over three rounds of primary cervical screening: extended follow up in the ARTISTIC trial. Eur J Cancer 2011;47:864-71.

81　Rijkaart DC, Berkhof J, Rozendaal L, van Kemenade FJ, Bulkmans NW, Heideman DA, et al. Human papillomavirus testing for the detection of high-grade cervical intraepithelial neoplasia and cancer: final results of the POBASCAM randomised controlled trial. Lancet Oncol 2012;13:78-88.

82　Ronco G, Dillner J, Elfstrom KM, Tunesi S, Snijders PJ, Arbyn M, et al. Efficacy of HPV-based screening for prevention of invasive cervical cancer: follow-up of four European randomised controlled trials. Lancet 2014;383:524-32.

83　Kjaer S, Hogdall E, Frederiksen K, Munk C, van den Brule A, Svare E, et al. The absolute risk of cervical abnormalities in high-risk human papillomavirus-positive, cytologically normal women over a 10-year period. Cancer Res 2006;66:10630-6.

84　Dillner J, Rebolj M, Birembaut P, Petry KU, Szarewski A, Munk C, et al. Long term predictive values of cytology and human papillomavirus testing in cervical cancer screening: joint European cohort study. Bmj 2008;337:a1754.

85　Hildesheim A, Herrero R, Wacholder S, Rodriguez AC, Solomon D, Bratti MC, et al. Effect of human papillomavirus 16/18 L1 viruslike particle vaccine among young women with preexisting infection: a randomized trial. Jama 2007;298:743-53.

86　Soutter WP, Sasieni P, Panoskaltsis T. Long-term risk of invasive cervical cancer after treatment of squamous cervical intraepithelial neoplasia. Int J Cancer 2006;118:2048-55.

87　Strander B, Andersson-Ellstrom A, Milsom I, Sparen P. Long term risk of invasive cancer after treatment for cervical intraepithelial neoplasia grade 3: population based cohort study. Bmj 2007;335:1077.

88　Goksedef BP, Api M, Kaya O, Gorgen H, Tarlaci A, Cetin A. Diagnostic accuracy of two endocervical sampling method: randomized controlled trial. Arch Gynecol Obstet 2013;287:117-22.

89 Moyer VA. Screening for cervical cancer: U.S. Preventive Services Task Force recommendation statement. Ann Intern Med 2012;156:880-91, w312.

90 Benard VB, Watson M, Castle PE, Saraiya M. Cervical carcinoma rates among young females in the United States. Obstet Gynecol 2012;120:1117-23.

91 Winer RL, Lee SK, Hughes JP, Adam DE, Kiviat NB, Koutsky LA. Genital human papillomavirus infection: incidence and risk factors in a cohort of female university students. Am J Epidemiol 2003;157:218-26.

92 Moscicki AB, Hills N, Shiboski S, Powell K, Jay N, Hanson E, et al. Risks for incident human papillomavirus infection and low-grade squamous intraepithelial lesion development in young females. Jama 2001;285:2995-3002.

93 Moscicki AB, Ma Y, Wibbelsman C, Darragh TM, Powers A, Farhat S, et al. Rate of and risks for regression of cervical intraepithelial neoplasia 2 in adolescents and young women. Obstet Gynecol 2010;116:1373-80.

94 Jones BA, Novis DA. Follow-up of abnormal gynecologic cytology: a college of American pathologists Q-probes study of 16132 cases from 306 laboratories. Arch Pathol Lab Med 2000;124:665-71.

95 Manos MM, Kinney WK, Hurley LB, Sherman ME, Shieh-Ngai J, Kurman RJ, et al. Identifying women with cervical neoplasia: using human papillomavirus DNA testing for equivocal Papanicolaou results. Jama 1999;281:1605-10.

96 Results of a randomized trial on the management of cytology interpretations of atypical squamous cells of undetermined significance. Am J Obstet Gynecol 2003;188:1383-92.

97 Wright TC, Jr., Massad LS, Dunton CJ, Spitzer M, Wilkinson EJ, Solomon D. 2006 consensus guidelines for the management of women with cervical intraepithelial neoplasia or adenocarcinoma in situ. Am J Obstet Gynecol 2007;197:340-5.

98 Jeronimo J, Khan MJ, Schiffman M, Solomon D. Does the interval between papanicolaou tests influence the quality of cytology? Cancer 2005;105:133-8.

99 Guido R, Schiffman M, Solomon D, Burke L. Postcolposcopy management strategies for women referred with low-grade squamous intraepithelial lesions or human papillomavirus DNA-positive atypical squamous cells of undetermined significance: a two-year prospective study. Am J Obstet Gynecol 2003;188:1401-5.

100 Veljovich DS, Stoler MH, Andersen WA, Covell JL, Rice LW. Atypical glandular cells of undetermined significance: a five-year retrospective histopathologic study. Am J Obstet Gynecol 1998;179:382-90.

101 Sharpless KE, Schnatz PF, Mandavilli S, Greene JF, Sorosky JI. Dysplasia associated with atypical glandular cells on cervical cytology. Obstet Gynecol 2005;105:494-500.

102 Ronnett BM, Manos MM, Ransley JE, Fetterman BJ, Kinney WK, Hurley LB, et al. Atypical glandular cells of undetermined significance (AGUS): cytopathologic features, histopathologic results, and human papillomavirus DNA detection. Hum Pathol 1999;30:816-25.

103 Chhieng DC, Elgert P, Cohen JM, Cangiarella JF. Clinical significance of atypical glandular cells of undetermined significance in postmenopausal women. Cancer 2001;93:1-7.

104 Partridge EE, Abu-Rustum NR, Campos SM, Fahey PJ, Farmer M, Garcia RL, et al. Cervical cancer screening. J Natl Compr Canc Netw 2010;8:1358-86.

105 Sharpless KE, Schnatz PF, Mandavilli S, Greene JF, Sorosky JI. Lack of adherence to practice guidelines for women with atypical glandular cells on cervical cytology. Obstet Gynecol 2005;105:501-6.

106 Bao YP, Li N, Smith JS, Qiao YL. Human papillomavirus type distribution in women from Asia: a meta-analysis. Int J Gynecol Cancer 2008;18:71-9.

107 Alvarez RD, Wright TC. Effective cervical neoplasia detection with a novel optical detection system: a randomized trial. Gynecol Oncol 2007;104:281-9.

108 A randomized trial on the management of low-grade squamous intraepithelial lesion cytology interpretations. Am J Obstet Gynecol 2003;188:1393-400.

109 Chute DJ, Covell J, Pambuccian SE, Stelow EB. Cytologic-histologic correlation of screening and diagnostic Papanicolaou tests. Diagn Cytopathol 2006;34:503-6.

110 Lee JK, Kim MK, Song SH, Hong JH, Min KJ, Kim JH, et al. Comparison of human papillomavirus detection and typing by hybrid capture 2, linear array, DNA chip, and cycle sequencing in cervical swab samples. Int J Gynecol Cancer 2009;19:266-72.

111 Numnum TM, Kirby TO, Leath CA, 3rd, Huh WK, Alvarez RD, Straughn JM, Jr. A prospective evaluation of "see and treat" in women with HSIL Pap smear results: is this an appropriate strategy? J Low Genit Tract Dis 2005;9:2-6.

112 Holschneider CH, Ghosh K, Montz FJ. See-and-treat in the management of high-grade squamous intraepithelial lesions of the cervix: a resource utilization analysis. Obstet Gynecol 1999;94:377-85.

113 Dunn TS, Burke M, Shwayder J. A "see and treat" management for high-grade squamous intraepithelial lesion pap smears. J Low Genit Tract Dis 2003;7:104-6.

114 Wright TC, Jr., Massad LS, Dunton CJ, Spitzer M, Wilkinson EJ, Solomon D, et al. 2006 consensus guidelines for the management of women with abnormal cervical cancer screening tests. Am J Obstet Gynecol 2007;197:346-55.

115 Falls RK. Spontaneous resolution rate of grade 1 cervical intraepithelial neoplasia in a private practice population. Am J Obstet Gynecol 1999;181:278-82.

116 Lee SS, Collins RJ, Pun TC, Cheng DK, Ngan HY. Conservative treatment of low grade squamous intraepithelial lesions (LSIL) of the cervix. Int J Gynaecol Obstet 1998;60:35-40.

117 Massad LS, Einstein MH, Huh WK, Katki HA, Kinney WK, Schiffman M, et al. 2012 updated consensus guidelines for the management of abnormal cervical cancer screening tests and cancer precursors. Obstet Gynecol 2013;121:829-46.

118 대한부인종양학회 자궁경부암 조기 검진을 위한 진료권고안. 대한부인종양학회. 2012

119 Schlichte MJ, Guidry J. Current Cervical Carcinoma Screening Guidelines. J Clin Med 2015;4:918-32.

120 Vlahos G, Rodolakis A, Diakomanolis E, Stefanidis K, Haidopoulos D, Abela K, et al. Conservative management of cervical intraepithelial neoplasia (CIN (2-3)) in pregnant women. Gynecol Obstet Invest 2002;54:78-81.

121 Mitchell MF, Tortolero-Luna G, Cook E, Whittaker L, Rhodes-Morris H, Silva E. A randomized clinical trial of cryotherapy, laser vaporization, and loop electrosurgical excision for treatment of squamous intraepithelial lesions of the cervix. Obstet Gynecol 1998;92:737-44.

122 Baggish MS, Dorsey JH, Adelson M. A ten-year experience treating cervical intraepithelial neoplasia with the CO_2 laser. Am J Obstet Gynecol 1989;161:60-8.

123 Samson SL, Bentley JR, Fahey TJ, McKay DJ, Gill GH. The effect of loop electrosurgical excision procedure on future pregnancy outcome. Obstet Gynecol

2005;105:325-32.

124 Luesley DM, Cullimore J, Redman CW, Lawton FG, Emens JM, Rollason TP, et al. Loop diathermy excision of the cervical transformation zone in patients with abnormal cervical smears. BMJ 1990;300:1690-3.

125 Ostergard DR. Cryosurgical treatment of cervical intraepithelial neoplasia. Obstet Gynecol 1980;56:231-3.

126 Benedet JL, Miller DM, Nickerson KG, Anderson GH. The results of cryosurgical treatment of cervical intraepithelial neoplasia at one, five, and ten years. Am J Obstet Gynecol 1987;157:268-73.

127 Creasman WT, Weed JC, Jr., Curry SL, Johnston WW, Parker RT. Efficacy of cryosurgical treatment of severe cervical intraepithelial neoplasia. Obstet Gynecol 1973;41:501-6.

128 Anderson MC, Hartley RB. Cervical crypt involvement by intraepithelial neoplasia. Obstet Gynecol Surv 1979;34:852-3.

129 Melnikow J, McGahan C, Sawaya GF, Ehlen T, Coldman A. Cervical intraepithelial neoplasia outcomes after treatment: long-term follow-up from the British Columbia Cohort Study. J Natl Cancer Inst 2009;101:721-8.

130 Sauvaget C, Muwonge R, Sankaranarayanan R. Meta-analysis of the effectiveness of cryotherapy in the treatment of cervical intraepithelial neoplasia. Int J Gynaecol Obstet 2013;120:218-23.

131 Dolman L, Sauvaget C, Muwonge R, Sankaranarayanan R. Meta-analysis of the efficacy of cold coagulation as a treatment method for cervical intraepithelial neoplasia: a systematic review. BJOG 2014;121:929-42.

132 Reid R. Physical and surgical principles of laser surgery in the lower genital tract. Obstet Gynecol Clin North Am 1991;18:429-74.

133 Martin-Hirsch PL, Paraskevaidis E, Kitchener H. Surgery for cervical intraepithelial neoplasia. Cochrane Database Syst Rev 2000:CD001318.

134 Mathevet P, Chemali E, Roy M, Dargent D. Long-term outcome of a randomized study comparing three techniques of conization: cold knife, laser, and LEEP. Eur J Obstet Gynecol Reprod Biol 2003;106:214-8.

135 Kliemann LM, Silva M, Reinheimer M, Rivoire WA, Capp E, Dos Reis R. Minimal cold knife conization height for high-grade cervical squamous intraepithelial lesion treatment. Eur J Obstet Gynecol Reprod Biol 2012;165:342-6.

136 Grigsby PW, Perez CA. Radiotherapy alone for medically inoperable carcinoma of the cervix: stage IA and carcinoma in situ. Int J Radiat Oncol Biol Phys 1991;21:375-8.

137 Kong TW, Kim M, Kim YH, Kim YB, Kim J, Kim JW, et al. High-risk human papillomavirus testing as a primary screening for cervical cancer: position statement by the Korean Society of Obstetrics and Gynecology and the Korean Society of Gynecologic Oncology. J Gynecol Oncol. 2020;31:e31.

CHAPTER

13

침윤성 자궁경부암

Invasive Cervical Cancer

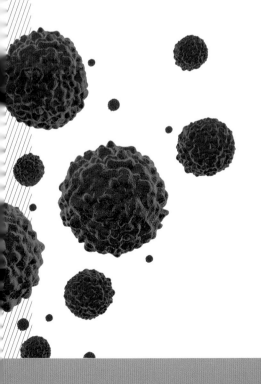

책임저자

허수영 │ 가톨릭대학교 의과대학 산부인과

집필저자

김연주 │ 국립암센터 방사선종양학과

백민현 │ 한림대학교 의과대학 산부인과

백종철 │ 경상대학교 의과대학 산부인과

서동훈 │ 서울대학교 의과대학 산부인과

이근호 │ 가톨릭대학교 의과대학 산부인과

이성종 │ 가톨릭대학교 의과대학 산부인과

Gynecologic Oncology

역학 및 위험인자

역학

자궁경부암은 전세계적으로 그 발병과 사망에 있어서 10대 악성 종양 중 하나이며, 동시에 여성의 전체 암 발병 및 사망 중 유방암, 대장암, 그리고 폐암에 이어서 4번째로 많은 암종이다.[1] 자궁경부암의 발생 및 사망의 많은 부분은 선별검사의 정착 및 예방백신의 보급에 제한점이 있는 저개발국가나 사회경제적으로 취약한 계층에서 주로 보고되어 개선책이 필요한 실정이다.

자궁경부암은 국내의 젊은 가임기 여성의 발병 전체암 중 3번째로 흔한 종양이다. 또한, 발병빈도가 근래에는 감소추세로 변화했지만 여전히 국내에서 부인암 중 높은 빈도를 차지한다.[2]

자궁경부의 정상세포가 암으로 이행되기까지는 오랜 기간 전암병변의 단계를 거친다. 또한, 자궁경부암은 인유두종바이러스(human papillomavirus, HPV)라는 확실한 인과관계가 규명된 악성 종양으로, 선별검사와 예방 백신의 접종으로 효과적인 예방이 가능한 유일한 악성질환이다. 따라서, 자궁경부암의 검진 체계는 자궁경부암의 조기발견 및 암 전 단계에서의 발견을 증가시켰다. 또한, 이에 대한 조기 치료는 매우 효과적이다.

실제로, 전세계적으로 자궁경부암은 많은 국가에서 발병율이 전반적으로 감소 추세이고 조기 진단과 치료에 따른 생존율도 개선 추이를 보이는 현황이다. 최근 30년간, 선진국에서 자궁경부암의 발생과 사망은 절반 이하로 감소하였다. 이는, 선별검사뿐만 아니라 이와 동반하여 전반적인 사회경제적 수준, 위생 상태의 향상, 출산율의 감소, 그리고 성 매개성 질환의 이환율 감소에 기인한다. 국내 발병률을 보면 1999년부터 2016년까지 약 10만 명당 발생률이 16.3명에서 9.1명으로 꾸준히 감소해오는 추세이다. 또한, 자궁경부암의 사망률도 꾸준히 감소하는 양상으로 1999년부터 2016년까지 약 10만 명당 2.6명에서 1.8명까지 감소하였다. 그러나, 아직까지 자궁경부암은 국내에서 자궁내막암과 난소암을 비롯한 3대 부인종양 중에서 가장 발병 빈도가 높은 질환이다.[2]

위험인자

자궁경부암의 원인은 HPV의 만성적이며 6개월에서 12개월 이상의 지속적인 감염이다. 따라서, 이에 대한 노출이 더 많이 될 수 있는 이른 첫 성교연령, 여러 명의 성교 파트너, 위험도가 높은 성교 파트너, 성매개성 감염의 과거력, HPV 관련 외음 및 질 이형성의 과거력, 정기적인 검진을 받지 않은 자, 흡연, 다산력, 낮은 사회경제적 상태, 그리고 만성적인 면역저하(장기이식 후 상태, 인간면역결핍바이러스 감염)와 같은 요소들이 주된 위험인자이다.

HPV는 100여 가지의 유형이 있는데 이 중에서 15개 정도가 고위험 군에 속하며 16형 및 18형이 전체 자궁경부암 발생의 약 3분의 2 이상을 차지하는 유형이다. 또한, HPV 31, 33, 45, 52, 그리고 58형도 자궁경부암 발생의 약 5분의 1에 해당하는 원인으로 보고된다.

HPV는 전염이 쉽게 되고 어디에나 존재하는 것으로 생각된다. 전세계적으로 11.7% 정도의 건강한 여성이 단면조사연구에서 HPV에 이환되어 있는 것으로 보고되며, 일생 동안 80% 이상의 여성이 한번은 고위험군 HPV에 감염되는 것으로 생각된다.[3] 다만, 모든 감염의 10% 정도만 지속적인 감염 상태로 만성화되어 이로 인해 자궁경부에 전암성 병변이 발생하는 것으로 보고 있다. 따라서, 자궁경부암은 지속적인 HPV 감염에 의해 드물게 발생하는 질환이라고 생각된다.

진단

증상

가장 흔한 초기 증상은 비정상 질출혈이다. 정상 생리 사이와 폐경 후에 간헐적으로 보이며 성교 후에도 보이는 것이 전형적인 증상이다. 자궁경부암은 신체 외부로 소통된 질이 있기 때문에 비교적 초기에 증상으로 발견되어 진단되는 경우가 흔하다. 병변의 크기가 매우 작은 초기에는 진단이 어려운 경우도 많은데 이는 위음성율이 높은 자궁경부세포검사 자체의 특성, 선암처럼 자궁경부 내부의 경관에서 발생하거나 아예 자궁경부 상피 아래에서 발생하여 검사상 확인이 어려운 경우, 그리고 성적으로 비활동적인 여성의 경우에는 어느 정도 진행될 때까지 질 출혈과 같은 증상이 없는 경우가 있기 때문이다. 또한, 초기의 자궁경부암에서는 묽고 수분이 많은 분비물에 약간의 피가 섞여 있는 것이 많은 경우에 있어서의 첫 증상이기 때문에 환자가 인식하지 못하는 경우가 흔하다. 이에, 이러한 경우에는 정기적인 검진이나 골반 진찰에 의해 진단되는 경우가 많다.[4] 그러나, 자궁경부암이 점차 증식하면서 출혈 증상이 더 심하고 빈번하게 되고 더 오래가게 된다. 종양이 큰 경우 이차 감염으로 악취가 나는 분비물의 증상을 보인다. 진행된 자궁경부암의 경우 종양의 파급으로 인하여 폐쇄성 하부요로 증상, 체중감소, 하부 장기의 압박감 및 골반통을 보인다. 특히, 골반 측벽에 종양의 침윤이 진행된 경우에는 하지 부종, 옆구리 통증(flank pain), 그리고 좌골신경통을 보인다. 방광이나 직장 쪽으로 침윤이 진행된 경우 배뇨곤란, 혈뇨, 배변곤란의 증상을 보인다. 또한, 누공이 발생한 경우, 질로부터 소변 또는 변이 나오기도 한다.

진찰과 조직검사

조직학적으로 자궁경부암으로 진단되거나 강력히 의심되는 경우에는 전반적인 신체진찰을 하여야 한다. 골반 진찰을 포함하여 원격 전이의 가능성 여부에 대한 신체 각 부위(액와, 쇄골상방, 그리고 서혜부)의 림프절과 우측상복부를 촉진한다.

양손 골반 진찰, 질확대경히 자궁경부외 질점막의 시진과 같은 골반 진찰과 자궁경부세포검사, 그리고 질확대경을 진단에 활용한다. 미세침윤성(micro-invasive)으로 매우 초기 단계이거나 자궁경관 내에 종양이 있는 경우 자궁경부는 육안상 정상 소견으로 보이기도 한다. 육안상 정상이나 세포검사에서 침윤성 종양이 의심되는 소견일 때 질확대경을 이용한 조직검사가 유용하게 사용될 수 있다. 자궁경부 세포검사는 검진을 위한 것이기 때문에 위음성율이 절반 가까이 되며 조직학적 확진 없이 자궁경부 세포검사만으로 모든 자궁경부암을 진단하기는 무리가 있다. 이에, 육안적으로 의심되는 부위가 있으면 질확대경으로 조직검사를 시행하여 진단할 수 있다. 자궁경부암을 의심할 수 있는 소견은 이상 혈관 패턴, 불규칙한 윤곽 및 색상의 변화가 있을 때이다. 이러한 경우 조직검사를 시행하게 된다. 선암과 같이 내자궁경부에서 발생되어 조직검사가 힘든 경우나 의심되는 병변을 결정하기가 어려운 경우에는 내자궁경부 긁어냄술(endocervical curettage, ECC), 환상투열절제술(loop electrosurgical excision procedure, LEEP) 및 원추절제술을 시행한다. 원추절제술은 임상적으로 또는 자궁경부 세포검사상 악성 종양이 의심되나 자궁경부의 조직검사상에서 확진이 안 되는 경우 유용하다. 질과 직장을 이용한 내진(rec-to-vaginal exam)은 선암처럼 경부 깊숙이 위치한 경우, 고령 및 여러 원인으로 질입구가 협착된 경우, 그리고 자궁주위조직으로의 확장을 더 자세히 파악하기에 좋은 진찰방법이다. 국제산부인과학회(International Federation of Gynecology and Obstetrics, FIGO) 병기 IA와 같은 미세침윤성 병변의 경우 모든 병변을 포함하는 원추절제술, 환상투열절제술, 자궁절제술을 통해 얻은 조직을 통해 병기를 설정할 수 있다.

FIGO 병기|(International Federation of Gynecology and Obstetrics (FIGO) Stage)

개요

대부분의 자궁경부암이 검사 기기의 사용에 제한이 많은 저개발국가에서 발생하는 점을 감안하여, 외과적 병기설정술이 적용되는 자궁체부암과 난소암과 달리 자궁경부암은 주로 임상적 진찰 및 FIGO에서 인정한 검사에 기초한 임상적 병기로 설정되어 왔다. 따라서, 치료 및 수술 후에 더 진행된 사항이 확인되어도 초기에 진단된 병기는 변함이 없다. 이는, 질병의 해부학적인 진행 정도나 림프절 상태를 반영하는 American Joint Committee on Cancer (AJCC) 또는 TNM 분류 시스템과는 대조적으로 이러한 점에 있어서 실제보다 더 병기가 낮게 설정될 수 있는 점이 있어 왔다.[5] 그러나, 영상의학 및 방사선치료기법의 발달, 표적 치료제의 도입, 최소침습수술의 보급 등 전반적인 변화는 자궁경부암의 더 적절한 치료 계획의 수립, 환자와의 상담, 그리고 임상시험 참여 등의 적합성 평가를 위한 더 세부적인 분류와 평가를 필요로 하게 되었다.

컴퓨터단층촬영(CT), 자기공명영상, 양전자방출단층촬영(positron emission tomography, PET) 같은 영상의학검사는 지역 혹은 국가마다 가용 여부 등 상황이 다르고 검사의 질, 판독도 다양하여 판독 결과가 다양하게 나올 수 있기 때문에 병기 설정을 위하여 사용하는 것에는 신중해 왔다. 그러나, 이러한 검사들은 종양의 크기, 림프절의 상태, 전이 여부와 진행의 정도에 대한 더 자세한 정보를 제공한다. 또한, 이러한 영상의학검사는 개인마다 전이가 의심되는 부위를 찾아서 해당 부위를 조직검사(fine needle aspiration)하는 등 치료 계획을 수립하는 데 도움이 된다.

표 13-1. 2018년 FIGO (International Federation of Gynecology and Obstetrics) 병기설정체계

병기			
I	종양이 자궁경부에 국한되어 있다.		
	IA	현미경적으로 종양의 침윤의 깊이가 <5mm이다.	
		IA1	간질 침윤의 깊이가 <3mm이다.
		IA2	간질 침윤의 깊이가 ≥3mm, 그리고 <5mm이다.
	IB	종양의 침윤의 깊이가 ≥5mm이다.	
		IB1	종양의 최대 직경의 크기가 <2cm이다.
		IB2	종양의 최대 직경의 크기가 ≥2cm, 그리고 <4cm이다.
		IB3	종양의 최대 직경의 크기가 ≥4cm이다.
II	종양이 자궁 밖으로 진행되었으나, 질 상부 3분의 1 및 골반벽까지는 진행되지 않았다.		
	IIA	종양이 질 하부 3분의 2에 국한되어 있고 자궁주위조직 침윤이 없다.	
		IIA1	종양의 최대 직경의 크기가 <4cm이다.
		IIA2	종양의 최대 직경의 크기가 ≥4cm이다.
	IIB	자궁주위조직 침윤이 있으나 골반벽까지는 진행되지 않았다.	
III	종양이 질 상부 3분의 1까지 진행, 또는 골반벽까지 진행, 또는 수신증 또는 비기능성 신장을 초래, 또는 골반 또는 대동맥주위 림프절에 전이되었다.		
	IIIA	종양이 질 상부 3분의 1까지 진행되었으나 골반벽까지는 진행되지 않았다.	
	IIIB	종양이 골반벽까지 진행, 또는 수신증 또는 비기능성 신장을 초래한다.	
	IIIC	종양의 크기와 진행과는 상관없이, 골반 또는 대동맥주위 림프절에 전이되었다.	
		IIIC1	골반 림프절에만 전이되었다.
		IIIC2	대동맥주위 림프절에 전이되었다.
IV	종양이 작은 골반(true pelvis) 밖으로 진행, 또는 방광 또는 직장의 점막을(조직학적으로 진단된 경우) 침윤하였다. (수포성 부종은 해당되지 않는다)		
	IVA	인접한 골반 장기에 파급되었다.	
	IVB	멀리 있는 장기에 원격 전이되었다.	

명확하지 않은 경우에는 더 낮은 병기를 설정한다.

병기 IA의 경우, 종양의 크기와 침윤 정도의 임상적 판단에 영상의학 소견과 병리학적 판독을 보충적으로 사용할 수 있다.

병기 IB의 경우, 혈관림프관강 공간의 침윤 여부가 staging의 변경에 영향을 미치지 않는다.
병변의 측면 진행 정도(lateral extent)는 더 이상 참고사항이 아니다.

병기 IIIC의 경우, 평가를 위하여 사용된 소견(영상의학적 소견 'r', 병리학적 판독 'p')을 추가한다.
예를 들어, 골반 림프절 전이가 영상의학적으로 확인된 경우 IIIC1r, 병리학적으로 확진된 경우 IIIC1p가 된다.
사용된 영상의학 또는 병리학적 검사방법을 항상 기술한다.

따라서, 2018년에 새로이 개정된 FIGO 병기설정체계에서는 이전의 병기설정체계에 영상의학 및 병리학적 소견이 도입되었다(표 13-1).[6] 이에, 개정된 FIGO 병기설정체계에서 이제 초음파, CT, MRI, PET을 포함한 모든 영상의학검사가 임상적인 진찰에 추가하여 가용 가능하다면 병기 설정에 사용할 수 있다. 다만, 모든 검사 기법을 다 적용해야 하는 것은 아니며 각 여건에 따라 가능한 검사를 시행하는 것이 권장된다. 예를 들어, 수신증(hydronephrosis)을 평가할 때 상기 영상의학검사와 함께 경정맥 신우조영술(IVP)을 사용할 수 있다. 또한, 방광 및 장 침윤 증상이 있거나 의심되는 경우에는 방광경, 바륨 관장 및 직장내시경을 시행하여 의심되는 병변을 조직 검사할 수 있다. 추가하여, 흉부 및 골반 X선 촬영, 림프조영술, 동정맥 혈관조영술, 방사선핵종 스캔(radionuclide scan), 자궁경, 그리고 진단적 복강경 등 다양한 검사를 사용할 수 있다.

이전과 비교하여 개정된 병기설정체계에서 크게 변경된 3가지 사항들을 검토해 보면, 우선 병기 IB가 종양의 크기에 따라 2개로 분류되던 것이 3개로 더 세분화되었다. 현미경적으로 많은 오차를 유발 가능하게 하는 병기 IA에서 수평 크기는 더 이상 검토사항이 아니다. 또한, 림프절의 상태가 자궁경부암에서 중요한 예후인자임을 반영하여 이를 병기 설정에 도입하였다.

이전의 병기설정체계에서 종양의 크기를 4cm를 기준으로 하여 FIGO 병기 IB를 IB1 (4cm 이하) 또는 IB2 (>4cm)로 세부 분류하였었다. 개정된 병기설정체계에서 이를 2cm 단위의 간격으로 IB1 (<2cm), IB2 (≥2cm, 그리고 <4cm), 그리고 IB3 (≥4cm)으로 더 자세히 분류한다. 이는, 종양의 크기가 자궁경부암의 중요한 예후인자이며, 그 중에서 2cm 미만의 종양 크기를 보이는 자궁경부암에서 더 낮은 자궁주변 및 림프절 전이와 특히 더 좋은 예후를 보이는 점을 감안한 것이라고 할 수 있다. The Surveillance, Epidemiology, and End Results (SEER) data를 통해 입증한 최근 미국의 연구결과를 보면 개정된 FIGO 병기 IB1에 비하여 IB2의 자궁경부암에 의한 사망률이 거의 2배에 달하였다. 또한, IB1 환자는 IB2에 비하여 골반 림프절제술, 광범위 자궁절제술, 그리고 수술 후 방사선치료를 받는 빈도가 더 낮다. 더 나아가, 2cm는 자궁경부암 I기에서 가임력보존 수술을 검토하기 위한 종양의 기준 크기이다. 기존의 연구들을 보면 가임력 보존 수술을 받은 환자들의 조직에서 종양의 크기가 2cm 이상일 경우 깊은 자궁경부 간질 침윤(deep cervical stromal invasion), 림프혈관강침윤과 같은 재발 위험요소가 동반 증가하는 경향을 보이고 실제로 경과에 차이가 있기 때문이다. 마지막으로, 자궁경부암의 수술치료에 있어서 복강경 및 로봇 수술과 같은 최소침습수술의 적용에 대한 많은 논란이 있는 상황으로, 향후 이에 대한 추가적인 연구 및 세부분석에 필요한 기준이 필요한 점을 감안한 것이라고 생각할 수 있겠다. 이러한 전반적인 점들을 검토해볼 때, 예후 산정 및 치료계획의 수립을 위하여 더 세부적인 분류가 실제로 유용하고 필요하다는 것을 알 수 있다.

또한, 개정된 2018 FIGO 병기설정체계에서 골반, 대동맥주위 림프절 전이가 있는 경우에 IIIC라는 새로운 병기가 설정되었다. 이는, 2009년에 개정된 자궁내막암의 FIGO 병기설정체계와 동일하다. 자궁경부암의 림프절 전이의 평가에 있어서는 영상의학적 또는 조직학적 소견이 병기설정에 사용될 수 있다. 다만, 림프절 전이가 있는 자궁경부암은 예후에 영향을 줄 수 있는 다양한 국소적인 질병 요소와 상태들이 혼재되어 있는 이질적인 환자군이므로 향후 검증 및 추가 분석이 필요해 보인다. 또한, 림프절 전이에 대한 구체적인 정의, 그리고 크기, 미세 전이, isolated tumor cells (ITC) 같은 전이 상태와 정도에 따라서 각자 상이한 예후를 보일 수 있기 때문에 이에 대한 고심이 더 필요해 보인다.

영상의학검사

기존 연구들을 종합해보면 MRI를 CT와 비교할 때 진단에 있어서 비슷한 특이도를 보이면서 더 민감도가 높은 양상을 보인다.[7] CT의 경우에는 림프절 크기의 변화에 대해서만 탐지가 가능하고 보통 그 크기가 1cm 이상일 때 림프절 전이를 의심할 수 있다. 따라서, 미세 전이가 있는 작은 림프절의 경우 위음성을 초래할 수 있고 염증으로 인한 이차적 비대양상은 위양성의 결과를 낳을 수 있다.

MRI는 종양의 크기, 간질 침윤의 정도, 질로의 파급, 자궁으로의 파급, 자궁주위조직 침윤, 그리고 림프절의 상태를 더 자세하게 평가할 수 있다. PET는 CT와 MRI 같은 검사와 병용되어 사용하게 되는 경우가 많다. 이 검사는 초기 자궁경부암의 치료계획 수립보다는 진행된 경우에서 복강 내 그리고 골반 외 병변의 발견에 도움이 된다. 일차 치료로 동시항암화학방사선치료를 받게 되는 진행된 자궁경부암의 경우 PET 검사상 대동맥주위 림프절에 2-(18F) fluoro-2-deoxy-d-glucose (FDG) 흡수가 보이는 경우 이것이 무진행 생존율의 독립적인 변수였다. 치료 후의 재발 병변을 조기발견하는 것은 향후의 치료 방향 및 시기의 조율에 큰 영향을 미친다. 대부분의 재발이 골반 내에서 일어나는 것을 감안한다면 국소적인 재발을 평가할 경우 MRI가 좋은 진단 도구가 된다. 그러나, 치료 후에 종양표지자가 상승해 있어도 다른 영상의학 소견에서 재발 부위가 없는 경우에 PET이 좋은 조기발견의 도구가 될 수 있다. 이러한 점들을 종합해볼 때 이 검사는 치료 효과의 판단에 좋은 예측인자로 사용될 수 있다.

기존의 연구들을 종합해보면, 전이된 림프절을 탐지하는 데 있어서 PET은 MRI와 CT보다 더 높은 민감도와 특이도를 보인다.[8] 다만, PET 같은 장비는 저개발국가에서 사용하는 데 어려움이 있을 수 있다.

전이

직접 침윤

자궁경부암은 인접한 해부학적 구조물로 직접적인 진행의 양상을 보이는데, 기저막을 뚫고 간질로 침윤하게 된다. 옆으로는 자궁주위조직(parametrium), 기본인대(cardinal ligament), 자궁천골인대(uterosacral ligament)로 진행되며, 하부로는 질, 전후로는 방광과 직장으로 전이 되고 위로는 자궁체부로 전이된다.

| 림프계 전이 | 대부분의 경우 림프절 전이 순서는 골반(pelvic)림프절, 온엉덩(common iliac)림프절, 그리고 최종적으로 대동맥주위(para-aortic)림프절 순서로 진행된다. 후방자궁경부줄기(posterior cervical trunk)를 통하여 드물게 일차적으로 온엉덩, 종격동, 대동맥주위 림프절 전이를 보이기도 한다. 또한, 자궁경부 주변의 인접 림프선을 경유하여 폐쇄(obturator), 아랫배(hypogastric), 그리고 바깥엉덩 림프절로 흔히 전이된다. 부검을 통한 체계적인 고찰 결과를 보면 대부분의 환자들에서 온엉덩, 서혜부, 그리고 대동맥주위 림프절 같이 멀리 있는 그룹보다는 자궁주위조직, 자궁경부 주변조직, 자궁동맥과 요관이 교차하는 부위, 폐쇄, 아랫배, 바깥엉덩, 그리고 천골(sacrum)과 같이 인근에 분포하는 림프절 그룹에 더 많은 침윤이 확인된다.[9] |

| 혈관계 전이 | 혈관계 전이는 자궁경부암에서는 편평상피암보다 선암과 같은 조직형에서 더 흔히 보이는 전이 양상으로 생각된다. 난소전이의 경우를 보면 자궁과 부속기 사이의 림프선의 존재가 그 원인으로 생각되나, 이전의 연구에서 보면 초기 자궁경부암에서 난소전이율이 편평상피암에서 0.5~0.7%인 반면, 선암에서는 1.7~2.7%로 조금 더 높은 양상을 보이는 것은 이러한 맥락에서라고 생각된다.[10] 이론적으로 신체 모든 부위로 전이가 가능하며 보고되고 장기 중에서는 가장 흔하게 폐, 간, 골격계 원격 전이가 질병이 진행된 단계에서 늦게 보고된다. |

자궁경부암의 치료

자궁경부암의 치료는 다른 장기에서 발생하는 암의 치료와 크게 다르지 않다. 치료의 기본 원칙은 암의 원발병소와 잠재적인 전파 부위를 제거하는 것으로 일차 치료는 임상적 병기 결정 후 수술 또는 방사선치료를 시행하는 것이다. 수술치료 방법을 선택함에 있어서 가장 중요한 인자는 임상 병기이다. 수술치료는 자궁경부 및 질 상부에 국한되어 있는 병기(I-IIA)에서 시행할 수 있다. 방사선치료는 모든 병기에서 적용 가능하고 수술치료와 비교하여 비슷한 치료 성적을 보인다. 방사선치료에 의한 장과 방광의 섬유화, 질의 위축, 난소 기능의 부전, 성기능 저하 등의 단점이 있다. 수술치료와 방사선치료를 병합하여 받는 환자는 수술 단독, 또는 방사선 단독요법보다 합병증의 발생률이 높기 때문에 수술이 적합한 선별된 환자에서 광범위 자궁절제술을 시행하고 수술 후 추가적 치료가 필요한 위험인자를 가질 것으로 보이는 환자는 방사선 단독 치료를 시행하는 경향을 보인다. 생식력 보존이 필요한 IA, IB1 병기를 가진 선택된 환자에서 가임력 보존을 위한 수술방법이 시행될 수 있다.[11]

표 13-2. 임상병기에 따른 자궁경부암의 치료원칙

병기		임상양상	치료원칙(가임력보존을 원하는 경우)
I	IA1	침윤깊이 <3mm	단순 자궁절제술(원추절제술)
		침윤깊이 <3mm 림프혈관 침윤: +	제II형 자궁절제술(원추절제술 또는 광범위 자궁경부절제술) + 골반 림프절절제술 또는 는 감시림프절생검
	IA2	침윤깊이 ≥3mm <5mm	제II형 자궁절제술(광범위 자궁경부절제술) + 골반 림프절제술 또는 감시림프절생검
	IB1	침윤깊이 ≥5mm, 종양크기<2cm	제III형 자궁절제술(광범위 자궁경부절제술) + 골반 림프절제술 또는 감시림프절생검
	IB2	종양크기 ≥2cm, <4cm	제III형 자궁절제술 + 골반 림프절제술
	IB3	종양크기 ≥4cm	동시항암화학방사선치료
II	IIA1	질상부2/3침윤, 종양크기 <4cm	제III형 자궁절제술 + 골반 림프절제술, 동시항암화학방사선치료
	IIA2	질상부2/3침윤, 종양크기 ≥4cm	동시항암화학방사선치료
	IIB	자궁주위조직 침윤	동시항암화학방사선치료
III	IIIA	질하부 1/3 침윤	동시항암화학방사선치료
	IIIB	골반벽을 침범하고 수신증 혹은 비기능 신장이 있는 경우	동시항암화학방사선치료
	IIIC1	골반 림프절 전이	동시항암화학방사선치료
	IIIC2	대동맥주위 림프절 전이	동시항암화학방사선치료 + 전신항암화학치료
IV	IVA	골반내 국소전이	동시항암화학방사선치료, 골반내용물적출술
	IVB	원격 전이	전신항암화학치료, 동시항암화학방사선치료

병기에 따른 자궁경부암의 치료

1) 병기 IA1 (stage IA1 <3mm invasion)

간질의 침범 깊이는 골반 림프절 전이와 암의 재발에 대한 가장 중요한 예측인자이다. 침윤의 깊이는 생검을 통해서도 측정 가능하나 원추절제술을 통해 명확하게 진단할 수 있다. 침윤의 깊이가 3mm 미만인 미세침윤성 자궁경부암(FIGO stage IA1)은 1% 이하의 골반 림프절 전이를 보인다. Ostor 등은 2,274명의 1mm 미만의 침윤을 보이는 환자 중에서 0.1%에서 골반 림프절 양성소견을 보였으며 0.4%에서 재발하였음을 보고하였다. 침윤 깊이가 1~3mm인 경우 0.5%의 림프절 전이와 2%의 재발을 보고하였다.

생식력 보존을 원하지 않는 경우에는 단순 자궁절제술을 시행하고 임신을 원하는 환자에 있어서는 원추절제술을 시행할 수 있다. 원추절제술 결과 절제면에 잔류병변이 없고 림프혈관강침윤(lympho-vascular space invasion)이 없을 경우 추적 관찰하거나, 임신을 원하지 않는 경우 근막외 자궁절제술을 시행할 수 있다. 절제면 잔류 병변이 있을 경우, 2차 원추절제술, 자궁절제술, 또는 제2형 광범위 자궁절제술과 함께 골반 림프절절제술을 시행할 수 있다. 림프혈관강침윤이 있는 경우 제2형 광범위 자궁절제술과 함께 골반 림프절절제술 또는 감시림프절생검(sentinel lymph node biopsy)을 시행할 수 있다. 임신을 원하는 림프혈관강침윤 양성인 IA1 자궁경부암 환자에서 원추절제술, 단순 자궁경부절제술 또는 광범위 자궁경부절제술(radical trachelectomy)을 시행할 수 있다.

자궁경부선암은 일반적으로 편평상피암과 유사한 방식으로 치료된다. 선조직의 특징상 정확한 침윤 깊이를 측정하기 어려우므로 미세침윤암의 정확한 진단은 어렵다. 미세침윤 선암의 치료에 미세침윤 편평상피암의 치료를 그대로 적용하기에는 논란의 여지가 있고 보다 광범위적인 수술치료가 적용되고 있다. 그러나 미세침윤 선암으로 광범위 자궁절제술을 시행한 126명의 환자에서 자궁주위조직의 침윤은 없었고 골반 림프절 전이는 2%에서 보였다. 미세침윤 자궁경부 선암의 경우에도 병기가 IA1이고 림프 혈관 침윤이 없으면서 경계면 종양 음성 소견을 보이는 경우 가임력보존을 위한 원추절제술을 시행할 수 있다. 병리 조직에 대한 병리 전문가의 정확한 평가가 있어야 하며 시술 후 주의 깊은 경과 관찰을 요한다.

2) 병기 IA2 (stage IA2 ≥3mm to <5mm invasion)

병기 IA2 환자에서는 3~8%에서 골반 림프절 전이를 보인다. 따라서 제2형 광범위 자궁절제술과 골반 림프절절제술 또는 감시림프절생검을 시행한다. 임상적 판단에 따라서 골반 방사선조사를 시행할 수 있다. 임신을 원하는 환자에서는 광범위 자궁경부절제술과 골반 림프절절제술을 고려할 수 있다. 원추절제술 결과 절제면에 잔류병변이 없고 골반 림프절절제술 결과 전이가 없는 경우 원추절제술 후 추적관찰을 시행할 수도 있다.

3) 병기 IB1, IB2, and IIA1

병기 IB1, IB2 또는 IIA1의 환자들은 광범위 자궁절제술과 골반 림프절절제술을 시행하며, 필요에 따라서 대동맥주위 림프절생검을 시행한다. 감시림프절생검이 또한 고려될 수 있다. 수술치료와 방사선치료의 치료성적은 거의 비슷하다. 치료방법의 선택은 의료기관의 가용 자원의 범위에 따라 결정된다. 수술치료의 장점은 수술적 병기 결정을 통해 위험인자에 개별화된 추가치료를 시행할 수 있다. 또한 방사선치료에 의한 장과 방광의 섬유화, 질의 위축, 성기능 장애 등의 단점을 피할 수 있다. 젊은 나이의 환자와 비교하여 노인 환자에서 합병증의 유병률이 증가하는 것은 아니기 때문에 생물학적 나이가 광범위 수술의 제외 대상은 아니다. 일반적으로 내과적 질환으로 수술에 부적절한 환자가 방사선치료나 동시항암화학방사선요법의 적응이 된다. 환자가 임신을 원하는 경우, IB1환자에서 선택적으로 광범위 자궁경부절제술을 시행할 수 있다. 가임력 보존 수술은 미세침윤암에서 광범위하게 사용되고 있고 병기 IB1환자까지 확대되어 사용되고 있다. IB2 환자의 경우 선행항암화학요법 후 단순 자궁경부절제술을 시행 후 성공적 임신을 보고한 경우도 있지만 임상에서의 사용은 제한적이다. IB2 병기의 환자에서 가임력보존 수술은 개별화된 환자에서 선택적으로 적용할 수 있다.

4) 병기 IB3 and IIA2

원발병소가 큰 자궁경부암 IB3 또는 IIA2 병기 환자의 일차 치료법은 항암화학방사선요법, 광범위 자궁절제술 후 개별화된 추가 방사선치료, 선행항암화학요법 후 광범위 자궁절제술 등 세 가지로 요약할 수 있다. 원발병소가 큰 경우 수술 후 중등도 또는 고위험 인자를 가지는 경우가 많아 추가 방사선 또는 항암화학방사선요법이 필요할 경우가 많아서 이러한 추가 치료와 관련된 합병증의 이환율을 고려했을 때 시스플라틴을 기반으로 하는 항암화학방사선요법이 일차 치료로 고려될 수 있다.[12] 항암화학방사선요법 후 보조적 자궁절제술 혹은 광범위 자궁절제술을 임상적 판단에 의해 선택적으로 시행할 수 있다.

항암화학방사선요법 치료 후 보조적 자궁절제술은 골반부위 재발을 개선하는 것으로 나타났지만, 전체생존율을 개선하는 것은 아니며 이환율 증가와 관련되어 있다. 근접 방사선치료를 시행하기 어려운 해부학적 자궁구조를 가진 경우에 한하여 제한적으로 고려될 수 있다.

자궁경부암 병기 IB3와 IIA2에서 광범위 자궁절제술 후 선택적인 추가치료는 항암화학 방사선치료와 유사한 생존율을 보이므로, 환자의 임상 상태에 따라 광범위 자궁절제술과 항암화학방사선치료를 적절히 선택할 수 있다. 수술치료가 고려될 때 광범위 자궁절제술, 골반 림프절절제술 및 대동맥주위 림프절절제술을 시행한다. 수술 후 위험도에 따라 보조적 항암화학방사선 요법이 고려될 수 있다. 수술치료의 장점은 완전한 수술적 병기 결정을 할 수 있어 추가적인 치료를 필요에 따라서 개별화하여 적용할 수 있다. 큰 림프절을 절제할 수 있어 예후를 현저히 향상시킬 수 있고, 젊은 여성의 경우 난소기능을 보전할 수 있어 삶의 질 향상에 도움이 된다. 방사선치료 후 자궁경부에 잔류종양이 있는지 여부를 결정하는 데 어려움을 줄여주고 근접 방사선치료를 생략할 수 있어 질 협착, 질누공 등의 부작용 발생률을 낮출 수 있다. 선행항암화학요법 후 광범위 자궁절제술을 시행할 수 있는데, 이는 일부 임상연구에서 병기 IB3-IIA2 환자의 경우 선행항암화학요법 후 광범위 자궁절제술을 시행하여 방사선치료 혹은 수술 단독군에 비하여 유사하거나 높은 5년 생존율이 보고되었기 때문이다. 선행항암화학요법의 이론적 근거는 미세 전이 종양에 대한 치료, 종양의 크기 감소에 의한 수술 및 방사선치료의 성공률 향상, 동시 항암화학방사선치료에 비해 적은 독성 등을 들 수 있다. IB1-IIA병기 환자에 대한 메타 분석에서 선행항암화학요법은 종양 크기 및 전이를 줄임으로써 보조 방사선치료의 필요성을 감소시킬 수 있지만 전체생존율 개선의 효과는 나타나지 않았다. 현재까지의 결과는 기존의 표준 치료인 수술 또는 항암화학방사선요법보다 더 우월한 치료효과를 증명하지는 못하였다.[13] 선행항암화학요법 후 광범위 자궁절제술의 효과에 대해서는 EORTC의 3상 무작위 임상시험 결과를 비롯한 향후 임상시험 결과를 참고해야 할 것이다.

광범위 자궁절제술의 분류

1974년 Piver-Rutledge-Smith (P-R-S)는 광범위 자궁절제술(radical hysterectomy)을 근막외 자궁절제술(extrafascial hysterectomy), 변형 광범위 자궁절제술(modified radical hysterectomy), 광범위 자궁절제술(radical hysterectomy), 확장 광범위 자궁절제술(extended radical hysterectomy), 부분 골반내용물적출술(partial exenteration)의 다섯 가지로 분류하였다. 치료 경과를 토의하는 경우 서로 다른 수술 범위와 이에 따른 합병증을 기록하는 데 있어

표 13-3. 광범위 자궁절제술의 Querleu-Morrow 분류　　　　　　　　　　　　　　　　　　　　487

	자궁주위조직(paracervix or lateral parametrium)	방광자궁인대 (ventral parametrium)	자궁엉치인대 (dorsal parametrium)	요관
A	자궁경부와 요관의 중앙	자궁경계에서 최소 절제	자궁경계에서 최소 절제	이동하지 않음 (시각적으로 확인)
B	요관터널위치에서 절제	앞 방광자궁인대만 분리 절제함	직장 근처에서 절제함	Unroofed, 측면으로 이동
C	속엉덩혈관의 내측에서 절제	방광근처에서 절제	직장과 엉치뼈 중간 부위에서 절제함	완전히 분리
C1	자율신경 보존			
C2	자율신경 손상			
D	골반벽에서 절제(속엉덩혈관과 골반측벽의 구조물포함)	방광근처에서 절제(골반내용물적출시에는 적용되지 않음)	엉치부 기원 근처(골반내용물적출시에는 적용되지 않음)	완전히 분리

서 광범위적 자궁절제술이란 용어의 사용은 적절치 않으며 다섯 가지 수술의 술기를 상세히 기술함으로써 수술의 결과 및 부작용에 대한 평가를 정확하게 할 수 있다고 주장하였다. 그러나 명확한 해부학적 경계 및 공통적인 해부학적 용어를 사용하지 않아 연구자나 수술자 상호간의 소통을 어렵게 하였고, 신경보존수술이나 가임력 보존 수술에 대해서는 고려되지 않았다. 개복수술에서만 적용이 가능하고 복강경 수술, 질식 수술, 로봇수술 등의 발전은 이러한 5가지 형태의 수술분류를 어렵게 만들었다.

이러한 단점을 극복하기 위해 2007년 Querleu-Morrow가 절제의 측면 범위(lateral extent of the resection)에 따라서 4가지 유형의 광범위 자궁절제술 분류법(A-D)을 새로이 제시하였다. Querleu-Morrow 수술적 분류 시스템은 3차원적 평면에서 광범위 자궁절제술에서의 절제면 및 신경 보존의 정도를 설명하고 이전의 P-R-S 분류를 업데이트 했다.[14] 림프절절제술은 동맥의 해부학적 위치에 따라 4단계(level 1~4)로 독립적으로 분류하였고 림프절제의 정도를 기술하게 하였다. 이러한 분류법은 자궁주위조직의 절제 정도를 단독으로 사용하여 광범위 자궁절제술을 단순하게 분류하였고, 통일된 해부학적 용어의 사용, 명확한 해부학적 경계의 제시 등의 장점으로 인해 전문가 집단에 의해 빠르게 채택되었다. 2011년 Cibula 등에 의해 절제되는 측면 범위를 3차원적 해부학적 구조를 기술하여 Q-M 분류를 업데이트 하였다.[15]

1) 대한부인종양연구회(KGOG)분류법

2016년 KGOG의 The Surgery Treatment Modality Committee는 임상시험을 용이하게 하고 수술 절차를 표준화하고 정확하게 기술함으로써 연구자 간의 의사 소통을 개선하기 위한 수술적 분류법을 만들었다 Querleu와 Morrow 수술적 분류 시스템을 기반으로 한 KGOG분류법은 B형을 B1, B2 아형으로 나누지는 않았고, 가임력 보존을 위한 자궁주위조직을 포함한다.[16]

**수술 후
고위험 환자의 치료**

1) 초기 자궁경부암(1A2-IIA)의 예후인자

림프절 전이 상태, 원발 종양의 크기, 간질 침윤의 깊이, 림프혈관강침윤, 자궁주위조직 침윤, 조직학적 분류, 절제면의 상태들은 중요한 예후인자들이다.[17]

① 림프절 전이 여부

림프절의 전이 여부가 다양한 예후인자 중 자궁경부암 예후에 직접적으로 관련된 독립적인 예후인자이다. 림프절 전이가 없는 자궁경부암 수술 환자에 비해 림프절 전이가 있는 환자에서 40% 이상의 재발률 증가를 보인다. 전이된 림프절의 해부학적 위치, 림프절의 크기, 림프절의 수에 따라서 재발의 위험도와 관계가 있다. 림프절 전이가 없는 환자에서 88~96%의 5년 생존율을 보이는 반면 전이된 림프절의 수, 위치, 크기에 따라서 50~74%의 5년 생존율을 보인다. 골반에 국한된 림프절 전이에 비해 온엉덩 림프절(common iliac node), 또는 대동맥주위 림프절 양성인 경우 높은 재발률을 보인다. 양측 골반 림프절 양성인 경우(22~40% 생존율)가 편측 골반 림프절 양성인 경우(9~70%)에 비해 불량한 예후를 보인다. 3개 이하의 골반 림프절 양성인 경우 30~50%의 재발률을 보이는 반면 3개 이상의 골반 림프절 양성인 경우 68%의 높은 재발률을 보인다. 림프절내 종양 혈전(tumor emboli)만 보이는 경우 82.5%, 현미경적 침윤을 보이는 경우 62.1%, 육안적 병변이 보이는 경우 54%의 5년 생존율을 보인다.

② 원발 종양의 크기

초기 자궁경부암 환자들의 생존율은 종양의 크기와 직접적으로 관련된다. 원발 종양의 크기는 림프절 전이의 빈도와 관계가 있고 생존율의 유의미한 감소와 관련된다. 병변 크기가 2cm 이하인 경우 5년 생존율은 90%를 보이는 반면 2cm 이상인 경우 60%의 생존율을 보인다. 원발 종양이 4cm 이상인 경우는 40%로 더 나쁜 예후를 보인다.

③ 간질 침윤의 깊이

침윤의 깊이가 1cm 미만인 경우 90%의 5년 생존율을 보이는 반면 1cm 이상인 경우에는 63~78%의 생존율을 보인다.

④ 림프혈관강침윤

림프혈관강침윤 여부가 예후에 미치는 영향에 대해서는 논란의 여지가 있다. 몇몇 연구에서는 림프혈관강침윤이 없는 경우 5년 생존율이 90%인 반면 림프혈관강침윤을 보이는 경우 생존율이 50~70%를 보인다고 하였다. 반면 위험인자를 보정한 다른 연구에서는 생존율에 차이를 보이지는 않는다고 하였다. 림프혈관강침윤은 림프절 전이의 예측인자이기는 하지만 생존율에 영향을 미치는 독립적인 예후인자는 아니다.

⑤ 자궁주위조직 침윤

Burghardt 등은 1,004명의 IB-IIB병기의 환자를 자궁주위조직 침윤의 유무에 따라 5년 생존율을 비교했을 때 침윤이 없는 734명의 환자는 5년 생존율이 85.8%인 반면 침윤이 있는 270명의 환자에서는 5년 생존율은 62.4%를 보였다. 그러나 Uno 등은 골반 림프절 전이가 없는 환자에서 자궁주위조직 침윤의 유무가 골반외 재발에 있어서는 영향이 없다고 하였다. 골반 림프절 양성인 경우 5년 생존율은 39~42%로 떨어진다.

⑥ 조직학적 세포유형

자궁경부 소세포암(small cell carcinoma)은 드물고 불량한 예후를 보인다. 자궁경부 선암의 경우 내자궁경부에서 발생하여 진단이 늦어지고 다변량 분석을 했을 때 편평세포암에 비해 불량한 예후를 보인다는 보고가 있었다. 그러나 병기 ⅠB인 선암, 편평세포암, 선편평세포암의 예후를 다변량 분석을 시행하였을 때 조직학적 유형은 생존에 의미있는 영향을 미치지는 못하였다.

⑦ 절제면 양성

절제면 양성이거나 5mm 이하의 근접 질절제면을 보이는 경우 추가 방사선치료에 의해 5년 생존율(81.3% 대 28.6%; p<0.05)이 의미있는 증가를 보인다. 다른 위험 요인이 없는 경우 근접 질절제면은 불량한 예후인자이다.

2) 재발의 위험인자에 따른 추가치료

초기자궁경부암의 광범위절제술 후 추가치료 여부는 재발의 위험인자 유무에 의해 결정된다.

① 수술 후 중등도 위험인자

i. 종양 크기가 큰 경우

ii. 깊은 경부 간질 침윤

iii. 림프혈관강침윤

② 수술 후 고위험인자

i. 절제면양성

ii. 림프절 전이

iii. 자궁주위조직 침윤

중등도 위험인자가 2개 이상인 경우 골반 방사선치료를 시행한다. 종양의 크기, 침윤 깊이의 기준은 기관별로 상이하다. 광범위 자궁절제술 후 중등도 위험인자를 가진 경우 3년 내 재발 가능성은 30%이며, 수술 후 고위험인자가 있는 경우는 3년 내 40%의 재발률을 보인다. GOG 092 임상시험은 중등도 위험인자를 가진 277명의 환자에서 보조적 방사선치료(137명)를 시행한 군과 경과 관찰한 군(140명)을 비교하는 무작위 임상시험을 시행하였고 그 결과 방사선 요법을 추가로 시행한 군에서 재발률을 30.7%에서 17.5%로 47%의 감소를 보였고 2년 무진행생존율의 증가를 보였다(88% 대 79%, p=0.008). 다만, 전체생존율에서 통계적 유의성을 보이지 못했다(80.3% 대 71.4%, p=0.074).[18] 이러한 결과가 중등도 위험인자를 가진 환자에서 방사선치료가 표준 치료임에도 불구하고 임상의들이 추가 방사선치료를 주저하는 이유가 된다. 이후 Ryu 등에 의해 시행된 중등도 위험인자를 가진 환자에서 동시항암화학방사선요법, 방사선 단독요법, 경과 관찰을 비교한 후향적 연구를 진행하였고 각각의 환자군에서 3년 무진행생존율(97.5%, 대 90.5% 대 67.5%)을 보여 방사선 단독 요법보다 동시항암화학방사선요법이 통계적으로 유의미한 추가적인 생존율 증가를 보였다. Kim 등에 의해 시행된 중등도 위험인자를 가진 환자에서 동시항암화학방사선요법과 방사선 단독요법을 시행한 환자를 비교한 후향적 연구에서도 동시항암화학방사선요법이 통계적으로 유의미한 5년 무진행생존율의 증가를 보였고 방사선 단독요법과 유사한 부작용을 보였다. 골반 방사선치료보다 동시항암화학방사선요법이 더 좋은 치료방법인지에 대해서는 GOG 0263 임상시험 결과를 기다려야 할 것이다. 고위험 인자가 있는 경우에는 동시항암화학방사선요법을 시행하고, 절제면 양성 소견이 있을 경우 근접조사를 시행한다. GOG 109/SWOG 8797은 243명의 IA2-IIA 환자를 대상으로 광범위 자궁절제술을 시행한 후 한 가지 이상 고위험인자를 가진 환자를 대상으로 보조적 방사선치료군(49.3Gy, 총장골림프절 양성인 군에서는 대동맥주위 림프절에 45Gy 추가)과 동시항암화학방사선치료군(시스플라틴/5-플루오로우라실(5-FU), 3주 간격)으로 무작위 임상시험을 진행하였다. 동시항암화학방사선치료군에서 4년 무진행생존율은 80%(방사선치료군 63%)로 향상되었고 생존율도 81%(방사선치료군 63%)로 증가하였다. 혈액학적 독성 및 소화기계 독성이 동시항암화학방사선치료군에서 높았지만 허용되는 수준이었다. 이후 동시항암화학방사선요법이 수술 후 고위험인자를 가진 자궁경부암 환자의 표준 치료로 자리 잡았다.[19] 그러나 항암제의 독성과 사용의 불편함이 문제로 지적되어서 GOG 120에서는 국소 진행성 자궁경부암에서 시스플라틴/5-플루오로우라실 조합과 비교하여 시스플라틴 단독 항암화학방사선요법을 시행했고 두 치료군에서 유사한 생존율과 양호한 독성을 보였다.[20] 이후 국소 진행된 자궁경부암의 표준 치료로 시스플라틴 단독 항암화학방사선요법이 자리 잡았다. 국소 진행성 자궁경부암 환자의 표준 치료가 광범위 자궁절제술 후 고위험 환자에서의 보조적 치료로서 유효성은 이 연구로 정당화 되지는 못하였다. Sehouli등은 고위험인자를 가진 IB-IIB 환자에서 시스플라틴 단독 동시항암화학방사선요법과 비교하여 항암화학요법(카보플라틴/파클리탁셀)후 순차적인 방사선치료를 시행한 군에서 생존율의 증가를 보이지는 못했다. 광범위 자궁절제술 후 고위험인자를 가진 환자에서 카보플라틴/파클리탁셀을 사용한 동시항암화학방사선요법은 77.3%의 무진행생존율과 80.3%의 생존율을 보여 양호한 독성을 보이고 효과적인 치료법으로 보인다. 초기 자궁경부암에서 치료적 개념의 림프절절제술을 포함하는 광범위 자궁절제술을 하는 경우 수술 후 재발의 고위험인자가 있는 경우에도 보조적 방사선치료를 생략하고 항암화학요법 단독 혹은 경과관찰을 할 수 있다.

3) 병기 IVB

병기 IVB 환자의 경우에는 항암화학요법 및 환자에 따라 적절한 방사선치료를 시행한다. 이환율이 가장 낮은 증상의 조절이 이 환자군에서는 가장 중요한 고려 사항이다

수술법

본 장에서는 광범위 자궁절제술과 림프절절제술의 수술기법 그리고 관련 수술합병증에 대해 설명하고자 한다.

수술기법

1) 광범위 자궁절제술

① 복부 절개 및 복강 내 관찰

대개 배꼽부터 치골에 이르는 중간선 절개가 흔히 사용된다. 경우에 따라서 미용적 목적으로 낮은 가로 절개가 사용될 때도 있다. 복강 내 진입 이후, 본격적인 수술 시작 전 복강 내 다른 전이 유무와 기형 여부 확인이 필요하다. 간, 대망, 복막, 대동맥림프절, 골반 림프절을 촉진하여 확인하고, 신장과 요관 주행을 확인하여 기형 유무를 판단한다. 골반 내 난소와 난관에 이상 유무를 확인하여, 이상이 없을 경우 폐경 전 환자에서 난소 보존이 가능하다. 방광자궁주름과 직장자궁오목은 반드시 확인하여 암의 침범 유무를 파악하고 기본인대 역시 촉진하여 종양의 옆쪽 침범 여부를 확인한다. 이후 순서는 집도의에 따라 상이할 수 있으나 술자의 경우에 준하여 기술하고자 한다.

② 방광자궁공간(vesicouterine space) 박리

종양이 방광의 바닥을 침범하여 방광 피판을 들어서 자궁경부와 질 상부 앞쪽 부분으로부터 방광을 적절하게 박리하는 것이 불가능한 경우가 있다. 이럴 경우 수술 진행이 더 이상 불가능한 경우가 있어 수술 전 검사로 이를 확인해야 한다. 대부분의 경우, 방광자궁공간은 비교적 무혈관 성근 조직으로 구성되어 있어, 해당 부위 복막을 절개한 후 무딘 박리(blunt dissection)를 시행하면 질의 골반 쪽 면이 하얗게 드러난다. 질 상부 1/3 수준까지 아래로 박리한다.

③ 방광주위공간(paravesical space)과 직장주위공간(pararectal space) 박리

장기를 제거하기 전에 표지가 되는 공간과 구조물들을 박리하여 확보하는 것은 제거할 구조물들의 위치와 요관 등 보존해야 할 구조물들의 위치와 주행을 확인하는 데 매우 중요하다. 대표적인 골반강 내공간으로는 방광주위공간과 직장주위공간이 있다.

먼저 원인대(round ligament)를 골반벽에 가능하면 붙여서 자른 후, 허리근(psoas muscle) 힘줄을 따라서 복막을 절개한다. 이후 우선 방광주위공간을 먼저 박리한다. 방광주위공간을 형성하는 구조물로는 배꼽인대(umbilical ligament)가 방광을 따라서 방광주위공간의 내측을 이루고, 골반벽을 따라서 위치한 내폐쇄근(obturator internus)과 바깥엉덩 혈관이 방광주위공간의 외측을 구성한다. 경계는 기본인대가 형성하며, 앞쪽 경계는 두덩결합(pubic symphysis)이 위치한다. 무혈관공간인 방광주위공간을 확보 후 방광을 그 바깥쪽 부착구조들로부터 분리시킬 수 있다.

이어서, 직장주위공간을 박리한다. 직장주위공간은 2형 변형 광범위 자궁절제술 시행

시에는 종종 박리를 하지 않을 때도 있다. 직장주위공간을 형성하는 구조물로는 내측으로 요관과 직장, 외측으로 속엉덩동맥(internal iliac artery), 앞쪽으로 기본인대, 뒷쪽으로는 엉치뼈가 있다. 박리할 때 속엉덩정맥이 손상되지 않도록 주의가 필요하다. 꼬리근은 직장주위공간의 바닥을 형성한다. 이렇게 방광주위공간과 직장주위공간을 확보하게 되면, 두 공간 사이에 자궁주위조직이 확인된다.

2) 골반 림프절절제술

편의상 골반 림프절은 총 5부위로 나누어 진행하면 편하다. 바깥엉덩 림프절, 폐쇄 림프절, 속엉덩 림프절, 온엉덩 림프절, 그리고 엉치앞 림프절이다.

① 바깥엉덩림프절

바깥엉덩혈관에서 시작하여 머리쪽, 바깥쪽, 그리고 안쪽으로 박리를 진행한다. 영역의 경계는 안쪽으로는 배꼽인대, 바깥쪽으로는 허리근, 배 쪽으로는 엉덩휘돌이정맥, 등 쪽으로는 온엉덩동맥분지, 꼬리 쪽으로는 바깥엉덩정맥의 꼬리쪽 경계이다. 허리근 바깥쪽으로 주행하는 음부대퇴신경(genitofemoral nerve) 손상에 주의해야 한다. 림프낭종 발생을 줄이기 위해서 박리하는 부분의 먼 쪽 끝에는 클립 사용이 추천된다.

② 폐쇄림프절

폐쇄오목으로부터 박리를 진행한다. 영역의 경계는 바깥엉덩정맥(머리쪽), 온엉덩동맥분지(등쪽), 방광주위공간(안쪽), 두덩뼈, 항문올림근과 폐쇄근(배쪽), 속폐쇄근(바깥쪽), 폐쇄혈관(꼬리쪽)이다. 폐쇄신경의 손상에 주의해야 한다. 신경과 혈관으로부터 림프절을 박리한 후 먼 쪽에 클립을 사용한다.

③ 속엉덩림프절

속엉덩정맥으로부터 안쪽으로 림프절절제를 진행한다. 영역의 경계는 자궁정맥 기시부(배쪽), 속엉덩혈관(머리쪽 바깥쪽), 엉치뼈(꼬리쪽), 온엉덩혈관분지(등쪽)이다.

④ 온엉덩림프절

온엉덩혈관으로부터 배쪽과 바깥쪽으로 박리를 진행한다. 영역의 경계는 대동맥분지(등쪽), 허리근(바깥쪽), 온엉덩혈관(배쪽), 엉치뼈(꼬리쪽), 허리엉치신경줄기 폐쇄신경(머리쪽)이다.

⑤ 엉치앞림프절

엉치뼈 위, 양쪽 온엉덩정맥 사이 아래에 위치한 림프절을 박리한다. 영역의 경계는 양쪽 온엉덩혈관(머리쪽 바깥쪽), 엉치뼈(꼬리쪽), 오른쪽 온엉덩혈관분지(배쪽)이다.

큰 원발 부위 종양 또는 육안적으로 커져있는 골반 림프절이 있는 경우, 암의 침범 범위의 정확한 평가를 통한 향후 추가치료 결정에 도움을 주기 위해서 대동맥주위 림프절절제술이 필요하다.

3) 깔대기골반인대(infundibulopelvic ligament) 결찰

난소 제거가 계획된 경우, 깔대기골반인대를 골반가장자리에서 결찰한다. 이 때 요관과

엉덩동정맥을 다치지 않게 주의한다. 난소를 보존하는 경우에는 난소인대를 자궁에 가깝게 붙여서 자른다.

4) 요관 가동화(mobilization)

깔대기골반인대 바로 아래쪽 자궁넓은인대(broad ligament)의 뒤쪽 면에서 요관을 확인할 수 있다. 대개 직각클램프를 이용하여 주변 성근조직을 박리해 내려감으로써, 자궁넓은인대로부터 요관을 떨어뜨릴 수 있다. 아래로 내려가면서 자궁엉치인대(uterosacral ligament) 레벨에서 요관은 자궁동맥과 교차한다. 속엉덩동맥으로부터 기시하는 자궁동맥은 2형 변형 광범위 자궁절제술에서는 요관과 교차하는 부위에서 절단하여 묶는다. 거의 항상 자궁동맥으로부터 요관으로 동맥분지가 나온다. 3형 광범위 자궁절제술에서는 이 동맥분지를 자르지만, 2형 변형 광범위 자궁절제술에서는 보존한다. 요관으로부터 주변 결합조직들을 좀 더 분리하면 기본인대의 얕은 층으로부터 요관이 분리되어 이제 방광자궁인대로 구성된, 소위, 요관터널(ureter tunnel)이라고 불리는 구조로 들어가는 부분만 남게 된다. 앞방광자궁인대는 요관터널의 지붕을 형성하고 있는데, 이를 결찰하여 분리해야 뒤방광자궁인대가 노출된다. 뒤방광자궁인대까지 분리하면 비로소 자궁주위터널(parametrial tunnel)로부터 요관이 자유롭게 분리되는데, 3형 광범위 자궁절제술에서는 뒤방광자궁인대를 분리하여 자르지만, 2형 변형 광범위 자궁절제술에서는 보존한다.

5) 자궁엉치인대와 직장자궁오목(douglas pouch) 박리

자궁을 앞쪽으로 구부려 당기면서 직장을 위로 끌어올리면서 직장자궁오목 바로 위의 팽팽해진 복막을 확인 후 절개하면 직장자궁오목공간으로 들어갈 수 있고, 자궁엉치인대의 주행을 확인할 수 있다. 직장자궁오목공간은 무딘박리를 이용하여 직장앞공간(prerectal space)을 충분히 확보할 수 있다. 잘린 깔대기골반인대 부위에서부터 자궁엉치인대 레벨까지 복막을 절개해 내려간 후, 직장주위공간과 직장앞공간 사이에 위치한 자궁엉치인대를 확인하여 절단한다. 이 때, 3형 광범위 자궁절제술에서는 엉덩뼈까지의 주행 중간 정도에서 자르지만, 2형 변형 광범위 자궁절제술에서는 직장 근처에서 자른다. 자궁엉치인대를 절단하면 비로소 직장으로부터 기본인대가 분리된다. 아랫배신경이 자궁엉치인대의 바깥쪽으로 주행하여 내려가므로, 신경보존을 위해서는 신경다발을 확인하여 박리를 하여 수술 후 방광기능저하를 막을 수 있다.

6) 질 절개

방광과 요관을 잘 박리하면 질 절개를 할 준비가 된다. 질 앞쪽부터 절개하여 검체를 제거한 후, 질절단부를 봉합한다.

광범위 자궁절제술 합병증

1) 급성 합병증

급성 합병증으로는 출혈, 요관질누공, 방광질누공, 폐색전증, 작은창자막힘, 발열 등이 있다. 발열의 원인으로는 폐감염(10%)이 가장 흔하고, 골반 연조직염(7%), 요로감염(6%), 상처감염(<5%) 등이 있다.

2) 만성 합병증

가장 흔한 만성 합병증으로는 방광 근긴장저하 또는 드물게는 무긴장증이 발생할 수 있다. 이외, 드물게 요관협착, 림프낭종이 발생할 수 있다.

FIGO IIB-IVA 자궁경부암의 동시항암화학방사선치료

동시항암화학방사선 치료 무작위 3상 연구

1) 방사선치료 vs. 동시항암화학방사선치료, RTOG 90-01

1990년부터 1997년까지, Radiation Therapy Oncology Group (RTOG)에서, FIGO 병기 IIB-IVA 환자, IB-IIA면서 암의 크기가 5cm 이상인 환자, 또는 골반 림프절 전이가 있는 환자 403명을 대상으로, 골반과 대동맥주위 림프절 영역을 포함하는 방사선단독치료군과 시스플라틴/5-FU과 함께 골반에만 방사선치료를 하는 동시항암화학방사선치료군으로 배정하는 무작위 3상 연구가 진행되었다. 동시항암화학방사선치료군이 월등한 8년 생존율을 보였고(67% vs. 41%, P <0.0001), grade 3 이상의 후기 부작용은 두 군에서 차이가 없었다.

2) Cisplatin vs. Others, GOG 120

1992년부터 1997년까지, Gynecologic Oncology Group (GOG)에서, 대동맥주위 림프절 전이가 없는 FIGO 병기 IIB-IVA 환자 526명을 대상으로, 세 가지 다른 항암제(시스플라틴 단독 vs. 시스플라틴+5-FU+하이드록시우레아 vs. 하이드록시우레아 단독)의 치료 효과를 비교하는 연구가 진행되었다. 세 군 모두에서 방사선치료는 골반에만 시행되었다. 시스플라틴 단독군과 시스플라틴+5-FU+하이드록시우레아군은 치료성적이 비슷하였고, 하이드록시우레아 단독군에 비해 재발 상대 위험도가, 0.57, 0.51로 월등히 우수하였다.

대동맥주위 림프절 전이 방사선치료

자궁경부암에서 림프절 전이는 중요한 예후인자이다. 골반 림프절까지 전이가 있는 환자에 비해, 대동맥주위 림프절에 전이가 있는 환자는 예후가 더 불량하다. 하지만, 대동맥주위 림프절 전이가 있더라도, 항상 원격 전이로 이어지는 것은 아니다. 전이 림프절의 크기도 중요한 예후인자로 보고된 바 있다. 방사선생물학적인 관점에서 보면, 종양의 크기가 클수록, 완전관해를 위해서는 더 많은 선량이 필요하다. 대동맥주위 림프절 주변에는 소장 및 십이지장 등의 정상조직이 인접해 있기 때문에, 3차원 방사선치료기법으로 줄 수 있는 선량에는 한계가 있다. 따라서 전이 림프절 크기가 클수록 완전관해 가능성이 줄어들 수 있다. 3차원 방사선치료 대신, 세기조절방사선치료(intensity modulated radiation therapy, IMRT)를 이용하면, 주변 정상조직의 부작용은 최소화하면서 대동맥주위 림프절에도 고선량의 방사선을 조사할 수 있기 때문에 높은 림프절 완전관해를 보일 수 있다. 대동맥주위 림프절 전이가 있다하더라도, 적극적인 동시항암화학방사선치료를 시행하였을 때, 5년 생존율을 83%까지 보고한 연구들이 있다.[24] 2018 FIGO 병기설정 시스템에서도 대동맥주위 림프절 전이의 병기를 기존 병기 IV에서 병기 IIIB로 변경하였다. 대동맥주위 림프절 전이가 있는 환자에서도 완치를 목표로 한 적극적인 동시항암화학방사선치료가 필요하겠다.

외부조사 방사선치료

1) 동시항암화학방사선치료 일정

표 13-4는 동시항암화학방사선치료 일정이다. 외부조사 방사선치료 부위는 자궁경부를 포함한 자궁전체, 자궁주위조직, 질, 골반 림프절 영역이며, 필요한 경우 대동맥주위 림프절 영역을 추가한다. 외부조사 방사선치료 선량은 대부분의 경우 50.4Gy/25회이나, 고령이나 초기 병변의 경우 45Gy/25회의 선량 치료 후 부분적인 추가치료도 고려할 수 있다. 외부조사 방사선치료가 진행되는 동안 주 1회 시스플라틴 항암화학요법을 시행한다. 외부조사 방사선치료 후반부에 근접치료(brachytherapy)를 위한 모의치료를 시행하고, 늦어도 외부조사 방사선치료 마지막 주에는 근접치료가 시작되도록 하여 전체 치료기간을 8주 이내로 한다. 근접치료는 1회당 방사선량이 높아 주 2회 시행한다. 종양이 자궁주위조직으로 침범한 정도가 심하거나, 림프절 전이가 있을 경우에는 세기조절방사선치료를 이용한 치료를 추가할 수 있다.

표 13-4. 동시항암화학방사선치료 일정

	주								
	1	2	3	4	5	6	7	8	9
시스플라틴	1회	1회	1회	1회	1회	1회			
외부조사	5회	5회	5회	5회	5회	3회			
근접치료					모의치료	2회	2회	2회	
자궁주위/림프절 추가치료						모의치료	3회	3회	3회

2) 3차원 방사선치료

그림 13-1는 골반 3차원 방사선치료의 경우 환자 자세 및 선량분포이다. 소변을 참은 상태로 동그랗게 홈이 파인 벨리보드(belly board) 위에 엎드린 자세를 하게 되면, 소장을 방사선조사 범위에서 최대한 멀어지게 할 수 있어, 소장 부작용을 줄일 수 있다.

3) 세기조절 방사선치료

그림 13-2은 골반과 대동맥주위 림프절 영역 세기조절방사선치료 선량분포이다. 세기조절방사선치료를 이용하면 2차원 또는 3차원 방사선치료에 비해 정상조직에 조사되는 방사선량을 줄일 있다. 세기조절 방사선치료는 선량분포가 가파르게 변하므로, 표적체적을 그릴 때 치료 부위가 빠지지 않도록 주의해야 한다. 표적체적은 2011년에 발표된 RTOG 가이드라인을 따른다. 자궁은 소변양이나 장에 차 있는 가스나 대변양에 따라서 위치가 크게 변한다. 토모테라피의 메가볼트 CT나 선형가속기의 원뿔형빔 CT를 이용하여 매 치료 시 확인하는 것이 필요하며, 매 치료마다 확인이 어려운 경우에는 표적체적을 그릴 때 충분한 여유분을 두어야 한다.

근접치료

1) 근접치료의 중요성

근접치료란, 몸 속에 기구를 삽입하고, 그 기구의 내강의 특정 위치에 동위원소가 일정 시간 위치하여 고선량의 방사선을 전달하는 치료이다. 자궁경부암 치료에 있어 근접치료는 빼놓을 수 없는 매우 중요한 치료이다. 2014년에 발표된 미국 Surveillance, Epidemiology, and End Results (SEER) data 분석 결과 근접치료를 받지 않은 환자들은 근접치료를 받은 환자들에 비해 4년 생존율이 통계적으로 유의하게 낮았다(46.2% vs. 58.2%, P<0.001).[25] 또한 National Cancer Data Base 분석 결과, 근접치료를 받은 환자에 비해 세기조절방사선치료나 정위적 체부 방사선치료를 받은 환자에서 열등한 생존율을 보였다(hazard ratio 1.86, P<0.01).[26] 그러나, 우리나라에서 근접치료를 시행할 수 있는 병원은 1997년에 비해 오히려 줄어들어서 2014년 기준, 방사선종양학과가 있는 병원 86개 중 28개의 병원에서만 근접치료를 시행할 수 있다. 이러한 현상은 미국에서도 비슷한 상황으로, 방사선종양학과 전공의들이 근접치료를 제대로 수련받을 수 없는 문제를 낳고 있다.

2) 2차원 vs. 3차원 근접치료

1905년부터 자궁경부암에서 근접치료가 시행되었다. 전통적으로 단순 X-ray 필름을 이용하여 Point A(방사선 치료 챕터 참고)에 방사선량을 처방하는 2차원 근접치료가 시행되어 왔다. 2차원 근접치료는 많은 제한점을 가진다. 터키에서 2014년에 발표한 바에 따르면, 200명의 환자에서 총 626번 근접치료 기구 삽입 후에 CT를 촬영해 보았을 때, 약 4.8%에서 자궁 천공이 발생했다.[27] 2차원 근접치료를 하는 동안에는 단순 X-ray 촬영만 하므로, 자궁 천공이 발생하여도 알 수가 없다. 특히 자궁을 뚫고 나간 기구가 소장 근처

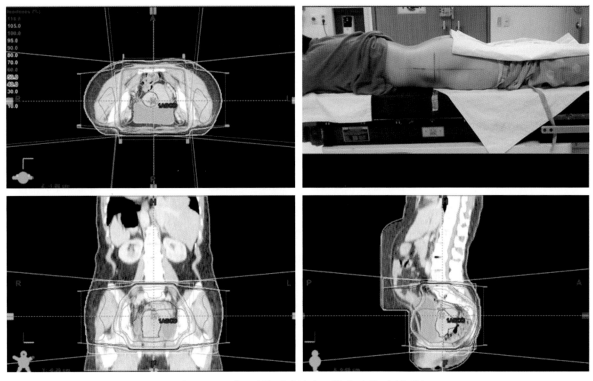

그림 13-1. 골반 3차원 방사선치료 환자 자세 및 선량분포

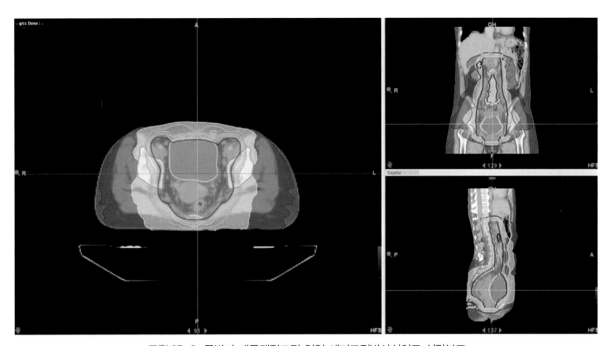

그림 13-2. 골반과 대동맥림프절 영역 세기조절방사선치료 선량분포

에 위치하게 된다면, 소장에 매우 높은 선량을 주게 되고, 이로 인하여 소장 천공 등이 발생할 수도 있다. 또한 환자마다 자궁 크기가 다른데, Point A에 같은 선량 처방을 한다면, 큰 자궁을 가진 환자에서는 선량이 부족하게 되고, 작은 자궁을 가진 환자에서는 자궁 너머에 있는 정상조직에 불필요하게 많은 선량이 가게 된다. 이러한 2차원 근접치료의 제한점을 극복하기 위해서, 2000년에 들어서 GEC-ESTRO를 중심으로, CT나 MRI를 촬영하여 표적체적을 그리고 여기에 선량을 처방하는 3차원 근접치료가 개발되었다. 자궁경부암은 CT보다는 MRI에서 더 정확하게 보이므로(그림 13-3), 가능하면 3차원 MRI 근접치료가 추천된다. 하지만 현실적으로 기구를 넣은 상태로 MRI를 촬영하기가 어려운 경우에는, 기구를 넣지 않은 상태로 촬영한 MRI 영상을 참고하여, 3차원 CT 근접치료를 시행하는 것도 대안이 될 수 있겠다.

여러 기관들과 RetroEMBRACE의 보고에 따르면, 영상유도 3차원 근접치료 시행시, FIGO 병기에 따른 3년 국소제어율은 IB1-IB2, 98~100%; IIB, 89%-91%; III-IVA, 73~86%이다.[28] RetroEMBRACE의 결과에 따르면 기존의 생존율과 비교하였을 때, 이러한 국소제어율의 향상이 약 10%의 생존율 향상으로 이어졌다. 동시에, grade 3 이상의 부작용은 5~7%에서 관찰되어 기존에 비해 약 반으로 감소하는 효과를 보였다.[29] 우리나라에도 2008년에 3차원 MRI 근접치료기술이 도입되었으며, 우수한 치료 성적과 적은 부작용을 보고하였다(그림 13-4).[24, 30, 31]

조직내 근접치료

외부조사 방사선치료 후반부에도 자궁 너머에 남아있는 암의 범위가 넓은 경우에는 전통적인 근접치료 기구만으로는 충분한 선량을 전달할 수 없다. 이 경우에는 자궁주변 내에 바늘을 추가적으로 삽입하는 조직내 근접치료가 필요하다(그림 13-5). 이 시술은 척추마취 상태에서 수술실에서 진행하게 되고, 시술을 마친 후에 CT또는 MRI를 촬영하여 방사선치료계획을 한다. 전통적인 근접치료 기구뿐만 아니라 삽입된 바늘 안쪽으로 동위원소가 들어가서 치료하게 되는 것이다. 자궁주위조직에 바늘을 삽입하면, 암에 선량을 높여줄 수 있을 뿐 아니라, 정상조직에 전달되는 선량을 낮출 수 있다.

방사선치료 부작용 및 관리

1) 치료 중 부작용

① 구역 및 구토: 골반 및 대동맥영역 방사선치료 경우 구역 및 구토는 흔히 발생하는 부작용이다. 특히 항암치료와 병행될 때에는 증상이 더욱 심할 수 있다. 방사선치료기간 동안에 항구토제(그라니세트론, 온단세트론염산염수화물 등) 처방이 필요하다.

② 식사량의 저하: 구역감 및 입맛저하에 의해서 식사량이 현저히 저하되는 경우가 많다. 방사선치료 기간 중에는 최소 주 1회 환자 면담이 필요하며, 면담 시 체중변화 및 식사량을 확인해야 한다. 식사량이 줄었을 경우 식욕촉진제(메게스트롤아세테이트 등) 또는 경구섭취 영양제 처방을 고려해야 한다.

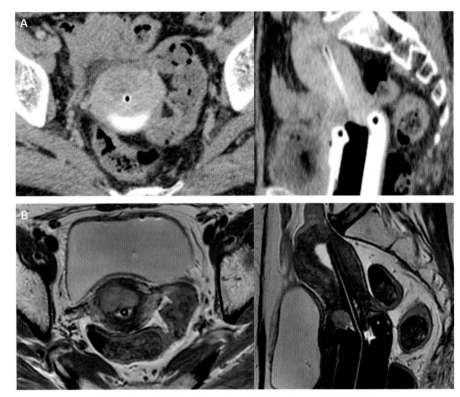

그림 13-3. 3차원 근접치료 시 CT영상(A)과 MRI 영상(B)의 비교

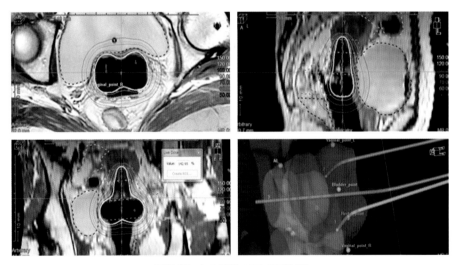

그림 13-4. 3차원 MRI 근접치료

③ 변비 또는 설사: 항암치료와 방사선치료로 인하여 변비 또는 설사가 오는 경우가 흔하다. 초기에 변완화제(수산화마그네슘, 락툴로오즈농축액 등) 또는 지사제(스멕타이트, 로페라마이드 등)를 처방하고, 환자가 증상에 따라 약물을 조절할 수 있도록 교육해야 한다. 또한 변비나 설사를 유발하는 음식은 피하도록 교육한다.

④ 빈뇨 및 배뇨통: 방광에 방사선이 들어가게 되면, 방광이 예민해져서 빈뇨 또는 배뇨통이 발생할 수 있다. 소변검사를 통해 요로감염이 동반된 것이 확인되면, 항생제와

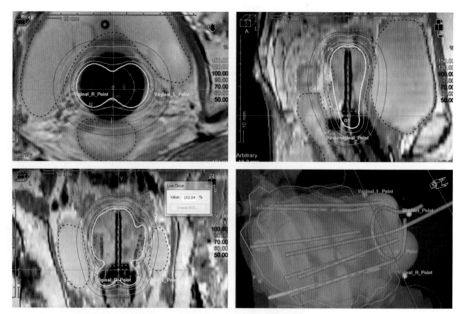

그림 13-5. 조직내 근접치료

진통소염제 처방이 필요하다. 요로감염 없이 단순히 방사선치료로 인한 증상이 경우에는, 트로스퓸염화물 등의 약을 처방하여 증상이 완화될 수 있도록 하는 것이 좋다.

2) 후기 부작용

① 질 협착: 외부조사 방사선치료와 근접치료를 받게 되면, 질 협착이 발생한다. 이를 예방하기 위해서는 방사선치료 완료 2주 후부터 에스트로겐이 포함된 질정을 주 2회 넣는 것이 필요하다. 질정과 서로 다른 날에 주 2회 질확장기도 사용하는 것이 추천된다. 질 협착은 방사선치료 완료 후 3년까지 발생할 수 있는 것으로 알려져 있어서, 이 기간 동안에는 질정 및 질확장기 사용을 꾸준히 하도록 환자를 독려해야 한다. 질 협착이 심한 경우에는 내진이 불가능하여 재발을 조기에 발견하기 어려우며, 통증도 발생하게 된다. 또한 이미 협착된 질은 다시 확장시키기는 매우 어려우므로, 미리 예방하도록 반복적인 교육이 필요하다.

② 직장 출혈: 근접치료 시 자궁경부에 인접해 있는 직장 및 방광에 고선량의 방사선이 조사된다. 방사선치료 완료 6개월~1년 사이에 약 5~10%의 환자에서 직장 출혈을 경험한다. 치질과는 다르게, 대부분 통증이 없으며 대변에 피가 섞여 나오는 양상이다. 출혈양이 많은 경우 빈혈이 초래될 수도 있으므로, 혈액검사를 시행하여 필요시 수혈을 고려해야 한다. 부데소니드 관장제 및 지혈제 등의 약물치료에도 출혈이 지속되는 경우에는 내시경적 지혈술이 필요하다.

③ 방광질사이누공: 방광과 질 사이에 길이 열리는 것으로, 진단 당시 암이 방광벽을 침범하고 있는 경우에 발생빈도가 높다. 방광질사이누공이 발생한 경우 수술적인 치료가 필요할 수 있다.

④ 장 천공: 아주 드물게 직장 또는 S-결장 천공이 발생할 수 있다. 근접치료 시 고선량

의 방사선을 받은 부위에서 발생할 수 있다. 장 천공 발생 시 수술적인 치료가 필요할 수 있다.

⑤ 장 협착: 방사선을 받은 소장의 운동능력의 변화로, 장이 꼬이는 듯한 증상이 발생할 수 있다. 이를 예방하기 위해서는 매 식사 후 30분씩 걸어주는 것이 도움이 된다.

⑥ 골절: 골반 방사선치료를 받게 되면 난소의 내분비기능이 저하되어 폐경이 오게 된다. 또한 방사선을 받은 뼈는 골절 위험이 높아진다고 알려져 있다. 따라서 골다공증 검사를 시행하여 골다공증이 있는 환자에서는 적극적인 치료를 하는 것이 필요하다. 또한 환자에게도 골절위험에 대해 알려주고, 낙상하지 않도록 교육이 필요하다.

비편평상피세포 자궁경부암(Non-Squamous Histology Type of Cervical Cancer)

편평상피세포 자궁경부암 이외에는 상피내선암종, 자궁경부선암, 선편평세포암, 선낭암 등이 있으며 WHO가 구분하는 병리조직분류는 다음과 같다(표 13-5).

표 13-5. 비편평상피세포자궁경부암의 분류(WHO female genital tract 2014)

Glandular tumors and precursors

- Adenocarcinoma in situ
- Adenocarcinoma, NOS
- Endocervical adenocarcinoma, usual type
- Mucinous carcinoma, NOS
- Mucinous carcinoma, gastric type
- Mucinous carcinoma, intestinal type
- Mucinous carcinoma, signet-ring cell type
- Villogladular carcinoma
- Endometrioid carcinoma
- Clear cell carcinoma
- Serous carcinoma
- Mesonephric carcinoma
- Adenocarcinoma mixed with neuroendocrine carcinoma

Other epithelial tumors

- Adenosquamous carcinoma
- Glassy cell carcinoma
- Adenoid cystic carcinoma
- Undifferentiated carcinoma

Neuroendocrine tumors

- Low-grade neuroendocrine tumor
- High-grade neuroendocrine tumor

자궁경부선암

자궁경부선암은 자궁경부암의 25%가 여기에 해당된다. HPV 관련암 이외에도 HPV 비관련암이 보고되고 있다. WHO는 최근 자궁경부선암을 형태에 따라서 분류하였다. 한편 IECC (International Endocervical Adenocarcinoma Criteria and Classification)에서는 형태 이외에 원인과 임상양상에 따라서 HPV 관련 자궁경부선암과 HPV 비관련 자궁경부선암으로 분류를 하였다(표 13-6). HPV 관련 자궁경부선암은 분열상(apical mitotic figure)과 사멸체(apoptotic body)를 보이는 것을 특징으로 한다.

Usual type 선암이 가장 흔하며 비편평상피세포 자궁경부암의 85~90%를 차지한다. 절반에서 외성장(exophytic) 형태를 보이며 종양세포는 mucin을 많이 포함하지 않는다. P16과 CEA에 염색이 잘 되며 in-situ hybridization검사에서 HPV mRNA가 잘 발견된다. 자궁경부 선상피내암(AIS)이 전구병변이고 HPV 18, 16 등과 관련성이 높다. 5년 무진행생존율은 77~91%, 5년 전체생존율은 50~65%로 보고되었다. Villoglandular carcinoma는 융모와 같이 잘 부스러지며, 유두상의 큰 종괴를 형성하며 AIS가 전구병변이다. HPV 관련 점액성 암종은 세포질의 형태에 따라서 분류되며 goblet cell이 보이는 intestinal type, signet ring cell이 보이는 signet ring type, gastric mucin을 분비하는 gastric type으로 분류된다.

Gastric type 선암은 자궁경부선암의 10%로 두 번째로 흔한 자궁경부선암의 형태이며 HPV 비관련 자궁경부선암의 대표적인 예이다. Barrel shape의 자궁경부를 보이며, 매우 공격적이며, 항암제에 반응하지 않고 복강 내 전이를 많이 보인다. 대부분 진행성 암으로 발견되며 I기로 발견이 되어도 5년 생존율이 62%, 질환 특이적 5년 생존율은 32%로 보고되었다.

자궁경부 선암의 병기는 FIGO 분류를 따르게 되며 편평상피세포암과 동일하게 치료한다. 선암은 HPV 관련있는 subtype과 관련을 보이지 않는 subtype으로 분류되며 형태학적인 관찰, 면역형질 발현, 면역조직염색이 진단과 분류에 매우 중요하다. 또한 앞으로 임상과 연계된 예후인자와 새로운 치료 표적을 발굴해 내는 것이 필요하다.

표 13-6. HPV 관련성에 따른 자궁경부선암의 IECC 분류 (2017)

HPV-associated adenocarcinoma
- Usual type
- Villoglandular
- Mucinous, NOS
- Mucinous, intestinal type
- Mucinous, signet ring cell type
- Invasive stratified mucin-producing carcinoma (iSMILE)

Non-HPV-associated adenocarcinoma
- Endometrioid adenocarcinoma
- Gastric-type adenocarcinoma
- Serous adenocarcinoma
- Clear cell adenocarcinoma
- Mesonephric carcinoma
- Invasive adenocarcinoma, NOS

단순 자궁절제술 이후의 자궁경부암

단순 자궁절제술 이후 검체에서 종종 우연히 자궁경부암이 발견되기도 한다. 이 경우에는 환자 병력과 신체검사, 간기능, 신기능 검사를 포함한 혈액검사를 하고, 흉부 X-선, CT, 혹은 PET-CT를 시행한다. 만일 잔류병변이 남아있을 것으로 의심되는 경우에는 MRI를 시행하기도 한다. 병기 IB2 이상에서는 방광경, 직장경 등을 선택적으로 시행한다. 추가치료는 병기에 따라 달라지며, IA1기 림프혈관강침윤이 없으면 추적검사만을 시행하며, 림프혈관강침윤이 있는 병기 IA1나 IA2기 이상의 환자에 대한 적절한 치료 계획은 수술절제면의 상태와 영상진단에 근거한다. 만약 림프혈관강침윤이 있으면서, 절제면이 양성이고 영상검사상 림프절 전이가 없다면, 개별화된 근접조사를 포함한 동시항암화학방사선요법이 권고된다. 병기 IA2 이상에서 절제면 및 영상검사상 전이 음성이면 ① 골반 및 근접 방사선조사를 단독 또는 시스플라틴을 기반으로 한 항암화학요법과 병합하거나, ② 자궁주위조직 절제술(parametrectomy) 및 림프절절제술을 시행할 수 있다. 자궁주위조직 절제술에 상부 질절제술을 포함하며, 림프절절제술은 대동맥주위 림프절절제술을 같이 시행할 수 있다. 만약 절제면 양성, 잔류 병변, 혹은 영상검사상 림프절 전이가 있을 경우 근접조사를 포함한 동시항암화학방사선요법이 권고된다. 방사선감수성을 높이는 약제로는 시스플라틴 또는 시스플라틴/5-플루오로우라실을 사용하며, 시스플라틴을 사용하지 못하는 경우에는 카보플라틴을 사용한다. 자궁주위조직 절제술과 림프절절제술 이후에 자궁주위조직 절제면이나 림프절 양성인 경우에는 추가 동시항암화학방사선요법이 권고된다(그림 13-6).

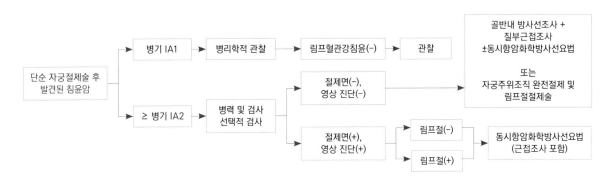

그림 13-6. 단순 자궁절제술 후 발견된 침윤자궁경부암의 치료(자궁경부암 진료권고안 v3.0, 2016)

재발성 자궁경부암

자궁경부암의 재발은 일반적으로 영상진단으로 확인할 수 있지만 선택적인 경우 침습적 방법을 이용하여 확진하고 치료 계획을 세운다. 난치성 자궁경부암 환자는 개인의 자궁경부암 상황에 따른 완화요법, 통증 요법 및 정신적 지지요법 등을 포함한 포괄적 접근이 필요하다.

1) 골반내 국소 재발

국소재발된 경우에는 방사선 혹은 동시항암화학방사선요법, 아니면 골반내용물적출술과 같은 수술을 시행할 수 있다(그림 13-7). 이전 방사선치료를 시행하지 않은 경우나 이전 방사선조사 범위를 벗어난 곳에 재발이 있을 때는 동시항암화학방사선요법을 고려하여야 하며 근접조사는 선택적으로 시행한다. 필요한 경우에는 수술적 제거를 고려할 수 있다. 일반적으로 동시항암방사선요법의 항암제는 시스플라틴, 카보플라틴, 시스플라틴/5-플루오로우라실이 사용되나, 초기 동시항암화학방사선 요법 이후에 바로 재발된 경우에는 파클리탁셀, 젬시타빈을 사용하기도 한다.

반면 이전에 방사선치료를 받았던 골반 중심부의 재발인 경우는 골반내용물적출술 (pelvic exenteration)을 선택적으로 시행할 수 있다. 선택된 환자에서 이 수술의 사망률은 5% 이하, 생존율은 50% 정도 보고되며 수술 후 재활치료가 종종 필요하다. 만일 종괴가 2cm 미만으로 작을 때는 광범위 자궁절제술이나 경우에 따라서 근접방사선 재치료를 고려할 수도 있다. 골반 중심부 재발이 아닐 때는 방사선치료, 수술적 제거, 항암화학요법을 시도할 수 있다.

2) 골반외 재발

골반외 재발, 대동맥주위 림프절 재발, 다발성 재발, 혹은 수술적 절제가 불가능한 재발이 있는 환자는 항암화학요법이나 지지요법을 시행하되, 고립성 재발은 선택적으로 항암화학요법, 수술적 절제, 방사선치료, 또는 동시항암화학방사선요법을 고려할 수 있다(그림 13-7). 수술적 제거가 힘든 재발양상을 보일 때는 대부분 완치되기 힘들며 특히 방사선치료를 하였던 골반에 재발한 경우에는 통증조절과 누공 처치가 어렵다. 그러나 림프절, 폐, 간, 뼈 등으로 단독전이가 발견되어, 국소병변의 수술적 제거 후 방사선치료를 시행할 수 있는 경우나 외부방사선으로 국소치료를 할 수 있는 경우에는 비교적 좋은 예후를 보인다.

완화항암화학요법은 방사선치료나 골반내용물적출술의 적응증이 되지 않는 재발 환자에게 권장된다. 재발 및 전이된 자궁경부암 환자의 일차 항암화학요법으로 백금제제를 기본으로 하는 복합항암화학제가 권장되고, 이를 사용할 수 없는 경우에는 시스플라틴 단독요법을 시행할 수 있다. NCCN guideline 2019 v.4에서는 시스플라틴/파클리탁셀, 파클리탁셀/베바시주맙, 시스플라틴/파클리탁셀을 category 1 약물로 시스플라틴/토포테칸 복합제를 category 2A로 권고하고 있다. GOG 240 임상시험에서 복합제에 베바시주맙을 추가 하여 13.3개월에서 16.8개월로 통계학적으로 의미 있는 전체생존율 향상을 보고하였다.[32] JCOG0505 투여하기 쉽고 내성이 우수한 카보플라틴/파클리탁셀 복합제가 시스플라틴/파클리탁셀에 비하여 열등하지 않다는 결과를 보였다.[33]

단일 약제로는 시스플라틴이 가장 효과적인 약물로 여겨지며, 20~30%의 반응률과 6~9개월의 전체생존율을 나타낸다. 고식적 항암제로 시스플라틴, 카보플라틴, 파클리탁셀 등이 사용된다. 최근에 펨브롤리주맙(Pembrolizumab)이 PD-L1 양성, MSI-H/dMMR

그림 13-7. 재발성 자궁경부암의 치료(자궁경부암 진료권고안 v3.0 2016)

자궁경부암 치료에 효과가 있음을 보였다.[34]

LACC 연구 및 자궁경부암에서의 미세침습수술

2018년에 초기 자궁경부암환자에서 미세침습수술을 이용한 광범위 자궁절제술과 개복수술을 이용한 광범위 자궁절제술을 비교한 LACC (Laparoscopic Approach to Cervical Cancer) 임상시험이 발표되었다.[35] 3년 무진행생존율은 미세침습수술군에서 91.2%, 개복군에서 97.1%이었고(HR 3.74; 95% CI, 1.63-8.58), 3년 전체생존율은 미세침습수술군 93.8%, 개복군 99.0%이었다(HR 6.00; 95% CI, 1.77-20.30). 이 결과는 초기 자궁경부암 광범위 자궁절제술을 시행할 때 미세침습수술군이 표준 기준인 개복군과 비교하여 비열등 기준에 미치지 못한다는 내용이었다.

한편 초기경부암에서 미세침습수술을 이용한 광범위 자궁절제술을 시행한 역학조사가 발표되었다. SEER data를 기초로 발표한 논문에서 병기 IA2-IB1 자궁경부암 수술 환자의 4년 사망률은 미세침습수술 9.1%, 개복군 5.3%으로 미세침습수술군이 높았고, 미세침습수술이 도입된 이후에 매년 생존율이 낮아지는 경향을 보였다.[36] 미국 National cancer data를 이용한 연구에서 종괴 크기가 2cm 이상인 경우 5년 생존율이 복강경군에서 낮게 나타났다.

대한부인종양학회에서는 최근 초기 자궁경부암환자에게 미세침습수술을 이용한 광범위 자궁절제술에 대한 입장문을 발표하였고 아래와 같다.

- 최근 전향적 무작위 3상 임상시험인 LACC 연구에서 미세침습수술을 이용한 광범위 자궁절제술이 개복수술 광범위 자궁절제술에 비하여 무진행생존율과 전체생존율이 낮았다고 보고되었다.

- 부인종양의사는 초기 자궁경부암의 미세침습 광범위 자궁경부암에 대한 새로운 연구 결과를 잘 알고 있어야 한다.

● 환자와 미세침습 광범위 자궁절제술을 선택할 경우 LACC와 각 기관의 결과를 상의해야 한다.
● 미세침습 광범위 자궁절제술은 임상지침에 따라서 적절한 환자군을 선택하여 미세침습수술에 익숙한 부인암전문의에 의해 시행되어야 한다.

기타치료

항암화학요법

자궁경부암의 초기 치료는 주로 수술치료가 이루어지며, 국소적으로 진행된 자궁경부암의 경우는 동시항암화학방사선치료를 받는 것이 보편적인 치료법이다. 그리고 원격 전이를 포함한 광범위한 재발의 경우 항암화학요법 등의 치료가 필요하다. 재발성 및 전이성 자궁경부암의 경우 치료법은 매우 제한적이며 항암화학요법 또는 국소 방사선치료가 시행될 수 있다. 자궁경부암은 다른 암종에 비해 상대적으로 항암화학요법에 저항성을 보인다. 따라서, 예후가 매우 불량하며, 1년 생존율이 20%로 보고되었다. 이러한 이유로 효과적인 치료법이 환자들의 치료를 위해 필요한 상황이다.

재발성, 전이성 자궁경부암의 1차 치료로는 시스플라틴, 파클리탁셀 요법에 베바시주맙을 추가한 요법이 권고되고 있다. GOG 240 연구 결과에 의하면, 베바시주맙을 시스플라틴/파클리탁셀 병용요법에 추가함으로써 약 3.7개월의 생존 연장 효과를 얻을 수 있었다.[37] 전통적으로 재발성 자궁경부암의 일차 치료제로는 시스플라틴을 기반으로 한 두 가지 약제 병용항암요법이 권고되며, 두 가지 약제를 사용 못할 경우 시스플라틴 단독요법을 시행할 수 있다. 항암화학요법 중 시스플라틴이 가장 많이 사용되었으며, 시스플라틴(50mg/m²) 단일 요법으로 투여될 경우 50% 반응률을 나타내었다. 그외 단독요법으로는 카보플라틴, 파클리탁셀, 토포테칸, 이리노테칸, 이포스파미드 등의 약제가 있다.

GOG 169 임상시험에서 재발성 자궁경부암에서 시스플라틴 단독 요법에 비해 시스플라틴/파클리탁셀 병용요법은 생존율 향상을 달성하지는 못했지만, 2개월의 무진행생존율 증가(7.6 대 4.8개월) 및 반응률 향상(36% 대 19%)을 나타내었다.[38] 빈혈 및 백혈구 감소증은 시스플라틴/파클리탁셀 병용요법군에서 더 증가하였다.

GOG 179 연구는, 시스플라틴(50mg/m²)/토포테칸(0.75mg/m²) 요법과 시스플라틴 단독요법을 비교한 연구이다. GOG 179 연구는 시스플라틴 기반의 병용요법이 시스플라틴 단독요법에 비해 생존기간을 3개월을 연장시킨 첫 연구로 평가된다(9.4 대 6.5개월, P = .017).[39] 그러나, 시스플라틴/토포테칸 병용요법을 투여받은 군에서 더 많은 골수억제와 같은 독성이 관찰되었다.

전이성/재발성 자궁경부암 환자의 경우 시스플라틴/파클리탁셀 병용요법이 표준 치료법으로 이용되고 있다. 이러한 표준요법에 대한 카보플라틴/파클리탁셀 병용요법의 비교연구(JGOG0505)가 시행되었다.[33] 카보플라틴/파클리탁셀 병용요법군은 17.5개월의 생존율(시스플라틴/파클리탁셀 병용요법군: 18.3개월)을 나타내어 기존의 표준요법에 비해 열등하지 않은 성적을 나타내었다. 이전에 시스플라틴을 치료 받지 않은 카보플라틴/파클리탁셀 병용요법군은 상대적으로 낮은 생존율(13.2개월)을 보였다. 자궁경부암 치료에 있어 카보플라틴은 시스플라틴에 비해 효과가 다소 낮은 것으로 알려져 있다. 카보플라틴의 장점으로는 시스플라틴에 비해 신독성, 오심/구토, 신경성 통증 등의 부작용이 낮게 나타난다고 보고되었다. 또한 카보플라틴은 항암화학요법 중에 동반되는 수액요법이 필요가 없는 것이 장점이다. 이전에 시스플라틴 항암화학요법을 받은 군에서, 카보플라틴 병용치료군이 시스플라틴 병용치료군에 비해 더 효과적이었으며, 이전에 동시항암화학방사선치료를 받은 군에서 시스플라핀 단독요법의 효과가 다소 감소되는 결과가 있었다. 이러한 현상은 시스플라틴 내성과 관련이 있을 것으로 추정된다.

항혈관형성 억제치료

자궁경부암 조직의 진행 및 전이에는 혈관내피성장인자(vascular endothelial growth factor, VEGF)의 혈관신생 촉진이 필요하다. VEGF의 발현은 질병의 진행 정도와 비례하고 생존율과는 반비례하는 경향을 보인다. GOG 227C 임상시험에서는 이전에 지속성, 재발성 자궁경부암으로 1-2회의 항암화학요법을 시행받은 환자 46명을 대상으로 베바시주맙 단독요법을 사용하였다.[40] 해당 연구에서 시스플라틴 병합 골반 방사선치료를 받은 환자들은 제외하였다. 베바시주맙은 무진행생존율 3.4개월, 생존율 7.3개월을 보였다. 베바시주맙은 항-VEGF 인간단일항체로서 재발성 자궁경부암에 효과를 보였다. GOG 227C에서 얻은 베바시주맙의 임상 효과를 알트레타민(Altretamine), 토포테칸, 에토포시드, 젬시타빈 등의 단독 항암화학요법 치료 성적과 비교하였을 때 가장 우수한 결과를 보였다.

GOG 227C 임상시험 결과를 바탕으로, GOG 240 임상시험에서는 2009년부터 2012년까지 452명의 자궁경부암 환자를 대상으로 시스플라틴과 파클리탁셀 병합군, 토포테탄과 파클리탁셀 병합군, 이 두군에 베바시주맙(15mg/kg, IV)을 추가한 3주 간격의 치료로, 4군을 비교하는 치료법이 원발성 자궁경부암 IVB, 재발성, 전이성 자궁경부암 환자를 대상으로 시도되었다.[37]

베바시주맙과 항암화학요법 병합은 항암화학요법에 비해 3.7개월의 전체생존율 증가(17.0개월 대 13.3개월), 2.3개월의 무진행생존율의 증가(8.2 대 5.9개월) 및 사망 위험 비율(hazard ratio for death: 0.71, p=.004) 감소를 보였다. 부작용으로는 고혈압 발생(25%), 정맥혈전증(8%), 위장관누공(3%) 등이 관찰되었다. 또한 이전에 방사선치료를 받은 골반부위에서 재발된 경우에도 베바시주맙 추가요법이 사망위험비율을 낮추었다.

면역항암치료

자궁경부암에서 항 PD-1 단일항체인 펨브롤리주맙을 이용한 KEYNOTE-028 임상시험이 programmed death ligand 1 (PD-L1) 양성인 진행성 고형암 환자를대상으로 시행되었다.[34] 펨브롤리주맙(10mg/kg)을 2주 간격으로 24개월 동안 투여하였고, 임상시험의 주요 목적은 안정성 및 반응률 평가였다. 24명의 자궁경부암 환자가 임상시험에 등록되었다. 임상시험환자들의 92%가 이전에 방사선치료를 받은 경험이 있고, 63%가 2회 이상의 항암화학요법을 받았다. 총 반응률은 17%로, 이 중 17%가 부분관해(partial response), 13%가 무변화질환(stable disease)를 보였다. 심각한 부작용은 발생하지 않았지만, 20%에서 발열, 홍조 등의 부작용이 관찰되었다.

정상적인 면역 상태에서 PD-L1은 T세포의 활성도를 저해하는 세포표면 수용체로 T세포의 면역 활성도 균형을 조절하는 기능을 한다. 자궁경부암조직 환경에서 T세포 표면에 발현된 PD-1은 T세포의 활성도를 더 저해하여, 암세포조직에서 T세포가 암세포를 제거하지 못하도록 하는 면역회피기전과 관련이 있다.

펨브롤리주맙은 단일항체로 PD-1와 PD-L1/PD-L2와의 결합을 억제하여 T세포의 활성도를 지속하는 역할을 한다. PD-L1은 자궁경부 상피내종양과 자궁경부암에서 높게 발현되는 것이 관찰되었다. 펨브롤리주맙은 흑색종, 비소세포성 폐암, 호지킨림프종, 재발성 두경부암, 현미부수체 불안정성이 높거나(microsatellite instability high) DNA 불일치 복구 유전자가 결핍된(mismatch repair deficient) 암 치료에 허가된 상태이다.

KEYNOTE-158는 2상 임상시험으로 다양한 암종에서 펨브롤리주맙을 이용한 바스켓 형태의 임상시험이다.[41] 전 세계 17개국에서 2016년도에 98명의 자궁경부암 환자를 대상으로 펨브롤리주맙 200mg을 3주 간격으로 30분간 정맥투여 방법으로 2년간 또는 질병이 진행될 시점까지 치료하였다. 치료효과는 Response Evaluation Criteria in Solid Tumors (version 1.1)을 이용하여 평가하였다. 종양조직에서 PD-L1 발현을 알아보기 위해 PD-L1 면역 염색을 시행하였다. 84%의 환자에서 PD-L1 면역염색 양성 반응을 보였다. 펨브롤리주맙 치료에 대한 반응률은 14.6%였으며, 반응을 보인 모든 환자들은 자궁경부암 조직에서 PD-L1 양성이었다. 반응 기간은 3.7개월에서 18.6개월까지 보고가 되었으며, 부작용으로는 갑상선기능저하증, 식욕저하, 피곤 등이 있었다. PD-L1의 발현율은 Combined positive score (CPS)를 이용하였다. 이는 PD-L1 양성세포(종양세포, 림프세포, 대식세포): 종양세포 100개의 비율을 이용한 수치이다. CPS가 1 이상일 경우 PD-L1 양성으로 간주하였고 전체 환자 중 84%가 PD-L1 양성으로 판정되었다. 치료 반응률은 12.2%였으며, PD-L1 양성을 보인 환자 중 반응률은 14.6%로 나타났다. 치료 시작 후 반응은 평균 2개월 후에 관찰되었다. 생존기간 중간값은 9.4개월이었고, PD-L1 양성을 보인 환자 중에서는 11개월이었다. PD-L1 양성군과 음성군에서 반응률의 차이가 유의하게 구별되지는 않았다. KEYNOTE-158 임상시험에 근거하여 미국 FDA는 PD-L1 양성인 자궁경부암 환자에서 항암치료에 반응이 없을 경우 사용하도록 허가하였다.

니볼루맙(Nivolumab)은 PD-1 항체로 CheckMate 358 임상시험에서 재발성, 전이성 자궁경부암, 질암, 외음부암 치료에 240mg 용법으로 2주 간격으로 사용되었다.[42] PD-L1 면역염색검사가 필수적인 검사로 포함되지 않은 임상시험이다. 반응률은 26%를 보였다. CheckMate 358 임상시험의 특징은 니볼루맙을 일차 치료제로 선택한 군이 30%로 KEYNOTE-028 연구에 비해 상대적으로 높은 비율을 보였다. KEYNOTE-028 임상시험에서는 2회 이상의 치료를 이미 받은 환자들이 63%를 차지하였다. 부작용으로는 저나트륨혈증, 실신, 간 독성 등이 보고되었다. 평균 6개월 이상의 치료 반응 기간을 보였다.

추적관찰

자궁경부암 치료 후 추적 관찰은 첫 2년은 매 3~6개월, 다음 3년은 매 6~12개월마다 검진을 시행한다. 환자의 임상 소견에 근거해서 관찰 주기를 결정하여야 한다. 자궁경부세포검사, 혈액검사, 골반/복부/흉부에 대한 영상검사를 CT, MRI, PET 등을 이용하여 시행할 수 있다. 혈액검사는 CBC, BUN, creatinine 등을 환자 증상에 따라서 검사할 수 있다.

참고문헌

1   Bray F, Ferlay J, Soerjomataram I, Siegel RL, Torre LA, Jemal A. Global cancer statistics 2018: GLOBOCAN estimates of incidence and mortality worldwide for 36 cancers in 185 countries. CA Cancer J Clin 2018;68:394-424.

2   Jung KW, Won YJ, Kong HJ, Lee ES. Cancer Statistics in Korea: Incidence, Mortality, Survival, and Prevalence in 2016. Cancer Res Treat 2019;51:417-430.

3   Bhatla N, Aoki D, Sharma DN, Sankaranarayanan R. Cancer of the cervix uteri. Int J Gynaecol Obstet 2018;143 Suppl 2:22-36.

4   Cohen PA, Jhingran A, Oaknin A, Denny L. Cervical cancer. Lancet 2019;393:169-182.

5   Edge SB, Compton CC. The American Joint Committee on Cancer: the 7th edition of the AJCC cancer staging manual and the future of TNM. Ann Surg Oncol 2010;17:1471-4.

6   FIGO staging for carcinoma of the vulva, cervix, and corpus uteri. Int J Gynaecol Obstet 2014;125:97-8.

7   Bipat S, Glas AS, van der Velden J, Zwinderman AH, Bossuyt PM, Stoker J. Computed tomography and magnetic resonance imaging in staging of uterine cervical carcinoma: a systematic review. Gynecol Oncol 2003;91:59-66.

8   Selman TJ, Mann C, Zamora J, Appleyard TL, Khan K. Diagnostic accuracy of tests for lymph node status in primary cervical cancer: a systematic review and meta-analysis. Cmaj 2008;178:855-62.

9   Henriksen E. The lymphatic spread of carcinoma of the cervix and of the body of the uterus; a study of 420 necropsies. Am J Obstet Gynecol 1949;58:924-42.

10 Hu T, Wu L, Xing H, Yang R, Li X, Huang K, et al. Development of criteria for ovarian preservation in cervical cancer patients treated with radical surgery with or without neoadjuvant chemotherapy: a multicenter retrospective study and meta-analysis. Ann Surg Oncol 2013;20:881-90.

11 Lim MC, Lee M, Shim SH, Nam EJ, Lee JY, Kim HJ, et al. Practice guidelines for management of cervical cancer in Korea: a Korean Society of Gynecologic Oncology Consensus Statement. J Gynecol Oncol 2017;28:e22.

12   Morris M, Eifel PJ, Lu J, Grigsby PW, Levenback C, Stevens RE, et al. Pelvic radia-
     tion with concurrent chemotherapy compared with pelvic and para-aortic radia-
     tion for high-risk cervical cancer. N Engl J Med 1999;340:1137-43.

13   Sardi JE, Boixadera MA, Sardi JJ. Neoadjuvant chemotherapy in cervical cancer: a
     new trend. Curr Opin Obstet Gynecol 2005;17:43-7.

14   Querleu D, Morrow CP. Classification of radical hysterectomy. Lancet Oncol
     2008;9:297-303.

15   Cibula D, Abu-Rustum NR, Benedetti-Panici P, Kohler C, Raspagliesi F, Quer-
     leu D, et al. New classification system of radical hysterectomy: emphasis on a
     three-dimensional anatomic template for parametrial resection. Gynecol Oncol
     2011;122:264-8.

16   Lee M, Choi CH, Chun YK, Kim YH, Lee KB, Lee SW, et al. Surgical manual of the
     Korean Gynecologic Oncology Group: classification of hysterectomy and lymph-
     adenectomy. J Gynecol Oncol 2017;28:e5.

17   Quinn MA, Benedet JL, Odicino F, Maisonneuve P, Beller U, Creasman WT, et al.
     Carcinoma of the cervix uteri. FIGO 26th Annual Report on the Results of Treat-
     ment in Gynecological Cancer. Int J Gynaecol Obstet 2006;95 Suppl 1:S43-103.

18   Sedlis A, Bundy BN, Rotman MZ, Lentz SS, Muderspach LI, Zaino RJ. A randomized
     trial of pelvic radiation therapy versus no further therapy in selected patients with
     stage IB carcinoma of the cervix after radical hysterectomy and pelvic lymph-
     adenectomy: A Gynecologic Oncology Group Study. Gynecol Oncol 1999;73:177-83.

19   Peters WA, 3rd, Liu PY, Barrett RJ, 2nd, Stock RJ, Monk BJ, Berek JS, et al. Con-
     current chemotherapy and pelvic radiation therapy compared with pelvic radiation
     therapy alone as adjuvant therapy after radical surgery in high-risk early-stage
     cancer of the cervix. J Clin Oncol 2000;18:1606-13.

20   Rose PG, Bundy BN, Watkins EB, Thigpen JT, Deppe G, Maiman MA, et al. Concur-
     rent cisplatin-based radiotherapy and chemotherapy for locally advanced cervical
     cancer. N Engl J Med 1999;340:1144-53.

21   Piver MS, Rutledge F, Smith JP. Five classes of extended hysterectomy for women
     with cervical cancer. Obstet Gynecol 1974;44:265-72.

22   Landoni F, Maneo A, Cormio G, Perego P, Milani R, Caruso O, et al. Class II versus
     class III radical hysterectomy in stage IB-IIA cervical cancer: a prospective ran-
     domized study. Gynecol Oncol 2001;80:3-12.

23   Webb MJ, Symmonds RE. Wertheim hysterectomy: a reappraisal. Obstet Gynecol
     1979;54:140-5.

24   Kim YJ, Kim JY, Kim Y, Lim YK, Jeong J, Jeong C, et al. Magnetic resonance im-
     age-guided brachytherapy for cervical cancer: Prognostic factors for survival.
     Strahlenther Onkol 2016;192:922-930.

25   Han K, Milosevic M, Fyles A, Pintilie M, Viswanathan AN. Trends in the utilization
     of brachytherapy in cervical cancer in the United States. Int J Radiat Oncol Biol
     Phys 2013;87:111-9.

26   Gill BS, Lin JF, Krivak TC, Sukumvanich P, Laskey RA, Ross MS, et al. National
     Cancer Data Base analysis of radiation therapy consolidation modality for cervi-
     cal cancer: the impact of new technological advancements. Int J Radiat Oncol Biol
     Phys 2014;90:1083-90.

27   Onal C, Guler OC, Dolek Y, Erbay G. Uterine perforation during 3-dimensional im-
     age-guided brachytherapy in patients with cervical cancer: Baskent University ex-

perience. Int J Gynecol Cancer 2014;24:346–51.

28 Potter R, Tanderup K, Kirisits C, de Leeuw A, Kirchheiner K, Nout R, et al. The EM-BRACE II study: The outcome and prospect of two decades of evolution within the GEC–ESTRO GYN working group and the EMBRACE studies. Clin Transl Radiat Oncol 2018;9:48–60.

29 Sturdza A, Potter R, Fokdal LU, Haie–Meder C, Tan LT, Mazeron R, et al. Image guided brachytherapy in locally advanced cervical cancer: Improved pelvic control and survival in RetroEMBRACE, a multicenter cohort study. Radiother Oncol 2016;120:428–433.

30 Kim YJ, Kim JY, Kim TH, Lim YK, Yoon MG, Joo JN, et al. Dosimetric evaluation of magnetic resonance imaging–based intracavitary brachytherapy for cervical cancer. Technol Cancer Res Treat 2014;13:243–51.

31 Kim Y, Kim YJ, Kim JY, Lim YK, Jeong C, Jeong J, et al. Toxicities and dose–volume histogram parameters of MRI–based brachytherapy for cervical cancer. Brachytherapy 2017;16:116–125.

32 Tewari KS, Sill MW, Penson RT, Huang H, Ramondetta LM, Landrum LM, et al. Bevacizumab for advanced cervical cancer: final overall survival and adverse event analysis of a randomised, controlled, open–label, phase 3 trial (Gynecologic Oncology Group 240). Lancet 2017;390:1654–1663.

33 Kitagawa R, Katsumata N, Shibata T, Kamura T, Kasamatsu T, Nakanishi T, et al. Paclitaxel Plus Carboplatin Versus Paclitaxel Plus Cisplatin in Metastatic or Recurrent Cervical Cancer: The Open–Label Randomized Phase III Trial JCOG0505. J Clin Oncol 2015;33:2129–35.

34 Frenel JS, Le Tourneau C, O'Neil B, Ott PA, Piha–Paul SA, Gomez–Roca C, et al. Safety and Efficacy of Pembrolizumab in Advanced, Programmed Death Ligand 1–Positive Cervical Cancer: Results From the Phase Ib KEYNOTE–028 Trial. J Clin Oncol 2017;35:4035–4041.

35 Ramirez PT, Frumovitz M, Pareja R, Lopez A, Vieira M, Ribeiro R, et al. Minimally Invasive versus Abdominal Radical Hysterectomy for Cervical Cancer. N Engl J Med 2018;379:1895–1904.

36 Melamed A, Margul DJ, Chen L, Keating NL, Del Carmen MG, Yang J, et al. Survival after Minimally Invasive Radical Hysterectomy for Early–Stage Cervical Cancer. N Engl J Med 2018;379:1905–1914.

37 Tewari KS, Sill MW, Long HJ, 3rd, Penson RT, Huang H, Ramondetta LM, et al. Improved survival with bevacizumab in advanced cervical cancer. N Engl J Med 2014;370:734–43.

38 Moore DH, Blessing JA, McQuellon RP, Thaler HT, Cella D, Benda J, et al. Phase III study of cisplatin with or without paclitaxel in stage IVB, recurrent, or persistent squamous cell carcinoma of the cervix: a gynecologic oncology group study. J Clin Oncol 2004;22:3113–9.

39 Long HJ, 3rd, Bundy BN, Grendys EC, Jr., Benda JA, McMeekin DS, Sorosky J, et al. Randomized phase III trial of cisplatin with or without Topotecan in carcinoma of the uterine cervix: a Gynecologic Oncology Group Study. J Clin Oncol 2005;23:4626–33.

40 Monk BJ, Sill MW, Burger RA, Gray HJ, Buekers TE, Roman LD. Phase II trial of bevacizumab in the treatment of persistent or recurrent squamous cell carcinoma of the cervix: a gynecologic oncology group study. J Clin Oncol 2009;27:1069–74.

41 Chung HC, Ros W, Delord JP, Perets R, Italiano A, Shapira–Frommer R, et al. Effi-

cacy and Safety of Pembrolizumab in Previously Treated Advanced Cervical Cancer: Results From the Phase II KEYNOTE-158 Study. J Clin Oncol 2019;37:1470-1478.

42　Minion LE, Tewari KS. Cervical cancer – State of the science: From angiogenesis blockade to checkpoint inhibition. Gynecol Oncol 2018;148:609-621.

CHAPTER

14

질과 외음의 전암 질환과 침윤성 암

Preinvasive Disease and
Invasive Cancer of
Vagina and Vulva

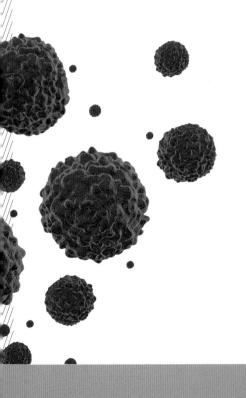

책임저자

이철민 | 차의과학대학교 의학전문대학원 산부인과

집필저자

김정식 | 순천향대학교 의과대학 산부인과

박정우 | 동아대학교 의과대학 산부인과

변정미 | 인제대학교 의과대학 산부인과

Gynecologic Oncology

질 상피내종양(Vaginal Intraepithelial Neoplasia, VAIN)

질 상피내종양의 분류(Classification of Vaginal Intraepithelial Neoplasia, VAIN)

질 상피내종양은 자궁경부 상피내종양과 마찬가지로 질 상피내종양 1(경도 이형성), 질 상피내종양 2(중등도 이형성), 그리고 질 상피내종양 3(중증도 이형성/상피내암종)으로 분류된다. 질 상피내종양 3은 전암병변으로 생각되지만 그 이전 병변은 암으로의 진행은 밝혀지지 않았다.

질 상피내종양 1은 HPV에 의한 변화로 추정되고, 64~84%가 고위험군의 HPV와 연관되어 있다. 이 병변의 악성 가능성은 증명되지 않았으므로 경과 관찰을 하는 것이 권장된다. 라스트(lower anogenital squamous terminology standardization, LAST) 프로젝트는 HPV 감염 및 질 상피내종양 1을 질 저등급 편평상피내병변(low grade squamous intraepithelial lesion, LSIL)으로, 질 상피내종양 2-3을 질 고등급 편평상피내병변(high grade squamous intraepithelial lesion, HSIL)로 분류하였다.[1]

고등급 질 상피내종양에서 90% 이상, 그리고 질암의 70% 이상에서 HPV 감염과 관련성이 있다. HPV 16, 18번은 고등급 질 상피내종양과 60% 이상에서 관련이 있고, 저등급 질 상피내종양과 40%에서 관련이 있다. 이처럼 질암은 HPV와 강력한 연관성을 보이기 때문에 16번, 18번 HPV에 대한 예방백신 접종은 질 상피내종양의 유병률을 감소시킬 수 있을 것으로 본다.

임상 특성

1970년대 이후로, 고등급 질 상피내종양 환자는 점차 증가하고 있으며, 평균연령은 50대이다. 고등급 질 상피내종양의 진단 시 연령은 고등급 자궁경부 상피내종양의 진단 시 연령보다 평균적으로 높다. 하지만 질 상피내종양병변의 단계가 증가할수록 연령과의 연관성은 없다.

질 상피내종양에 대한 임상적 관심이 증가하고, 선별검사가 확대되고, 유병률이 증가하게 되면서 고등급 질 상피내종양의 진단률이 증가하는 양상을 보인다. 원발성 질 편평세포암이 드물다는 것은 질 상피내종양의 악성화 가능성은 낮다는 것을 시사하지만 침윤암으로의 진행이 발생할 수도 있다. 질 상피내종양의 낮은 악성화 가능성은 변형대(transformation zone)가 존재하지 않고 이것은 질내 HPV에 의한 병변을 퇴화시킬 수 있는 용질세포반응이 없다는 것을 의미한다.

질 상피내종양은 흔히 자궁경부 상피내종양과 연관되어 발생한다. 자궁경부 상피내종양의 약 3% 정도에서는 질 후원개를 침범하여 질 상피내종양을 동반하며, 질 상피내종양이 단독적으로 생기기도 한다. 고등급 질 상피내종양은 약 70% 이상에서 질 상부 1/3에서 발생하고, 그 다음 하부 1/3이고 질 중간부는 이유를 알 수 없으나 드물게 발생한다. 다발성 병변은 질 전체에 발생할 수 있다. 위험인자로는 자궁경부암의 과거력, 흡연, 장기이식을 받았거나 사람면역결핍바이러스 감염과 같이 면역 억제된 상태 등이 있다.

질 상피내종양 병변은 보통 세포검사와 질확대경검사를 통한 조직검사로 진단한다. 질 상피내종양이 있는 환자의 1/3에서 고등급의 자궁경부 상피내종양이 존재하고 그 환자의 대부분은 자궁경부 세포검사에서 양성소견을 보인다. 특히 질원개와 질벽은 질확대경검사 시에 함께 관찰이 필요하며, 특히 질 상부를 주의깊게 검사해야 한다. 질벽의 확대경검사가 필요한 경우는 표 14-1과 같이 정리할 수 있다.

표 14-1. 질벽의 확대경검사가 필요한 경우

1. 자궁경부 상피내종양의 성공적 치료 후 비정상 세포검사 결과
2. 전자궁절제술 후 질 둥근천장에서의 비정상 세포검사 결과
3. 질확대경에서 정상 자궁경부 소견을 보인 경우에서 비정상 세포검사 결과
4. 면역 억제 상태에서 고등급 자궁경부 상피내종양 발견 시
5. 외음 고등급상피내종양이 진단된 경우
6. 육안소견으로 질벽에 이상 소견이 발견될 때
7. 자궁 내 diethylstilbestrol의 노출이 의심 혹은 확인될 때
8. 다발성 HPV 감염이 진단되거나 치료를 받은 경우
9. 침윤성 자궁경부암이 진단된 경우

질 상피내종양 환자 중 10%에서는 고등급 외음 상피내종양(vulvar intraepithelial neoplasia, VIN)이 함께 진단된다. 그러므로 모든 질 상피내종양 환자에서는 외음의 확대경검사가 필요하다.

진단

고등급 질 상피내종양은 일반적으로 질확대경 조준 생검으로 진단한다. 병변은 종종 분홍색, 적색, 또는 백색의 형태로 보이기도 하지만, 보통 초산을 점적하기 전에는 편평하고 눈에 띄지 않을 수 있다. 임상적으로 명확한 과다각화증(hyperkeratosis)이나 백색판증(leukoplakia)은 잠재적인 질 상피내종양 병변을 의심할 수 있고, 특히 폐경 전후 환자에서는 질 상피가 박리되거나 괴사가 일어나는 것이 잠재적 질 상피내종양의 표식이 될 수 있다. 5% 초산 점적 후의 질확대경 소견은 고등급 자궁경부 상피내종양과 유사하다. 초산 반응에 걸리는 시간이 자궁경부 상피내종양보다 오래 걸리고, 질의 주름으로 인해 병변은 육안으로 관찰하기 어렵다. 혈관 패턴이 보통 흐릿하거나 잘 보이지 않을 수도 있다. 고등급 질 상피내종양은 초산 반응이 희미해지면서 모세혈관 점적(punctation)이 명확하게 보이기도 한다. 암 진행 후기에는 명확한 비정상 혈관 패턴이 나타난다. 광범위한 간격으로 정맥류 점적(varicose punctation) 그리고, 드물지만 질 상피내종양 부위에서 발생하는 모자이크(mosaicism)는 침윤성 암으로 의심할 수 있다.

질의 확대경 평가가 어렵기 때문에 요오드 용액(iodine)을 점적한 후 검사하는 것으로 어려움을 극복할 수 있다. 고등급 질 상피내종양은 간색으로 염색된 정상 점막으로 둘러싸여 황색으로 그 병변이 드러난다. 정확한 조직검사가 필요한 주요 병변을 발견할 수 있다. 요오드 용액의 점적은 치료 경계를 설정하는 데 필요하다.

치료

고등급 질 상피내종양은 침윤성 암으로 진행할 수 있기 때문에 치료가 필요하다. 그러나, 이러한 질 상피내종양의 치료는 어려우며, 특히 병변이 자궁절제술 후 질원개에 생긴 경우나 광범위하고 다발성인 경우 더욱 어렵다. 질벽 부분절제술과 국소절제술이나 질 근접방사선치료가 주된 치료의 기법이었다. 하지만 두 치료법 모두 합병증이 많아서 최근 대부분의 질 상피내종양에서는 CO_2 레이저가 주된 치료법으로 사용된다. 질벽은 다른 생식관에 비해 얇고 다른 중요 기관에 접해 있다. 그러므로 수술적 접근이 어렵다. CO_2 레이저는 수술자로 하여금 정확하게 치료의 깊이를 조절할 수 있게 해주고 높은 치유율을 보인다.

5-플루오로우라실(5-fluorouracil, 5-FU) 질내 도포는 선택 환자군에서 좋은 효과를 보이기도 한다. 5-FU 크림은 약제에 의한 염증반응 혹은 궤양을 일으켜 질 상피내종양 병변을 치료한다. 치료 시에는 외음 피부를 보호해야 하고 질 점막이 지속적으로 박피되는 것을 피해야 한다.

5% 이미퀴모드(imiquimod) 크림은 고등급 질 상피내종양 중 절개술이 안 되는 경우에 고려할 수 있다. 이 치료에 대한 데이터는 부족하지만 이미퀴모드 크림은 질 상피내종양에서 높은 반응률과 치료율을 보인다. 다른 국소치료보다 재발률이 높지 않고 대부분의 환자에서 안전하다. 이미퀴모드는 질 상피내종양의 병변 중 광범위하거나 다발성인 경우 일차적 치료법으로 고려할 수 있고 특히 절제술 전에 병변의 크기를 줄이는 목적으로 사용해 볼 수 있다. 침윤암이 아닌 것이 확인된 경우 전기소작술(ablation)이 시행되기도 한다.

자궁절제술 후의 질원개에서 발생한 고등급 질 상피내종양의 치료는 특히 수술적 치료가 힘들다. ASCCP의 2012년도 가이드라인에서는 자궁경부 상피내종양 2 이상으로 자궁절제술을 시행한 경우, 이후 질 암의 선별검사를 시행할 것을 권고한다. 질 암은 자궁절제술 후 10~20년 이상 지난 후 발생할 수 있기 때문에 고등급 상피내종양이 잘 생길 수 있는 위험인자를 가진 환자들에서는 선별검사를 지속하는 것은 중요하다.

외음 상피내종양(Vulvar Intraepithelial Neoplasia, VIN)

1970년 이후부터, 고등급 외음 상피내종양 발생률은 두드러지게 증가하였고, 발병 연령은 낮아지는 양상을 보이고 있다. 하지만, 외음암 발생률은 오히려 더 적었는데, 이는 아마도 전암성 질환에 대한 적극적 치료 때문일 것으로 추정된다. 고등급 외음 상피내종양의 약 85%가 HPV와 관련이 있지만, HPV DNA는 외음암의 약 40%에서만 검출된다. HPV가 음성인 고령의 외음암 환자들의 전암병변 형태는 대부분 경화성 태선(lichen sclerosus)이다.

분류

외음의 전암병변에 대한 인식은 75년 이상 되었지만, 이들에 대한 용어는 여전히 일관적이지 않았다. 외음 제자리암종(carcinoma in situ, CIS)은 보웬병(Bowen disease), 케이라홍색형성증(erythroplasia of Queyrat), 단순제자리암종, 보웬모양구진증(bowenoid papulosis), 외음위축증, 그리고 백반으로 기술되어 왔다. 1986년, 국제외음질환연구회(International Society for the Study of Vulvar Disease, ISSVD)는 이러한 외음의 전암병변에 대한 용어를 외음 상피내종양(vular intraepithelial neoplaisa, VIN)으로 개정하였다. 외음 상피내종양은 자궁경부 상피내종양과 같은 일관성 있는 등급 분류를 위해 도입되었다. 하지만 외음 상피내종양은 등급 1-3부터 외음암까지 종양의 생물학적 연속성이 확립되지 않았다.

외음 상피내종양 3이 암으로 진행하는지에 대해서는 여전히 논란이 있지만, 악성으로 발전할 수 있다는 것은 알려져 있다. 이와는 대조적으로 외음 상피내종양 1은 악성으로의 발전 가능성의 직접적인 증거는 없다. 대부분의 외음 상피내종양은 조직학적으로 외음 상피내종양 2-3이며, 이들은 전암병변인 고등급 외음 상피내종양으로 분류된다.

2004년 ISSVD는 외음 상피내종양의 세 단계 분류를, 고등급 외음 상피내종양만을 외음 상피내종양으로 분류하는 한 단계 분류체계로 대체하였다. 이는 발병원인에 따라 다음 두 형태로 분류된다(표 14-2). VIN, usual type은 HPV의 감염과 관련이 있으며, 흡연이나 면역억제와 같이 HPV가 지속 감염 상태를 유지할 수 있는 임상적인 상태와 관련 있다. 반면, 분화된 외음 상피내종양(differentiated type VIN, DVIN)은 HPV와 관련이 없고, 경화성 태선과 같은 외음피부병변과 관련 있다.[2] 2015년에 하부생식기의 HPV 감염과 관련된 편평세포병변의 통일된 명명법에 따라 ISSVD는 외음 상피내종양을 저등급 편평상피내병변(LSIL), 고등급 편평상피내병변(HSIL), 분화된 외음 상피내종양(DVIN)으로 분류하였다(표 14-2).[3] 2004년 이전 외음 상피내종양 1로 분류되었던 병변이 2015 ISSVD 분류에 따르면 LSIL로 분류되었다.

표 14-2. 외음 상피내종양의 ISSVD 분류

2004 용어	2015 용어
	저등급 편평상피내병변[LSIL of the vulvar (vulvar LSIL, condyloma, or HPV effect)]
VIN, usual type 　Warty type 　Basaloid type 　Mixed (warty or basaloid) type	고등급 편평상피내병변[HSIL of the vulvar (vulvar HSIL, VIN usual type)]
VIN, differentiated type	분화된 외음 상피내종양(DVIN)

SIL indicates squamous intraepithelial lesion; LSIL, low-grade SIL; HPV, Human papillomavirus; HSIL, high-grade SIL; VIN, vulvar intraepithelial neoplasia; DVIN, differentiated type VIN

고령환자에서 고등급 외음 상피내종양은 국소적이며, 단일 병변이 많다. 침윤성 외음암은 주로 노년층에서 발생하기 때문에, 이러한 병변에 대해서는 악성으로의 발전 가능성이 높다. 고령환자에서 발생하는 침윤성 암의 전암병변은 고등급 상피내종양보다 경화성 태선의 형태로 존재한다. 젊은 환자의 경우, 고등급 외음 상피내종양 병변은 다발성이고 광범위하며, 병변은 소음순점막 내측면으로부터 대음순의 음모가 있는 피부, 그리고 음핵, 음핵 주위(periclitoral area), 치구 앞쪽으로부터 회음과 항문주위 뒤쪽까지 퍼져있을 수 있다. 요도, 음핵, 질, 항문관 등도 주의깊게 확인할 필요가 있다(그림 14-1).

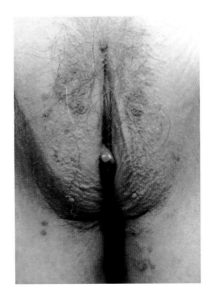

그림 14-1. 고등급 외음 상피내종양

외음 상피내종양 3을 가진 여성의 30% 이상이 가려움증, 작열, 통증, 그리고 배뇨장애와 같은 증상을 동반한다. 외음 피부에 국한된 덩이나 비후가 있거나, 색소 침착의 증가 혹은 감소가 발견된다. 비록 증상이 있는 경우에도 고등급 외음 상피내종양의 진단이 지연될 수 있다. 특히 비정상적인 자궁경부 세포검사에 대한 질확대경검사를 할 경우 외음에 대한 검사가 권장된다.

외음 상피내종양은 환자의 연령과 피부색, 외음 및 항문주위 병변의 위치에 따라 다르며, 색은 흰색, 빨간색 또는 갈색으로 보일 수 있다. 백색 병변은 과다각화증 혹은 외측 각화층의 탈수가 원인일 수 있고, 붉은 병변은 증가한 혈관분포에서 기인하는데, 이는 염증반응 혹은 신생물의 혈관생성인자에 부차적으로 증가한 혈관을 반영한다. 갈색 병변이나 색소화된 병변은 대개 각질화 편평상피에서 멜라닌 실조에서 비롯되어 발생한다.

외음 상피내종양은 병변이 미세유두돌기 표면(micropapilliferous surface)에서 색소침투, 융합성, 또는 크고 지속적인 콘딜로마 병변을 가진 환자의 30%에서 생검으로 진단된다. 조직검사에서 심각한 이형성 형태를 보이는 콘딜로마 병변은 고위험 HPV 감염을 동반하고 있으며, 특히, HPV 16 및 18형이 70% 이상에서 검출된다. 전암성 외음 질환에서 질확대경검사는 진단을 위해 필요한 검사이다. 5% 초산 용액 도포 후 질확대경검사 시 병변은 밀집된 백색병변으로 뚜렷이 구분되어 나타난다. 질확대경검사로 이전에 확인되지 않은 무증상 병변을 식별할 수 있으며, 병변의 범위를 확인할 수 있다.

고등급 외음 상피내종양에서 혈관 패턴은 눈에 잘 띄지 않거나, 특히 과다각화증이 있을 경우에는 보이지 않는 경우가 많다. 점막의 황반 병변은 모세혈관 점적 패턴을 나타낼 수 있으며, 미세한 점적은 종종 구진 병변에서 관찰된다. 확진은 생검으로 특히 박피성 치료(ablative treatment)와 절제를 함께 고려하는 생검을 통한 진단이 필요하다. 생검은 외래에서 국소마취하 Keyes 생검 기구로 할 수 있다.

외음 상피내종양의 치료

외음 상피내종양 치료는 증상을 조절하고 침윤암으로의 진행을 예방하고자 하는 것이 목표이다. 일반적으로 단순 외음절제술이 시행되어왔으나 다양한 연령층과 병변의 크기, 분포 및 동반질환 여부 등에 따라 각 환자들에게 개별화된 치료가 시행되어야 한다.

다발성 병변과 면역 약화는 병의 재발과 관련이 있다. 정상적인 면역력을 가진 젊은 여성이 다발성 병변을 가지고 있거나, 임신부의 경우 치료하지 않고 면밀한 추적관찰을 시행할 수도 있다.

1) 광범위한 국소절제, 피부판시술(skin flap procedures) 및 표재성 외음절제술

국소적 고등급 외음 상피내종양은 표재성 외음절제술이 적절한 치료법이며 병변으로부터 최소 5mm의 경계면을 두고 절제해야 한다. 광범위 국소절제는 단발성 및 측면 병변의 고등급 상피내종양에 이상적인 치료법이다. 만약 병변이 침윤암의 가능성이 있다면 광범위 국소절제가 필요하다. 수술적 절제 후 경계면에 병변이 없으면 국소적 질병의 90% 치료율을 보인다. 수술적 경계면에서 병변이 양성인 경우 치료율은 50%로 낮아져 매우 면밀한 추적관찰이 필요하다. 특히 질확대경검사에서 침윤 가능성이 있는 경우, 크고, 융합성 병변 또는 광범위한 다발성 질환은 결함을 채우기 위해 회전 피판(rotational flaps)을 사용할 수 있다.

2) CO_2 레이저 수술

외음 상피내종양은 젊은 여성에서 자주 발생하며, 30% 이상에서 대음순의 음모가 난 부위를 포함해 매우 광범위하게 발생할 수 있다. 피부 이식을 해야 하는 광범위 절제는 심각한 흉터와 해부학적 변형을 일으킬 수 있으므로, 젊은 여성에서는 CO_2 레이저 절제술이 적절한 치료로 생각된다. 광범위한 레이저 절제술을 시행한 후 2주간은 심각한 통증, 특히 배뇨통이 발생할 수 있다. 레이저를 적절한 기술과 깊이로 시술하고, 시술 후 좌욕을 하거나 국소 리도카인을 도포하고 배뇨 및 배변 이후 잘 세척하고 충분히 건조시키는 것 등이 증상 완화에 도움을 줄 수 있다. CO_2 레이저 절제술은 미용상의 이점과 기능 보존에 효과적이므로, 음핵 및 항문 주위의 병변 치료에 유용하다.

3) 이미퀴모드(imiquimod)

이미퀴모드[Imiquimod, 상품명: 알다라(Aldara)]는 국소 면역반응 촉진제로서 새로운 합성 화합물인 이미다조퀴놀린(Imidazoquinoline)이고, 선천성 및 후천성 면역반응, 특히 T헬퍼

세포 타입-1 (T helper cell type 1) 매개 면역 반응을 강화시켜 항바이러스, 항임 및 면역조절 역할을 한다. 감염의 초기 단계에서 숙주 면역계가 바이러스를 인식하는 것이 어렵기 때문에 지속 감염의 위험이 증가한다. 이미퀴모드는 지속 HPV 감염의 제거를 위해 국소 면역 반응을 조절한다. 수술적 치료와 달리, 이미퀴모드는 많은 외음 상피내종양의 원인에 초점을 맞추고 외음의 해부학적 구조 및 기능을 보존한다. 침윤성 암을 배제하는 것은 치료 전 평가의 중요한 부분이다.

질암

질에 생기는 원발성 암은 매우 드물며 부인과적 악성 종양의 약 2~3%를 차지하고 있다.

원인 및 역학

Rutledge (1967)에 의하면 원발성 질암은 첫째 질에서 발생한 암이어야 하며, 둘째 자궁경부는 정상이고, 셋째 다른 곳에 원발성 암이 존재하지 않아야 한다고 정의하였다. 질암은 10만 명당 1명의 발생률을 보이며, 질에 발생한 악성 종양 중 편평세포암이 대부분이고 발생 연령은 평균 60세이다. 원발성 질암은 질 부위로 전이된 암과 구분하여야 하며 질에서 발견되는 이차성 암이 전체 질암의 84%를 차지한다. 자궁경부암이 HPV와 연관되어 있으므로 질암 역시 연관성이 있을 수 있는데, 341명의 환자들을 조사해 보니 젊은 여성에서는 HPV 감염과 연관이 있으나, 고령 여성의 경우에는 그 연관성이 없다는 보고가 있다.[4]

검사

질암에 대한 정기적인 검사는 필요하지 않으나, 자궁경부암이나 외음부암으로 치료받은 환자들의 경우 향후 질암 발생 가능성이 있으므로 정기적인 질 세포검사가 필요하다.

증상

통증없는 질 출혈과 분비물 증가는 질암의 가장 흔한 증상이며, 20% 환자에서는 증상이 없다.[5] 간혹, 질 후벽에 발생 시 변비, 직장 뒤무직(tenesmus) 등의 직장과 관련된 증상들이 보이기도 한다. 육안적 진찰소견으로는 박피 및 조직이 약해서 생긴 궤양 등을 볼 수 있고, 세포검사상 이상 소견이 있는 경우에는 질확대경검사 등의 자세한 진단적 검사가 필요하다.

진단

정확한 진단을 위해서는 주의 깊은 병력 청취와 내진 및 촉진, 질확대경을 통한 검사와 조직 검사가 필요하다. 특히 질 상부 1/3의 후벽에 잘 발생하므로 질경을 회전시키면서 질 전체를 잘 검사해야 한다. 질암의 병기 설정에서 종양이 자궁경부에서 퍼져서 질까지 연결된 경우에는 자궁경부암이라 해야 하며, 반면에 외음부와 질에 동시에 종양이 있을 경우 외음부암이라고 한다.

질은 해부학적으로 방광, 요도 및 직장과 인접해 있으므로 비교적 초기에 이들 장기에 파급될 수 있다. 따라서 치료 전 방광경검사(cystoscopy), 소변검사 및 직장경검사(sigmoid-oscopy), 정맥신우조영사진(intravenous pyelogram), 흉부 X-선검사 및 외음부와 서혜부의 시진과 촉진이 필요하다. 이와 같은 진찰을 통해 병기 설정을 하게 되는데 이것은 예후 및 진단뿐만 아니라 치료 방침 결정에도 중요하다. 그리고 컴퓨터단층촬영, 자기공명영상, 양전자방출단층촬영 검사에서 나온 결과로 병기가 달라져서는 안되지만, 치료의 계획을 세울 때는 유용하다. FIGO에서 정한 병기 설정은 표 14-3과 같으며, 임상적 병기를 결정하는 것은 임상 진찰과 X-ray에 의한 것이고, 수술 후 그 소견에 따라 바뀌어 질 수 있다.

표 14-3. 질암의 FIGO 병기

I		질벽에 국한
II		질하 조직 침윤, 골반벽 침윤 없음
III		골반벽 침윤
IV		골반을 벗어난 조직으로 침윤 또는 방광이나 직장 점막 침윤
	IVA	방광이나 직장 점막 침범 또는 골반 위로 직접 전이
	IVB	원격 전이

FIGO, International Federation of Gynecology and Obstetrics.

병리

조직학적 검사로 침윤성 질암이 진단되면 편평세포암(squamous cell carcinoma), 선암(ade-nocarcinoma), 흑색종(melanoma)을 구분하는 것이 필요하다. 또한 질암은 발생 부위에 따라서 림프절 부위의 전이 양상이 다르기 때문에 어느 부위에 발생했는가를 잘 확인하여야 한다. 편평세포암 중 50% 이상이 주로 질의 상부 1/3, 질의 중간 부위에 20%, 약 30%에서 질의 하부 1/3에 생긴다.

편평세포암은 질암에서 가장 흔하며 80~90%를 차지한다. 대부분 질 상부 1/3의 후벽에 발생하며 평균 발생 연령은 60세이지만, 10%에서는 40세 미만에서 발생한다. 80% 환자에서 HPV DNA가 발견되며, 가장 흔한 HPV는 16번과 18번이다.

선암은 20세 이하 질암 환자의 대부분을 차지하며, 70% 환자들은 I기에서 발견된다. 모체가 임신 중 DES (diethylstilbestrol)에 노출된 태아는 34세가 될 때까지 자궁경부와 질 부위에 투명세포 암이 1,000명당 1명의 빈도로 발생한다. DES 연관성 투명세포 암 환자는 DES와 관련없이 발생한 선암 환자들보다 예후가 좋다.[6]

악성 흑색종은 질암의 3~5%를 차지한다. 질 점막에 돌출되어 착색된 종양으로 크기는 0.5cm에서 10cm 직경으로 대개는 질 하부 1/3의 전벽에 생긴다(그림 14-2). 평균 발생

연령은 60세이며, 크기도 다양하지만 색깔이나 자라는 형태도 다양하다. 광범위 절제술이 원칙이나 같은 부위에서 재발이 잘된다. 혈행성 전이를 잘 하므로 매우 치명적이며 5년 생존율은 10% 정도로 매우 낮다.

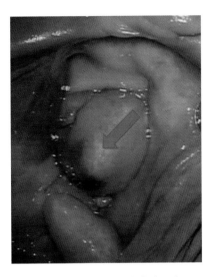

그림 14-2. 흑색종의 육안소견

치료

질암은 암세포의 종류, 병기와 해부학적 위치 등에 따라 치료 방법을 결정해야 하며, 이때 직장, 방광 및 요도가 해부학적으로 근접해 있어 수술 또는 방사선치료에 어려움이 있다. 질암의 30% 미만에서 임상 병기 I기로 진단되며, 수술적 치료나 림프절 절제는 제한적이다.

I기의 비교적 작은 편평세포암이 질 상부 3cm에 있는 경우 광범위 자궁절제술 및 질 상부 절제술과 골반 림프절절제술을 시행할 수 있다. 그렇지만 수술은 매우 한정적으로 시행되며, 대부분의 환자들은 방사선치료를 받는다. 폐경 전 여성인 경우 난소는 남겨서 방사선치료 후 생길 수 있는 질 위축을 예방하여야 한다. 방사선치료는 질 하부 1/3에 생긴 경우에 효과적이다.

질에 생긴 흑색종은 침범 부위의 광범위한 절제술 및 골반 림프절절제술을 시행하게 되며, 방사선치료는 치료효과가 매우 낮다.

원발성 질암 치료 시 주로 생기는 부작용은 약 10~15% 정도로 보고되고 있으며, 이러한 부작용이 생기는 것은 질 구조가 방광, 요도, 직장 및 때로는 소장과 인접하고 있기 때문이다. 직장 질 누공과 방광 질 누공이 잘생기며 방사선치료로 인해 질 협착증이 흔히 생긴다. 따라서 방사선치료가 끝난 후에도 정상적인 질의 역할을 유지시키기 위하여 주기적으로 질 확대기를 사용하여 협착증을 예방하여야 한다.

**재발 및
추적 검사**

질암은 일차 치료 후 약 40%에서 재발이 된다. 전체 질암 환자들의 5년 생존율은 52%이며, 병기 I기 환자들은 74%의 생존율을 보인다. 재발은 치료 후 2년 내에 일어나며 질 및 골반 내에 국한되어 발생한다. 따라서 침윤성 질암의 경우 질 세포검사를 포함한 내진을 고위험 환자는 첫 2년은 3개월마다, 그 후 3년간 6개월마다 시행하고, 초기암의 경우 첫 2년은 6개월마다, 이후 매년 시행하는 것이 필요하다. 또한, 매년 흉부 X-선검사를 해야 한다.

외음암(Vulvar Cancer)

외음암은 여성생식기 암의 3~5%를 차지하며, 여성에서 발병하는 암 중 1% 미만을 차지하는 드문 암이다.[7] 외음암 환자의 평균연령은 약 70세이며, 폐경 후 여성에서 주로 발병하고 50세 이전의 젊은 외음암 환자는 20% 미만을 차지하고 있다.[8] 하지만, 최근 HPV 감염으로 인한 외음 상피내종양(vulvar intraepithelial neoplasia, VIN)의 발생빈도가 증가함에 따라 젊은 연령의 외음암 환자가 증가하고 있다.[9] 외음암 환자의 대부분은 국소병변의 초기 암으로 발견되지만, 환자의 약 30~35%에서는 림프절 전이를 동반한 III기 혹은 IV기로 진단되어 불량한 예후를 나타내기도 한다.[10] 외음암이 발생하는 부위의 약 2/3가 대음순이며, 그 다음으로 소음순, 드물게 음핵이나 바르톨린샘에서도 발생한다.

조직학적 형태에 따라 다양하게 분류되며, 외음암의 90% 이상이 편평세포암으로 가장 흔하며, 흑색종은 약 5%를 차지한다. 그외 기저세포암(basal cell carcinoma), 바르톨린샘암(Bartholin gland carcinoma), 사마귀모양암(verrucous carcinoma), 육종(sarcoma), 외음 파제트병 및 기타 암들로 분류될 수 있다.[11]

원인

외음암의 원인으로 뚜렷하게 알려진 바는 없으나, 외음암이 발생하기 전에 HPV 감염과 관련된 콘딜로마나 외음 상피내종양이 선행함에 따라 HPV가 중요한 원인 중 하나로 주목받고 있다.[12] 외음암 환자의 약 40%에서는 HPV 감염이 동반되어 있고, 감염된 바이러스형 중에서 HPV 16형이 약 85%를 차지하고 있다.[12] HPV 감염에 의해 자궁경부 상피내종양을 거쳐 자궁경부암이 발병하듯이, 외음암에서도 HPV 감염 이후 외음 상피내종양이 선행하여 일정기간이 지나게 되면 외음암으로 진행하게 된다.[12] HPV 감염으로 인해 발병한 외음암의 다른 위험인자로는 흡연, 면역억제, 콘딜로마나 다수의 성교 파트너 등이 알려져 있다.[13] HPV 감염이 외음암과 관련이 있다는 것이 알려진 후 외음암을 예방하는 데 HPV 백신의 잠재적인 효과가 주목받고 있다.[12]

고령환자에서는 HPV 감염으로 인한 외음암은 드물며, 다른 위험인자로 경화성 태선

(lichen sclerosus)이나 TP53 돌연변이와 연관된 만성 염증성 피부병(chronic inflammatory dermatosis) 등이 동반된 경우, 외음암이 잘 발병하는 것으로 알려져 있다.[14] 외음암 중에서 가장 흔한 형태인 편평세포암은 각질화 편평세포암, 기저세포모양 또는 사마귀모양 편평세포암, 사마귀모양암의 세 가지 아형으로 나뉜다.[11] 외음암의 약 60%를 차지하고 있는 각질화 편평세포암은 주로 평균 연령이 약 75세인 고령환자에서 발생하며, 경화성 태선이나 편평세포증식이 동반되어 나타난다.[11] 반면에 외음암의 약 30%를 차지하고 있는 기저세포모양 또는 사마귀모양 편평세포암(basaloid or warty SCC)은 평균 연령이 약 55세인 젊은 환자들에서 발병하며, HPV 감염이나 면역억제, 외음 상피내암종과 관련되어 있다. 그외 사마귀모양암은 편평세포암의 변종으로 외음암의 약 1% 미만을 차지하고 있다.

오래 전부터 외음암의 위험인자로 알려져 온 당뇨병, 비만, 고혈압과 동맥경화와 같은 심혈관 질환의 위험인자들은 외음암을 유발하는 직접적인 원인이라기 보다, 고령에서 외음암이 높은 발병율을 보이므로 이에 따른 특징으로 여겨진다.[15]

편평세포암

1) 임상 특징, 진단

외음 편평세포암은 대부분 폐경 후 여성에서 발병하는 암으로 환자들의 평균연령은 약 65세이다. 대부분 발생부위는 대음순이며, 소음순이나 음핵, 회음에서도 관찰된다. 드물게 증상이 없는 경우도 있으나, 대부분 환자들은 외음 위축으로 인한 장기간의 외음 가려움증이나 덩이를 호소하며 그외 분비물, 배뇨통이나 출혈을 호소하기도 한다(표 14-4).[16] 신체진찰에서 외음에 살색이나 궤양성, 혹은 백색판(leukoplakic) 또는 사마귀모양의 융기성 덩이가 관찰된다(그림 14-3, 그림 14-4). 사마귀모양 병변은 종종 뾰족 콘딜로마(condyloma acuminatum)로 오인되어 암의 진단이 늦어지는 경우가 있다. 따라서, 비록 환자가 가려움이나 작열감 등을 호소하지 않는다 하더라도, 외음에 융기성 종괴, 궤양, 색소침착 또는 사마귀모양 등의 병변이 관찰될 때, 조직검사를 시행하여 적절한 치료의 시기를 놓치지 않도록 주의해야 한다.

외음암을 조기에 진단하기 위해서 부인과 진찰 중 외음을 주의깊게 관찰하는 것이 매우 중요하며, 병변이 의심되는 부위는 반드시 생검을 통해 진단하도록 한다. 침윤 정도를 평가할 수 있도록 진피와 결합조직이 포함되도록 국소마취하에서 쐐기 생검이나 keyes 생검을 통해 시행할 수 있다.[17] 외음암은 약 13%에서 자궁경부나 질의 다발성 병변을 함께 동반하므로, 외음병변이 발견된 경우, 자궁경부 세포검사나 질확대경검사 등을 포함한 하부생식기에 대한 검사가 시행되어야 한다.[18]

표 14-4. 외음암의 징후와 증상

- 가려움증
- 덩이
- 통증
- 출혈
- 궤양
- 배뇨통
- 분비물
- 서혜부 덩이

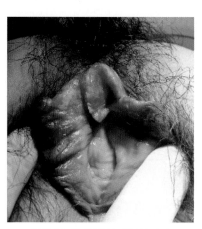

그림 14-3. 음핵의 궤양성덩이
외음 편평세포암 육안소견

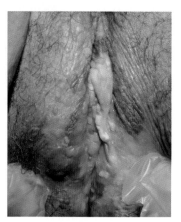

그림 14-4. 외음의 사마귀모양덩이
외음 편평세포암 육안소견

2) 병기설정

외음암의 병기설정은 1969년 FIGO에서 TNM 분류에 따른 임상적 병기설정을 따르는 것으로 결정하였으나,[19] 원발종양과 국소 림프절에 대한 제한된 평가와 원격 전이를 잘 반영하지 못했던 한계로 1988년에 수술적 병기설정으로 전환되었다. 최초의 수술적 병기설정도 병기 간 5년 생존율을 잘 반영하지 못했고, 림프절의 상태와 모양에 따라 예후가 달라진다는 여러 연구결과들이 발표되면서,[20] 가장 최근에는 림프절 전이의 형태와 수를 자세히 기술하고 병기 간 예후를 잘 반영하는 2009년에 개정된 FIGO 병기설정이 현재까지 사용되고 있다(표 14-5).[21]

외음암은 다음 세 가지의 경로를 통해 전이한다.[17]

- 질이나 요도 및 항문 같은 근접장기로 직접 전이
- 림프절을 통한 림프절 전이
- 폐, 간, 뼈를 포함한 장기에 혈액을 통한 혈행성 전이

외음의 림프관 경로는 대음순을 통해 앞쪽으로 흘러가서 불두덩(mons pubis)으로 이어지고 표재 서혜림프절(superficial inguinal lymph nodes)에 처음 배액된다(그림 14-5). 표재

표 14-5. 2009 외음암의 FIGO 수술적 병기설정　527

병기	
I	외음에 국한된 암
IA	종양크기 ≤2cm, 병변위치: 외음이나 회음에 국한, 간질침윤: ≤1.0mm, 림프절 전이: 없음
IB	종양크기 >2cm, 병변위치: 외음이나 회음에 국한, 간질침윤: >1.0mm, 림프절 전이: 없음
II	종양크기에 관계없이 주변 조직(요도 하부1/3, 질 하부 1/3, 항문)을 침범함 림프절 전이: 없음
III	종양크기나 주변 조직(요도 하부1/3, 질 하부 1/3, 항문)의 침범에 관계없이, 서혜대퇴 림프절 전이 있음
IIIA	(i) 1개의 림프절 전이가 있음. 크기 <5mm (ii) 1~2개의 림프절 전이가 있음. 크기 ≥5mm
IIIB	(i) 2개 이상의 림프절 전이가 있음. 크기 <5mm (ii) 3개 이상의 림프절 전이가 있음. 크기 ≥5mm
IIIC	림프절 전이가 있고, 피막외침범(extracapsular extension) 있음
IV	종양이 국소적 침윤(요도 상부 2/3, 질 상부 2/3)을 하였거나 원격 전이를 한 경우
IVA	(i) 종양이 요도 상부 2/3, 질 상부 2/3 침범, 방광점막, 직장 점막, 골반뼈에 침범 (ii) 고정되어 있거나 궤양이 동반된 서혜대퇴 림프절 전이가 있음
IVB	골반 림프절 전이를 포함한 원격 전이가 있음

서혜림프절은 외피와 캠퍼근막(camper's fascia)의 바로 아래 위치하며, 평균 8~10개이다. 이는 원발종양에서 직접 배액을 받는 첫 번째 림프절로, 감시림프절(sentinel lymph node, SLN)로 불린다. 따라서 감시림프절에는 암 세포를 포함할 확률이 가장 크다. 표재 서혜림 프절은 체근막(cribriform fascia)을 뚫고 나와서 심부 대퇴 림프절(deep femoral nodes)에 이르게 된다. 심부 대퇴 림프절의 마지막 림프절인 Cloquet's 림프절은 서혜 인대(inguinal ligament) 바로 아래에 위치하며, 두번째로 림프액이 모이는 관문으로 생각된다. 심부 대퇴 림프절은 대퇴혈관의 내측으로 이어지고 서혜 인대 아래로 대퇴관구멍(femoral ring)을 지나 바깥엉덩림프절(external iliac lymph node)로 배액된다.[22]

비록, 음핵이나 바르톨린샘의 림프절은 이러한 경로를 거치지 않고, 골반 림프절로 바로 배액되지만 임상적으로 크게 중요하지는 않다(그림 14-5).[23] 외음암의 림프절 전이는 약 30% 정도로 알려져 있고, 그 중 골반 림프절 전이는 약 9%로 드물며, 서혜림프절에 전이가 있는 환자의 약 20%에서 골반 림프절 전이가 관찰된다.[24] Homesley[25]는 임상적으로 서혜림프절 전이가 의심되지 않았던 환자에서 림프절절제술 이후 림프절에서의 전이가 약 24%에서 발견되었고, 서혜림프절의 전이가 의심되었던 환자 중 수술 이후 전이가 확인되었던 경우는 약 80%라고 하였다. 그외 종양의 크기가 클수록, 기질의 침윤 정도가 심할수록 서혜림프절의 전이율은 높다고 하였다(표 14-6).

혈행성 전이는 늦게 나타나며, 림프절 전이 없이 나타나는 경우는 드물며, 최소 3개 이상의 림프절의 전이가 있는 경우, 발생할 수 있다.[26]

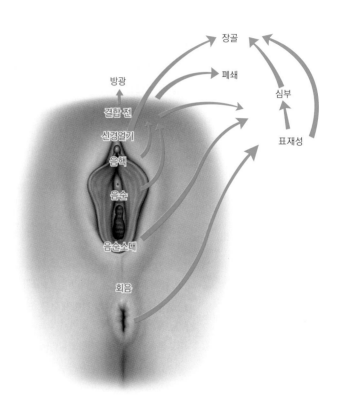

그림 14-5. 외음림프절 경로
음핵부위에서는 골반 림프절로 직접 배액된다.

표 14-6. 임상적 림프절 상태 및 조직학적 특징에 따른 서혜부 림프절 전이율[25]

임상적 림프절 전이 소견	환자수(명)	림프절 전이 양성(명)	빈도(%)
정상	477	114	24
전이 의심 (고정되어 있거나 궤양성 소견)	111	89	80
종양크기(cm)	**환자수(명)**	**림프절 전이 양성(명)**	**빈도(%)**
≤2.0cm	190	36	19
>2.0cm	390	163	42
침윤 정도(mm)	**환자수(명)**	**림프절 전이 양성(명)**	**빈도(%)**
≤5	272	57	21
>5	286	137	48

3) 치료

처음에는 광범위 외음일괄절제술(en bloc radical vulvectomy)과 양측 서혜부 및 골반 림프절절제술이 시행되었고, 만약 병변이 항문, 직장질 격막 또는 요도근위부를 침범했을 경우, 골반내용물적출술(pelvic exenteration)을 함께 시행하였다.[27,28] 이러한 적극적인 수술법을 통해 생존율은 크게 향상되었으나 수술 후 정신성기능 이환율(psychosexual morbidity)과 감염, 창상 파열이나 림프부종과 같은 급·만성합병증의 빈도가 높아졌다. 이러한 광범위한 절제술로 인한 합병증의 증가와 환자의 삶의 질 저하에 대한 끊임없는 관심은

최근 외음암의 수술적 치료에 대한 패러다임을 다음과 같이 바뀌도록 하였다.[29~31]

* 외음암치료는 환자 상태에 따라 개별화하여 시행한다.
* 단일종양이 있는 경우, 최대한 보존적 치료를 한다.
* 종양 크기가 2cm 이하이고 간질침윤이 1mm 이하인 미세침윤암의 경우 서혜림프절 절제술을 시행하지 않는다.
* 림프절절제술을 할 때 병변부위와 함께 일괄(en block) 절제하는 피부절개술 대신 분리절개술을 사용한다.
* 일괄적으로 모든 환자에게 골반 림프절절제술을 시행하지 않는다.
* 외측 종양크기가 2cm 이하이고, 동측 서혜림프절 전이가 없는 경우, 반대측 서혜림프절절제술은 시행하지 않는다.
* 진행된 외음암으로 광범위한 수술이 필요한 환자에게 수술 전 방사선치료를 통해 병변을 줄인 후 보존적 수술을 고려한다.
* 서혜부 재발을 줄이고, 다발성 서혜림프절 전이가 있는 환자의 생존율을 향상시키기 위해서 수술 후 방사선치료를 시행한다.
* 진행한 외음암 환자에서, 방사선치료 전에 림프부종의 빈도를 줄이기 위해, 큰 서혜부와 골반 림프절 전이 부분만 제거한다.
* 초기 외음암 환자에서 서혜부 림프절절제술 대신 감시림프절생검을 시행한다.

4) 초기 외음암 치료

초기 외음암의 치료는 원발종양에 대한 치료와 서혜림프절에 대한 처치를 환자의 상태에 따라 개별화하여 시행하도록 한다.

① 원발종양의 수술적 치료

원발종양에 대한 치료를 결정할 때, 수술 이후 남을 외음부의 상태와 병변의 다발성으로 침윤여부를 고려해야 한다. 과거에는 광범위 외음절제술(radical vulvectomy)이 원발종양의 표준치료로 시행되었으나, 수술 이후 성기능장애와 신체의 변형으로 인한 정신적 스트레스 및 환자의 삶의 질 저하로 인해 1980년대 이후부터는 외음에만 국한되어 있는 2cm 전후의 종양은 최소 1cm의 안전 경계(safety margin)를 두고 광범위 국소절제술(radical local excision)을 시행하고 있다.[29,30,32] 수술 후 종양으로부터 절제면까지의 간격을 측정하여 외음암의 국소재발의 빈도를 분석한 결과, 조직병리학적 경계면이 최소 8mm인 경우 재발률이 낮은 것으로 알려졌다.[33,34] 광범위 국소절제술을 시행할 때, 종양으로부터 수술 절제면까지 최소 1cm 간격을 두고 절제하도록 하는데, 이는 절제된 조직을 포르말린에 고정되면 약 20%가 수축하기 때문이다.[33,34]

광범위 국소절제술은 병변의 위치가 외음의 외측이나 후방에 있을 때, 음핵을 보존할 수 있는 가장 적합한 수술법이다. 하지만 종양이 외음의 전방 즉, 음핵이나 그 주변에 위치할 경우, 음핵절제술을 포함한 광범위절제술을 시행해야 한다. 특히 젊은 연령의 환자에서는 음핵절제술이 시행된 후 심각한 정신성 성기능 장애를 겪게 되므로, 종양이 음핵 부위에 있거나 수술 경계면이 5mm 미만이 될 경우, 국소 부위 방사선치료를 고려한다.[35] 작은 외음부 병변은 약 60~64Gy 외부 방사선에 효과적이며, 잔류 병변의 유무를 확인하기 위해 치료 후 생검을 시행해야 한다.[35]

Tantipalakorn 등[36]은 광범위 국소절제술을 시행한 FIGO 병기 I, II기 환자의 5년 전체생존율이 96.4%로 광범위 국소절제술은 광범위 외음절제술을 대신할 수 있는 좋은 수술법으로 보고하였다.

② 광범위 국소절제술(radical local excision) 방법

광범위 국소절제술은 원발종양이 포함된 부위를 넓고 깊게 절제하는 방법으로, 종양으로부터 수술 절제면까지 최소 1cm 이상의 안전경계면을 두고 원발종양을 절제한다. 대퇴근막(fascia lata)과 두덩결합(symphysis pubis)을 덮고 있는 근막과 동일면에 있는 비뇨생식가로막(urogenital diaphragm)의 하부 근막까지 절제한다. 수술 부위는 두 층으로 일차 봉합한다. 종양이 항문근접부에 있는 경우, 수술 절제면이 충분하게 절제되지 못할 수도 있으므로 수술 전이나 후에 방사선치료를 고려해야 한다. 요도 주위에 종양이 있는 경우, 요도의 하부 절반을 제거하더라도 배뇨 장애는 없다.[17]

③ 서혜림프절 처치

초기 외음암의 수술적 치료 이후 환자의 생존율과 이환율에 가장 큰 영향을 주는 것은 서혜림프절절제술 시행 여부이다. 초기 외음암 환자의 약 1/3에서는 림프절 전이를 동반하고 있으므로, 적절하게 서혜림프절절제술이 시행되어야 한다.[37] 초기 외음암 환자에서 서혜림프절절제술은 사망률을 감소시킬 수 있으나, 림프절절제술을 받았던 환자들의 약 50%에서 창상 감염, 파열, 림프부종, 림프수종이나 봉화직염과 같은 합병증이 발생하므로, 림프절절제술이 필요한 환자를 잘 선별하여 시행하는 것이 환자의 예후에도 중요하다.[38] 종양크기가 2cm 이하, 간질 침윤이 1mm 이하인 경우에는 림프절 전이가 거의 없다. 따라서, 림프절절제술은 큰 의미가 없다. 하지만, 서혜림프절절제술을 하지 않았던 환자가 서혜부에서 재발을 하게 되면 사망률은 매우 높기 때문에 종양의 크기가 2cm 이하이면서 간질 침윤이 1mm보다 크거나, 종양의 크기가 2cm를 초과하는 경우에는 서혜대퇴 림프절절제술(inguinofemoral lymphadenectomy)을 시행하는 것이 적합하다.[39,40] 외음암은 서혜림프절 전이 없이도 심부 대퇴 림프절에 전이가 있거나 재발할 수 있으므로, 서혜림프절절제술을 한다는 것은 표재 서혜림프절과 심부 대퇴 림프절을 함께 제거하는 서혜대퇴 림프절절제술을 의미한다.[41]

병변이 외음부 정중앙으로부터 2cm 이상 떨어진 곳에 위치할 경우, 동측의 림프절을 통해 전이하므로 동측의 림프절 전이가 없다면, 반대편 림프절절제술은 시행하지 않아도 된다. 하지만, 병변이 음핵이나 음순소대 등과 같이 외음부 중앙 혹은 2cm 이내 위치한다면, 양측 서혜대퇴 림프절절제술을 고려해야 한다.[42]

④ 서혜대퇴 림프절절제술 방법

서혜대퇴 림프절절제술은 앞상방엉덩뼈가시(anterior superior iliac spine)와 두덩뼈골절(pubic tubercle) 사이를 8cm 정도로 서혜 인대(inguinal ligament)와 평행하게 피부를 절개하면서 시작된다. 서혜 인대에서 손가락 두 개 정도 아래, 두덩뼈결절의 바깥쪽으로 손가락 두개 정도의 위치에서 피부 절개를 시행한다(그림 14-6).[43] 캠퍼근막(camper fascia)을 지나 표재 림프절이 포함되어 있는 지방체까지 이르도록 피부판의 위, 아래를 섬세하게 박리한다. 감시림프절은 캠퍼근막과 체근막(cribriform fascia) 사이의 지방층에 위치하며 대퇴근막(fascia lata) 아래로부터 돌출해 있다. 피부 괴사를 방지하기 위해서 캠퍼근막 위의 모든 피하조직을 잘 보존해야 한다. 모든 서혜림프절이 제거 될 수 있도록 서혜 인대 1cm 상방까지 박리한다.[17] 표재 림프절절제술의 해부학적인 경계면은 위쪽으로 서혜 인대 상방 1cm, 외측 경계면은 넙다리빗근(sartorius muscle), 내측 경계면은 긴오음근(adductor longus muscle), 그리고 앞쪽으로는 얇은피하근막을 경계로 시행된다(그림 14-7).[43] 서혜대퇴 림프절절제술을 위해서 서혜 인대 상방으로부터 헌터관(hunter canal) 구멍의 약 2cm 근위부까지 림프절 박리가 시행된다. 대퇴삼각(femoral triangle)을 덮고 있는 체근막에는 복재정맥(saphenous vein), 림프절과 수많은 림프혈관들이 관통하고 있다. 체근막을 걷어내면, 아래로 대퇴정맥(femoral vein)이 보이며, 내측에 대퇴 림프절(femoral lymph node)이 있다(그림 14-8). 일반적으로 대퇴삼각 끝에서 대퇴정맥으로 유입되는 부위의 복재정맥을 결찰하는데, 일부에서는 복재정맥을 보존하기도 한다.[44] 오목창(fossa ovallis) 구멍에 있는 대퇴정맥 내측에는 한 개에서 세 개의 림프절이 있으므로 대퇴혈관의 바깥쪽 대퇴근막을 제거할 필요는 없다. 서혜부에 흡입배액관을 삽입한 후, 얇은 근막과 심부근막을 이어주면서 창상을 두 층으로 봉합한다.[44]

종양이 있는 동측 림프절절제술을 하는 동안 절제된 림프절에 대한 동결절편검사를

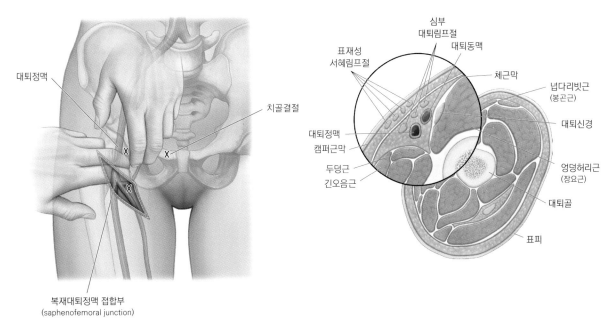

그림 14-6. 서혜림프절 피부절개부위

그림 14-7. 표재 서혜림프절, 심부 대퇴 림프절 주위 구조물

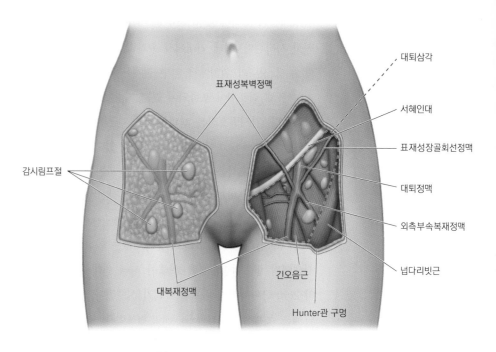

그림 14-8. 서혜대퇴 림프절 박리 모식도

좌측 감시림프절(표재 서혜림프절), 우측 심부 대퇴 림프절. 흰색원은 대퇴삼각(femoral triangle)을 나타내며, 위쪽경계면은 서혜 인대(inguinal ligament), 외측경계면은 넙다리빗근(sartorius m.), 내측경계면은 긴모음근(adductor longus m.)으로 이루어진다.

시행하여 림프절 전이가 확인이 되면, 반대측 림프절절제술도 함께 시행한다. 원발종양을 제거하기 전에 림프절절제술을 먼저 한다.

외음암 환자들은 나이와 내과적인 병력과 무관하게 일반적으로 수술을 잘 견뎌낸다. 수술 후 2~3일간은 상처가 빨리 회복될 수 있도록 하기 위해 움직이지 않도록 하고, 이때 종아리에 공기압박기를 사용하거나 헤파린 혹은 저분자량 헤파린을 피하 투여하여 심부정맥혈전을 예방하도록 한다. 도뇨관은 보통 환자가 걸을 수 있을 때까지 유지한다.[17] 림프절절제술 시행 후 발생할 수 있는 합병증은 다음과 같다.

i. 급성 합병증

가장 흔한 합병증은 림프수종으로 약 40%의 환자에서 발생할 수 있다.[45] 그외 봉화직염, 요로감염, 심부정맥혈전증, 폐색전증, 심근경색, 출혈, 드물게 치골염이 발생할 수 있다.[45] 대부분 서혜림프절절제술 이후 이러한 합병증의 이환율이 높지만, 외음절개술과 림프절절제술의 피부절개를 분리해서 시행하고, 표재근막위의 피하지방을 잘 유지하여 림프절절제술을 한 이후 창상파열은 많이 감소하였다.

ii. 만성 합병증

환자의 약 69%에서 발생하는 만성 림프부종은 가장 흔한 합병증이다.[46] 약 10% 환자에서 재발성 림프염, 봉화직염이 발생한다. 생식기 탈장과 함께 요실금이 발생하거나 탈장 없이 요실금만 나타날 수도 있는데, 약 10%에서는 수술적 교정이 필요하기도 하다.

드물지만 대퇴탈장이나 치골골수염(pubic ostetomyelitis)과 직장질 또는 직장회음 치루가 발생하기도 한다.[45]

⑤ 감시림프절생검

서혜대퇴 림프절절제술은 환자의 예후를 향상시킬 수 있으나 수술 이후 발생하는 합병 증으로 인해 환자들의 삶의 질이 저하시키므로 환자를 잘 선별하여 시행하는 것이 필요 하다. 초기 외음암 환자의 약 30%만이 서혜대퇴 림프절절제술 이후 림프절 전이가 발견 되므로, 모든 환자에게 서혜대퇴 림프절절제술을 시행하기보다 림프절 전이가 있을 것으 로 생각되는 환자들에게만 시행하는 것이 도움이 된다. 감시림프절은 암세포가 첫번째 로 도달하는 림프절이므로 암 세포가 있을 확률이 가장 크다. 이론적으로는 감시림프절 에 암세포가 발견되지 않으면, 이와 연결되어 있는 림프절에는 암이 없다는 것을 의미한 다. 외음암의 감시림프절은 캠퍼근막(camper's fascia)과 체근막(cribriform fascia) 사이에 위 치한다.

이전부터 수술적 방법이 아닌 비침습적인 PET, CT나 초음파검사 등 다양한 방법[47~49]을 통해 림프절 전이를 찾고자 하였으나 효과적인 것이 없었다. 하지만 최근 많이 시행되고 있는 감시림프절생검은 초기 외음암에서 서혜대퇴 림프절절제술을 시행하기 전 림프절 전이 유무를 확인하는 데 효과적인 방법으로 사용되고 있다. 감시림프절의 확 인은 isosulfan blue 같은 푸른색 염료를 종양 주위에 피내주사하여 확인하는 방법과 technetium-99 (99mTc)라고 불리는 방사성 추적자표지염료를 피내주사하여 림프신티그 라피(lymphoscintigraphy, SLG)를 통해 확인하는 방법이 있다. 각각의 물질을 따로 사용하 거나 조합해서 사용할 수 있는데, 조합하여 사용할 때 더욱 효과적이다.[22] 푸른색 염료 와 99mTc를 사용한 림프신티그라피는 감시림프절을 탐지하는 방법으로 감시림프절의 전이 여부를 확인하지는 못하다. 전이 여부를 확인하기 위해서는 연속절편이나 면역화 학염색을 통한 초미세병리결정(ultrastaging)을 포함한 병리학적 검사를 시행해야 한다.

감시림프절생검에서 전이가 없다고 서혜대퇴 림프절 전이가 없는 것은 아니다. GROINSS-V (GROningen INternational Study on Sentinel nodes in Vulvar cancer) 연구에서는 감시림프절생검에서 음성이 나온 환자 중 서혜부 재발이 2.3%이었고, 감시림프절생검의 위음성율을 약 6%로 보고하였다.[50] 감시림프절 전이 크기가 클수록 감시림프절이 아닌 림프절에서의 전이 위험이 증가한다.[50] 감시림프절 전이 크기가 2mm보다 크면, 예후가 불량하고 이러한 환자들에게는 추가치료가 필요하다.[50] GOG 173 연구에서는 종양크 기가 4cm 미만인 환자에서 감시림프절생검이 음성이었으나 전이가 있었던 경우는 3% 미만으로 초기 외음부암 환자에서 서혜대퇴 림프절절제술을 대체할 수 있는 좋은 방법 으로 제시되었다.[51] GROINSS-V I 연구에 이어 감시림프절 전이가 있는 환자에게서 서 혜대퇴 림프절절제술을 대신할 보조 방사선치료에 대한 잠재적인 효과에 대한 연구가 GROINSS-V II와 GOG 270을 통해 진행되었다.[22] 이 연구는 감시림프절에 2mm 이하 의 미세 전이가 있는 경우, 방사선치료가 서혜대퇴 림프절절제술을 대체할 수 있을지에 대한 관찰 연구로 곧 그 결과가 발표될 예정이다. 감시림프절생검 결과에 따른 처치는 환

자를 개별화하여 시행해야 할 것이다(그림 14-9).[22]

감시림프절생검이 적은 빈도이지만 위음성율을 보이므로, 외음암 환자에게 감시림프절 생검을 시행하고자 할 때는 이러한 부분에 대해 수술 전에 환자에게 반드시 사전동의를 받고 수술을 진행하여야 한다.

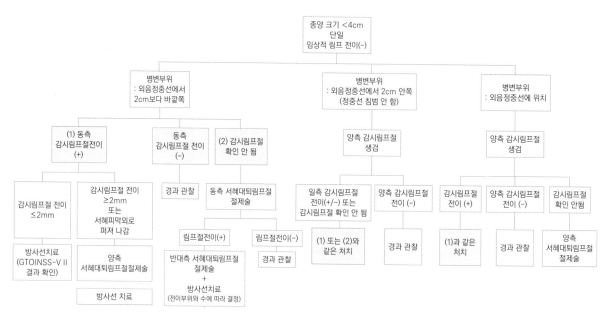

그림 14-9. 감시림프절 상태에 따른 처치 모식도

⑥ 서혜림프절 전이가 있는 경우 처치

보편적으로 서혜림프절 전이가 있는 환자들에게 골반 림프절절제술을 시행해 왔으나, 1977년 서혜림프절 전이가 있는 외음암 환자들을 대상으로 동측 골반 림프절절제술을 시행하거나 수술 후 양측 서혜골반 림프절에 방사선치료를 시행 후 예후를 비교한 GOG 연구를 통해서 방사선치료를 받았던 환자들이 림프절절제술을 받았던 환자들 보다 생존율이 좋았고, 서혜부 재발이 적었다는 결과를 통해[25] 서혜림프절 전이가 다발성으로 있거나 클 경우, 예방적 서혜부 방사선치료를 시행하는 것에 대한 관심이 쏟아졌다. 2009년에 광범위 외음절제술과 서혜림프절절제술 이후 방사선치료가 국소 재발과 사망률을 감소시킬 수 있다는 결과가 발표된 이후, 서혜림프절 전이가 있는 경우, 방사선치료의 효율성에 대한 관심이 커졌다.[52]

Hecker 등[17]은 서혜림프절 전이가 있는 경우, 다음과 같은 처치를 권고하고 있다.

- 광범위 림프절절제술 이후 림프절 전이 부위 직경이 5mm 이하인 미세 전이가 단 한 개 존재할 경우, 추가치료는 필요하지 않다.
- 직경이 5mm를 초과히는 큰 림프설 전이가 3개 이상이 존재하거나 피막외(extracapsular)로 퍼져나간 경우, 양측 서혜와 골반에 방사선치료를 시행한다.
- 미세 전이가 2개 관찰될 경우 추가치료 여부에 대해서는 아직 결론을 맺지 못한 상태이다. 단, 경과 관찰을 할 경우, 수술 후 첫 6개월에서 12개월 동안 림프절절제술을 시

5) 진행성 외음암 치료

진행성 외음암(III기, IV기) 환자에 대해서는 표준치료법이 없으며, 환자의 개별화된 치료를 고려해야 한다. 수술적 치료가 불가능할 수 있으며, 선행항암화학요법, 방사선치료, 항암화학방사선치료 및 표적 치료 등이 추가적으로 시행될 수 있다.[32]

① 서혜 골반 림프절 처치

진행된 외음암 환자를 치료할 때 가장 우선적으로 확인하는 것은 서혜부와 골반의 림프절 전이 유무이다. 치료 전에 임상적으로 서혜부를 촉진하여 커져있는 림프절이 있는지, 궤양성 림프절의 유무 및 단단하게 고정되어 있는 림프절이 있는지 확인하며, 서혜부, 골반과 복부의 컴퓨터단층촬영을 통하여 림프절 전이 유무를 확인한다. 이에 따라 환자를 다음 세 군으로 분류할 수 있다.

i. 임상적으로 혹은 영상에서 의심되는 림프절 전이가 없는 환자

서혜부의 분리절개술을 통해 양측 서혜대퇴 림프절절제술을 시행하거나 방사선치료를 일차적으로 서혜부와 외음병변에 시행한다.[53]

ii. 임상적 혹은 영상검사에서 절제 가능한 림프절이 의심되는 환자[53]

(ㄱ) 커져 있는 모든 림프절을 제거하고 제거된 림프절을 동결절편검사를 통해 림프절 전이 유무를 확인한다. 만약 전이가 있다면, 림프절절제술을 중단한다.

(ㄴ) 동결절편검사에서 림프절 전이가 없다면, 서혜림프절절제술을 완벽하게 시행한다.[31]

(ㄷ) 컴퓨터단층촬영에서 골반의 림프절 전이가 의심이 된다면, 복막외접근을 통해 림프절을 제거해야 한다.

(ㄹ) 서혜절개창상은 일반적으로 수술 후 약 3주 무렵에 회복된다. 서혜부 창상이 회복되는 대로 골반과 서혜부에 방사선치료를 시작한다.

iii. 서혜림프절이 단단하게 고정되어 있고, 제거하기 힘든 림프절을 가진 환자

서혜부와 골반에 일차적으로 방사선치료나 항암화학방사선요법을 시행한다. 치료 이후 서혜부의 잔여 병변이 절제가능하다면, 제거한다.[54]

② 외음종양처치

종양이 질이나 요도입구의 하부를 침범한 경우, 병변을 완벽하게 제거할 수 있다면, 수술적 절제가 최선의 방법이다. 종양의 크기가 2cm을 초과하여 주변 조직을 침범했을 때, 과거에는 서혜부를 덮고 있는 모든 피부와 외음에서 회음근막을 포함한 부위를 단일 피부 절개를 통해 병변으로부터 최소 2cm의 경계면을 가지는 광범위 외음절제술과 서혜림프절제술을 시행하였다(그림 14-10). 이러한 방법은 창상 감염, 파열과 성기능 장애와 같은 이환율을 증가시키고 피부절제면이 충분하지 못할 경우, 재발의 우려도 있으므로 최근에는 외음의 병변부위와 서혜림프절 절제부위의 피부절개를 각각 분리하여 시행하는 세군데절개술(three incision technique)을 통해 외음절개술과 서혜림프절제술을 시행한다

(그림 14-11). 이러한 광범위 국소절제술은 종양에서 절제면까지 최소 1cm 간격을 두고 외음병변을 절제하는 방법으로 광범위 외음절제술과 유사한 치료효과를 가지지만, 합병증이 적다. 광범위 외음절제술을 통해 제거된 검체는 망울해면체근(bulbocavernosus muscles), 질어귀망울(vestibular bulb)을 포함한다. 외음의 풍부한 혈관 분포로 인해 수술 중 출혈양이 많을 수 있으므로 피부 절개 이후 전기소작기를 사용하여 외음부를 박리히도록 한다. 또한 절제면의 위쪽 음핵으로 가는 혈관을 결찰하고 뒤쪽으로 내부음부혈관(internal pudendal vessels)을 결찰하여 출혈양을 줄이도록 한다. 수술 후 결손 부위가 넓으면, 창상을 그대로 열어두고, 육아종이 형성되도록 하거나 전층피부피판(full thickness skin flap)을 이용하기도 하고, 근육피부판(myocutaneous flap)을 이용하여 결손을 채우는 등의 방법을 이용하여 봉합한다.[55]

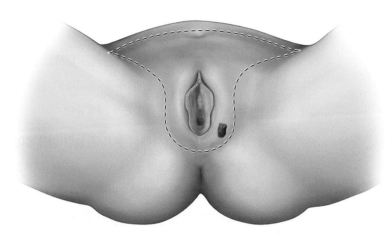

그림 14-10. 일괄절개(en bloc resection)에 의한 광범위 외음절제술과 서혜림프절제술

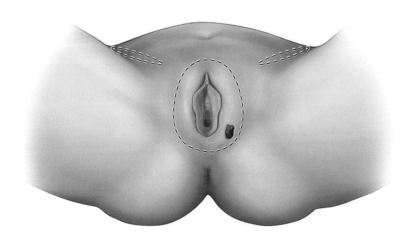

그림 14-11. 분리절개술을 이용한 외음절개술과 서혜림프절제술

외음암이 항문, 직장, 직장질중격, 또는 요도 근위부를 침범했을 경우, 수술로 병변을 완벽히 제거하고자 한다면, 광범위 외음절제술과 양측 서혜림프절절제술 및 골반내용물 적출술(pelvic exenteration)을 시행해야 한다.[56] 그러나, 이러한 치료는 고령환자들이 많

은 외음암에서는 사망률과 이환율을 증가시키므로, 적합한 치료로 시행되지는 않는다. 방사선치료와 함께 수술적치료를 시행한 경우가 골반내용물적출술에 비해 효율적이므로, 국소적으로 진행된 병변이 있는 경우, 방사선치료 이후 수술적 제거가 우선적인 치료로 시행되었다.[57] GOG 101 연구에서는 수술적 치료 이전 방사선치료가 효과적이다는 결과를 기반으로 수술 전 시스플라틴과 5-플루오로우라실(5-FU)을 사용한 항암방사선치료에 대한 효과를 발표하였고,[54] 이후 매주 시스플라틴(40mg/m²)과 방사선치료를 병용한 항암화학요법으로 항암 약제의 독성을 줄이고, 환자에게 조사되는 전체 방사선량을 늘여 치료 효과를 향상시키고자 했던 GOG 205 연구를 통해서 현재 국소적으로 진행된 외음암의 일차적치료로 항암화학방사선요법이 시행되고 있다.[58] 그외 항문과 요도를 침범한 외음암 환자에게서 수술 전 선행항암화학요법이 시행될 수 있다. 외음암 환자에게 방사선치료는 다음과 같은 경우 시행할 수 있다.[16]

i. 진행된 외음암으로 골반적출술이 필요한 환자, 외음부 보존 수술을 시행 받은 환자(수술 후 40~50Gy 조사) 또는 육안적으로 큰 외음 병변이 관찰되는 경우 수술 전 처치(60Gy 이상 조사)로 시행한다.

ii. 수술 후 2개 이상의 림프절 미세 전이가 있거나 한 개의 큰 전이가 있거나 또는 서혜 림프관을 벗어난 전이가 관찰된 경우, 골반과 서혜림프절에 시행한다.

iii. 수술 절제면이 침범되어 있는 경우(수술 절제면 간격 <5mm), 국소 재발을 예방하기 위해 시행한다.

외음암의 수술적 병기에 따른 치료를 그림 14-12, 13에서 개괄적으로 정리하였다.

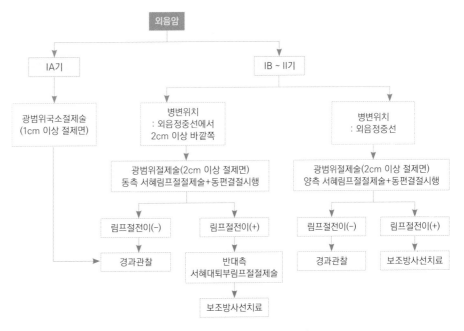

그림 14-12. 초기 외음암 치료 모식도

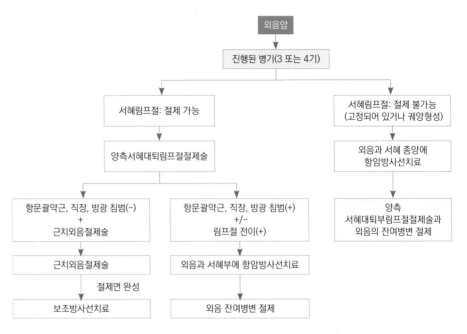

그림 14-13. **진행된 외음암 치료 모식도**

6) 재발성 외음암

외음암 환자의 약 12~37%가 재발하고, 이들 대부분 환자(약 80%)들은 일차 치료 이후 약 2년 이내 국소 또는 원격 재발을 경험하게 된다.[59] 국소 재발을 한 경우, 재발 부위에 따라 예후가 달라질 수 있다. 원발병변이 있었던 2cm 이내 또는 피부 피판(skin flap)을 시행한 피부접합 부위와 같이 원발병변에 인접한 곳에 재발한 경우, 예후는 불량하다. 원발병변에서 2cm 이상 떨어진 원격 부위에 발생한 경우, 예후는 좋다. 외음절제면이 8mm 미만인 경우, 원발병소 부위에서 국소 재발을 잘 하였다.[36] 따라서 일차 수술을 할 경우, 병변 주변으로 충분한 수술 절제면을 확보하는 것이 예후에 중요하다. 또한 일차 치료 이후 재발한 시기가 빠를수록 예후는 좋지않다.

외음부에 재발한 경우, 수술적 치료를 고려하며, 20~79%의 효과를 보인다. 국소 재발 부위가 클 경우, 골반내용물적출술을 시행할 수 있으나 이환율도 높고, 2년 전체생존율은 약 57%이다. 그외 방사선치료를 시행할 수 있으나 수술적 치료에 비해 효과는 명확하지 않다.[59] 뼈나 다른 장기로의 원격 재발이 발생한 경우, 백금 계열 약물을 기본으로 하는 항암화학요법을 시행한다.

7) 예후 및 추적 관찰

외음암의 생존율은 진단 당시 임상병기와 림프절 전이 여부에 의해 좌우된다.[26,46] 일반적으로 I, II기 외음암의 5년 생존율은 90%이며, 전체 외음암의 5년 생존율은 75%이고, 림프절 전이 여부가 생존율에 영향을 미치는 가장 중요한 요소이다. 병기와 무관하게 림프절 전이가 없는 환자의 5년 생존율은 90% 이상이지만, 림프절 전이가 있는 경우 40~50%에 불과하다.[25] 특히, 전이된 림프절의 수가 중요한 예후인자이며 3개 이상의 림프절 전이가 있는 경우, 생존율이 낮다.[26] 따라서, 림프절 전이가 있는 경우 예후를 향상시키기 위해서 방사선치료나 항암화학방사선요법과 같은 적극적인 추가치료가 필요하다. 그외 외음암의 예후인자로는 DNA ploidy, ECOG 수행도(performance status), 피막외 림프절(extracapsular lymph node) 침범 여부가 생존율에 영향을 미칠 수 있다.[60,61]

외음암은 뒤늦게 재발하는 경우도 있으므로 첫 2년 동안은 3개월에 한 번씩, 다음 5년간은 6개월에 한 번씩 이후 최소 1년에 한 번씩은 추적관찰을 해야 한다.[62] 외음부의 작열감이나 형태의 변화가 있을 경우, 재발 가능성이 있으므로 환자가 자가 진단할 수 있도록 교육을 시켜야 한다.

흑색종
(Melanoma)

외음 흑색종은 흔하지 않지만 외음암 중 두번째로 흔한 암이다. 주로 원발성으로 발생하지만, 기존에 존재하던 경계모반(junctional nevi)이나 복합모반(compound nevi)으로부터 발생했을 가능성이 있다. 주로 폐경 후 백인여성에서 잘 생기며, 소음순이나 음핵에 발생한다. 외음 흑색종은 보통 색소 침착을 동반한 융기된 병변으로 보일 수 있고(그림 14-14) 궤양이 형성되어 있을 수도 있다.[63] 증상으로는 소양감, 출혈, 또는 크기가 증가하는 착색 병변이 있을 때 의심해 봐야한다. 수년간 변화가 없는 기존의 착색 병변을 제외한 외음의 모든 착색 병변은 제거하거나 조직검사를 시행해야 한다.[63]

외음 흑색종은 조직학적으로 다음 세 가지 형태로 분류된다.[63]

- 표재확산흑색종(superficial spreading melanoma): 발생초기에 주로 외음 표면에 있다.
- 점막흑자흑색종(mucosal lentiginous melanoma): 납작한 주근깨 양상으로 꽤 넓게 퍼져 있으나 역시 외음 표면에만 있고, 가장 흔한 형태이다.
- 결절흑색종(nodular melanoma): 조직 깊이 침투하고, 넓게 전이하는 가장 공격적인 형태이다.

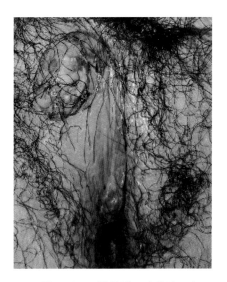

그림 14-14. 외음흑색종의 육안소견

1) 병기

흑색종은 대부분 병변의 크기가 매우 작고 예후가 병변의 크기보다 침윤 깊이에 의해 결정되므로 편평세포암에서 사용되는 FIGO 병기는 흑색종에 적용될 수 없다.[64] 피부 흑색종에서 사용되는 Clark leveling system[65]은 외음의 피부가 일반적인 피부와 형태학적인 차이가 있어서 외음 흑색종에 적용하기 어렵다. Chung[66]은 Clark의 level I과 V의 정의를 그대로 두고, level II, III, IV를 침윤 깊이를 밀리미터로 측정한 값으로 정의하였다. Breslow[67]는 온전한 상피 표면으로부터 침윤이 가장 깊은 곳의 종양 두께를 측정했다. 2017년도에 새로 개정된 AJCC TNM 병기 8판, 흑색종 병기설정에서에서 종양의 두께를 병기의 일차적 지표로 사용하면서 이전까지 Breslow 두께에 따라 1, 2, 4mm의 기준치를 더욱 세분하여 나누고 Breslow 두께를 소수점 2자리까지 측정하던 것을 소수점 1자리로 변경하였으며, 미세침윤에 적용되던 세포분열의 기준은 삭제하였다. 또한 전이된 림프절 내의 종양세포의 침윤 정도는 삭제되었다. 그외 기존 분류에 포함되어 있는 전이된 림프절의 수, 감시림프절의 평가, 혈청 젖산탈수소화효소(LDH)의 증가가 병기설정에 포함되어 있다.[68]

2) 치료

과거에 광범위 외음절제술과 서혜 골반 림프절절제술이 흑색종 치료로 시행되었으나, 최근 병기 0-1기는 광범위 국소절제술을 통한 보존적 치료를 시행한다.[69] 침윤의 두께에 따라 광범위 국소절제의 경계면이 달라진다. 침윤의 두께가 2mm 정도까지는 1cm의 경계면을 두고 절제하고, 7mm 미만인 경우, 2cm의 경계면을 두고 절제를 한다. 침윤 두께가 7mm 이상인 경우, 3~4cm 경계면을 두고 광범위 국소절제를 시행한다.[22] 림프절절제술은 종양의 침윤 두께에 따라 선별적으로 시행한다. 침윤 두께가 1~4mm인 경우, 서혜대퇴 림프절절제술은 재발률을 낮추고, 5년 생존율은 증가시켜 효과적이다. 하지만, 4mm가 넘는 침윤 두께를 가진 종양은 이미 림프절 및 원격 전이가 동반된 경우가 많으므로 림프절절제술이 큰 도움이 되지 못한다. 감시림프절생검은 임상적으로 서혜림프절 전이가 없는 흑색종인 경우 시행해 볼 수 있다.[70]

흑색종은 주로 소음순이나 음핵에서 발생하는 경우가 많으므로 질요도 경계면에 양성 소견이 수술적 치료 실패의 주요 원인이다. 따라서 적절하게 내측의 절제면의 간격을 확보하는 것이 중요하다.

추가 방사선치료는 서혜부 림프절 전이 수, 크기와 위치에 따라서 선별적으로 시행할 수 있다.[71] 그외 재발가능성이 높은 진행된 외음 흑색종 환자들에게 항암화학요법, 생물학제 및 면역치료 등이 시행될 수 있다. 최근에는 진행한 외음 흑색종 환자에게 시스플라틴, 빈블라스틴(Vinblastine), 다카바진(Dacarbazine), 인터페론알파(interferon alpha)와 인터루킨-2 (interleukin-2)를 병용 사용한 경우, 비록 완전관해는 없었으나 부분관해 및 생존율이 증가하여 이러한 생물화학요법(bio-chemotherapy)이 수술적 치료가 불가능한 정도의 진행된 암, 재발한 암 또는 전이성 외음 흑색종의 치료적 대안으로 제시되었다.[72] 흑색종 환자들에게서 c-KIT, NRAS과 BRAF 돌연변이가 확인됨에 따라 다양한 관련 표적치료제들이 나왔다. 따라서 진단 당시 혹은 재발한 경우에 이러한 유전자의 변이여부를 검사하는 것이 권고된다.[73]

3) 예후

외음 흑색종의 5년 생존율은 약 35%로 피부 흑색종보다 낮다.[22] 병변의 크기와 침윤 정도, 경계면의 상태에 따라 예후가 달라진다 그외 AJCC 병기, 다발성 또는 주위 병변의 유무, 유사분열률, 궤양유무, 병리학적 절제면 상태가 예후와 관련 있다.

외음 파제트병
(Exta-Mammary Paget's Disease)

외음 파제트병은 주로 폐경여성에서 발생하며 전체 외음암의 1% 미만을 차지하고 있다.[74] 병리학적으로 유방 파제트병과 동일한 세포 형태를 지니고 있으나, 유방에서는 항상 선암이 동반되어 있는 것과는 달리 외음 파제트병은 대부분 상피 내에 국한되어 있고, 약 10~12%에서 침윤성이며, 4~8%에서 국소 선암을 동반한다.[75] 주로 가려움증을 동반한 습진 같은 병변으로 경계가 명확한 홍반으로 나타나고 병변 내로 궤양이나 scale, 각질화 등이 나타날 수 있다. 충혈되어 있는 조직의 표면에 백색으로 융기 되어 있는 병변은 마치 케이크 장식(cake-icing)처럼 보이며, 파제트병의 특징적인 소견이다(그림 14-15). 그외 출혈이 있거나 타는 듯한 느낌이 있을 수 있다. 처음에는 털이 있는 피부에서 시작하여 점차 불두덩, 허벅지와 엉덩이로 번져가며 직장, 질 또는 요도 점막으로 침윤할 수 있다.

발생 기전은 정확하게 밝혀지지 않았으나, 발생 기원에 따라 원발성과 속발성으로 나뉜다.[76] 원발성 외음 파제트병은 표피나 아포크린땀샘 같은 피부에서 기원하고, 속발성 외음파제트는 직장, 자궁경부, 방광 등의 점막에 발생한 선암과 같은 내부 장기암의 표피 내 침윤이나 전이로 발생한다.

항문 점막을 침범했을 경우 직장선암을 동반하기도 하며 그외 자궁경부암, 기저세포 암, 유방암, 신요로계암 등이 발생될 수 있으므로 자궁경부 세포검사, 유방촬영술, 방광경검사, 대장내시경, 골반 CT, 질초음파 등의 검사를 시행해야 한다.[77] 조직학적으로 파제트세포는 표피세포 내에 크고 강하게 염색되는 다형성의 핵과 풍부한 세포질을 특징으로 하며, 세포의 90% 이상은 mucin을 포함하고 있어서 periodic acid schiff (PAS)와 alcian blue에 강하게 염색된다. 파제트병을 보엔병(Bowen's disease)이나 흑색종과 감별하기 위해 면역조직화학이 도움이 된다.

수술적 치료가 일반적이며, 육안으로 보이는 모든 병변 부위와 그 절제면의 간격이 1~2cm가 되도록 광범위 국소절제술을 시행하고, 침윤성인 경우, 광범위 외음절제술 및 림프절절제술을 시행해야 한다.[78] 그러나, 파제트병은 육안으로 보이는 병변보다 파제트 세포가

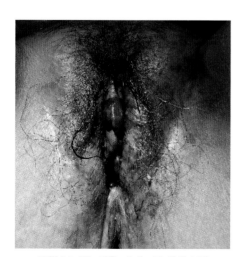

그림 14-15. 외음 파제트병 육안소견

광범위하고 다발성으로 침윤하므로, 약 21~61%의 높은 재발률을 보이게 된다.[79] 재발률을 낮추기 위해서 수술 중 절제면을 동결절편검사를 시행하여 절제면이 음성임을 확인하면서 수술을 진행하도록 하였으나, 최근에는 그 효용성 여부에 대한 의견이 분분하다. 선암이 동반되었는지 확인하기 위해 하부 진피까지 충분한 두께(6mm)로 제거하여야 한다. 뒤늦게 재발하는 경우도 있으므로 장기간의 추적관찰이 필요하며, 재발한 경우, 광범위 국소절제술, 방사선치료나 항암화학요법 등을 시행해 볼 수 있고, 5-FU 연고 또는 5% 이미퀴모드 연고를 도포하거나 CO_2 레이저를 사용할 수 있다.[80]

기타 외음부암

1) 바르톨린샘암(Bartholin gland carcinoma)

원발성 바르톨린샘암은 전체 외음암의 약 0.1~5.0%, 모든 여성 암 중 0.001%를 차지하는 매우 드문 암이다.[81] 환자들의 평균연령은 60세이며 통증, 출혈, 종괴, 성교통, 가려움증 등의 증상을 가진다. 선암, 편평세포암, 이행세포암(transitional cell carcinoma), 선편평세포암(adenosquamous carcinoma), 선낭암(adenoid cystic carcinoma)의 다양한 조직학적 형태를 가진다.[81] 바르톨린샘암은 1887년 Honan[82]에 의해 다음 네 가지 진단 기준에 따라 임상적으로 진단되었다. ① 병변이 바르톨린샘에 위치하며, ② 대음순 깊숙히 위치하고, ③ 덮고 있는 피부에 이상이 없고, ④ 조직학적 검사에서 정상 샘조직이 있어야 한다. 그러나 이러한 엄격한 기준은 말기암에서 피부 궤양이 동반되고 종양이 커서 정상 조직을 모두 대체한 경우에는 바르톨린샘암으로 진단될 수 없다는 한계를 가지며 임상적으로 적용하는데 어려움이 있었다. 이후, 1972년 AFIP (Armed Force Institute of Pathology)에 의해 원발성 바르톨린샘암으로 진단하기 위한 새로운 기준이 제안되었다.[83] ① 조직학적 검사상 정상조직에서 종양으로 변하는 이행 부위가 있고, ② 조직학적으로 종양이 바르톨린샘에서 기원하였고, ③ 신체의 다른 부위에 원발종양이 없을 때 바르톨린샘암을 진단하도록 하였다. 바르톨린샘암은 종종 바르톨린낭종이나 농양으로 오인되어 진단이 늦어지기도 한다. 폐경 후 여성에서 바르톨린샘이 커져 있다면, 악성의 가능성을 의심해봐야 한다. 치료는 광범위 외음절제술과 서혜림프절절제술이며, 골반 림프절절제술은 시행하지 않는다. 선낭암(adenoid cystic carcinoma)은 서서히 진행하고, 진행된 경우 혈행성으로 폐, 간, 뼈 등으로 전이되므로 치료효과를 판정하는데, 5년 생존율보다 10~15년 생존율을 평가하는 것이 효율적이다.[84] 종종 통증을 동반한 국소 재발을 하기도 한다. 치료는 광범위 국소절제술과 동측 서혜대퇴 림프절절제술을 시행하고, 절제면이 양성이거나 신경침윤이 있을 때 추가 방사선치료가 추천된다.[84]

2) 외음선암(vulvar adenocarcinoma)

외음부 선암은 주로 바르톨린샘에서 발생하거나 파제트병과 동반하여 나타난다. 가장 공격적인 형태는 선편평세포암(adenosquamous cell carcinoma)이며, 신경침윤, 조기림프절 전이와 국소재발하는 경향이 있다. 5년 생존율이 5.6%에 불과하여 불량한 예후를 가진

다. 치료는 광범위 국소절제술과 서혜부 림프절절제술이며 수술 후 방사선치료를 추가한다.[85]

3) 기저세포암종(basal cell carcinoma)

기저세포암종은 가장 흔히 발생하는 피부암으로 고령 및 태양광선에 장기간의 노출이 기저세포암의 발병 기전에 가장 중요한 요인으로 알려져 있다. 외음 기저세포암종은 외음암의 약 2%를 차지하며, 백인 고령 여성에서 많이 발생한다. 일반적으로 외음은 햇빛에 노출이 적은 부분이므로 자외선 이외 다른 요인이 발병 기전에 관여할 것으로 생각되고 있다.[86] 주요 증상은 가려움증이며 적은 양의 출혈이 동반되거나 작열감이 있으며, 간혹 습진이나 건선 혹은 만성 칸디다감염에 의한 염증으로 오인되어 진단이 늦어지기도 한다. 주로 대음순에 발생하며, 직경 2cm 이하의 중앙 부위에 궤양을 동반하는 잠식성궤양(rodent ulcer)모양을 보인다. 양측성이거나 다발성인 경우는 매우 적으며 림프절로의 전이도 매우 드물다. 서서히 진행하고, 국소적으로 침윤하여 광범위 국소절제술이 적합한 치료이다.[87]

4) 사마귀모양암(verrucous carcinoma)

편평세포암의 변종으로 외음암의 약 1% 미만을 차지하고 있다.[88] 대부분 폐경 이후에 발생하고 서서히 진행하며 대부분 국소병변으로 관찰되나 크기가 급속하게 커지며, 드물게 림프절 전이도 나타난다.[11] 주로 음순의 점막표면에서 발견되지만, 간혹 음순 피부에서도 발생할 수 있다. HPV 감염이나 면역억제가 위험요인으로 거론되기도 한다.[88] 전체적인 모양은 뾰족 콘딜로마와 유사한 사마귀모양이나 유두모양, 양배추모양덩이(cauliflowerlike mass)로 관찰된다(그림 14-16).[11] Buschke-Loewenstein의 거대콘딜로마와 육안적 현미경적 소견이 유사하여 같은 종양으로 간주되고 있다.[11] 치료는 광범위 국소절제술을 기본으로 하며, 큰 종양의 경우, 단순 외음부절제술을 시행하기도 한다. 림프절 전이가 있는 경우, 광범위 외음절제술 및 양측 서혜대퇴 림프절절제술을 시행한다. 방사선치료는 국소 및 원격 전이와 함께 역형성 변형(anaplastic transformation)을 야기할 수 있으므로 금기이다.[89]

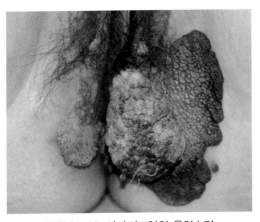

그림 14-16. **사마귀모양암 육안소견**

5) 외음육종(vulvar sarcoma)

육종은 외음암의 약 1~2%를 차지하고 있으며, 평활근육종(leiomyosarcoma)이 가장 흔한 형태이고 유상피육종(epithelioid sarcoma), 횡문근육종(rhabdomyosarcoma) 등이 있다.[90] 광범위 국소절제술을 시행하고, 고등급 종양이나 국소적으로 재발한 저등급병변에서 추가 방사선치료가 도움이 된다.[90]

평활근육종은 대부분 대음순에서 발생하며, 통증을 동반하는 서서히 커지는 종괴로 발견된다. 림프절 전이는 드물며, 치료는 광범위 국소절제술이다. 유상피육종은 조기에 림프절 전이나 원격 전이를 하는 공격적인 특징을 보이는 외음암이다. 광범위절제술과 동측 림프절절제술을 시행하도록 하며, 항암화학요법 등 전신 치료는 효과적이지 않다. 횡문근육종은 유년기에 잘 생기면 약 20%에서 골반 및 비뇨생식기를 침범한다. 치료는 광범위 국소절제술 이후 항암화학요법이나 항암화학방사선요법을 추가한다. 5년 생존율은 87%이다.[91]

6) 림프종(lymphoma)

악성림프종의 30%가 생식기에 함께 발병하며, 90% 이상이 비호지킨림프종(non-Hodgkin lymphoma)으로 주로 자궁경부에서 흔히 나타나며, 외음과 질에서 발생하기도 한다. 치료는 수술적 절제와 추가 항암화학요법 혹은 항암화학방사선요법이다.[92]

7) 내배엽동종양(endodermal sinus tumor)

외음에 흔하게 나타나는 생식세포암종으로 평균 연령은 24세이며 난소암에서와는 다르게 알파태아단백(alpha fetoprotein) 수치가 항상 증가하는 것은 아니다. 치료는 수술 이후 항암화학요법을 시행한다.[93]

8) 메르켈세포암종(merkel cell carcinoma)

메르켈세포암종은 피부의 소세포암종이다. 광범위하게 전이하고 재발률도 높아서 예후는 매우 불량하다. 치료는 일차적으로 2cm 절제면을 가지는 외음부절제술 또는 광범위 국소절제술을 시행하고 추가 항암화학방사선요법을 한다.[94]

참고문헌

1   Darragh TM, Colgan TJ, Cox JT, Heller DS, Henry MR, Luff RD, et al. The lower anogenital squamous terminology standardization project for HPV-associated lesions: background and consensus recommendations from the College of American Pathologists and the American Society for Colposcopy and Cervical Pathology. Archives of pathology & laboratory medicine 2012;136:1266-97.

2   Sideri M, Jones RW, Wilkinson EJ, Preti M, Heller DS, Scurry J, et al. Squamous vulvar intraepithelial neoplasia: 2004 modified terminology, ISSVD Vulvar Oncology Subcommittee. The Journal of reproductive medicine 2005;50:807-10.

3   Bornstein J, Bogliatto F, Haefner HK, et al. The 2015 International Society for the Study of Vulvovaginal Disease (ISSVD) Terminology of Vulvar Squamous Intraepithelial Lesions. J Low Genit Tract Dis. 2016;20(1):11 -14.

4   Hellman K, Silfversward C, Nilsson B, Hellstrom AC, Frankendal B, Pettersson F. Primary carcinoma of the vagina: factors influencing the age at diagnosis. The Ra-

diumhemmet series 1956-96. Int J Gynecol Cancer 2004;14:491-501.

5 Gallup DG, Talledo OE, Shah KJ, Hayes C. Invasive squamous cell carcinoma of the vagina: a 14-year study. Obstet Gynecol 1987;69:782-5.

6 Frank SJ, Deavers MT, Jhingran A, Bodurka DC, Eifel PJ. Primary adenocarcinoma of the vagina not associated with diethylstilbestrol (DES) exposure. Gynecol Oncol 2007;105:470-4.

7 Siegel RL, Miller KD, Jemal A. Cancer statistics, 2015. CA Cancer J Clin 2015;65:5-29.

8 Jemal A, Siegel R, Ward E, Murray T, Xu J, Smigal C, et al. Cancer statistics, 2006. CA Cancer J Clin 2006;56:106-30.

9 Judson PL, Habermann EB, Baxter NN, Durham SB, Virnig BA. Trends in the incidence of invasive and in situ vulvar carcinoma. Obstet Gynecol 2006;107:1018-22.

10 Stroup AM, Harlan LC, Trimble EL. Demographic, clinical, and treatment trends among women diagnosed with vulvar cancer in the United States. Gynecol Oncol 2008;108:577-83.

11 Pirog EC. Pathology of Vulvar Neoplasms. Surg Pathol Clin 2011;4:87-111.

12 Smith JS, Backes DM, Hoots BE, Kurman RJ, Pimenta JM. Human papillomavirus type-distribution in vulvar and vaginal cancers and their associated precursors. Obstet Gynecol 2009;113:917-24.

13 Santos M, Landolfi S, Olivella A, Lloveras B, Klaustermeier J, Suarez H, et al. p16 overexpression identifies HPV-positive vulvar squamous cell carcinomas. Am J Surg Pathol 2006;30:1347-56.

14 van der Avoort IA, Shirango H, Hoevenaars BM, Grefte JM, de Hullu JA, de Wilde PC, et al. Vulvar squamous cell carcinoma is a multifactorial disease following two separate and independent pathways. Int J Gynecol Pathol 2006;25:22-9.

15 Nitecki R, Feltmate CM. Human papillomavirus and nonhuman papillomavirus pathways to vulvar squamous cell carcinoma: A review. Curr Probl Cancer 2018;42:476-85.

16 Zweizig S, Korets S, Cain JM. Key concepts in management of vulvar cancer. Best Pract Res Clin Obstet Gynaecol 2014;28:959-66.

17 Hacker NF EP. Vulvar Cancer In: Hacker NF e, editor. Berek & Hacker's gynecologic oncology. Philadelphia: Lippincott Williams & Wilkins; 2015. p. 560-607.

18 Mitchell MF, Prasad CJ, Silva EG, Rutledge FN, McArthur MC, Crum CP. Second genital primary squamous neoplasms in vulvar carcinoma: viral and histopathologic correlates. Obstet Gynecol 1993;81:13-8.

19 listed Na. Classification and staging of malignant tumours in the female pelvis. Acta Obstet Gynecol Scand 1971;50:1-7.

20 Homesley HD, Bundy BN, Sedlis A, Yordan E, Berek JS, Jahshan A, et al. Assessment of current International Federation of Gynecology and Obstetrics staging of vulvar carcinoma relative to prognostic factors for survival (a Gynecologic Oncology Group study). Am J Obstet Gynecol 1991;164:997-1003; discussion -4.

21 Hacker NF. Revised FIGO staging for carcinoma of the vulva. Int J Gynaecol Obstet 2009;105:105-6.

22 TJ H. Invasive cancer of the Vulva In: Disaia PJ CW, Mannel RS, Mcmeekin DS, Mutch DG, editor. Clinical Gynecologic Oncology. Philadelphia: Elsevier; 2018. p. 190-216.

23 Curry SL, Wharton JT, Rutledge F. Positive lymph nodes in vulvar squamous carcinoma. Gynecol Oncol 1980;9:63-7.

24 van der Velden J HN. Update on vulvar carcinoma. In: ML R, editor. Gynecologic oncology: controversies and new developments Boston: Kluwer; 1994. p. 101-19.

25 Homesley HD, Bundy BN, Sedlis A, Yordan E, Berek JS, Jahshan A, et al. Prognostic factors for groin node metastasis in squamous cell carcinoma of the vulva (a Gynecologic Oncology Group study). Gynecol Oncol 1993;49:279-83.

26 Hacker NF, Berek JS, Lagasse LD, Leuchter RS, Moore JG. Management of regional lymph nodes and their prognostic influence in vulvar cancer. Obstet Gynecol 1983;61:408-12.

27 Way S. The anatomy of the lymphatic drainage of the vulva and its influence on the radical operation for carcinoma. Ann R Coll Surg Engl 1948;3:187-209.

28 Way S. Carcinoma of the vulva. Am J Obstet Gynecol 1960;79:692-7.

29 de Hullu JA, Oonk MH, van der Zee AG. Modern management of vulvar cancer. Curr Opin Obstet Gynecol 2004;16:65-72.

30 Hacker NF. Radical resection of vulvar malignancies: a paradigm shift in surgical approaches. Curr Opin Obstet Gynecol 1999;11:61-4.

31 Hyde SE, Valmadre S, Hacker NF, Schilthuis MS, Grant PT, van der Velden J. Squamous cell carcinoma of the vulva with bulky positive groin nodes-nodal debulking versus full groin dissection prior to radiation therapy. Int J Gynecol Cancer 2007;17:154-8.

32 Deppe G, Mert I, Winer IS. Management of squamous cell vulvar cancer: a review. J Obstet Gynaecol Res 2014;40:1217-25.

33 De Hullu JA, Hollema H, Lolkema S, Boezen M, Boonstra H, Burger MP, et al. Vulvar carcinoma. The price of less radical surgery. Cancer 2002;95:2331-8.

34 Chan JK, Sugiyama V, Pham H, Gu M, Rutgers J, Osann K, et al. Margin distance and other clinico-pathologic prognostic factors in vulvar carcinoma: a multivariate analysis. Gynecol Oncol 2007;104:636-41.

35 Jones RW, Matthews JH. Early clitoral carcinoma successfully treated by radiotherapy and bilateral inguinal lymphadenectomy. Int J Gynecol Cancer 1999;9:348-50.

36 Tantipalakorn C, Robertson G, Marsden DE, Gebski V, Hacker NF. Outcome and patterns of recurrence for International Federation of Gynecology and Obstetrics (FIGO) stages I and II squamous cell vulvar cancer. Obstet Gynecol 2009;113:895-901.

37 Gonzalez Bosquet J, Kinney WK, Russell AH, Gaffey TA, Magrina JF, Podratz KC. Risk of occult inguinofemoral lymph node metastasis from squamous carcinoma of. Int J Radiat Oncol Biol Phys 2003;57:419-24.

38 Gould N. Predictors of complications after inguinal lymphadenectomy. 2001;82:329-32.

39 Hacker NF, Berek JS, Lagasse LD, Nieberg RK, Leuchter RS. Individualization of treatment for stage I squamous cell vulvar carcinoma. Obstet Gynecol 1984;63:155-62.

40 Van Der Velden J, Kooyman CD, Van Lindert AC, Heintz AP. A stage Ia vulvar carcinoma with an inguinal lymph node recurrence after local excision. A case report and literature review. Int J Gynecol Cancer 1992;2:157-9.

41 Stehman FB, Bundy BN, Dvoretsky PM, Creasman WT. Early stage I carcinoma of

the vulva treated with ipsilateral superficial inguinal lymphadenectomy and modified radical hemivulvectomy: a prospective study of the Gynecologic Oncology Group. Obstet Gynecol 1992;79:490-7.

42 Iversen T, Aas M. Lymph drainage from the vulva. Gynecol Oncol 1983;16:179-89.

43 Cabanas RM. An approach for the treatment of penile carcinoma. Cancer 1977;39:456-66.

44 Soliman AA, Heubner M, Kimmig R, P. W. Morbidity of inguinofemoral lymphadenectomy in vulval cancer. ScientificWorldJournal 2012;2012:341253.

45 Gaarenstroom KN, G.G. K, J.B. T, I. A, F. A, A.A. P, et al. Postoperative complications after vulvectomy and inguinofemoral lymphadenectomy. Int J Gynecol Cancer 2003;13:522-7.

46 Podratz KC, Symmonds RE, Taylor WF, Williams TJ. Carcinoma of the vulva: analysis of treatment and survival. Obstet Gynecol 1983;61:63-74.

47 De Hullu JA, Pruim J, Que TH, Aalders JG, Boonstra H, Vaalburg W, et al. Noninvasive detection of inguinofemoral lymph node metastases in squamous cell. Int J Gynecol Cancer 1999;9:141-6.

48 Abang Mohammed DK, R. U, A. dBL, J.M. M. Inguinal node status by ultrasound in vulva cancer. Gynecol Oncol 2000;77:93-6.

49 Land R, Herod J, Moskovic E, King M, Sohaib SA, Trott P, et al. Routine computerized tomography scanning, groin ultrasound with or without fine. Int J Gynecol Cancer 2006;16:312-7.

50 Oonk MH, van Hemel BM, Hollema H, de Hullu JA, Ansink AC, Vergote I, et al. Size of sentinel-node metastasis and chances of non-sentinel-node involvement and. Lancet Oncol 2010;11:646-52.

51 Levenback CFA, S., Coleman RL, Gold MA, Fowler JM, Judson PL, Bell MC, et al. Lymphatic mapping and sentinel lymph node biopsy in women with squamous cell. J Clin Oncol 2012;30:3786-91.

52 Kunos C, Simpkins F, Gibbons H, Tian C, Homesley H. Radiation therapy compared with pelvic node resection for node-positive vulvar cancer: a randomized controlled trial. Obstet Gynecol 2009;114:537-46.

53 Katz A, Eifel PJ, Jhingran A, Levenback CF. The role of radiation therapy in preventing regional recurrences of invasive squamous cell carcinoma of the vulva. Int J Radiat Oncol Biol Phys 2003;57:409-18.

54 Montana GS, Thomas GM, Moore DH, Saxer A, Mangan CE, Lentz SS, et al. Preoperative chemo-radiation for carcinoma of the vulva with N2/N3 nodes: a gynecologic oncology group study. Int J Radiat Oncol Biol Phys 2000;48:1007-13.

55 Hacker NF, Leuchter RS, Berek JS, Castaldo TW, Lagasse LD. Radical vulvectomy and bilateral inguinal lymphadenectomy through separate groin incisions. Obstet Gynecol 1981;58:574-9.

56 Forner DM, Lampe B. Exenteration in the treatment of Stage III/IV vulvar cancer. Gynecol Oncol 2012;124:87-91.

57 Hacker NF, Berek JS, Juillard GJ, Lagasse LD. Preoperative radiation therapy for locally advanced vulvar cancer. Cancer 1984;54:2056-61.

58 Moore DH, Ali S, Koh WJ, Michael H, Barnes MN, McCourt CK, et al. A phase II trial of radiation therapy and weekly cisplatin chemotherapy for the treatment of locally-advanced squamous cell carcinoma of the vulva: a gynecologic oncology group study. Gynecol Oncol 2012;124:529-33.

59 Nooij LS, Brand FA, Gaarenstroom KN, Creutzberg CL, de Hullu JA, van Poelgeest MI. Risk factors and treatment for recurrent vulvar squamous cell carcinoma. Crit Rev Oncol Hematol 2016;106:1-13.

60 Kaern J, Iversen T, Trope C, Pettersen EO, Nesland JM. Flow cytometric DNA measurements in squamous cell carcinoma of the vulva: an important prognostic method. Int J Gynecol Cancer 1992;2:169-74.

61 Hyde SE, Ansink AC, Burger MP, Schilthuis MS, van der Velden J. The impact of performance status on survival in patients of 80 years and older with vulvar cancer. Gynecol Oncol 2002;84:388-93.

62 Gonzalez Bosquet J, Magrina JF, Gaffey TA, Hernandez JL, Webb MJ, Cliby WA, et al. Long-term survival and disease recurrence in patients with primary squamous cell carcinoma of the vulva. Gynecol Oncol 2005;97:828-33.

63 Ragnarsson-Olding BK, Kanter-Lewensohn LR, Lagerlof B, Nilsson BR, Ringborg UK. Malignant melanoma of the vulva in a nationwide, 25-year study of 219 Swedish females: clinical observations and histopathologic features. Cancer 1999;86:1273-84.

64 Podratz KC, Gaffey TA, Symmonds RE, Johansen KL, O'Brien PC. Melanoma of the vulva: an update. Gynecol Oncol 1983;16:153-68.

65 Clark WH, Jr., From L, Bernardino EA, Mihm MC. The histogenesis and biologic behavior of primary human malignant melanomas of the skin. Cancer Res 1969;29:705-27.

66 Chung AF, Woodruff JM, Lewis JL, Jr. Malignant melanoma of the vulva: A report of 44 cases. Obstet Gynecol 1975;45:638-46.

67 Breslow A. Thickness, cross-sectional areas and depth of invasion in the prognosis of cutaneous melanoma. Ann Surg 1970;172:902-8.

68 Gershenwald JE, Scolyer RA, Hess KR, Sondak VK, Long GV, Ross MI, et al. Melanoma staging: Evidence-based changes in the American Joint Committee on Cancer eighth edition cancer staging manual. CA Cancer J Clin 2017;67:472-92.

69 Moxley KM, Fader AN, Rose PG, Case AS, Mutch DG, Berry E, et al. Malignant melanoma of the vulva: an extension of cutaneous melanoma? Gynecol Oncol 2011;122:612-7.

70 Balch CM, Soong SJ, Bartolucci AA, Urist MM, Karakousis CP, Smith TJ, et al. Efficacy of an elective regional lymph node dissection of 1 to 4mm thick. Ann Surg 1996;224:255-63; discussion 63-6.

71 Sugiyama VE, Chan JK, Kapp DS. Management of melanomas of the female genital tract. Curr Opin Oncol 2008;20:565-9.

72 Harting MS, Kim KB. Biochemotherapy in patients with advanced vulvovaginal mucosal melanoma. Melanoma Res 2004;14:517-20.

73 Hodi FS, Corless CL, Giobbie-Hurder A, Fletcher JA, Zhu M, Marino-Enriquez A, et al. Imatinib for melanomas harboring mutationally activated or amplified KIT arising. J Clin Oncol 2013;31:3182-90.

74 Black D, Tornos C, Soslow RA, Awtrey CS, Barakat RR, Chi DS. The outcomes of patients with positive margins after excision for intraepithelial Paget's disease of the vulva. Gynecol Oncol 2007;104:547-50.

75 Fanning J, Lambert HC, Hale TM, Morris PC, Schuerch C. Paget's disease of the vulva: prevalence of associated vulvar adenocarcinoma, invasive Paget's disease, and recurrence after surgical excision. Am J Obstet Gynecol 1999;180:24-7.

76 Wilkinson EJ, Brown HM. Vulvar Paget disease of urothelial origin: a report of three cases and a proposed classification of vulvar Paget disease. Hum Pathol 2002;33:549-54.

77 Feuer GA, Shevchuk M, Calanog A. Vulvar Paget's disease: the need to exclude an invasive lesion. Gynecol Oncol 1990;38:81-9.

78 Tebes S, Cardosi R, Hoffman M. Paget's disease of the vulva. Am J Obstet Gynecol 2002;187:281-3; discussion 3-4.

79 Pierie JP, Choudry U, Muzikansky A, Finkelstein DM, Ott MJ. Prognosis and management of extramammary Paget's disease and the association with secondary malignancies. J Am Coll Surg 2003;196:45-50.

80 van der Linden M, Meeuwis KA, Bulten J, Bosse T, van Poelgeest MI, de Hullu JA. Paget disease of the vulva. Crit Rev Oncol Hematol 2016;101:60-74.

81 DePasquale SE, McGuinness TB, Mangan CE, Husson M, Woodland MB. Adenoid cystic carcinoma of Bartholin's gland: a review of the literature and report of a patient. Gynecol Oncol 1996;61:122-5.

82 Copeland LJ, Sneige N, Gershenson DM, McGuffee VB, Abdul-Karim F, Rutledge FN. Bartholin gland carcinoma. Obstet Gynecol 1986;67:794-801.

83 Oncology NCPGi. Vulvar Cancer (Squamous CellCarcinoma). USA National Comprehensive Cancer Network,; 2019.

84 Rosenberg P, Simonsen E, Risberg B. Adenoid cystic carcinoma of Bartholin's gland: a report of five new cases treated with surgery and radiotherapy. Gynecol Oncol 1989;34:145-7.

85 Underwood JW, Adcock LL, Okagaki T. Adenosquamous carcinoma of skin appendages (adenoid squamous cell carcinoma, pseudoglandular squamous cell carcinoma, adenocanthoma of sweat gland of Lever) of the vulva: a clinical and ultrastructural study. Cancer 1978;42:1851-8.

86 Ragnarsson-Olding BK. Primary malignant melanoma of the vulva—an aggressive tumor for modeling the genesis of non-UV light-associated melanomas. Acta Oncol 2004;43:421-35.

87 Benedet JL, Miller DM, Ehlen TG, Bertrand MA. Basal cell carcinoma of the vulva: clinical features and treatment results in 28 patients. Obstet Gynecol 1997;90:765-8.

88 Gualco M, Bonin S, Foglia G, Fulcheri E, Odicino F, Prefumo F, et al. Morphologic and biologic studies on ten cases of verrucous carcinoma of the vulva supporting the theory of a discrete clinico-pathologic entity. Int J Gynecol Cancer 2003;13:317-24.

89 Japaze H, Van Dinh T, Woodruff JD. Verrucous carcinoma of the vulva: study of 24 cases. Obstet Gynecol 1982;60:462-6.

90 Ulutin HC, Zellars RC, Frassica D. Soft tissue sarcoma of the vulva: A clinical study. Int J Gynecol Cancer 2003;13:528-31.

91 Arndt CA, Donaldson SS, Anderson JR, Andrassy RJ, Laurie F, Link MP, et al. What constitutes optimal therapy for patients with rhabdomyosarcoma of the female genital tract? Cancer 2001;91:2454-68.

92 Bagella MP, Fadda G, Cherchi PL. Non-Hodgkin lymphoma: a rare primary vulvar localization. Eur J Gynaecol Oncol 1990;11:153-6.

93 Flanagan CW, Parker JR, Mannel RS, Min KW, Kida M. Primary endodermal sinus tumor of the vulva: a case report and review of the literature. Gynecol Oncol 1997;66:515-8.

94 Nguyen AH, Tahseen AI, Vaudreuil AM, Caponetti GC, Huerter CJ. Clinical features and treatment of vulvar Merkel cell carcinoma: a systematic review. Gynecol Oncol Res Pract 2017;4:2.

CHAPTER

15

골반 종괴

Pelvic Mass

책임저자

김석모 | 전남대학교 의과대학 산부인과

집필저자

강우대 | 전남대학교 의과대학 산부인과

김윤환 | 이화여자대학교 의과대학 산부인과

배종운 | 동아대학교 의과대학 산부인과

최현진 | 중앙대학교 의과대학 산부인과

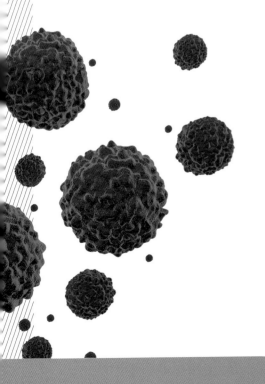

Gynecologic Oncology

자궁부속기 종괴(Adnexal Mass)

자궁부속기는 난소(ovary), 난관(fallopian tubes), 자궁넓은인대(broad ligament), 난소와 자궁넓은인대 안의 구조물로 구성되어있다. 자궁부속기 종괴는 발생학적 기원에 따라 종괴의 종류와 적합한 치료법이 다양하다. 자궁부속기 종괴의 임상증상은 골반 통증, 골반 압박 증상이 나타날 수 있고, 무증상으로 정기검진 중 우연히 발견된다. 자궁부속기 종괴를 평가하는 데 있어 가장 우선적으로 고려할 점은 악성 난소종양과의 감별진단이다. 자궁부속기 종괴는 그 해부학적 위치로 인하여 다른 부인과 종양과 비교하여 치료 전 조직검사를 통한 진단이 어렵고, 치료 전 많은 검사를 시행한다고 하더라도 정확한 병명을 예측하기 어려운 질병 중의 하나이다. 환자에게 자궁부속기 종양이 발견되면 환자의 나이, 증상과 자세한 부인과 병력, 가족력 등을 조사하여 악성 종양과의 관련성을 확인하여야 한다. 또한 치료 결정을 하기 위해서 질초음파검사, 종양표지자검사를 포함한 평가가 시행된다.

질초음파검사

질초음파검사는 크기, 중격, 고형성 유무 및 형태, 종양 벽의 두께의 불규칙성, 초음파의 음영으로 복합 성분의 자궁부속기 종괴의 특징을 확인할 수 있다. 폐경 전 여성의 경우 지속적인 복잡성 난소종양으로 수술을 받는 경우 약 17%에서 악성으로 판명되었고,[1] 폐경 후 여성의 경우는 초음파 검사로 추적 관찰 중 계속적으로 남아 있는 경우 7.9%에서 악성으로 판명되었다.[2] 따라서 복잡성 내용물이 있는 경우에는 색도플러(color doppler) 검사, 자기공명영상 혹은 컴퓨터단층촬영 등을 적용하여 감별진단한다.

CA125
(Cancer Antigen 125)

가장 많이 이용되고 있는 종양표지자검사는 CA125(cancer antigen 125)이다. CA125는 악성 종양으로 진단받은 환자에서 치료반응을 추적하고 재발 가능성을 평가하는 데 사용된다. 그러나 CA125검사는 민감도와 특이도가 제한적이어서 선별검사로 CA125검사를 시행하는 것은 옳지 않다. 복막과 장막 염증, 다른 원인에 의한 자극으로 CA125 상승되기도 한다. 자궁부속기 악성 종양뿐만 아니라 다른 악성 종양이나 자궁내막증, 자궁근종, 양성 자궁부속기 종괴, 골반 감염, 간 질환, 간염, 울혈성 심장기능상실, 월경, 임신 같은 상황에서도 상승할 수 있다. 자궁부속기 종괴에서 CA125검사는 환자의 증상, 영상검사를 종합하여 수술여부를 결정하는 데 정보를 제공하거나 추가 검사 필요성에 대해 정보를 제공한다.

OVA1®

OVA1 검사는 다섯 가지 단백질(CA125, β2-microglobulin, apolipoprotein A1, prealbumin, and transferrin)을 측정한 종양표지자이다. 이 검사는 2009년 미국 FDA에서 난소종양 분류

를 도와 부인암 전문의에게 의뢰하는 것을 수월하게 할 수 있도록 승인되었다. 검사 결과 이상이 있을 때 즉시 난소암에 대해 병기결정이나 종양감축술을 할 수 있는 부인암 전문의에게 보내야 한다. OVA1 검사는 0~10점으로 구성되어 있고 폐경 전 여성에서는 cutoff는 5점, 폐경 여성의 cutoff는 4.4점이다. OVA1 검사는 선별검사로는 승인되지 않아 선별검사로 사용하면 안된다.

HE4
(Human Epididymis Protein 4)

인간부고환단백(human epididymis protein 4, HE4)은 생식기관의 정상 샘상피(glandular epithelium), 콩팥요세관(renal tubule), 호흡상피(respiratory epithelium)에서 생성되는 당 단백질이다. HE4는 복막 자극에 덜 민감하여 위양성을 줄일 수 있다. HE4는 자궁내막증에서 증가하지 않는다. 일반적인 양성 부인과 질환과 정상 난소조직에서는 수치가 높지 않으나 초기 난소암 환자에게서 과발현된다. HE4와 CA125의 조합을 통해 난소암 진단에 민감도를 높이는 것으로 ROMA(Risk of Ovarian Malignancy Algorithm)가 고안되어 2011년 난소암 위험도를 판단하는 지수로 FDA에서 승인받았다.

난소외 자궁부속기 종괴

골반의 근접성을 고려할 때 다양한 비난소 구조물이 자궁부속기종괴 모양으로 나타날 수 있다. 이 범주에는 자궁근종, 난관 종양, 창자 그리고 인접한 구조물의 질환이 포함된다. 종양은 선천성 종괴, 기능성 종괴, 염증으로 인해 생성될 수 있다. 문진, 신체 검사 및 영상검사의 모든 정보를 사용하고 자궁부속기 종괴의 폭넓은 감별진단이 중요하다. 크기가 크고 낭성인 난소외 자궁부속기 종괴가 골반 검사에서 발견되기도 한다. 이러한 난소외 자궁부속기 종괴들은 복막 낭종(peritoneal cyst), 그물막 낭종(omental cyst), 후복막 병변(retroperitoneal lesion), 위창자길(GI tract)이 포함된다. 후복막 육종, 림프종, 엉치꼬리 기형종(sacrococcygeal teratoma)이 직장질 검사(rectovaginal examination)에서 발견되고 자궁부속기 종괴로 오인되기도 한다.

난소 종괴

골반내 종괴가 있을 경우 먼저 난소의 종양인지 아닌지 확인하는 것이 중요하다. 이를 위해 일차적으로 사용할 수 있는 진단 방법은 초음파검사로, 초음파검사는 난소와 자궁의 해부학적인 문제를 찾아내고 감별하는 데 유용하다. 초음파를 통해 난소에서 기원한 종괴가 발견되는 경우, 양성 또는 악성 난소 종양 가능성을 염두하고 치료 방침을 결정해야 한다. 악성 난소 종양에 대해서는 암을 발견하거나 조기발견을 할 수 있는 효과적인 방법이 없는 상태로, 초음파나 난소 종양 표지자 검사로 현재 있는 병변이 양성일 가능성이 높은지 악성일 가능성이 높은지 예측하는 것이 최선이다. 감별진단을 위해서는 기능성 낭종과 양성 골반 종괴의 특징적인 임상양상과 초음파 소견을 알고 있어야 한다.

기능성 난소낭종
(Functional Cysts)

난소의 비종양성 낭종을 일반적으로 기능성 낭종이라고 부르며, 난포낭종(follicular cyst), 황체낭종(corpus luteal cyst), 난소막황체낭종(theca lutein cyst) 등이 있다. 이러한 기능성 낭종은 난소의 기능인 배란 주기에 따라 나타나고 자연 소실된다. 크기가 크지 않다면 대부분은 증상을 일으키지 않으나, 간혹 성교시 통증, 짧은 순간의 날카로운 통증, 운동 후 통증, 비특이적 불편감 등 소량의 질출혈 등을 호소하기도 하며, 크기가 커지면 통증이 생기며, 환자가 혈액축적에 의한 복막이나 횡격막의 자극을 나타내는 징후인 왼쪽어깨통증(Kehr's sign)을 보이거나 몸을 뒤로 기울였을 때 심한 통증과 호흡곤란을 호소하면 상당량의 복강 내 출혈을 의심하여야 한다. 이런 증상을 보이는 경우, 실신, 저혈량성 쇼크 등의 가능성을 염두에 두고 지혈 목적의 수술을 고려하여야 한다.

1) 난포낭종(follicular cyst)

폐경 전 여성의 난소는 주기적으로 난포를 형성하고 배란한 후 퇴행하는 과정을 반복한다. 일반적으로 1~2mm 정도의 크기가 되면 초음파를 통하여 확인할 수 있으며, 생리주기 8일째부터는 직경 14mm 이상 되는 우세난포(dominant follicle)가 발견된다. 이후 배란

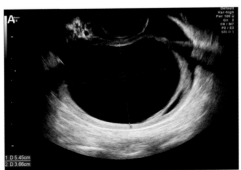 

그림 15-1. 난포낭종
A 초음파에서 9.7cm 크기의 단순 낭종이 보인다. **B** 수술소견

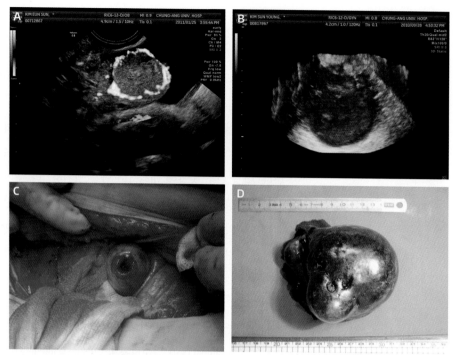

그림 15-2. 황체는 색도플러에서 불의 고리소견을 보임(A). 황체 내부 출혈 시 내부가 균일하지 않고 다양한 형태를 보임(B). 황체 파열로 수술한 경우(C). 황체내부 출혈로 낭종이 10cm까지 커짐(D)

기가 가까워지면 난포의 크기는 직경 18~26mm 정도까지 자라며, 이 정도의 크기에서 배란이 일어 난다. 배란 이전의 난포가 난포낭종이다. 난포낭종의 경우 대부분 증상이 없고 자연 소실되나 배란이 되지 않은 경우 크기가 10cm 정도까지 자라는 경우가 있으며(그림 15-1), 파열, 출혈 등으로 골반통을 일으킬 수 있다(그림 15-2).

난포낭종이 의심되는 경우 먼저 환자의 마지막 월경일과 월경 주기를 확인하고 초음파로 자궁 내막의 상태를 확인하여 난소주기와 내막주기가 일치 하는지 확인한다. 난포낭종이 보이는 시기는 배란 이전까지이며, 이 경우 자궁내막은 증식기 형태를 보이게 된다. 염전, 파열, 주변 장기 압박 등을 일으키지 않으면 관찰한다. 증상 발현 시 수술이나 난소낭종 흡인을 고려할 수 있다.

2) 황체 낭종(corpus luteal cyst)

배란 이후에는 일반적으로 낭종의 크기가 줄어들고 황체가 형성되나 간혹 3cm까지 커지기도 한다. 황체의 중심은 정상적으로 낭성 변화와 출혈을 동반하는데 파열 시 혈복강을 유발할 수 있고, 통증이 심하거나 생체징후가 불안정 할 때는 수술을 고려한다(그림 15-2). 향후 임신이 되지 않으면 황체는 퇴화힌다. 난포낭종이나 황체의 크기를 고려하면, 폐경 전 여성에서 25mm 미만의 단순 낭종은 난소의 병적 상태보다는 기능성 낭종으로 정상적으로 보이는 소견인 경우가 대부분이므로 수술이나 추가적인 진단적 검사보다는 2~3개월 후 추적관찰을 하는 것이 적절하다.

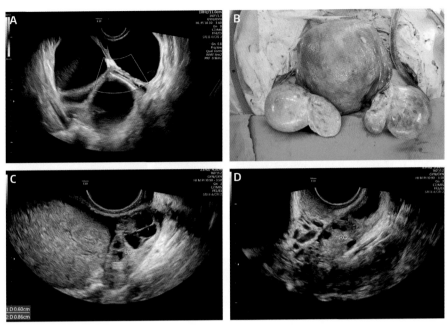

그림 15-3. 난포막 황체 낭종. 19주 산모의 난소 초음파 소견(A). 제왕절개술 시 낭종성 변화를 보이는 난소 소견(B). 출산 6주 후에 시행한 난소 초음파 소견으로 낭성 변화는 없음(C,D)

3) 난포막 황체 낭종(theca lutein cyst)

난포막 황체 낭종은 증가된 사람융모생식샘자극호르몬(human chorionic gonadotropin, hCG)의 난소 자극과 관련이 있다. 따라서 정상 임신에서 흔히 발견되는 소견은 아니며 다태아 임신, 포상기태 임신, 융모막 암종, 과배란 유도 후에 발생한다(그림 15-3). 과자극 상황이 종결되면 난포막 황체 낭종은 자연 소실된다(그림 15-3). 기능성 낭종과 난소의 종양성 질환을 구분하는 것이 치료의 방침을 결정하는 데 가장 결정적인 부분이며, 증상이 없다면 기능성 난소 낭종은 치료 없이 경과 관찰하는 것이 바람직하다.

자궁내막종
(Endometriotic Cyst)

자궁내막증은 정상적인 자궁내막샘과 기질 조직이 자궁내막 외에 이소성으로 자궁바깥에 존재하는 것을 말한다. 자궁내막증이 생기는 가장 흔한 위치는 난소나 자궁의 인대, 골반 복막 등에 생기며 이외에도 신체 모든 부위에 생길 수 있다.

환자가 만성적인 골반통, 심한 월경통, 불규칙한 출혈과 함께 초음파에서 균일한 간유리 형태(ground glass appearance)의 낭종을 보일 때 자궁내막종을 의심할 수 있다(그림 15-4). 자궁내막증은 난소 외에도 골반의 장기와 복막에 병변을 형성할 수 있으며, 자궁내막증 병변에서 분비되는 염증유발 물질에 의하여 유착을 일으킨다. 자궁내막 병변이 심한 정도가 증상의 심한 정도와 일치하지는 않는다. 자궁내막증은 주위 장기와의 유착을 형성하므로 초음파 검사나 신체 검진 시 자궁이나 난소가 고정된 위치에서 움직이지 않고 질 후벽의 통증을 호소하기도 한다. 자궁내막증은 복강경 수술을 통하여 조직검사로 확진한다(그림 15-5). 자궁내막종은 혈액과 비슷한 성상의 내용물을 가지고 있으므로 초음

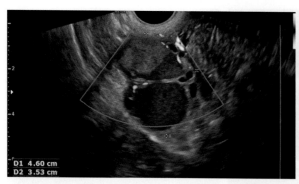
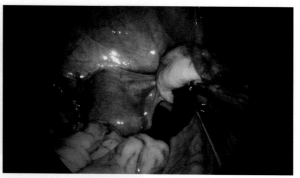

그림 15-4. 자궁내막증의 초음파 소견 및 수술 소견
균일한 간유리 형태의 낭종을 보이며 내부에 격막이나 고에코를 보이는 부분이 보인다.

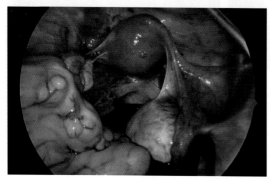

그림 15-5. 자궁내막증의 수술 소견
오른쪽 난소의 자궁내막종과 자궁천골인대와 방광 장막의 자궁내막증 병변. 생리 중의 생리혈 역류가 보인다.

파나 CT에서 출혈성 낭종과 비슷한 소견을 보일 수 있다. 그러나 출혈성 낭종과 비교하여 격막이 보이거나 오래된 자궁내막증의 경우 낭종 안쪽에 고형 성분이 보이는 것이 특징이다. 자궁내막종은 초음파 소견상 격막과 고형성분을 보이는 소견과 함께 CA125의 상승을 흔하게 동반하므로, 자궁내막종은 난소의 악성 종양과 감별진단 해야 하는 난소 종양이다. 만일 격막이 두껍고 불규칙한 경우 낭종 안에 유두상의 돌출이 보이면 도플러검사를 시행하고, 혈류가 증가되어 있으면 자궁내막종에서 발생한 난소암을 의심해야 한다. 자궁내막증에서의 합병증은 통증, 유착이 심한 경우 요로폐쇄, 난임, 성교통, 난소암의 위험성 증가가 있다. 자궁내막증에서는 자궁내막양 난소암과 투명세포 암, 저등급 장액성 난소암의 발생이 증가한다. 자궁내막증 환자에서는 난소암의 위험성이 자궁내막증을 가지고 있지 않은 여성과 비교하여 2~4배 정도 올라가며 오래된 자궁내막증일수록 위험성은 더 높다.[3]

자궁내막증의 경우 환자의 나이, 임신계획 등을 고려하여 치료를 계획한다. 난소에 자궁내막종이 있는 경우, 자궁내막증과 연관된 통증이 내과적 치료로 조절되지 않는 경우 수술적 치료를 고려한다. 수술적 치료는 자궁내막 병변을 제거하고 자궁과 난소의 해부학적 구조를 복구하는데 있다. 수술로 인하여 얻을 수 있는 효과는 통증, 즉, 월경통, 골반통, 성교통의 유의한 감소가 보고되었다.[4] 가장 많이 시행되는 수술방법은 복강경을 통한 자궁내막종의 제거와 유착 박리술, 복막의 자궁내막증 병변을 제거하는 것이다. 자궁내막종을 흡인 후 낭종벽을 전기나 CO_2로 소작하는 것도 가능하나, 낭종절제술이나 난소난관절제술을 시행하는 경우 통증 재발, 자연임신율, 재발로 인한 재수술을 줄이는 데 효과적이다. 비수술적 치료는 통증 조절을 위해서는 복합경구피임제, 생식샘자극호르몬분비호르몬작용제제(GnRH agonist), LNG-IUD, 아로마타아제 억제제, 비스테로이드성 항염증제(NSAID), 프로게스틴 제제, 다나졸(Danazol), 디에노게스트(Dienogest)가 있다.

자궁내막증 치료 후 재발은 수술 시 잔여 병변이 있었거나, 수술 후에도 자궁, 난소 골반강 내에 자궁내막증을 일으키는 환경이 지속되는 한 발생할 수 있다 재발을 줄이기 위한 치료로는 생식샘자극호르몬분비호르몬작용제제, 복합경구피임제, 디에노게스트를 사용할 수 있다.

난소의 양성 종양

난소의 양성 종양은 난소의 상피, 생식세포, 간질세포 등에서 발생한 종양성 변화에서 기인한다. 일반적으로 난소 종양의 형태를 초음파상 보이는 양상에 따라 고형성 종양과 낭성 종양으로 나누는데, 가장 흔한 낭종성 난소 종양은 장액성 난소 종양과 점액성 낭종, 기형종이다. 양성 낭종성 종양은 저절로 없어지지 않는다.

1) 장액성 낭종(serous cystadenoma)

난소의 종양 중 가장 흔하게 발생하는 양성 종양으로 난소 종양의 30% 정도를 차지한다. 종양 내부는 장액성 액체로 차 있으며, 초음파에서는 대부분 단순 낭종으로 얇은 벽을 가지는 낭종이다. 장액성 종양은 난소표면의 함입으로 인하여 발생하며 사종체(psammoma bodies)가 발견되기도 한다. 간혹 이 부분에서 섬유화가 함께 진행하면 단단한 섬유성 기질이 형성되며, 고형 기질이 25% 이상일 경우 장액성 낭선섬유종(cystadenofibroma)이라고 불린다. 장액성 낭종의 경우 내부나 표면에 유두상 돌기가 보이거나 결절이 보이는 경우 경계성 종양이나 악성 종양의 가능성이 높아지므로 수술적 치료를 고려할 수 있다. 양성 장액성 종양을 가지는 경우 CA125의 증가는 드물어서 CA125 측정이 악성 종양을 발견하는 데 도움이 되기도 한다. 증상이 있는 경우는 드물어서 다른 검사 도중 우연히 발견되거나 검진 중 발견되기도 한다. 증상은 크기 증가로 인한 주위 장기 압박이나 염전, 낭종 내 출혈이나 파열로 인한 통증이 있을 수 있다.

2) 점액성 낭종(mucinous cystadenoma)

점액성 낭종은 증상 없이 우연히 발견되는 경우가 많으며, 증상이 있는 경우 난소 낭종 크기 때문에 생기는 증상으로 배에 덩이가 잡히거나 골반의 압박으로 인한 증상을 보이며 점액성 난소의 특이적인 증상은 없다. 점액성 낭종은 15~20cm에 달하는 크기를 보여 장액성 낭종보다는 크기가 큰 상태에서 발견되는 경우가 많으며, 다방성의 구조를 보이면서 격막이 다소 두꺼워져 보이는 경우가 많다. 이러한 점이 악성 점액성 난소 종양과 구별을 어렵게 하는 요소이다. 낭종 표면은 푸른색이 도는 흰색이고 내부에는 투명하고 점도가 높은 액체가 들어 있다(그림 15-6). 장액성 난소 낭종의 경우 10% 정도에서 양측성으로 발견되나 점액성 난소 낭종인 경우 양측성으로 발견되는 경우는 거의 없다. 따라서 가임기 여성에서 임신 능력의 보존이 필요한 경우 육안적으로 정상이라면 반대쪽 난소에 대한 수술적 치료는 필요 없다.

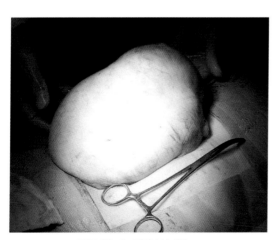

그림 15-6. **점액성 낭종**

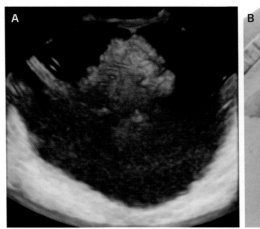
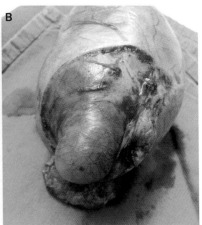

그림 15-7. 기형종 사진
A 초음파 사진, **B** 수술 검체 사진

3) 기형종(dermoid cyst, 양성낭성기형종, benign cystic teratoma)

기형종은 발생학적으로 모든 배엽의 세포를 가지게 되므로 외배엽조직인 머리카락, 피부, 피지샘과 중간엽 조직인 연골, 뼈 그리고 내배엽 조직을 가질 수 있다. 기형종은 증상없이 우연히 발견되기도 하나, 염전, 불규칙한 월경 등의 증상을 가진 환자에서 초음파나 컴퓨터단층촬영 등을 통해 발견된다. 기형종이 10cm 이상으로 커지는 경우는 매우 드물고, 15~25% 정도에서 양측성으로 발견된다. 낭종의 표면은 대체로 흰색을 띄며, 고형 성분은 머리카락이나 두피, 뼈, 연골 조직이 있을 수 있고, 신경조직이 발견되기도 한다 (그림 15-7). 치료는 복강경수술로 난소 낭종을 절제하며, 낭종의 피막을 제거해야 한다. 기형종의 합병증으로는 염전이나 파열, 악성변화가 있을 수 있다(그림 15-8). 기형종은 발생학적으로 모든 배엽의 세포를 가지므로 드물기는 하지만 다양한 종류의 악성 종양이 생길 수 있다. 가장 흔한 악성 변화는 편평세포암이다. 미성숙 기형종은 악성 종양으로 대체로 성숙 기형종에 비하여 크기가 크고 세 배엽 중 어느 한 가지 이상에서 미분화된 배아 세포를 보이며, 신경외배엽에서 기원한 경우가 가장 흔하다. 미성숙 기형종은 20세 이하 여성의 난소암의 10~20%를 차지한다.

4) 섬유종(fibroma)

양성 고형성 종양은 일반적으로 결체 조직으로부터 기원한다. 난소에서 발생하는 결체 조직 유래 종양은 섬유종(fibroma), 난포막종(thecoma), 브레너 종양(Brenner tumor)이 있다. 섬유종은 초음파 검사에서 자궁부속기 근처의 자궁근종으로 진단하여 수술을 진행하고 수술 후 조직검사에서 섬유종으로 밝혀지는 경우가 있다. 대부분 증상이 없으나 크기가 큰 경우 덩이가 만져지거나, 복수와 흉수를 동반한 메이그 증후군(Meig's syndrome)을 보이는 경우도 있다.

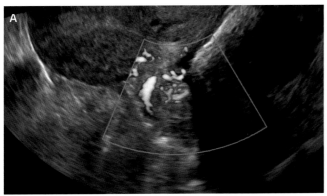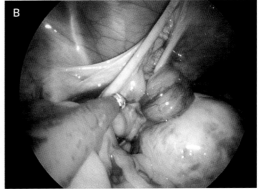

그림 15-8. **기형종의 염전**
A 색도플러에서 자궁 옆으로 동심원모양의 꼬인 부분이 보이는 초음파소견, **B** 수술 소견

5) 브레너 종양(Brenner tumor)

브레너 종양은 드문 난소의 고형 종양으로 난소 표면의 상피 기질 종양이다. 대부분 양성이며 아주 드물게 악성 브레너 종양도 있다. 대부분의 환자는 증상을 호소하지 않으며 영상검사상 또는 다른 질환으로 수술 후 조직검사에서 우연히 발견된다. 양측성은 10% 미만으로 호발 연령은 40~60대이다. 장액성 또는 점액성 난소 낭종과 동반되는 경우가 있으며, 점액성 난소 종양과 동반되는 경우가 더 흔하다.

조직학적으로 요로상피와 비슷한 이행성 상피세포(transitional epithelial cell)로 구성되어 있고 커피콩 모양의 세포를 보인다. 육안소견은 섬유종과 거의 동일하다. 브레너 종양은 호르몬 활성은 없는 것으로 알려져 있기는 하지만 간혹 폐경기 이후의 자궁내막증식증을 일으키기도 한다.

치료

경과관찰 또는 수술
자궁부속기 종괴에 대한 최적의 치료방침을 세우기 위해서는 환자의 나이와 증상, 병력, 신체검진 소견, 초음파검사 소견, 종양표지자를 포함한 진단적 검사 등 가능한 모든 정보를 면밀히 분석하고, 가능한 질환들을 먼저 감별진단하여야 한다. 만일 종괴에 연관된 증상이 있다면, 그 증상의 불편함과 정도에 따라 경과관찰 보다는 수술을 포함한 적극적인 치료방법을 우선적으로 고려해야 하는 경우도 있다. 그리고 자궁부속기 종괴가 악성이 의심되거나 비뇨기계, 소화기계 등 다른 장기에서 기원한 질환과의 감별진단이 필요한 경우에는 지체 없이 부인암, 비뇨의학, 외과전문의 등 해당과 전문의와 협진해야 한다.

환자의 치료방침을 결정할 때, 가장 중요하고 먼저 결정해야 할 것은 환자의 수술적 치료 여부를 결정하는 일이다. 만일 자궁부속기 종괴가 경과관찰해도 될 상황으로 판단된다면, 진료의는 추적관찰 기간과 간격을 결정하고, 환자의 증상, 자궁부속기 종괴의 초음파 소견, 종양표지자의 수치 변화 등에 따라 향후 치료방침을 어떻게 변경할 것인지 미리 염두에 두어야 한다. 만일 수술적 치료가 바로 필요하다고 판단되면, 감별진단이 필요한 경우 타과의 해당 전문의에게 의뢰하고, 수술 중 협진 수술의 가능성에도 미리 대비해야 한다. 또한, 수술방법은 복강경, 로봇 수술과 같은 최소침습수술 방법으로 할 것인지 아니면 개복수술을 시행할 것인지도 사전에 결정하고 환자와 상의 하도록 한다.

자궁부속기 종괴의 특성을 파악하면 어떤 경우 수술적 치료가 필요한지 결정하는 데 많은 도움이 된다. 예를 들어 가임기 여성에서 흔히 발견되는 5cm 이하의 낭종의 경우 95%가량이 악성 종괴가 아니다. 이런 기능성 낭종은 대개 한쪽 난소에서 발견되고, 초음파 탐침자를 움직였을 때 낭종이 잘 움직이며, 크기가 지름 7cm 이상을 넘지 않고, 대부분 수 일에서 수 주일 정도 관찰되다 소실되는 특징이 있다. 경구피임제 투여가 뇌하수체의 생식샘자극호르몬 분비를 억제시켜 기능성 낭종의 수명을 단축시킬 수 있으리라고 생각하지만 그 기전이 밝혀지지는 않았다. 일반적으로 가임기 여성에서, 10cm 이상의 난소 낭성종괴는 기능성 낭종일 가능성이 적고, 자연적으로 소실되는 경우가 드물기 때문에, 악성 여부와 관련 없이 수술적 치료를 고려해야 한다. 그리고, 10cm 이하의 기능성 낭종이 의심되는 경우에는 6주에서 8주 후에 초음파 검사를 재시행한다. 만일 그 크기가 감소하는 경우에는 특별한 치료가 필요하지 않으며, 지속적이거나 크기가 커지는 경우에는 수술적 치료를 고려해야 한다(그림 15-9).

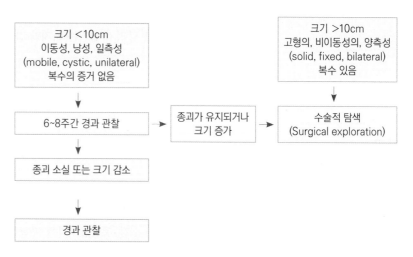

그림 15-9. 폐경 전 가임기 여성에서 자궁부속기 종괴의 치료

기능성 낭종이 아닌 낭성종괴도 수술적 치료 없이 보존적으로 추적관찰 가능한 경우가 많다. 예를 들어 폐경 후 여성에서 발견된 5cm 이하의 단방성(unilocular) 단순낭종의 경우, CA125 수치가 정상이라면, 이 종괴가 악성 종양일 가능성이 매우 낮으므로 경과관찰 가능하며, 많은 경우 자연 소실된다. 특히 동반질환을 갖고 있는 고령 여성의 경우 수술보다 경과관찰하는 것이 득이 되는 경우가 많은데, 3~6개월 간격의 질초음파 및 CA125를 측

정하는 것이 안전하다. 수술적 치료는 자궁부속기 종괴의 크기가 증가하거나, 모양이 복잡해질 때, 또는 CA125 수치가 정상 범주를 벗어나 상승했을 때 고려할 수 있다. Saunders 등은 1,319명의 폐경전(25%), 폐경후(75%) 환자들에게 관찰되는, 격막은 있으나 고형성분이나 유두상 돌기가 관찰되지 않는 2,870개의 난소 낭종에 대한 임상연구결과를 발표하였다. 이 연구에 따르면, 경과관찰 중 평균 1년 내에 39%의 난소낭종은 자연소실 되었고, 지속 관찰되는 1,750개의 난소낭종 중 128건의 수술을 시행하였을 때, 난소암은 단한 건도 발견되지 않았다고 보고하였다. 가장 흔한 병리적 소견은 장액성 낭종, 점액성 낭종, 자궁내막종이었다. 따라서, 저자들은 고형성분이 없고, 격막이 있는 난소낭종의 경우, 난소암의 위험성은 매우 낮으며 경과관찰 가능하다고 결론지었다.[5]

그러나 악성 종양이 의심되는 자궁부속기 종괴의 경우에는 수술적 치료가 필요하며, 난소암 치료가 가능한 부인암전문의에게 의뢰해야 한다. 악성 종양이 의심되는 소견으로는 양측성 부속기 종괴, 고형성분, 두꺼운 격막, 유두상 돌기 등을 포함한 복잡 종괴, 6~8주 이상을 경과관찰 해도 크기가 줄지 않는 가임기 여성의 자궁부속기 종괴, 5cm 이상 되는 폐경 여성의 단순 낭종 또는 크기와 상관없는 복잡 종괴, CA125 등 종양표지자 수치가 상승된 경우, 증상을 유발하는 부속기 종괴, 복수, 복막, 대막 부위 종양 소견 등이다.

미국산부인과학회와 미국부인종양학회에서는 자궁부속기 종괴가 발견되었을 경우, 난소암이 의심되어 부인암 전문의에게 의뢰해야 하는 경우를 모아 진료지침을 제시하였다 [6](표 15-1). 1,035명을 대상으로 한 이 진료지침을 후향적으로 검증했을 때, 난소암의 유병률은 31%였고, 양성예측률은 폐경 전 여성에서 34%, 폐경 후 여성에서 60%, 두 군 모두에서 음성예측률은 92%로 나타났다. 그러나, 이 진료지침은 진행성 난소암의 경우에는 유용하지만, 조기 난소암에 대해서는 유용성이 적다는 비판이 있다.

표 15-1. 자궁부속기 종괴에 대한 부인암전문의 의뢰 진료지침

50세 미만의 폐경 전 여성
1. CA125 수치의 과도한 상승
2. 악성 종양이 의심되는 초음파 소견
3. 결절이 있거나 고정된 골반 종괴
4. 복강내 또는 원거리 전이 (진찰소견 또는 영상 검사에 기반함)
5. 유방암 또는 난소암의 가족력(1촌)

50세 이상의 폐경 후 여성
1. CA125 수치 상승
2. 악성 종양이 의심되는 초음파 소견
3. 결절이 있거나 고정된 골반 종괴
4. 복강내 또는 원거리 전이
5. 유방암 또는 난소암의 가족력

공통사항
Multivariate index assay, risk of malignancy index (RMI), 또는 Risk of Ovarian Malignancy Algorithm (ROMA)과 같은 위험도 평가 지표 상승된 여성
International Ovarian Tumor Analysis group에서 제시된 초음파 기반 점수 시스템에서 위험도 상승된 여성

자궁부속기 종괴에 대한 최소침습수술

양성종양으로 의심되는 자궁부속기 종괴에 대한 수술로 복강경 또는 로봇을 이용한 최소침습수술이 선호되고 있다. 환자의 나이와 임상 양상, 수술 전 면밀한 초음파 검사와 종양표지자 검사를 통해 특히 폐경 전 여성에 있어서 양성종양 예측률은 신뢰도가 높다. 그러나 임상 양상, 초음파 소견, 종양표지자 등의 검사에서 악성 종양이 의심되는 폐경 후 여성에 있어서는 최소침습수술을 적용할 때 주의를 기울여야 한다.

자궁부속기 종괴에 대한 최소침습수술의 적응증이 되는 모든 환자에게 개복술로의 전환 가능성에 대해 충분한 설명을 하고 사전 동의를 받아야 한다. 최소침습수술 중 개복술로 전환하는 대부분의 경우는 심한 유착 또는 수술 중 합병증 발생 때문이다. 만일 수술 전에 악성 종양의 가능성이 충분히 높은 경우에는 병기설정수술과 종양감축술이 가능한 부인암전문의에게 미리 의뢰하는 것이 바람직하다. 수술 중에는 골반강과 상복부 복강세척세포검사를 시행하며, 의심되는 병변에 대한 생검과 동결조직검사를 시행하도록 한다. 만일 예상치 못한 악성 종양이 수술 중 진단되었다면 적절한 생검과 사진을 남긴 후 부인암전문의에게 의뢰하도록 한다.

Nezhat 등은 자궁부속기 종괴를 가진 1,209명의 환자에 대한 복강경수술 결과를 보고하였는데, 수술적 치료를 시행한 1,011명 중 단지 4명만이 수술 중 난소암으로 진단되었다.[7] 연구자들은 낭성종괴 내 액체를 흡인하여 세포검사를 시행하였고 난소낭을 절개하여 난소낭의 표면이나 두께가 불규칙하거나 의심스러운 소견이 있을 경우 동결조직검사를 시행하였으며, 이후 난소낭종절제술 또는 난소절제술을 시행하였다. 이 연구는, 경험 있는 수술자가 복강경수술을 집도할 경우, 수술 중 조직검사를 시행함으로써 자궁부속기 종괴를 안전하게 절제해 낼 수 있음을 보여주었다.

Canis 등은 초음파 검사에서 악성 종양이 의심스러운 247명의 자궁부속기 종괴에 대한 경험을 보고하였다.[8] 247명 중 17명은 개복술로 230명은 복강경 수술을 시행하였는데, 230명의 복강경수술 환자 중 개복술로 전환하지 않고 수술을 마친 환자는 총 204명이었다. 복강경수술이 시행된 경우를 살펴보면 37개의 악성 종양 증례 중 7건, 210개의 양성종양 증례 중 191건이 있었으며 종양의 복강 내 파종 합병증이 한 건 발생하였는데, 미성숙기형종을 복강 안에서 세절(morcellation)한 경우였다. 이 연구는 악성 종양이 의심되는 자궁부속기 종괴에 대해서도 복강경수술이 적용 가능하며, 복강경수술을 적용함으로써 개복수술의 합병증을 피할 수 있음을 보여주었다.

특수상황

소아 및 청소년기의 난소 낭종 및 신생물

1) 개요

영유아 및 청소년기에도 난소 낭종 및 신생물이 발생할 수 있으며 증상이나 신체 진찰 및 영상검사에 의해 발견된다. 조직학적 소견은 환아의 나이와 관련되어 있을 가능성이 높다. 골반 내 종괴는 생식기 기원일 가능성이 가장 높지만 비뇨기, 장 또는 다른 골반 구조의 기원일 수도 있다.

2) 분류

WHO에서는 난소 신생물을 조직학적 세포 유형에 따라 악성 및 양성으로 분류하였다. 소아 및 청소년기에 가장 많이 발생하는 난소 신생물은 생식세포 종양이다. 소아기에 발생하는 대부분의 난소 신생물은 양성이지만 임상의사들은 조속히 진단하여 난소염전으로 인하여 난소난관이 제거 될 가능성을 낮추어야 하며, 만일 악성인 경우 병의 예후를 향상 시키기 위해 노력해야 한다.

3) 청소년기의 난소 낭종

① 임상양상

초경에서 18세까지의 여아에서는 단순 낭종 및 복잡 낭종이 빈번히 발생하는 연령대이다. 청소년기의 난소는 여러 단계의 다수의 난포를 가지고 있게 되며, 대개의 단순 낭종은 난포가 배란하지 못한 채 소퇴하지 않아 발생하게 된다. 초경 이후 청소년기에 발생하는 난소 낭종은 대개의 경우 무증상이며 우연히 발견되나 월경 불순, 골반통을 야기할 수 있으며 크기가 큰 경우에는 빈뇨, 변비, 골반의 묵직함을 호소할 수 있다. 만일 이러한 낭종이 파열된다면 복통 및 복강 내 출혈을 야기하게 된다. 낭종의 염전은 급성 복통과 더불어 구역, 구토, 백혈구 증가 등을 일으킬 수가 있다.

② 감별진단

* 폐쇄성 생식기 병변(처녀막막힘증, 폐쇄성자궁각); 선천성 폐쇄 질환은 무월경 및 주기적인 복통과 동반된다.
* 난소 신생물(양성 낭성 기형종, 장액성 또는 점액성 낭샘종)
* 나팔관 이상(부난관 낭종, 광인대 낭종, 나팔관 임신, 수난관증, 고름자궁관)
* 자궁의 덩이(자궁선근증, 자궁근종, 임신)
* 소화기관의 이상(충수돌기 농양)

③ 진단 방법

자세한 월경력 및 성관계에 대한 문진 및 월경통 여부와 피임법에 대하여 문진하고 신체 진찰을 시행한다. 부인과적 덩이에 대한 영상검사가 필요할 때는 초음파가 첫 번째 방법이다. 초음파상 또는 복부 엑스레이 검사상 석회화된 음영이 관찰되면 기형종을 시사한다. 자궁부속기 덩이에서 색도플러검사에서 감소한 말초 저항이 관찰되면 악성 종양을 의심해 봐야 한다. 그 밖에 임신 검사나 전혈구(complete blood cell) 계산도 필요시 시행해야 한다.

④ 치료 및 결과

i. 난포낭종

대부분의 난포낭은 2주에서 8주 사이에 저절로 사라진다. 초음파 상에서 발견된 6cm 미만의 단순 낭종은 경과 관찰만 시행하며, 시상하부-난소축의 억제를 통해 새로운 낭종의 발생을 예방하기 위해 경구피임제를 처방해 볼 수도 있다. 환자는 4주 후 골반 검사나 초음파 검사로 낭종이 사라졌는지 확인해 봐야 한다. 낭종이 6~10cm이라도 저절로 사라지는 경우가 있으므로 우선은 경과 관찰을 해야 하지만 증상이 생긴다면 복강경 낭종절제술을 고려해 봐야 한다. 낭종절제술을 시행할 때는 반드시 조직 병리 검사를 시행해야 한다. 낭종흡인술은 재발의 가능성이 높으므로 낭종절제술이 바람직하며 절제술 시 최대한 정상 난소 조직을 많이 남기기 위해 노력해야 한다.[9] 수술 시 우연히 발견되는 난포낭은 난소나 나팔관의 유착을 피하기 위해 낭종흡인술이나 낭종절제술을 시행하지 않는다.[10]

ii. 황체낭종

황체낭종도 흔하게 발견되는 기능성 낭종이다. 배란 후 형성하는 황체에서 발생하며, 5~12cm까지 커질 수 있다. 초음파 상에서는 내부에 증가된 에코가 관찰되어 악성 종양과 감별을 요하는 경우가 있다. 낭종 내로 출혈이 생길 수도 있고 낭종 파열로 인하여 복강 내 출혈도 생길 수 있다.

통증이 없고 복강 내 출혈이 없다면 2주 내지는 3개월 사이에 추적 관찰을 요하며 대부분은 이 시기에 사라진다. 이때 새로운 기능성 낭종의 발생을 억제하기 위해 경구용 피임제를 처방하기도 한다.[11] 수술을 요하는 낭종의 최대 크기는 없으며 크다 하더라도 경과 관찰이 우선이다. 복강 내 출혈이나 복통이 있다 하더라도 경과 관찰이 우선이다. 황체낭종은 증가된 난소의 크기와 무게 때문에 염전의 위험이 증가할 수 있다는 것을 알고 있어야 한다.

4) 청소년기의 난소 신생물

양성 또는 악성 난소 신생물은 소아 및 청소년기 종양의 1% 정도를 차지한다. 이 시기에 대부분의 난소 신생물은 기능성 또는 양성이며 전체 여성 난소의 악성 종양 중 5% 미만이 이 시기에 발생한다. 하지만 이 시기에 발생하는 난소 신생물의 10~20%가 악성 종양이므로 모든 난소 신생물은 악성 종양의 가능성을 배제해야 한다.[12~16] 소아기에 발생하는 난소암의 경우 35~45%가 생식세포종양이다.[17,18]

① 영상검사

초음파는 덩이의 크기와 형태(단순, 복잡 또는 고형), 위치(편측성 또는 양측성), 복수의 유무를 알아 보기 위해 시행한다. 도플러를 이용하여 혈류량의 패턴도 평가할 수 있다. 이러한 초음파 소견과 더불어 환자의 나이, 임상 양상, 종양표지자 등은 감별진단에 매우 중요한 정보를 제공하게 된다.

소아기에 발생하는 난소의 고형성 낭종은 조직학적으로 확진이 되기 전까지 악성 종양의 가능성이 매우 높다는 것을 염두에 두어야 한다. 감별진단해야 할 종양으로는 미분화세포종, 신경모세포종, 윌름종양, 횡문근육종, 임파종, 백혈병 등이 있다. 추가적인 정보는 컴퓨터단층촬영이나 자기공명영상으로 얻을 수 있다.

② 종양표지자

종양표지자는 진단에 도움을 줄 뿐만 아니라 치료에 대한 반응 정도를 알아보는 데 도움을 준다. 하지만 모든 난소 종양에서 상승하는 것은 아니고, 경계성 종양이나 악성 종양에서 상승하지 않는 경우도 있다.

③ 치료

수술적 치료를 할 때에 생식 기능 및 성기능을 보존하기 위해 노력해야 한다. 수술 당시 응급동결절편 검사에서 악성 종양이 나오지 않았다면 보존적 수술, 즉 난소의 병변만 제거하고 난소를 보존하는 수술을 시행해야 한다. 아무리 큰 난소 종양이라 할 지라도 정상적인 난소 조직은 남겨야 한다.[19] 만일 종양표지자가 비정상이고 동결절편 검사에서 악성 종양이 의심되는 상황이라면 병변이 있는 쪽의 난소난관 절제술 및 병기 설정술(복강세척세포검사, 의심스러운 부위의 생검, 골반 및 대동맥 주위 림프절절제술)을 시행한다. 조직병리학적으로 확진 된 후에 이차적인 수술을 결정해야 하며 그 전에 불필요한 침습적 수술을 시행하는 것은 권고하지 않는다.

난소 종괴가 있는 폐경기 환자에 대한 접근

1) 개요

난소, 난관 및 주위 결합조직을 포함한 자궁부속기 종괴는 흔한 부인과적 문제이다. 여성이 평생에 걸쳐 난소 종양이 의심되어 수술을 받는 위험은 5~10% 정도 되는 것으로 추산된다.[20] 폐경기 난소 종괴에 대한 처치의 기본이 되는 개념은 적절한 치료 환경에서 난소암을 확인하고 치료하는 것이다. 대개 50세가 지나 발생을 하고 진행된 상태로 발견되며(3-4기), 이로 인하여 사망률이 높다.

2) 질병의 이환

난소 종괴는 모든 연령층의 여성에서 발견 될 수 있다. 한 연구에서 8,794명의 무증상 폐경기 여성을 대상으로 부인과 검진의 일환으로 질초음파 검사가 실시되었으며 2.5%에서 단순 단방성 난소낭종이 발견되었다.[21]

3) 난소 종괴의 임상적 시나리오

① 위험 평가

자궁 부속기기 종양이 임상적으로 악성이 의심되는지를 결정하는 가장 중요한 요소는 영상검사에서의 종괴 모양의 특징이다. 질초음파가 영상검사에서 선호된다. 대규모 메타 분석에서 난소암 진단을 위한 질초음파의 민감도는 86~91%였고 특이도는 68~83%였다.[22] 악성과 관련된 초음파 형태는 다음의 특징들을 포함한다(표 15-2).

- 고위험군: 악성 종양의 특징, 즉 고형, 결절성, 두꺼운 중격
- 중간위험군-무에코성 및 단방성, 악성 종양의 특징을 보이지 않는 경우(예: 얇은 중격 또는 저에코성 종괴)
- 저위험군: 얇은 벽을 가진 무에코성 체액이 채워진 단방성 낭종

표 15-2. 골반 종괴를 가진 환자에서 악성을 의심하는 초음파 소견

- 고에코성이 아닌 종종 결절 및 유두상의 고형성분
- 두꺼운 격막(>2~3mm)
- 색도플러초음파에서 혈류를 보이는 고형성분
- 복수(폐경기 여성에서의 복강 내 체액이나 폐경 전 여성에서의 소량보다 많은 복강 내 체액은 비정상 소견이다.)
- 복막 종괴, 확대된 림프절, 또는 장의 유착

② 폐경 여성

난소 종양이 있는 여성에서 악성 종양의 가능성은 폐경 전 여성보다 폐경기 여성에서 유의하게 높다. 따라서, 난소 종양이 있는 폐경기 여성에게는 수술적 탐색이 필요한 경우가 많다. 영상검사상에서 전이성 질환에 대한 증거가 있는 경우, 종양 자체에 악성 특징이 없는 경우에도 수술적 탐색이 필요하다. 위에서 기술된 초음파 형태에 따른 위험도 분류에 따라 폐경기 환자를 다음과 같이 관리한다.

- 고위험군: 고위험 종괴를 가진 환자에서는 수술적 탐색이 필요
- 중간위험군: 중간위험군의 종괴를 가진 환자에서는 종양 표지자, 위험 요소 및 증상을 기준으로 관리된다. 많은 환자들이 감시하 경과 관찰 할 수 있지만, 임상적으로 유의한 위험 요소 또는 증상이 나타나면 수술적 탐색을 해야 한다.
- 저위험군: 단방 무에코성 난소 낭종이며 악성의 다른 근거가 없는 환자의 경우에는, 악성의 위험이 수술적 탐색과 관련된 합병증의 위험보다 적기 때문에 수술보다는 감시하 경과 관찰을 제안한다. 중간위험도와 저위험도를 가진 형태의 종괴를 가진 폐경기 여성의 경우, 종양표지자가 높게 나타나면 수술적 탐색이 필요하다. CA125는 상피성 난소암을 발견하는 데 가장 일반적으로 사용되는 종양 표지자이다. CA125 >35 U/mL는 6개의 연구에 대한 메타 분석의 데이터에 기초하여 난소암의 진단에 69~97%의 민감도와 81~89%의 특이도를 가지고 있다. 표지자 알고리즘 OVA1과 ROMA는 부인암 전문의에게 진료를 보게 할지 여부를 결정하는 데 사용될 수 있다. 다른 혈청 표지

자는 덜 일반적인 조직학적 유형인, 배아 세포 및 성끈기질종양을 가진 환자를 평가하는 데 사용된다.

종괴의 크기도 고려해야 한다. 수술적 제거가 필요한 크기의 cutoff를 설정하는 데는 데이터가 제한적이다. 직경이 10cm 이상인 종괴를 가진 폐경기 여성에 대해서는 경과 관찰보다는 수술적 탐색을 먼저 고려해야 한다.[23~25] 또한 임상에서도 5~10cm 종괴를 가지고 난소암이 의심되는 증상을 보이는 폐경기 여성들에게는 수술적 탐색을 시행한다. 그러나 몇몇 환자에서는 10cm 미만의 종괴에서도 증상을 보이지 않거나 악성을 의심하는 다른 근거들로 인해 수술적 제거가 필요할 수 있다. 이러한 경우 환자가 종괴의 수술적 검사 및 제거를 강력하게 선호하고 수술로 인한 합병증과 난소 제거의 위험을 받아들이면 종괴를 제거하는 것이 합리적이다.

중간위험도와 저위험도를 가진 형태의 종괴를 가진 폐경기 여성의 경우, 위험인자(유전성 난소암 증후군 이외의) 또는 증상만으로는 수술의 일반적 적응증이 되지 않는다. 위험 요소와 증상이 없으면 경과 관찰을 통한 환자 관리를 결정하는 데 도움이 된다.

③ 치료의 선택
폐경 후 낭종의 관리는 부인과 전문의 또는 악성 종양 위험에 따라 부인암전문의가 수행할 수 있는 감시 및 수술로 구분된다.

i. 수술적 치료
부속기 종괴에 대한 수술적 탐색은 최소침습수술(복강경 또는 로봇) 또는 개복술을 통해 시행된다. 수술적 접근법의 선택은 악성 종양이 의심되는 정도와 의사/환자의 선호도에 달려 있다. 난소암의 병기설정수술은 개복 또는 복강경 접근이 가능하지만 난소에 국한된 초기병변이 아닌 경우 현재 대부분의 수술의가 개복술을 선호한다. 복강경수술은 개복술에 비해 회복 기간이 짧고 수술 중 이환율이 낮다. 악성 종양이 의심되는 경우의 수술적 접근법을 선택할 때 소장, 장간막 및 상복부의 작은 전이성 병변을 발견하는 데 있어서 복강경수술이 개복술보다 민감하지 않음을 명심해야 한다. 하지만, 복강경수술은 횡격막 및 복막 표면 관찰하는 데에 개복술보다 우수하다.

수술에 적용되는 기술은 종양의 파괴 또는 파종 가능성을 최소화해야 한다. 악성 종양이 의심되는 경우 난소낭종절제술보다는 난소절제술이 필요하다. 초기 단계의 난소암 환자(복수 또는 복강세척세포검사에서 악성 세포가 없는 환자)는 종괴의 파열로 인해 병기가 더 높아지고 예후에 악영향을 미치므로 종괴를 손상시키지 않고 제거해야 한다.[26,27] 또한, 손상되지 않은 피막을 가진 종괴 검체를 병리학자에게 제공해야 한다. 복강경 접근법을 사용하는 경우, 난소 종괴를 조직을 담는 수술용 주머니에 넣을 수 있다. 검체가 너무 커서 기존 절개를 통해 제거 할 수 없는 경우 낭종의 체액을 흡인(줄어든 낭종이 손상되지 않아야 함) 후 제거하거나 절개를 확대해 제거할 수 있다. 수술용 주머니에서 난소 종괴를 세절제거하는 것은 병리학적 평가를 손상시킬 수 있으므로 권장하지 않는다.

ii. 감시

난소암의 가능성은 낮지만 완전히 배제되지 않은 여성에서는 질초음파와 혈청 종양표지자를 이용하여 지속적으로 감시해야 한다. 난소 종양의 감시에 대한 최적의 접근법은 아직 정립되지 않았다.

연구된 몇몇 접근법을 따라 아래와 같이 정리할 수 있다.

\- 폐경 후 여성의 경우:

- 중간위험군: 6주 후에 질초음파검사와 CA125를 반복하고 다시 6주 후에 반복검사를 한다. 그런 다음 1년 동안 3개월에서 6개월마다 질초음파검사와 CA125를 반복한다. 그 1년 후 최종 질초음파검사와 CA125를 시행한다.

- 저위험군: 3개월 후 질초음파검사와 CA125를 반복하고 그 6개월 후 다시 반복검사를 한다.

난소절제술이나 난소독성 치료제 사용 시 가임력 보존

1) 개요

악성 종양을 치료함에 있어 여성 생식기관의 절제나 난소독성이 있는 항암제 또는 방사선치료가 필요한 경우가 있다. 이것은 결국 난임으로 이르게 되고 삶의 질과도 중요한 연관이 있다.

치료 전 적절한 계획이나 중재적 시술을 시행한다면 이러한 수술로 인하여 가임력을 상실하게 될 여성의 생식력을 유지하게 도와 줄 수 있다.

2) 여성에서 가임력 보존 방법

① 냉동 보존

배아의 냉동보존은 가임력 보존에 있어 효과가 입증된 방법 중 하나이며 보조생식술에서 20% 정도의 냉동보존배아를 사용하고 있다.[28] 성숙 난자의 냉동보존도 효과가 입증된 방법이며, 미성숙 난자나 난소조직의 냉동보존도 현재 연구 중에 있다.[29] 냉동보존배아와 냉동보존난자는 오랜 시간 동안 생존 가능한 상태로 보존할 수 있으며, 냉동보존난자의 생존율에 비해 냉동보존배아의 생존율이 더 높은 것으로 되어있다(50~70% 대 90% 이상). 한 기관의 연구에 따르면 시험관아기의 출생률은 냉동보존난자의 경우 21%, 냉동보존배아의 경우 60%에 이르는 것으로 발표되었다.[30] 따라서 냉동보존배아가 냉동보존난자에 비해 더 선호되고 있다.

i. 냉동보존배아

냉동보존배아는 기술적으로 비교적 용이한 방법이지만 몇 가지 이유로 쉽지 않은 경우가 있다.

- 시간적 제약: 악성 종양이 진단된 이후 항암제가 되도록 빨리 투여되어야 하는데, 과배란 유도를 하여 난자를 채취하는데 까지 2주에서 3주가 소요된다. 급한 상황에서는 황체기에 난자 채취를 하여 시험관 수정 후 배아를 냉동 보존하는 방법이 있다.[31,32]

* 배우자가 없는 경우

* 법적인 제약: 미성년자

* 여성호르몬 의존성 종양

ii. 냉동보존난자

배우자가 없는 경우에 성숙 난자의 냉동보존이 대안이 될 수 있다. 하지만 난자는 수분 함량이 배아보다 높아 냉동 손상에 더 취약하기 때문에 난자냉동보존이 기술적으로 어렵다.[33] 저속 냉동 방법 및 유리화라는 특별한 냉동 방법을 쓰게 되면 냉동 난자의 냉동 손상이 줄게 되어 난자의 생존율을 높일 수 있다고 보고한다.[34~38]

② 기존 난소 기능의 보호

난포는 방사선에 의한 DNA 손상에 매우 민감하며, 난소의 방사선 조사는 난소의 위축, 난포 수의 감소를 야기한다. 난소의 손상 및 기능 저하는 환자의 나이와 방사선 조사량에 관련되어 있다. 방사선 조사에 따른 난소 손상을 막기 위한 약물 치료는 아직 없는 상태이다.[39,40]

i. 난소 전위(ovarian transposition)

방사선이 조사되는 범위 밖으로 난소를 이동시키는 방법으로 복강경으로 시행 가능하다. 난소기능 보존율은 16~90%로 다양하게 보고된다.[41] 실패 요인으로는 방사선의 산포, 불충분한 혈액 공급, 나이, 방사선 조사량 등이 있다. 만일 난소의 기능이 보존되어 있다면 치료 후 난소를 제자리에 다시 위치시키지 않아도 임신이 가능하다.

난소 종양 피막의 파열

난소 종양 피막의 파열은 악성 세포를 복강 내로 파종시킬 수 있는 위험이 있다. 피막 파열의 예후와 관련된 영향은 아직 논란의 여지가 있다.[26,42] 수술 전 피막의 파열은 불량한 예후와 연관이 있어 보이지만 수술 중 피막 파열의 예후에 대한 영향은 일관되지 못하다.[43] 최근 난소암의 병기 시스템에서는 수술 중 파열을 IC1으로 하고, 수술 전 파열을 IC2로 하여 다르게 구분하고 있다. 편측성 또는 양측성으로 난소에만 국한된 난소암은 파열되면 IA, IB에서 IC로 병기가 상향되며, 임상적으로는 항암제 투여를 해야 하는 병기로 상향조정 되는 것이다. 수술 중 피막 파열을 피하는 것이 악성 종양이 의심되는 상황에서는 기본이므로 낭종절제술보다는 난소난관절제술을 시행하게 되는 것이 바람직하다. 그동안 피막 파열에 대한 관심 때문에 복강경 수술에 대한 이견이 많이 있었지만 난소난관절제술을 시행하고 복강경용 주머니를 사용하게 되면 복강 내로 내용물이 누출되는 것을 최소화 할 수가 있다. 만일 복강 내로 내용물이 새 나가면 많은 양의 생리 식염수로 복강을 세척해야만 한다.

　피막 파열과 관련된 근거로는 일관되지 않은 결과의 적은 수의 논문만 있다. 수술 전 파열이나 수술 전 피막 외부의 병변(피막으로의 침범, 복강 세척 세포검사에서 양성)은 수술 중 파열에 비해 예후에 더 불량한 영향을 주는 것으로 알려져 있지만 향후 더 많은 연구가 필요하다. 2,382명을 대상으로 한 9개의 후향적 연구에 대한 메타 분석 논문을 보면 6개의 연구에서 수술 전 파열에서 수술 중 파열보다 무병생존기간이 열등함을 보고하였다. 수술 중 파열이 되었으나 적절한 병기 설정 수술이 이루어지지 않고 항암제 투여가 없는 경우에는 수술 중 파열이 없는 경우에 비해 무병생존율이 저조한 것으로 나타났지만 통계학적으로 유의하지는 않았다. 101명의 난소 상피세포암 1기인 환자를 대상으로 한 후향적 연구에 의하면 수술 중 피막 파열이 발생한 여성에서 항암제를 투여한 군이 투여하지 않은 군에 비해 5년 무병생존율이 더 높았다(95% 대 77%).[44] 따라서 수술 중 피막 파열이 예후에 좋지 않은 영향을 미치는 결과들에 대해서는 이것이 파열 자체 때문인지 불완전한 병기 설정 수술로 인하여 진행된 병소를 놓친 것 때문인지는 아직 의심의 여지가 있다.

참고문헌

1   Osmers RG, Osmers M, von Maydell B, Wagner B, Kuhn W. Preoperative evaluation of ovarian tumors in the premenopause by transvaginosonography. Am J Obstet Gynecol 1996;175:428-34.

2   Bailey CL, Ueland FR, Land GL, DePriest PD, Gallion HH, Kryscio RJ, et al. The malignant potential of small cystic ovarian tumors in women over 50 years of age. Gynecol Oncol 1998;69:3-7.

3   Brinton LA, Gridley G, Persson I, Baron J, Bergqvist A. Cancer risk after a hospital discharge diagnosis of endometriosis. Am J Obstet Gynecol 1997;176:572-9.

4   Hart RJ, Hickey M, Maouris P, Buckett W. Excisional surgery versus ablative surgery for ovarian endometriomata. Cochrane Database Syst Rev 2008:CD004992.

5   Saunders BA, Podzielinski I, Ware RA, Goodrich S, DeSimone CP, Ueland FR, et al. Risk of malignancy in sonographically confirmed septated cystic ovarian tumors. Gynecol Oncol 2010;118:278-82.

6   American College of Obstetricians and Gynecologists' Committee on Practice Bulletins —Gynecology. Practice Bulletin No. 174: Evaluation and Management of Adnexal Masses. Obstet Gynecol. 2016;128(5):e210 -e226.

7   Nezhat F, Nezhat C, Welander CE, Benigno B. Four ovarian cancers diagnosed during laparoscopic management of 1011 women with adnexal masses. Am J Obstet Gynecol 1992;167:790-6.

8   Canis M, Pouly JL, Wattiez A, Mage G, Manhes H, Bruhat MA. Laparoscopic management of adnexal masses suspicious at ultrasound. Obstet Gynecol 1997;89:679-83.

9   Lipitz S, Seidman DS, Menczer J, Bider D, Oelsner G, Moran O, et al. Recurrence rate after fluid aspiration from sonographically benign-appearing ovarian cysts. J Reprod Med 1992;37:845-8.

10 Goldstein DP, deCholnoky C, Emans SJ, Leventhal JM. Laparoscopy in the diagno-

sis and management of pelvic pain in adolescents. J Reprod Med 1980;24:251-6.

11 Grimes DA, Jones LB, Lopez LM, Schulz KF. Oral contraceptives for functional ovarian cysts. Cochrane Database Syst Rev 2014:CD006134.

12 Cass DL, Hawkins E, Brandt ML, Chintagumpala M, Bloss RS, Milewicz AL, et al. Surgery for ovarian masses in infants, children, and adolescents: 102 consecutive patients treated in a 15-year period. J Pediatr Surg 2001;36:693-9.

13 Oltmann SC, Garcia N, Barber R, Huang R, Hicks B, Fischer A. Can we preoperatively risk stratify ovarian masses for malignancy? J Pediatr Surg 2010;45:130-4.

14 Brown MF, Hebra A, McGeehin K, Ross AJ, 3rd. Ovarian masses in children: a review of 91 cases of malignant and benign masses. J Pediatr Surg 1993;28:930-3.

15 Zhang M, Jiang W, Li G, Xu C. Ovarian masses in children and adolescents - an analysis of 521 clinical cases. J Pediatr Adolesc Gynecol 2014;27:e73-7.

16 Hermans AJ, Kluivers KB, Wijnen MH, Bulten J, Massuger LF, Coppus SF. Diagnosis and treatment of adnexal masses in children and adolescents. Obstet Gynecol 2015;125:611-5.

17 Hassan E, Creatsas G, Deligeorolgou E, Michalas S. Ovarian tumors during childhood and adolescence. A clinicopathological study. Eur J Gynaecol Oncol 1999;20:124-6.

18 You W, Dainty LA, Rose GS, Krivak T, McHale MT, Olsen CH, et al. Gynecologic malignancies in women aged less than 25 years. Obstet Gynecol 2005;105:1405-9.

19 Reddy J, Laufer MR. Advantage of conservative surgical management of large ovarian neoplasms in adolescents. Fertil Steril 2009;91:1941-4.

20 Trimble EL. The NIH Consensus Conference on Ovarian Cancer: screening, treatment, and follow-up. Gynecol Oncol 1994;55:S1-3.

21 Castillo G, Alcazar JL, Jurado M. Natural history of sonographically detected simple unilocular adnexal cysts in asymptomatic postmenopausal women. Gynecol Oncol 2004;92:965-9.

22 Myers ER, Bastian LA, Havrilesky LJ, Kulasingam SL, Terplan MS, Cline KE, et al. Management of adnexal mass. Evid Rep Technol Assess (Full Rep) 2006:1-145.

23 Koonings PP, Campbell K, Mishell DR, Jr., Grimes DA. Relative frequency of primary ovarian neoplasms: a 10-year review. Obstet Gynecol 1989;74:921-6.

24 Curtin JP. Management of the adnexal mass. Gynecol Oncol 1994;55:S42-6.

25 Roman LD, Muderspach LI, Stein SM, Laifer-Narin S, Groshen S, Morrow CP. Pelvic examination, tumor marker level, and gray-scale and Doppler sonography in the prediction of pelvic cancer. Obstet Gynecol 1997;89:493-500.

26 Sainz de la Cuesta R, Goff BA, Fuller AF, Jr., Nikrui N, Eichhorn JH, Rice LW. Prognostic importance of intraoperative rupture of malignant ovarian epithelial neoplasms. Obstet Gynecol 1994;84:1-7.

27 Webb MJ, Decker DG, Mussey E, Williams TJ. Factor influencing survival in Stage I ovarian cancer. Am J Obstet Gynecol 1973;116:222-8.

28 Taylan E, Oktay KH. Current state and controversies in fertility preservation in women with breast cancer. World J Clin Oncol 2017;8:241-8.

29 Borini A, Bianchi V. Cryopreservation of mature and immature oocytes. Clin Obstet Gynecol 2010;53:763-74.

30 Donnez J, Dolmans MM. Cryopreservation and transplantation of ovarian tissue. Clin Obstet Gynecol 2010;53:787-96.

31 Oktay K, Buyuk E, Rodriguez-Wallberg KA, Sahin G. In vitro maturation improves oocyte or embryo cryopreservation outcome in breast cancer patients undergoing ovarian stimulation for fertility preservation. Reprod Biomed Online 2010;20:634-8.

32 Oktay K, Cil AP, Bang H. Efficiency of oocyte cryopreservation: a meta-analysis. Fertil Steril 2006;86:70-80.

33 Maman E, Meirow D, Brengauz M, Raanani H, Dor J, Hourvitz A. Luteal phase oocyte retrieval and in vitro maturation is an optional procedure for urgent fertility preservation. Fertil Steril 2011;95:64-7.

34 Wang CT, Liang L, Witz C, Williams D, Griffith J, Skorupski J, et al. Optimized protocol for cryopreservation of human eggs improves developmental competence and implantation of resulting embryos. J Ovarian Res 2013;6:15.

35 Papatheodorou A, Vanderzwalmen P, Panagiotidis Y, Prapas N, Zikopoulos K, Georgiou I, et al. Open versus closed oocyte vitrification system: a prospective randomized sibling-oocyte study. Reprod Biomed Online 2013;26:595-602.

36 Jain JK, Paulson RJ. Oocyte cryopreservation. Fertil Steril 2006;86:1037-46.

37 Porcu E, Venturoli S. Progress with oocyte cryopreservation. Curr Opin Obstet Gynecol 2006;18:273-9.

38 Gosden RG. Prospects for oocyte banking and in vitro maturation. J Natl Cancer Inst Monogr 2005:60-3.

39 Gosden RG, Wade JC, Fraser HM, Sandow J, Faddy MJ. Impact of congenital or experimental hypogonadotrophism on the radiation sensitivity of the mouse ovary. Hum Reprod 1997;12:2483-8.

40 Ataya K, Pydyn E, Ramahi-Ataya A, Orton CG. Is radiation-induced ovarian failure in rhesus monkeys preventable by luteinizing hormone-releasing hormone agonists?: Preliminary observations. J Clin Endocrinol Metab 1995;80:790-5.

41 Sonmezer M, Oktay K. Fertility preservation in female patients. Hum Reprod Update 2004;10:251-66.

42 Bakkum-Gamez JN, Richardson DL, Seamon LG, Aletti GD, Powless CA, Keeney GL, et al. Influence of intraoperative capsule rupture on outcomes in stage I epithelial ovarian cancer. Obstet Gynecol 2009;113:11-7.

43 Kim HS, Ahn JH, Chung HH, Kim JW, Park NH, Song YS, et al. Impact of intraoperative rupture of the ovarian capsule on prognosis in patients with early-stage epithelial ovarian cancer: a meta-analysis. Eur J Surg Oncol 2013;39:279-89.

44 Shimizu D, Sato N, Sato T, Makino K, Kito M, Shirasawa H, et al. Impact of adjuvant chemotherapy for stage I ovarian carcinoma with intraoperative tumor capsule rupture. J Obstet Gynaecol Res 2015;41:432-9.

CHAPTER

16

상피성 난소암

Epithelial Ovarian Cancer

책임저자

박상윤 | 국립암센터 자궁난소암센터

집필저자

공선영 | 국립암센터 진단검사의학과

공태욱 | 아주대학교 의과대학 산부인과

김나리 | 연세대학교 의과대학 방사선종양학과

김용배 | 연세대학교 의과대학 방사선종양학과

박정열 | 울산대학교 의과대학 산부인과

서상수 | 국립암센터 자궁난소암센터

송용중 | 부산대학교 의과대학 산부인과

유종우 | 국립암센터 병리과

이정원 | 성균관대학교 의과대학 산부인과

임명철 | 국립암센터 자궁난소암센터

장석준 | 아주대학교 의과대학 산부인과

한상아 | 경희대학교 의과대학 유방외과

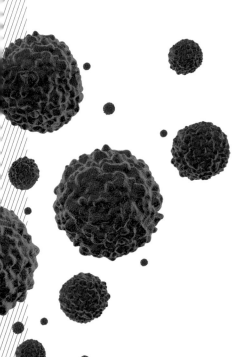

Gynecologic Oncology

서론

국가암정보센터 자료에 의하면, 1999년 난소암 1,329건, 난관암 15건, 복막암 98건이 발생하였고, 이후 발생빈도가 꾸준히 증가하여, 2016년 난소암 2,630건, 난관암 121건, 복막암 302건으로 총 3,053건이 발생하였다.[1,2] 2019년 국내 암 발병예측 모델에 의하면 난소암은 2,832건으로 자궁내막암 3,061건, 자궁경부암 2,856건에 이어 부인암 중 3위의 발생률이 예상된다.[3]

난소암, 난관암, 복막암(이하 난소암)의 표준 치료는 절제가능한 모든 종양을 제거하는 종양감축술 이후 항암화학요법을 하는 것이며, 잔류종양이나 병기 등 위험요인에 따라서 베바시주맙(Bevacizumab) 등 표적치료제를 병합하기도 한다. 난소암은 사망률이 높은 암으로, 2016년 2,630건 발생하여, 1,204건 사망건이 발생해서 발생률 대비 사망률은 45.8%에 이르고 있다.[4] 최근 난소암에 대한 많은 유전적 요인에 대한 연구 및 치료에 대한 발전이 있었고, 이러한 노력이 난소암 환자의 생존율을 향상시킬 것으로 기대하고 있다. 난소암은 성인 고형암 중 유전적 요인이 가장 많은 암이다. 난소암으로 진단되면, BRCA 유전자 검사를 통해서 유전적 요인을 확인하고, BRCA 돌연변이가 발견된 환자의 경우 poly ADP ribose polymerase (PARP) 저해제를 사용하여 재발을 낮출 수 있다. 일부 환자군에서는 면역치료제를 사용하여 통상적인 항암화학요법에서 경험하는 구역, 구토, 탈모, 손발저림 증상 없이 난소암을 치료하려는 시도가 다양하게 진행되고 있다. 즉, 환자 개인별로 보이는 특성에 따른 맞춤형 치료, 정밀의학(precision medicine)의 시대가 열렸다고 해도 과언이 아니며, 이에 대한 자세한 내용은 본문에서 다루고자 한다.

유전성 난소암과 난소암의 검진

BRCA 돌연변이 환자에서 위험감소 난소난관절제술(risk-reducing salpingo-oophorectomy, RRSO)을 시행하면서, 장액성 난소암이 난관에서 기원한다는 것을 알게 되었고, 투명세포 암, 자궁내막양 난소암은 자궁내막증에서 기원하는 것으로 알려졌다.[5] 일반적으로 난소암의 약 2/3 이상이 장액성 조직형으로 알려져 있다. 이외 약 10%가 자궁내막양 조직형이고, 투명세포 암은 동양인에서 10% 이상으로 발견되지만 서구에서는 10% 미만의 빈도를 차지한다. 이외 점액성 조직형 등의 순으로 진단된다.

난소암은 배란의 횟수에 비례해서 증가하는 것으로 알려져 있어서 배란의 횟수를 감소시키는 임신, 모유수유, 경구 피임제의 투약은 난소암의 발병을 감소시킨다.

BRCA1 and BRCA2

1) 난소암과 유전자 돌연변이

난소암은 성인 고형암 중 유전적인 원인이 가장 큰 암으로, 대부분 *BRCA1*이나 *BRCA2* 유전자 돌연변이와 관련이 있다. 한국인 난소암 환자에서도 유전적 요인은 비슷한 것으로 알려져 있다.[6] 최근에는 차세대염기서열분석(next generation sequencing, NGS)유전자 검사를 통해서 *BRCA1*, *BRCA2* 이외에도 *RAD51D*, *RAD51C*, *RAD50*, *BRIP1*, *PALB2* 등의 난소암 발병과 관련된 유전자 검사 결과를 확인할 수 있다.

① 가계도 분석

i. 가계도

가계도는 유전성 암에 대한 가족력을 평가하는 기초 자료를 구성하는 중요한 요소이다. 1차(1st degree), 2차(2nd degree) 가족들의 암에 대한 상세한 가족력을 청취하고 이를 반영한 가계도를 그려야 한다. 암 환자의 가족력을 확인할 때는 암 외에 다른 질환들도 확인할 필요가 있는데, 유전성 암과 관련된 다른 질환들이 어떤 유전성 암인지 확인하는데도 도움이 되기 때문이다. 상담자의 기억에만 의존하는 것보다 의료 정보를 확인하는 것이 권고되며, 흔히 가족력을 청취할 때 질환이 있는 가족들만 표기하게 되는 경우가 있으나 병력이 없는 가족들을 잘 표기하는 것이 질환 위험도를 평가하는 데 중요하다.

ii. 가계도 그리기

가계도는 그림 16-1 같이 표기할 수 있다. 남자는 네모, 여자는 동그라미로 표시하고 사망자는 우측에서 좌측으로 내려오는 사선을 그어 사망 나이를 표기한다. 생존자는 현재 연령을 같이 표기하며 질환에 이환된 경우 질환명과 진단된 나이를 쓰고 네모나 동그라미 안에 색을 칠해 표기한다. 그리고 발단자(proband)는 화살표로 표시한다.

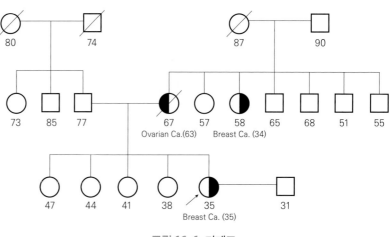

그림 16-1. 가계도

② 유전자 검사

i. 유전자 검사를 시행해야 하는 경우

국내 *BRCA* 검사 급여 조건은 ① 40세 이전에 진단된 유방암, ② 유방암 혹은 난소암이 진단되고 환자의 가족 및 친척에서 1명 이상 유방암 혹은 난소암 환자가 있는 경우, ③ 유방암, 난소암 모두 진단 시, ④ 남성 유방암, ⑤ 양측성 유방암, ⑥ 상피성 난소암, ⑦ 3등친 이내에 친족 2명 이상 췌장암 환자가 있는 유방암 환자인 경우이다.

ii. 유전자 검사법

생식세포 돌연변이(germline mutation)를 검사하는 일반적인 유전자 분석방법은 Sanger 염기서열 분석법이다. Sanger 분석법을 통해 참조 염기서열(reference sequences)과 비교하여 유전자 변이를 확인할 수 있다. 확인된 변이는 인구에서의 변이 빈도, 기능, 이전에 보고된 문서의 결과 등을 종합하여 돌연변이, 중성변이(질병 관련성이 없는 변이)로 나뉠 수 있고 이들에 해당되지 않고 아직까지 그 의미가 명확하지 않은 변이의 경우 미분류변이(variant of unknown significance, VUS) 혹은 미확정변이(unknown significance, UV) 등의 표현을 사용하여 분류한다.

iii. 차세대 염기서열분석법(next generation sequencing, NGS)과 기타 검사 방법

차세대 염기서열분석은 여러 유전자들을 한꺼번에 분석할 때 유용한 방법으로 유전성암을 진단할 때도 사용된다. 국외에서는 몇 년 전부터 유전자검사 회사 등을 통해 시행되었으며, 국내에서는 2017년 차세대 염기서열분석이 선택적 급여로 시행 가능하게 되면서 활발히 임상적으로 도입되기 시작했다. 현재 *BRCA1*과 *BRCA2* 유전자를 포함하여 50개에 이르는 다양한 유전자를 포함하는 검사 패널을 운영하는 기관들도 있어 이들 검사 패널을 이용한 판정 결과에서 다양한 유전자의 돌연변이가 확인되는 경우가 증가하고 있다.

차세대 염기서열분석 외에 *BRCA*1/2의 큰 크기의 결실(deletion)유무를 확인하는 multiplex ligation-dependent probe amplification (MLPA)라는 검사방법을 사용하는 경우도 있다.

③ 개척자 돌연변이(founder mutation)

개척자 돌연변이란 소수의 돌연변이가 특정 인구 집단에 빈번히 발견되는 경우를 가리키며 아시케나지 유대인(Ashkenazi Jewish)에서는 특히 *BRCA1*의 185delG, 5382insC 혹은 *BRCA2*의 6174delT 돌연변이가 흔하게 발견되는 것으로 알려져 있다. 해당 인종에서 *BRCA* 유전자 돌연변이의 90% 이상은 이 3개의 돌연변이 위치에 기인한다고 알려져 있다. 따라서, 이 인종에서는 3개의 유전자 변이 부위만을 검사하는 것이 권고되나 타 인종에서는 이와는 다른 유전자 부위의 변이가 넓은 지역에 많을 수 있기 때문에 검사를 시행할 때는 특정 유전자 범위만을 검사하는 것은 무리가 있을 수 있다.

④ *BRCA* 돌연변이를 보유한 난소암 환자에 대한 임상치료적 의의

i. 2006년 NEJM에 발표된 GOG172연구에서는 복강내 항암화학요법(intraperitoneal che-

motherapy)이 선행연구인 GOG104, GOG114의 결과에서와 같이 복강내 항암화학요법이 기존의 정맥투여 항암화학요법에 비해 지발률과 생존율을 증가시킨다는 결과를 보고했다. 이에 특히 5년 생존율뿐 아니라 10년 생존율까지 생존 이득이 있는 것이 밝혀지면서 점차 난소암치료에서 중요한 의미를 지니게 되었다. 2006년부터 NCCN 가이드라인에서 잔류종양이 1cm 이하인 III기 난소암에서 제일 먼저 추천되는 치료로 권고되었고, 특히, BRCA 돌연변이가 있는 환자에서 복강내 항암화학요법의 이점이 돌연변이가 없는 환자에 비해 크다고 알려졌다.

ii. *BRCA1*이나 *BRCA2* 돌연변이를 보유한 난소암 환자에서 PARP 억제제(Olaparib, Niraparib, Rucaparib)를 재발 시 유지치료로서 투약하면, 무진행생존기간을 늘리는 것으로 알려져 있고, 일부 연구에서는 장기간 추적을 통해서 생존 이득의 가능성도 제시하고 있으며, 향후 보다 긴 추적관찰이 필요할 것으로 사료된다.

iii. *BRCA1*이나 *BRCA2* 돌연변이를 보유한 난소암 환자의 직계가족, 즉 부모, 형제, 자매, 자녀의 절반에서 돌연변이를 보유하고 있고, 돌연변이를 보유한 자에서 유방암, 난소암뿐만 아니라 남성형 유방암, 췌장암, 전립선암, 흑색종 등 다양한 종류의 암 발생이 증가하는 것으로 알려져 있다. 따라서, 발병 위험성이 증가하는 암에 대한 예방, 조기 진단, 예방적 수술에 대한 논의가 필요하다.

린치 증후군
(Lynch Syndrome)

대장암, 자궁내막암, 소장암, 비뇨기암을 동반하는 린치 증후군에서도 난소암이 발병할수 있다. *MSH2*, *MLH1*, *MSH6*, *PMS2*, *EPCAM* 유전자의 생식세포 돌연변이와 관련이있다. 이러한 유전자에 돌연변이를 가질 때 난소암 평생 유병률은 10~20%에 이르는 것으로 알려져 있다. 대장암 및 자궁내막암의 평생 유병률은 약 40~60%에 이르는 것으로 알려져 있다.

돌연변이 보유자 관리

1) 유전적 고위험군 관리의 일반적 지침

고위험군의 관리 지침은 특정 유전자의 유전자 변이가 확인되고, 변이에 따른 임상 양상, 즉 어떠한 암의 위험도가 높은가에 따라 정하게 되며, 집중감시, 예방적 약제, 위험감소수술로 구분할 수 있다. 집중감시 및 예방적 약제는 위험감소수술을 받지 않은 보인자의 관리 대안이 될 수 있으며, 암 예방 효과의 의학적인 근거와 신체심리적 영향, 그리고 비용적인 측면을 종합하여 계획을 세워야 한다. 최근에는 차세대 염기서열 분석의 비용이 대폭 감소하고 있으며, 각 유전자에 따른 이환 유형에 대한 정보가 점차 축적되면서 검사 및 관리에 대한 기준도 유동적으로 적용되고 있다. 유전자 돌연변이 보유로 인해 암이 발생한 평생 유병율이 20% 미만인 유전적 변이들은 예방적 약제나 예방적 수술에 대한 근거가 충분하지 않다면, 검진 등의 관리방법을 권유하여야 한다. 잘 알려진 바와 같이 *BRCA1/2* 돌연변이가 확인된 보인자는 유방암 평생 유병률이 41~85%, 난소암 평생 유병률이 10~46%이고, 유방암과 난소암의 상대 위험도가 20~30배에 이르는 것으로 알려져 있어 이들 질병의 위험에 대한 관리 지침이 주를 이룬다.[7~9]

2) 여성보인자를 위한 난소암과 유방암 및 기타암 검진 원칙

6개월 간격의 질초음파와 혈청 CA125 검사를 통한 난소암 검진은 난소암 위험군에 난소암 사망률을 감소시키지 못했고, 생존율도 상승시키지 못하는 것으로 나타나[10] 일반적으로 권고되지 않는다. 위험감소 난소난관절제술이 유일하게 난소암 관련 사망률을 감소시킨 예방법으로 알려져 있어, 난소암 검진은 고위험군 환자가 RRSO를 시행받기로 결정하기 전 30~35세까지 단기간 동안만 시행하는 것이 적절하다.[11] 영국에서 시행한 대규모 난소암 검진 연구 UK-FOCSS에서 CA125를 4개월마다 측정하고 질초음파를 매년 시행한 결과 검진 시행 중 발견된 난소암이 검진 종료 1년 이후에 진단된 난소암보다 비교적 조기였던 소견을 보였다.[12]

유방암 검진은 일반인 유방암 검진보다 빠른 시기에 시작하고, 유방촬영, 유방 자기공명영상을 이용한다. 30세 이전의 여성에서 방사선 노출로 인한 유방암 위험 증가의 우려가 있으므로 자기공명영상을 시행하며, 시행 시기는 폐경 전 여성은 생리주기 7~15일이 적당하다. 주요 지침은 아래와 같다.[11,13]

- 만 19세 이상 성인: 매달 자가 검진
- 25세 이상: 6~12개월 간격 임상의에 의한 검진
- 25~29세: 매년 유방 자기공명영상
- 30~69세: 매년 유방촬영술 및 유방 자기공명영상
- 70세 이후: 개인의 상태에 맞추어 검진 시행

췌장암, 악성흑색종 등 기타암에 대한 위험도 증가하므로,[14] 각 암의 증상과 징후에 대한 교육과 더불어 일반적인 암 검진 원칙에 따라 검진을 시행하고, 각 가계 구성원의 질병 이환 연령을 분석하여 개인의 검진 연령과 시기를 개별적으로 조절한다.

3) 예방적 약제

건강한 보인자에서 유방암 예방을 위해 타목시펜(Tamoxifen)을 복용한 경우 BRCA1 보인자에서는 감소효과를 나타내지 못했으나, BRCA2 보인자에서 62%의 유방암 감소효과가 있었다. 단, 이 연구에서 BRCA1/2 보인자 19명만이 포함되어 있어 결과를 해석하는 데 제한이 있다.[15] 유방암에 이환된 보인자가 타목시펜을 복용한 경우 BRCA1 보인자의 이차 유방암 발생률이 62% 감소하였고, BRCA2 보인자의 유방암 발생을 37% 감소하였다. 2~4년간 타목시펜을 복용하였을 경우 반대측 유방암이 발생할 가능성은 75% 감소하였다. 이 연구에서 위험감소 난소절제술의 유방암 발생 억제 효과는 58%였고, 난소절제술의 예방적 효과와 타목시펜 복용의 유방암 예방효과는 서로 독립적인 것으로 분석되었다.[16] BRCA1/2 유전자 변이를 가진 보인자의 향후 유방암 발생을 감

소시키기 위해 타목시펜 복용을 고려할 수 있다. 단, 타목시펜을 복용할 때는 자궁내막암 위험 상승에 대한 고려가 필요하다.

BRCA1/2 유전자 보인자에서 난소암 예방을 위해 경구피임제를 복용한 결과 난소암 발생은 BRCA1 보인자에서 45~50%, BRCA2 보인자에서 60% 가량 억제되었다.[17] 최근 메타 분석의 결과에 따르면, 경구피임제 복용 시 BRCA1/2 보인자 모두에서 난소암 위험도가 50% 감소하였다.[18] 또한, 경구피임제를 사용하는 기간이 길수록 난소암 예방효과는 더 큰 것으로 나타났다. 그러나, 경구피임제 복용 시, BRCA1 보인자에서 유방암 발생률 1.2배 상승 및 5년 이상 복용 시 유방암 발생률이 33% 가량 증가한다는 보고가 존재하므로 주의 깊은 사용이 필요하다.[19]

4) 위험감소수술(risk reducing surgery)

위험감소수술은 암이 발생하지 않은 정상 유방이나 난소를 절제하여 유방/난소암의 발생위험과 사망률을 낮추기 위한 것이다. 종류로는 위험감소 유방절제술(위험감소 양측 유방절제술, 위험감소 반대측 유방절제술), 위험감소 난소난관절제술이 있으며, 윤리적인 이유로 무작위 대조시험은 시행되지 못하였다.

위험감소 난소난관절제술은 BRCA1/2를 보유한 난소암 고위험군 여성들과 BRIP1, RAD51C, RAD51D 유전자 변이를 보유한 난소암 고위험군 여성들 모두에게 가장 강력한 예방법으로 권고되고 있다.[11] 메타분석 결과에 따르면 위험감소 난소난관절제술은 BRCA1/2 보인자에서 난소암, 난관암 및 복막암 위험을 80% 감소시킨다.[20] 또한, BRCA1/2 보인자의 전반적인 사망률을 감소시키는 것으로 보고되었다.[21~23] 위험감소 난소난관절제술의 부작용은 조기 폐경에 따른 혈관운동성 증상과 성기능 감소 및 수술과 관련된 합병증이다. 위험감소 난소난관절제술의 시행시기는 돌연변이 종류, 출산 계획, 가족력을 반영하여 개별적으로 고려하지만, 각 유전적 변이에서 난소암 발생이 가파르게 증가하는 연령을 고려하면, BRCA1 보인자는 출산이 끝난 35~40세경, BRCA2 보인자는 40~45세, BRIP1, RAD51C, RAD51D 유전자 변이 보인자는 45~50세 경이 적절하다고 보여지며, 유전상담 시 함께 논의되어야 한다.[11] 또한, 위험감소 난소난관절제술을 시행할 경우 유방암 발생위험 또한 37~100% 감소하고,[10] 유방암의 치료성적이 개선되며, 유방암 이환된 보인자에서 향후 발생할 수 있는 난소암을 예방한다.[24,25] 그러나, 위험감소 난소난관절제술 후 유방암 발생위험이 낮아지지 않는다는 보고도 있어,[25] 유방암 위험을 낮추기 위한 목적으로 위험감소 난소난관절제술을 시행해도 되는지에 대해서는 아직 명확하지 않다.

위험감소 난관절제술은 현재 고위험군 환자의 위험감소 수술로 권고되고 있지 않은 상태이나 위험감소 난관절제술과 지연성 난소절제술에 대한 임상연구가 진행 중이다. 이들 수술을 시행하기 전 검사 오류로 인한 불필요한 수술을 방지하기 위해 수술 시행 전 새로운 혈액채취 후 유전자 검사를 다시 시행하기도 한다.

유방암이 발생하지 않은 BRCA1/2 보인자의 위험감소 유방절제술은 유방암 발생을

85~100% 감소시킨다.[26,27] 수술적 술기는 유방조직을 전체 제거하는 것을 기본으로 술 기에 따라 피부 및 유두유륜 복합체를 보존하기도 한다. 편측 유방암 진단 후 반대편 유방암 발생률이 30%를 넘기 때문에 편측 유방암 이환자에 있어 위험감소 반대편 유 방절제술에 대한 고려도 필요하다.[28] 위험감소 유방절제술의 경우 사망률 감소나 생존 율 향상으로 이어진다는 근거가 부족하며, 유방암 이환 및 그로 인한 치료의 고통을 덜 어줄 수 있는 선택의 하나이다.[29] 한편, 위험감소 유방절제술에 수반하여 유방암에 대 한 불안과 염려가 감소하는 긍정적인 심리사회적 영향과, 성적인 만족도 감소 및 신체이 미지 인식이 불량해지는 부정적 심리 사회적 영향이 공존한다.[10] 수술에 따른 단기합 병증으로는 수술 후 감염, 혈종, 피판괴사, 유방재건실패 등이 3~59% 가량에서 있을 수 있고, 중·장기적으로 통증, 수술 부위 감각 저하, 감각 이상, 유방이 딱딱해지는 등 재 건과 관련한 부작용들도 매우 흔하기(64~87%) 때문에 수술 시행 전 면밀한 상담 및 의 견 수렴이 필수적이다.[10,30]

5) Genetic modifier, 다유전자위험점수(polygenic risk score, PRS)

BRCA1 돌연변이가 있는 사람의 39%가 난소암에 걸린다는 사실은 돌연변이가 이 질 병의 발병과 관련이 있지만, 난소암의 위험을 수정하는 다른 유전적 및 환경적 요인이 있음을 시사한다. CIMBA (consortium of investigators of modifiers of *BRCA1* and *BRCA2*)는 게놈차원의 연구(genome wide association study, GWAS)를 통해 *BRCA1/2* 보인자의 유방 암과 난소암의 감수성을 변화시키는 추가적인 유전적 요인에 대한 연구결과를 발표하 였다. *BRCA1* 돌연변이와 함께 4q32.3의 단일뉴클레오타이드다형성(SNP, Single nucleo-tide polymorphism) rs4691139는 난소암 발생 위험이 약 20% 증가했고, 17q21.31 SNP rs17631303이 *BRCA1* 보인자에서 27%의 난소암 위험 증가와 관련되어 있음을 관찰했 으며 19p13.1의 여러 SNP 또한 난소암 위험을 높이는 것으로 나타났다.[31~33] *BRCA1/2* 의 돌연변이와 함께 이들 유전자의 비정상적인 조절은 난소암 및 유방암의 발병과 관련 이 있다.

GWAS 연구 결과 얻어진 유전적인 정보와 생활습관, 생식인자를 종합하여 개인의 암 위험도를 산출하기 위해 다유전자위험점수가 만들어 졌다. 77개 유방암 관련 SNP를 조합하여 개인의 유방암 위험도를 산출한 다유전자위험점수 연구 결과 상위 1% 점수 를 보인 여성의 유방암 위험도가 중간 5분위 여성의 3배(OR 3.36, 95% CI 2.95 - 3.83)로 나 타났다.[34] 난소암 영역에서는 11-SNP 패널을 이용하여 산출하였을 때 다유전자위험 점수가 상승할수록 가족의 난소암 상대위험도가 상승하였으나, 통계적 유의성은 보이 지 않았고 그 이유로는 적은 수의 SNP를 사용한 것이 원인으로 지적되었다. 최근, Xin 등은 영국 난소암검진 공동연구(UK collaborative trial of ovarian cancer screening trial) 대상 자 750명 난소암 및 1,428명의 대조군에서 전향적으로 난소암 감수성 SNP 분석을 시 행하여 상피성 난소암 위험과의 연관성을 로지스틱 회귀분석을 이용하여 평가했다. 이 연구에서 장액성 다유전자위험점수와 장액성 상피성 난소암위험(1.43, 95% CI 1.29 - 1.58, p=1.3×10^{-11})의 상관 관계는 전체 다유전자위험점수와 전체 상피성 난소암 위험 사이의 연관성보다 높았다(OR 1.32, 95% CI 1.21-1.45, p=5.4 × 10^{-10}). 다유전자위험점수의 상위 500 백분위의 여성은 다유전자위험점수의 하위 5%의 여성에 비해 상피성 난소암 위험이 3.4배 증가한 것으로 나타났으며 두 그룹의 상피성 난소암 위험도는 각각 2.9% 및 0.9% 였다.[35] 향후 다유전자위험점수는 일반 여성을 위한 난소암 발생 위험을 예측하는데 사용할 수 있을 것으로 생각되며 상피성 난소암 위험예측모델에 다유전자위험점수를 통합함으로써 임상적인 의사결정에 도움을 줄 수 있을 것으로 전망된다.

난소암의 검진

1) CA125

CA125는 진행성 난소암 진단 시 대부분에서 증가해 있고, 초기 난소암의 약 2/3에서 증가되어 있고 치료 이후 재발 발견과 관련성을 보여서 추적관찰에서 유용하게 사용될 수 있다. 하지만, CA125가 난소암 발병을 예측하거나, 검진의 방법으로는 한계가 있다.

2) 질초음파

난소종양이 있을 때 초음파로 난소의 형태학적 진단은 양성종양과 악성 종양을 구분하는 좋은 방법이 될 수 있다. 하지만, 정기적 검진의 초음파 검사가 난소암의 조기발견에 대한 유용성이 전향적 연구에서 확인된 바 없어서, 일반적인 위험도를 가진 무증상 여성에서의 검진 방법으로 초음파 검사의 한계는 있다고 할 수 있다. US Preventive Service Task Force (USPSTF)에서는 신체검사, CA125, 초음파 검사가 난소암의 사망률을 감소시키지 못했고, 양성 종양에 대한 불필요한 수술을 증가시키기 때문에 무증상의 일반여성에서 난소암 검진은 권고하지 않고 있다. 약 20만 명의 여성을 대상으로 난소암 검진 임상 연구인 UKCTOCS가 최종 등재를 완료하여, 곧 임상결과를 도출할 예정으로, 이 결과를 기다릴 필요가 있겠다.

임상적 진단과 감시(Clinical Diagnosis and Surveillance)

난소암은 주로 폐경 이후 50~60대에 발생하는 것으로 알려져 있으며, 경계성 난소종양은 주로 40대 중반에 발생하는 것으로 알려져 있다.

기본 검사

1) 진단되지 않은 골반 종괴(undiagnosed pelvic mass)

다른 부위의 암의 증거가 없는 골반 종괴 혹은 복수, 복부팽만감, 혹은 복통, 소화장애, 팽창감(bloating), 비뇨기 증상을 가진 환자의 1차 진단작업은 복부/골반초음파 혹은 컴퓨터단층촬영(CT), 자기공명영상(MRI) 그리고 적절한 혈액 검사를 포함해야 한다.[36~38] 만약 덜 흔한 난소암 조직형이나 임신이 임상적으로 의심이 된다면 혈액에서 CA125, inhibin, alpha-fetoprotein (AFP), 그리고 β-human chorionic gonadotropin (β-hCG)를 포함하는 종양표지자검사를 시행해볼 수 있다.[39~40] 예를 들면, 골반 종괴를 가진 35세 이하의 여성에서 생식세포종양을 평가하기 위해 임상의는 AFP 검사를 고려해야 한다. 초음파 검사는 초기 평가에 주로 이용되고, CT는 전이여부를 평가하는 데 유용하다.[41] 또한 만약 초음파로 평가하기 애매한 경우에 MRI가 도움이 될 수 있다. CT나 MRI가 금기가 아니면, 조영제를 사용해서 시행하여야 한다. 양전자단층촬영술(FDG-PET/CT)이나 MRI 검사는 진단이 어려운 경우에 유용할 수 있다.

대부분의 난소암은 조직검사 혹은 수술 조직의 병리결과 후 진단이 되며, 이는 수술 전·중·후에서 일어날 수 있다. 가능하면, 초기 난소암이 의심되는 환자의 진단으로 난소종양의 파열과 복강 안으로의 암세포의 퍼지는 것을 방지하기 위해서 미세침흡인생검(fine needle aspiration, FNA)은 시행하지 않아야 한다. 그러나, 일차치료로 수술적 치료의 대상자가 아닌 진행성 난소암인 경우에는 FNA가 필요할 수 있다.[42] 장이나 자궁, 췌장 그리고 림프종과 같은 다른 암종을 배제해야 한다.[43,44] 장액성 선종과 같은 양성 질환도 감별해야 한다. 또한, 다른 암종의 난소로의 전이도 감별해야 한다.

혈청의 HE4와 CA125를 이용한 ROMA (risk of ovarian malignancy algorithm) 검사가 골반 종괴의 악성 유무를 확인하는 데 도움이 될 수 있다.[45] 흉부 X-선이나 흉부 컴퓨터단층촬영이 필요하다는 근거는 없지만, 임상적으로 필요하다면 병기설정 이전에 시행하는 것이 필요할 수도 있다. 점액성 병변에 대해서는 난소로의 전이된 것인지 혹은 난소의 원발성 점액성 병변인지 결정하기 위해 위장관에 대한 평가도 시행되어야 한다.[46]

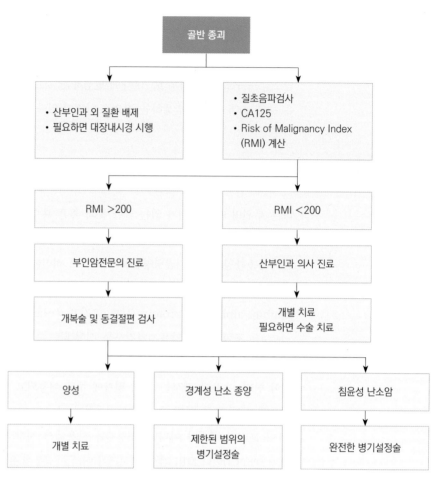

그림 16-2. 자궁부속기 종괴를 갖는 여성의 수술전 평가 모식도

2) 병리적으로 난소암이 진단된 경우

종종 환자들은 난소암의 진단을 받고 보다 큰 규모의 병원으로 전원된다. 종종 그들은 충분한 병기설정술을 시행받기도 하지만, 때로는 불완전한 병기설정술을 받고 전원되기도 한다. 이런 경우 병변에 대한 적절한 평가가 고려되어야 한다.

3) 진단적 복강경(diagnostic laparoscopy)

진행성 난소암이 의심되는 여성의 표준진단작업은 신체수행상태 및 신체 검사, 초음파 검사, 혈청 CA125 측정 및 CT 또는 MRI를 기반으로 한 임상적 판단으로 구성된다.[47] 만약 수술이 가능하다고 판단되면, 일차 종양감축 수술을 시도할 수 있다. 하지만, 진단적 복강경 시행 후 수술이 가능하다고 판단되어 일차 종양감축술을 시행한 경우의 25~62%에서 1cm 이상의 잔류종양이 남는 것을 고려할 때, 진단적 복강경의 진단 정확도는 만족스러운 수준이라고 할 수 없다.[48] 이는 현재의 진단작업이 충분히 정확하지 않고 개선되어야 함을 의미한다. 복부에 종양이 너무 커서 완전한 수술 결과를 얻기 위한다면 병기설정개복술(staging laparotomy)이 가장 정확한 방법이다. 그러나 개복술은 진단 목적을 위해서만 진행하기에는 매우 침습적인 방법이다. 한편 진단복강경검사(diagnostic laparoscopy)는 수술 가능여부를 결정하기 위한 덜 침습적인 수술 옵션이다. 일부 기관에서는 복강경검사가 진단을 위한 표준 절차이며, 다른 기관에서는 전이된 종양의 절제 가능성이 의심되는 경우에만 복강경검사가 수행된다. 진단적 복강경 검사의 합병증의 전체 위험은 수술 및 환자 인구의 유형에 차이가 있어 1~5%로 보고되고 있다.[49]

4) 수술 전 준비

① 빈혈

빈혈은 심혈관 계통에 추가적인 스트레스가 될 수 있으며 심근허혈이나 심부전을 악화시킬 수 있다. 적절한 수술 전 또는 수술 중 수혈은 유의한 관상동맥질환 또는 심부전이 있는 환자의 심장 이환율을 감소시킬 수 있다.[50] 일부 연구들은 가벼운 수술 전 빈혈이 심지어 심장 외과 수술을 받는 노인 환자에서 수술 후 심장 사건 및 사망 위험 증가와 관련이 있음을 제시한다.[5]

가이드라인에 따르면 수혈여부는 헤모글로빈 농도 단독보다는 빈혈 증상 유무에 따라 제한적으로 결정되어야 한다. 그러나 대부분의 의사들은 아직도 헤모글로빈 농도를 사용하여 수혈 시기를 결정한다. 증상 유무를 고려한 '제한적인' 수혈은 안전하며 더 나은 결과를 가져올 수 있으며 수술 후 환자 및 기존의 심혈관 질환이 있는 환자를 포함한 대부분의 환자에게 적용되어야 한다는 증거가 늘어나고 있다. 수혈은 헤모글로빈 수치가 8g/dL 이하인 안정적인 환자 또는 빈혈(협심증, 기립성 저혈압, 심폐 소생에 반응하지 않는 빈맥 또는 울혈성 심부전)의 증상이 있을 때 고려해야 한다.[52,53] 일부 연구에서는 중환자실 환자의 경우 헤모글로빈 7g/dL 미만에서 수혈을 결정할 때 더 좋은 결과를 가져옴을 보고하였다.[54]

또 다른 연구에서 이러한 제한적인 수혈 전략은 이환율 및 사망률 증가, 재원기간 증가, 감염률 증가 및 수혈 반응을 포함한 수술 전 수혈과 관련된 여러 가지 유해한 결과로부터 환자를 보호할 수 있다고 하였다.[55] 이러한 증거를 토대로 일부 병원 및 의료 시스템은 수혈을 줄임으로써 환자 안전뿐만 아니라 의료 비용 절감을 위한 혈액 관리 프로그램을 개발하였다.[55]

요약하면, 대다수의 환자에서 충분하게 수혈을 하는 것보다 보존적 또는 제한적 수혈 정책이 더 효과적이고 안전할 수 있다. 아래는 수술 전 수혈 시행에 대한 지침이다.

적혈구 수혈 처방 시에는 포장된 적혈구(packed red blood cell, pRBC)가 대부분 사용된다. 아래의 경우에 적혈구 수혈을 고려할 수 있다.

    i. 골수 기능저하(bone marrow failure)로 인해 헤마토크릿(hematocrit) 값의 감소는 가까운 미래에 적혈구 생성이 시작되지 않는 것을 의미한다. 골수 부전 환자에게 정확히 수혈을 해야 하는지에 대한 구체적인 정보는 없다. 하지만, 직접적인 빈혈 증상이 없는 경우, 헤모글로빈 농도가 8g/dL 이하(중환자실 환자에서 7g/dL 이하)인 경우에만 수혈을 고려해야 한다는 연구 결과가 있다.[52,53] 이러한 권장 사항은 수술 후 환

자 및 기존 심혈관 질환의 병력이 있는 환자에게 적용된다.[52,53] 급성 관상 동맥 증후군 환자에게는 수혈 유발에 대한 권장사항을 아직 만들 수 없다.

  ii. 흉통, 기립성 저혈압, 수액 치료에 반응하지 않는 빈맥, 울혈성 심부전증 또는 주요 장기의 부적절한 관류 및 산소 공급과 같은 증상이 있는 환자의 빈혈에서는 수혈이 필요하다. 혈압, 심장 박동수, 산소 포화도, 소변량 및 심전도를 모니터링하여 중요한 기관에 적절한 관류가 있는지 평가하는 것이 좋다.[56]

② 예방접종

표 16-1. 난소암 치료 시 감염 예방을 위한 예방접종

불활성화 백신	접종 권고 시기	접종 횟수
개량DTap백신(디프테리아/파상풍/백일해)	수술 후 6~12개월	3
헤모필루스 인플루엔자 b형(Hib) 백신	수술 후 6~12개월	1
폐렴구균 백신 - 13가 단백결합백신 - 13가 단백결합백신 접종 완료된 경우, 다당백신	13가 단백결합백신 접종 8주 후 다당백신 접종	2
A형 간염백신	수술 후 6~12개월	2
B형 간염백신	수술 후 6~12개월	3
뇌척수막구균 백신	수술 후 6~12개월	1~2
독감 백신	독감 시즌 시작 전	매년 1회
불활성화 소아마비 백신	수술 후 6~12개월	3
재조합 대상포진 백신	항암화학요법 또는 수술 2주 전, 항암화학요법 종결 3개월 후	2

암환자에서의 예방백신 투여는 감염과 관련된 이환율과 사망률을 감소시킬 수 있다. 일반적으로 고형암 환자보다 혈액암 환자에서 감염의 위험성이 더 높다. 이는 혈액암 환자의 경우 골수이식 후에 면역력이 저하되기 때문이다. 따라서 일반인들에 비해 이러한 면역 저하 집단에서 백신 투여를 더욱 적극적으로 해야 한다. 일반적으로 생백신은 암환자와 같은 면역저하자에게 금기이지만, 사백신(killed vaccines)의 경우는 안전하게 사용할 수 있다. 비록 암환자와 같은 면역저하자에게서의 항체 형성은 낮을 지라도, 백신 접종을 하지 않는 경우에 비해서는 감염 보호 효과가 우수하다고 알려져 있다.

백신 접종의 시기는 항암화학요법이나 수술 2주 전에 주는 것이 좋다. 항암화학요법 진행 중에는 적절한 백신 접종 시기에 접종을 시행하는 것이 쉽지는 않지만, 세포독성이 있는 항암화학요법 시행 당일에는 림프구 활성이 억제되기 때문에 백신 접종을 피하는 것이 좋다. 따라서 항암 치료 중인 환자군에서는 항암화학요법 주기와 주기 사이에 백신 접종을 하는 것이 차선책이다. 하지만, 다음 항암화학요법 주기 시작 2주 전에 접종하지 못했거나, 항암화학요법 시행 중에 백신 접종을 한 경우에 는 항암화학요법 종결 3개월 후 재접종하는 것이 도움이 된다.

NCCN 가이드라인에서는 일반적으로 암환자들에게 독감(influenza), 폐렴구균(pneumococcal), 뇌수막염구균(meningococcal), 그리고 HPV 백신을 접종하는 것을 권고한다.[57]

③ 심부정맥혈전증 예방

대부분의 입원 환자는 정맥혈전색전증의 위험에 처해 있으며 이러한 부작용을 줄이기 위한 예방조치를 받아야 한다. 특히 수술 환자는 부동성(immobility) 및 응고계단(coagulation cascade)의 수술 자극과 관련된 심부정맥혈전증 및 이와 관련된 폐색전증의 위험이 증가한다. 과거의 연구 결과 입원 환자의 거의 1/3이 심부정맥혈전증을 발생시킬 수 있었고, 적절한 예방법이 제공되지 않으면 1%가 치명적인 폐색전증을 유발할 수 있다고 하였다.[58] 미국심장학회(American Heart Association)에서 수집한 최신 데이터에 따르면 매년 2백만 명의 미국인에서 심부정맥혈전증이 발생하고, 그 중 1/3이 폐색전증으로 진행되어 연간 60,000명의 사망자가 발생하는 것으로 보고하였다.[59]

30분 미만의 짧은 수술을 받고 다른 추가 위험이 없는 젊고 거동이 가능한 환자는 조기 보행 이외에 특별한 처치가 필요하지 않을 수 있지만, 거의 모든 다른 수술 후 환자에게는 예방 혈전예방치료가 필요하다. 특히 위험이 높은 것으로 알려진 부인과 수술 환자는 암 환자, 복강경이나 질식 수술이 아닌 개복수술을 받는 환자, 고령 환자, 그리고 정맥혈전증의 과거력이 있는 환자이다. 입원 환자의 정맥혈전색전증에 대한 위험인자는 표 16-2에 나와 있다.

표 16-2. 정맥 혈전색전증 발생을 증가시킬 수 있는 위험 인자

- 유전성 질환[예: 항트롬빈III 결핍, 인자 C 또는 S 또는 제5인자 라이덴 변이(factor C or S, or the factor V Leiden mutation)]
- 후천성 또는 유전성 혈전성향증(acquired or inherited thrombophillia)
- 콩팥증후군(nephrotic syndrome)
- 발작야간혈색뇨증(paroxysmal nocturnal hemoglobinuria)
- 암
- 심부전
- 나이 >40세
- 에스트로겐 치료
- 패혈증
- 장기 침상 안정(bed rest, immobility)
- 외상
- 중풍 또는 하지 마비
- 골수증식질환(myeloproliferative disorder)
- 염증성 장질환
- 비만
- 이전의 혈전색전증
- 중심정맥관(central venous catheter)
- 적혈구생성 촉진 인자 사용
- 임신 및 산욕기

부인과 수술에서 정맥혈전증에 대한 예방요법은 하지압박스타킹과 하지 말단에 거치하는 기계적 압박장치, 그리고 피하 항응고제 요법으로 분획화되지 않은 헤파린(unfractionated heparin), 저분자량 헤파린 및 폰다파리눅스(fondaparinux)와 같은 새로운 약물이 있다. 그러나 항응고제의 과량 복용은 수술 후 출혈과 관련된 위험이 있을 수 있다.

이러한 각 치료법의 상대적인 혈전 보호 효과에 대해서는 상충되는 보고들이 있다. 적어도 하나의 무작위 임상시험에서 부인과 악성 종양의 주요 수술에서 압축 스타킹의 적절한 사용이 피하 헤파린 만큼 효과적일 수 있음을 보여주었다.[60] 다른 임상 시험에서는 피하 분획화되지 않은 헤파린(하루 3회) 또는 저분자량 헤파린의 고용량이 미분획 헤파린보다 낮은 용량, 특히 악성 종양의 경우보다 예방적일 수 있다고 제안했다.[61] 일부 외과 의사들은 부작용 환자에서 이러한 치료법이 효과적이라는 점에 대한 명확한 데이터는 없지만 기계적 압박 장치와 피하 항응고제를 가장 위험한 환자에게 사용하도록 지지하였다.

입원 환자의 혈전억제치료는 일반적으로 적어도 퇴원할 때까지 계속한다. 개복수술을 받는 부인과 악성 종양 환자에 대한 한 연구에 따르면 4주간의 수술 후 예방법이 비용 효과적이며 환자 결과를 개선할 수 있다고 한다.[62] 고위험군에서 정맥혈전색전증 예방법의 최적의 치료기간을 결정하기 위해서는 추가 연구가 필요하다.

최근 발표된 수술 후 부인과 환자에서 정맥혈전색전증 예방에 대한 권고 사항은 다음과 같다(표 16-3).

표 16-3. 부인암 수술에서 정맥혈전색전증 예방 권고안: 미국흉부의사학회 9번째 권고안(2012)

1. 정맥혈전색전증 위험이 매우 낮은 일반 및 복부 골반 수술 환자의 경우 조기 보행 이외의 약리학적(grade 1B) 또는 기계식(grade 2C) 예방법을 추천하지 않는다.

2. 정맥혈전색전증 위험이 낮은 일반 및 복부 골반 수술 환자의 경우 기계적 방법[특히, 간헐적 공기압박(intermittent pneumatic compression)]을 권장한다(grade 2C).

3. 중대한 출혈 합병증의 고위험군이 아닌 정맥혈전색전증의 중등도 위험군인 일반 및 복부 골반 수술 환자의 경우 저분자량 헤파린(grade 2B) 또는 간헐적 공기압박(intermitent pneumatic compression) 등 기계적 예방법(grade 2C)을 사용하도록 권고한다.

4. 중대한 출혈 합병증의 위험이 높거나 출혈의 결과가 특히 심하다고 생각되는 정맥혈전색전증에 대해 중등도 위험이 있는 일반 및 복부 골반 수술 환자의 경우 기계적 예방법(간헐적 공기압박, intermittent pneumatic compression)을 사용하는 것을 추천한다(grade 2C).

5. 중대한 출혈 합병증의 위험이 높지 않은 정맥혈전색전증의 위험이 높은 일반 및 복부 골반 수술 환자의 경우, 저분자량 헤파린(LMWH, grade 1B) 또는 저용량 미분화 헤파린(LDUH, grade 1B)를 이용한 약물 예방법을 권고한다. 또한, 기계적 예방법(간헐적 공기압박, intermittent pneumatic compression)에 약물 예방법을 추가해야만 한다(grade 2C).

6. 중대한 출혈 합병증의 위험이 높지 않고 암에 대해 복부 또는 골반 수술을 받는 정맥혈전색전증 고위험군 환자의 경우 저분자량 헤파린(LMWH)을 이용한 3주간의 연장된 예방법을 권장한다(grade 1B).

7. 중대한 출혈 합병증에 대한 위험이 높거나 출혈의 결과가 특히 심할 것으로 생각되는 정맥혈전색전증 고위험인 일반 및 복부 골반 수술 환자의 경우 출혈의 위험이 감소하고 약물 예방법이 시작될 때까지 기계적 예방법(특히 간헐적 공기압박)을 사용하는 것을 권고한다(grade 2C).

8. 저분자량 헤파린과 미분화 헤파린을 사용할 수 없고 출혈 합병증의 위험이 높지 않으며 정맥혈전색전증의 위험이 높은 일반 및 복부 골반 수술 환자의 경우, 저용량 아스피린(grade 2C), 폰다마리눅스(fondaparinux, grade 2C), 또는 기계적 예방법(간헐적 공기압박, grade 2C)을 추천한다.

9. 일반 및 복부 골반 수술을 받는 환자의 경우 일차 정맥혈전색전증을 예방하기 위해 하대정맥 필터를 사용해서는 안 된다(grade 2C).

10. 일반 및 복부 골반 수술을 받는 환자의 경우 정맥압박초음파(venous compression ultrasound, VCU)를 이용한 주기적인 경과 관찰은 시행하면 안 된다(grade 2C).

일차 치료(Primary Treatment)

수술적 치료

1) 병기설정술

상피성 난소암은 수술적 병기를 적용하며 최신 FIGO 병기(2013년 개정)를 사용한다(그림 16-3, 표 16-4). FIGO 병기 체계는 수술 시 발견된 소견과 최종 조직 병리 결과에 따르며, 수술 전 영상검사 등을 통해 복강 이외에 전이의 존재를 파악하여 병기 결정에 자료로 이용할 수 있다. 상피성 난소암에서 시험적 개복술에 의한 수술적 병기에 따라 추후 보조 치료가 달라질 수 있으며, 난소 이외에 거시적 병변이 없다고 판단되더라도 미세 전이(microscopic metastasis)에 대한 조사를 고려해야 한다.

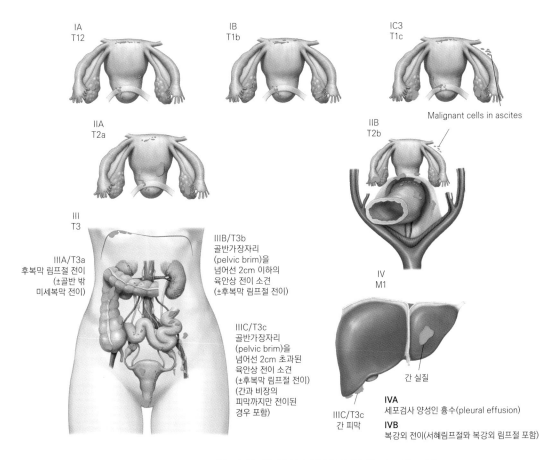

그림 16-3. 상피성 난소암으로 병기(FIGO 및 TNM)

표 16-4. 난소암, 난관암 및 일차성 복막암의 병기 시스템(FIGO) 및 TNM 병기

병기	상세 내용	TNM 병기
I	난소 또는 난관에 국한된 종양	T1
IA	한쪽 난소 또는 난관에 국한된 종양; 무손상된 피막, 난소 표면에 종양 없음; 복수 또는 복강 세척액에 악성 세포 없음	T1a
IB	양측 난소 또는 난관에 국한된 종양; 무손상된 피막, 난소 표면에 종양 없음; 복수 또는 복강 세척액에 악성 세포 없음	T1b
IC	다음 중 하나에 속하면서 한쪽 또는 양측 난소 또는 난관에 국한된 종양 IC1: 수술 중 유출(Surgical spill intraoperatively) IC2: 수술 전 피막의 파열 또는 난소 또는 난관 표면에 종양 존재 IC3: 복수 또는 복강 세척액에 악성 종양 세포 존재	T1c1 T1c2 T1c3
II	골반 가장자리(pelvic brim) 안쪽까지 복막 전이를 동반한 한쪽 또는 양측 난소에 포함된 종양	T2
IIA	자궁 ± 난관 ± 난소 침범 ± 이식	T2a
IIB	다른 골반 조직에 침범 ± 이식	T2b
III	한쪽 또는 양측 난소, 또는 난관, 또는 일차성 복막암이 골반 밖 복막에 미세 전이 ± 후복막 림프절 전이	
IIIA	후복막 림프절 전이 ± 골반 밖 복막의 미세 침범	
IIIA1	조직학적으로 확인된 후복막 림프절 전이	T1/T2-N1
IIIA1 (i)	전이 종괴의 크기 ≤ 장경 10mm (림프절이 아닌 조양의 크기)	
IIIA1 (ii)	전이 종괴의 크기 〉 장경 10mm	
IIIA2	골반 가장자리(pelvic brim)를 넘어선 골반 밖 미세 복막 전이 ± 후복막 림프절 전이	T3a2-N0/N1
IIIB	골반 가장자리(pelvic brim)를 벗어난 육안상 복막 전이 크기 ≤ 장경 2cm ± 후복막 림프절 전이 양성	T3b-N0/N1
IIIC	골반 가장자리(pelvic brim)를 벗어난 육안상 복막 전이 크기 〉 장경 2cm ± 후복막 림프절 전이 양성 (노트1)	T3c-N0/N1
IV	복막 전이를 제외한 원격 전이 IVA: 세포 검사 양성인 흉수 IVB: 복강 밖 장기로 전이 (서혜 림프절 및 복강 밖 림프절 전이) (노트 2)	Any T, any N, M1 Any T, any N, M1a Any T, any N, M1b

노트 1. 간과 비장의 실질을 침범하지 않고 각 장기의 피막까지만 침범
　　 2. 장기의 실질까지 전이는 IVB임

2) 병기설정술의 방법

수술 전 영상검사 등에서 난소암이 의심되는 환자의 수술에 있어서 상복부까지의 접근이 용이하기 위해서 정중선 절개(midline incision)가 권고된다. 가능하다면 난소종양 그대로 제거하여야 하며 동결절편을 통한 조직학적 확인이 필요하다. 난소암이 확인되고 종양이 난소 또는 골반에 국한되어 있는 경우 철저한 병기설정술을 수행하여야 한다. 병기설정술은 다음 단계를 포함한다.

① 세포학적 평가를 위한 복강 혹은 골반내의 복수 혹은 체액을 확보해야 한다.

② 복강 혹은 골반 내에 체액이 없다면, 50~100mL의 생리 식염수를 주입하여 복강내

각각의 위치에서(골반 cul-de-sac, 양측 paracolic gutter, 양측 횡경막 주변) 세척을 수행하여 복강세척 세포검사를 시행해야 한다.

③ 모든 복막표면과 장기표면들을 체계적으로 관찰해야 하면 종양병변을 확인해야 한다. 시계방향으로 맹장으로부터 상행결장을 따라 오른쪽 신장, 횡경막 아래를 거쳐 간과 담낭, 왼편으로 비장, 하행결장과 직장까지 시행한다. Treitz 인대와 소장과 장간막 등도 모두 검사한다.

④ 복막 표면의 의심스러운 부위와 유착은 조직검사를 시행한다. 전이의 증거가 없다면 임의로 여러 부위에 조직학적 검사를 시행한다.

⑤ 횡격막은 생검 혹은 다른 기구들을 이용한 세포 생검 등으로 검체를 얻어낸다.

⑥ 대망절제술은 대망을 횡결장으로부터 절제하고 대망 아래 부분부터 시작한다. 위대망동맥(gastroepiploic artery)의 분지는 결찰 후 절단하게 되며 위대망인대(gastrocolic ligament)가 정상적으로 촉진된다면 절단할 필요는 없다.

⑦ 골반 림프절을 평가하기 위해서는 골반 후복막 절개 후 후복막 공간을 검사해야 하며 일측 난소에만 종양이 있는 경우 반대측은 생략하고 같은 쪽에서만 시행할 수도 있다. 크기가 증가된 모든 림프절은 절제하여 조직검사를 시행하여야 하고, 육안적 전이가 없는 것으로 판단된다면 필요시 골반 림프절 전절제술을 시행하여 미세 전이를 확인해야 한다. 초기 난소암, 복막암, 난관암으로 추정되는 경우에는 병기설정 목적으로 림프절 절제술을 시행할 수 있다.

⑧ 대동맥 주변 부위 검사를 위해 상행결장 바깥쪽 복막을 수직으로 절개하고 우측장골 동맥으로부터 Treitz 인대까지 사선으로 복막 절개를 시행한 후 우측상행결장으로 완전히 자유롭게 한 후 대동맥 림프절을 노출시킬 수 있다. 크기가 커진 림프절은 제거해야 한다.

⑨ 점액성 종양의 경우 충수돌기절제술(appendectomy)을 시행해야 한다.

3) 병기설정술의 결과

종양이 골반에 국한되어 보이는 10명의 난소암 환자 중 3명은 상복부 또는 후복막 림프절에서 잠재적인 전이성 질환이 있을 수 있음을 의심해야 한다. 초기 난소암(병기 I-II)으로 보이는 환자에서 병기설정술 결과 복강내 전이가 횡경막에서 7%, 대동맥 림프절 15%, 골반 림프절 6%, 대망 9%에서 발견되었다.[69~71] 병기설정술의 중요성은 병기 I, II로 판단되는 난소암 환자에서 추가적인 보조치료를 위한 재수술을 시행한 연구에서 확인할 수 있다.[69] 처음에 병기가 I라고 생각되는 환자의 28%와 II기로 생각된 환자의 43%에서 추가병기설정술 이후 병기가 상향조정되었으며, 전체의 77%는 III기로 재분류되었다. 조직학적 등급 또한 잠재적 전이의 중요한 예측인자이며 1등급 중 16%는 2등급 중 34%, 3등급의 46%에서 병기가 상향되었다.

4) 종양감축술(cytoreductive surgery)

진행성 난소암의 치료로는 일차적 종양 감축술(primary debulking surgery) 후 보조 항암화학요법이 1980년대 이후 표준치료로 받아들여지고 있다. 진행성 난소암 환자는 종양감축술을 시행 받아야 하며 이는 일반적으로 전자궁절제술, 양측난소난관절제술, 림프절절제술, 완전 대망절제술, 모든 복막 및 대장 및 소장 표면의 전이성 병변 절제술이 포함된다. 골반의 종양은 많은 경우에 직장 및 맹장을 침범하는 양상을 보인다. 진행성 난소암에서 종양감축술 관련 치료의 흐름은 그림 16-4와 같다.

종양감축술 이후 잔류종양이 없는 상태(no residual tumor, R0)는 난소암에서 가장 중요한 생존과 관련된 예후인자이다. 종양감축술의 이론적 근거는 종양 절제에 의한 직접적인 효과와 종양 재관류(tumor perfusion) 증가와 종양의 성장분획(growth fraction)이 증가되어 항암화학요법의 반응성을 증가시키는 효과를 얻는 것이다.[72,73]

종양감축술의 중요한 목표는 가능한 모든 원발성 암과 전이성 병변의 제거이다. 모든 병변의 절제가 가능하지 않다면, 차선의 목표는 모든 개별 종양 병변의 절제로 인한 종양병변을 최대한 감소시키는 것이다. 가장 먼저 Griffiths가 잔류 병변의 최대 직경에서 1.5cm 이하로 감소되어야 한다고 제안했으며, 그러한 환자에서 생존율이 현저히 더 길다는 것을 보여 주었다.[74] Hacker와 Berek은 최대 잔류 병변이 5mm 이하인 환자가 우수한 생존율을 보였으며,[75] 이는 GOG의 데이터를 통해 Hoskins 등이 입증했다.[76] 완전한 종양감축술의 결과는 du Bois의 3개의 무작위 전향적 임상 연구(AGO-OVAR 3, 5, 7)에 포함된 IIB-IV기 난소암 환자 3,126명에 대한 후향적 검토에서 잘 나타났다.[77] 이 분석에서 1,046명의 환자(33.3%)가 잔류종양이 없는 상태(R0)로 완전 절제되었으며, 975명(31.3%)이 종양의 최대 직경이 1~10mm, 35.4%가 10mm 이상으로 나타났으며, 잔류종양이 없는 군에서 전체 생존기간(overall survival, OS)과 무진행생존기간(progression-free survival, PFS)이 유의하게 증가되었다. 전이성 종양의 절제 가능성은 일반적으로 질병의 위치에 따라 결정되며 광범위한 질병이 있는 경우에 모든 병변의 제거는 달성하기 어려운 경우도 있다.

5) 선행 항암화학요법(neoadjuvant chemotherapy) 및 간격 종양감축술(interval debulking surgery)

선행 항암화학요법(neoadjuvant chemotherapy, NAC) 시행 후 간격 종양감축술(interval debulking surgery, IDS)이 기존 치료방식인 수술 후 보조 항암화학요법에 비해 치료적 이득이 있는지에 대해서는 아직 논란의 여지가 있다. 난소암 환자에 있어서 일차적 종양감축술로 모든 종양을 제거하고 잔류종양이 없는 상태에 항암화학요법을 받은 경우 가장 좋은 치료적 결과를 기대할 수 있다.[78] 선행 항암화학요법은 진행성 난소암 환자에서 모든 종양을 한번에 완전 절제를 할 수 없다고 판단되는 경우나 환자가 수술적 치료를 받기 어려운 내과적 문제등이 있는 상황에서 고려할 수 있다.[79] 또한 환자의 신체적 수행상태(performance status)가 좋지 않은 난소암 환자에서 선행 항암화학요법에 따른 간

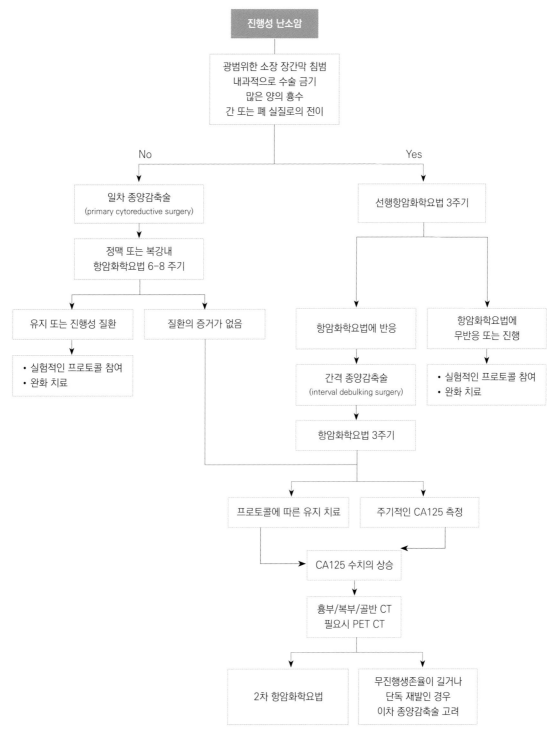

그림 16-4. 진행성 난소암환자의 치료 순서도

격 종양감축술이 적절한 치료방법일 수 있다.[80] 선행 항암화학요법에 시작하기 전 난소암의 조직학적 확진(세침 흡입 생검, 복수천자, 조직생검)이 필요하며 조직생검(core biopsy)이 가장 이상적이다. 복강경을 이용한 조직검사도 사용할 수 있다.

일차적 종양감축술과 선행 항암화학요법 후 간격 종양감축술을 시행한 군을 비교한 두 개의 대규모 무작위 임상시험의 결과, 두 군의 생존율은 유사하고 NAC + IDS군에서 수술 합병증이 낮은 것으로 보고하였다.[48,81] Vergote의 연구(EORTC-NCIC)에서 두 그룹의 무진행생존율의 중앙값이 모두 12개월로 매우 짧았으며 이는 환자군의 예후가 너무 나쁘다는 것을 의미했으며, 모든 종양 제거여부가 두 군 모두에서 전체생존율의 가장 강력한 예후인자인 것으로 분석되었다. 두 임상시험에서 R0가 된 환자군이 적은 점과 낮은 생존율로 인한 비판을 받았지만, 이는 연구에 포함된 대부분의 환자군이 IIIC 또는 IV 병기를 가진 광범위하게 진행된 난소암 환자임을 고려해야 하며, 현재 이와 관련하여 50% 이상의 R0 결과를 보일 수 있는 선택적인 기관들에서 두 치료방법을 비교하는 연구(TRUST TRIAL, NCT02828618)가 진행되고 있다.

선행 항암화학요법 이후에 시행되는 간격 종양감축술은 적어도 선행 항암화학요법에 반응이 있거나 안정적인 상태(stable disease)인 경우에 진행하여야 한다. 수술적 방법은 일차종양감축술과 같으며 모든 종양병변을 제거하는 것을 목표로 하고 복막 표면의 의심되는 병변이나 유착으로 보이는 부분은 제거하여야 하며 초기 진단 시 병변이 있었던 림프절인 경우 선행 항암화학요법 이후 병변이 없어졌더라도 림프절절제술을 고려하여야 한다.

현재까지는 진행성 난소암 치료에서 일차 종양감축술 + 보조 항암화학요법 및 선행 항암화학요법 후 간격 종양감축술 사이의 선택에는 논란의 여지가 있다. 각각의 치료방법에 적합한 환자군을 선택하는 방법에 대한 더 많은 연구가 필요하며, 영상적 진단의 개선 및 복강경을 이용하여 점수화 시키는 방법, 수술적 합병증을 예측하는 알고리즘 등이 이에 포함된다.

6) 진행성 난소암에서 림프절절제술

난소암의 수술적 치료에 있어서 육안상 커져 보이거나 촉진되는 모든 병변은 제거해야 한다. 오랜 기간 동안 진행성 난소암에서 전체 골반 림프절과 대동맥 림프절절제술의 역할 또한 중요시되었으나 최근 발표된 연구결과(AGO-OVAR Lymphadenectomy In Ovarian Neoplasm, LION trial)에서 임상적으로 림프절 전이가 의심되는 않는 환자군에서 복강 내 모든 병변이 제거된 경우 림프절절제술이 전체 생존기간과 무진행생존기간의 차이로 나타나지 않았다.[80] 따라서 진행성 난소암 환자에서 최대 종양감축술을 통하여 모든 병변이 복강내에서 제거된 경우에 영상검사상 림프절 전이가 의심되지 않은 환자의 경우 림프절절제술은 생략 가능하다.

7) 가임력보존수술

난소암 병기 IA면서 저등급인 경우 가임력 보존 수술을 원한다면 반대편 난소와 자궁을 보존하고 조직학적 검사 결과에 따라 추후 치료를 고려할 수 있다. 가임력 보존 수술을 시행할 수 있는 환자군을 선택하는 것을 매우 신중해야 하며 이 치료의 장점과 단점에 대해 환자와 의사 간의 충분한 논의가 선행되어야 한다. 난소암 병기 IA 환자는 일반적으로 완치율이 높지만 잔류종양의 존재 가능성과 재발 이후 치료 성공률이 낮을 수 있음을 고려해야 한다. 난소암에서 가임력 보존 수술의 대상은 조직학적 분류에 따라 달라질 수 있으며, 일반적으로 분화가 좋거나 혹은 저등급의 병기 IA에 적합하다.[83]

전신 치료 (Systemic Treatment)

1) 초기 난소암(early stage ovarian cancer)

상피성 난소암의 일차 치료 기준은 주로 고등급 장액성 난소암에 관련된 임상연구 결과에 의해 정해졌다. 초기 병기의 난소암은 환자군이 적기 때문에 이에 대한 무작위 임상시험은 진행이 어려운 측면이 있다. 일반적으로 초기 병기의 저등급인 경우 추가적인 치료가 필요하지 않은 것으로 알려져 있다. 하지만 초기 병기이지만 고등급 난소암에서 보조 항암화학요법(카보플라틴 혹은 시스플라틴과 파클리탁셀 병용) 사용은 임상시험 International Collaborative Ovarian Neoplasm Trial 1 (ICON1)과 Adjuvant Chemotherapy Trial in Ovarian Neoplasia (ACTION)의 결과가 근거가 되었으며,[84,85] 조직학적 결과와 등급에 따라 달라질 수 있다. ICON1에서는 유럽의 84 기관에서 477명의 환자가 참여하였으며 병기설정술이 필수적이 아니었기 때문에 실제로 모든 환자가 초기 난소암이라고 확정하기는 어렵다. 보조 항암화학요법을 받은 241명의 환자의 5년 생존율은 73%, 보조 항암화학요법을 받지 않은 236명의 환자에서는 62%였다(hazard ratio [HR] = 0.65, p = 0.01). ACTION에서는 유럽의 40개 기관의 440명의 환자가 참여하였으며 1/3만이 병기설정술을 받았다. 병기설정술을 시행받지 않은 군에서 보조 항암화학요법이 생존율을 증가시켰으나 병기설정술을 받은 군에서는 보조 항암화학요법의 이득은 관찰되지 않았다. 그러므로 미세 전이(microscopic dissemination)가 있는 환자군에서만 보조 항암화학요법이 효과가 있다고 결론지을 수 있다.

초기 병기의 난소암에서 보조 항암화학요법(카보플라틴과 파클리탁셀 병합)의 시행 횟수 관점에서 3주기 시행군과 6주기 시행군을 비교한 GOG 157 연구에서는 457명의 초기 난소암 환자군을 비교하였으며 이 중 126명(28%)은 병기설정술이 이루어지지 않았다.[86] 재발률이 6주기 군에서 더 낮았으나 통계학적으로 유의성은 없었으며(HR = 0.76, CI = 0.5 - 1.13, p = 0.18), 3주기 시행군에서 항암화학 치료 관련 독성이 적은 것으로 나타났다. 이 연구에서는 보조 항암화학요법 3주기 사용은 초기단계 고위험 난소암 환자에게 선택적으로 사용할 수 있다는 결론을 내렸다. 하지만 현재 표준 치료 권고안은 보조 항암화학요법은 일반적으로 6주기이다.

2) 진행성 난소암(advanced stage ovarian cancer)

① 카보플라틴–파클리탁셀 병합요법

진행성 난소암에서 표준적인 1차 보조 항암화학요법은 3주마다 카보플라틴(area under the curve, AUC 5 - 6)과 파클리탁셀(3시간에 걸쳐 175mg/m²)의 정맥 투여이다.[87] 난소암에서 치료에 대한 간략한 모식도는 다음 그림과 같다(그림 16-5). 1970년대에 시스플라틴이 소개된 이후, 백금기반 복합항암화학요법은 가장 많이 사용되는 요법이 되었다. 파클리 탁셀이 1980년대부터 사용가능해지면서 1990년대부터 난소암에서 복합항암화학요법으 로 사용되기 시작했다. 두 개의 전향적 임상실험에서 파클리탁셀/카보플라틴과 파클리 탁셀/시스플라틴을 비교하였으며 두 군에서 효능을 유사했지만 항암화학요법 관련 독 성이 카보플라틴군에서 더 적게 나타났다.[88,89]

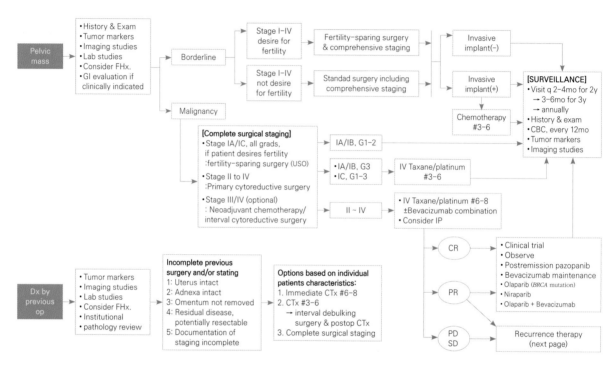

그림 16-5. 상피성 난소암의 진료권고안
(대한부인종양학회 부인암 진료권고안 version 3.0의 수정)

② 복강내 항암화학요법(intraperitoneal chemotherapy)

GOG 104 연구에서 536명의 진행성 난소암 환자에게 시클로포스파마이드 + 시스플 라틴(cyclophosphamide + cisplatin) 복강내 투여(IP), 혹은 정맥내 투여(IV)를 비교하였으 며 잔류종양이 0.5cm 이하인 경우 복강내(IP) 시스플라틴을 투여한 군에서 더 긴 생존 기간을 보였다(49개월 vs. 41개월(p=0.03)).[90] 이후 GOG 172 연구에서는 IP 시스플라틴/ 파클리탁셀과 IV 시스플라틴/파클리탁셀을 비교하였다. 난소암 병기 III에서 잔류종양 1cm 이하인 환자들을 IV 그룹(IV paclitaxel 135mg/m² over 24 hours + IV cisplatin 75mg/m² on day 2)과 IP 그룹(IV paclitaxel 135mg/m² over 24 hours + IP cisplatin 100mg/m² on day 2 and IP paclitaxel 60mg/m² on day 8)으로 나누어 비교하였으며 무진행생존기간 중앙값이 IP 그 룹에서 23.8개월, IV 그룹에서 18.3개월이었다(p=0.05).[91] 이 연구들을 통해서 복강내 항암화학요법은 잔류종양이 1cm 이하인 진행성 난소암 환자에서 우선적으로 고려할 수 있다는 결론을 내리게 되었다.

GOG 252 연구에서 정맥내 투여, 용량집중(dose-dense) 항암화학요법 시행군과 복강내 항암화학요법에 베바시주맙을 추가한 군을 비교하였고, III기 이상 난소암 환자에서 일차종양감축술을 시행한 이후 잔류종양이 1cm 이상 되는 경우 복강내 항암화학요법 + 베바시주맙 치료가 무진행생존율을 상승시키지 못한다고 보고하였다.[92] 하지만 전체생존율에서는 복강내 투여 군에서 생존이 증가하는 추세를 보이고 있어서 이에 대한 최종 결과를 봐야 최종 결론을 도출할 수 있을 것이다. 이러한 결과는 항암화학요법의 용량이 차이가 없다면 베바시주맙을 추가하는 경우 정맥내 항암화학요법에 비교해서 복강내 항암화학요법이 생존율 향상에 이점이 없다는 것을 보여준다. 또한 100mg/m^2의 복강내 시스플라틴을 사용한 연구에서 복강내 항암화학요법 시행한 군에서 독성 발생률이 더 높았다.

③ 용량집중(dose-dense) 항암화학요법

3주마다 시행하는 항암화학요법 이외에도 1주마다 시행하는 용량집중 항암화학요법에 대한 연구도 진행되었다. 일본에서 시행된 JGOG 3016 연구에서 II-IV 병기 난소암 환자 637명을 무작위 배정하여 3주 간격(carboplatin AUC 6 + paclitaxel 180mg/m^2) 요법과 용량집중 요법(3주 간격 carboplatin AUC 6 + 1주 간격 paclitaxel 80mg/m^2)을 비교하였다.[93] 이 연구에서 기존 치료법에 비해 용량집중 치료를 받은 환자의 무진행생존율(28개월 vs. 17.2개월, p=0.03) 및 전체생존율(3년 생존율 72.1% vs. 65.1%, p=0.03)이 유의하게 향상되었다. 하지만 다른 인종(Caucasian)에 대해 시행된 3개의 연구(MITO7, GOG 262, ICON8)에서는 용량집중 항암화학요법이 기존 치료에 비해 유의한 무진행생존율 향상을 보여주지 못하였다. 이는 일본인과 백인 간의 약리학적 반응의 차이에 의한 것으로 추정되고 있다.

④ 표적치료제(targeted therapies)

베바시주맙과 같은 혈관형성억제제가 재발성 난소암에서 효과가 있음이 입증되면서 난소암에서 1차 치료에서 기존의 표준 항암화학요법(3주 간격 paclitaxel/carboplatin)에 베바시주맙 병합 및 유지요법의 효과를 입증하는 두 개의 임상연구(GOG 218, ICON7)가 있었다. GOG 218, ICON7에서 베바시주맙의 병합 및 유지요법의 추가로 인해 무진행생존율의 증가를 보였지만 전체생존율의 증가는 나타나지 않았다.[94,95] GOG 218에서는 1,873명의 난소암 환자를 3군으로 나누어 비교하였으며 베바시주맙 병합 및 유지요법을 사용한 군에서 무진행생존율이 약간 증가하는 결과(3.8개월)를 얻었다. ICON7에서는 1,528명의 진행성 난소암 환자를 대상으로 하였으며 ICON7 연구의 사전 계획된 분석에서, 향후 질환의 진행 위험이 높은 여성(일차종양감축술 후 잔류종양이 1cm 이상인 III-IV 병기의 환자)에서 베바시주맙을 추가하면, 무진행생존율(표준 요법에서 10.5개월 vs. 베바시주맙 15.9개월, [HR 0.68, 95% CI, 0.55-0.85, p <0.001) 및 전체생존율(28.8개월 vs. 36.6개월, HR 0.64; 95% CI 0.48-0.85; p=0.002) 중앙값의 증가를 보였다. 이 결과를 바탕으로 많은 국가에서 고위험 난소암 환자군의 표준치료로서 3주 간격 파클리탁셀/카보플라틴에 베바시주맙을 병합 및 단독 유지요법으로 사용하게 되었다. 아직까지 베바시주맙을 일차 치료에 치료적

이득을 볼 수 있는 명확한 표지자는 아직 없으며 최적의 용량 또한 불분명한 상황이다.

⑤ 복강내 온열항암화학요법(hyperthermic intraperitoneal chemotherapy, HIPEC)

복강내 온열항암화학요법(hyperthermic intraperitoneal chemotherapy, HIPEC) 관련해서 2017년에 두 개의 임상연구 결과가 발표되었다.[96,97] 네덜란드 그룹에서 발표한 연구는 선행항암화학요법 이후 간격 종양감축술시행 시 HIPEC을 시행한 결과로 HIPEC 시행군이 좋은 무진행생존율과 전체 생존율을 보였다. 네덜란드 연구결과에서 무진행생존율의 중앙값은 수술군에서 10.7개월, HIPEC 군에서 14.2개월이었으며 전체생존율의 중앙값은 수술군에서 33.9개월, 수술 후 HIPEC 시행군에서 46.7개월이 관찰되었다. 한국에서 시행된 연구의 중간분석 결과에서 선행항암화학요법을 시행한 여성에서 무진행생존율의 중앙값은 HIPEC 군에서 20개월, 대조군에서 19개월이었고(p = 0.137), 전체생존율의 중앙값은 수술군(대조군)에서 51개월, HIPEC 군에서 54개월이었다(p = 0.407). 향후 최종분석 결과를 확인할 필요가 있다.

⑥ PARP 억제제

올라파립(Olaparib)은 PARP (poly ADP-ribose polymerase) 억제제로 *BRCA1* 혹은 *BRCA2* 유전자 변이가 있는 난소암 환자, 특히 일차 치료 후 백금민감성 재발인 경우에 치료반응이 좋다고 알려져 있다. SOLO2 연구 결과에서 *BRCA*변이가 있는 2차 이상의 항암화학요법을 받은 백금민감성 재발성 난소암 환자에서 올라파립 단독 치료 시 무진행생존율이 증가한다는 것이 밝혀졌다.[98] 재발성 난소암 치료에 있어서 또 다른 PARP 억제제인 루카파립(Rucaparib)과 니라파립(Niraparib)도 효과적이라는 결과가 발표되었으며 니라파립은 *BRCA*변이 여부와 상관없이 모든 백금민감성 환자에서 효과를 보였다.[99,100]

재발성 난소암 이외에 난소암 1차 치료에 있어서는 2018년 12월에 미국 FDA에서 *BRCA* 유전자 변이가 있는 진행성 난소암 환자 1차 치료에서 보조항암화학요법 이후 PARP 억제제인 올라파립 유지요법을 승인했다. 이는 올라파립 사용군에서 재발 및 사망 위험이 70% 감소한 SOLO1 연구 결과에 바탕을 둔 것이다.[101]

예방적 G-CSF 투여

임상적으로 호중구감소증은 절대호중구수(absolute neutrophil count, ANC)가 <500 neutrophils/mcL이거나 48시간 이내에 <500 neutrophils/mcL으로 감소될 것으로 판단되는 경우이다. 열성 호중구감소증(febrile neutropenia, >38.3℃ 혹은 1시간 동안 >38.0℃)은 항암화학제 독성 중 하나이며 입원 치료 혹은 항생제 사용이 필요하기도 하여 이로 인한 의료비와 입원치료 증가로 이어진다. 많은 연구들에서 G-CSF (granulocyte colony-stimulating factor)의 예방적 사용으로 여러 암종에서 항암화학요법으로 인한 호중구감소증의 빈도, 강도, 기간 등을 줄일 수 있다는 결과를 보여주었다. G-CSF의 사용으로 항암화학요법을 온전히 계획대로 진행할 수 있고 이는 유방암과 림프암에서 생존율의 증가로 이어질 수 있다는 연구결과도 보고되었다. 일차적 G-CSF 예방(항암치료 5일 전에 G-CSF 투여)은 호중구감소증으로 인한 입원을 줄일 수 있다.[102]

열성 호중구감소증의 위험성은 항암화학제의 종류, 기간, 환자들의 위험요소 등과 연관이 있다. 열성 호중구감소증의 위험성은 항암화학요법 시작 전에 평가되어야 하며, 이는 질환의 종류, 항암화학요법 종류(high-dose, dose dense, standard dose), 환자 개별적인 위험도, 치료의도(curative/adjuvant/palliative) 등이 포함된다. 항암화학제 종류에 따라 고위험군(>20% 위험도), 중간위험군(10~20% 위험도), 저위험군(<10% 위험도)으로 나뉜다. 난소암 항암화학요법제 중에서 열성 호중구감소증 관련된 고위험군은 토포테칸(Topotecan), 도세탁셀(Docetaxel)이 포함되며, 중간위험도를 가진 카보플라틴/도세탁셀이 있다. 환자의 위험도에 있어서 가장 중요한 요소는 고령(65세 이상)이다. 그 외에 이전 항암화학 치료력, 방사선치료력, 지속적 호중구감소증, 낮은 신체 수행상태(performance status), 암의 골수 침범, 최근 수술력, 신장/간기능 저하 등이 있다. 열성 호중구감소증을 예방하기 위한 G-CSF는 고위험군에서는 투여되어야 하며, 중간위험군에서는 투여를 고려해야 하고, 저위험군에서는 투여하지 않는 것이 원칙이다.

상피성 난소암의 방사선치료

상피성 난소암의 방사선 치료

1) 전복부 방사선치료(whole-abdominal radiotherapy, WAR)

(1) 전복부 방사선치료의 도입

난소암의 방사선치료의 역할은 시간의 흐름에 따라 그 의미가 변해왔다. 초기 난소암 환자를 대상으로 1960년대 및 1970년대 초반까지 국소 방사선 치료를 하려는 시도들이 있었다. 그러나 초기 난소암에서 약 85%의 환자가 복막 전이를 한다는 것을 토대로, 1970년대 후반과 1980년대에 걸쳐 전복부 방사선치료(whole-abdominal radiotherapy, WAR)가 진행되었다.[103,104] 이는 백금 계열 항암화학요법이 도입되기 전까지 복강 내의 미세 전이를 조절하기 위한 방법으로 사용되었다.

(2) 전복부 방사선치료의 기술적 측면

전복부 방사선치료의 도입 초창기에는 기술적인 한계로 "moving strip" 방법을 사용하였다. 이는 복부를 각 2.5cm 두께의 12~14개 구획으로 나눈 뒤 하루 2.25~3.0Gy로 총 22.5~30Gy까지 10주간에 걸쳐 치료하는 방식이다.[105] 이후 방사선치료 기술발전에 따라 "Open-field" 방식이 가능해진 뒤, 두 치료 방식을 전향적 연구를 통하여 비교하였다.[106,107] 그 이후 방사선치료계획이 상대적으로 용이하고, 치료 일수가 적게 소요되며, 특히, 만기 치료 독성이 적은 "Open-field" 방식이 선호되었다.

(3) 전복부 방사선치료의 치료 독성과 사용 감소

전복부 방사선치료에 따른 치료 독성은 75%의 환자에서 치료 중 복부 통증이나 배변습관의 변화로 나타나며, 만기 독성으로는 10-15%의 환자에서 수 개월 내지 수 년 동안 설사가 지속되고, 약 5%의 환자에서는 수술을 요하는 소화기계 독성이 나타났다.[108] 이런 치료 독성에도 불구하고, 전복부 방사선치료는 많은 기관에서 시행되었고, 국소방사선치료나 항암약물치료와 비교하는 전향적 연구들이 1980년대 및 1990년대에 걸쳐 진행되었다. 1982년에 Princess Margaret Hospital의 Dembo 등이 147명의 환자를 대상으로 국소 방사선 치료와 전복부 방사선치료을 무작위 비교하였고, 전복부 방사선치료의 5년 생존율이 58%로 국소방사선조사의 41% 보다 좋은 결과를 보였다.[109] 그러나 그 외의 대부분의 연구들에서는 전복부 방사선치료가 항암화학요법과 비슷하거나 오히려 좋지 않은 결과를 보이면서 명확한 치료적 효과를 입증하지 못하였다.[110,111] 따라서 전복부 방사선치료는 앞서 언급한 i) 치료 독성의 문제, ii) 기술적 측면의 어려움, iii) 효과적인 백금 계열 항암화학요법의 도입 등의 이유로 거의 시행되지 않게 되었다.[112]

⑷ 세기조절방사선치료(intensity-modulated radiation therapy)를 이용한 전복부 방사선치료의 재시도

2000년대 들어 세기조절방사선치료가 도입됨에 따라, 독일 Heidelberg 그룹을 중심으로 세기조절방사선치료를 기반으로 한 전복부 방사선치료에 대한 전 임상연구, 1상 및 2상 전향적 연구가 진행되었다.[113] "Moving strip"이나 "Open-field" 방식과 비교하여 주변 정상 조직의 방사선량을 줄일 수 있었고, 중등도 이상의 부작용은 없이 무진행생존율은 28개월로 관찰되어 세기조절방사선치료를 통한 WAR의 재적용 가능성을 제시하였다.[114]

2) 병소조사영역 방사선치료(involved field radiation therapy)

⑴ 병소조사영역 방사선치료의 가능성

상피성 난소암은 대부분 진행성 재발을 보이지만 일부에서는 복막전이나 혈행성전이 없이 림프절 재발만을 반복한다. 이런 점에 착안하여 MD Anderson Cancer Center의 Brown 등은 102명의 환자를 대상으로 병소조사영역 방사선치료(involved field radiation therapy) 즉, 병변이 있는 부위에만 방사선치료를 하는 방식의 치료 결과를 후향적으로 발표하였다.[115] 5년 생존율과 무진행생존율을 각각 40%와 24%로 보고하면서, 1/3의 환자에서는 치료 이후 약 3년 동안 완전관해를 보여 난소암에서 방사선치료의 새로운 적응증을 제시하였다. 이후 몇몇 소규모 후향적 연구가 보고되었고, 방사선치료의 적용 가능성을 보여주었다(표 16-5).

⑵ 병소조사영역 방사선치료의 임상적 적응증

국내 다기관으로 시행된 전향적 2상 임상연구 결과에서 앞서 언급한 림프절 전이를 주로 하는 환자 이 외에도 ① 항암화학요법 이후 완전관해 또는 부분관해의 좋은 반응을 보이는 환자에서 강화요법(consolidation), ② 항암화학요법에 저항성을 보이는 환자에

표 16-5. 병소조사영역 방사선치료(Involved-field radiation therapy) 연구 현황

저자, 발행년도	연구의 형태	환자수	재발병변의 위치	방사선치료 적응증	방사선 기법	선량	추적 관찰 기간(개월)	무진행 생존율	국소 제어율	전체 생존율
Kunos 등, 2012	전향적	25	복부 및 골반 88%, 흉부 12%	Salvage	SBRT 100%	24Gy/ 3 fx	15	median 7.8 mo	6mo 61%	median 20.2mo
Brown 등, 2013	후향적	102	림프절 49%, 림프절 외 영역 51%	Salvage (71%), Consolidation (29%)	3D CRT 34% IMRT 62%	59.2Gy 54.5Gy	37	5yr 24%	5yr 71%	5yr 40%
Yahara 등, 2013	후향적	27	복부 및 골반 100%	Salvage	3D CRT 93%	60Gy	25	2yr 39%	2yr 96%	2y 53%
Albuquerque 등, 2016	후향적	27	림프절 15%, 림프절 외 영역 85%	Salvage	2D 50% 3D CRT 50%	50.4Gy	30	5yr 33%	5yr 70%	5yr 30%
Chundury 등, 2016	후향적	33	복부 및 골반 69%, 흉부 6%, 기타 25%	Salvage	IMRT 100%	50.4Gy	24	2yr 11%	2yr 82%	2yr 63%
Choi 등, 2017	후향적	44	림프절 37%, 뼈 및 뇌 51%, 기타 12%	NA	2D 26% 3D CRT 62% SBRT 12%	50.7Gy	52.3	median 16.2mo	2yr 55%	NA
Mesoko 등, 2017	후향적	15	림프절 43%, 폐·간 38%, 기타 19%	Salvage	SBRT 100%	40Gy/ 5 fx	12.8	median 10.8mo	NA	NA
Chang 등, 2018	전향적	30	림프절 66% (복부 및 골반 42%, 흉부 및 두경부 24%), 기타 34%	Salvage	3D CRT 57% IMRT 43%	54Gy	28	2yr 39%	3yr 84%	3yr 56%
Lazzari 등, 2018	후향적	82	복부 및 골반 79%, 흉부 17%, 두경부 4%	Salvage	SBRT 100%	24Gy/ 3 fx	17.4	2yr 18%	2yr 68%	2yr 71%
Kim 등, 2019	후향적	61	림프절 65% (복부 및 골반 25%, 골반 외 부분 39%, 다발성 12%), 기타 35%	Salvage (62%), Consolidation (38%)	3D CRT 54% IMRT 46%	50.4Gy	19	2yr 24%	2yr 43%	2yr 79%

※ 3D CRT, 3-dimensional conformal radiation therapy, 3차원 입체 조형 방사선 치료; IMRT, intensity-modulated radiation therapy, 세기 조절 방사선 치료; SBRT, stereotactic body radiation therapy, 체부 정위적 방사선 치료; NA, not-accessible; median, 중위값; yr, year, 년; mo, month, 개월

서 구제적(salvage) 치료, ③ 항암화학요법을 거부하는 환자에서의 근치적(definitive) 치료, ④ 종양 감축술 범위 바깥에서 재발한 환자에서 구제적 요법 치료 등으로 적응증을 제시하였다.[116]

최근 Lazzari 등은 82명 환자의 156개의 병변에 24Gy를 3회에 나누어서 시행하는 체부정위방사선치료(stereotactic body radiation therapy)의 결과를 보고하였다.[117] 치료반응률은 77%였고, 치료 이후 7.4개월의 항암화학요법 지연기간을 가졌으며, 33%의 환자는 치료 이후 1년간 무병생존하였다. 이를 통해 항암화학요법에 대한 저항성을 보이거나 견디기 힘든 환자에서 항암화학요법의 연기를 가져올 수 있는 대체 치료의 가능성을 보여주었다.

위 두 개의 전향적 및 후향적 연구 결과를 바탕으로 병소조사 영역 방사선치료가 적응이 되는 일부의 환자에서 치료 독성을 유발하는 반복적인 항암화학요법을 지연시키거나 생략하여 궁극적으로 환자의 삶의 질 향상까지 가져다 줄 것으로 기대해 볼 수 있다.

(3) 병소조사영역 방사선치료의 기술적 측면

방사선치료 계획 및 치료의 발전에 따라, 기존의 2차원 내지 3차원 입체 조형치료(그림 16-6)뿐 아니라, 세기조절방사선치료(그림 16-7) 및 체부정위방사선치료(그림 16-8)도 난소암 방사선치료에 도입가능하게 되었다. 다발성 전이를 하는 재발성 난소암 환자들에게 병소조사영역 방사선치료를 할 때, 세기조절방사선치료 및 체부정위방사선치료는 재발 부위에는 근치적 목적의 방사선량을 전달하면서 주변 정상 조직의 방사선량을 줄여줄 수 있는 장점이 있다. 세기조절방사선치료와 체부정위적 방사선치료를 도입한 치료 결과들이 보고 되었고(표 16-5) 안정성 또한 입증이 되었다.

3) 고식적 목적의 방사선치료(palliative radiotherapy)

전통적으로 방사선치료는 난소암 환자의 증상 완화에 중요한 역할을 담당해왔다. 적극적인 치료가 어려운 환자들에게 고식적 목적의 방사선치료는 골반 및 복부의 종양을 줄어들게 하여 복부 통증이나 불편감 등의 증상 완화 및 출혈 지연의 효과를 일으킬 수 있음이 보고되었다.[118]

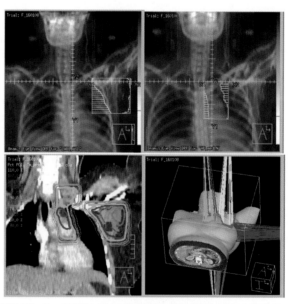

그림 16-6. 재발성 난소암에 대한 3차원 입체조형 방사선치료
겨드랑이와 종격동 림프절 재발환자의 3차원 입체조형 방사선치료 시 방사선등선량분포 수의 전사조절

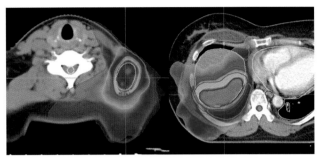

그림 16-7. 세기조절방사선치료를 이용한 병소조사영역 방사선치료의 표적체적과 등선량곡선

통상적인 3차원치료에 비해 치료체적을 위해 임상치료체적에 주었던 확장을 줄여 정상 조직의 방사선조사를 낮출 수 있음. 상기 치료(좌: 왼쪽 경부 림프절 전이에 대한 병소조사영역 방사선치료/ 우: 간 상엽에 위치한 전이 병변에 대한 항암화학요법 이후의 병소조사영역 방사선치료)는 모두 45, 37.5Gy를 15회의 분할치료 계획한 환자에 해당함

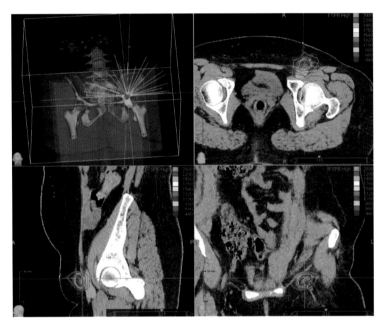

그림 16-8. 사이버나이프를 이용한 병소조사영역 방사선치료

표식자(fiducial marker)를 이용한 종양 추적 시스템을 통해 정밀하고 정확한 치료가 가능함

4) 미래 발전 방향

앞서 언급한 세기조절방사선치료나 체부정위방사선치료의 도입 이외에도 최근 대두되고 있는 표적치료제나 면역관문억제제와 병용하여 방사선치료의 효과를 향상시키는 방향으로 발전할 수 있다.

(1) Poly ADP-ribose polymerase (PARP) 억제제 병합치료

암세포 사멸의 방어 기전으로 PARP가 활성화된다는 것이 밝혀진 뒤, PARP 억제제가 특히, *BRCA* 유전자 돌연변이를 가진 난소암에서 새로운 표적치료제로서 각광 받고 있다. 방사선치료가 유발한 DNA 손상이 암세포의 DNA 복구 기전을 불안정하게 하여 PARP 억제의 효과를 증대시킬 수 있다. Reiss 등이 32명의 복막전이를 동반한 환자를 대상으로 PARP 억제제와 저선량(21.6Gy)의 전복부 방사선치료를 한 제1상 임상연구를 시행한 결과, 일부 환자에서 1년 생존율 33%로 치료 효과와 함께 안정성을 보고하였다.[119] 그 외 현재 PARP 억제제와 방사선치료를 병용하는 많은 임상 연구들이 진행되고 있다.

(2) 면역관문억제제(immune checkpoint inhibitor)와의 병합치료

2000년대 후반부터 면역관문억제제의 효용성이 입증됨에 따라, 재발성 및 전이성 난소암 환자를 대상으로 방사선치료와 면역관문억제제를 병용하는 것의 효율성과 안정성을 확인하는 1상 연구가 진행중에 있다.

활력결여(anergy) 상태의 면역 T세포를 재활성화하여 T세포 본연의 역할을 기대하게끔 하는 면역관문억제제와 방사선치료를 병합할 경우, 치료부위의 암세포 사멸뿐 아니라, 활성된 면역세포의 항원 인식 작용이 높아져 앱스코팔 효과(abscopal effect)가 나타나 방사선 치료 부위 이외에도 항암효과를 유발할 수 있다. 따라서, 면역관문억제제와 방사선치료를 병합할 경우, 치료의 효용성이 기대되는 만큼 추가적인 임상 연구를 통하여 효용성과 안정성을 입증할 필요가 있다.

재발성 난소암의 치료

재발성 상피성 난소암은 질환의 원발 부위가 난소, 난관, 혹은 복막 중 어디인지에 따른 치료의 차이는 없다. 일차성 난소암의 백금 기반 항암화학요법이 종료된 시점부터 재발 혹은 질환의 진행 시점까지의 무진행생존기간으로 정의되는 백금 민감성, 재발의 위치 및 개수를 포함한 재발 양상, 환자와 종양의 BRCA 유전자 돌연변이 발현 여부 등에 따라 다양한 치료방법을 선택할 수 있다. 재발성 난소암은 일차성 난소암의 백금 기반 항암화학요법 종료 후 재발 혹은 질환의 진행까지의 무진행생존기간에 따라서 백금 민감성 재발성 난소암(platinum-sensitive disease), 백금 저항성 재발성 난소암(platinum-resistant disease), 그리고 백금 불응성 재발성 난소암(platinum-refractory disease)의 세 가지로 나눌 수 있다. 백금 기반 항암치료가 종료된 후 6개월 이상 지나서 재발한 경우를 백금 민감성, 6개월 이내에 재발한 경우를 백금 저항성, 그리고 백금 기반 항암치료 도중 진행한 경우를 백금 불응성 재발성 난소암이라고 한다.[120]

이차 종양감축술(Secondary Cytoreductive Surgery)

이차 종양감축술은 일차성 난소암의 항암치료 후 시행되는 종양감축술을 의미하지만, 특히 백금 민감성 난소암에서 이루어지는 종양감축술을 의미한다. 그동안 보고된 많은 후향적 및 전향적 관찰 연구와 대조군 비교연구에서 이차 종양감축술은 일차 백금 기반 항암화학요법 후 무진행생존기간이 12개월 이상인 백금 민감성 재발성 난소암의 치료에서 완전 혹은 적절한 종양감축술이 이루어질 경우 그렇지 않은 경우에 비하여 전체생존율 향상을 가져오거나,[121~123] 항암치료 단독에 비하여 전체생존율 향상을 가져오는 것으로 알려졌다.[124~126] 이러한 이점은 완전 혹은 적절한 종양감축술이 이루어진 경우, 일차항암치료에서 베바시주맙을 사용하지 않았던 경우, 그리고 국소적 재발을 보이는 경우에 더욱 두드러지는 것으로 알려졌다.[77] 백금 민감성 재발성 난소암에서 이차 종양감축술 후 보조항암요법을 하는 경우와 항암화학요법을 단독을 비교하는 전향적 무작위배정연구로 3종류가 시도되어 왔다. SOCcer 연구, AGO-Desktop III 연구, 그리고 GOG 213이 있다. SOCcer 연구는 백금 민감성 재발성 난소암에서 이차 종양감축술 후 보조항암화학요법을 하는 경우와 항암화학요법을 단독을 비교하는 전향적 무작위배정연구로 230명의 환자를 등록할 예정이었으나 환자 등록이 저조하여 조기 종료되었기 때문에 그 결과를 알 수 없다.[124~126] AGO-Desktop III 연구는 백금 민감성 재발성 난소암 중에서 완전 종양감축술의 가능성이 높은 AGO score를 가진 환자들만 포함하여 이차 종양감축술 후 보조항암치료를 하는 경우와 항암치료 단독을 비교하는 전향적 무작위배정연구로 409명의 환자를 등록하였으며, 최근 중간 분석 결과를 발표하였다.[130]

완전 종양감축술의 가능성을 나타내는 AGO score는 AGO-Desktop I 연구에서 만들어 졌으며,[131] AGO-Desktop II 연구에서 유효성이 확인되었다.[132] AGO-Desktop III 연구에서는 기존의 후향적 및 전향적 관찰연구와 대조군 비교연구에서처럼 이차 종양감축술을 시행한 군에서 항암화학요법 단독군에 비하여 무진행생존율이 유의하게 높았다.[130] 하지만, 이차 종양감축술군에서도 완전 종양감축술이 이루어진 군에서만 무진행생존율의 유의한 향상을 보였다.[130]

GOG 213 연구는 백금 민감성 재발성 난소암 환자 중에서 치료자가 수술군 후보자를 선택한 후 수술군과 비수술군으로 무작위 배정하고 수술 후 보조항암화학요법은 베바시주맙을 사용하는 군과 사용하지 않는 군으로 다시 무작위 배정하였으며, 수술군 후보자로 선택되지 않은 환자들은 항암화학요법 단독군으로 배정되어 베바시주맙을 사용하는 군과 사용하지 않은 군으로 부작위 배정하는 연구 디자인으로 진행되었다.[133,134] 이 연구의 일차 목표는 두 가지였으며 하나는 베바시주맙의 추가가 생존율에 미치는 영향이었으며, 다른 하나는 이차 종양감축술의 추가가 생존율에 미치는 영향이었다. 이 연구에서는 이차 종양감축술군에서 전체생존율의 향상을 보여주지 못하였다. AGO-Desktop III 연구와는 달리 이 연구에서는 수술군 후보자의 선택이 객관적인 기준에 따라 이루어지지 않았다는 차이점이 있다.

항암화학요법

1) 백금민감성 재발성 난소암

① 항암화학요법

백금민감성 재발성 난소암의 항암화학요법은 백금기반 항암제의 사용이 표준으로 알려져 있다. 백금민감성 재발성 난소암에서 백금기반 항암제와 백금을 포함하지 않는 다른 항암제를 비교하는 무작위 배정연구에서 중앙 생존 기간은 21.8개월 대 24.5개월(HR=1.38; 95% CI 0.399-1.94; P=0.06)로 전체생존율에 차이는 없었기 때문에, platinum-free interval의 연장을 위하여 백금기반 항암제 이외의 약제로 대체하는 것은 추천되지 않는다.[135]

백금기반 항암제를 선택함에 있어서 고려해야 될 점은 백금항암제 단독 사용과 다른 항암제와의 병합 사용 중 어떤 것을 선택할 것인가이다. 백금민감성 재발성 난소암에서 백금항암제 단독 요법과 병합용법을 비교하는 두 개의 무작위배정 연구가 있었다. ICON 4/AGO-OVAR-2.2 연구에서는 802명의 백금 민감성 재발성 난소암 환자에서 백금항암제 단독 요법과 백금항암제 및 파클리탁셀의 병합요법의 효과를 비교하였는데, 병합요법군에서 중앙 생존 기간이 24개월 대 29개월(HR=0.82; 95% CI 0.69-0.97; P=0.023)로 전체생존율의 향상을 보였지만, grade 2-4의 신경 독성(20% 대 1%)과 탈모(86% 대 25%)의 발생이 유의하게 증가하였다.[136] Gynecologic Cancer Intergroup (GCIG) 연구에서는 카보플라틴 단독 요법과 카보플라틴과 젬시타빈의 병합요법을 비교하였는데, 병합요법군에서 반응률(31% 대 47%; P=0.001)과 무진행생존율(중앙 생존 기간, 5.8개월 대 8.6개월; HR=0.72; 95% CI 0.57-0.90; P=0.003)향상을 보였다.[137] 따라서, 백금기반 항암화학요법은 병합요법을 사용하는 것이 우선 고려되어야 하며, 환자의 수행능력, 내과적 질환 및 이전 치료에서의 독성 등을 고려하여 부득이한 경우 백금항암제 단독 요법을 고려할 수 있다.

흔히 선택되는 백금기반항암제 병합요법은 파클리탁셀과 카보플라틴의 병합요법이지만, 다른 항암제와 백금항암제의 병합요법도 선택될 수 있다. CALYPSO 연구에서는 파클리탁셀과 카보플라틴의 병합요법과 페길화 리포좀 독소루비신(pegylated liposomal doxorubicin, PLD)과 카보플라틴의 병합요법을 비교하였는데, 페길화 리포좀 독소루비신과 카보플라틴 병합요법은 전체생존율에 있어서 비열등성을 보였다.[138,139] 두 병합요법은 독성에 있어서 차이를 보였는데, 페길화 리포좀 독소루비신군에서 grade 3-4의 호중구 감소증(35% 대 46%)과 신경 독성(5% 대 27%)및 카보플라틴 과민반응(16% 대 33%)이 적었으며, grade 3-4의 혈소판 감소증(16% 대 6%)은 많았다.[138]

② 표적치료 및 유지요법

백금 민감성 재발성 난소암에서 많은 표적치료제들이 연구되어 왔다. 하지만, 혈관형성 억제제와 PARP 억제제가 주로 효과를 보였으며, 가장 많이 연구되어 왔다.

혈관형성억제제로 베바시주맙, 세디라닙(Cediranib), 트레바나닙(Trebananib) 등이 연구되었다. 그 중 혈관내피성장인자(vascualr endothelial growth factor, VEGF) 억제제인 베바시주맙이 가장 많이 연구되었고, 무작위 배정 연구에서 그 효과가 인정되어 사용되고 있다. 현재까지 백금 민감성 재발성 난소암에서 두 개의 무작위 연구가 있었다. OCEANS 연구에서는 젬시타빈과 카보플라틴의 병합요법에 베바시주맙을 추가하여 항암치료를 하고, 이후 베바시주맙의 유지요법을 하는 경우 젬시타빈과 카보플라틴의 병합요법만 시행하는 경우에 비하여 무진행생존율(중앙 생존 기간, 12.4개월 대 8.4개월, HR = 0.485; P < 0.001)이 유의하게 향상되었다. 하지만, 전체생존율(중앙 생존 기간, 33.6개월 대 32.8개월; HR = 0.95; P = 0.65)에 있어서는 차이가 없었다.[140,141] Grade 3 이상의 고혈압(17.4% 대 1% 미만)과 단백뇨(8.5% 대 1% 미만)가 베바시주맙을 추가한 군에서 증가하였다. GOG 213 연구에서는 파클리탁셀과 카보플라틴의 병합요법에 베바시주맙을 추가하여 항암치료를 하고, 이후 베바시주맙의 유지요법을 하는 경우 파클리탁셀과 카보플라틴의 병합요법만 시행하는 경우에 비하여 무진행생존율(중앙 생존 기간, 13.8개월 대 10.4개월; HR = 0.63; P < 0.0001)이 유의하게 향상되었다.[133] 하지만, 처음 분석에서는 전체생존율(중앙 생존 기간, 42.2개월 대 37.3개월; HR = 0.89; P = 0.056)에 있어서는 차이가 없었다. 이후 무진행생존기간을 보정한 후 분석하였을 때에는 베바시주맙 추가 군에서 전체생존율의 향상이 관찰되었다. 하지만, 베바시주맙 추가 군에서 독성 발생(28% 대 11%)이 증가하였다. Grade 3 이상의 고혈압(12% 대 1%), 피로(8% 대 2%), 단백뇨(8% 대 0%) 등이 베바시주맙군에서 높게 나타났다.

세디라닙은 혈관내피성장인자 수용체 억제제이면서 c-KIT 억제제이다. 재발성 난소암에서는 1상, 2상 임상연구에서 항암 효과가 확인되었다. ICON 6 연구는 456명의 백금 민감성 재발성 난소암 환자를 파클리탁셀 + 카보플라틴군(A군), 파클리탁셀 + 카보플라틴 + 세디라닙군(B군), 그리고 파클리탁셀 + 카보플라틴 + 세디라닙 치료 후 세디라닙 유지요법을 하는 군(C군)으로 무작위 배정하는 연구였다.[142] 세디라닙을 병합요법으로만 사용한 군과 병합요법 후 유지요법까지 사용한 군 모두에서 무진행생존율의 향상을 가져왔다. 특히, 유지요법까지 사용한 군에서 무진행생존율의 향상이 더욱 두드러졌다(중앙 생존 기간, 11개월 대 8.7개월; HR = 0.56; P < 0.0001).[143] 25개월 추적 후 시행한 분석에서 전체생존율의 향상(중앙 생존 기간, 27.3개월 대 19.9개월; HR = 0.85; P = 0.21)도 보였지만 통계적으로 유의한 차이는 아니었다. 세디라닙 유지요법 중 약물 지속을 어렵게 만든 독성은 설사, 호중구감소증, 고혈압, 갑상샘기능저하증, 목소리 변성 등이었다.[142]

트레바나닙은 angiopoietin 1과 2의 억제제이다. TRINOVA I 연구는 이전의 백금 기반 항암제 치료 후 12개월 이내에 재발한 919명의 재발성 난소암 환자를 매주 파클리탁셀을 투여한 군과 매주 파클리탁셀 + 트레바나닙을 투여한 군으로 무작위 배정한 연구로서, 트레바나닙 군에서 무진행생존율의 유의한 향상을 보였고(중앙 생존 기간, 7.2개월 대 5.4개월; HR = 0.66; P < 0.001), 백금 민감성 재발성 난소암 환자를 대상으로 분석하였을 때도 동일하였다.[144] 하지만, 전체생존율은 차이가 없었으며(중앙 생존 기간, 19.3개월 대

18.3개월; HR = 0.95; P = 0.52), 백금 민감성 재발성 난소암 환자를 대상으로 분석하였을 때에도 같은 결과를 보였다. 트레바나닙은 베바시주맙이나 세디라닙과의 작용 부위에 차이가 있기 때문에 부작용의 종류가 다르며 좀 더 경한 것으로 알려져 있다. 트레바나닙군에서 약물 지속을 어렵게 만든 주요 부작용은 부종(65% 대 28%)이었다.

ii. PARP 억제제

PARP 억제제는 상동재조합복구 결여가 있거나 *BRCA* 돌연변이가 있는 세포들에서 합성 치사율(synthetic lethality)을 통하여 항암 작용을 나타낸다.[145-147] 또한, PARP 억제제의 작용으로 DNA에 PARP 1, 2 효소가 갇히게 되는 현상인 PARP trapping의 기전을 통하여 항암작용을 나타낸다.[148] 상피성 난소암의 약 15%에서 생식세포 *BRCA* 돌연변이가 나타나며, 약 6%에서 종양내(somatic) *BRCA* 돌연변이가 나타나고, 약 20%에서 다른 상동재조합복구 유전자의 돌연변이나 epigenetic silencing을 나타내는 것으로 알려져 있다.[149,150] 또한, 고등급 장액성 난소암의 약 50%에서 HRD를 나타내는 것으로 알려져 있다.[150] 여러 PARP 억제제들 중에서 임상연구를 통하여 백금 민감성 재발성 난소암에서 유지요법으로 효과가 입증되어 사용되고 있는 약제들은 올라파립, 니라파립, 그리고 루카파립이다.

올라파립은 PARP 1, 2, 3 억제제로 재발성 난소암에서 가장 연구가 많이 되어 있다. Study 19은 백금 민감성 재발성 난소암 환자 265명에 대하여 백금 기반 항암 요법 후 완전 관해나 부분 관해가 온 경우에 *BRCA* 돌연변이 여부에 상관없이 유지요법으로 올라파립군과 위약군으로 무작위 배정한 2상 임상 연구였다. 올라파립군에서 무진행생존율(중앙 생존 기간, 8.4개월 대 4.8개월; HR = 0.35; 95% CI, 0.25 - 0.49; P < 0.001)의 향상을 보였으나, 전체생존율에서 이점을 보이지는 않았다.[151,152] SOLO-2 연구는 백금 민감성 재발성 난소암 환자 중에서 *BRCA* 돌연변이가 있는 환자들에서 study 19과 동일한 연구 디자인으로 시행된 3상 임상 연구였는데, 올라파립 유지요법 군에서 무진행생존율(중앙 생존 기간, 19.1개월 대 5.5개월; HR = 0.3; 95% CI, 0.22 - 0.41; P < 0.001)의 탁월한 향상을 보였다.[153]

니라파립은 PARP 1, 2 억제제이다. ENGOT-OV16/NOVA 연구는 533명의 백금 민감성 재발성 난소암 환자를 대상으로 시행된 무작위 배정 3상 임상연구였다. 백금 기반 항암치료에 반응을 보인 경우 유지요법으로 니라파립군과 위약군으로 무작위 배정되었다. 생식세포 *BRCA* 돌연변이가 있는 군(중앙 생존 기간, 21개월 대 5.5개월; HR = 0.27; 95% CI, 0.017 - 0.41; P < 0.001)과 생식세포 *BRCA* 돌연변이가 없는 군(중앙 생존 기간, 9.3개월 대 3.3개월; HR = 0.45; 95% CI, 0.34 - 0.61; P < 0.001) 모두에서 무진행생존기간의 향상을 보였다.

루카파립은 PARP 1, 2, 3 억제제이다. ARIEL 3 연구는 564명의 백금 민감성 재발성 난소암 환자에서 백금 기반 항암제 치료에 완전 관해 혹은 부분 관해를 보인 경우 유지요법으로 루카파립군과 위약군으로 무작위 배정한 3상 임상 연구였다. 분석은 *BRCA* 돌연변이 양성인 환자들, HRD-positive인 환자들, 그리고 intention-to-treatment population 세 가지로 진행되었는데, 세 경우 모두 루카파립군에서 무진행생존율의 유의한 향상을 보였다.

2) 백금저항성 및 불응성 재발성 난소암

① 항암화학요법

백금 항암제에 반응을 보이지 않거나 저항성을 보이는 재발성 난소암의 경우에는 치료 목적을 암 관련 증상 조절, 치료 관련 독성의 최소화 및 삶의 질 유지 등에 맞추는 것이 바람직하다. 또한, 새로운 기전의 효과적인 약제를 발굴하기 위한 임상 연구에 참여하는 것 또한 치료의 한 형태가 될 수 있다. 임상 연구에서 객관적인 반응률이 보고된 사용 가능한 약제들로는 페길화 리포좀 독소루비신(PLD, 반응률, 19%),[154,155] 토포테칸(Topotecan, 15~32%),[157,158] 매주 투여하는 파클리탁셀(weekly paclitaxel, 20~25%),[105,106] 젬시타빈(gemcitabine, 6~19%),[154,155] 페메트렉시드(premetrexed, 21%),[159] 경구 에토포시드(oral Etoposide, 27%)[160] 등이 있다.

② 표적치료

AURELIA 연구에서 361명의 백금 저항성 재발성 난소암 환자들이 항암제 치료군과 항암제 + 베바시주맙군으로 무작위 배정되었다. 사용 가능한 항암제로는 파클리탁셀, 페길화 리포좀 독소루비신, 토포테칸이 있었고, 각 항암제의 선택은 무작위 배정에 의한 것이 아니었고, 각 선택된 항암제에 대하여 층화를 하여 항암제 치료군과 항암제 + 베바시주맙군으로 무작위 배정하였다.[161] 항암제 + 베바시주맙군에서 객관적 반응률(31% 대 13%)과 무진행생존율(중앙 생존 기간, 6.7개월 대 3.4개월; HR = 0.48; 95% CI, 0.38 - 0.60; P<0.001)의 향상을 보였다. 항암제 + 베바시주맙군에서의 무진행생존율의 향상은 모든 항암제 군에서 다 나타났지만, 파클리탁셀(매주) 군에서 가장 두드러졌다. 하지만, 전체 생존율의 향상은 보이지 않았다. 치료 관련 독성은 항암제 + 베바시주맙군에서 높게 나타났는데, grade 2 이상의 고혈압(20% 대 7%)과 단백뇨(2% 대 0%)의 발생이 높았다. 베바시주맙 사용군에서 장천공은 2%에서 나타났다. 베바시주맙 사용군에서 복부 및 위장관 증상의 유의한 개선을 보였다.[162]

3) 면역관문억제제

상피성 난소암의 치료에서 면역관문억제제가 효과적일 수 있다는 증거들이 있다. 2상 연구에서 PD - 1 항체인 니볼루맙(Nivolumab)에 대한 객관적 반응률이 15%, 질병 조절률이 45%로 보고되었다.[163] PD - L1 양성인 상피성 난소암을 포함한 1b상 연구에서 펨브롤리주맙에 대한 객관적 반응률이 11.5%, 질병 조절률이 34.5%로 보고되었다.[164] 또 다른 1b상 연구에서 아벨루맙(Avelumab)에 대한 객관적 반응률은 9.7%였고, PD - L1 양성인 상피성 난소암에서는 객관적 반응률이 12.3%, PD - L1 음성인 상피성 난소암에서는 객관적 반응률이 5.9%였다.[149] 이필리무맙(Ipilimumab)을 이용한 2상 연구에서 백금 민감성 재발성 난소암에서의 객관적 반응률은 10.3%였다.[151]

TOPACIO/KEYNOTE - 162연구는 백금 저항성 및 불응성 재발성 난소암 환자에서 니라파립과 펨브롤리주맙의 조합을 평가한 1상 임상연구로 환자의 73%에서 *BRCA* 돌연변이가 없었다. 객관적 반응률은 25%, 질병 조절률은 68%였으며, 백금 불응성 재발

성 난소암에서도 객관적 반응률이 25%였다.[165]

MEDIOLA 연구는 백금 민감성 재발성 난소암 환자이면서 *BRCA* 돌연변이가 있는 경우에서 올라파립과 더발루맙(Durvalumab) 조합을 평가한 연구로, 객관적 반응률이 72%, 질병 조절률이 81%였다.[166]

수술적 치료

서론

난소암 환자의 예후를 결정하는 많은 요소들 중에서 수술 후 남겨진 잔류종양의 크기가 가장 중요하다는 것은 잘 알려진 사실이다.[167] 진단 당시 환자의 나이, 병기, 조직학적 유형, 복수, 다양한 유전자 변이와 같은 생물학적 예후인자들은 치료자가 통제할 수 없는데 반해, 잔류종양은 수술을 시행한 의사에 따라 크게 차이를 보일 수 있는 'surgeon-driven prognostic factor'이기 때문에 더욱 중요한 의미를 지니게 된다. 누가 처방을 하건 재현 가능한 약물요법과는 달리, 수술은 아무리 술식을 표준화한다 할지라도 수술을 시행한 의사의 철학, 노력, 술기에 따라 그 결과가 달라지고 예후에 영향을 미칠 수 있다. 실제로 여러 연구결과들은 적극적인 수술을 시행하는 의사와 기관에서 수술을 받은 진행성 난소암 환자들이 그렇지 못했던 환자들보다 생존율이 월등하게 향상된다는 것을 보여주고 있다.[13,168,169] 더욱이 수술 이후 대부분의 난소암 환자들이 동일한 항암제를 투여받게 되는 현실을 고려할 때, 환자들의 예후가 수술에 좌우된다고 단정짓더라도 지나치지 않을 것이다.[170]

난소암은 수술로서 병기가 결정되는 질환이다. 초기 난소암의 경우 병기설정술을 통해 정확한 병기가 확인되어야 하고, 그래야 적절한 수술 후 항암화학요법 및 예후와 관련된 정보들이 환자에게 제공될 수 있게 된다.[171] 진행성 난소암은 종양감축술을 통해 병기를 설정함과 동시에 원발 및 전이 부위의 병소를 제거함으로써 잔류종양을 최소화하는 것이 무엇보다 중요한 의미를 가진다.[172] 따라서 극히 예외적인 경우를 제외하고 모든 난소암 환자들은 수술을 시행 받게 된다.

기본 개념과 원칙

1) 난소암 수술의 역사

1809년 미국 켄터키주의 외과의사인 McDowell은 Jane Crawford라는 여성으로부터 10.2kg의 거대 난소종양을 성공적으로 제거하였고, 환자는 이후 32년간 별다른 문제 없이 생존하였음을 보고한 것이 문헌상에 나타난 최초의 난소종양 수술이다.[173] 이후 마취와 소독의 발달에 힘입어 '병이 있는 난소는 수술적으로 제거해야 한다'는 원칙이 널리 받아들여지게 되었으며, 20세기 초반까지 난소암이 의심되는 여성의 난소를 제거하는 수술이 시행되었다.[174] 1930년대 독일의 Peham과 Meigs는 난소암 치료에서 종양감축술의 개념을 처음 제시하였는데, 이를 통해 수술 후 보조적 방사선치료의 효과를 극대화할 수 있을 것으로 생각하였다.[174] 1940년 Pemberton은 종양감축술 시 대망절제술이 시행되어야 한다고 주장하였고,[175] 1968년 Munnell은 전자궁절제술, 자궁부속기절제술, 대망절제술 외에 병이 침범한 구불결장까지 절제하는 적극적 종양감축술을 보고하였다.[176]

1975년 Griffiths는 진행성 난소암에서 종양감축술의 효과를 입증하는 기념비적인 논문을 발표하게 된다.[74] Griffiths는 수술 후 복강내 남는 잔류종양의 크기와 생존율이 역상관성이 있음을 보여주었는데, 잔류종양의 최대직경이 1.5cm 이상이면 대부분의 환자들이 2년 내 사망하지만, 1.5cm 이하이면 5년 생존율이 20%까지 연장된다고 하였고, 다변량분석에서도 잔류종양의 최대직경이 생존율에 미치는 독립적인 예후인자라고 하여 수술의 중요성을 강조하였다. 이후 많은 연구자들은 후향적 연구들을 통해 단 하나의 예외 없이 수술 후 남겨진 잔류종양의 크기와 생존율과 역상관관계가 있음을 보고함으로써 Griffiths의 주장이 타당하다는 것을 뒷받침하였다.[174]

1992년과 1994년 Hoskins 등은 미국부인종양연구회(Gynecologic Oncology Group, GOG)에서 수행한 항암제 관련 임상연구인 GOG 52와 97의 수술관련 데이터를 모아 잔류종양이 생존율에 미치는 영향을 분석하였는데,[76] 육안적으로 잔류종양이 보이지 않는 환자들, 잔류종양의 크기가 2cm 이하인 환자들, 2cm 이상인 환자들의 5년 생존율이 각각 60%, 35%, 20%라고 하여, 잔류종양이 작을수록 생존율이 향상됨을 보여주었다. 2002년 Bristow 등과 2013년 Chang 등은 각각 메타분석을 시행하여, 종양감축술과 잔류종양, 생존율과의 관계를 정량적으로 분석하였는데,[177,178] 최대종양감축(maximal cytoreduction)이 이루진 정도가 10%씩 증가할 때마다, 생존율이 5%씩 증가하며, 육안적으로 잔류종양이 보이지 않도록 완전종양감축이 되는 정도가 10%씩 증가할 때마다 생존 기간이 2.3개월씩 증가한다고 하였고, 현재는 적극적인 수술로 잔류종양을 최소화한뒤 항암화학요법을 시행하는 것이 진행성 난소암의 표준 치료로 자리잡고 있다.

2) 난소암 전파 양식과 수술적 병기설정

① 초기 난소암의 수술적 병기설정

초기 난소암에서는 수술을 통해 확인된 병기에 따라 향후 치료 방침이 결정되고, 환자에게 예후와 관련하여 정확한 정보를 제공할 수 있기 때문에 병기설정술이 중요한 의미를 갖는다. 육안적으로 난소에 국한된 것으로 보이는 경우라도 철저한 병기설정술을 통해 약 18~30%의 환자에서 육안으로 발견되지 않는 숨겨진 골반외 병소를 찾아낼 수 있다.[69,171,180,181] 수술 중 육안적으로, 또 수술 전 영상검사에서 난소에 국한된 난소암으로 추정되는 경우라도 많게는 25%의 환자에서는 림프절 전이가 확인되기 때문에 후복막 림프절에 대한 철저한 평가가 이루어져야 한다.[180,181] 병기설정이 불충분하게 이루어진 환자의 경우에는 아무리 수술 후 항암화학요법을 시행한다 하더라도 재발의 위험성이 증가하므로, 부인암전문의에 의한 재병기설정이 필요하다. 또한 수술의사의 전문성 역시 중요한데, 여러 연구들을 통해 일반부인과의사나 일반외과의사에 의해 수술을 받은 난소암 환자들을 부인암전문의가 다시 수술하였을 때 30% 이상의 환자들에서 병기가 상향되었다는 보고가 있어서,[171] 난소암 수술은 부인암전문의에 의해 시행되는 것이 중요하다.

② 진행성 난소암의 종양감축술

종양감축술의 목적은 가능한 많은 종양을 제거하여 육안적으로 보이는 잔류종양을 최소화하는 데 있으며, 부인암전문의는 이를 달성하기 위해 노력하여야 한다. 그러나 어느 정도의 잔류종양이 남게 되었을 때 적절한 종양감축이 이루어졌다고 할 수 있는지에 대한 기준이 필요하다. 1980년대 후반 GOG는 난소암 항암관련 임상시험에 참여한 환자들의 수술 결과를 기술함에 있어 잔류종양의 최대 직경이 1cm 이하인 경우를 적절한 종양감축이 이루어진 것으로 정의하였다. 그러나 1990년대 중반 이후 적절한 종양감축의 기준이 바뀌기 시작했는데, Chang과 Bristow는 진행성 난소암환자에 파클리탁셀과 백금제제 기반의 복합항암화학요법이 표준 항암제로 사용되기 시작한 2003년 이후 발표된 논문을 대상으로 하여 총 14개 연구에서 13,949명의 III기 이상의 난소암 환자들을 확인하였고, 해당 환자들의 생존율을 잔류종양의 크기에 따라 분석하였다.[174] 그 결과, 육안적으로 보이는 잔류종양이 없도록 완전 종양감축이 달성된 환자가 77.8개월, 1cm 이하의 잔류종양을 보이는 환자가 39개월, 1cm 이상 잔류종양을 가지는 환자가 31개월의 평균 생존기간을 가지는 것으로 나타나서, 진행성 난소암 환자라도 완전 종양감축술이 이루어지면 5년 이상의 생존기간을 보일 수 있는 것을 보고하였다. 따라서 현재 진행성 난소암 환자의 수술 궁극적 목표는 완전한 종양절제에 있고, 적절한 종양감축의 기준은 육안적 잔류종양이 없는 상태(no gross residual disease)로 정의하고 있다.[182]

대부분의 연구자들은 예후인자로서 잔류종양의 중요성을 인정하고 있지만, 일각에서는 잔류종양을 최소화하기 위해 적극적인 종양감축술을 시행하는 것에 대해서 비판적인 의견을 보여오기도 했다. 광범위 수술이 잔류종양을 최소화하는 데는 효과적일 수 있으나, 상당한 합병증을 동반할 수 있고 또한 생존율을 결정짓는 것이 수술자체라기보다는 종양자체가 가진 생물학적인 특성에 좌우된다는 의견이 바로 그것이다.[183,184] 그러나 대부분의 수술 능력이 뛰어난 기관에서 나온 연구들은 진행성 난소암에서 적극적인 수술을 통해 잔류종양을 최소화할 경우 유의한 생존율의 향상을 가져올 수 있음을 보여주고 있다.[170,185~189] 더욱이 진단 당시 IV기이거나 복막 파종을 동반한 경우에도 적극적인 수술을 통해 잔류종양을 최소화 할 경우 생존율을 향상을 가져올 수 있으며, 생존율은 집도의와 기관의 전문 능력에 따라 달라질 수 있음이 알려져 있다.[13,168] 이상의 연구들은 비록 후향적 연구이긴 하지만, 적극적인 종양감축술이 진행성 난소암 환자의 생존기간을 향상시킬 수 있음을 일관되게 보여주고 있어서, 수술이 종양의 생물학적인 특성을 부분적으로는 극복할 수 있음을 보여주는 증거라 할 수 있을 것이다.

수술 전 준비 및 평가

종양감축술 시행 전에 필요한 준비 사항은 일반적인 암수술과 크게 다르지 않다. 수술이 결정되면 수술 전 환자 면담을 통해 수술의 범위와 내용, 그리고 수술 후 발생할 수 있는 합병증에 대한 정보를 환자에게 제공하고 수술에 대한 동의를 받아야 한다. 통상적인 수술 전 검사(말초혈액검사, 요화학검사, 혈액응고검사, 혈액화학검사, 전해질검 사, 흉부 X-선 촬영, 심전도검사 등)를 시행하여 수술과 마취에 대한 위험도를 평가한다. 특히 복막파종을 동반한 암수술의 경우 수술 사망률이 6.5배 증가한다고 되어 있으므로[190] 수술 전 당뇨, 심폐질환, 간질환, 내분비대사질환, 신장질환 등 동반 내과 질환 여부를 파악하고 ASA (American Society of Anesthesiologists) 점수 또는 ECOG (European Cooperative Oncology Group) 점수와 같은 환자 신체활동능력에 대한 철저한 평가가 있어야 한다.

난소암을 포함한 부인암 수술을 시행 받는 여성들은 수술 후 심부정맥혈전증 발생위험이 증가하므로 이의 발생예방을 위해 수술 전 예방적 헤파린 투여를 하는 것이 도움이 되며, 수술 후 하지 압박 스타킹이나 압박 펌프 등을 사용하는 것도 도움이 될 수 있다. 폐색전증이 발생할 가능성이 높은 고위험 환자에서는 수술 전 하대정맥 내에 필터를 삽입하도록 한다. 수술 전 항생제 사용이나 관장의 경우는 통상의 가이드라인에 따라 적절히 시행하도록 한다.

수술 술기

1) 초기 난소암의 병기설정술

난소암 병기설정술은 복부 정중절개를 통한 개복수술이 원칙이다. 최근 일부 환자에서 선택적으로 복강경을 이용한 최소침습수술이 사용이 시도되기도 하지만 종양학적 안전성에 대한 근거는 아직 미약하다. 절개는 통상적으로 치골에서부터 배꼽 혹은 흉골(sternum)까지 이루어지는데, 종양이 있는 난소를 우선적으로 확인하게 되며, 종양 피막 파열과 피막 침범 여부 등을 확인해야 한다. 피막이 수술 중 파열될 수 있는데, 수술 중 파열이 예후에 영향을 미치는지 여부는 아직 확실히 밝혀져 있지 않고, 최근의 메타분석 결과는 무진행생존율에 영향을 주지 않는 것처럼 보인다고 밝히고 있으나,[191] 가능한 한 터트리지 않고 제거하도록 해야 한다. 동결절편검사를 통해 난소암이 확진 되면 절개를 배꼽부터 칼돌기까지 연장한다. 견인기를 이용하여 전체 복강과 골반강을 충분히 노출시킨 후 수술적 탐색술을 시행한다. 복수가 있다면 세포학적 검사를 위해 50~100mL의 복수를 채취하고, 만약 복수가 없다면 골반과 복부의 복막을 생리적 식염수로 세척한 뒤 세포검사를 위해 채집한다. I기 난소암 환자의 약 30%가 복막세척세포검사에서 양성으로 나온다고 알려져 있다.[192] 전자궁절제술 및 반대쪽의 난소난관절제술을 시행하고 난소 외의 병변이 있는지 확인하기 위해 체계적인 시진과 촉진을 시행한다. 정해진 것은 없으나 일반적으로 우측 대장주위홈에서 시작하여 우측 신장, 간하부, 우측 횡격막, 간우엽, 담낭, Morrison's pouch, 좌측 횡격막, 간좌엽, 비장, 위, 대망, 횡행결장, 좌측 신장, 좌측 대장주위홈의 순으로 시계방향으로 확인한다. 작은복막주머니는 위주름창자인대의 좌측이나 작은 대망을 열어 확인한다. 소장과 대장, 그리고 장간막 표면을 확인하고 후복막의 혈관 부위 역시 촉진하여 림프절이 커져 있는지 여부를 확인한다. 논란의 여지는 있으나 육안적으로 병변이 없는 초기 난소암으로 생각되더라도 무작위 복막생검과 대망절제술은 시행한다. 일부 연구자들은 무작위 복막 생검과 대망절제술을 통해 2.4~4.7%의 환자에서 병기가 상향되었음을 보고한 바 있다.[193,194] 점액성 종양인 경우엔 충수돌기절제술을 시행한다. 암이 난소에 국한된 경우에 림프절절제술의 시행 여부도 그 치료적 효과에 대해서는 분명하게 입증되어 있지는 않지만 10~25의 환자에서는 림프절 전이가 보고되고 있으므로, 골반 및 대동맥주위 림프절 생검 혹은 절제술의 시행이 권장된다.[180,181] 대동맥주위 림프절절제술을 시행할 때의 범위 또한 논란이 있는 부분인데, 아래장간막동맥(inferior mesenteric artery) 상방의 림프절 전이가 4.3~8.6% 환자에서 보고되고 있어서,[181] 대동맥 분기부터 신장정맥 하방까지 대동맥 주위 림프절에 대한 평가가 이루어져야 한다.

미혼 여성이나 향후 임신을 원하는 초기 난소암 환자에서 종양이 한쪽 난소에 국한되어 있고, 표면에 종양이 없으면서 피막이 파열되어 있지 않으며, 복수나 복막세척세포 검사에서 종양세포가 관찰되지 않을 경우에는 종양이 있는 쪽의 난소난관절제술만 시행하고 자궁과 반대측 난소난관을 보존하는 가임력 보존수술(fertility-sparing surgery)이 시행될 수 있다. 물론 이 경우에도 나머지 병기설정 술식은 시행되어야 한다.

2) 진행성 난소암의 종양감축술

앞서 언급한대로 진행성 난소암에서 종양감축술의 목표는 복강내 잔류종양을 최소화하는 것이며, 육안적으로 잔류종양이 없는 상태를 달성하는 것이 궁극적인 수술의 지향점이 된다. 대부분의 환자들이 복강내 여러 곳에 전이를 동반하고 있으므로 수술의 목표를 달성하기 위해 자궁과 자궁부속기 외에 대망, 복막, 횡격막, 간, 쓸개, 위, 비장, 대장, 소장, 장간막 등 전이가 있는 조직을 최대한 제거하는 다장기 절제를 시행받게 되고, 골반에서 상복부까지 수술이 이루어지게 되므로 치골에서부터 칼돌기까지 긴 복부 정중절개가 필수적이다. 그리고 수술부위를 충분히 노출시키기 위해 적절한 견인기를 선택하는 것 역시 중요하다.

① 복부

i. 대망, 소망

난소암 종양감축술의 시작은 대개 망의 전체 또는 부분을 절제하는 것으로 시작된다. 진행성 난소암의 경우 대망전이가 흔하며, 큰 사이즈의 omental cake을 종종 볼수 있다. 이러한 대망 종양은 많은 경우에 횡행결장에 유착된 경우가 흔하다. 하지만 대부분의 경우 횡행결장에서 대망 조직을 벗겨내는 것이 가능하므로 유착된 경우라 하더라도 망을 횡행결장에서 벗겨내는 시도가 중요하다.[195,196] 결장하망(infracolic omentum)에만 종양 침윤이 있는 경우에는 횡행결장으로 연결된 대망 후엽(posterior leaf)의 reflection 경계부위를 절개해나가면서 망절제술을 시작할 수 있다. 결장하망을 오른창자굽이(he-patic flexure)에서 비장굴곡(splenic flexure)까지의 횡행결장으로부터 분리한다. 양측 망의 혈관가지들은 clamp를 이용하여 분리하고 결찰한다. 주요 혈관사이의 망혈관가지(epip-loic vasculalr pedicle)와 중간 망동맥과 망정맥(middle omental artery and vein)은 순차적으로 분리, 결찰하여 완전히 절제한다. 만약 종양침윤 정도가 심할 경우에는 위결장 인대 절제를 포함하여 전대망절제술(total omentectomy)을 시행한다. 대만곡으로 침윤된 경우에는 좌측 위동맥(left gastric artery)에서 위의 대만곡으로 위벽의 혈관 네트워크를 통해 적절한 혈류를 공급하므로 위그물막 혈관계는 제거할 수 있다. 전대망절제술 시행후에는 위의 팽만과 결찰부위의 풀림을 방지하기 위해 수술직후에 일시적으로 위를 감압시키는 것이 바람직하다.

만약 작은복막주머니(lesser sac; omental bursa)가 부분적으로 막혀있다면 윈슬로우 구멍(forame of Winslow)을 통해 접근이 가능하다. 이 구멍을 통해 촉지를 함으로써 불명확한 절개면을 여는 데 도움을 받을 수 있다. 때로 대망의 omental cake으로 인해 절개면을 찾기 힘들고 횡행, 상행, 또는 하행결장으로부터 망조직을 절제하기 힘든 경우가 있을 수 있다. 이러한 경우에는 망과 침윤된 결장을 일괄절제(en bloc resection)하는 것이 바람직하다. 종양이 때로 비장굴곡까지 확장되어 있는 경우에는 접근시 비장이 손상될 수 있으므로 수술의는 망조직이 비장으로 연결되어 있는 구조를 충분히 숙지할 필요가 있다.

ii. 우상복부

진행성 난소암환자의 42%가 진단 당시 대망 윗쪽 상복부에 1cm 이상의 전이성 병변을 가지고 있는 것으로 확인된다. 그중에서도 횡격막, 특히 간 뒤쪽의 우측 횡격막에 큰 전이성 병변을 가지고 있는 환자들이 많은데, 적절한 종양감축을 위해서는 이들 병변의 제거가 필수적이다.[197~199] 우측 횡격막, 횡격막을 덮는 복막과 근육층으로 침범하는 전이성 결절들은 수술로서 제거하는 것이 충분히 가능하다. 먼저 적절한 견인기를 사용하여 갈비모서리(costal margin)를 상외측으로 들어올려 간과 간 뒤쪽의 우측 횡격막 병변을 노출시킨다. 필요시에는 칼돌기를 절제하여 충분한 시야를 확보하도록 한다. 대부분의 경우 간에 의해 종양이 완전히 드러나지 않고 가리는 경우가 대부분이므로, 다음 단계로 간을 내측으로 이동시켜(liver mobiliztion) 당겨주는 것이 필요하다. 간의 원인대(ligamentum teres)와 낫인대(falciform ligament)를 분리하여 간을 전 복벽으로부터 떨어뜨린다. 우측과 좌측의 관상인대(coronary ligament)를 횡격막 복막으로부터 박리하는데, 이 때 우측간정맥(right hepatic vein)과 하대정맥(IVC)이 손상받지 않도록 주의해야 한다. 좀더 우외측으로 관상인대를 박리해 나가서 우측 세모인대(right triangular liga-ment)까지 박리하면 간의 우엽을 내측으로 완전히 당길 수 있게 되고 이후 횡격막 복막 절제술(diaphragm peritonectomy)을 시행할 수 있다. 횡격막 복막절제술의 범위는 종양의 침범 및 분포 정도에 따라 달라지는데, 복막 일부만 절제하는 경우부터 전체 복막을 다절제하는 경우까지 다양하다. 예리한 혹은 무딘 박리(sharp and blunt dissection)를 통해 절제하고자 하는 복막과 횡격막 근육층 사이의 공간을 확보한 뒤, 복막을 박리 절제한다. 가능하면 복막을 일괄절제하도록 하되, 필요시 부분적으로 나누어 절제할 수도 있다. 간을 내측으로 누르고 수술을 진행하다 보면, 미주신경긴장도가 증가하여 일시적으로 서맥과 저혈압이 나타날 수 있으므로 마취과 의사에게 이를 주지시켜야 한다. 종양이 횡격막 근육을 뚫고 흉막쪽으로 침범한 경우에는 전층횡격막절제(full-thickness diaphragm resection)를 시행한다. 절제 후 근육 결손 부위가 크지 않은 경우에는 실크나 프롤린 등의 비흡수성 봉합사를 이용하여 일차 봉합을 하게 되지만, 결손 부위가 커서 일차 봉합이 어려울 때는 영구적 메쉬(permanent mesh)를 이용하기도 한다.

iii. 명치

전통적으로 최적의 종양감축술을 시행하는 데 있어서 가장 큰 장애요소 중의 하나가 난소암이 간문(porta hepatis)과 작은복막주머니까지 전이된 경우였다. 그러나 최근 여러 연구들을 통해 이 부위의 종양 역시 성공적인 수술적 절제가 가능하며, 이를 통해 환자들의 생존율을 향상시킬 수 있음이 밝혀져 있다.[200,201] 간문은 간의 꼬리엽(caudate lobe)과 네모엽(quadrate lobe) 사이 5cm 길이의 가로틈새(transverse fissure)를 일컫는데, 고유간동맥(proper hepatic artery)과 간문맥(portal vein)이 간으로 들어오고, 총간관(common hepatic duct)이 간에서 나오는 부위이다. 간문 종양 제거를 위해서는 담낭절제술(chole-cystectomy)이 함께 시행되는데, 대개 담낭의 바닥(fundus)에서 담낭동맥과 담낭관 쪽으로 박리를 하고 동맥과 관을 결찰, 분리함으로써 절제를 마치게 된다. 발생학적으로 담관계에 다양한 형태의 변이가 발생할 수 있고, 이로 인해 수술 중 담관계 손상이 발생할 수 있으므로 주의를 요한다. 간문의 전이성 결절들은 담낭자리(gallbladder bed)에서 십이지장 쪽으로 앞쪽 간십이지장인대(hepatoduodenal ligament) 박리를 통해 제거하게 된다. 소망절제술(lesser omentectomy)을 시행하여 뒷쪽 간십이지장인대와 그물막주머니로 접근할 수 있다. 간의 구역 2와 3, 꼬리엽, 그리고 위의 소만곡의 우위동맥 및 좌위동맥 궁을 따라 소망을 절제한다. 윈슬로우 구멍을 통해 뒷쪽 간십이지장인대를 확인하고 전이성 결절이 있으면 박리를 시행한다. 간동맥과 문맥, 총담관, 위동맥이 손상을 받지 않도록 주의해야 하고, 특히 꼬리엽으로 들어가는 혈관과 좌위동맥에서 기시하는 부좌간동맥이 꼬리엽 앞쪽에 위치할 수 있고, 손상 시 심각한 출혈이 발생할 수 있으므로 주의해야 한다. 꼬리엽을 위쪽으로 견인하여 작은복막주머니 바닥을 노출시키고 하대정맥, 우횡격막다리(crus of the right hemidiaphragm), 췌장으로부터 복막 박리를 시행한다. 복강동맥(celiac axis)과 그 분지 동맥들 주위 상복부 림프절에 전이가 있는 경우, 소망절제술과 작은복막주머니 바닥 복막절제술 이후에 접근하여 절제할 수 있다. 십이지장 뒤쪽의 간문맥과 하대정맥 주위 림프절에 전이가 있는 경우에는 Kocher maneuver를 통해 접근할 수 있다.[202]

iv. 좌상복부

비장, 특히 비장문(splenic hilum)은 난소암이 흔히 침범하는 부위이며, 드물게 종양이 위 대만곡과 췌장 꼬리 쪽으로도 전이될 수 있다. 비장절제술을 위해서는 왼창자굽이 (splenic flexure), 비장위인대(lienogastric ligament), 비장신장인대(lienorenal ligament) 분리가 필요하다. 비장동맥과 정맥을 결찰하면 비장이 제거된다. 췌장 꼬리나 위 대만곡으로 종양이 퍼져 있을 경우에는 스테이플러를 이용해서 원위부췌장절제술(distal pancreatectomy)과 부분위절제술(partial gastric resection)을 안전하게 시행할 수 있다. 특히 원위부 췌장절제술 시행후에는 췌장 누출 방지를 위해 스테이플러 절단면을 비흡수성 봉합사로 oversewing suture를 하는 것을 권장한다. 좌측 횡격막은 우측에 비해 종양 침범이 흔하지는 않지만, 전이가 있을 경우 제거해야 한다. 좌측횡격막 복막절제술은 우측과 같은 방법으로 시행할 수 있다.

v. 장 및 장간막

장절제는 난소암 종양감축술에서 중요한 시술 중 하나이다. 보고에 의하면 III기 난소암 환자의 70%가 장에 전이를 동반한다고 하고 있으며, 전체 난소암 환자의 25% 이상이 대장 절제를 시행받는 것으로 알려져 있다.[203] 소장은 treitz 인대에서 말단 회장부까지 장간막측, 장간막대측을 조심스럽게 살펴보아야 한다. 복강내 모든 복막면은 대장부터 직장까지 보고 만져서 확인한다. 이후 문제가 있는 소장의 부분을 확인하고 절제할 장간막을 분리한 다음, 종양이 있는 소장을 제거한다. 긴장이 없는 문합을 위해 절제면의 근위부와 원위부에 모두 적절한 길이가 확보되어야 한다. 문합은 봉합사를 이용해서 손으로 하거나 스테이플러를 사용해서 시행할 수 있다. 대장 절제는 종양의 위치에 따라 회맹절제술(ileocecal resection), 우측결장절제술(right colectomy), 횡행결장절제술(transverse colectomy), 좌측결장절제술(left colectomy), 직장구불결장절제술(rectosigmoid colectomy), 결장아전절제술(subtotal colectomy) 등이 시행될 수 있다.

② 골반

진행성 난소암은 자궁과 자궁부속기뿐 아니라, 인접한 골반 복막, 막힌 주머니(cul-de-sac), 직장구불결장(rectosigmoid colon) 쪽으로 흔히 전이를 일으킨다.[204,205] 1973년 영국의 Hudson과 Chir는 전이가 있는 모든 골반 장기를 일괄절제(en bloc pelvic resection)하는 수술 방법을 광범위 난소절제술(radical oophorectomy)이라는 명칭을 붙여서 보고하였고, 2003년 Bristow 등은 이 술식을 직장구불결장 절제 여부와 방광과 요관 절제 여부에 따라 I형부터 III형까지 분류하였다(표 16-6).[206] 이러한 골반수술 방법은 재발률을 크게 낮추고 생존율을 향상시키는 데 기여했다.

표 16-6. 광범위 난소절제술의 분류

Types	시술 내용
Type I	변형 광범위 자궁절제술 및 자궁부속기, 골반 더글라스와의 종양과 침범된 골반 복막의 일괄 절제
Type II	Type I 시술 + 완전한 벽쪽 골반 복막절제술을 동반한 직장구불결장의 일괄 절제
Type III	Type II 시술 + 방광, 요관 또는 둘 모두의 일괄 절제

광범위 난소절제술은 골반복막 절개로 시작된다. 이 때 절개선 내에 전체 골반 병변이 다 들어 있도록 해야 한다. 복막절개후 구심형으로 후복막 박리를 시행한다. 자궁원인대와 누두골반인대를 결찰, 분리하고 요관을 복막으로부터 박리한다. 방광으로부터 앞쪽 골반복막을 박리하고, 방광질공간을 확보한다. 요관이 방광으로 들어가는 부분에서 자궁동맥을 결찰, 분리하고 자궁주위조직을 절제한다. 종양이 없는 위치에서 근위부 구불결장을 절제한 다음, 직장 뒷쪽을 박리한다. 이때 위직장동맥(superior rectal artery) 혹은 아래장간막동맥을 결찰할 수도 있고 결찰하지 않을 수도 있는데, 이에 대한 판단은 수술 중 종양의 침범 정도에 따라 수술의사가 결정한다. 직장 옆과 뒤쪽의 공간을 확보하여 골반 바닥까지 박리를 진행하고 질 절개후 역방향 전자궁절제술을 시행한다. 이후 종양이 없는 위치의 원위부 직장을 절제하면 골반 종양을 포함한 자궁과 자궁부속기, 골반복막, 직장구불결장을 일괄절제할 수 있다. 이후 직장과 결장을 문합함으로써 수술을 마치게 된다.[207]

3) 복강내 온열항암화학요법(hyperthermic intraperitoneal chemotherapy, HIPEC)

복강내 온열항암화학요법(hyperthermic intraperitoneal chemotherapy, HIPEC)은 종양감축술을 마친 이후 시행한다. 장문합을 HIPEC 전에 할 것인지 후에 할 것인지에 대해서는 아직 의견 일치가 되어 있지 않으나, 통상적으로 HIPEC 시행 후 장문합을 하는 경우가 많고, 문합부 재발의 위험성이 크지 않은 경우에는 문합을 다 마친 이후에 HIPEC을 하게된다. 항암제 용액은 약제부에서 미리 조제를 한 다음 밀봉용기에 담겨서 수술실에 보내진다. HIPEC은 복부가 열려 있는 상태에서 시행하는 Open method와 복부를 닫고 시행하는 Closed method 두 가지 방법으로 시행된다.[208]

① Open method

Coliseum technique이라고도 불리는 open method는 종양감축술을 마친 후 카데터와 온도계를 복강내에 거치하고 플라스틱 커버를 덮은 뒤 펌프에 항암제 용액을 연결한 다음, 분당 1L에 근접한 속도로 카데터를 통해 용액을 순환시킨다. 이 때 복강내 용액의 온도가 41~43℃로 유지되도록 하고 수술자의 손을 복강내 넣어서 용액이 고루 분포될 수 있도록 잘 저어 주는 것이 중요하다. 항암제에 대한 노출을 최소화하기 위해 글러브와, 가운, 고글을 잘 준비해야 하고, smoke evacuator를 플라스틱 커버 아래 위치시켜서 시술 동안 항암제 입자를 제거하도록 해야 한다. 시술은 90분 동안 진행한다.

② Closed method

이 방법 역시 종양감축술을 마친 후 카데터와 온도계를 복강내에 거치하는데, 배를 일시적으로 닫고 배에 관류액을 채워서 팽창시킨 후 항암제 용액을 순환시키는 방법이다. 온도와 시간은 같으나 open method와 달리 항암제 노출을 극소화할 수 있다는 장점이 있다.

기타

난소암의 예후인자 및 생존율

1) 서론

종양의 크기와 분포를 반영하는 FIGO 병기와 수술 후 잔류종양의 크기는 난소암에서 가장 중요한 예후인자이다. 또한 복수의 양, 나이, 조직학적 형태, 종양 분화도, 활동도가 생존율과 관련된 독립적인 예후인자이다.[209,210] 종양 분화도 및 조직학적 형태는 나이에 따라 차이를 보인다. 40세 미만의 젊은 여성은 활동도가 좋고, 조직학적 형태가 양호하며, 종양 분화도 등급이 낮아 중앙전체생존율이 75.3개월로 40세 이상의 45.7개월보다 좋은 예후를 보인다.[211] 초기 난소암과 진행성 난소암의 예후인자는 종양 분화도 및 조직학적 형태에 따라 차이를 보인다. *BRCA* 유전자 돌연변이도 생존율과 관계가 있다.

2) 병기별 생존율

2006년 FIGO의 보고에 따르면 상피성 난소암 환자 5년 생존율이 1979년 이전에는 30%가 넘지 못하였지만 1990년 이후로 40% 이상의 생존율을 보이면서 1999년부터 2001년까지의 생존율은 49.7%로 급격히 향상된 생존율을 보였다.[212] 이런 생존율 향상은 종양감축술의 시행과 시스플라틴 및 탁센 계열의 항암화학요법 도입 때문이다. 1999년부터 2007년까지 미국의 SEER data에서 난소암 I기는 89%와 84%, 난소암 II기는 70%와 59%, 난소암 III기는 36%와 23%, 난소암 IV기는 17%와 8%의 5년 및 10년 상대 생존율은 보였다.[213] 그러나 같은 FIGO 병기에서도 종양감축술의 정도에 따라 생존율이 다를 수 있다. 난소암 III기 환자의 5년 생존율은 육안적인 잔류종양이 없는 경우 63.5%, 잔류종양이 2cm 이하인 경우(optimal) 32.9%, 잔류종양이 2cm보다 큰 경우(suboptimal) 25%로 보고되었다.[212]

① 초기 난소암의 예후인자

난소암 I기에서는 세부병기, 종양 분화도, 나이, 복강세척액 양성, 종양의 심한 유착, 종양 피막 파열, 조직학적 아형이 중요한 예후인자이다.[214,215] GOG 연구(GOG #95, GOG #157)에서 고위험 초기 난소암 환자(3등급의 난소암 I기 A/B, 1/2/3등급의 난소암 I기 C 또는 II기,

투명세포 암 I기 또는 II기)의 재발 예후인자를 분석한 결과 고령(60세보다 많은 경우), 난소암 II기, 분화도 2/3등급, 복강세척액이 양성인 경우 재발과 관련이 있었다.[216] 종양 분화도에 따른 난소암 I기의 생존율은 종양 분화도 1등급이 92%, 2등급이 85%, 3등급이 79%로 보고되었다.[212] 특히 난소암 I기 A/B 환자에서 종양 분화도가 1등급일 경우 보조항암화학요법 없이도 질병특이생존율이 97%였다. 종양 피막 파열은 파열의 원인과 시기에 따라 다른 예후를 보이며 수술 중 파열은 예후와 관련성이 낮은 것으로 알려져 있다.[217] 이를 반영하여 2014년 새로운 병기설정체계에서는 I기 C1은 수술 중 파열, I기 C2는 수술 전 파열로 구분하였다. 난소암 I기에서 흔한 조직학적 형태는 자궁내막양 선암과 투명세포 선암이지만, 장액선암이 상대적으로 불량한 예후를 보였다.[218] 난소암 I기에서 점액 암종은 좋은 예후를 보이는 것으로 알려져 있다.

② 진행성 난소암의 예후인자

난소암 III기와 IV기 환자에서 종양감출수술 후 잔류종양의 크기는 예후와 직접적으로 관련이 있으며 가장 중요한 예후인자이다.[212] 진행성 난소암에서도 조직학적 형태에 따라 생존율 차이를 보인다. 특히 점액 암종과 투명세포 선암은 항암화학요법 저항성으로 인해 전체생존율은 각각 15개월, 29개월로 장액선암 45개월보다 불량한 예후를 보였다.[219] 장액선암에서는 종양 분화도에 따라 생존율 차이를 보이는데, 저등급 장액선암의 중앙무진행생존율과 중앙전체생존율은 각각 45개월과 126개월로 고등급 장액선암의 19.8개월과 53.8개월보다 좋은 예후를 보였다.[220] 저등급 장액선암이라도 육안적인 잔류종양이 있는 경우 중앙전체생존율이 42개월로 고등급 장액선암의 38개월과 비교하여 큰 차이를 보이지 않았다.

③ 유전적 예후인자

BRCA1과 BRCA2 유전자 돌연변이는 백금기반의 항암화학요법에 치료반응이 좋으며 무진행생존기간이 좋은 것으로 알려져 있다. 특히 BRCA1 유전자 돌연변이에 비해 BRCA2 유전자 돌연변이가 있는 경우 BRCA 유전자 돌연변이 비보유자에 비해 좋은 예후를 보였다.[221] 그러나 BRCA 유전자 돌연변이가 있는 경우 단기생존율은 좋지만 10년 경과관찰에서 장기생존율에는 크게 차이가 없는 것으로 보고되었다.[222,223]

3) 난소암 환자의 수술 후 처치

① 서론

진행성 난소암 환자는 많은 복수, 수술 전 장폐색으로 인한 금식 및 관장으로 수술 전 이미 탈수 상태인 경우가 많으며, 장시간의 수술과 복막 노출 및 출혈로 인해 혈관 내 체액량 유지와 혈역학적 모니터링이 매우 중요하다. 또한 대장, 소장, 비장, 췌장, 횡경막 등의 다장기 수술이 동시에 시행되므로 수술 후 발생 가능한 합병증에 대해 충분히 인지하고 처치에 더욱 주의를 기울여야 한다.

② 대장직장절제술 환자

III기 난소암 환자의 70%에서 장 전이를 동반하며, 전체 난소암 환자의 25% 이상에서 대장절제수술이 필요하다.[224] 수술 후 조기경장섭취를 통한 적절한 영양 공급이 이루어져야 장운동 회복과 수술부위 상처회복이 빠르고, 문합부누출(anastomotic leak)과 폐 합병증이 적다고 알려져 있다.[225] 그러나 종양감축술 받은 환자의 약 40%에서 수술 후 장폐색이 발생하며 수술 전 혈소판 증가증, 암종의 장간막 침범, 마약성 진통제의 사용, 수혈 등이 장폐색과 관련된 요인으로 알려져 있다.[226] 따라서 적절한 수액 치료 및 마약성 진통제 사용의 최소화가 필요하며 경장섭취 시작 시기는 종양감축술의 정도와 장운동의 회복상태에 따라 개별화되어야 할 것이다. 장절제수술 후 아르기닌(arginine) 결핍이 발생할 수 있으며 이로 인해 T세포 기능이 떨어지고 상처회복이 늦어질 수 있다.[227] 아르기닌이 포함된 고단백질 영양공급은 혈관확장 및 조직산소화를 개선시켜 감염률 및 재원기간을 줄이는 효과가 있다.[228]

③ 비장절제술 및 원위부 췌장절제술 환자

좌상복부에서 가장 중력을 받는 위치는 비장문(splenic hilum)이며 진행성 난소암 환자에서 암종의 전이가 흔히 발생하므로 비장 및 췌장 원위부 절제술이 필요한 경우가 있다.

i. 비장절제술 환자의 예방접종 및 처치

비장절제술을 받는 경우 혈액내 병원균 제거능력이 떨어지며, 면역글로블린 M (IgM)이 감소하고, 세포성 면역 기능에 변화가 발생하게 되므로 수술 2주 전 폐렴사슬알균(Streptococcus pneumoniae), 수막구균(Neisseria meningitidis), 헤모필루스 인플루엔자균(Haemophilus influenzae)에 대한 예방접종을 받아야 하며, 수술 전 예방접종을 받지 못한 경우 수술 후 즉시 예방접종을 받아야 한다.[229~231] 비장절제술 후 가장 흔한 합병증은 좌측 무기폐, 색전증 및 폐렴이다. 또한 횡경막하 농양이 발생할 수 있으므로 비장절제술 후 환자의 호흡, 체온, 좌상복부 통증을 주의깊게 관찰해야 한다

ii. 원위부 췌장절제술 환자의 처치

원위부 췌장절제술을 받은 환자에서 가장 흔한 합병증은 췌장액 누출이며 25%의 환자에서 발생한다.[232] 수술 후 배액관 삽입은 반드시 해야 하며, 제거 시기는 배액의 양과 색깔을 평가함과 동시에 배액관 아밀라제 수치가 정상 수치의 3배 이하인 경우 제거하는 것을 권고하지만 수술의의 경험과 판단에 따르는 경우가 많다.[233] 빠른 회복을 위해 수술 후 1~2일이 지나면 유동식부터 식이를 시작하는 것이 안전하다는 연구결과는 있지만 종양감축술의 정도와 전신상태에 따라 식이 시작 시기는 개별화되어야 한다.[233] 췌장절제술 환자는 주기적인 혈당 확인이 필요하며 조절이 잘 되지 않는 경우 즉시 인슐린으로 혈당을 조절하여야 한다.

④ 횡경막수술 환자

진행성 난소암 환자는 일차 종양감축술 시 횡경막으로 암종 전이가 있어 횡경막 복막 절제술 및 횡경막 절제술과 같은 횡경막 수술을 받게 되는 경우가 흔하다. 일차 종양감축술을 받은 217명 중 59명(27%)에서 횡경막 수술을 받았으며, 수술받은 환자의 58%

환자에서 흉막삼출이 발생되었다.[234] 흉강천자 및 흉관삽입과 같은 침습적 시술은 15%에서 시행되었다. 따라서 횡경막 수술을 받은 환자는 흉막삼출의 발생 가능성이 높고, 침습적 시술이 필요한 경우가 있어 주의 깊은 관찰이 필요하다.

⑤ 고혈당 관리

종양감축술을 받은 환자는 포도당 생성의 증가와 인슐린저항성으로 인해 고혈당이 흔하게 발생한다. 당뇨병의 유무와 관계없이 수술 전후 고혈당이 지속될 경우 수술부위감염의 빈도는 높아진다.[235] 부인암 환자에서도 수술 후 인슐린을 이용한 적극적인 혈당관리를 통해 수술부위감염을 35% 감소시켰다.[236] 미국 질병통제센터(Centers for Diseas Controal & Prevention, CDC)는 수술 후 혈당을 200mg/dL 미만으로 유지할 것을 권고하고 있다.[237]

⑥ 중환자실 치료

종양감축술을 받은 환자의 중환자실 치료 이용률은 20~30% 정도이다. 수술 전 저알부민혈증, CA125 상승, 장절제술, 환자의 중증도가 중환자실 입원과 관련된 위험요소로 알려져 있다.[238,239] 따라서 수술 전 환자의 내과적 기저질환 및 수술 범위에 따라 중환자실 치료가 필요한 환자를 적절히 선택하여 중환자실 재원기간을 짧게 하면서 환자의 이환율과 사망률을 높이지 않는 것이 중요하다.

4) 치료 후 추적검사

① 종양표지자

CA125가 상승하는 것은 질병이 다시 재발했다는 것을 예측하는 데 있어서 유용하지만, 정상이라고 해서 질병이 재발되지 않는다고 단정할 수는 없다. Berek 등의 전향성 연구에 의하면 CA125의 양성 예측률이 100%였다.[24] 즉, CA125가 >35unit/dL이면 추시 개복술(second-look laparotomy)에서 항상 질병을 발견한다는 뜻이다. 반면에 음성 예측률은 56%에 불과하였다. 즉, CA125가 <35unit/dL일 때 질병이 실제로 있을 확률이 44%라는 것이다. 문헌 고찰에 의하면 CA125가 상승하면 추시 개복술에서 지속성 질병을 가지고 있을 확률이 97%라고 하였다.[241]

혈중 CA125는 치료 시작 전 상승되어 있었던 환자의 경우 항암화학요법 중에 사용할 수 있다. CA125의 변화는 대개 항암 반응결과가 연관이 있다. 치료 도중 CA125의 상승은 치료 실패를 의미한다. 한 후향성 연구에 의하면 CA125가 지속적으로 상승하는 환자에서 최하값(nadir)의 2배의 상승은 질병의 진행을 예측한다고 하였다.[242]

GCIG (the gynecologic cancer intergroup)는 CA125에 의한 질병의 진행을 정의하였고, 현재 임상시험에서 널리 쓰이고 있다. CA125가 치료 전 상승하였다가 정상이 되었던 경우 1주 간격으로 두 번 측정하여 정상 상한치(upper limit of normal)의 두 배 이상인 경우 질병의 진행으로 정의한다. 치료 전 CA125가 상승되어 있고 정상으로 된 경우가 없었던 환자의 경우 1주 간격으로 2번 측정한 값이 최하값의 2배 이상인 경우 질병의 진행으로 정의한다.[243]

527명 난소암 환자 임상연구에서 CA125 상승에 기초한 질병 재발 발견으로 일찍 치료한 군과 증상에 따른 재발 발견으로 늦게 치료한 군의 생존율 비교에서 두 군 간 생존율의 차이가 없다고 보고하였다.[244]

② 영상 평가

병기 I기에서 III기의 상피성 난소암 환자에서 PET/CT에 비해 CT가 작은 재발 병변을 발견하는 데 있어서는 제한적이다. CT에서 복수는 비교적 쉽게 발견되지만, 비교적 큰 대망 전이도 놓치기 쉽다.[245,246] CT의 위음성률은 45%이다.

PET/(CT)는 재발을 발견하는 데 매우 유용하지만, CT에 비해 높은 위양성률을 보인다.[247~249] PET은 재발 발견 민감도 90%, 특이도 85%이며, 특히 CA125가 상승하는데 일반 영상검사에서 명확하지 않을 때 매우 유용하다.[247] 특히 PET/CT에 18fluorodeoxyglucose가 결합된 18FDG PET/CT는 늦게 재발한 2차 종양감축술에 적합한 환자를 선택하는 데 있어 유용하다. MRI는 조영제 부작용이 있는 환자에서 대안으로 사용할 수 있다.[249]

③ 추시 개복술(second-look operations)

역사적으로 추시 개복술은 일차 항암화학요법 완료 후 임상적으로 무병상태인 환자에게 행해졌다. 무병상태로 추정되었던 약 30%의 환자에서 미세 전이가 발견되었다.[250] 하지만 추시 개복술 자체가 생존율에 영향을 미치지 못하는 것으로 알려졌다.[251,252] 추시 개복술 음성인 환자에서 5년 내 재발할 확률은 30~60%이다.[253~255] 추시 개복술 음성 후 재발한 환자 대부분은 분화도가 나쁜 환자였다. 병기 I기의 추시 개복술 음성률은 85~95%, 병기 II기는 70~80%이다. 병기 III기 환자에서 최적의 종양감축술 후 파클리탁셀과 백금제제 항암화학요법 후 추시 개복술 음성률은 약 45~50%이다.[256]

드문 병리 결과
(Rare Histology)

1) 경계성 난소종양

경계성 난소종양(borderline ovarian tumor)은 비교적 드문 종양으로 상피성 난소암과 다르게 치료하며 5년 생존율은 80%를 넘는다.[257~259] 침윤성 난소암과는 다르게 비교적 젊은 여성 및 병기 I기에서 진단되는 경우가 많아 가임력 보존 수술을 적용할 수 있다.[4,5] 경계성 종양은 병리학적으로 악성 세포 변형을 보이지만 침윤이 없어 재발 및 전이가 드물며 양호한 예후를 보인다.[262,263] 병기 I기의 경우 10년 생존율 98%, 전체 5년 생존율은 87%라고 알려져 있다.[212,261] 과거 low malignant potential tumor 또는 atypical proliferative tumor로 불리기도 하였지만 현재는 경계성 난소종양으로 부른다.[264] 경계성 난소종양은 주로 장액성 및 점액성이 대부분이지만 다른 조직학적 형태도 있다. WHO 분류상 난소암의 가장 중요한 병리학적 특성은 현미경적 또는 육안적 복막 침윤을 동반하는 것인데 반하여 경계성 난소종양은 복막 침윤이 없다.[265] 드물지만 복강내 파종이 있을 수 있으며 비침윤성 및 침윤성으로 분류한다. 침윤성 복강

내 파종은 전이 및 재발과 연관이 높고 이것이 진행하면 장폐색 및 사망에 이를 수 있다.[266,267]

2) 경계성 난소종양의 병리

① 장액성(serous)

전체 난소 장액성 종양의 약 15%를 차지하며 한국인을 포함하는 아시아인의 경우 점액성보다 흔하다. 경계성 종양은 장액성 난소암에 비해 비교적 젊은 나이에 호발한다(평균 45세 vs. 60세). 양성 장액성 종양과 달리 양측성이 많고, 크기가 크며 난소를 벗어난 병변이 발견되기도 한다. 육안적으로 낭성 및 부분적으로 고형 성분으로 이루어져 있고, 낭성 내부에 다양한 유두상돌기가 있다. 현미경적으로 저등급 장액성 암(low-grade serous carcinoma)와 유사한 복합 분지(complex branching) (미세)유두상돌기 구조를 보이지만 난소 실질의 파괴적 침윤은 없다. 핵은 단일형(uniform) 또는 비정형이며 유사분열 활성도(mitotic activity)는 낮다. 사종체(psammoma body)가 종종 보이지만 진단적이지는 않다.

i. 미세유두상돌기(micropapillary) 양식

장액성 경계성 난소종양의 약 10%에서 미세유두상돌기 구조가 발견된다. 이것은 가느다란 비계층적 분지, 폭의 최소한 5배 이상 길쭉한 돌기 또는 연속된 5mm 크기의 공간을 차지하는 체모양의 양식을 말한다. 미세유두상돌기 양식은 양측 난소 표층 침범 및 난소 외 지역 병변과 연관성이 높다.[268] 난소 외 병변이 침윤성이라면 미세유두상돌기 장액성 경계성 난소종양은 예후가 불량하다.

ii. 실질 미세침윤(stromal microinvasion)

실질 미세침윤은 길이로 5mm, 넓이로 10mm^{2}로 정의하며, 장액성 경계성 난소종양의 10~15%에서 발견된다. 특징은 큰 유두상 돌기 바로 밑의 실질내에 있는 호산성세포 또는 작은 유두상돌기이며, 임신 시 더 자주 발견된다. 비록 전체 예후는 양호하지만, 실질 미세침윤은 장액성 경계성 난소종양과 저등급 난소암의 연결고리이며 실제로 초기 침윤의 형태로 생각된다.[269]

iii. 난소 외 병변(extraovarian disease)

장액성 경계성 난소종양의 약 30~40%가 골반, 복강, 림프절에 병변이 존재한다. 이러한 병변을 파종(implant)이라고 한다. 이것은 현미경적 또는 육안적으로 보이며, 정상조직의 파괴적 침윤 여부에 따라서 비침윤성 또는 침윤성 파종으로 분류된다. 비침윤성 파종은 실질 반응의 유무에 따라 따라 상피성과 결합조직형성(desmoplastic)으로 나뉜다. 난소 외 병변의 침윤성 파종의 경우 불량한 예후를 보인다.[268] 종종 비침윤성과 침윤성을 구분하기 힘든 경우 중간(intermediate)으로 분류하기도 하며 예후도 중간 정도로 나타난다.[270] 림프절 침범은 장액성 경계성 난소종양의 20~30%에서 나타난다. 하지만, 침윤성이 아닌 경우 예후는 나쁘지 않다.[271]

② **점액성**(mucinous)

i. 위장관 형태(gastrointestinal type)

점액성 경계성 난소종양은 전체 점액성 난소종양의 10~15%이며 대부분은 위장관(gastrointestinal) 형태이다. 이것은 주로 일측성이며 양성 점액성 종양에 비해 크기가 크다. 호발 연령은 평균 45세이다. 현미경적으로 복잡한 유두상 주름을 만드는 평편 점액상피로 이루어진 다방성 낭종으로 이루어져 있다. 세포는 경증 또는 중등도의 세포질 비정형과 증가된 유사분열 활성도를 보인다. 층화 상피의 전층을 포함하는 핵에 중증의 비정형이 있다면 상피내암(intraepithelial carcinoma)으로 분류한다.

두 가지 종류의 미세침윤이 존재한다. 두 종류 모두 세포의 실질내 침윤은 길이로는 5mm, 넓이는 10mm²를 넘지 않는다. 하나는 경계성 난소종양 세포가 실질내에 미세침윤하는 것으로 장액성에 비해 점액성의 경우는 흔하지 않다. 나머지 하나는 고등급 암이 미세침윤하는 것으로 미세침윤암으로 분류하며 예후에 대해서는 자세히 알려져 있지 않다.[272]

ii. 점액성(mucinous) – 밀러관 형태(Müllerian type)

약 40%에서 양측성으로 나타나며, 50%에서 자궁내막증이 동반된다. 호발연령은 평균 30대 중반이다. 이는 구조적으로 점액 분비 원주세포와 섬모 호산성 상피로 이루어진 장액성 경계성 난소종양과 유사한 복합 유두이다. 핵 비정형은 경증에서 중등도이며, 유사분열 특징이 존재한다. 유두 실질 내에 호중구 침윤이 있다. 장액성 경계성 종양과 비슷하게 실질 미세침윤이 있을 수 있다. 난소 외 병변 파종이 있을 수 있으나, 불량한 예후와는 관계가 없다.

3) 치료

치료의 원칙은 원발 병소의 수술적 절제이다.[273] 수술 후 보조 항암화학요법 또는 방사선치료가 생존율을 향상시킨다는 연구결과는 없다.[259,274] 폐경 전 가임력 보존을 원하는 여성의 경우 동결절편 검사가 경계성으로 나오면 일측 부속기절제술만 시행하는 보존적 수술을 고려할 수 있다.[275] 병기 I기로 생각되는 장액성 경계성 난소종양 환자를 일측 난소낭종절제술로 치료한 환자를 대상으로 한 Lim-Tan 등 연구에서 8%에서 재발했으나, 재발 환자 모두 난소에 국한한 질병으로 치료 가능하였으며, 재발은 절제면 양성과 연관이 있었다.[276] 339명의 환자를 대상으로 한 가임력보존 치료의 후향성 연구에서 Zanetta 등은 장액성 5명 점액성 2명 총 7명(2%)이 침윤암으로 재발하였다고 하였다.[277] 비록 가임력보존 수술군의 재발이 18.5%로 그렇지 않은 경우의 재발률 4.6%에 비해 높았지만 재발한 환자 중 한 명을 제외한 모두가 치료되었다. 일측 부속기절제술 또는 난소낭종절제술 후 최종 병리검사결과 경계성 난소종양이 나온 경우 추가 수술이 필요하지는 않고 질초음파로 지속적인 추적 관찰이 필요하다. 림프절제술과 대망절제술이 병기를 올리는 경우가 있지만 생존율을 향상시킨다는 연구는 없다.[278,279]

초기 수술 및 병기설정이 불완전했던 경우 침윤성 복막 파종 및 잔존병변이 있다면 이차 수술을 하여 병기설정술을 시행할 수 있다. 하지만 그렇지 않은 경우 추적관찰한다. 일반적으로 항암화학요법은 권장되지 않지만, 침윤성 복막 착상이 있는 경우 저등급 장액성 암의 경우와 동일하게 수술 후 보조요법으로 카보플라틴과 파클리탁셀(또는 도세탁셀) 항암화학요법을 시행한다.[265] 가임력 보존수술을 한 경우 출산이 끝나면 수술을 하는 것이 반드시 고려되어야 한다. 재발의 경우 우선 수술적 치료가 고려된다. 수술 후 병리검사결과에 따라 침윤성 복막 전이가 저등급인 경우는 저등급 상피성 난소암처럼 고등급인 경우는 고등급 상피성 난소암에 준해서 치료한다.

4) 저등급 장액성 암(low-grade serous carcinoma)

장액성 난소암은 핵의 비정형성 및 유사분열 지수(mitotic index)에 기초하여 저등급과 고등급, 두 가지 타입으로 분류한다.[280,281] 저등급은 고등급에 비해 적으며 장액성 난소암의 약 10%를 차지한다. 장액성 경계성 난소암과 비슷하게 BRAF, KRAS 변이를 가지고 있다.[282] 고등급에 비해 더 비활동성이고 더 젊은 나이에 발생하지만, 진행성 병기에 발견되는 경우도 있다.[283,284] 저등급에서 고등급으로 거의 진행하지는 않으며 두 질병은 완전히 다른 것으로 알려져 있다. 치료는 병기설정술 후 병기 IA, IB의 경우는 경과 관찰하며 IC 이상에서는 고등급에 사용하는 백금제제 항암화학요법 또는 호르몬 요법을 실시할 수 있다. 항암화학요법에 잘 반응하지 않기 때문에 선행 항암화학요법은 권고되지 않는다.[283]

5) 경계성 난소종양과 저등급 장액성 난소암의 발생

고등급 장액성 난소종양과 비슷하게 난관의 상피로부터 기원하는 세포에서 발생한다. 하지만 원인이 되는 유전자 변형 기전은 고등급 장액성 난소암과 다르다. 따라서 이 둘은 분화도가 다른 하나의 질환이라기보다 다른 질병으로 이해된다.

KRAS oncogene의 codon 12, 13의 활성변이가 경계성 장액성 난소종양에서 흔하며, 25~50%의 환자에서 발견된다.[285] 또한 경계성 장액성 난소종양의 약 20%에서 KRAS의 downstream effector인 BRAF의 codon 600의 활성변이(V600E)가 발생한다.[286] 이 두 유전자의 변이는 상호 배타적이며 MAP kinase pathway의 구조활성화를 야기한다. KRAS, BRAF의 변이가 경계성 장액성 난소종양에 인접한 낭선종(cystadenoma) 상피에서 보고되는데 이것은 질환의 발달 과정에서 발생하는 기전을 암시한다.[287] 이와 비슷하게 BRAF, KRAS의 변이가 저등급 장액성 난소암에서 종종 발생하지만 고등급 장액성 난소암에서는 좀처럼 발생하지 않는다.[288] 한 연구에서 경계성 장액성 또는 저등급 장액성 난소암 환자의 35%에서 BRAF V600E 변이가 있었으며, 이러한 환자는 초기병기 및 좋은 예후와 연관이 있었다.[289] 전이성 저등급 장액성, 경계성 난소암은 대개 백금/탁센 제제 항암제에 잘 반응하지 않기 때문에, KRAS/BRAF의 MAP kinase pathway downstream이 최근 임상시험의 떠오르는 표적이 되고 있다.[290] P53 단백질의 과발현이 병기 I기 경계성 장액성 난소종양, 고분화 장액성 난소암에서는 드물지만, 진행성 병기의 경계성 난소종양에서는 발생한다.[291,292] 한 연구에서 진행성 경계성 장액성 난소종양에서 p53의 과발현은 사망위험율을 6배 증가시켰다.[291] 어떤 경우에는, 저등급 장액성 난소암이 경계성 난소종양 진단 후에 발생할 수 있다. 이 경우 TP53 변이 상태가 원래의 경계성 난소종양과 이후 발생한 저등급 난소암과 일치하지 않는다.[293] 이것은 침윤암이 독립적으로 발생했거나, 또는 원 종양의 복제적 신장(clonal outgrowth)이라는 것을 시사한다.

참고문헌

1 Lim MC, Won YJ, Ko MJ, Kim M, Shim SH, Suh DH, et al. Incidence of cervical, endometrial, and ovarian cancer in Korea during 1999-2015. J Gynecol Oncol 2019;30:e38.

2 Darragh TM, Colgan TJ, Cox JT, Heller DS, Henry MR, Luff RD, et al. The Lower Anogenital Squamous Terminology Standardization Project for HPV-Associated Lesions: background and consensus recommendations from the College of American Pathologists and the American Society for Colposcopy and Cervical Pathology. Arch Pathol Lab Med 2012;136:1266-97.

3 Jung KW, Won YJ, Kong HJ, Lee ES. Prediction of Cancer Incidence and Mortality in Korea, 2019. Cancer Res Treat 2019;51:431-7.

4 Jung KW, Won YJ, Kong HJ, Lee ES. Cancer Statistics in Korea: Incidence, Mortality, Survival, and Prevalence in 2016. Cancer Res Treat 2019;51:417-30.

5 Lim MC, Pfaendler K. Type and risk of cancer related to endometriosis: ovarian cancer and beyond. Bjog-an International Journal of Obstetrics and Gynaecology 2018;125:73-.

6 Lim MC, Kang S, Seo SS, Kong SY, Lee BY, Lee SK, et al. BRCA1 and BRCA2 germline mutations in Korean ovarian cancer patients. J Cancer Res Clin Oncol 2009;135:1593-9.

7 Ford D, Easton DF, Stratton M, Narod S, Goldgar D, Devilee P, et al. Genetic heterogeneity and penetrance analysis of the BRCA1 and BRCA2 genes in breast cancer families. The Breast Cancer Linkage Consortium. Am J Hum Genet 1998;62:676-89.

8 Antoniou A, Pharoah PD, Narod S, Risch HA, Eyfjord JE, Hopper JL, et al. Average risks of breast and ovarian cancer associated with BRCA1 or BRCA2 mutations detected in case Series unselected for family history: a combined analysis of 22 studies. Am J Hum Genet 2003;72:1117-30.

9 King MC, Marks JH, Mandell JB. Breast and ovarian cancer risks due to inherited mutations in BRCA1 and BRCA2. Science 2003;302:643-6.

10 Nelson HD, Fu R, Goddard K, Mitchell JP, Okinaka-Hu L, Pappas M, et al. U.S. Preventive Services Task Force Evidence Syntheses, formerly Systematic Evidence Reviews. Risk Assessment, Genetic Counseling, and Genetic Testing for BRCA-Related Cancer: Systematic Review to Update the U.S. Preventive Services Task Force Recommendation. Rockville (MD): Agency for Healthcare Research and Quality (US); 2013.

11 NCCN. Genetic/Familial High-Risk Assessment: Breast and Ovarian. National Comprehensive Cancer Network (NCCN) Guidelines. http://www.nccn.org. Accessed june 5th, 2019. 2019.

12 Rosenthal AN, Fraser LSM, Philpott S, Manchanda R, Burnell M, Badman P, et al. Evidence of Stage Shift in Women Diagnosed With Ovarian Cancer During Phase II of the United Kingdom Familial Ovarian Cancer Screening Study. J Clin Oncol 2017;35:1411-20.

13 Bristow RE, Chang J, Ziogas A, Campos B, Chavez LR, Anton-Culver H. Impact of National Cancer Institute Comprehensive Cancer Centers on ovarian cancer treatment and survival. J Am Coll Surg 2015;220:940-50.

14 Mersch J, Jackson MA, Park M, Nebgen D, Peterson SK, Singletary C, et al. Cancers associated with BRCA1 and BRCA2 mutations other than breast and ovarian. Cancer 2015;121:269-75.

15 King MC, Wieand S, Hale K, Lee M, Walsh T, Owens K, et al. Tamoxifen and breast cancer incidence among women with inherited mutations in BRCA1 and BRCA2: National Surgical Adjuvant Breast and Bowel Project (NSABP-P1) Breast Cancer Prevention Trial. JAMA 2001;286:2251-6.

16 Narod SA, Brunet JS, Ghadirian P, Robson M, Heimdal K, Neuhausen SL, et al. Tamoxifen and risk of contralateral breast cancer in BRCA1 and BRCA2 mutation carriers: a case-control study. Hereditary Breast Cancer Clinical Study Group. Lancet 2000;356:1876-81.

17 Narod SA, Risch H, Moslehi R, Dorum A, Neuhausen S, Olsson H, et al. Oral contraceptives and the risk of hereditary ovarian cancer. Hereditary Ovarian Cancer Clinical Study Group. N Engl J Med 1998;339:424-8.

18 Iodice S, Barile M, Rotmensz N, Feroce I, Bonanni B, Radice P, et al. Oral contraceptive use and breast or ovarian cancer risk in BRCA1/2 carriers: a meta-analysis. Eur J Cancer 2010;46:2275-84.

19 Narod SA, Dube MP, Klijn J, Lubinski J, Lynch HT, Ghadirian P, et al. Oral contraceptives and the risk of breast cancer in BRCA1 and BRCA2 mutation carriers. J Natl Cancer Inst 2002;94:1773-9.

20 Rebbeck TR, Kauff ND, Domchek SM. Meta-analysis of risk reduction estimates associated with risk-reducing salpingo-oophorectomy in BRCA1 or BRCA2 mutation carriers. J Natl Cancer Inst 2009;101:80-7.

21 Domchek SM, Friebel TM, Neuhausen SL, Wagner T, Evans G, Isaacs C, et al. Mortality after bilateral salpingo-oophorectomy in BRCA1 and BRCA2 mutation carriers: a prospective cohort study. Lancet Oncol 2006;7:223-9.

22 Domchek SM, Friebel TM, Singer CF, Evans DG, Lynch HT, Isaacs C, et al. Association of risk-reducing surgery in BRCA1 or BRCA2 mutation carriers with cancer risk and mortality. JAMA 2010;304:967-75.

23 Finch AP, Lubinski J, Moller P, Singer CF, Karlan B, Senter L, et al. Impact of oophorectomy on cancer incidence and mortality in women with a BRCA1 or BRCA2 mutation. J Clin Oncol 2014;32:1547-53.

24 Kotsopoulos J, Huzarski T, Gronwald J, Singer CF, Moller P, Lynch HT, et al. Bilateral Oophorectomy and Breast Cancer Risk in BRCA1 and BRCA2 Mutation Carriers. J Natl Cancer Inst 2017;109.

25 Heemskerk-Gerritsen BA, Seynaeve C, van Asperen CJ, Ausems MG, Collee JM, van Doorn HC, et al. Breast cancer risk after salpingo-oophorectomy in healthy BRCA1/2 mutation carriers: revisiting the evidence for risk reduction. J Natl Can-

631

26 Meijers-Heijboer H, van Geel B, van Putten WL, Henzen-Logmans SC, Seynaeve C, Menke-Pluymers MB, et al. Breast cancer after prophylactic bilateral mastectomy in women with a *BRCA*1 or *BRCA*2 mutation. N Engl J Med 2001;345:159-64.

27 Hartmann LC, Schaid DJ, Woods JE, Crotty TP, Myers JL, Arnold PG, et al. Efficacy of bilateral prophylactic mastectomy in women with a family history of breast cancer. N Engl J Med 1999;340:77-84.

28 Metcalfe K, Lynch HT, Ghadirian P, Tung N, Olivotto I, Warner E, et al. Contralateral breast cancer in *BRCA*1 and *BRCA*2 mutation carriers. J Clin Oncol 2004;22:2328-35.

29 Carbine NE, Lostumbo L, Wallace J, Ko H. Risk-reducing mastectomy for the prevention of primary breast cancer. Cochrane Database Syst Rev 2018;4:Cd002748.

30 Dowdy SC, Stefanek M, Hartmann LC. Surgical risk reduction: prophylactic salpingo-oophorectomy and prophylactic mastectomy. Am J Obstet Gynecol 2004;191:1113-23.

31 Ramus SJ, Antoniou AC, Kuchenbaecker KB, Soucy P, Beesley J, Chen X, et al. Ovarian cancer susceptibility alleles and risk of ovarian cancer in *BRCA*1 and *BRCA*2 mutation carriers. Hum Mutat 2012;33:690-702.

32 Couch FJ, Wang X, McGuffog L, Lee A, Olswold C, Kuchenbaecker KB, et al. Genome-wide association study in *BRCA*1 mutation carriers identifies novel loci associated with breast and ovarian cancer risk. PLoS Genet 2013;9:e1003212.

33 Kuchenbaecker KB, Ramus SJ, Tyrer J, Lee A, Shen HC, Beesley J, et al. Identification of six new susceptibility loci for invasive epithelial ovarian cancer. Nat Genet 2015;47:164-71.

34 Mavaddat N, Pharoah PD, Michailidou K, Tyrer J, Brook MN, Bolla MK, et al. Prediction of breast cancer risk based on profiling with common genetic variants. J Natl Cancer Inst 2015;107.

35 Yang X, Leslie G, Gentry-Maharaj A, Ryan A, Intermaggio M, Lee A, et al. Evaluation of polygenic risk scores for ovarian cancer risk prediction in a prospective cohort study. J Med Genet 2018;55:546-54.

36 Mitchell DG, Javitt MC, Glanc P, Bennett GL, Brown DL, Dubinsky T, et al. ACR appropriateness criteria staging and follow-up of ovarian cancer. J Am Coll Radiol 2013;10:822-7.

37 Im SS, Gordon AN, Buttin BM, Leath CA, 3rd, Gostout BS, Shah C, et al. Validation of referral guidelines for women with pelvic masses. Obstet Gynecol 2005;105:35-41.

38 Timmerman D, Testa AC, Bourne T, Ameye L, Jurkovic D, Van Holsbeke C, et al. Simple ultrasound-based rules for the diagnosis of ovarian cancer. Ultrasound Obstet Gynecol 2008;31:681-90.

39 Gregory JJ, Jr., Finlay JL. Alpha-fetoprotein and beta-human chorionic gonadotropin: their clinical significance as tumour markers. Drugs 1999;57:463-7.

40 Schneider DT, Calaminus G, Reinhard H, Gutjahr P, Kremens B, Harms D, et al. Primary mediastinal germ cell tumors in children and adolescents: results of the German cooperative protocols MAKEI 83/86, 89, and 96. J Clin Oncol 2000;18:832-9.

41 ACOG Practice Bulletin. Management of adnexal masses. Obstet Gynecol 2007;110:201-14.

42 Vergote I, De Brabanter J, Fyles A, Bertelsen K, Einhorn N, Sevelda P, et al. Prognostic importance of degree of differentiation and cyst rupture in stage I invasive epithelial ovarian carcinoma. Lancet 2001;357:176-82.

43 Young RH. From Krukenberg to today: the ever present problems posed by metastatic tumors in the ovary. Part II. Adv Anat Pathol 2007;14:149-77.

44 Lee KR, Young RH. The distinction between primary and metastatic mucinous carcinomas of the ovary: gross and histologic findings in 50 cases. Am J Surg Pathol 2003;27:281-92.

45 Romagnolo C, Leon AE, Fabricio ASC, Taborelli M, Polesel J, Del Pup L, et al. HE4, CA125 and risk of ovarian malignancy algorithm (ROMA) as diagnostic tools for ovarian cancer in patients with a pelvic mass: An Italian multicenter study. Gynecol Oncol 2016;141:303-11.

46 Ledermann JA, Luvero D, Shafer A, O'Connor D, Mangili G, Friedlander M, et al. Gynecologic Cancer InterGroup (GCIG) consensus review for mucinous ovarian carcinoma. Int J Gynecol Cancer 2014;24:S14-9.

47 Ramirez I, Chon HS, Apte SM. The role of surgery in the management of epithelial ovarian cancer. Cancer Control 2011;18:22-30.

48 Vergote I, Trope CG, Amant F, Kristensen GB, Ehlen T, Johnson N, et al. Neoadjuvant chemotherapy or primary surgery in stage IIIC or IV ovarian cancer. N Engl J Med 2010;363:943-53.

49 Chi DS, Abu-Rustum NR, Sonoda Y, Awtrey C, Hummer A, Venkatraman ES, et al. Ten-year experience with laparoscopy on a gynecologic oncology service: analysis of risk factors for complications and conversion to laparotomy. Am J Obstet Gynecol 2004;191:1138-45.

50 Gardner TJ. To transfuse or not to transfuse. Circulation 2007;116:458-60.

51 Wu WC, Schifftner TL, Henderson WG, Eaton CB, Poses RM, Uttley G, et al. Preoperative hematocrit levels and postoperative outcomes in older patients undergoing noncardiac surgery. Jama 2007;297:2481-8.

52 Carson JL, Grossman BJ, Kleinman S, Tinmouth AT, Marques MB, Fung MK, et al. Red blood cell transfusion: a clinical practice guideline from the AABB*. Ann Intern Med 2012;157:49-58.

53 Carson JL, Terrin ML, Noveck H, Sanders DW, Chaitman BR, Rhoads GG, et al. Liberal or restrictive transfusion in high-risk patients after hip surgery. N Engl J Med 2011;365:2453-62.

54 Hebert PC, Wells G, Blajchman MA, Marshall J, Martin C, Pagliarello G, et al. A multicenter, randomized, controlled clinical trial of transfusion requirements in critical care. Transfusion Requirements in Critical Care Investigators, Canadian Critical Care Trials Group. N Engl J Med 1999;340:409-17.

55 Kumar A. Perioperative management of anemia: limits of blood transfusion and alternatives to it. Cleve Clin J Med 2009;76 Suppl 4:S112-8.

56 Practice guidelines for perioperative blood transfusion and adjuvant therapies: an updated report by the American Society of Anesthesiologists Task Force on Perioperative Blood Transfusion and Adjuvant Therapies. Anesthesiology 2006;105:198-208.

57 National Comprehensive Cancer Network. Prevention and Treatment of Cancer-Related Infections Version 1. 2020.

58 Haas S. The role of low-molecular-weight heparins in the prevention of venous thrombosis in surgery with special reference to enoxaparin. Haemostasis 1996;26 Suppl 2:39-48.

59 Hirsh J, Hoak J. Management of deep vein thrombosis and pulmonary embolism.

A statement for healthcare professionals. Council on Thrombosis (in consultation with the Council on Cardiovascular Radiology), American Heart Association. Circulation 1996;93:2212-45.

60 Maxwell GL, Synan I, Dodge R, Carroll B, Clarke-Pearson DL. Pneumatic compression versus low molecular weight heparin in gynecologic oncology surgery: a randomized trial. Obstet Gynecol 2001;98:989-95.

61 von Tempelhoff GF, Pollow K, Schneider D, Heilmann L. Chemotherapy and thrombosis in gynecologic malignancy. Clin Appl Thromb Hemost 1999;5:92-104.

62 Uppal S, Hernandez E, Dutta M, Dandolu V, Rose S, Hartenbach E. Prolonged postoperative venous thrombo-embolism prophylaxis is cost-effective in advanced ovarian cancer patients. Gynecol Oncol 2012;127:631-7.

63 Fulham MJ, Carter J, Baldey A, Hicks RJ, Ramshaw JE, Gibson M. The impact of PET-CT in suspected recurrent ovarian cancer: A prospective multi-centre study as part of the Australian PET Data Collection Project. Gynecol Oncol 2009;112:462-8.

64 Risum S, Hogdall C, Markova E, Berthelsen AK, Loft A, Jensen F, et al. Influence of 2-(18F) fluoro-2-deoxy-D-glucose positron emission tomography/computed tomography on recurrent ovarian cancer diagnosis and on selection of patients for secondary cytoreductive surgery. Int J Gynecol Cancer 2009;19:600-4.

65 Salani R, Backes FJ, Fung MF, Holschneider CH, Parker LP, Bristow RE, et al. Posttreatment surveillance and diagnosis of recurrence in women with gynecologic malignancies: Society of Gynecologic Oncologists recommendations. Am J Obstet Gynecol 2011;204:466-78.

66 Bhosale P, Peungjesada S, Wei W, Levenback CF, Schmeler K, Rohren E, et al. Clinical utility of positron emission tomography/computed tomography in the evaluation of suspected recurrent ovarian cancer in the setting of normal CA-125 levels. Int J Gynecol Cancer 2010;20:936-44.

67 Rustin GJ, van der Burg ME, Griffin CL, Guthrie D, Lamont A, Jayson GC, et al. Early versus delayed treatment of relapsed ovarian cancer (MRC OV05/EORTC 55955): a randomised trial. Lancet 2010;376:1155-63.

68 Rustin G, van der Burg M, Griffin C, Qian W, Swart AM. Early versus delayed treatment of relapsed ovarian cancer. Lancet 2011;377:380-1.

69 Young RC, Decker DG, Wharton JT, Piver MS, Sindelar WF, Edwards BK, et al. Staging laparotomy in early ovarian cancer. JAMA 1983;250:3072-6.

70 Benedetti-Panici P, Greggi S, Maneschi F, Scambia G, Amoroso M, Rabitti C, et al. Anatomical and pathological study of retroperitoneal nodes in epithelial ovarian cancer. Gynecol Oncol 1993;51:150-4.

71 Zanetta G, Rota S, Chiari S, Bonazzi C, Bratina G, Torri V, et al. The accuracy of staging: an important prognostic determinator in stage I ovarian carcinoma. A multivariate analysis. Ann Oncol 1998;9:1097-101.

72 Skipper HE. Adjuvant chemotherapy. Cancer 1978;41:936-40.

73 Goldie JH, Coldman AJ. A mathematic model for relating the drug sensitivity of tumors to their spontaneous mutation rate. Cancer Treat Rep 1979;63:1727-33.

74 Griffiths CT. Surgical resection of tumor bulk in the primary treatment of ovarian carcinoma. Natl Cancer Inst Monogr 1975;42:101-4.

75 Hacker NF, Berek JS, Lagasse LD, Nieberg RK, Elashoff RM. Primary cytoreductive surgery for epithelial ovarian cancer. Obstet Gynecol 1983;61:413-20.

76 Hoskins WJ, McGuire WP, Brady MF, Homesley HD, Creasman WT, Berman M, et

al. The effect of diameter of largest residual disease on survival after primary cytoreductive surgery in patients with suboptimal residual epithelial ovarian carcinoma. Am J Obstet Gynecol 1994;170:974-9; discussion 9-80.

77   du Bois A, Reuss A, Pujade-Lauraine E, Harter P, Ray-Coquard I, Pfisterer J. Role of surgical outcome as prognostic factor in advanced epithelial ovarian cancer: a combined exploratory analysis of 3 prospectively randomized phase 3 multicenter trials: by the Arbeitsgemeinschaft Gynaekologische Onkologie Studiengruppe Ovarialkarzinom (AGO-OVAR) and the Groupe d'Investigateurs Nationaux Pour les Etudes des Cancers de l'Ovaire (GINECO). Cancer 2009;115:1234-44.

78   Landrum LM, Java J, Mathews CA, Lanneau GS, Jr., Copeland LJ, Armstrong DK, et al. Prognostic factors for stage III epithelial ovarian cancer treated with intraperitoneal chemotherapy: a Gynecologic Oncology Group study. Gynecol Oncol 2013;130:12-8.

79   Morrison J, Haldar K, Kehoe S, Lawrie TA. Chemotherapy versus surgery for initial treatment in advanced ovarian epithelial cancer. Cochrane Database Syst Rev 2012:Cd005343.

80   Bristow RE, Eisenhauer EL, Santillan A, Chi DS. Delaying the primary surgical effort for advanced ovarian cancer: a systematic review of neoadjuvant chemotherapy and interval cytoreduction. Gynecol Oncol 2007;104:480-90.

81   Kehoe S, Hook J, Nankivell M, Jayson GC, Kitchener H, Lopes T, et al. Primary chemotherapy versus primary surgery for newly diagnosed advanced ovarian cancer (CHORUS): an open-label, randomised, controlled, non-inferiority trial. Lancet 2015;386:249-57.

82   Harter P, Sehouli J, Lorusso D, Reuss A, Vergote I, Marth C, et al. A Randomized Trial of Lymphadenectomy in Patients with Advanced Ovarian Neoplasms. N Engl J Med 2019;380:822-32.

83   Bentivegna E, Gouy S, Maulard A, Pautier P, Leary A, Colombo N, et al. Fertility-sparing surgery in epithelial ovarian cancer: a systematic review of oncological issues. Ann Oncol 2016;27:1994-2004.

84   Colombo N, Guthrie D, Chiari S, Parmar M, Qian W, Swart AM, et al. International Collaborative Ovarian Neoplasm trial 1: a randomized trial of adjuvant chemotherapy in women with early-stage ovarian cancer. J Natl Cancer Inst 2003;95:125-32.

85   Trimbos JB, Vergote I, Bolis G, Vermorken JB, Mangioni C, Madronal C, et al. Impact of adjuvant chemotherapy and surgical staging in early-stage ovarian carcinoma: European Organisation for Research and Treatment of Cancer-Adjuvant ChemoTherapy in Ovarian Neoplasm trial. J Natl Cancer Inst 2003;95:113-25.

86   Bell J, Brady MF, Young RC, Lage J, Walker JL, Look KY, et al. Randomized phase III trial of three versus six cycles of adjuvant carboplatin and paclitaxel in early stage epithelial ovarian carcinoma: a Gynecologic Oncology Group study. Gynecol Oncol 2006;102:432-9.

87   Karam A, Ledermann JA, Kim JW, Sehouli J, Lu K, Gourley C, et al. Fifth Ovarian Cancer Consensus Conference of the Gynecologic Cancer InterGroup: first-line interventions. Ann Oncol 2017;28:711-7.

88   Ozols RF, Bundy BN, Greer BE, Fowler JM, Clarke-Pearson D, Burger RA, et al. Phase III trial of carboplatin and paclitaxel compared with cisplatin and paclitaxel in patients with optimally resected stage III ovarian cancer: a Gynecologic Oncology Group study. J Clin Oncol 2003;21:3194-200.

89   du Bois A, Luck HJ, Meier W, Adams HP, Mobus V, Costa S, et al. A randomized

clinical trial of cisplatin/paclitaxel versus carboplatin/paclitaxel as first-line treatment of ovarian cancer. J Natl Cancer Inst 2003;95:1320-9.

90 Alberts DS, Liu PY, Hannigan EV, O'Toole R, Williams SD, Young JA, et al. Intraperitoneal cisplatin plus intravenous cyclophosphamide versus intravenous cisplatin plus intravenous cyclophosphamide for stage III ovarian cancer. N Engl J Med 1996;335:1950-5.

91 Armstrong DK, Bundy B, Wenzel L, Huang HQ, Baergen R, Lele S, et al. Intraperitoneal cisplatin and paclitaxel in ovarian cancer. N Engl J Med 2006;354:34-43.

92 Walker JL, Brady MF, Wenzel L, Fleming GF, Huang HQ, DiSilvestro PA, et al. Randomized Trial of Intravenous Versus Intraperitoneal Chemotherapy Plus Bevacizumab in Advanced Ovarian Carcinoma: An NRG Oncology/Gynecologic Oncology Group Study. J Clin Oncol 2019:Jco1801568.

93 Katsumata N, Yasuda M, Isonishi S, Takahashi F, Michimae H, Kimura E, et al. Long-term results of dose-dense paclitaxel and carboplatin versus conventional paclitaxel and carboplatin for treatment of advanced epithelial ovarian, fallopian tube, or primary peritoneal cancer (JGOG 3016): a randomised, controlled, open-label trial. Lancet Oncol 2013;14:1020-6.

94 Perren TJ, Swart AM, Pfisterer J, Ledermann JA, Pujade-Lauraine E, Kristensen G, et al. A phase 3 trial of bevacizumab in ovarian cancer. N Engl J Med 2011;365:2484-96.

95 Burger RA, Brady MF, Bookman MA, Fleming GF, Monk BJ, Huang H, et al. Incorporation of bevacizumab in the primary treatment of ovarian cancer. N Engl J Med 2011;365:2473-83.

96 van Driel WJ, Koole SN, Sikorska K, Schagen van Leeuwen JH, Schreuder HWR, Hermans RHM, et al. Hyperthermic Intraperitoneal Chemotherapy in Ovarian Cancer. N Engl J Med 2018;378:230-40.

97 Lim MC, Chang S-J, Yoo HJ, Nam B-H, Bristow R, Park S-Y. Randomized trial of hyperthermic intraperitoneal chemotherapy (HIPEC) in women with primary advanced peritoneal, ovarian, and tubal cancer. Journal of Clinical Oncology 2017;35:5520-.

98 Pujade-Lauraine E, Ledermann JA, Selle F, Gebski V, Penson RT, Oza AM, et al. Olaparib tablets as maintenance therapy in patients with platinum-sensitive, relapsed ovarian cancer and a BRCA1/2 mutation (SOLO2/ENGOT-Ov21): a double-blind, randomised, placebo-controlled, phase 3 trial. Lancet Oncol 2017;18:1274-84.

99 Mirza MR, Monk BJ, Herrstedt J, Oza AM, Mahner S, Redondo A, et al. Niraparib Maintenance Therapy in Platinum-Sensitive, Recurrent Ovarian Cancer. N Engl J Med 2016;375:2154-64.

100 Swisher EM, Lin KK, Oza AM, Scott CL, Giordano H, Sun J, et al. Rucaparib in relapsed, platinum-sensitive high-grade ovarian carcinoma (ARIEL2 Part 1): an international, multicentre, open-label, phase 2 trial. Lancet Oncol 2017;18:75-87.

101 Moore K, Colombo N, Scambia G, Kim BG, Oaknin A, Friedlander M, et al. Maintenance Olaparib in Patients with Newly Diagnosed Advanced Ovarian Cancer. N Engl J Med 2018;379:2495-505.

102 Agiro A, Ma Q, Acheson AK, Wu SJ, Patt DA, Barron JJ, et al. Risk of Neutropenia-Related Hospitalization in Patients Who Received Colony-Stimulating Factors With Chemotherapy for Breast Cancer. J Clin Oncol 2016;34:3872-9.

103 Rosenoff SH, Young RC, Anderson T, Bagley C, Chabner B, Schein PS, et al.

Peritoneoscopy: a valuable staging tool in ovarian carcinoma. Ann Intern Med 1975;83:37-41.

104 Piver MS, Barlow JJ, Lele SB. Incidence of subclinical metastasis in stage I and II ovarian carcinoma. Obstet Gynecol 1978;52:100-4.

105 Dembo AJ, Van Dyk J, Japp B, Bean HA, Beale FA, Pringle JF, et al. Whole abdominal irradiation by a moving-strip technique for patients with ovarian cancer. Int J Radiat Oncol Biol Phys 1979;5:1933-42.

106 Fazekas JT, Maier JG. Irradiation of ovarian carcinomas: a prospective comparison of the open-field and moving-strip techniques. Am J Roentgenol Radium Ther Nucl Med 1974;120:118-23.

107 Dembo AJ, Bush RS, Beale FA, Bean HA, Brown TC, Fine S, et al. A randomized trial of moving strip versus open field whole abdominal irradiation in patients with invasive epithelial cancer of ovary (abstract). Int J Radiat Oncol Biol Phys 1983;9:97.

108 Dembo AJ. Epithelial ovarian cancer: the role of radiotherapy. Int J Radiat Oncol Biol Phys 1992;22:835-45.

109 Dembo AJ. The role of radiotherapy in ovarian cancer. Bull Cancer 1982;69:275-83.

110 Sell A, Bertelsen K, Andersen JE, Stroyer I, Panduro J. Randomized study of whole-abdomen irradiation versus pelvic irradiation plus cyclophosphamide in treatment of early ovarian cancer. Gynecol Oncol 1990;37:367-73.

111 Chiara S, Conte P, Franzone P, Orsatti M, Bruzzone M, Rubagotti A, et al. High-risk early-stage ovarian cancer. Randomized clinical trial comparing cisplatin plus cyclophosphamide versus whole abdominal radiotherapy. Am J Clin Oncol 1994;17:72-6.

112 Cannistra SA. Cancer of the Ovary. New England Journal of Medicine 2004;351:2519-29.

113 Jensen AD, Nill S, Rochet N, Bendl R, Harms W, Huber PE, et al. Whole-abdominal IMRT for advanced ovarian carcinoma: planning issues and feasibility. Phys Med 2011;27:194-202.

114 Arians N, Kieser M, Benner L, Rochet N, Katayama S, Sterzing F, et al. Adjuvant Intensity Modulated Whole-Abdominal Radiation Therapy for High-Risk Patients With Ovarian Cancer (International Federation of Gynecology and Obstetrics Stage III): First Results of a Prospective Phase 2 Study. Int J Radiat Oncol Biol Phys 2017;99:912-20.

115 Brown AP, Jhingran A, Klopp AH, Schmeler KM, Ramirez PT, Eifel PJ. Involved-field radiation therapy for locoregionally recurrent ovarian cancer. Gynecologic oncology 2013;130:300-5.

116 Chang JS, Kim SW, Kim Y-J, Kim J-Y, Park S-Y, Kim JH, et al. Involved-field radiation therapy for recurrent ovarian cancer: Results of a multi-institutional prospective phase II trial. Gynecologic Oncology 2018;151:39-45.

117 Lazzari R, Ronchi S, Gandini S, Surgo A, Volpe S, Piperno G, et al. Stereotactic Body Radiation Therapy for Oligometastatic Ovarian Cancer: A Step Toward a Drug Holiday. Int J Radiat Oncol Biol Phys 2018;101:650-60.

118 Adelson MD, Wharton JT, Delclos L, Copeland L, Gershenson D. Palliative radiotherapy for ovarian cancer. Int J Radiat Oncol Biol Phys 1987;13:17-21.

119 Reiss KA, Herman JM, Armstrong D, Zahurak M, Fyles A, Brade A, et al. A final report of a phase I study of veliparib (ABT-888) in combination with low-dose frac-

tionated whole abdominal radiation therapy (LDFWAR) in patients with advanced solid malignancies and peritoneal carcinomatosis with a dose escalation in ovarian and fallopian tube cancers. Gynecol Oncol 2017;144:486-90.

120 Markman M, Markman J, Webster K, Zanotti K, Kulp B, Peterson G, et al. Duration of response to second-line, platinum-based chemotherapy for ovarian cancer: implications for patient management and clinical trial design. J Clin Oncol 2004;22:3120-5.

121 Chi DS, McCaughty K, Diaz JP, Huh J, Schwabenbauer S, Hummer AJ, et al. Guidelines and selection criteria for secondary cytoreductive surgery in patients with recurrent, platinum-sensitive epithelial ovarian carcinoma. Cancer 2006;106:1933-9.

122 Lee CK, Lord S, Grunewald T, Gebski V, Hardy-Bessard AC, Sehouli J, et al. Impact of secondary cytoreductive surgery on survival in patients with platinum sensitive recurrent ovarian cancer: analysis of the CALYPSO trial. Gynecol Oncol 2015;136:18-24.

123 Zang RY, Harter P, Chi DS, Sehouli J, Jiang R, Trope CG, et al. Predictors of survival in patients with recurrent ovarian cancer undergoing secondary cytoreductive surgery based on the pooled analysis of an international collaborative cohort. Br J Cancer 2011;105:890-6.

124 Gockley A, Melamed A, Cronin A, Bookman MA, Burger RA, Cristae MC, et al. Outcomes of secondary cytoreductive surgery for patients with platinum-sensitive recurrent ovarian cancer. Am J Obstet Gynecol 2019.

125 Felsinger M, Minar L, Weinberger V, Rovny I, Zlamal F, Bienertova-Vasku J. Secondary cytoreductive surgery – viable treatment option in the management of platinum-sensitive recurrent ovarian cancer. Eur J Obstet Gynecol Reprod Biol 2018;228:154-60.

126 Oksefjell H, Sandstad B, Trope C. The role of secondary cytoreduction in the management of the first relapse in epithelial ovarian cancer. Ann Oncol 2009;20:286-93.

127 Giudice MT, D'Indinosante M, Cappuccio S, Gallotta V, Fagotti A, Scambia G, et al. Secondary cytoreduction in ovarian cancer: who really benefits? Arch Gynecol Obstet 2018;298:873-9.

128 van de Laar R, Zusterzeel PL, Van Gorp T, Buist MR, van Driel WJ, Gaarenstroom KN, et al. Cytoreductive surgery followed by chemotherapy versus chemotherapy alone for recurrent platinum-sensitive epithelial ovarian cancer (SOCceR trial): a multicenter randomised controlled study. BMC Cancer 2014;14:22.

129 van de Laar R, Kruitwagen RF, Zusterzeel PL, Van Gorp T, Massuger LF. Correspondence: Premature Stop of the SOCceR Trial, a Multicenter Randomized Controlled Trial on Secondary Cytoreductive Surgery: Netherlands Trial Register Number: NTR3337. Int J Gynecol Cancer 2017;27:2.

130 Tranoulis A, Laios A, Mitsopoulos V, Lutchman-Singh K, Thomakos N. Efficacy of 5% imiquimod for the treatment of Vaginal intraepithelial neoplasia-A systematic review of the literature and a meta-analysis. Eur J Obstet Gynecol Reprod Biol 2017;218:129-36.

131 Harter P, du Bois A, Hahmann M, Hasenburg A, Burges A, Loibl S, et al. Surgery in recurrent ovarian cancer: the Arbeitsgemeinschaft Gynaekologische Onkologie (AGO) DESKTOP OVAR trial. Ann Surg Oncol 2006;13:1702-10.

132 Harter P, Sehouli J, Reuss A, Hasenburg A, Scambia G, Cibula D, et al. Prospective validation study of a predictive score for operability of recurrent ovarian cancer:

the Multicenter Intergroup Study DESKTOP II. A project of the AGO Kommission OVAR, AGO Study Group, NOGGO, AGO-Austria, and MITO. Int J Gynecol Cancer 2011;21:289-95.

133 Coleman R, Enserro D, Spirtos N et al. A phase III randomized controlled trial of secondary surgical cytoreduction (SSC) followed by platinum-based combination chemotherapy (PBC), with or without bevacizumab (B) in platinum-sensitive, recurrent ovarian cancer (PSOC): a NRG Oncology/Gynecologic Oncology Group (GOG) study. J Clin Oncol 2018; 36: 5501.

134 Coleman RL, Spirtos NM, Enserro D, Herzog TJ, Sabbatini P, Armstrong DK, et al. Secondary Surgical Cytoreduction for Recurrent Ovarian Cancer. N Engl J Med 2019;381:1929-39.

135 Pignata S, Scambia G, Bologna A, Signoriello S, Vergote IB, Wagner U, et al. Randomized Controlled Trial Testing the Efficacy of Platinum-Free Interval Prolongation in Advanced Ovarian Cancer: The MITO-8, MaNGO, BGOG-Ov1, AGO-Ovar2.16, ENGOT-Ov1, GCIG Study. J Clin Oncol 2017;35:3347-53.

136 Parmar MK, Ledermann JA, Colombo N, du Bois A, Delaloye JF, Kristensen GB, et al. Paclitaxel plus platinum-based chemotherapy versus conventional platinum-based chemotherapy in women with relapsed ovarian cancer: the ICON4/AGO-OVAR-2.2 trial. Lancet 2003;361:2099-106.

137 Pfisterer J, Plante M, Vergote I, du Bois A, Hirte H, Lacave AJ, et al. Gemcitabine plus carboplatin compared with carboplatin in patients with platinum-sensitive recurrent ovarian cancer: an intergroup trial of the AGO-OVAR, the NCIC CTG, and the EORTC GCG. J Clin Oncol 2006;24:4699-707.

138 Pujade-Lauraine E, Wagner U, Aavall-Lundqvist E, Gebski V, Heywood M, Vasey PA, et al. Pegylated liposomal Doxorubicin and Carboplatin compared with Paclitaxel and Carboplatin for patients with platinum-sensitive ovarian cancer in late relapse. J Clin Oncol 2010;28:3323-9.

139 Wagner U, Marth C, Largillier R, Kaern J, Brown C, Heywood M, et al. Final overall survival results of phase III GCIG CALYPSO trial of pegylated liposomal doxorubicin and carboplatin vs paclitaxel and carboplatin in platinum-sensitive ovarian cancer patients. Br J Cancer 2012;107:588-91.

140 Aghajanian C, Blank SV, Goff BA, Judson PL, Teneriello MG, Husain A, et al. OCEANS: a randomized, double-blind, placebo-controlled phase III trial of chemotherapy with or without bevacizumab in patients with platinum-sensitive recurrent epithelial ovarian, primary peritoneal, or fallopian tube cancer. J Clin Oncol 2012;30:2039-45.

141 Aghajanian C, Goff B, Nycum LR, Wang YV, Husain A, Blank SV. Final overall survival and safety analysis of OCEANS, a phase 3 trial of chemotherapy with or without bevacizumab in patients with platinum-sensitive recurrent ovarian cancer. Gynecol Oncol 2015;139:10-6.

142 Colombo N, Creutzberg C, Amant F, Bosse T, Gonzalez-Martin A, Ledermann J, et al. ESMO-ESGO-ESTRO Consensus Conference on Endometrial Cancer: Diagnosis, Treatment and Follow-up. Int J Gynecol Cancer 2016;26:2-30.

143 Conklin CM, Longacre TA. Endometrial stromal tumors: the new WHO classification. Adv Anat Pathol 2014;21:383-93.

144 Monk BJ, Poveda A, Vergote I, Raspagliesi F, Fujiwara K, Bae DS, et al. Final results of a phase 3 study of trebananib plus weekly paclitaxel in recurrent ovarian cancer (TRINOVA-1): Long-term survival, impact of ascites, and progression-free

survival-2. Gynecol Oncol 2016;143:27–34.

145 Patel AG, Sarkaria JN, Kaufmann SH. Nonhomologous end joining drives poly (ADP-ribose) polymerase (PARP) inhibitor lethality in homologous recombination-deficient cells. Proc Natl Acad Sci U S A 2011;108:3406–11.

146 Scott CL, Swisher EM, Kaufmann SH. Poly (ADP-ribose) polymerase inhibitors: recent advances and future development. J Clin Oncol 2015;33:1397–406.

147 Farmer H, McCabe N, Lord CJ, Tutt AN, Johnson DA, Richardson TB, et al. Targeting the DNA repair defect in *BRCA* mutant cells as a therapeutic strategy. Nature 2005;434:917–21.

148 Murai J, Huang SY, Das BB, Renaud A, Zhang Y, Doroshow JH, et al. Trapping of PARP1 and PARP2 by Clinical PARP Inhibitors. Cancer Res 2012;72:5588–99.

149 Pennington KP, Walsh T, Harrell MI, Lee MK, Pennil CC, Rendi MH, et al. Germline and somatic mutations in homologous recombination genes predict platinum response and survival in ovarian, fallopian tube, and peritoneal carcinomas. Clin Cancer Res 2014;20:764–75.

150 Cancer Genome Atlas Research N. Integrated genomic analyses of ovarian carcinoma. Nature 2011;474:609–15.

151 Ledermann J, Harter P, Gourley C, Friedlander M, Vergote I, Rustin G, et al. Olaparib maintenance therapy in platinum-sensitive relapsed ovarian cancer. N Engl J Med 2012;366:1382–92.

152 Ledermann JA, Harter P, Gourley C, Friedlander M, Vergote I, Rustin G, et al. Overall survival in patients with platinum-sensitive recurrent serous ovarian cancer receiving olaparib maintenance monotherapy: an updated analysis from a randomised, placebo-controlled, double-blind, phase 2 trial. Lancet Oncol 2016;17:1579–89.

153 Pujade-Lauraine E, Ledermann JA, Selle F, Gebski V, Penson RT, Oza AM, et al. Olaparib tablets as maintenance therapy in patients with platinum-sensitive, relapsed ovarian cancer and a *BRCA*1/2 mutation (SOLO2/ENGOT-Ov21): a double-blind, randomised, placebo-controlled, phase 3 trial. Lancet Oncol 2017;18:1274–84.

154 Mutch DG, Orlando M, Goss T, Teneriello MG, Gordon AN, McMeekin SD, et al. Randomized phase III trial of gemcitabine compared with pegylated liposomal doxorubicin in patients with platinum-resistant ovarian cancer. J Clin Oncol 2007;25:2811–8.

155 Petru E, Angleitner-Boubenizek L, Reinthaller A, Deibl M, Zeimet AG, Volgger B, et al. Combined PEG liposomal doxorubicin and gemcitabine are active and have acceptable toxicity in patients with platinum-refractory and -resistant ovarian cancer after previous platinum-taxane therapy: a phase II Austrian AGO study. Gynecol Oncol 2006;102:226–9.

156 Safra T, Menczer J, Bernstein R, Shpigel S, Inbar MJ, Grisaru D, et al. Efficacy and toxicity of weekly Topotecan in recurrent epithelial ovarian and primary peritoneal cancer. Gynecol Oncol 2007;105:205–10.

157 Markman M, Hall J, Spitz D, Weiner S, Carson L, Van Le L, et al. Phase II trial of weekly single-agent paclitaxel in platinum/paclitaxel-refractory ovarian cancer. J Clin Oncol 2002;20:2365–9.

158 Gynecologic Oncology G, Markman M, Blessing J, Rubin SC, Connor J, Hanjani P, et al. Phase II trial of weekly paclitaxel (80mg/m2) in platinum and paclitaxel-resistant ovarian and primary peritoneal cancers: a Gynecologic Oncology Group study.

Gynecol Oncol 2006;101:436-40.

159 Miller DS, Blessing JA, Krasner CN, Mannel RS, Hanjani P, Pearl ML, et al. Phase II evaluation of pemetrexed in the treatment of recurrent or persistent platinum-resistant ovarian or primary peritoneal carcinoma: a study of the Gynecologic Oncology Group. J Clin Oncol 2009;27:2686-91.

160 Rose PG, Blessing JA, Mayer AR, Homesley HD. Prolonged oral Etoposide as second-line therapy for platinum-resistant and platinum-sensitive ovarian carcinoma: a Gynecologic Oncology Group study. J Clin Oncol 1998;16:405-10.

161 Pujade-Lauraine E, Hilpert F, Weber B, Reuss A, Poveda A, Kristensen G, et al. Bevacizumab combined with chemotherapy for platinum-resistant recurrent ovarian cancer: The AURELIA open-label randomized phase III trial. J Clin Oncol 2014;32:1302-8.

162 Stockler MR, Hilpert F, Friedlander M, King MT, Wenzel L, Lee CK, et al. Patient-reported outcome results from the open-label phase III AURELIA trial evaluating bevacizumab-containing therapy for platinum-resistant ovarian cancer. J Clin Oncol 2014;32:1309-16.

163 Hamanishi J, Mandai M, Ikeda T, Minami M, Kawaguchi A, Murayama T, et al. Safety and Antitumor Activity of Anti-PD-1 Antibody, Nivolumab, in Patients With Platinum-Resistant Ovarian Cancer. J Clin Oncol 2015;33:4015-22.

164 Littell RD, Tucker LY, Raine-Bennett T, Palen TE, Zaritsky E, Neugebauer R, et al. Adjuvant gemcitabine-Docetaxel chemotherapy for stage I uterine leiomyosarcoma: Trends and survival outcomes. Gynecol Oncol 2017;147:11-7.

165 Modesitt SC. Missed opportunities for primary endometrial cancer prevention: how to optimize early identification and treatment of high-risk women. Obstet Gynecol 2012;120:989-91.

166 Obermair A, Geramou M, Gücer F, Denison U, Graf AH, Kapshammer E, et al. Impact of hysteroscopy on disease-free survival in clinically stage I endometrial cancer patients. International Journal of Gynecological Cancer 2000;10:275-9.

167 Chang SJ, Bristow RE, Chi DS, Cliby WA. Role of aggressive surgical cytoreduction in advanced ovarian cancer. J Gynecol Oncol 2015;26:336-42.

168 Wimberger P, Lehmann N, Kimmig R, Burges A, Meier W, Du Bois A, et al. Prognostic factors for complete debulking in advanced ovarian cancer and its impact on survival. An exploratory analysis of a prospectively randomized phase III study of the Arbeitsgemeinschaft Gynaekologische Onkologie Ovarian Cancer Study Group (AGO-OVAR). Gynecol Oncol 2007;106:69-74.

169 Cliby WA, Powell MA, Al-Hammadi N, Chen L, Philip Miller J, Roland PY, et al. Ovarian cancer in the United States: contemporary patterns of care associated with improved survival. Gynecol Oncol 2015;136:11-7.

170 Chang SJ, Bristow RE, Ryu HS. Impact of complete cytoreduction leaving no gross residual disease associated with radical cytoreductive surgical procedures on survival in advanced ovarian cancer. Ann Surg Oncol 2012;19:4059-67.

171 Le T, Adolph A, Krepart GV, Lotocki R, Heywood MS. The benefits of comprehensive surgical staging in the management of early-stage epithelial ovarian carcinoma. Gynecol Oncol 2002;85:351-5.

172 Shih KK, Chi DS. Maximal cytoreductive effort in epithelial ovarian cancer surgery. J Gynecol Oncol 2010;21:75-80.

173 Othersen HB, Jr. Ephraim McDowell: the qualities of a good surgeon. Ann Surg

2004;239:648-50.

174 Chang SJ, Bristow RE. Evolution of surgical treatment paradigms for advanced-stage ovarian cancer: redefining 'optimal' residual disease. Gynecol Oncol 2012;125:483-92.

175 Pemberton FA. Carcinoma of the ovary. American Journal of Obstetrics and Gynecology 1940;40:751-63.

176 Munnell EW. The changing prognosis and treatment in cancer of the ovary. A report of 235 patients with primary ovarian carcinoma 1952-1961. Am J Obstet Gynecol 1968;100:790-805.

177 Bristow RE, Tomacruz RS, Armstrong DK, Trimble EL, Montz FJ. Survival effect of maximal cytoreductive surgery for advanced ovarian carcinoma during the platinum era: a meta-analysis. J Clin Oncol 2002;20:1248-59.

178 Chang SJ, Hodeib M, Chang J, Bristow RE. Survival impact of complete cytoreduction to no gross residual disease for advanced-stage ovarian cancer: A meta-analysis. Gynecologic Oncology 2013;130:493-8.

179 Tan DS, Agarwal R, Kaye SB. Mechanisms of transcoelomic metastasis in ovarian cancer. Lancet Oncol 2006;7:925-34.

180 Grabowski JP, Harter P, Buhrmann C, Lorenz D, Hils R, Kommoss S, et al. Re-operation outcome in patients referred to a gynecologic oncology center with presumed ovarian cancer FIGO I-IIIA after sub-standard initial surgery. Surg Oncol 2012;21:31-5.

181 Chang SJ, Bristow RE, Ryu HS. Analysis of para-aortic lymphadenectomy up to the level of the renal vessels in apparent early-stage ovarian cancer. J Gynecol Oncol 2013;24:29-36.

182 Elattar A, Bryant A, Winter-Roach BA, Hatem M, Naik R. Optimal primary surgical treatment for advanced epithelial ovarian cancer. Cochrane Database Syst Rev 2011:CD007565.

183 Crawford SC, Vasey PA, Paul J, Hay A, Davis JA, Kaye SB. Does aggressive surgery only benefit patients with less advanced ovarian cancer? Results from an international comparison within the SCOTROC-1 Trial. Journal of Clinical Oncology 2005;23:8802-11.

184 Horowitz NS, Miller A, Rungruang B, Richard SD, Rodriguez N, Bookman MA, et al. Does Aggressive Surgery Improve Outcomes? Interaction Between Preoperative Disease Burden and Complex Surgery in Patients With Advanced-Stage Ovarian Cancer: An Analysis of GOG 182. Journal of Clinical Oncology 2015;33:937-+.

185 Chi DS, Eisenhauer EL, Lang J, Huh J, Haddad L, Abu-Rustum NR, et al. What is the optimal goal of primary cytoreductive surgery for bulky stage IIIC epithelial ovarian carcinoma (EOC)? Gynecologic Oncology 2006;103:559-64.

186 Aletti GD, Dowdy SC, Gostout BS, Jones MB, Stanhope CR, Wilson TO, et al. Aggressive surgical effort and improved survival in advanced-stage ovarian cancer. Obstetrics and Gynecology 2006;107:77-85.

187 Winter WE, Maxwell GL, Tian CQ, Carlson JW, Ozols RF, Rose PG, et al. Prognostic factors for stage III epithelial ovarian cancer: A Gynecologic Oncology Group Study. Journal of Clinical Oncology 2007;25:3621-7.

188 du Bois A, Reuss A, Pujade-Lauraine E, Harter P, Ray-Coquard I, Pfisterer J. Role of Surgical Outcome as Prognostic Factor in Advanced Epithelial Ovarian Cancer: A Combined Exploratory Analysis of 3 Prospectively Randomized Phase 3 Mul-

ticenter Trials By the Arbeitsgemeinschaft Gynaekologische Onkologie Studien-gruppe Ovarialkarzinom (AGO-OVAR) and the Groupe d'Investigateurs Nationaux Pour les Etudes des Cancers de l'Ovaire (GINECO). Cancer 2009;115:1234-44.

189 Lim MC, Yoo HJ, Song YJ, Seo SS, Kang S, Kim SH, et al. Survival outcomes after extensive cytoreductive surgery and selective neoadjuvant chemotherapy according to institutional criteria in bulky stage IIIC and IV epithelial ovarian cancer. Journal of Gynecologic Oncology 2017;28.

190 Khuri SF, Daley J, Henderson W, Hur K, Demakis J, Aust JB, et al. The Department of Veterans Affairs' NSQIP – The first national, validated, outcome-based, risk-adjusted, and peer-controlled program for the measurement and enhancement of the quality of surgical care. Annals of Surgery 1998;228:491-504.

191 Kim HS, Ahn JH, Chung HH, Kim JW, Park NH, Song YS, et al. Impact of intraoperative rupture of the ovarian capsule on prognosis in patients with early-stage epithelial ovarian cancer: A meta-analysis. Ejso 2013;39:279-89.

192 Zuna RE, Behrens A. Peritoneal washing cytology in gynecologic cancers: Long-term follow-up of 355 patients. Journal of the National Cancer Institute 1996;88:980-7.

193 Powless CA, Bakkum-Gamez JN, Aletti GD, Cliby WA. Random peritoneal biopsies have limited value in staging of apparent early stage epithelial ovarian cancer after thorough exploration. Gynecologic Oncology 2009;115:86-9.

194 Lee JY, Kim HS, Chung HH, Kim JW, Park NH, Song YS. The Role of Omentectomy and Random Peritoneal Biopsies as Part of Comprehensive Surgical Staging in Apparent Early-Stage Epithelial Ovarian Cancer. Annals of Surgical Oncology 2014;21:2762-6.

195 Ben Arie A, McNally L, Kapp DS, Teng NNH. The Omentum and omentectomy in epithelial ovarian cancer: A reappraisal Part I – Omental function and history of omentectomy. Gynecologic Oncology 2013;131:780-3.

196 Ben Arie A, McNally L, Kapp DS, Teng NNH. The omentum and omentectomy in epithelial ovarian cancer: A reappraisal Part II – The role of omentectomy in the staging and treatment of apparent early stage epithelial ovarian cancer. Gynecologic Oncology 2013;131:784-90.

197 Zivanovic O, Eisenhauer EL, Zhou Q, Lasonos A, Sabbatini P, Sonoda Y, et al. The impact of bulky upper abdominal disease cephalad to the greater omentum on surgical outcome for stage IIIC epithelial ovarian, fallopian tube, and primary peritoneal cancer. Gynecologic Oncology 2008;108:287-92.

198 Montz FJ, Schlaerth JB, Berek JS. Resection of Diaphragmatic Peritoneum and Muscle – Role in Cytoreductive Surgery for Ovarian-Cancer. Gynecologic Oncology 1989;35:338-40.

199 Cliby W, Dowdy S, Feitoza SS, Gostout BS, Podratz KC. Diaphragm resection for ovarian cancer: technique and short-term complications. Gynecologic Oncology 2004;94:655-60.

200 Song YJ, Lim MC, Kang S, Seo SS, Kim SH, Han SS, et al. Extended cytoreduction of tumor at the porta hepatis by an interdisciplinary team approach in patients with epithelial ovarian cancer. Gynecologic Oncology 2011;121:253-7.

201 Son JH, Chang SJ, Ryu HS. Porta hepatis debulking procedures as part of primary cytoreductive surgery for advanced ovarian cancer. Gynecologic Oncology 2017;146:672-3.

202 Song YJ, Suh DS, Kim KH, Na YJ, Lim MC, Park SY. Suprarenal lymph node dissec-

tion by the Kocher maneuver in the surgical management of ovarian cancer. International Journal of Gynecological Cancer 2019;29:647–8.

203 Son JH, Kong TW, Paek J, Chang SJ, Ryu HS. Perioperative outcomes of extensive bowel resection during cytoreductive surgery in patients with advanced ovarian cancer. Journal of Surgical Oncology 2019;119:1011–5.

204 Park JY, Seo SS, Kang S, Lee KB, Lim SY, Choi HS, et al. The benefits of low anterior en bloc resection as part of cytoreductive surgery for advanced primary and recurrent epithelial ovarian cancer patients outweigh morbidity concerns. Gynecologic Oncology 2006;103:977–84.

205 Son JH, Kim J, Shim J, Kong TW, Paek J, Chang SJ, et al. Comparison of posterior rectal dissection techniques during rectosigmoid colon resection as part of cytoreductive surgery in patients with epithelial ovarian cancer: Close rectal dissection versus total mesorectal excision. Gynecologic Oncology 2019;153:362–7.

206 Bristow RE, del Carmen MG, Kaufman HS, Montz FJ. Radical oophorectomy with primary stapled colorectal anastomosis for resection of locally advanced epithelial ovarian cancer. Journal of the American College of Surgeons 2003;197:565–74.

207 Chang SJ, Bristow RE. Surgical technique of en bloc pelvic resection for advanced ovarian cancer. Journal of Gynecologic Oncology 2015;26:155–.

208 Gonzalez-Moreno S, Gonzalez-Bayon LA, Ortega-Perez G. Hyperthermic intraperitoneal chemotherapy: Rationale and technique. World Journal of Gastrointestinal Oncology 2010;2:68–75.

209 van Houwelingen JC, ten Bokkel Huinink WW, van der Burg ME, van Oosterom AT, Neijt JP. Predictability of the survival of patients with advanced ovarian cancer. J Clin Oncol 1989;7:769–73.

210 Winter WE, 3rd, Maxwell GL, Tian C, Carlson JW, Ozols RF, Rose PG, et al. Prognostic factors for stage III epithelial ovarian cancer: a Gynecologic Oncology Group Study. J Clin Oncol 2007;25:3621–7.

211 Klar M, Hasenburg A, Hasanov M, Hilpert F, Meier W, Pfisterer J, et al. Prognostic factors in young ovarian cancer patients: An analysis of four prospective phase III intergroup trials of the AGO Study Group, GINECO and NSGO. Eur J Cancer 2016;66:114–24.

212 Heintz AP, Odicino F, Maisonneuve P, Quinn MA, Benedet JL, Creasman WT, et al. Carcinoma of the ovary. FIGO 26th Annual Report on the Results of Treatment in Gynecological Cancer. Int J Gynaecol Obstet 2006;95 Suppl 1:S161–92.

213 Baldwin LA, Huang B, Miller RW, Tucker T, Goodrich ST, Podzielinski I, et al. Ten-year relative survival for epithelial ovarian cancer. Obstet Gynecol 2012;120:612–8.

214 Dembo AJ, Davy M, Stenwig AE, Berle EJ, Bush RS, Kjorstad K. Prognostic factors in patients with stage I epithelial ovarian cancer. Obstet Gynecol 1990;75:263–73.

215 Tognon G, Carnazza M, Ragnoli M, Calza S, Ferrari F, Gambino A, et al. Prognostic factors in early-stage ovarian cancer. Ecancermedicalscience 2013;7:325.

216 Chan JK, Tian C, Monk BJ, Herzog T, Kapp DS, Bell J, et al. Prognostic factors for high-risk early-stage epithelial ovarian cancer: a Gynecologic Oncology Group study. Cancer 2008;112:2202–10.

217 Sjovall K, Nilsson B, Einhorn N. Different types of rupture of the tumor capsule and the impact on survival in early ovarian carcinoma. Int J Gynecol Cancer 1994;4:333–6.

218 Seidman JD, Yemelyanova AV, Khedmati F, Bidus MA, Dainty L, Boice CR, et al.

Prognostic factors for stage I ovarian carcinoma. Int J Gynecol Pathol 2010;29:1-7.

219 Bamias A, Sotiropoulou M, Zagouri F, Trachana P, Sakellariou K, Kostouros E, et al. Prognostic evaluation of tumour type and other histopathological characteristics in advanced epithelial ovarian cancer, treated with surgery and paclitaxel/carboplatin chemotherapy: cell type is the most useful prognostic factor. Eur J Cancer 2012;48:1476-83.

220 Fader AN, Java J, Ueda S, Bristow RE, Armstrong DK, Bookman MA, et al. Survival in women with grade 1 serous ovarian carcinoma. Obstet Gynecol 2013;122:225-32.

221 Yang D, Khan S, Sun Y, Hess K, Shmulevich I, Sood AK, et al. Association of BRCA1 and BRCA2 mutations with survival, chemotherapy sensitivity, and gene mutator phenotype in patients with ovarian cancer. Jama 2011;306:1557-65.

222 Candido-dos-Reis FJ, Song H, Goode EL, Cunningham JM, Fridley BL, Larson MC, et al. Germline mutation in BRCA1 or BRCA2 and ten-year survival for women diagnosed with epithelial ovarian cancer. Clin Cancer Res 2015;21:652-7.

223 Kotsopoulos J, Rosen B, Fan I, Moody J, McLaughlin JR, Risch H, et al. Ten-year survival after epithelial ovarian cancer is not associated with BRCA mutation status. Gynecol Oncol 2016;140:42-7.

224 Son JH, Kong TW, Paek J, Chang SJ, Ryu HS. Perioperative outcomes of extensive bowel resection during cytoreductive surgery in patients with advanced ovarian cancer. J Surg Oncol 2019;119:1011-5.

225 Minig L, Biffi R, Zanagnolo V, Attanasio A, Beltrami C, Bocciolone L, et al. Early oral versus "traditional" postoperative feeding in gynecologic oncology patients undergoing intestinal resection: a randomized controlled trial. Ann Surg Oncol 2009;16:1660-8.

226 Bakkum-Gamez JN, Langstraat CL, Martin JR, Lemens MA, Weaver AL, Allensworth S, et al. Incidence of and risk factors for postoperative ileus in women undergoing primary staging and debulking for epithelial ovarian carcinoma. Gynecol Oncol 2012;125:614-20.

227 Mauskopf JA, Candrilli SD, Chevrou-Severac H, Ochoa JB. Immunonutrition for patients undergoing elective surgery for gastrointestinal cancer: impact on hospital costs. World J Surg Oncol 2012;10:136.

228 Moya P, Soriano-Irigaray L, Ramirez JM, Garcea A, Blasco O, Blanco FJ, et al. Perioperative Standard Oral Nutrition Supplements Versus Immunonutrition in Patients Undergoing Colorectal Resection in an Enhanced Recovery (ERAS) Protocol: A Multicenter Randomized Clinical Trial (SONVI Study). Medicine (Baltimore) 2016;95:e3704.

229 Nicklin JL, Copeland LJ, O'Toole RV, Lewandowski GS, Vaccarello L, Havenar LP. Splenectomy as part of cytoreductive surgery for ovarian carcinoma. Gynecol Oncol 1995;58:244-7.

230 Davidson RN, Wall RA. Prevention and management of infections in patients without a spleen. Clin Microbiol Infect 2001;7:657-60.

231 Magtibay PM, Adams PB, Silverman MB, Cha SS, Podratz KC. Splenectomy as part of cytoreductive surgery in ovarian cancer. Gynecol Oncol 2006;102:369-74.

232 Bacalbasa N, Balescu I, Dima S, Brasoveanu V, Popescu I. Pancreatic Resection as Part of Cytoreductive Surgery in Advanced-stage and Recurrent Epithelial Ovarian Cancer--A Single-center Experience. Anticancer Res 2015;35:4125-9.

233 Pecorelli N, Capretti G, Balzano G, Castoldi R, Maspero M, Beretta L, et al. En-

hanced recovery pathway in patients undergoing distal pancreatectomy: a case-matched study. HPB (Oxford) 2017;19:270-8.

234 Eisenhauer EL, D'Angelica MI, Abu-Rustum NR, Sonoda Y, Jarnagin WR, Barakat RR, et al. Incidence and management of pleural effusions after diaphragm peritonectomy or resection for advanced mullerian cancer. Gynecol Oncol 2006;103:871-7.

235 Bakkum-Gamez JN, Dowdy SC, Borah BJ, Haas LR, Mariani A, Martin JR, et al. Predictors and costs of surgical site infections in patients with endometrial cancer. Gynecol Oncol 2013;130:100-6.

236 Al-Niaimi AN, Ahmed M, Burish N, Chackmakchy SA, Seo S, Rose S, et al. Intensive postoperative glucose control reduces the surgical site infection rates in gynecologic oncology patients. Gynecol Oncol 2015;136:71-6.

237 Berrios-Torres SI, Umscheid CA, Bratzler DW, Leas B, Stone EC, Kelz RR, et al. Centers for Disease Control and Prevention Guideline for the Prevention of Surgical Site Infection, 2017. JAMA Surg 2017;152:784-91.

238 Van Le L, Fakhry S, Walton LA, Moore DH, Fowler WC, Rutledge R. Use of the APACHE II scoring system to determine mortality of gynecologic oncology patients in the intensive care unit. Obstet Gynecol 1995;85:53-6.

239 Diaz-Montes TP, Zahurak ML, Bristow RE. Predictors of extended intensive care unit resource utilization following surgery for ovarian cancer. Gynecol Oncol 2007;107:464-8.

240 Berek JS, Knapp RC, Malkasian GD, Lavin PT, Whitney C, Niloff JM, et al. CA 125 serum levels correlated with second-look operations among ovarian cancer patients. Obstet Gynecol 1986;67:685-9.

241 Rustin GJS, van der Burg MEL, Berek JS. Tumour markers. Annals of Oncology 1993;4:S71-S7.

242 Rustin GJ, Marples M, Nelstrop AE, Mahmoudi M, Meyer T. Use of CA-125 to define progression of ovarian cancer in patients with persistently elevated levels. J Clin Oncol 2001;19:4054-7.

243 Rustin GJ, Timmers P, Nelstrop A, Shreeves G, Bentzen SM, Baron B, et al. Comparison of CA-125 and standard definitions of progression of ovarian cancer in the intergroup trial of cisplatin and paclitaxel versus cisplatin and cyclophosphamide. J Clin Oncol 2006;24:45-51.

244 Rustin GJ, Burg MEvd. A randomized trial in ovarian cancer (OC) of early treatment of relapse based on CA125 level alone versus delayed treatment based on conventional clinical indicators (MRC OV05/EORTC 55955 trials). Journal of Clinical Oncology 2009;27:1-.

245 Togashi K. Ovarian cancer: the clinical role of US, CT, and MRI. Eur Radiol 2003;13 Suppl 4:L87-104.

246 De Rosa V, Mangoni di Stefano ML, Brunetti A, Caraco C, Graziano R, Gallo MS, et al. Computed tomography and second-look surgery in ovarian cancer patients. Correlation, actual role and limitations of CT scan. Eur J Gynaecol Oncol 1995;16:123-9.

247 Makhija S, Howden N, Edwards R, Kelley J, Townsend DW, Meltzer CC. Positron emission tomography/computed tomography imaging for the detection of recurrent ovarian and fallopian tube carcinoma: a retrospective review. Gynecol Oncol 2002;85:53-8.

248 Kurokawa T, Yoshida Y, Kawahara K, Tsuchida T, Fujibayashi Y, Yonekura Y, et al. Whole-body PET with FDG is useful for following up an ovarian cancer patient with only rising CA-125 levels within the normal range. Ann Nucl Med 2002;16:491-3.

249 Jung SE, Lee JM, Rha SE, Byun JY, Jung JI, Hahn ST. CT and MR imaging of ovarian tumors with emphasis on differential diagnosis. Radiographics 2002;22:1305-25.

250 Berek JS, Hacker NF, Lagasse LD, Poth T, Resnick B, Nieberg RK. Second-look laparotomy in stage III epithelial ovarian cancer: clinical variables associated with disease status. Obstet Gynecol 1984;64:207-12.

251 Rubin SC, Hoskins WJ, Saigo PE, Chapman D, Hakes TB, Markman M, et al. Prognostic factors for recurrence following negative second-look laparotomy in ovarian cancer patients treated with platinum-based chemotherapy. Gynecol Oncol 1991;42:137-41.

252 Dowdy SC, Constantinou CL, Hartmann LC, Keeney GL, Suman VJ, Hillman DW, et al. Long-term follow-up of women with ovarian cancer after positive second-look laparotomy. Gynecol Oncol 2003;91:563-8.

253 Bolis G, Villa A, Guarnerio P, Ferraris C, Gavoni N, Giardina G, et al. Survival of women with advanced ovarian cancer and complete pathologic response at second-look laparotomy. Cancer 1996;77:128-31.

254 Friedman JB, Weiss NS. Second thoughts about second-look laparotomy in advanced ovarian cancer. N Engl J Med 1990;322:1079-82.

255 Berek JS. Second-look versus second-nature. Gynecol Oncol 1992;44:1-2.

256 Colombo N, Maggioni A, Bocciolone L, Rota S, Cantù MG, Mangioni C. Multimodality therapy of early-stage (FIGO I-II) ovarian cancer: review of surgical management and postoperative adjuvant treatment. International Journal of Gynecologic Cancer 1996;6:13-7.

257 Butler T, Maravent S, Boisselle J, Valdes J, Fellner C. A review of 2014 cancer drug approvals, with a look at 2015 and beyond. P t 2015;40:191-205.

258 Prat J. Ovarian carcinomas: five distinct diseases with different origins, genetic alterations, and clinicopathological features. Virchows Arch 2012;460:237-49.

259 Barakat RR, Benjamin I, Lewis JL, Jr., Saigo PE, Curtin JP, Hoskins WJ. Platinum-based chemotherapy for advanced-stage serous ovarian carcinoma of low malignant potential. Gynecol Oncol 1995;59:390-3.

260 Leake JF, Currie JL, Rosenshein NB, Woodruff JD. Long-term follow-up of serous ovarian tumors of low malignant potential. Gynecol Oncol 1992;47:150-8.

261 Barnhill DR, Kurman RJ, Brady MF, Omura GA, Yordan E, Given FT, et al. Preliminary analysis of the behavior of stage I ovarian serous tumors of low malignant potential: a Gynecologic Oncology Group study. J Clin Oncol 1995;13:2752-6.

262 Prat J, De Nictolis M. Serous borderline tumors of the ovary: a long-term follow-up study of 137 cases, including 18 with a micropapillary pattern and 20 with microinvasion. Am J Surg Pathol 2002;26:1111-28.

263 Cadron I, Leunen K, Van Gorp T, Amant F, Neven P, Vergote I. Management of borderline ovarian neoplasms. J Clin Oncol 2007;25:2928-37.

264 Zeppernick F, Meinhold-Heerlein I. The new FIGO staging system for ovarian, fallopian tube, and primary peritoneal cancer. Arch Gynecol Obstet 2014;290:839-42.

265 Fischerova D, Zikan M, Dundr P, Cibula D. Diagnosis, treatment, and follow-up of borderline ovarian tumors. Oncologist 2012;17:1515-33.

266 Seidman JD, Kurman RJ. Pathology of ovarian carcinoma. Hematol Oncol Clin North Am 2003;17:909–25, vii.

267 Seidman JD, Kurman RJ. Subclassification of serous borderline tumors of the ovary into benign and malignant types. A clinicopathologic study of 65 advanced stage cases. Am J Surg Pathol 1996;20:1331–45.

268 Bell DA, Longacre TA, Prat J, Kohn EC, Soslow RA, Ellenson LH, et al. Serous borderline (low malignant potential, atypical proliferative) ovarian tumors: workshop perspectives. Hum Pathol 2004;35:934–48.

269 McKenney JK, Balzer BL, Longacre TA. Patterns of stromal invasion in ovarian serous tumors of low malignant potential (borderline tumors): a reevaluation of the concept of stromal microinvasion. Am J Surg Pathol 2006;30:1209–21.

270 Longacre TA, McKenney JK, Tazelaar HD, Kempson RL, Hendrickson MR. Ovarian serous tumors of low malignant potential (borderline tumors): outcome-based study of 276 patients with long-term () or =5-year) follow-up. Am J Surg Pathol 2005;29:707–23.

271 McKenney JK, Balzer BL, Longacre TA. Lymph node involvement in ovarian serous tumors of low malignant potential (borderline tumors): pathology, prognosis, and proposed classification. Am J Surg Pathol 2006;30:614–24.

272 Longacre TA, Gilks CB. Surface epithelial stromal tumors. Philadelphia, PA: Elsevier; 2008.

273 Trimble CL, Kosary C, Trimble EL. Long-term survival and patterns of care in women with ovarian tumors of low malignant potential. Gynecol Oncol 2002;86:34–7.

274 Sutton GP, Bundy BN, Omura GA, Yordan EL, Beecham JB, Bonfiglio T. Stage III ovarian tumors of low malignant potential treated with cisplatin combination therapy (a Gynecologic Oncology Group study). Gynecol Oncol 1991;41:230–3.

275 Rose PG, Rubin RB, Nelson BE, Hunter RE, Reale FR. Accuracy of frozen-section (intraoperative consultation) diagnosis of ovarian tumors. Am J Obstet Gynecol 1994;171:823–6.

276 Lim-Tan SK, Cajigas HE, Scully RE. Ovarian cystectomy for serous borderline tumors: a follow-up study of 35 cases. Obstet Gynecol 1988;72:775–81.

277 Zanetta G, Rota S, Chiari S, Bonazzi C, Bratina G, Mangioni C. Behavior of borderline tumors with particular interest to persistence, recurrence, and progression to invasive carcinoma: a prospective study. J Clin Oncol 2001;19:2658–64.

278 Wingo SN, Knowles LM, Carrick KS, Miller DS, Schorge JO. Retrospective cohort study of surgical staging for ovarian low malignant potential tumors. Am J Obstet Gynecol 2006;194:e20–2.

279 Winter WE, 3rd, Kucera PR, Rodgers W, McBroom JW, Olsen C, Maxwell GL. Surgical staging in patients with ovarian tumors of low malignant potential. Obstet Gynecol 2002;100:671–6.

280 Malpica A, Deavers MT, Lu K, Bodurka DC, Atkinson EN, Gershenson DM, et al. Grading ovarian serous carcinoma using a two-tier system. Am J Surg Pathol 2004;28:496–504.

281 Shimizu Y, Kamoi S, Amada S, Hasumi K, Akiyama F, Silverberg SG. Toward the development of a universal grading system for ovarian epithelial carcinoma. I. Prognostic significance of histopathologic features—problems involved in the architectural grading system. Gynecol Oncol 1998;70:2–12.

282 Shih Ie M, Kurman RJ. Ovarian tumorigenesis: a proposed model based on morphological and molecular genetic analysis. Am J Pathol 2004;164:1511-8.

283 Gourley C, Farley J, Provencher DM, Pignata S, Mileshkin L, Harter P, et al. Gynecologic Cancer InterGroup (GCIG) consensus review for ovarian and primary peritoneal low-grade serous carcinomas. Int J Gynecol Cancer 2014;24:S9-13.

284 Bodurka DC, Deavers MT, Tian C, Sun CC, Malpica A, Coleman RL, et al. Reclassification of serous ovarian carcinoma by a 2-tier system: a Gynecologic Oncology Group Study. Cancer 2012;118:3087-94.

285 Mok SC, Bell DA, Knapp RC, Fishbaugh PM, Welch WR, Muto MG, et al. Mutation of K-ras protooncogene in human ovarian epithelial tumors of borderline malignancy. Cancer Res 1993;53:1489-92.

286 Singer G, Oldt R, 3rd, Cohen Y, Wang BG, Sidransky D, Kurman RJ, et al. Mutations in BRAF and KRAS characterize the development of low-grade ovarian serous carcinoma. J Natl Cancer Inst 2003;95:484-6.

287 Ho CL, Kurman RJ, Dehari R, Wang TL, Shih Ie M. Mutations of BRAF and KRAS precede the development of ovarian serous borderline tumors. Cancer Res 2004;64:6915-8.

288 Kurman RJ, Shih Ie M. Molecular pathogenesis and extraovarian origin of epithelial ovarian cancer--shifting the paradigm. Hum Pathol 2011;42:918-31.

289 Grisham RN, Iyer G, Garg K, Delair D, Hyman DM, Zhou Q, et al. BRAF mutation is associated with early stage disease and improved outcome in patients with low-grade serous ovarian cancer. Cancer 2013;119:548-54.

290 Diaz-Padilla I, Malpica AL, Minig L, Chiva LM, Gershenson DM, Gonzalez-Martin A. Ovarian low-grade serous carcinoma: a comprehensive update. Gynecol Oncol 2012;126:279-85.

291 Gershenson DM, Deavers M, Diaz S, Tortolero-Luna G, Miller BE, Bast RC, Jr., et al. Prognostic significance of p53 expression in advanced-stage ovarian serous borderline tumors. Clin Cancer Res 1999;5:4053-8.

292 Berchuck A, Kohler MF, Hopkins MP, Humphrey PA, Robboy SJ, Rodriguez GC, et al. Overexpression of p53 is not a feature of benign and early-stage borderline epithelial ovarian tumors. Gynecol Oncol 1994;52:232-6.

293 Ortiz BH, Ailawadi M, Colitti C, Muto MG, Deavers M, Silva EG, et al. Second primary or recurrence? Comparative patterns of p53 and K-ras mutations suggest that serous borderline ovarian tumors and subsequent serous carcinomas are unrelated tumors. Cancer Res 2001;61:7264-7.

CHAPTER

17

비상피성 난소암

Nonepithelial
Ovarian Cancer

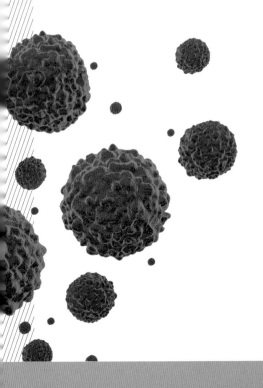

책임저자

김성엽 | 제주대학교 의과대학 산부인과

집필저자

박철민 | 제주대학교 의과대학 산부인과

송태종 | 성균관대학교 의과대학 산부인과

이방현 | 인하대학교 의과대학 산부인과

Gynecologic Oncology

생식세포종양(Germ Cell Malignancies)

개요

상피성 난소암의 발생률에 비해, 비상피성 난소암은 흔하지 않다. 여기에는 생식세포 (germ cell) 기원, 성끈-간질세포(sex cord-stromal cell) 기원, 난소로의 전이암이 포함된다. 비상피성 난소암은 모든 난소암 환자의 약 10%를 차지한다(표 17-1).[1,2] 이 환자들의 증상, 검사 및 치료에는 유사점이 많지만 세부 종양 마다 독특한 특징이 있다.[3,4] 생식세포종양은 난소의 원시생식세포에서 기원하며 고환의 악성세포종양 발생률의 1/10에 불과하다. 이들 중 일부는 태생학적으로 성끈이 이동하는 경로인 종격동 및 후복막에서도 발생할 수 있다. 생식세포종양은 완치될 수 대표적인 종양 중 하나이다. 난소의 생식세포종양의 치료는 일반적으로 고환 생식세포종양의 치료 경험을 토대로 발전되었다.

표 17-1. 비상피성 난소암의 국문 및 영문 용어

국문 용어	영문 용어	국문 용어	영문 용어
생식세포종양	Germ cell tumor	혼합 생식세포종양	Mixed germ cell tumor
미분화세포종	Dysgerminoma	성끈-간질종양	Sex cord-stromal tumor
미성숙기형종	Immature teratoma	과립세포종양	Granulosa cell tumor
내배엽동종양	Endodermal sinus tumor (Yolk sac tumor:난황낭종양)	세르톨리-라이디히 세포종양	Sertoli-Leydig cell tumor
배아암	Embryonal carcinoma	지질세포종양	Lipoid cell tumor
융모막암	Choriocarcinoma	소세포암종	Small cell carcinoma
뭇배아종	Polyembryoma	크루켄버그종양	Krukenberg tumor

분류

알파태아단백(α-fetoprotein, AFP)과 사람융모성 생식샘 자극호르몬(human chorionic gonadotropin, hCG)은 일부의 악성 생식세포 종양에 의해 분비되어 증가하므로 감별진단과 수술 후 환자의 추적관찰에 사용된다. 태반 알칼리성 인산분해효소(placental alkaline phosphatase)와 젖산탈수소효소(lactate dehydrogenase, LDH)는 미분화세포종 환자의 95%까지 증가한다. 생식세포종양의 분류는 종양표지자와 면역조직화학적 특징을 기반으로 한다 (표 17-2).

AFP과 hCG를 모두 합성하는 미분화세포로 구성된 배아암은 여러 다른 생식세포종양의 전구 형태이다.[5,6] AFP을 분비하는 내배엽동종양과 hCG를 분비하는 융모암과 같은 더 분화된 생식세포종양은 외배아세포에서 유래한다. 미성숙기형종은 배아세포에서 유래된 것으로 사람융모성 생식샘자극호르몬을 분비하지는 않지만 AFP이 상승된 경우도 있다. AFP은 순수 미분화세포종에서는 상승하지 않는다.

표 17-2. 난소의 생식세포종양의 조직학적 분류(2014 WHO 분류)

I. 생식세포종양(germ cell tumors)	II. 단엽성 기형종 및 기형낭종에서 유래한 체세포 종양(monodermal teratoma and somatic-type tumors arising from a dermoid cyst)
미분화세포종(dysgerminoma)	양성 갑상샘종(struma ovarii, benign)
내배엽동종양(yolk sac tumor)	악성 갑상샘종(struma ovarii, malignant)
배아암(embryonal carcinoma)	카르시노이드종양(carcinoid)
비임신성 융모막암(non-gestational choriocarcinoma)	신경외배엽종양(neuroectodermal-type tumors)
성숙기형종(mature teratoma)	피지샘종양(sebaceous tumors)
미성숙기형종(immature teratoma)	기타 드문 단엽성 기형종(other rare monodermal teratomas)
혼합 생식세포종양(mixed germ cell tumor)	암종(carcinomas) 편평세포암종(squamous cell carcinoma) 기타 암종(others)

역학

모든 양성 및 악성 난소 종양의 20~25%가 생식세포 기원이지만 모든 악성 난소 종양의 약 5%만을 차지한다.[1] 30세 이전에 발생한 난소 종양 중 70%는 생식세포 기원이고 이들 중 3분의 1은 악성이다.[1,2] 생식세포종양은 30대 이전의 악성 난소 종양의 3분의 2를 차지한다. 생식세포종양도 물론 30대에 나타날 수 있지만 그 이후에는 드물다.

임상 특징

1) 증상

상대적으로 천천히 성장하는 상피성 난소종양과 달리 악성 생식세포종양은 급속히 증식한다. 따라서 종종 피막의 팽창, 출혈 또는 괴사와 관련된 아급성 골반통이 나타날 수 있다. 빠르게 커지는 골반 덩이는 방광이나 직장의 압박 증상을 유발할 수 있다. 보다 진행된 경우에는 복수가 발생하고 복부 팽만감을 나타낼 수 있다.[4]

2) 징후

만져지는 부속기 종괴가 있는 환자의 경우, 상피성 난소 종양과 동일하게 검사를 한다. 초음파 검사상 고형 낭성 병변인 경우 신생물이 발생할 확률이 높고 악성 종양의 가능성이 있다. 신체 검사를 할 때 복수, 흉막 삼출 등의 유무를 주의깊게 살펴야 한다.

3) 진단

초경 전 여성의 2cm 이상의 부속기 종괴와 폐경 전 여성의 8cm 이상의 복합 종괴는 외과적 처치가 필요하다. 젊은 환자에서 수술 전 혈액 검사에는 혈청 hCG, AFP, LDH 및 CA125, 전혈구계산(complete blood count, CBC) 및 간기능검사가 포함되어야 한다. 생식세포종양이 폐 또는 종격동으로 전이될 수 있기 때문에 흉부 방사선촬영이 중요하다. 종양이 생식샘발생장애(gonadal dysgenesis)에서 발생하는 경향이 있어 모든 초경 전 여아에게서 핵형 검사를 수술 전 시행하는 게 좋다.[7] 수술 전 컴퓨터단층촬영이나 자기공명영상은 후복막 림프절병증이나 간전이의 존재와 범위를 확인하는 데 도움이 된다.

미분화세포종
(Dysgerminoma)

1) 개요

미분화세포종은 가장 흔한 악성 생식세포종양으로 전체 생식세포종양의 약 30~40%를 차지한다. 미분화세포종의 75%는 10세에서 30세 사이에 발생하며, 5%는 10세 이전에 발생하며 50세 이후에는 거의 발생하지 않는다.[1,5] 일반적으로 젊은 여성에서 발생하며 임신과 관련된 난소 악성 종양의 20~30%는 미분화세포종이다.

미분화세포종의 약 5%는 생식샘발생장애를 가진 여성에서 발생한다.[1,7] 미분화세포종은 순수 생식샘 발달장애(46XY, 양측 성기 생식기), 혼합 생식샘 발달장애(45X/46XY, 편측성 혼적생식샘, 반대쪽 고환) 및 안드로겐 무감응증후군(46XY, 고환 여성화)이 있는 환자와 관련될 수 있다. 그러므로 골반 덩이를 가진 초경 전 여아에서 핵형 검사는 실시되어야 하며, 특히 미분화세포종의 가능성이 있는 경우는 더욱 그러하다. 생식샘발생장애를 앓고 있는 대부분의 환자에서 생식세포와 성끈기질로 구성된 양성난소종양인 생식샘모세포종에서 미분화세포종이 발생한다. 생식샘모세포종이 생식샘발달장애 환자에게 그대로 남아있는 경우 50% 이상에서 난소 악성 종양이 발병한다.

미분화세포종의 약 65%는 진단 시에 병기 I기이다.[8] 1기 종양 중 85~90%는 한쪽 난소에 국한되어 있으며, 10~15%는 양측성이다. 다른 모든 생식세포종양은 양측성은 극히 드물다. 반대쪽 난소가 보존된 환자의 경우, 다음 2년 동안 5~10%에서 미분화세포종이 발생할 수 있다. 전이성 질환을 앓고 있는 환자의 25%에서 종양이 림프관을 통해 전이되는데, 특히 대동맥 림프절로 전이된다.[9] 또한 혈액을 통한 전이, 복강 내에서 난소의 피막세포의 탈락 및 전파를 통해 직접적으로 전이될 수 있다. 다른 곳으로 전이의 증거가 없을 때에도 반대쪽 난소로의 전이가 있을 수 있다. 드문 전이성 질환 부위는 뼈이며 주로 하부 척추로 전이된다. 폐, 간 및 뇌로의 전이는 드물며, 종격동 및 쇄골 상부 림프절로의 전이는 대개 질병의 늦은 징후이다.[8]

2) 치료

① 개요

초기의 미분화세포종의 치료는 외과적 수술이며, 여기에는 일차 병변의 절제 및 제한된 병기 결정술(대망 생검, 모든 복막 표면과 후복막림프절의 촉지, 의심스러운 림프절의 생검)이 포함된다. 항암화학요법은 전이성 질환 환자에게 시행된다. 질병은 주로 젊은 여성들에게 발생하기 때문에, 임신 능력의 보전에 대해 고려를 하여야 한다.[9,10]

② 수술

미분화세포종의 최소 수술은 편측 난소절제술이다.[11] 일반적으로 종양이 항암화학요법에 잘 반응하기 때문에 전이성 질환을 가진 환자가 추후 임신 능력의 보존을 원하는 경우에도 자궁과 반대편 난소, 난관을 보존할 수 있다. 임신 능력의 보전을 원치 않는 진행성 병기 환자에서는 자궁절제술 및 양측 난소난관절제술을 시행하는 것이 적절하다.[3] 핵형검사에서 Y 염색체가 포함된 경우에는 자궁은 향후 배아 이식을 통한 임신을 위해 보존할 수 있지만 양쪽 난소는 꼭 제거해야 한다.

미분화세포종이 한쪽 난소에만 국한되어 보이는 경우 숨겨진 전이 병소를 파악하기 위해 신중한 병기결정술을 실시해야 한다. 이 종양은 종종 콩팥혈관 주위의 대동맥림프절로 전이될 수 있다. 모든 복막 표면 및 후 복막 림프절을 철저히 조사하고 복막 세척을 통한 세포검사(cytology)를 실시해야 한다. 양측 난소에 발생할 수 있는 경향이 있는 유일한 생식세포종양이기 때문에 반대쪽 난소도 주의깊게 검사해야 한다. 그러므로 반대측 난소의 주의 깊은 관찰, 촉지 및 의심스러운 병변의 절제 생검이 바람직하다.[3,11] 작은 반대쪽 종양이 발견되면 그것을 절제하고 정상 난소를 보존하는 것이 가능할 수 있다. 대부분의 미분화세포종 환자들은 하나의 난소에 국한된 종양으로 병기결정술 없이 한쪽 난관난소절제술만을 시행받게 되는데, 이러한 환자의 치료 옵션은 (i) 병기결정술을 위해 반복 개복술, (ii) 정기적인 골반 및 복부 CT 스캔, (iii) 보조 항암화학요법이다.[9]

③ 방사선치료

방사선치료는 임신 능력의 소실과 이차성 악성 종양을 발생시킬 수 있어 더이상 일차 치료에는 사용되지 않는다.[10] 방사선치료는 재발성 질환에 선택적으로 활용된다.[3,12] 미분화세포종은 방사선치료에 매우 민감하며 2,500~3,500cGy의 용량으로 치유될 수 있다.

④ 항암화학요법

항암화학요법은 표준치료이다.[13] 명백한 이점은 대부분의 환자에서 임신 능력을 보존할 수 있고, 방사선치료에 비해 이차성 악성 종양의 발생의 위험이 감소한다는 것이다.[13] 가장 많이 사용되는 항암화학요법은 블레오마이신/에토포시드/시스플라틴(Bleomycin/Etoposide/Cisplatin, BEP)이다. 과거에는 빈블라스틴/블레오마이신/시스플라틴(Vinblastine, Bleomycin/Cisplatin, VBP)과 빈크리스틴/악티노마이신 디/시클로포스파미드(Vincristine/Actinomycin D/Cyclophosphamide, VAC)가 일반적으로 사용되었지만 현재는 거의 사용되지 않는다.[13,14]

미분화세포종 환자에서 이차 추시수술을 수행할 필요가 없다.[15] 미분화세포종에 대한 항암화학요법 후 잔여 종괴를 절제하는 수술의 효용성은 분명하지 않다. 대다수의 환자에서 잔여 종괴로 보이는 병변은 괴사 조직이거나 비생존 종양이기 때문이다. 일반적으로 이러한 환자는 영상검사 및 종양표지자를 사용하여 면밀히 추적관찰해야 한다. 항암화학요법 후 4주 이상 3cm 이상의 부피가 큰 잔여 종괴가 있는 환자에서 PET-CT 검사를 고려해야 한다. PET-CT가 양성이거나 스캔에 진행성 질환이 의심되는 경우, 잔존 질환에 대한 조직학적 확인을 하는 것이 바람직하다.[16]

3) 재발성 질환

재발은 흔하지는 않지만, 재발한다면 초기 치료 후 1년 이내에 75%가 발생하며,[2,4] 가장 일반적인 부위는 복막강 및 후복막 림프절이다. 재발 위치와 1차 치료방법에 따라 수술, 항암화학요법 또는 방사선치료를 받아야 한다. 수술이 불가능한 재발성 질환 환자는 항암화학요법으로 치료해야 한다. 이전에 BEP 항암화학요법이 시행되었다면, 파클리탁셀/이포스파미드/시스플라틴(Paclitaxel/Ifosfamide/Cisplatin, TIP)과 같은 대체요법(고환의 생식세포종양에서 흔히 사용되는 구제 요법)이 시도될 수 있다.[17]

이러한 치료 결정은 생식세포종양 환자의 관리에 경험이 많은 의사의 의견을 종합하여 여러 방면을 고려해서 이루어져야 한다. 선별된 환자에서 말초조혈모세포이식과 함께 고용량 항암화학요법의 사용에 대한 고려가 있을 수 있다. 방사선치료는 국소 재발한 미분화세포종 환자에서 고려될 수 있지만, 골반과 복부 방사선치료가 시행된 경우, 향후 임신 능력의 손실이 발생되는 단점이 있으며 실패할 경우 추가 항암화학요법의 효과가 저하될 수 있다.[10]

4) 임신

미분화세포종는 젊은 환자에서 발생하는 경향이 있기 때문에 임신 시에도 발생될 수 있다. IA 병기 암이 발견되면 종양을 그대로 제거하고 임신을 지속할 수 있다. 더 진행된 환자에서 임신 지속의 여부는 임신 주수에 달려 있다. 미분화세포종에서 사용되는 항암제는 비임신부 환자와 동일한 용량으로 임신 2, 3삼분기에는 비교적 태아에게 안전하게 사용된다.[18] 하지만, 임신 중 BEP로 치료 받은 환자가 많지 않고, 일부 태아 기형과 합병증이 보고되기도 하여 임신 중 항암화학요법은 반드시 필요한 경우에만 시행되어야 한다.

5) 예후

IA 병기의 미분화세포종 환자에서 편측 난소절제술만을 시행하는 경우 5년 무병생존율은 95% 이상이다.[3] 10~15cm 이상의 종양의 크기, 20세 미만에서 발생한 종양, 수많은 유사분열, 역형성 및 속질패턴의 현미경 특징이 있는 경우에 재발 경향이 더 커진다.[1,6] Kumar 등의 연구에 따르면 림프절 전이가 없는 환자의 5년 생존율은 95.7%였고 림프절 전이가 있는 환자의 5년 생존율은 82.8%이었다.

미성숙기형종
(Immature Teratoma)

1) 개요

미성숙기형종은 전형적으로 미성숙 신경상피질을 함유하고 있으며 순수한 미성숙기형종이 생길 수도 있고 혼합생식세포종양으로 다른 생식세포종양과 동반될 수도 있다. 순수 미성숙기형종은 모든 난소 암의 1% 미만이지만 두번째로 흔한 악성 생식세포 종양이며 20세 미만의 여성에서 나타나는 모든 난소 악성 종양의 10~20%를 차지한다.[1] 순수한 미성숙기형종의 약 50%는 10~20세 사이에 발생하며 폐경기 여성에서는 거의 발생하지 않는다.

신경상피질의 양은 미성숙기형종 환자의 생존율과 관련이 있으며 이 종양의 등급 평가에 활용된다.[19,20] 등급 1(저배율 현미경시야에서 미성숙 신경상피질이 1개 미만) 환자는 최소 95%의 생존율을 보인 반면, 미성숙 신경상피질이 보다 많은 등급 2와 3 환자의 생존율은 약 85%으로 낮다. 하지만 소아에서 발병한 난소의 미성숙기형종은 미분화 등급과 무관하게 매우 예후가 좋다.

난소의 미성숙기형종은 복막 신경아교종증(gliomatosis peritonei)과 관련이 있을 수 있으며 복막 신경아교종증은 성숙한 조직으로 구성된 경우 양호한 예후를 보인다. 성숙기형종의 미성숙기형종으로의 악성변성은 매우 드문 현상이다. 편평세포암이 악성 종양의 가장 흔히 발생할 수 있는 형태이지만 선암종, 원발성 흑색종 및 카시노이드도 드물게 발생할 수 있다.[21] 이 위험도는 기형종의 0.5%에서 2% 정도로 보고 있으며 주로 폐경기 환자에서 발생한다.

2) 진단

수술 전 평가 및 감별진단은 다른 생식세포종양과 동일하다. 이 종양 중 일부는 성숙 기형종과 유사하게 석회화를 포함하여 복부의 방사선 사진이나 초음파 검사로 확인할 수 있다. 드물게 스테로이드 호르몬의 생성과 관련이 있으며 거짓 성조숙증이 동반될 수 있다.[5] AFP은 순수한 미성숙기형종의 일부 환자에서 상승할 수 있지만 hCG는 상승하지 않는다.

3) 치료

① 수술

종양이 한 쪽 난소에만 국한되어 보이는 폐경 전 환자에서 일측 난소절제술과 제한된 병기결정술이 수행되어야 한다. 미성숙기형종을 가진 폐경기 환자에서 자궁절제술과 양측 난소난관절제술을 시행해야 한다. 반대쪽 난소로의 침범은 드물며 반대편 난소의 범 절제 또는 쐐기 생검은 불필요하다.[2] 복막에 의심스러운 병변이 있다면 채취하여 조직학적 검사를 실시해야 한다. 가장 빈번한 전이 장소는 복막 표면과 복막 림프절이다. 폐, 간 또는 뇌와 같은 기관 실질로의 혈액 매개 전이는 드문 경우이다. 이러한 전이는 주로 재발성 질환 또는 고등급 종양의 환자에서 나타난다.[5] 그리고 전이병소에 대한 종양감축술이 복합 항암화학요법에 대한 반응을 향상시키는지 여부는 불분명하다. 완치는 궁극적으로 항암화학요법을 신속하게 시행하느냐에 달려 있다.

② 항암화학요법

병기 IA, 등급 1의 종양을 가진 환자는 양호한 예후를 가지며, 보조 항암화학요법이 필요하지 않다. 고등급의 IA 병기의 미성숙기형종 환자의 경우 보조 항암화학요법이 일반적으로 시행되며 치료 성적은 우수하다. 과거에 가장 많이 사용된 항암화학요법의 병용요법은 VAC 였지만, GOG 연구에서는 불완전 절제된 환자의 재발이 없는 생존율이 75%에 불과하다.

GOG는 수술 시 종양이 완전히 절제된 1기, 2기, 3기의 난소 생식세포종양 환자에서 3

회의 BEP 치료를 전향적으로 평가했다.[21] 독성은 전반적으로 허용 가능한 범위였고, 미분화세포종이 아닌 환자 93명 중 91명(97.8%)에서 임상적으로 질병이 없었다. 무작위 배정된 연구에서, BEP 처방은 난소의 완전 절제된 비 미분화세포종의 치료에서 VAC 처방보다 우수했다. 일부 환자는 수술 후 빠르게 진행될 수 있으며, 일반적으로 항암화학요법을 필요로 하는 환자에서 수술 후 가능한 한 빨리, 바람직하게는 7일에서 10일 이내에 치료를 시작해야 한다. 3일 일정의 BEP 항암화학요법은 5일 일정과 동일한 효과를 보이는 것으로 밝혀졌다.

4) 재발성 질환

치료 원칙과 접근법은 앞서 논의한 바와 같이 재발성 미분화세포종과 동일하다.

5) 예후

미성숙기형종의 가장 중요한 예후인자는 병변의 등급이다.[1] 또한 질병의 병기와 치료 개시 때 종양의 크기는 예후에 영향을 미친다.[5] 전체적으로 모든 병기의 순수 미성숙기형종 환자의 5년 생존율은 70~80%이며, 병기 I기의 환자의 경우 90~95%이다.[19] 미성숙 정도 또는 등급은 일반적으로 전이나 예후를 예측할 수 있다. 1, 2, 3등급 종양의 환자의 5년 생존율은 각각 82%, 62%, 30%으로 알려져 있다. 하지만 이 환자들 중 많은 수가 과거의 항암화학요법으로 치료를 받은 결과이기 때문에 현재의 경험과 더 최근에 발표된 자료와 일치하지 않는다.

내배엽동종양
(Endodermal Sinus Tumor)

1) 개요

내배엽동종양은 원시 난황주머니에서 기원했기 때문에 난황낭종양(Yolk sac tumor)이라고도 한다. 이들은 난소의 세 번째로 흔한 악성생식세포종양이다. 내배엽동종양의 진단 시 평균 연령은 18세이다.[1,2,4] 환자의 약 3분의 1은 발병 시에 초경 전이다. 복부 또는 골반 통증은 환자의 약 75%에서 발생하지만 무증상 골반 종괴는 환자의 10%이다.[7] 대부분의 내배엽동종양은 AFP을 분비한다. 불일치가 관찰되기도 하지만 질병의 정도와 AFP 수준 사이에는 좋은 상관 관계가 있다. 혈청 AFP 농도는 치료에 대한 환자의 반응뿐만 아니라 추적 관찰에도 유용하다.

2) 치료

① 수술

내배엽동종양의 치료는 탐색, 일측 난소절제술, 제한된 병기결정술로 이루어진다. 자궁절제술 및 양측 난소난관절제술을 해서는 안 된다.[5] 보존적인 수술과 보조 항암화학요법은 다른 생식세포종양과 마찬가지로 임신 능력의 보존을 가능하게 한다.[13] 전이성 질환이 있는 환자는 육안으로 보이는 가능한 모든 병변을 절제해야 한다. 내배엽동종양에서는 양측성이 관찰되지 않으며 복강 내에 다른 전이가 있을 때만 반대측 난소에 전이성 병소가 있다. 대부분의 환자는 초기 병기이다.

② 항암화학요법

내배엽동종양 환자는 수술 후 회복 즉시 항암화학요법으로 치료해야 한다. 모든 환자의 표준 항암화학요법은 BEP이다. 최적의 치료 횟수는 난소 생식세포종양에서는 확립되지 않았지만, 고환의 생식세포종양의 치료 경험을 토대로 3-4주기를 시행한다. 블레오마이신이 사용 불가능한 상황이거나 독성으로 인해 중단된 환자에게는 4주기의 시스플라틴과 에토포시드가 권장된다. 다른 대안으로 에토포시드/이포스파미드/시스플라틴(Etoposide/Ifosfamide/Cisplatin, VIP)을 사용한다.

극히 드문 생식세포 종양

1) 배아암(embryonal carcinoma)

난소의 배아암은 극히 드문 종양으로 융합세포영양막(syncytiotrophoblast) 및 세포영양막(cytotrophoblast) 세포가 관찰되지 않아서 난소의 융모암와 구별된다. 발생 시 나이의 중앙값이 14세로 매우 어리다. 배아암은 에스트로겐을 분비할 수 있어 거짓성조숙 또는 불규칙 질출혈이 나타날 수 있다.[1] 임상양상은 내배엽동종양과 유사하다. 흔히 AFP과 hCG를 분비하며 이는 후속 치료에 대한 반응을 추적하는 데 유용하다. 치료는 내배엽동종양과 동일하다.[14]

2) 난소의 융모막암(choriocarcinoma)

순수한 난소 융모막암은 난소의 매우 드문 종양이다. 조직학적으로는 난소에 전이된 임신성 융모막암과 동일하다. 환자의 대다수가 20세 미만에서 발생한다. 혈청 hCG로 치료에 대한 반응을 추적관찰한다. 이 종양은 매우 희귀하여 확실한 데이터가 없지만 치료 옵션으로 BEP 또는 시스플라틴/빈크리스틴/메토트렉세이트/블레오마이신/악티노마이신 디/시클로포스파미드/에토포시드(Cisplatin/Vincristine/Methotrexate/Bleomycin/Actinomycin D/Cyclophosphamide/Etoposide, POMB-ACE) 요법을 고려해 볼 수 있다. 한 연구에 따르면, 메토트렉세이트/악티노마이신 디/시클로포스파미드(Methotrexate/Actinomycin D/Cyclophosphamide, MAC) 치료법에 대한 완전관해가 보고되었다. 난소 융모막암의 예후는 좋지 않고 대다수의 경우에 초기 진단 시 이미 전이가 있어, 고위험의 생식세포종양으로 취급해야 한다.

3) 뭇배아종(polyembryoma)

난소의 뭇배아종은 역시 매우 드문 종양으로 내배엽, 중배엽 및 외배엽의 초기 배아 분화 조직을 갖고 있다. 거짓성조숙을 보이는 사춘기 이전의 젊은 여성에서 호발하며 AFP 및 hCG 수치가 상승한다. 항암화학요법을 필요로 하는 환자에서는 BEP 요법이 적절하다.

혼합 생식세포 악성 종양(Mixed Germ Cell Tumor)

난소의 혼합 생식세포 악성 종양(mixed germ cell tumor)은 2개 이상의 생식세포 종양이 혼합된 형태이다. 연구에 따르면 혼합 생식세포 종양의 가장 흔한 구성 요소는 미분화세포종(80%), 내배엽동종양(70%), 미성숙 기형종(53%), 융모암(20%), 배아암(16%)이다. 혼합된 생식세포종양의 성분에 따라 AFP, hCG 또는 두 가지 호르몬 모두를 분비할 수 있다. 이 종양은 BEP의 복합항암화학요법으로 치료한다. 가장 중요한 예후인자는 원발 종양의 크기와 악성 종양의 상대적 비율이다. 병기 IA가 10cm 미만인 경우 생존율은 100%이다.

성끈-간질종양(Sex Cord-Stromal Tumors)

난소의 생식세포를 둘러싸고 지지하는 기질(matrix)은 두 종류의 세포들로 이루어져 있는데 하나는 성끈(sex cord)으로부터 기원한 세포들이고, 또 다른 하나는 배아 성선(embryonic gonad)의 간질(stroma)로부터 기원하는 세포들이다. 성끈에서 기원한 대표적인 세포들로는 과립층 세포(granulosa cell)와 세르톨리세포(Sertoli cell)가 있고 간질에서 기원한 것으로는 난포막 세포(theca cell), 라이디히 세포(Leydig cell)가 있다. 이 세포들로부터 발생한 종양을 통틀어서 성끈-간질종양(sex cord-stromal tumor)이라고 한다. 세포의 기원에 따른 성끈-간질 종양의 WHO 2014 분류는 표 17-3과 같다.

성끈-간질종양은 전체 난소암의 약 7%를 차지하고 나이가 들수록 전체 난소암에서 차지하는 비율은 감소한다. 대부분 양성 혹은 저등급 악성 종양으로 좋은 예후를 보이며, 주로 40세 이전에 진단이 되고 초기에는 보존적 수술로 치료가 가능하지만 진행이 되면 근치적 수술과 보조적 치료를 필요로 한다.[22] 호르몬을 분비하는 난소 종양의 약 90%를 차지하며 섬유종(fibroma)을 제외한 대부분의 성끈-간질 종양은 호르몬 과다분비로 인한 임상적 특징을 나타낸다. 과다한 에스트로겐의 분비는 나이에 따라 성조숙증, 월경 과다, 폐경 후 출혈 등의 증상을 나타내며 자궁내막암과 유방암의 위험도를 증가시키고, 안드로겐의 과다 분비는 여성성을 떨어뜨려 남성화를 가속화시키게 된다.[23-26] 에스트로겐을 분비하는 종양으로는 과립세포종양(granulosa cell tumor), 난포막종(thecoma), 세트톨리 세포종양(Sertoli cell tumor)이 있고 안드로겐을 분비하는 종양으로는 세르톨리-라이디히 세포종양(Sertoli-Leydig cell tumors)과 스테로이드 세포종양(steroid cell tumor)이 있다.

성끈-간질종양에서도 비교적 발생 빈도가 높은 과립세포종양, 난포막종, 섬유종, 세르톨리-라이디히 세포종양에 대해 자세히 살펴보고자 한다.

표 17-3. 성끈-간질종양의 분류(WHO classification for sex cord-stromal tumors, 2014)

순수 성끈종양(pure sex cord tumors)
　　성인형 과립세포종양(adult granulosa cell tumor)
　　청소년형 과립세포종양(juvenile granulosa cell tumor)
　　세르톨리세포종(Sertoli cell tumor)
　　고리모양세관 성끈종양(sex cord tumor with annular tubules)

순수 간질종양(pure stromal tumors)
　　섬유종(fibroma)
　　세포섬유종(cellular fibroma)
　　난포막종(thecoma)
　　황체화 난포막종(luteinized thecoma associated with sclerosing peritonitis)
　　섬유육종(fibrosarcoma)
　　경화간질종양(sclerosing stromal tumor)
　　반지간질종양(signet-ring stromal tumor)
　　미세낭간질종양(microcystic stromal tumor)
　　라이디히 세포종양(leydig cell tumor)
　　스테로이드세포종(steroid cell tumor)
　　악성 스테로이드세포종(steroid cell tumor, malignant)

복합 성끈-간질종양(mixed sex cord-stromal tumors)
　　세르톨리-라이디히 세포종양(Sertoli-Leydig cell tumors)
　　　고분화도(well-differentiated)
　　　이질성요소를 가진 중등분화도(moderately differentiated with heterologous elements)
　　　이질성요소를 가진 미분화도(poorly differentiated with heterologous elements)
　　　이질성요소를 가진 그물모양(retiform with heterologous elements)
　　미분류 성끈-간질종양(sex cord-stromal tumours, NOS*)

WHO, World Health Organization; NOS, not otherwise specified

과립세포종양 (Granulosa Cell Tumor)

전체 난소암의 5%, 악성 성끈-간질종양의 약 70%를 차지한다. 모든 나이에서 발병할 수 있으나 주로 폐경 후 진단된다.[24-26] 특히 20대 이후 발생한 경우는 조직학적, 병리학적, 임상적으로 독특한 특징을 보이기 때문에 성인형으로 구분하여 청소년형과 따로 분류하고 있다.

1) 성인형 과립세포종양(adult granulosa cell tumor)

① 임상 양상

폐경 후 여성에서 더 흔히 발생되고 대부분의 환자에서 질 출혈, 복부팽만, 복통의 증상을 동반한다. 폐경 전 여성에서는 월경 과다, 희발 월경, 무월경 등의 증상이 나타나고 그 외에 유방 통증, 자궁 비대, 자궁내막증식증이 나타나기도 하는 데 이는 과립세포종양의 여성호르몬 과다 분비에 기인한다. Evans 등에 의하면 과립세포종양 환자의 55%에서 자궁내막증식증이, 13%에서 자궁내막암이 발병하였다.[24] 드물게는 희발 월경, 다모증을 포함한 남성화 증상이 동반되기도 한다. 복부팽만과 복통은 주로 진단 당시의 종양 크기에 기인하는데 평균 크기는 10cm 정도이고 30cm 이상까지 다양하고, 12%에서는 복수를 동반하기도 한다.[27] 10% 이내에서 양측성을 보이고 22%에서 종양이 파열되기도 한다.[27] 복통은 주로 피막의 확장과 주위 조직 압박에 의해 발생되지만, 급성 통증은 부속기 염전, 종양 내 출혈 혹은 파열에 의한 복강 내 출혈에 기인하기도 한다.

② 병리학적 소견

대부분의 경우 낭성 형태인데 겉으로 볼 때는 점액성 낭종처럼 보이나 실제로는 장액성 액체 또는 응고된 혈액을 포함하고 있다. 다수의 소엽이 중격으로 분리되어 있거나 노란색 혹은 회색을 띠는 고형 부분으로 이루어져 있다. 드물게 낭성 형태로만 이루진 경우에는 벽이 얇은 경우가 대부분이지만 종종 벽이 두껍고 다방성 혹은 단방성 형태로 나타난다.

현미경적으로는 거의 대부분 과립세포가 주로 관찰되나 종종 난포막이나 섬유아세포가 관찰되고 과립세포는 다양한 형태로 자라난다. 전형적으로 잘 분화된 과립세포는 세포질이 적고 원형 또는 난원형이고 홈이 진 세포핵(coffee bean)이 흔하며, 이 세포들이 스스로 작은 군락이나 중심부 주위로 rosette을 형성하는 경향이 있어서 원시 난포와 유사한 Call-Exner 소체를 이루고 있다.

③ 특징

성인형은 전체 과립세포종양의 대부분인 95%를 차지하고 주로 국소적으로 천천히 자라는 특징을 보이며 재발이 늦은 저등급 악성 종양이다. 가장 중요한 예후인자는 수술적 병기이고 수술 후 잔존 종양의 정도는 무병생존율에 매우 중요한 예후인자이다. 성인형의 80~90%는 병기 I기에 진단되며 10년 생존율은 86~96%이다.[28] 성인형이 다른 종양과 구별되는 특징은 일차 치료 후 재발되는 기간이 평균 6년, 재발 후 평균 생존기간은 5,6년으로 매우 길다는 점이다.[24,29] 종양이 크거나 파열된 경우 양측 난소를 침범하는 등의 병기가 진행된 경우 그리고 이형성증이 있는 경우에는 예후가 나쁜 것으로 보고되고 있다.[30]

진행된 성인형 환자에서 특징적인 혈청 종양표지자를 이용하여 재발의 유무와 효과적인 치료의 평가에 도움을 얻을 수 있다. 종양에서 생성되는 여성호르몬은 병의 상태를 알 수 있는 표지자로 이용될 수 있지만, 경우에 따라서는 종종 상승하지 않거나 약간 상승하기 때문에 재발을 평가하는 이상적인 표지자로는 부족하다. 그래서 과립세포에서 생성되는 inhibin, follicle-regulating protein, Mullerian-inhibiting substance (MIS)를 포함한 여러 단백질이 유용한 표지자로 이용되고 있다. Jobling 등에 의하면 inhibin 수치가 정상 난포기보다 치료 전에 높았고, 재발을 임상적으로 파악하기 전에 증가하였기 때문에 inhibin이 진단에 유용한 표지자라고 보고하였다.[31]

2) 청소년형 과립세포종양(juvenile granulosa cell tumor)

① 임상 양상

난소 종양은 아동기나 청소년기에는 상대적으로 드문데다가 그것도 대부분은 생식세포 종양이고 단지 5~7%만이 성끈-간질 종양에 해당된다. 그 중에서도 대부분을 차지하는 성인형 과립세포종양과는 다른 특징을 보여주는 매우 드문 과립세포종양을 청소년형으로 따로 구분하여 분류하고 있다. 청소년형은 대부분 어린 나이에 발병하는데 대부분 30세 이전에 진단된다. 사춘기 전 환자의 대부분에서 유방 비대, 음모 발달, 질 분비물 증가 등의 이차 성징을 포함한 가성 성조숙증 양상을 볼 수 있고, 이런 증상을 보이는 모든 환자에서 여성호르몬의 증가가 관찰된다. 때로는 남성호르몬을 분비하여 남성화를 보이기도 하지만, 청소년형 환자의 가장 일관된 증상은 복부 팽만이라고 할 수 있다.[32] 환자의 64%에서 10cm 이상의 크기를 보였으며 이로 인한 복부 팽만 등의 증상을 경험 하였다.[33] 복통, 배뇨통, 변비 등의 증상이 동반되기도 하고, 드물지만 부속기 염전이나 파열로 응급수술을 필요로 할 수도 있다. 5% 이하에서 양측성을 보이고 10%에서 종양 이 파열되기도 한다. 10~36%에서는 복수를 동반하기도 한다.[32]

② 병리학적 소견

청소년형의 병리학적 소견은 성인형과 유사하게 흔히 출혈성 액체를 포함한 낭성 부분과 고형 부분으로 이루어져있다. 어떤 경우에는 고형물질만으로 이루어진 경우도 있고 다 방성 혹은 단방성의 낭성 형태로만 이루어진 경우도 있다. 고형 부분은 짙은 노란색 혹 은 회색을 주로 띠나 종종 광범위한 괴사, 출혈 등이 동반되기도 한다.

현미경적으로는 다발성으로 다양한 크기의 난포 형성을 동반한 고형 종양이 주로 관 찰된다. 성인형과는 달리 세포질이 많고 원형의 진한 핵을 보이는데 홈이 진 경우(coffee bean)는 드물며, Call-Exner 소체도 거의 관찰되지 않는다.

③ 특징

환자의 90%는 병기 IA, IB에 해당되었고 이런 경우 생존율은 97%에 달했으며, 호르몬의 영향으로 가성 성조숙증을 동반하는 경우 빨리 병원을 찾게 되어 더 좋은 예후를 보였 다.[33] 조기에 증상이 나타나고, 국소적인 병변을 보이며, 좋은 예후를 보이는 것은 성인 형과 유사한 양상을 보인다. 하지만 재발되는 기간이 평균 6년으로 매우 긴 성인형과는 달리, 병기가 진행된 청소년형에서는 대부분 첫 진단 후 3년 안에 재발이 되어 사망까지 이르게 되는 치명적인 결과를 가져올 수 있다.

난포막종
(Thecoma)

난포막종은 전체 난소종양의 1%에 해당되며 거의 대부분 임상적으로 양성인 종양이다. 다른 성끈-간질종양보다는 비교적 늦은 나이에 발병하는데 대부분 50~70대에 진단된 다.[24] 크기는 매우 다양한 편이며 거의 항상 한 쪽 난소에 국한되고, 난소를 벗어난 전 이는 거의 없다.[25] 폐경 전 여성은 주로 복부 팽만이나 자가 진찰 시 본인이 종양을 촉 지하여 병원을 찾게 되고, 폐경 후 여성은 비정상 질출혈을 주소로 병원을 방문하게 된 다. 난포막종은 여성호르몬을 과다 분비하는 대표적인 종양으로 환자의 60%에서 비정 상 질출혈이 나타나고 자궁내막증식증과 자궁내막암을 유발하기도 한다.

섬유종
(Fibroma)

섬유종은 성끈-간질종양 중에서 가장 흔한 종양으로 전체 난소 종양의 4%에 해당된다. 전 연령에 발생할 수 있으나 30세 이전에 발병되는 경우는 드물고 주로 폐경기에 발병한다. 호르몬은 분비하지 않고 양측성도 거의 보이지 않으며 크기도 매우 다양한 편이다. 크기가 커짐에 따라 부종이 와서 종양으로부터 액체가 흘러나와 복수를 형성하기도 한다. 10cm가 넘는 섬유종의 10~15%에서 복수를 동반하게 되는데 이 중에서 1%는 흉수까지 동반하여 Meig 증후군으로 나타나기도 한다. 섬유종은 거의 양성종양이지만 형태학적으로 악성 경향을 보일 수도 있는데 이를 섬유육종(fibrosarcoma)이라고 한다.

세르톨리-라이디히 세포종양
(Sertoli-Leydig Cell Tumors)

1) 임상 양상

전체 난소 종양의 1% 이하를 차지하는 매우 드문 종양이다. 명칭에서 의미하듯이 세르톨리-라이디히 세포종양은 성끈으로부터 기원한 세르톨리세포와 간질에서 기원한 라이디히세포 요소를 모두 포함하고 있다. 진단 당시 평균 나이는 약 25세이고 종양의 70~75%는 10-20대에 흔히 발견되며, 10% 미만에서는 초경전이나 폐경기 이후에 발견된다.[34~36] 사춘기와 젊은 여성에서 나타나는 가장 흔한 증상은 월경 이상, 남성화 그리고 복부 종괴에 의한 비특이적인 증상이다. 거의 절반 정도의 환자에서 복통이나 복부 불편감 또는 복부 팽만이나 자가 진찰시 종괴가 촉지되어 전문의를 찾게 된다. 피막의 팽창이나 종양 내 출혈 또는 괴사와 주위 장기 압박은 만성 또는 간헐적 통증을 유발하나 염좌에 의한 급성 통증은 응급수술을 요하기도 한다. 크기는 고분화된 종양은 5cm 정도이고 미분화된 종양은 15cm 이상까지 분화도에 따라 다양하며 2% 이하에서 양측성을 보인다.

　라이디히세포가 테스토스테론을 생성하기 때문에 50% 이상에서 고안드로겐혈증으로 인한 다양한 정도의 남성화 증상이 나타난다. 가장 흔한 전조 증상인 월경 이상과 남성화 현상이 미약하게 수 개월 혹은 수 년 동안 있다가 나중에 뚜렷한 증상들이 나타나게 된다. 월경 이상은 주로 남성호르몬의 말초 전환된 여성호르몬 또는 드물게 종양에서 여성호르몬을 분비하는 정도에 따라 다양하게 발생한다. 환자의 반 수 이상에서 남성호르몬 과다에 의한 증상이 보이는데 가장 흔한 남성화 증상은 무월경, 다모증 그리고 목소리가 굵어지는 것이다. 그리고 유방 위축, 음핵 비대, 여드름, 여성 체형 소실, 측두 모발 소실 등을 보이기도 한다. 남성화와 여성성징 결여를 보이는 대부분의 환자에서 혈중 테스토스테론이 증가하고 혈중 안드로스텐디온은 때때로 증가하는 반면, 디히드로에피안드로스테론을 포함한 요중 17-케토스테로이드는 거의 정상이거나 소량 증가한다. 증가된 테스토스테론/안드로스텐디온 비율은 세르톨리-라이디히 세포종양과 같이 남성호르몬을 분비하는 종양의 존재를 의미한다고 볼 수 있다.

2) 병리학적 소견

주위 조직과의 경계가 좋고 황색의 소엽 형태를 보이는 고형성인 경우가 대부분이나 낭성 형태를 동반하는 경우도 많다. 미분화된 종양은 분화된 종양에 비해 크기가 큰 편이고 흔히 출혈과 괴사를 동반하기도 한다.[34]

현미경적으로는 태아 고환의 성끈조직을 닮은 세르톨리세포로 구성된 세관 사이에 풍부한 세포질을 가진 라이디히세포가 관찰된다(그림 2-53).[37] 15%에서는 고환그물(rete testis)과 닮은 유두를 포함한 세관과 낭종들로 구성된 그물망(retiform) 양상을 보이고 일부에서는 위장관의 내배엽 혹은 연골의 중간엽 등의 이종 조직(heterologous elements)이 관찰되기도 한다(그림 2-53).

3) 특징

진단 당시 2~3%에서만 난소 외 전이 소견을 보이고, 갑자기 발생한 남성화 현상이 병원을 빨리 찾게 만들어 예후를 더 좋게 하는 것으로 볼 수 있다. 하지만 악성인 경우 치료 1년 안에 약 2/3에서 재발이 되고 5년 후에도 약 6~7% 재발한다. 가장 흔히 재발하는 곳은 골반 및 복강, 후복막 임파절이고 반대편 난소, 폐, 간, 뼈 등에 재발하기도 한다.[34,36]

세르톨리-라이디히 세포종양에서 수술적 병기는 가장 중요한 예후 예측인자이다. 진단 당시 97%는 병기 I기에 해당되고, 국소 병변의 20% 이하에서 악성의 임상양상을 나타내게 된다. 병기 I기에서 가장 중요한 예후 결정 인자는 조직 분화의 정도이다. 분화가 좋은 경우에는 전이나 재발이 거의 없는 임상적으로 양성종양이지만, 미분화일수록 악성의 임상양상을 보인다. 그리고 이종 조직이나 그물망 양상을 보이는 경우, 종양 크기가 크거나 괴사된 경우, 유사분열지수(mitotic index)가 높은 경우 그리고 종양이 파열된 경우에는 불량한 예후를 보인다.[34~37] 수술 시 이미 난소 외의 전이나 타 부위로의 전이가 있는 경우 악성의 정도가 빠르고 심하게 나타나며 일반적으로 사망할 가능성이 높다. 치료 후 5년 생존율은 70~90%이며 재발은 대부분 1년 이내 발생하나 드물다.

종양제거 수술 후에는 혈중 테스토스테론 농도가 빨리 감소하지만 재발되는 경우 다시 증가하기도 한다. 세르톨리와 라이디히세포에서 inhibin과 AFP를 생성하기도 하지만 종양과의 상관관계는 아직 더 밝혀져야 할 부분이다.

성끈-간질종양의 치료

성끈-간질종양의 치료는 수술적 병기, 조직학적 형태, 환자의 나이, 가임력 보존 여부 등 치료의 다양한 결정 요소에 따른다. 악성이 아닌 경우는 수술적 절제만으로 치료가 가능하지만 진행된 전이성 질환이나 재발성 질환에는 방사선치료나 항암화학요법과 같은 수술 후 보조적 치료가 고려되어야 한다.

1) 수술적 치료

수술은 성끈-간질종양 치료의 가장 기본이라고 할 수 있다. 복수 혹은 복강 내 세척검사를 통한 세포 검사 후 복강 내 시진과 촉진을 통해 병변 유무를 자세히 확인하는 병기 설정 수술이 치료에 필수적이다. 난포막종, 섬유종, 세르톨리세포종양, 라이디히 세포종양, 분화가 좋은 세르톨리-라이디히 세포종양은 양성 종양으로 수술적 절제만으로도 충분한 치료가 된다.

과립세포종양, 중등도 혹은 미분화된 세르톨리-라이디히 세포종양은 상피성 난소암과 같이 여러 곳의 조직 검사, 대망절제술, 의심스러운 골반 및 대동맥주위 림프절절제 등 수술적 병기 설정이 필요하다. 특히 잔류 종양은 재발과 밀접한 연관이 있기 때문에 전체 복강 내에 걸친 자세한 시진 및 촉진에 의한 생검은 매우 중요하다. 하지만 의심스러운 림프절이 없는 경우에는 림프절절제술은 별로 도움이 되지 않고 치료적 가치도 분명하지 않다. 후복막에 단독으로 재발되는 경우는 거의 없지만 첫 치료 후 10~15%에서는 후복막을 포함한 재발이 일어날수 있다. 생식력 보존을 원하는 여성에서 한쪽 난소를 벗어난 전이가 없는 병기 IA이면 자궁과 반대측 난소를 보존할 수 있다. 하지만 반대측 난소를 남길 경우에는 조직검사를 시행하여 숨은 병변을 확인하여야 하고, 여성호르몬을 분비하는 종양에서는 자궁내막 소파술을 시행하여 자궁내막증식증이나 자궁내막암 병변이 없는지도 반드시 확인해야 한다. 생식력 보존이 필요없거나 일측 난소를 벗어나 더 진행된 경우에는 자궁절제술 및 양측 난소난관절제술이 시행되어야 한다. 잔존 종양과 종양의 크기는 재발에 매우 중요한 요소이기 때문에 첫 수술 시에 전이로 의심되는 모든 병변을 적극적으로 최대한 제거해야 한다. 이차 종양감축수술은 논란의 여지가 있지만 재발 기간이 긴 과립세포종양에서 재발된 경우에는 증상 완화를 위해서 반드시 필요하다.

2) 수술 후 보조적 치료 및 재발 치료

① 성인형 과립세포종양

대부분의 병기 I기에서는 수술만으로 좋은 예후를 보이므로 수술 후 보조적 치료가 필요 없지만 병기 1C의 경우에는 고려되기도 한다. 병기 II-IV기인 경우에는 대부분 수술 후 보조적 치료가 필요하지만, 어떤 기관에서는 수술적 치료만 시행하고 재발된 경우에만 항암화학요법을 시행하기도 한다. 성인형은 느리게 자라 무병생존율이 길기 때문에 재발되더라도 수술적 절제가 가장 먼저 고려되어야 하지만, 환자마다 상황을 고려하여 보조적 치료를 선택하여야 한다.

수술 후 보조적인 항암화학요법이 생존율을 향상시키는지에 대한 논란이 있으나 일반적으로 적절한 종양감축수술이 이루어지지 못한 경우, 전이성 혹은 재발성 질환의 경우에는 여러 가지 항암화학요법이 사용되어 왔다. 대표적인 병합요법으로 BEP, 시스플라틴/독소루비신/시클로포스파미드(Cisplatin/Doxorubicin/Cyclophosphamide, PAC), VAC 등이 있다. 연구 결과가 제시된 것은 아니지만, 수술적으로 종양을 완전히 제거했을 경우에도 재발의 위험이 있는 진행된 병기의 환자에서는 4~6회의 BEP 복합항암화학요법을 시행할 것을 주로 추천하고 있다. 새로 진단되거나 재발된 성끈-간질종양 환자에서 파클리탁셀과 백금계열 약제와의 병합요법이 BEP와 비슷한 효과를 보이면서 부작용은 적은 결과

들을 보이고 있다.[38]

과립세포종양의 일부에서는 스테로이드 수용체가 존재하여 종종 메드록시프로게스테론 아세테이트와 생식샘자극호르몬방출호르몬 길항제(GnRH antagonist)의 장기간 치료에 반응을 보이는 것으로 보고되었다.[39,40] 그 외에도 아로마타아제 억제제, VEGF 표적치료제[베바시주맙(Bevacizumab)], 케토코나졸(Ketoconazole) 등이 반응을 보이는 것으로 보고되고 있다.[41~43]

방사선치료는 수술 후 지속성 또는 재발성 병변의 경우 임상적 반응을 보이는 경우가 보고되고 있으나 수술 후 보조적 치료법으로 유효하다는 증거는 아직 없고 논란 중이다.

② 기타 성끈-간질종양

청소년형 과립세포종양은 진행된 병기의 질환에서 BEP와 같은 시스플라틴을 기본으로 하는 복합항암화학요법에 반응이 있는 것으로 보고되었다.[44]

세르톨리-라이디히 세포종양은 수술 후 보조적인 방사선치료나 항암화학요법의 효과에 대해서는 충분한 연구 결과를 제시할 수는 없지만, 미분화 혹은 이소성 조직을 가진 경우, 재발성 질환을 가지거나 진행된 경우 그리고 잔존 종양의 크기가 큰 경우 골반 방사선요법 및 항암화학요법이 유용할 수도 있다. 항암화학요법제로는 독소루비신/시스플라틴/이포스파미드(Doxorubicin/Cisplatin/Ifosfamide, API) 등이 효과가 있는 것으로 보고되고 있다.[44]

드문 난소 종양(Uncommon Ovarian Tumors)

드문 악성난소종양(0.1%)으로는 지질세포종양, 육종 및 소세포암종이 있다.

지질세포종양 (Lipoid Cell Tumors)

평균 43세에 발생하며 남성화(virilization)는 75%, 에스트로겐 활성은 23%에서 보고되었다. 대부분 양성으로 발현되나 20%에서는 복강내전이와 원격 전이를 보인다. 증상이 서서히 진행하기 때문에 진단이 늦어진다. 수술적 치료를 시행하며 남성화에 대한 감별진단을 통해 조기진단이 가능하다.[45]

암육종 (Carcinosarcoma)

암육종(carcinosarcoma)은 악성혼합뮐러종양(malignant mixed Müllerian tumor, MMMT) 또는 악성혼합중배엽종양으로도 알려져 있는 암으로 주로 폐경 이후 여성에서 발생한다. 공격적인 양상을 보이는 암으로 발현양상은 상피성 난소암과 비슷하다. 암조직은 자궁내막양 암, 장액성 암 또는 투명세포 암을 포함하는 선암요소와 육종요소가 혼합되어 있다. 치료로는 고위험 상피성 난소암과 동일하게 종양감축술을 시행한 후 카보플라틴과 파클리탁셀 복합요법, 시스플라틴과 이포스파미드 복합요법 등 백금포함 복합항암화학요법

을 시행한다. 예후는 좋지 않다.[46]

소세포암종 (Small Cell Carcinomas)

흔히 고칼슘혈증을 동반하며 중위연령은 24세이고 일측성으로 발생하여 빠르게 커진다. 진단 시 흔히 병기 3기로 나타나며 치명적인 예후를 보인다. 드문 발생 빈도로 인해 아직 표준치료방법이 정해지지 않았다. 치료로는 종양감축술 후 백금포함 복합항암화학요법을 시행하며 방사선치료가 시행되기도 한다. 고칼슘혈증은 흔히 종양제거술 후에 소실된다.[47]

전이 종양(Metastatic Tumors)

난소의 전이 종양은 모든 난소암의 10~25%에서 발견되며 흔히 위장관, 유방 및 비뇨생식관에서 전이된다.[48]

원발성 부인종양 (Primary Gynecologic Tumors)

자궁경부암의 0.6~1.5%에서 발생하는데 주로 선암에서 발생한다. 임상 병기 I인 자궁내막암의 5%에서 발생하나 병기 IA이고 등급 1-2인 자궁내막양 선암에서는 드물다.[49]

비부인종양 (Nongynecologic tumors)

1) 크루켄버그종양(Krukenberg tumor)

난소암의 1~6% 난소에 전이된 암의 30~40%를 차지하며, 원발성 반지세포암(primary signet-ring cell carcinomas)으로부터 난소로 전이되는 암이다.[50] 가장 흔한 원발암은 위암이다. 흔히 양측성으로 발생하며 기질내에서 발견되는 점액을 포함한 반지세포(mucus-filled signet-ring cells)가 특징적인 소견이다. 많은 경우에(~65%) 원발암보다 먼저 진단되며 원발암과 동시에 또는 원발암 수술 수년 후에 발견되기도 한다. 예후는 좋지 않다. 전이방식 및 효과적인 치료방법에 대한 충분한 규명이 되지 않아 난소로 전이된 암의 일반적인 치료방식에 따라 수술적 치료를 시행한다. 항암화학요법에 대한 반응은 좋지 않다.[50]

2) 기타 위장관종양(other gastrointestinal tumors)

결장암(colon cancer)이 가장 흔히 난소로 전이되는 암이다. 다양한 위장관종양들이 진행성 난소암과 비슷하게 진단 시 골반혹, 복부둘레증가, 복수, 흉수 등의 소견을 보인다. 원발성 난소암과 감별진단을 위해 진단 내시경검사가 고려되어야 한다. 원발성 난소암 중 특히 점액성 선암과 감별이 어렵다.[48]

3) 유방암

모든 난소암의 38%를 차지한다. 주로 폐경 전 여성에서 발생하며 흔히 증상이 없는 난소혹이 첫 소견이다. 주로 림프관 및 혈관을 통해 전이되는 것으로 여겨지며 때때로 원발성 난소암과 임상적 및 병리학적으로 비슷한 소견을 보인다. 치료에 대한 명확한 지침이 없으나 수술적 치료 등이 생존율을 증가시킬 수 있는 것으로 보고되고 있다. 예후는 원발성 난소암보다 나쁘다.[51]

참고문헌

1   Scully RE, Young RH, Clement PB. Tumors of the Ovary, Maldeveloped Gonads, Fallopian Tube, and Broad Ligament. Atlas of tumor pathology. Third Series, Fascicle 23. Washington, D.C.: Armed Forces Institute of Pathology; 1998.

2   Sampson JA. Endometrial carcinoma of the ovary arising in endometrial tissue in that organ. American Journal of Obstetrics & Gynecology 1925;9:111-4.

3   Gershenson DM. Update on malignant ovarian germ cell tumors. Cancer 1993;71:1581-90.

4   Imai A, Furui T, Tamaya T. Gynecologic tumors and symptoms in childhood and adolescence; 10-years' experience. Int J Gynaecol Obstet 1994;45:227-34.

5   Gershenson DM. Management of early ovarian cancer: germ cell and sex cord-stromal tumors. Gynecol Oncol 1994;55:S62-72.

6   Kurman RJ, Scardino PT, McIntire KR, Waldmann TA, Javadpour N, Norris HJ. Malignant germ cell tumors of the ovary and testis. An immunohistologic study of 69 cases. Ann Clin Lab Sci 1979;9:462-6.

7   Obata NH, Nakashima N, Kawai M, Kikkawa F, Mamba S, Tomoda Y. Gonadoblastoma with dysgerminoma in one ovary and gonadoblastoma with dysgerminoma and yolk sac tumor in the contralateral ovary in a girl with 46XX karyotype. Gynecol Oncol 1995;58:124-8.

8   Mayordomo JI, Paz-Ares L, Rivera F, Lopez-Brea M, Lopez Martin E, Mendiola C, et al. Ovarian and extragonadal malignant germ-cell tumors in females: a single-institution experience with 43 patients. Ann Oncol 1994;5:225-31.

9   Lu KH, Gershenson DM. Update on the management of ovarian germ cell tumors. J Reprod Med 2005;50:417-25.

10 Solheim O, Kaern J, Trope CG, Rokkones E, Dahl AA, Nesland JM, et al. Malignant ovarian germ cell tumors: presentation, survival and second cancer in a population based Norwegian cohort (1953-2009). Gynecol Oncol 2013;131:330-5.

11 Gordon A, Lipton D, Woodruff JD. Dysgerminoma: a review of 158 cases from the Emil Novak Ovarian Tumor Registry. Obstet Gynecol 1981;58:497-504.

12 Thomas GM, Dembo AJ, Hacker NF, DePetrillo AD. Current therapy for dysgerminoma of the ovary. Obstet Gynecol 1987;70:268-75.

13 Low JJ, Perrin LC, Crandon AJ, Hacker NF. Conservative surgery to preserve

ovarian function in patients with malignant ovarian germ cell tumors. A review of 74 cases. Cancer 2000;89:391-8.

14 Williams S, Blessing JA, Liao SY, Ball H, Hanjani P. Adjuvant therapy of ovarian germ cell tumors with cisplatin, Etoposide, and bleomycin: a trial of the Gynecologic Oncology Group. J Clin Oncol 1994;12:701-6.

15 Schwartz PE, Chambers SK, Chambers JT, Kohorn E, McIntosh S. Ovarian germ cell malignancies: the Yale University experience. Gynecol Oncol 1992;45:26-31.

16 Siekiera J, Malkowski B, Jozwicki W, Jasinski M, Wronczewski A, Pietrzak T, et al. Can we rely on PET in the follow-up of advanced seminoma patients? Urol Int 2012;88:405-9.

17 Motzer RJ, Sheinfeld J, Mazumdar M, Bains M, Mariani T, Bacik J, et al. Paclitaxel, ifosfamide, and cisplatin second-line therapy for patients with relapsed testicular germ cell cancer. J Clin Oncol 2000;18:2413-8.

18 Gershenson DM. Menstrual and reproductive function after treatment with combination chemotherapy for malignant ovarian germ cell tumors. J Clin Oncol 1988;6:270-5.

19 O'Connor DM, Norris HJ. The influence of grade on the outcome of stage I ovarian immature (malignant) teratomas and the reproducibility of grading. Int J Gynecol Pathol 1994;13:283-9.

20 Ulbright TM. Germ cell tumors of the gonads: a selective review emphasizing problems in differential diagnosis, newly appreciated, and controversial issues. Mod Pathol 2005;18 Suppl 2:S61-79.

21 Kurtz JE, Jaeck D, Maloisel F, Jung GM, Chenard MP, Dufour P. Combined modality treatment for malignant transformation of a benign ovarian teratoma. Gynecol Oncol 1999;73:319-21.

22 Koonings PP, Campbell K, Mishell DR, Jr., Grimes DA. Relative frequency of primary ovarian neoplasms: a 10-year review. Obstet Gynecol 1989;74:921-6.

23 Tavassoli FA. Ovarian tumors with functioning manifestations. Endocrinol Pathol 1994;5:137-48.

24 Evans AT, 3rd, Gaffey TA, Malkasian GD, Jr., Annegers JF. Clinicopathologic review of 118 granulosa and 82 theca cell tumors. Obstet Gynecol 1980;55:231-8.

25 Malmstrom H, Hogberg T, Risberg B, Simonsen E. Granulosa cell tumors of the ovary: prognostic factors and outcome. Gynecol Oncol 1994;52:50-5.

26 Ohel G, Kaneti H, Schenker JG. Granulosa cell tumors in Israel: a study of 172 cases. Gynecol Oncol 1983;15:278-86.

27 Cronjé HS, Niemand I, Bam RH, Woodruff JD. Review of the granulosa-theca cell tumors from the emil Novak ovarian tumor registry. Am J Obstet Gynecol 1999;180:323-7.

28 Chen VW, Ruiz B, Killeen JL, Cote TR, Wu XC, Correa CN. Pathology and classification of ovarian tumors. Cancer 2003;97:2631-42.

29 Wilson MK, Fong P, Mesnage S, Chrystal K, Shelling A, Payne K, et al. Stage I granulosa cell tumours: A management conundrum? Results of long-term follow up. Gynecol Oncol 2015;138:285-91.

30 Bjorkholm E, Silfversward C. Prognostic factors in granulosa-cell tumors. Gynecol Oncol 1981;11:261-74.

31 Jobling T, Mamers P, Healy DL, MacLachlan V, Burger HG, Quinn M, et al. A prospective study of inhibin in granulosa cell tumors of the ovary. Gynecol Oncol

1994;55:285-9.

32 Plantaz D, Flamant F, Vassal G, Chappuis JP, Baranzelli MC, Bouffet E, et al.[Granulosa cell tumors of the ovary in children and adolescents. Multicenter retrospective study in 40 patients aged 7 months to 22 years]. Arch Fr Pediatr 1992;49:793-8.

33 Young RH, Dickersin GR, Scully RE. Juvenile granulosa cell tumor of the ovary. A clinicopathological analysis of 125 cases. Am J Surg Pathol 1984;8:575-96.

34 Young RH, Scully RE. Ovarian Sertoli-Leydig cell tumors with a retiform pattern: a problem in histopathologic diagnosis. A report of 25 cases. Am J Surg Pathol 1983;7:755-71.

35 Roth LM, Anderson MC, Govan AD, Langley FA, Gowing NF, Woodcock AS. Sertoli-Leydig cell tumors: a clinicopathologic study of 34 cases. Cancer 1981;48:187-97.

36 Zaloudek C, Norris HJ. Sertoli-Leydig tumors of the ovary. A clinicopathologic study of 64 intermediate and poorly differentiated neoplasms. Am J Surg Pathol 1984;8:405-18.

37 Young RH, Scully RE. Well-differentiated ovarian Sertoli-Leydig cell tumors: a clinicopathological analysis of 23 cases. Int J Gynecol Pathol 1984;3:277-90.

38 Brown J, Shvartsman HS, Deavers MT, Ramondetta LM, Burke TW, Munsell MF, et al. The activity of taxanes compared with bleomycin, Etoposide, and cisplatin in the treatment of sex cord-stromal ovarian tumors. Gynecol Oncol 2005;97:489-96.

39 Chadha S, Rao BR, Slotman BJ, van Vroonhoven CC, van der Kwast TH. An immunohistochemical evaluation of androgen and progesterone receptors in ovarian tumors. Hum Pathol 1993;24:90-5.

40 Fishman A, Kudelka AP, Tresukosol D, Edwards CL, Freedman RS, Kaplan AL, et al. Leuprolide acetate for treating refractory or persistent ovarian granulosa cell tumor. J Reprod Med 1996;41:393-6.

41 Freeman SA, Modesitt SC. Anastrozole therapy in recurrent ovarian adult granulosa cell tumors: a report of 2 cases. Gynecol Oncol 2006;103:755-8.

42 Farkkila A, Anttonen M, Pociuviene J, Leminen A, Butzow R, Heikinheimo M, et al. Vascular endothelial growth factor (VEGF) and its receptor VEGFR-2 are highly expressed in ovarian granulosa cell tumors. Eur J Endocrinol 2011;164:115-22.

43 Garcia-Donas J, Hurtado A, Garcia-Casado Z. Cytochrome P17 inhibition with ketoconazole as treatment for advanced granulosa cell ovarian tumor. J Clin Oncol 2013:e165-6.

44 Schneider DT, Calaminus G, Wessalowski R. Ovarian sex cord-stromal tumors in children and adolescents. J Clin Oncol 2003:2357-63.

45 Bharadwaj P, Viniker D. Lipoid cell tumour of the ovary: a rare cause of virilisation. J Obstet Gynaecol 2005;25:727-8.

46 Berton-Rigaud D, Devouassoux-Shisheboran M, Ledermann JA, Leitao MM, Powell MA, Poveda A, et al. Gynecologic Cancer InterGroup (GCIG) consensus review for uterine and ovarian carcinosarcoma. Int J Gynecol Cancer 2014;24:S55-60.

47 Lu B, Shi H. An In-Depth Look at Small Cell Carcinoma of the Ovary, Hypercalcemic Type (SCCOHT): Clinical Implications from Recent Molecular Findings. J Cancer 2019;10:223-37.

48 Kubecek O, Laco J, Spacek J, Petera J, Kopecky J, Kubeckova A, et al. The pathogenesis, diagnosis, and management of metastatic tumors to the ovary: a comprehensive review. Clin Exp Metastasis 2017;34:295-307.

49 Gilani Modaress M, Cheraghi F, Zamani N. Ovarian metastasis in endometriod type endometrial cancer. Int J Fertil Steril 2011;5:148-51.

50 Agnes A, Biondi A, Ricci R, Gallotta V, D'Ugo D, Persiani R. Krukenberg tumors: Seed, route and soil. Surg Oncol 2017;26:438-45.

51 Tian W, Zhou Y, Wu M, Yao Y, Deng Y. Ovarian metastasis from breast cancer: a comprehensive review. Clin Transl Oncol 2019;21:819-27.

CHAPTER

18

자궁내막증식증과 자궁내막 상피내종양

Endometrial Hyperplasia and EIN

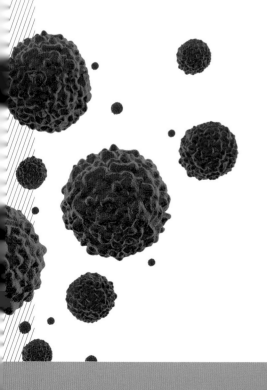

책임저자

유상영 | 원자력병원 산부인과

집필저자

김법종 | 원자력병원 산부인과

박상일 | 동남권원자력의학원 산부인과

이대형 | 영남대학교 의과대학 산부인과

조동휴 | 전북대학교 의과대학 산부인과

최윤진 | 가톨릭대학교 의과대학 산부인과

Gynecologic Oncology

서론

자궁내막증식증이란 비정상적인 자궁출혈을 동반하는 병적 상태로, 자궁내막의 분비샘들과 기질의 비정상적인 증식을 의미한다. 자궁내막증식증은 프로게스테론(progesterone)의 길항 작용 없이 지속적인 에스트로겐(estrogen)의 자극의 결과로 주로 발생하게 된다. 정상적인 증식기 자궁내막(proliferative endometrium)과 비교했을 때, 자궁내막증식증은 기질에 대한 분비샘의 비율이 증가(increased gland to stroma ratio)되면서 불규칙한 크기와 모양을 가지는 분비샘들의 증식으로 정의할 수 있다.[1]

분류 및 병리

자궁내막증식증은 자궁내막의 분비샘들의 증식을 특징으로 하며, 정상적인 증식기 자궁내막과 비교했을 때보다 더 큰 분비샘 대 기질의 비율(>50%)을 보인다. 증식하는 분비샘들은 크기와 모양이 다양하며, 세포 이형성이 존재할 수 있다.[1]

분류

자궁내막증식증에 있어서 많은 분류 방법들이 제시되어 왔지만, 이전에는 세포학적 비정형성과 암발생 위험도 연관성에 대한 연구를 바탕으로 확립된 1994 세계 보건기구(World Health Organization, WHO) 분류법이 가장 널리 오래 사용되었다.[2] 하지만 현재는 2014 WHO 분류법과 자궁내막 상피내종양(endometrial intraepithelial neoplasia, EIN) 분류법이 사용되고 있다.[3-5]

이전에 널리 사용되었던 1994 WHO 분류법은 자궁내막증식증을 구조적인 복잡성과 세포학적 비정형성 유무에 따라 4가지 범주로 나누었다(표 18-1). 1994 WHO 분류법은 자궁내막암으로 진행될 위험성과 연관이 있는 분류법이다. 그러나, 이러한 분류법은 동일한 슬라이드를 검토하는 병리학자들 사이에도 관찰자의 변동성이 존재하고(low reproducibility) 병리학적/분자학적 근거가 약하다는 제한이 있다.[6-8]

표 18-1. 자궁내막증식증의 분류(1994 WHO)

단순 자궁내막증식증	simple hyperplasia
복합 자궁내막증식증(선종성)	complex hyperplasia (adenomatous)
비정형 단순 자궁내막증식증	simple atypical hyperplasia
비정형 복합 자궁내막증식증 (세포 비정형을 동반한 선종성)	complex atypical hyperplasia (adenomatous with atypia)

1994 WHO 분류법에 따른 자궁내막증식증의 침습성 암으로의 진행률을 보면, 단순 자궁내막증식증의 경우 1%, 비정형 없는 복합 자궁내막증식증은 3%, 비정형이 있는 단순 내막증식증의 경우는 8%로 보고 되었으며, 비정형이 있는 복합 자궁내막증식증의 경우는 가장 높은 29%의 진행률로 보고 되었다. 선종성(adenomatous)이라는 용어와 낭성 선상증식(cystic-glandular hyperplasia)이라는 진단은 폐기되었으며, 비정형 자궁내막증식증(atypical endometrial hyperplasia, AEH)이 사용되는 경우, 이는 세포이형성을 동반하는 단순 혹은 복합 자궁내막증식증의 경우를 말한다. 세포이형성이 있다는 것은 선암으로의 진행이나 자궁내막양 선암(endometrioid adenocarcinoma)이 공존할 수 있다는 가장 중요한 요소로 여겨진다. 세포이형성을 동반한 복합증식증과 자궁내막양 선암(endometrioid adenocarcinoma)이 공존할 수 있는 확률은 낮게는 13%에서 높게는 43%로 보고되고 있다.[2]

2014 WHO 분류법은 이전 분류법의 병리학적 용어가 주는 혼란을 줄이며, 또한 비정형이 없는 자궁내막증식증은 비종양적 변화임을 반영하기 위해 고안되었다(표 18-2). 이와 반대로, 비정형이 있는 자궁내막증식증은 침습적 암과 관련이 있는 세포 및 유전적 변화를 나타내는 것으로 밝혀졌다.[3]

표 18-2. 자궁내막증식증의 분류(2014 WHO)

비정형이 없는 자궁내막증식증	hyperplasia without atypia (non-neoplastic)
비정형 자궁내막증식증	atypical hyperplasia (endometrial intraepithelial neoplasia, EIN)

자궁내막 상피내종양 분류법은 국제 부인과 병리학자들에 의해 2000년에 제안되었다.[4] 국제 자궁내막 연구협력기구(International Endometrial Collaborative Group)에서 개발한 자궁내막 상피내종양 시스템은 자궁내막 전암 병변을 염색체의 기원, 비침습적 성장 패턴, 그리고 동반하는 암 등에 따라 분류한다. 자궁내막 상피내종양 진단을 위해 다음과 같은 3가지 조직형태학적 기준이 충족되어야 한다. 1) 간질보다 넓은 영역을 차지하는 분비샘(glandular crowding), 2) 정상 자궁내막조직과 인접한 부위의 세포학적 차이, 3) 1mm를 초과하는 병변의 크기. 또한 자궁내막 상피내종양 진단을 위해서는 용종이나 외인성 에스트로겐의 영향 같은 양성 병변이 배제되어야 한다. 최근 미국산부인과학회(American College of Obstetrics and Gynecology)와 미국부인종양학회(Society of Gynecologic Oncology)에서는 "위원회의 견해"를 통해 자궁내막 상피내종양 시스템을 지지하지만 많은 병리학자들은 아직 이 시스템을 사용하고 있지 않다.[9] 하지만, 1994 WHO 기준에 비해 임상 결과 예측과 병리학자 간의 진단 일치율에 있어 향상을 보이는 것으로 알려져 있다.[10]

표 18-3. 자궁내막 상피내종양 분류[5]

EIN 명명법	기능적 분류	Treatment
endometrial hyperplasia	에스트로겐 영향 (estrogen effect)	약물 치료
EIN	전암(precancer)	약물 치료 또는 수술적 치료
carcinoma	암(cancer)	병기에 따른 수술적 치료

병리

가임기 여성의 자궁내막은 호르몬 자극에 의해 태아의 착상과 성장을 위한 영양분 공급을 위한 변화가 지속적으로 일어난다. 에스트로겐에 의해 증식기 자궁내막은 성장을 하고 배란 후 황체호르몬의 자극에 의해 증식이 중지되고 분비기 자궁내막을 형성한다. 임신이 이루어지지 않으면 황체호르몬 생성이 중지되고 생리가 일어난다.

황체호르몬의 길항작용 없이 지속적인 에스트로겐의 자극이 발생하면 정상적인 증식기 자궁내막보다 기질에 대한 선조직의 비율이 증가되면서 불규칙한 모양과 크기의 샘들의 증식이 발생한다.[1, 11, 12]

1) 비정형이 없는 자궁내막증식증(hyperplasia without atypia)

비정형이 없는 자궁내막증식증은 자궁내막이 황체호르몬의 길항작용 없이 에스트로겐으로만 자극되는 경우 나타나는 과도한 증식성 반응을 대표하는데, 자궁내막은 샘과 기질이 광범위하면서도 균형 있게 증가한다. 단순 자궁내막증식증의 경우는 분비샘의 증식이 있지만, 복잡성이나 밀집도가 적고, 샘들 사이에 풍부한 기질이 있는 것이 특징이다.

비정형이 없는 복합 자궁내막증식증은 샘들이 복잡한 구조적 변화를 광범위하게 보이는데, 복잡한 모양의 샘들이 증가하면서 서로 등을 맞대는 모양을 보이며, 샘들은 다양한 크기를 보이고 샘들 사이에 기질이 적어 대부분 기질에 대한 샘의 비율이 증가한다.

2) 비정형이 있는 자궁내막증식증(atypical hyperplasia)

세포의 비정형성은 샘 상피세포들(glandular lining)이 비정형적인 세포 모양을 띠고 있는 것으로, 핵의 모양이 주로 둥글고, 핵소체(nucleoli)가 두드러지며, 핵막이 불규칙하고, 염색질이 짙고 불규칙하게 뭉쳐서 염색질 주변 부위는 비어 보이며(parachromatin clearing), 세포질에 대한 핵의 비가 증가한 상피세포들이 커져 있는 것을 말하는데, 비정형성은 거의 국소적으로 일어난다.

단순비정형증식증은 단순증식증의 구조를 띠면서 샘 상피가 비정형적인 세포의 모습을 나타낸다. 그러나 이러한 형태는 매우 드물며, 비정형증식증 중에서는 복합비정형증식증이 자주 관찰된다. 복합비정형증식증은 샘들의 복잡성이 증가하고 불규칙적으로 자라나며, 비정형성의 세포모양을 나타낸다(그림 18-1).

이처럼 자궁내막증식증 분류법에서 가장 중요한 요소는 세포학적인 비정형성을 평가하는 것이다. 하지만, 자궁내막은 호르몬의 불균형, 양성 재생, 화생이 있는 경우에도 핵의 세포학적인 변화가 가능하기 때문에 세포학적인 비정형성을 정의하는 데 어려움이 있다. 따라서 전반적인 샘의 구조를 배경으로 세포학적 변화를 고려하는 것이 더 적합하다.

WHO 분류법에 의하면, 세포의 비정형성이 자궁내막증식증이 암으로 이행하는 데 가장 중요한 예후인자이다. 2,571명의 환자를 대상으로 한 연구 결과, 자궁내막 조직검사를 통해 자궁내막증식증을 진단 받은 여성의 37%에서 차후 조직검사 또는 자궁절제술 시행 시 자궁내막암으로 진단됨이 보고되었다.[13] 또한 자궁내막 조직검사에서 자궁내막 상피내종양을 진단받은 127명의 여성이 자궁절제술을 시행받은 결과, 전체 암 발병률은 23%로 보고되었다.

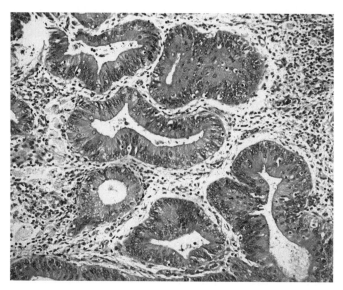

그림 18-1. **자궁내막상피내종양(공식적으로 비정형 복합 자궁내막증식증)** 이 표본은 샘 간질 비율(gland-to-stromal ratio)의 현격한 증가와 선 구조의 복합성과 세포 이형성을 특징으로 한다. (H&E, 100× original magnification).

Kurman 등의 자궁내막증식증과 관련된 후향적 연구를 보면, 자궁내막증식증을 진단받은 170명의 여성을 대상으로 자궁절제술을 시행하지 않고, 13.4년간 추적 관찰한 연구 결과, 세포의 비정형성이 없었던 122명의 환자 중에 10년의 기간 동안 2명(1.6%)에서만 자궁내막암으로 진행하였다. 하지만 이 2명 모두가 초기 진단 시에는 비정형성이 없는 자궁내막증식증이었으나, 암종으로 진단되기 전 재검사 시에 비정형성이 있는 자궁내막증식증으로 진행되어 있었다. 비정형성이 있는 자궁내막증식증에서는 11명(23%)이 평균 4년에 걸쳐 자궁내막암으로 진행하였으며, 비정형이 있는 복합 자궁내막증식증을 진단받은 경우에는 29%에서 자궁내막암으로 진행함을 보고하였다(표 18-4).[2]

표 18-4. **자궁내막증식증 환자의 추적관찰 비교**

증식증 형태	환자 수	퇴행 (regression)	지속 (persistent)	암으로 진행 (progression)
단순(simple)	93	74 (80%)	18 (19%)	1 (1%)
복합(complex)	29	23 (80%)	5 (17%)	1 (3%)
단순 비정형(simple, atypia)	13	9 (69%)	3 (23%)	1 (8%)
복합 비정형(complex, atypia)	35	20 (57%)	5 (14%)	10 (29%)

원인

자궁내막증식증은 프로게스테론의 길항 작용 없이 지속적인 에스트로겐의 자극의 결과로 주로 발생하며, 폐경기 전 여성이나 폐경기 후 여성 모두에게 발생 가능하다. 에스트로겐 과다의 가장 많은 원인으로는 비만, 다낭성 난소, 지속되는 폐경이행기의 무배란성 출혈 등이 있다. 가임 여성의 경우 자궁내막증식증은 무배란 주기와 연관이 있다. 무배란 주기의 경우, 황체가 형성되지 않아 황체호르몬의 길항작용 없이 에스트로겐의 지속적인 자극으로 자궁내막은 과도하게 증식된다. 이로 인해 난소에는 황체가 없고 하나 혹은 여러 개의 난포가 활동하게 되는 것이다. 이처럼 다낭성 난소증후군에서 지속되는 무배란에 의한 에스트로겐의 자극이 있거나, 폐경 전 후의 비만 여성에서 부신의 안드로스테네디온(androstenedione)이 말초 조직, 특히 지방조직에서 에스트론(estrone)으로 전환되어 발생하기도 한다. 또 다른 원인으로 에스트로겐을 분비하는 난소종양이 있다. 예를 들어, 과립세포종양(granulosa cell tumor), 난포종(thecoma) 등과 부신피질증식증(adreno-cortical hyperplasia), 다낭성 난소(polycystic ovary)와 같은 난소 이상으로 자궁내막증식증이 유발될 수 있다.[14]

그 외에도 폐경 후, 갱년기 증후군 여성들에게 호르몬 대체요법을 시행하는 경우, 황체호르몬의 길항작용이 적절하지 못하면 자궁내막증식증이 초래될 수 있다. 유방암 치료 및 재발 예방을 위해 사용하는 타목시펜(Tamoxifen)의 경우 유방조직에서는 항에스트로겐으로 작용하지만, 자궁내막조직에서는 에스트로겐처럼 작용하여 자궁내막증식증 또는 자궁내막암 발생의 위험이 증가하는 것으로 알려져 있다.[15-17]

증상

자궁내막증식증의 가장 흔한 증상으로는 비정상적인 자궁출혈이 있으며, 이는 폐경기 전 후 또는 폐경기 초기의 여성에서 가장 많이 나타난다. 폐경 전 여성에서는 비만, 다낭성 난소증후군 및 만성 무배란이 자궁내막증식증과 흔히 연관된 위험 요인들이다. 호르몬 치료나 장기적인 무배란 주기로 인해 황체호르몬의 길항작용 없이 에스트로겐에 지속적으로 자극되면 증식성의 자궁내막에 파탄성 출혈(breakthrough bleeding)이 일어나는데, 이러한 비정상적인 자궁 출혈은 가임기 여성에서는 전형적으로 다낭성 난소질환에 이차적으로 발생하게 된다. 다낭성 난소질환 이외에도 지방조직에서 안드로스테네디온이 에스트로겐으로 말초 전환됨으로써 이차적으로 에스트로겐을 증가시키는 비만한 여성 또는 에스트로겐을 분비하는 종양이 있는 경우에도 비정상적인 자궁 출혈이 있을 수 있다. 폐경 후 여성에서는 자궁출혈이 있는 경우 자궁내막증식증뿐만 아니라, 악성종양 가능성을 항상 염두 해 두어야 한다. 하지만, 실제로 폐경 후 여성에서 자궁 출혈의 가장 흔한 원인은 자궁내막 위축으로 알려져 있다. 자궁내막증식증이나 악성 종양일 경우에는 주로 많은 양의 질 출혈이 발생하는 반면, 위축성 자궁내막으로 인한 질 출혈인 경우에는 소량의 질 출혈을 보이는 경우가 많다.

불규칙한 자궁출혈 외에도 월경과다증, 불규칙 과다월경, 폐경 후 출혈, 복통 등의 순으로 많이 발생하는 것으로 보고되어 있다. 이와 같은 증상이 있는 여성의 경우, 정기적으로 시행하는 자궁경부 세포검사에서 비정상적인 샘 또는 자궁내막 세포를 통해 자궁내막증식증이 발견되기도 한다.[18]

진단

비정상적인 자궁 출혈의 증상이 있는 여성은 우선적으로 신체검사를 통해 평가된다. 외래에서 시행 가능한 골반 초음파 검사는 비정상적인 자궁 출혈의 증상이 있는 여성의 자궁내막 두께를 평가하기 위한 접근이 용이한 비침습적 방법 중에 하나이다. 폐경 후 여성에서 자궁출혈이 있는 경우는 자궁내막증식증이 발견될 확률은 15%이며, 암이 발견될 확률은 10% 정도이다. 하지만, 폐경 전 여성에서의 자궁내막 두께 측정은 자궁내막증식증이나 자궁내막암에 대한 신뢰할 만한 방법은 아니다. 40세 이하에서 비정상적인 자궁출혈을 보이는 경우는 대부분 호르몬 불균형에 의한 것으로 자궁내막 조직검사와 같은 추가적인 검사없이 자연적으로 치유되는 경우가 많다. 하지만, 40세 이하의 여성이라 하더라도 비만이나 다낭성 난소증후군과 같이 자궁내막암의 선행 위험요인이 있는 경우에는 좀 더 면밀한 관찰 및 검사가 시행되어야 한다.

최근에 비정상적인 자궁 출혈의 원인을 가장 정확하게 진단하고 자궁내막증식증이나 자궁내막암의 위험이 높은 환자들을 알아내기 위한 진단적 방법에 대한 많은 연구들이 진행되고 있는데, 자궁내막증식증이나 자궁내막암의 진단은 일반적으로 자궁내막 조직검사, 자궁내막 절제술 또는 자궁절제술 후 조직검사 등을 통해 조직학적 확진이 된다.[19]

질 초음파검사는 자궁내막 병변을 밝혀내는 데 있어 비침습적이고 비교적 저렴한 진단 방법이나 자궁내막증식증이나 자궁내막암의 선별검사로서 효율성은 아직 밝혀진 바가 없다. 폐경 후 출혈이 있는 경우 외래기반 자궁내막 흡인생검(office endometrial biopsy)이나 자궁경부확장긁어냄술과 같은 침습적 추가 검사의 필요 여부를 결정하는 데 도움을 준다. PEPI (postmenopausal estrogen/progestin interventions) 연구에서는 자궁내막의 두께가 5mm 이상일 때 자궁내막증식증이나 자궁내막암이 진단될 양성 예측도, 음성 예측도, 민감도 그리고 특이도가 각각 9%, 99%, 90%, 48%로 보고하였고, Gull 등은 폐경 후 출혈이 있는 339명의 여성을 대상으로 자궁내막의 두께가 4mm 이하일 때 10년간 추적 관찰하는 동안 자궁내막암이 생긴 사람이 한 명도 없었다고 보고하였다.[20]

외래기반 자궁내막 흡인생검은 자궁내막증식증이나 자궁내막암의 조직학적 진단을 위한 비교적 저렴하고 효율적인 방법으로 자궁경부확장긁어냄술을 대체하고 있다. 그러나 자궁경부확장긁어냄술의 경우 조직학적인 진단을 위한 좀더 많은 조직을 얻을 수 있고 자궁내막증식증에서 치료적인 효과도 있을 것으로 생각된다.[18]

치료

자궁내막증식증의 치료에 있어서 고려해야할 중요한 임상적 요인으로는 세포이형성의 유무와 임신 또는 피임의 요구이다. 또한 자궁내막증식증의 치료는 증상의 완화뿐만 아니라, 자궁내막암으로의 진행을 막는 데 초점을 두어야한다. 자궁내막증식증의 주요 치료 방법으로는 크게 약물 치료(progestin)와 수술적 치료(자궁절제술)로 나눌 수 있다(그림 18-2).[21]

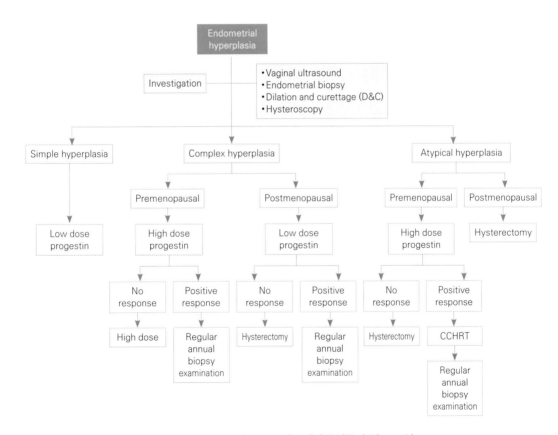

그림 18-2. 자궁내막증식증의 치료 모식도

약물 치료 - 프로게스틴 (Progestin)

프로게스틴은 프로게스테론 수용체의 활성화에 의해 자궁내막증식증을 역전시켜, 기질 탈락 및 자궁내막의 박형화(thinning)를 초래하는 원리로 자궁내막증식증을 치료한다. 일반적으로 프로게스틴은 비정형성이 없는 자궁내막증식증의 치료에 가장 많이 이용되고 있으며, 비정형성이 있는 자궁내막증식증의 환자에서도 환자가 가임력을 보존해야 하는 경우나 보존을 원하는 경우에는 약물치료로 프로게스틴을 시도해 볼 수 있다.[22,23] 하지만 비정형이 있는 자궁내막증식증의 환자의 경우에는 현재 자궁내막암이 없는지 철저한 감시와 추적검사가 필요하다.[24,25]

프로게스틴 치료의 금기 사항으로는 혈전색전증 또는 뇌졸중의 현재 또는 과거 병력, 심한 간 기능 장애, 프로게스테론 수용체 양성 유방암이 확진되었거나 의심되는 경우, 알려지지 않은 원인의 질 출혈, 임신, 프로게스틴에 대한 알레르기 반응 등이 있다.

프로게스틴은 레보노르게스트렐 함유 자궁내장치(levonorgestrel intrauterine device, LNG-IUD), 경구 또는 근육내 주사 등의 경로로 투여할 수 있다.

1) 경구용 프로게스틴

경구용 프로게스틴 치료는 자궁내막증식증의 치료로 가장 오랫동안 많이 사용되어 왔다. 메드록시프로게스테론 아세테이드(medroxyprogesterone acetate, MPA)와 메게스트롤 아세테이드(megestrol acetate, MA)가 가장 널리 사용되고 있으며, 그 외에도 노르에티스테론 아세테이트(norethisterone acetate), 레보노르게스트렐, 리네스트레놀(lynestrenol) 등의 사용도 보고되고 있다. 경구용 프로게스틴 치료는 부작용으로 인해 LNG-IUD를 거부하거나 시행할 수 없는 여성의 경우, 또는 자궁내장치 유지를 어렵게 하는 자궁 인자(예: 자궁근종, 선천성 기형 등)를 가진 여성의 경우에 선호할 수 있다.

경구용 프로게스틴 치료는 한달 내내 매일 복용할 수도 있고, 한달에 10~14일 동안 주기적으로 복용할 수도 있다. 하지만, 치료 용량과 기간은 다양해서 확립된 방법이 있지는 않지만, 일반적으로는 연속 투여방법으로 3~6개월간 치료된다.[26] KGOG 회원들을 대상으로 한 설문조사에 따르면, 비정형이 없는 자궁내막증식증에서는 하루에 MPA 10~20mg을 한달에 10~14일의 주기로 3개월간 치료하는 경우가 가장 많았으며, 비정형이 있는 자궁내막증식증에서는 MA 160~320mg을 매일 6개월간 치료하는 경우가 가장 많은 것으로 조사되었다.

2) 프로게스틴 함유 자궁내장치

LNG-IUD는 원래 피임목적으로 개발된 것으로 레보노르게스트렐 52mg을 함유하고 있다. 매일 일정한 양을 분비하여 전신적인 효과는 최소한으로 하고, 자궁내막에 높은 프로게스틴 농도를 유지한다. 경구용 프로게스틴과 비교해 보면, 자궁내막에 100배 이상의 농도를 유지시키는 것으로 보고되어 있다. 또한 장기간(5년)의 치료 효과를 제공하며, 일일 투약이 필요하지 않다는 장점도 있다. 앞선 연구 결과에 따르면, 경구용 프로게스틴과 LNG-IUD로 인한 불규칙한 질 출혈의 비율은 유의한 차이가 없음을 보고하였으며,

메타 분석과 무작위 3상 연구에 의하면, 자궁내막증식증의 치료 효과가 경구용 프로게스틴보다 LNG-IUD가 더 높은 것으로 나타났다.[27,28]

LNG-IUD는 앞서 언급한 바와 같이 전신 효과는 최소화하고 자궁내막에 높은 농도를 유지하는 치료 방법으로, 프로게스틴에 대한 금기 사항이 있는 여성에게 우선 사용될 수 있다. 앞서 언급한 바와 같이, LNG-IUD로 90% 정도에서 정상 자궁내막으로 돌아오는 것으로 보고 되었으며, 프로게스틴 치료 후 자궁내막 조직검사상 정상조직으로 퇴행이 확인된 경우에도 바로 임신 계획이 없다면 프로게스틴 유지요법을 고려하여야 한다.[29-31]

프로게스틴 이외의 약물치료

생식샘자극호르몬방출호르몬 작용제(gonadotropin-releasing hormone agonist, GnRH agonist), 아나스트로졸(Anastrozole), 메트포르민(Metformin), 게니스테인(Genistein), 다나졸(Danazole) 등이 자궁내막증식증 치료로 시도되고 있으나, 아직까지 좀 더 많은 임상연구가 필요하다.

수술적 치료 - 자궁절제술

비정형성이 없는 자궁내막증식증을 가지는 여성에서는 자궁절제술보다는 프로게스틴 치료를 선호한다. 하지만, 자궁내막암 위험 요인이 있거나 프로게스틴 치료 금기증이 있는 폐경기 후 여성에서는 자궁절제술이 선호된다. 비정형성이 동반된 자궁내막증식증은 향후 자궁내막암으로 발전할 가능성이 높기 때문에 더 이상 자녀 계획이 없다면 자궁절제술이 최선의 치료 방법이다. 또한 앞서 언급한 바와 같이, 비정형성이 없는 자궁내막증식증이라고 할지라도, 약물 치료에 실패한 경우에는 자궁절제술의 적응증이 될 수 있다.

자궁절제술 이외의 수술적 치료 방법으로는 자궁내막 절제술이나 소작술을 들 수 있다. 하지만 이러한 시술은 실제로 모든 자궁내막을 제거하기 어려우며, 또 추후에 초음파나 자궁내막 조직검사로 추적관찰하기도 어려워서 아직까지는 권유되는 치료법은 아니다.[32,33]

참고문헌

1 Gordon MD, Ireland K. Pathology of hyperplasia and carcinoma of the endometrium. Seminars in oncology. 1994;21:64-70.

2 Kurman RJ, Kaminski PF, Norris HJ. The behavior of endometrial hyperplasia. A long-term study of "untreated" hyperplasia in 170 patients. Cancer. 1985;56:403-12.

3 Emons G, Beckmann MW, Schmidt D, Mallmann P. New WHO Classification of Endometrial Hyperplasias. Geburtshilfe und Frauenheilkunde. 2015;75:135-6.

4 Mutter GL. Endometrial intraepithelial neoplasia (EIN): will it bring order to chaos? The Endometrial Collaborative Group. Gynecologic oncology. 2000;76:287-90.

5   Baak JP, Mutter GL. EIN and WHO94. Journal of clinical pathology. 2005;58:1-6.

6   Bergeron C, Nogales FF, Masseroli M, Abeler V, Duvillard P, Muller-Holzner E, et al. A multicentric European study testing the reproducibility of the WHO classification of endometrial hyperplasia with a proposal of a simplified working classification for biopsy and curettage specimens. The American journal of surgical pathology. 1999;23:1102-8.

7   Zaino RJ, Kauderer J, Trimble CL, Silverberg SG, Curtin JP, Lim PC, et al. Reproducibility of the diagnosis of atypical endometrial hyperplasia: a Gynecologic Oncology Group study. Cancer. 2006;106:804-11.

8   Kendall BS, Ronnett BM, Isacson C, Cho KR, Hedrick L, Diener-West M, et al. Reproducibility of the diagnosis of endometrial hyperplasia, atypical hyperplasia, and well-differentiated carcinoma. The American journal of surgical pathology. 1998;22:1012-9.

9   Lacey JV, Jr., Sherman ME, Rush BB, Ronnett BM, Ioffe OB, Duggan MA, et al. Absolute risk of endometrial carcinoma during 20-year follow-up among women with endometrial hyperplasia. Journal of clinical oncology : official journal of the American Society of Clinical Oncology. 2010;28:788-92.

10 Travaglino A, Raffone A, Saccone G, Mollo A, De Placido G, Insabato L, et al. Endometrial hyperplasia and the risk of coexistent cancer: WHO versus EIN criteria. Histopathology. 2019;74:676-87.

11 Deligdisch L. Hormonal pathology of the endometrium. Modern pathology : an official journal of the United States and Canadian Academy of Pathology, Inc. 2000;13:285-94.

12 Silverberg SG. Problems in the differential diagnosis of endometrial hyperplasia and carcinoma. Modern pathology : an official journal of the United States and Canadian Academy of Pathology, Inc. 2000;13:309-27.

13 Rakha E, Wong SC, Soomro I, Chaudry Z, Sharma A, Deen S, et al. Clinical outcome of atypical endometrial hyperplasia diagnosed on an endometrial biopsy: institutional experience and review of literature. The American journal of surgical pathology. 2012;36:1683-90.

14 Ota T, Yoshida M, Kimura M, Kinoshita K. Clinicopathologic study of uterine endometrial carcinoma in young women aged 40 years and younger. International journal of gynecological cancer : official journal of the International Gynecological Cancer Society. 2005;15:657-62.

15 Lacey JV, Jr., Chia VM. Endometrial hyperplasia and the risk of progression to carcinoma. Maturitas. 2009;63:39-44.

16 Cheng WF, Lin HH, Torng PL, Huang SC. Comparison of endometrial changes among symptomatic Tamoxifen-treated and nontreated premenopausal and postmenopausal breast cancer patients. Gynecologic oncology. 1997;66:233-7.

17 Cohen I, Altaras MM, Shapira J, Tepper R, Rosen DJ, Cordoba M, et al. Time-dependent effect of Tamoxifen therapy on endometrial pathology in asymptomatic postmenopausal breast cancer patients. International journal of gynecological pathology : official journal of the International Society of Gynecological Pathologists. 1996;15:152-7.

18 Armstrong AJ, Hurd WW, Elguero S, Barker NM, Zanotti KM. Diagnosis and management of endometrial hyperplasia. Journal of minimally invasive gynecology. 2012;19:562-71.

19 Sanderson PA, Critchley HO, Williams AR, Arends MJ, Saunders PT. New concepts

for an old problem: the diagnosis of endometrial hyperplasia. Human reproduction update. 2017;23:232-54.

20   Gull B, Karlsson B, Milsom I, Granberg S. Can ultrasound replace dilation and curettage? A longitudinal evaluation of postmenopausal bleeding and transvaginal sonographic measurement of the endometrium as predictors of endometrial cancer. American journal of obstetrics and gynecology. 2003;188:401-8.

21   Chandra V, Kim JJ, Benbrook DM, Dwivedi A, Rai R. Therapeutic options for management of endometrial hyperplasia. Journal of gynecologic oncology. 2016;27:e8.

22   Randall TC, Kurman RJ. Progestin treatment of atypical hyperplasia and well-differentiated carcinoma of the endometrium in women under age 40. Obstetrics and gynecology. 1997;90:434-40.

23   Baker J, Obermair A, Gebski V, Janda M. Efficacy of oral or intrauterine device-delivered progestin in patients with complex endometrial hyperplasia with atypia or early endometrial adenocarcinoma: a meta-analysis and systematic review of the literature. Gynecologic oncology. 2012;125:263-70.

24   Lai CH, Huang HJ. The role of hormones for the treatment of endometrial hyperplasia and endometrial cancer. Current opinion in obstetrics & gynecology. 2006;18:29-34.

25   Trimble CL, Method M, Leitao M, Lu K, Ioffe O, Hampton M, et al. Management of endometrial precancers. Obstetrics and gynecology. 2012;120:1160-75.

26   Wheeler DT, Bristow RE, Kurman RJ. Histologic alterations in endometrial hyperplasia and well-differentiated carcinoma treated with progestins. The American journal of surgical pathology. 2007;31:988-98.

27   Gallos ID, Shehmar M, Thangaratinam S, Papapostolou TK, Coomarasamy A, Gupta JK. Oral progestogens vs levonorgestrel-releasing intrauterine system for endometrial hyperplasia: a systematic review and metaanalysis. American journal of obstetrics and gynecology. 2010;203:547.e1-10.

28   Orbo A, Vereide A, Arnes M, Pettersen I, Straume B. Levonorgestrel-impregnated intrauterine device as treatment for endometrial hyperplasia: a national multicentre randomised trial. BJOG : an international journal of obstetrics and gynaecology. 2014;121:477-86.

29   Minig L, Franchi D, Boveri S, Casadio C, Bocciolone L, Sideri M. Progestin intrauterine device and GnRH analogue for uterus-sparing treatment of endometrial precancers and well-differentiated early endometrial carcinoma in young women. Annals of oncology : official journal of the European Society for Medical Oncology. 2011;22:643-9.

30   Yuk JS, Song JY, Lee JH, Park WI, Ahn HS, Kim HJ. Levonorgestrel-Releasing Intrauterine Systems Versus Oral Cyclic Medroxyprogesterone Acetate in Endometrial Hyperplasia Therapy: A Meta-Analysis. Annals of surgical oncology. 2017;24:1322-9.

31   Scarselli G, Bargelli G, Taddei GL, Marchionni M, Peruzzi E, Pieralli A, et al. Levonorgestrel-releasing intrauterine system (LNG-IUS) as an effective treatment option for endometrial hyperplasia: a 15-year follow-up study. Fertility and sterility. 2011;95:420-2.

32   Jarvela IY, Santala M. Treatment of non-atypic endometrial hyperplasia using thermal balloon endometrial ablation therapy. Gynecologic and obstetric investigation. 2005;59:202-6.

33   Vilos GA, Oraif A, Vilos AG, Ettler H, Edris F, Abu-Rafea B. Long-term clinical out-

comes following resectoscopic endometrial ablation of non-atypical endometrial hyperplasia in women with abnormal uterine bleeding. Journal of minimally invasive gynecology. 2015;22:66-77.

CHAPTER

19

자궁체부암

Uterine Malignancy

책임저자

김용범 | 서울대학교 의과대학 산부인과

집필저자

김진희 | 계명대학교 의과대학 방사선종양학과

김태훈 | 서울대학교 의과대학 산부인과

김희승 | 서울대학교 의과대학 산부인과

노재홍 | 서울대학교 의과대학 산부인과

박　현 | 차의과학대학교 의학전문대학원 산부인과

전　섭 | 순천향대학교 의과대학 산부인과

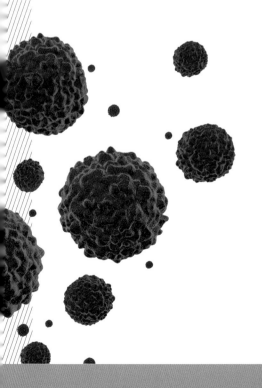

Gynecologic Oncology

자궁내막암(Endometrial Cancer)

서론 및 역학
(Introduction and Epidemiology)

자궁내막암은 서구 선진국에서는 가장 흔한 여성 생식기의 악성 종양이다. 여성에서 발생하는 전체 악성 종양 중에서는 여섯 번째로 흔하며 매년 320,000명이 새로 진단된다. 75세까지 누적 위험도는 선진국에서는 1.6%이고 개발도상국에서는 0.7%이다.[1] 한국 및 일본에서는 발병률이 상대적으로 낮다.

최근에는 우리 나라에서도 그 빈도가 꾸준히 증가하는 추세이다. 2017년 발표된 국가 암등록사업 연례 보고서(2015년 암등록통계)에 따르면 1999년 721명에서 2015년에는 2,404명으로 그 기간 동안 연간 5.5%씩(연간 % 변화율 평균, average annual percentage change, AAPC) 증가하고 있다.[2]

임상 및 병리적 특징에 따라서 전통적으로 자궁내막암을 두 가지로 분류했다.[3,4] 제1형(type I)에는 1등급과 2등급의 자궁내막양 선암(endometrioid adenocarcinoma)이 해당되며 더 흔하다. 과도한 에스트로겐 자극에 의해서 발생하며 비정형 자궁내막증식증에서 기원한다고 알려져 있다. 보통 이른 병기에서 진단되며 예후가 좋다. 제2형(type II)은 3등급 자궁내막양 선암(endometrioid adenocarcinoma)과 비자궁내막양 선암(nonendometrioid adenocarcinoma)이 해당되며 에스트로겐 관련성이 적고 위축성 내막에서 발생한다. 제2형은 일반적으로 진행이 빠르고 제1형에 비해서 예후가 불량하다.

자궁내막양 선암이 가장 흔한 유형이다. 프로게스테론이 없는 에스트로겐(unopposed estrogen)에 노출되면 위험이 증가한다. 에스트로겐 대체 요법(estrogen replacement therapy), 비만, 무배란 주기, 에스트로겐 분비 종양 등이 위험 요인이다(표 19-1). 경구 피임약이나 흡연 등 에스트로겐 노출을 감소시키거나 프로게스테론 수치를 증가시키는 요인들은 자궁내막의 발생을 억제한다. 일부 자궁내막암은 린치 증후군(Lynch syndrome)에 포함된다. DNA 불일치 복구 유전자(DNA mismatch repair gene, MSH2, MLH1, MSH6 등)의 생식세포 돌연변이(germline mutation)가 상염색체 우성으로 유전된다. 자궁내막암은 40대 초반에 발생하며 평생위험도는 30%에서 61%에 이른다고 보고된다.[5]

표 19-1. 자궁내막암의 위험요인

특징	상대위험도
미산부	2~3
늦은 폐경	2.4
비만	3~10
당뇨	2.8
에스트로겐 단독 치료	4~8
타목시펜 치료	2~3
비정형자궁내막증식증	8~29
린치 증후군(Lynch Syndrome)	20

병리
(Pathology)

1) 병리

자궁내막양 선암(endometrioid adenocarcinoma)은 가장 흔한 조직형이고 자궁내막암의 80%를 차지한다. 일반적으로 선행병변인 비정형자궁내막증식증(atypical endometrial hyperplasia)에서 발생하고 세포비정형이 없는 경우는 발병 위험이 매우 낮다. 선암의 등급 (grade)은 중요한 예후인자이고 FIGO의 수술적 병기 체계에 포함된다. 편평 요소(squamous component)는 자궁내막양 선암의 25%에서 동반되고 예후에 영향을 미치지는 않는다.[6]

자궁유두장액성 암(uterine papillay serous carcinoma, UPSC)의 중요성이 점점 강조되고 있다. 이 조직 아형은 선암의 10% 미만이지만 경과가 매우 불량하다. 자궁유두장액성 암은 고농도 에스트로겐(hyperestrogenism)과 관련이 없으며, 위축된 자궁 내막에서 주로 발생한다. 보다 연령이 높고 유색인종인 경우에 더 흔하다고 알려져 있다. 이전 연구에서 시험 대상자 중에 자궁유두장액성 암은 단지 10%이었지만 치료가 실패한 경우의 50% 를 차지했다.[7] 대부분의 자궁유두장액성 암은 홀배수체(aneuploid)이고 S기(S-phase)의 비율이 높다. 투명세포 암도 흔하지 않고 예후가 좋지 않다. 병기 I기인 경우에도 44%의 환자만이 5년을 생존하였다.[8]

2) 종양 등급(tumor grade)

병리적으로 조직학적 유형과 더불어 종양 등급을 나눈다. 구조적 기준(architectural criteria)과 핵등급(nuclear grade) 모두를 분류에 사용한다(표 19-2). 구조적 등급은 고형 종양 성장의 비율(proportion)과 관련된다. 등급 1은 5% 미만의 종양 성장이, 등급 2는 6에서 50%의 종양 성장이, 등급 3은 50% 초과의 종양 성장이 고형종괴를 이루는 경우이다. FIGO의 등급 규칙에서는 구조적 등급에 부적합한 현저한 핵의 비정형(nuclear atypia)이 있으면 1등급씩을 올리도록 한다. 관례상 장액성 선암과 투명세포 암은 3등급으로 취급한다.[9]

표 19-2. 자궁내막암의 등급

Grade	등급(degree of differentiation)	Percentage of solid growth pattern
GX	Grade can not be assessed	–
G1	Well differentiated	<5% of a nonsquamous or nonmorular solid growth pattern
G2	Moderately differentiated	6~50% of a nonsquamous or nonmorular solid growth pattern
G3	Poorly or undifferentiated	>50% of a nonsquamous or nonmorular solid growth pattern

증상, 징후, 선별검사, 진단(Symptoms, Signs, Screening, Diagnosis)

1) 선별검사(screening)

일반 대중을 대상으로 자궁내막암을 선별할 수 있는 방법은 아직 없다. 하지만 프로게스틴 없이 에스트로겐을 사용하는 폐경기 여성이나 린치 증후군의 가족력이 있는 여성, 다낭성 난포증후군 같은 무배란 주기가 있는 가임기 여성 등의 고위험 여성에서는 선별검사를 시도해볼 수 있다.

자궁경부질 세포검사, 자궁내막 표본 추출, 질 초음파 등이 사용되고 있다. 자궁경부질 세포검사는 발견율이 낮다. 내막암이 있는 여성의 50%에서만 자궁경부질 세포검사에서 악성 세포가 보인다.[10] 정상적인 자궁내막세포가 보인 경우에도 자궁에서 전암 병변이 6.5%에서 발견되었다.[11] 그래서 현재 자궁경부질 세포검사 보고체계인 The Bethesda System에서는 45세 이상에서 정상 자궁내막세포가 보이면 보고하도록 권고하고 있다.

선별검사로 직접 자궁내막을 채취할 수도 있으나 이는 환자의 불편을 동반하고 자궁경부 협착이 있는 경우(약 8%)는 검사가 어렵다. 질 초음파 검사를 사용해서 폐경기 출혈이 있는 여성을 검사하였을 때 위양성률이 50%에 달했다.[12] 유방암 때문에 타목시펜을 복약하는 경우에도 초음파 검사의 특이성과 양성예측도가 낮다.[13] 타목시펜을 복용하는 환자에게 출혈이 있으면 즉시 진료를 받도록 설명한다. 출혈이 있으면 반드시 조직 검사를 받아야 한다.

2) 증상(symptoms)

자궁내막암이 있는 환자의 90%는 이상출혈을 동반한다. 따라서 다음의 경우는 자궁 내막에 대한 검사를 받아야 한다. 폐경 후 출혈이 있는 모든 환자, 고름자궁이 있는 폐경 후 여성, 자궁경부질 세포검사에서 자궁내막세포가 보이는 폐경 후 여성(증상이 없는 경우에도), 생리기간 사이에 출혈이 있거나 생리양이 점점 심해지는 폐경기 전후 환자, 비정상 자궁출혈이 있는 폐경 전 환자(특히 무배란 경험이 있는 경우). 폐경전후 혹은 폐경 전 무배란 여성에서도 월경사이 출혈 혹은 심한 지속성 출혈이 있으면 내막암을 의심해야 한다.

3) 징후(signs)

신체검사상 비만과 고혈압이 동반된 폐경 후 여성이 흔하지만, 약 3분의 1에서는 과체중이 아니다. 일반적으로 복부에 특이 소견이 없고 골반 검사에서는 자궁의 크기가 커져 있지만 아주 커진 경우는 흔하지 않다. 직장질 검사를 통해서 내막암이 전이되거나 공존하는 난소 종양(과립세포종양, 난포막종, 상피성 난소암)이 발견되기도 한다.

병기 및 전파 패턴
(Staging and Spread Pattern)

1) 병기(staging)

International Federation of Gynecology and Obstetrics (FIGO)에서는 1971년에 제정한 임상적 병기 체계(clinical staging system)를 1988년에 수술적 병기 체계(surgical staging system)로 교체하였다. 임상적으로 정한 전파 정도(extent of spread)와 수술 후 확인된 병리적 전파 정도의 괴리가 컸었다.[14]

2009년에 병기 체계가 개정되었다(표 19-3). 이전과 비교하여 다음과 같은 차이점이 있다. 내막에 국한된 암은 더 이상 독립된 병기가 아니고 근층의 내부 절반을 침범한 경우도 IA 병기이다. 경부의 기질을 침범한 경우만 II 병기이고 경부 점막을 침범한 이전의 IIA병기는 현재의 I 병기로 합쳐졌다. 복막의 세포학적 검사에서 양성인 환자는 더 이상 독립된 병기(이전 IIIA 병기)가 아니다. 림프절에 전이된 경우는 골반 및 대동맥주위 림프절을 구분하여 각각 병기가 IIIC1과 IIIC2로 분리되었다.

표 19-3. **자궁내막암의 수술적 병기**(2009 FIGO Surgical Staging)

Stage I	자궁체부에 국한
IA	자궁내막에 국한 혹은 자궁근층의 1/2미만 침윤
IB	자궁근층의 1/2이상 침윤
Stage II	**자궁경부 기질 침윤**
Stage III	**국소적 전파**
IIIA	자궁장막 혹은 부속기 침범
IIIB	질 혹은 자궁주위조직 침범(parametrial involvement)
IIIC	골반 혹은 대동맥주위 림프절 전이
IIIC1	골반림프절 전이
IIIC2	대동맥주위림프절 전이
Stage IV	**방광 혹은 장점막 침범, 혹은 원격 전이**
IVA	방관 혹은 장점막 침범
IVB	복부 내 혹은 서혜부림프절 포함한 원격 전이

2009 FIGO 병기 체계는 예후와 연관성이 상당히 높다. 일부이지만 방사선을 1차 치료로 받는 환자에서는 임상적 병기(FIGO 1971)가 여전히 사용된다. 이런 경우에는 적용하는 병기 체계를 표기해야 한다.

2) 전파 양식(spread patterns)

① 직접 확장(direct extension)

전파의 가장 흔한 노선이다. 근층을 거쳐서 자궁의 장막을 관통하게 된다. 경부와 난관 그리고 결국엔 질과 자궁주위조직을 침범할 수 있다. 위쪽 체부에서 기원한 종양은 경부를 포함하기 전에 난관 혹은 장막을 포함한다. 자궁의 아래쪽 부분에서 발생한 종양은 경부를 우선 포함한다.

② 난관을 경유한 파종(transtubal dissemination)

일부 초기 내막암 환자에서는 암세포가 복막 세포액에 존재하기도 하고 복강 내로 광범위하게 전파되기도 한다. 이는 세포가 원발 종양에서 박피되고 난관을 따라 역류해서 복강 내로 운반되었음을 강력히 시사한다.

③ 림프 파종(lymphatic dissemination)

골반과 부대동맥 림프절의 전파는 당연히 림프 파종을 통해서 진행된다. 림프 통로가 자궁 기저에서 대동맥주위 림프절로 깔때기누두 인대(infundibulopelvic ligament)를 통해서 바로 통과하지만 골반림프절의 전이 없이 부대동맥 림프절로 전이되는 경우는 드물다. 반면에 골반 및 대동맥주위 림프절 양측에 전이된 경우는 비교적 흔해서, 골반 및 대동맥주위 림프절로 동시에 전파될 수 있음을 시사한다. 자궁경부암에서는 대동맥주위 림프절 전이는 항상 골반림프절 전이의 다음 차례인 점과 대조적이다.

④ 혈행 전파(hematogenous spread)

혈행 전파를 통해서 가장 흔하게는 폐 전이를 야기한다. 간이나 뇌, 뼈, 기타 기관으로 전이는 덜 흔하다.

진단과 치료 전 평가 (Diagnosis and Preoperative Investigations)

1) 진단(diagnosis)

자궁내막암이 의심되는 모든 환자는 내막생검(office endometrial biopsy)과 내자궁경부 긁어냄술(endocervical curettage)을 받게 한다. 내막생검의 위음성율이 10% 정도이므로, 내막생검이 음성이더라도 과다 출혈이 있거나 내막 두께가 4mm 이상이면 마취 하에 분획 긁어냄술(fractional curettage)을 실시해야 한다. 긁어냄술과 함께 보통은 자궁경을 실시하는데, 매질(medium)때문에 악성 세포가 복강 내로 전파될 가능성이 있어 보이지만, 재발이나 생존율 영향을 준다는 증거는 없다.[15]

2) 치료 전 평가(preoperative investigation)

일상적인 수술 전 혈액 및 생화학 검사를 실시해야 한다. 일반적으로 흉부 및 골반, 복부 컴퓨터단층촬영을 실시한다.[16] 고위험 군에서 간이나 폐 전이 혹은 부속기 종괴, 수신증을 파악하는데 전통으로 사용되는 검사법이지만, 근층 침범 깊이나 림프절 전이 여부를 결정하는 데 제한이 있다. 분획 소파술이 실시되지 않았다면, 내자궁경부 긁어냄술을 실시해서 자궁경부까지 조사해야 한다.

내막암이 진행된 경우나 고위험 조직형에서는 추가적인 검사를 시행한다. 특히 위장관암의 가족력이 있는 경우에 대장암이 가끔 수반된다. 따라서 최근에 배변 습관이 변하거나 변에서 잠혈이 있으면 대장경을 실시해야 한다.

자기공명영상은 근층 침범 깊이를 구분하고 경부 관련 여부를 탐지하는데, 각각 83.3%의 정확성과 89.8%의 양성예측률을 보인다.[17,18] 양전자방출단층촬영은 내막암 환자에서 림프절 전이를 발견하는 데 89.5%의 정확성을 보인다. CA125의 수치가 림프절 전이를 포함하여 진행된 병기와 관련성이 입증되기도 하였다.

예후인자
(Prognostic Variables)

병기가 가장 중요한 예후인자이지만, 수 많은 요인이 치료 결과와 관련되어 있다(표 19-4).

표 19-4. 자궁내막암의 예후인자

- 병기(경부 포함, 부속기 포함, 림프절 전이, 복강 내 종양)
- 나이
- 조직 유형
- 조직 등급
- 핵 등급
- 근층 침범
- 혈관 공간 침범
- 종양 크기
- 복막 세포검사
- 호르몬 수용체 상태
- DNA 배수성 및 생물학적 표지자

1) 나이(age)

고연령에서는 재발이 증가하고 등급 3등급 등 불량한 조직형의 비중이 높기도 하고, 나이 자체가 독립예후인자로써 예후에 영향을 준다.[19] GOG에서 임상적 병기 I 혹은 II인 환자를 대상으로 5년 생존율을 조사하였다. 40세 이하에서는 96.3%, 51에서 60세 사이에서는 87.3%, 61에서 70세 사이에서는 78%, 71에서 80세 사이에서는 70.7%, 80세 초과에서는 53.6%이었다.[20]

2) 조직 유형(histologic type)

자궁내막양 선암이 가장 흔한 조직 유형이다. 병기가 낮고 5년 생존율은 80% 이상이다. 장액성 암은 심부 근층 침범이나 림프절 전이가 없어도 예후가 불량하다. 넓게 파종되고 상복부에서 재발이 잘 된다. 장액 요소는 자궁내막양 선암과 혼재되어 나타나는데 장액 요소가 25%를 넘으면 불량한 예후를 암시한다.[21] 투명세포 암은 내막암의 5% 미만이지만, 투명 세포 요소는 장액성 암에서 흔히 존재한다. 이 병변에서 혈관 공간 침범은 좀 더 흔하다. 재발의 3분의 2는 골반 밖이며 상복부와 간, 폐에서 더 흔하다.[22]

SEER 자료를 이용한 자궁내막암 연구에서 자궁장액암과 투명세포 암, 3등급 자궁내막양 선암은 전체 자궁내막암 발생의 10%, 3%, 15%를 차지하지만 자궁내막암에 의한 사망의 39%, 8%, 27%을 차지하였다.[23]

내막암에서 편평세포암은 드물다. 문헌에 따르면 임상 병기 I기 생존율은 36%이다.[24]

3) 조직 등급과 근층 침범(histologic grade and myometrial invasion)

조직학적 등급과 근층 침범은 예후과 밀접한 관련이 있다(표 19-5). 1987년에 GOG는 병기 I기의 내막암 환자를 대상으로 수술병리적 특징을 분석하였다. 1등급의 암종이 근층의 내측 3분의 1에 국한되었으면 골반림프절 전이율은 3% 미만이지만, 3등급이 외측 3분의 1까지 침범한 경우엔 골반림프절 전이율이 34%에 이른다. 대동맥주위 림프절에 대해서는 각각의 경우가 1% 미만과 23%이다.[25]

표 19-5. 자궁내막암에서 등급 및 근층 침범에 따른 골반/대동맥 주위 림프절 양성 비율

근층침범	등급		
	G1	G2	G3
자궁내막	0%/0%	3%/3%	0%/0%
내측 1/3	3%/1%	5%/4%	9%/4%
중간 1/3	0%/5%	9%/0%	4%/0%
외측 1/3	11%/6%	19%/14%	34%/23%

4) 림프혈관강 침범(lymphovasular space invasion)

림프혈관강 침범은 재발 및 사망과 관련된 독립적 위험요인이다. 내막암 환자의 예후를 조사한 결과에서는 림프혈관강 침범이 없는 경우는 83.5%의 5년 생존율을 보였고 림프혈관강 침범이 있는 경우는 64.5%이었다.[26] 다른 연구에서는 병기 IIIC의 내막암에서 림프림프혈관강 침범과 대동맥주위 림프절 전이의 수가 독립적 예후인자였다.[27] 림프림프혈관강 침범은 초기 내막암에서 질소매(vaginal cuff) 재발 및 원격 재발, 림프절 전이, 자궁주위조직 포함과 관련된 독립적 위험인자이다.

5) 복막세포검사(peritoneal cytologic results)

복막세포검사의 결과는 FIGO 병기 체계에 포함되지는 않는다. 세척검사에서 양성인 경우는 조직학적 3등급 혹은 부속기 전이, 심부근층침범, 골반이나 대동맥주위 림프절 전이가 있는 환자에서 흔하다. 복막세포검사가 양성인 경우에 초기내막암의 재발률이 증가하고 생존율이 감소한다고 알려져 있으나 예후가 불량한 이유는 주로 다른 유해 예후인자의 영향을 반영된 것일 가능성이 크다.[28]

6) 호르몬 수용체(hormone receptor status)

에스트로겐 수용체와 프로게스테론 수용체의 수준은 내막암에서 독립적 예후인자이다. 즉 두 가지 혹은 한 가지 수용체가 양성인 환자는 수용체가 없는 환자에 비해서 생존기간이 길다. Liao 등(1986)에 의하면 림프절 전이가 있는 환자에서도 종양에서 수용체가 양성이면 예후가 의의 있게 향상되었다.[29] 프로게스테론 수용체가 에스트로겐 수용체에 비해서 보다 강력한 예후인자로 보인다. 그리고 적어도 에스트로겐 수용체에 한해서는 수용체의 절대치(absolute level)가 중요할 수 있다. 수치가 높을수록 예후가 좋다.

7) 핵등급(nuclear grade)

핵등급은 중요한 예후 지표이다.[30] FIGO 등급 체계는 종양의 핵등급을 고려한다. '핵의 비정형성'이 구조적 등급에 적합하지 않으면 등급을 1단계 올리게 된다.

8) 종양 크기(tumor size)

임상 병기 I기의 내막암에 대한 분석에 따르면 종양크기는 독립적 예후인자이다. 종양의 직경이 2cm 이하면 4%에서, 2cm 초과면 15%에서, 종양이 자궁강 전체를 포함하면 35% 에서 림프절 전이가 발생한다.[31] 다른 그룹에서는 예후가 양호한 저위험군을 찾기 위해서 종양 직경과 수술 소견을 비교하였다. 종양의 직경이 3cm 이하면, 1 혹은 2등급이고 근층 침범이 50% 미만인 경우에 림프절로 전이된 경우가 없었다.[32]

9) 배수성과 생물학적 표지자(DNA ploidy and other biologic markers)

자궁내막암 환자의 25%만 홀배수체(aneuploidy) 종양이다. 하지만 이 환자들은 조기재발 과 사망 위험도가 유의하게 증가된다. 전향적 연구에 따르면 10년 생존율이 두 배수체 (diploid) 종양의 환자는 91%이었던 데 비하여 홀배수체 종양의 환자는 53.2%이었다.[33]

다양한 유전자가 예후와 관련이 있다. 분자유전학 연구에 따르면 beta-catenin의 상실은 불량한 예후를 예측하는 독립적 인자이고, PTEN의 상실은 조기암에서 예후를 악화시킨다.[34] P53 변이는 단변량분석에서 병기의 증가와 림프절 전이, 비자궁내막양 암 유형과 관련이 있었다. Matrix metalloproteinase (MMP)의 발현증가와 nuclear Bcl-2 발현, Ki-67 발현도 또한 예후인자로서 의의가 있다.

유전성 비용종증 대장암 증후군(HNPCC syndrome)에서는 변이된 DNA 불일치 복구 유전자(MSH2, MLH1)가 유전되고 그에 따라 발생하는 암종 중에서 자궁내막암이 두 번째로 흔하다.[35] 이 때 발생하는 자궁내막암은 현미부수체 불안정성(microsatellite instability)을 나타내고 제1형에 해당한다.[36] 제1형 자궁내막암은 분자생물학적 공통점이 있으며, 배수성 및 low allelic imbalance, K-RAS, MLH1 methylation, PTEN 등과 관련이 있다. 반대로 제2형은 이수성, high allelic imbalance, TP-53, HER2/neu 등과 관련이 있다.[37]

자궁내막암을 TCGA 자료를 이용해서 4가지 유전체형(POLE mutated/ultramuated, microsatellite instability-high (MSI-H)/hypermutated, copy number low, copy number high)으로 나눌 수 있다.[3] 1, 2등급의 자궁내막양 선암은 copy number low, MSI-H에 해당된다. 장액성 암은 TP53/high copy number alteration에 해당된다. POLE 암종이 가장 예후가 좋고, MSI-H와 copy number low 암종은 중간 정도이고, 장액성 유사군의 예후가 가장 불량하다.

자궁내막암의 치료
(Treatment of
Endometrial Cancer)

1) 수술(surgery)

자궁내막암의 표준 수술적 치료는 복강 내 세포세척검사, 자궁절제술 및 양측 자궁부속기절제술이며, 병기설정술을 시행한다. 자궁내막암의 조직학적 분류상 비자궁내막양(non-endometrioid) 암 환자에서는 충수절제술, 대망절제술 및 복막 조직검사를 함께 시행하기도 한다. 자궁절제술은 대부분 복강경이나 로봇과 같은 최소침습수술로 시행되며, 개복은 노인 또는 당뇨, 고혈압 그리고 비만과 같은 동반질환이 있는 환자군에서 시행된다.[39] 림프절절제술은 모든 자궁내막암에서 골반 및 대동맥주위 림프절절제술을 포함하여 시행하는 것에서 고위험군으로 판단되는 환자에서만 선택적으로 시행하거나 감시림프절(sentinel lymph node) 생검을 시행하여 불필요한 림프절절제술을 생략할 수 있다. 이는 림프절절제술을 포함한 병기설정술 시행 여부가 환자의 생존율을 유의하게 향상시키지 못하며 치료적 효과의 이득이 아직 무작위 대조 임상 시험에서 증명되지 않았기 때문이다.

① 수술 방법(operative technique)

자궁내막암 제 I, II기는 초기 자궁내막암으로 분류되며, 기본 치료로 전자궁절제술 및 양측 자궁부속기절제술이 시행된다. 질의 광범위 절제술은 필요하지 않으며, 자궁부속기는 자궁내막암의 약 5%에서 전이가 발생하고 난소암의 발생 가능성이 높거나 동시에 난소암이 존재할 수 있으므로 절제해야 한다.[40] 림프절절제술은 아래 상황에서 정확한 병기설정을 위해 시행한다.

i. 등급 3인 경우
ii. 등급 2의 종양 직경이 2cm 이상인 경우
iii. 조직학적 분류상 투명세포 암 또는 장액성 암인 경우
iv. 자궁근층 침윤이 50% 이상인 경우
v. 자궁경부의 기질을 침범한 경우

병기설정술 시행 시, 개복은 하부 종절개가 좋으며, 개복 후 복강 내 세포검사를 시행한다. 100~125mL의 생리식염수를 골반 내 주입하고 채취하여 시행한다. 복강과 골반을 주의 깊게 조사하고 간, 횡격막, 대망 및 대동맥주위림프절을 특히 잘 살펴 의심스러운 곳은 절제하여 조직검사한다. 자궁은 절제하며 후복막을 열고 골반림프절을 절제한다. 그림 19-1은 2016년 대한부인종양학회에서 발간한 자궁내막암 치료 방법을 요약하였다.[41]

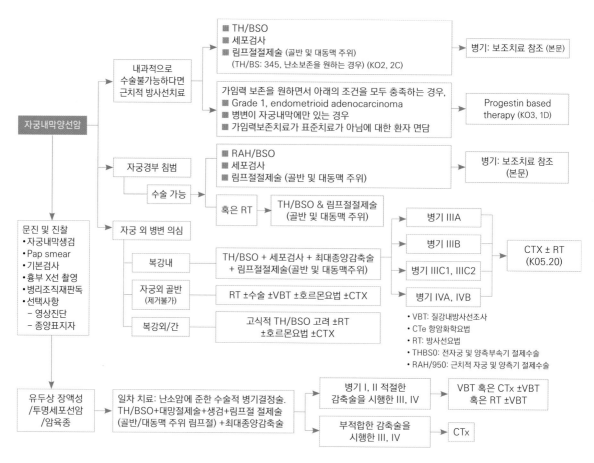

그림 19-1. 자궁내막암 진료 권고안[41]

질식 자궁절제술(vaginal hysterectomy)은 내과적 문제가 있거나 심한 비만 환자 또 노인과 같이 병기설정술을 하기에 고위험군인 환자에서 시행할 수 있다. 질식 자궁절제술은 등급 1 또는 2, 자궁근층 침윤이 50% 미만인 경우, 종양의 직경이 2cm 미만인 저위험군에서 시행할 수 있다. 질식 자궁절제술은 양측 자궁부속기절제술만 동시에 시행할 수 있으며, 복강 내의 다른 전이를 육안적으로 확인할 수 없고 림프절을 절제검사할 수 없는 단점이 있다.

질식 자궁절제술의 단점을 보완하고 골반 및 대동맥주위 림프절을 절제할 수 있는 방법으로 복강경수술이 있다. 개복술과 비교하여 림프절의 절제수, 실혈량, 재발 또는 생존율에 차이가 없으며, 반면에 수술 후 부작용이 적고 짧은 입원 기간과 빠른 회복율을 보였다.[39] 한 연구에 따르면 복강경으로 대동맥주위 림프절절제술에서도 같은 결과를 보이며, 비만환자를 포함하여 약 90% 이상의 성공률을 보였다.[42]

로봇 수술 또한 자궁내막암 수술에 도입되어 시행되고 있으며, 기존의 복강경수술의 한계를 극복할 수 있었고, 개복수술에 비해 짧은 학습 곡선을 보이며, 특히 비만한 환자에서 수술 후 이환율이 훨씬 낮고 생존율 분석 결과 역시 기존의 보고와 별 차이가 없었다.[43]

국제산부인과연맹(International Federation of Gynecology and Obstetrics, FIGO) 임상병기 III기는 자궁내막암의 약 7~10%를 차지하며 이들 환자들은 보통 자궁주위조직, 골반벽,

자궁부속기 등을 침윤하나 질 또는 더글라스와 침범은 상대적으로 덜 흔하다. 자궁내막암 병기 III기의 치료 역시 자궁 및 양측 자궁 부속기절제술을 시행하고 예후 향상을 위해 육안적으로 보이는 병변을 모두 제거해야 한다. 수술 시 커진 골반림프절 또는 대동맥주위 림프절을 제거해야 한다. 모든 육안적인 병변을 제거한 후 병기설정술을 하는 것이 권장되며, 대장주위부, 횡격막 하부, 대동맥주위 림프절 채취 및 그물망과 복막의 조직검사가 포함된다(그림 19-1).

② 림프절절제술의 역할(role of lymphadenectomy)

림프절절제술은 자궁내막암 치료에서 널리 시행되어 왔다. 림프절절제술은 자궁내막암의 수술적 병기를 결정하고, 예후 정도를 예측하는 데 정보를 제공한다. 또한 골반림프절 전이가 양성인 경우 림프절절제술을 함으로써 병변의 제거와 동시에 수술 후 방사선치료를 할 수 있도록 도움을 주는 역할을 한다.

그러나 림프절절제술 자체가 임상적으로 생존율에 이득을 주는지는 아직 이견이 있다.[44] 최근 발표된 대규모 무작위 대조군 연구를 비롯한 몇몇 연구에서 림프절절제술을 시행한 자궁내막암 환자와 시행하지 않은 환자에서 생존율의 차이가 없었다고 보고한 반면 2010년 발표된 대규모 후향적 코호트 연구를 비롯한 상당수의 다른 연구들에서는 골반림프절절제술과 대동맥주위 림프절절제술의 치료적 이점을 보고하기도 하였다.[45,46] 최근 3개의 임상시험 결과를 종합한 메타 분석에서 임상적 병기 I기에 해당하는 환자에서 림프절절제술을 포함한 병기설정술 시행이 생존율을 향상시키지 않았다고 보고하였다.[47] 따라서 림프절절제술은 림프절 전이 가능성에 따라 선별적으로 시행하는 것이 권장된다. 최근 국내 연구에 의하면 수술 전 MRI 소견상 종양이 자궁에 국한되어 있고 깊은 근층 침윤 및 림프절 크기의 증가소견이 없으며 CA125가 정상범위 내에 있는 경우 림프절 전이율이 매우 낮아 림프절절제술을 생략할 수 있음으로 보고하였으며,[48] 또 다른 연구에서는 종양의 부피에 따라 림프절 전이를 예측할 수 있다고 보고하였다.

림프절절제술의 범위는 모든 림프절을 절제를 하거나 육안적으로 크기가 증대된 림프절만 선택적으로 절제하는 방법이 있다. 선택적 림프절절제술은 조직학적 유형, 종양의 등급 및 크기, 자궁근층의 침윤 정도에 따라 시행할 수 있다. 림프절의 미세 전이는 수술 전 영상검사로 발견할 수 없지만 수술 병기결정에 있어 다음과 같은 저위험군에서는 일부에서 림프절 절제의 생략이 가능하다.

i. 조직학적 분류상 자궁내막양이며 종양의 크기가 2cm 미만인 경우
ii. 자궁근층 침윤이 50% 미만인 경우

골반림프절 전이가 있는 경우 골반 방사선치료를 하고 대동맥주위 림프절 또는 다수의 골반림프절 전이가 있는 경우 확대 방사선치료를 한다.

③ 감시림프절 조직검사(sentinel node biopsy)

감시림프절(sentinel node)이란 종양으로부터 관류되는 림프액이 처음으로 도달하는 림프

절로서 원발 병소에서 떨어져 나와 림프관을 따라 진행된 종양세포가 최초로 전초림프절에 포획되어 미세 전이가 발생할 수 있는 림프절이다. 이론적으로는 감시림프절의 전이가 없는 경우, 다른 림프절로의 전이가 없는 것으로 예측할 수 있어 불필요한 림프절 절제를 생략할 수 있다.[49] 감시림프절의 검출은 종양 주위에 검출을 위한 추적자(tracer)를 주입하여 림프 관류를 확인하며, 추적자로서 청색 염료(blue dye)와 방사성추적자(radio-active tracer)가 가장 많이 이용된다. 청색 염료는 수술 중 림프 관류나 감시림프절을 육안적으로 확인할 수 있게 해주며, 방사성추적자는 육안적으로 확인되지 않는 경우에도 추적할 수 있어 감시림프절 발견 및 감시림프절 구역 결정에 유용하다.[50] 방사성추적자인 테크네슘-99m (technetium-99m)은 반감기가 약 6시간으로 매우 짧고 안정적이어서 널리 쓰인다.

자궁내막암에서 감시림프절을 탐색하기 위해 추적자를 주입하는 방법은 아래와 같다.

i. 자궁경부에 주입

ii. 자궁경(hysteroscope)을 통해 종양 주위로 주입

iii. 자궁저(fundus)의 장간막하 근층으로 주입

Rossi 등의 연구에 따르면 감시림프절생검으로 전이를 발견할 민감도는 97.2%, 음성예측률은 99.6%로 보고한 바 있으며, 소량의 감시림프절 전이에 대한 보조 치료는 아직 논란의 여지가 있다.[51,52]

2) 초기 병기(early stage, stage I and II)에서 수술 후 보조 요법(adjuvant treatment)

자궁내막암 환자에서 일단 수술적 병기 결정이 이루어진 후에는 병리조직 검사 결과에 따라서 수술 후 보조요법을 결정한다. 림프절에 대한 수술적 평가 시행 여부와 함께 조직학적 등급, 자궁근층의 침윤 깊이, 병리학적 유형, 나이, 림프혈관강침윤, 림프절 전이 등과 같은 예후인자 등이 보조요법 시행 여부 결정에 사용된다.[53] 대부분의 환자들에서 병기설정술에 의한 병리 결과를 얻을 수 있기 때문에 수술 후 보조요법은 선별적으로 시행되고 있으며 이에 따라 보조요법의 일률적인 적용은 점차 감소하는 추세이다. 많은 무작위 연구들에서 특히 저위험군에서 수술 후 보조요법이 생존율의 이득을 증명하지 못했고 방사선치료 군에서 2차 타 장기 암종의 발생이 증가하였다.[54] 따라서 수술 후 보조 요법은 병기 및 재발 예후인자에 따라 선별적으로 시행하여야 한다.

자궁외 침범이 확인되지 않은 초기 병기 자궁내막암에서 수술 후 고려할 수 있는 요법으로는 골반방사선, 질근접방사선, 확대방사선, 항암치료 등이 있다. 병기 및 위험인자에 따라 저위험군, 중간위험군, 고위험군으로 분류되며 임상시험에 따라 정의가 다르다. 유럽암학회-유럽부인종양학회-유럽방사선종양학회(ESMO-ESGO-ESTRO)는 2016년 공동 발간한 지침에서 위험군을 표 19-6과 같이 정의하였다.[55]

위험군	정의	근거수준
저(low)	병기 I기 자궁내막양, 분화도 1-2, 자궁근층 침습 <50% 림프혈관강 침습 음성	I
중간(intermediate)	병기 I기 자궁내막양, 분화도 1-2, 자궁근층 침습 ≥50% 림프혈관강 침습 음성	I
고-중간 (high-intermediate)	병기 I기 자궁내막양, 분화도 3, 자궁근층 침습 <50% 림프혈관강 침습 무관	I
	병기 I기 자궁내막양, 분화도 1-2, 림프혈관강 침습 – 명백하게 양성 자궁근층 침습 깊이 무관	II
고(high)	병기 I기 자궁내막양, 분화도 3, 자궁근층 침습 ≥50%, 림프혈관강 침습 무관	I
	병기 II기	I
	병기 III기 자궁내막양, 잔여 병변 없음	I
	비자궁내막양 (장액성, 투명세포, 미분화 암, 또는 암육종)	I
진행성(advanced)	병기 III기이면서 잔여 병변 있음 병기 IVA기	I
전이성(metastatic)	병기 IVB기	I

FIGO 2009 병기분류에 따름

① 경과관찰(observation)

병기 IA 등급 1, 혹은 등급 2인 종양은 비교적 예후가 양호하기 때문에 추가 방사선치료는 필요하지 않다. 자궁근육층 침범이 없거나 다른 위험인자들이 없을 때는 추가치료를 하지 않는다. GOG 33 연구에서는 169명의 저-중간 위험(low-intermediate risk)의 환자군에서는 보조 방사선치료를 받은 군과 받지 않은 군에서 재발의 위험이 차이가 없었다.[25] 2009년 Sorbe 등은 645명의 병기 IA, 등급 1 혹은 2 환자를 대상으로 한 무작위 임상시험에서 질 둥근천장 부위 재발률은 질 근접방사선치료 시행 군에서 1.2%, 경과관찰군에서 3.1%로 보고하였으며 전체 재발률과 생존율 모두 두 군 간의 차이는 없었다.[56] 수술 후 보조요법을 받지 않은 환자들은 정기적으로 추적관찰을 받아야 한다. 질 둥근천장의 재발은 추적관찰을 통해 빨리 진단될 수 있으며 이러한 재발은 치료를 통해 완치가 가능하기 때문이다.

② 질 근접방사선치료(vaginal brachytherapy)

질 근접방사선치료는 질 재발을 유의하게 감소시킨다. The Postoperative Radiation Therapy in Endometrial Carcinoma-2 (PORTEC-2) 연구는 고-중간 위험인자(high-intermediate risk) 즉 60세 이상, 등급 1, 2이면서 50% 이상의 자궁근층 침범이 있는 환자들을 대상으로 질 근접방사선치료를 골반 방사선치료와 비교한 연구로 질 재발률이 근접치료 군 1.8% 골반 방사선치료군 1.6%(p=0.74)였고 골반 재발률은 질 근접 치료군에서 유의하고 높았지만 두 치료군에서 전체생존율과 무병생존율에서 차이가 없다고 보고하였다.[57]

이 연구 후에 고-중간 위험인자를 가진 환자군에 치료로 질 근접방사선치료가 표준치료로 인식되었다. 많은 연구에서 고위험인자를 갖는 병기 I기와 잠재 병기 II기 환자들 1,300여 명을 질 근접방사선치료를 했을 때 질 재발률을 0.6%로 보고하고 있으며 Mayo Clinic 연구에서도 저위험군이면서 광범위한 림프혈관강침윤이 있는 환자들에게도 고선량 근접치료가 효과적이라고 보고된 바 있다.[58]

③ 골반 방사선치료(external pelvic radiation)

골반 방사선치료는 병기설정술(surgical staging)을 받지 않는 환자 중에 골반 복부 CT에서 림프절 음성, CA125가 정상이면서 고위험인자를 가진 환자들을 위한 합리적인 치료선택이다. 병기설정술을 받은 환자 중에서 골반림프절 음성으로 판명된 환자들은 질 근접방사선치료만으로 대부분 치료되는 반면 골반림프절 양성인 환자들은 골반, 대동맥주위 림프절 방사선치료가 효과적이다.

GOG 99 연구에서는 골반 방사선치료가 중간위험인자군을 가진 자궁내막암 환자의 국소재발률을 감소시키고 무진행생존기간에는 도움을 주지만 생존율 자체를 연장시키지는 못하는 것으로 보고되었다.[59] PORTEC-1 연구는 70%의 환자들이 60세 이상, 80%의 환자들이 등급 2 혹은 3, 그리고 대부분에서 자궁근층 침범이 50% 이상인 환자들로 병기 IC, 등급 1, 병기 IB 혹은 IC, 등급 2, 혹은 병기 IB, 등급 3인 환자군과 유두장액성 암과 투명세포 암 환자군이 포함된 연구로 림프절절제술을 하지 않고 자궁절제술과 양측 난소난관절제술을 시행한 715명의 환자들을 수술 후 골반 방사선치료와 경과관찰을 하는 군을 무작위 배정 후에 결과를 비교하였는데 두 군 간에 5년 생존율은 같았고(81% 방사선치료 군, 85% 경과 관찰 군)(p=0.31) 치료와 관련된 합병증은 방사선치료군 25%, 경과 관찰군 6%로 유의하게 차이가 났다(p=0.0001). 질 재발 후 2년 생존율은 79%였고 골반 재발 혹은 원격재발 후 2년 생존율은 21%였다. 다변수 분석에서 병기 I이면서 자궁근층 침범이 경미하고 등급 2인 60세 이하의 환자들에게는 골반 방사선치료는 권장되지 않는다고 보고하였다.[60] PORTEC-1 연구를 10년 추적 관찰을 한 결과 방사선치료 후 국소 재발률은 5%, 경과관찰군은 14% (p<0.0001)로 방사선치료 군에서 유의하게 낮았고 10년 전체생존율은 각각 66%, 73%로 차이가 없었다(p=0.09).[61] 연구자들은 병기설정이 안 된 고위험인자를 갖는 환자들에게는 방사선치료는 국소재발을 조절하는 이득이 있어 권장할 수 있다고 하였다. 초기 자궁내막암의 치료에서 수술 후 방사선치료의 이득을 연

구한 메타 분석에서는 저위험인자(병기 IA 혹은 IB, 등급 1) 혹은 중등도 위험인자(병기 IB, 등급 2)를 갖는 환자에서는 수술 후 방사선치료는 권장하지 않고 고위험인자(IC, 등급 3)를 갖는 환자에서는 10%의 생존율의 이득이 있음을 보고하였다. 또한 질 재발 예방을 위해서 골반 방사선치료와 질 근접방사선치료를 다 할 필요는 없으며 같이 할 경우 합병증이 증가한다고 보고하였다.[62] ASTEC/EN.5 연구 또한 PORTEC-1 연구와 유사하게 골반 방사선치료가 생존율의 향상을 보이지 못하였으나 추적관찰 그룹의 51%가 추후 질강내 방사선조사를 시행 받았다.[63]

최근 발표된 GOG 249 연구는 병기 I이면서 기존의 GOG 33 연구에서 중간 위험군에 속하는 환자들과 병기 II 혹은 병기 I, II면서 장액성 암이거나 투명세포 암 환자들 대상으로 수술 후 골반 방사선치료를 시행받은 환자군(RT군)과 질 근접방사선치료를 시행한 후에 파클리탁셀과 카보플라틴 항암화학요법을 3주 간격으로 3회 시행한 환자군(VCB/C군)을 포함하여 전체 601명의 환자의 치료를 결과를 비교하였다.[64] 60개월 생존율은 RT군과 VCB/C군에서 각각 87%, 85%로 차이가 없었고 골반 혹은 대동맥주위 림프절 재발은 VCB/C군에서 많았고(9% 대 4%) 치료 독성도 더 흔하였다.[64] 이 GOG 연구결과로 고위험 초기 자궁내막암에서 수술 후 보조치료로 골반 방사선치료가 표준요법으로 자리 잡았다.

④ 확대 방사선치료(extended field radiation)

골반림프절 전이 환자의 50%에서 대동맥주위 림프절 전이를 보이는 반면 골반림프절은 음성이면서 대동맥주위 림프절 전이를 보이는 환자는 2% 정도로 낮고 주로 등급이 높은 암에서 발생한다.[65,66] 대동맥주위 림프절 전이가 있는 환자의 40%는 확대 방사선치료 치료 이후에 장기간 무병생존이 가능하다.[67] 저위험군 환자는 제외하고 모든 환자에서 골반림프절절제술을 시행하면서 커져 있는 대동맥주위 림프절은 반드시 절제하고 골반 림프절 혹은 대동맥주위 림프절 전이가 확인된 모든 환자에서 확대 방사선치료를 시행하도록 권고한다.

⑤ 보조 프로게스틴(adjuvant progestin)

수술 후 보조 프로게스틴 치료에 대한 효과에 대해서는 정립된 바 없다. 임상 병기 I, II기 환자 1,148명을 대상으로 한 무작위 연구에서 심혈관질환 같은 질병으로 사망한 경우가 프로게스테론 치료군에서 더 흔하였다.[68] 고위험 환자군에서 프로게스틴 치료군에서 암관련 사망은 감소하고 무병생존율이 양호하였지만 전체생존율에는 차이가 없다는 보고도 있었다. 1,012명의 환자를 대상으로 호주, 뉴질랜드, 영국에서 시행된 연구에 따르면 프로게스틴을 사용하지 않은 군에서 재발이 더 많았지만 생존율에 차이는 없었다.[69]

⑥ 보조 항암화학요법(adjuvant chemotherapy)

자궁내막암 치료에서 항암화학요법의 역할은 지속적으로 진화하고 있다. 종전까지는 재발암과 전이암에서 주로 사용되어왔지만 최근에는 진행된 병기와 고위험 초기 암에서 수술 후 추가적으로 사용되고 있다.

i. 자궁내막양 자궁내막암

고위험 초기 자궁내막양 자궁내막암의 치료에서 항암화학요법의 역할은 논란이 있다. 수술 후 추가 항암화학요법의 효능을 확인하기 위한 다섯 개의 무작위 연구가 있었는데 GOG 34 연구에서는 독소루비신 단독 요법은 임상 병기 I기 혹은 잠재 병기 II기에서 어떤 이득도 없었다.[70] Maggi 등은 고위험 자궁내막암 환자에서 시스플라틴, 독소루비신, 시클로포스파미드(Cisplatin/Doxorubicin/Cyclophosfamide, CAP) 5회 치료와 골반 방사선치료를 비교하였는데 무진행 생존율과 전체생존율에서 두 치료군에서 차이가 없음을 보고하였다.[71] 일본 다기관 연구에서도 병기 IC, IIIC 자궁내막양 자궁내막암 환자를 대상으로 골반 방사선치료와 3회 이상의 CAP 항암화학요법을 비교하였는데 역시 무병생존율과 전체생존율의 차이가 없었다.[72] 유럽에서도 병기 I, II, IIIA, IIIC 환자들을 대상으로 방사선요법과 방사선요법 후 항암화학치료를 시행한 치료 효과를 비교하였는데 독소루비신과 백금제제(Doxorubicin/Platinum, AP), 파클리탁셀, 독소루비신, 백금제제(Paclitaxel/Doxorubicin/Platinum, TAP), 파클리탁셀/시스플라틴/에피루비신(Epirubicin) 등이 다양하게 사용되었다. 항암화학요법을 추가한 환자군에서 무진행 생존율이 7% 향상되었지만 생존율 통계는 더 연구가 필요한 상황이었고 이후에 이탈리아 그룹의 데이터를 추가하여 보고하였는데 항암화학요법을 추가한 그룹에서 재발위험이 유의하게 감소하였지만 (hazard ratio [HR] 0.63, CI 0.44 to 0.89; p = 0.009) 전체생존율은 차이가 없었다.[73] 최근에 코크란 분석에 의하면 자궁내막암의 치료에서 항암화학요법의 역할은 수술 후 백금제제 기반 항암화학요법은 무진행 생존율과 전체생존율에서 방사선치료 유무와 상관없이 약간의 이득이 있음이 밝혀졌지만 절대위험도 감소는 약 4%로 낮은 편이었다. 또한 고위험 자궁내막암 혹은 진행성 병기의 환자에서 항암화학요법만 사용했을 때 골반 재발이 증가한다고 보고하였다.[74]

ii. 장액성, 투명세포 암

고위험 조직형 종양을 갖는 환자들에게 추가적인 항암화학요법의 역할은 알려지지 않았다. 하지만 장액성 암에서의 추가 항암화학요법의 이득을 시사하는 많은 후향적 연구들이 있었고 투명세포 암에서의 추가적인 항암화학요법도 학자들 사이에서 권유되고 있다. Einstein 등은 장액성 자궁암 84명의 환자들에 대한 연구 결과를 발표하였는데 환자들은 수술 후에 파클리탁셀(175mg/m²)과 카보플라틴(AUC, 6 to 7.5)을 3주 간격으로 투여 후 방사선치료를 시행하고 다시 추가적인 3차의 항암화학요법을 시행하였다. I/II기 환자의 3년 생존율이 84%, III/IV기 환자는 50%로 항암화학요법과 방사선치료의 샌드위치 치료법이 완전히 절제된 장액성 자궁암 환자들에게 효과적이라고 보고하였다.[75] 백금제제와 탁센제제 기반 항암화학요법이 장액성과 투명 세포암에서 흔히 사용되지만 이 치료의 이득을 증명할 만한 무작위 연구는 없는 실정에서 PORTEC 3 연구가 해답을 제시할 수 있을 것으로 예상하고 있다. PORTEC 3 연구는 병기 I기 등급 3이고 깊은 자궁근육층 침범인 환자군 혹은 병기 II/III 혹은 장액성 유두상 암과 투명세포 암 환자군이 방사선치료만 시행한 군과 방사선치료와 항암화학요법[시스플라틴 50mg/m² 1주, 4주에 2회 투여, 파클리탁셀(175mg/m²)과 카보플라틴(AUC5)을 3주 간격으로 4회 투예을 비교하였다.[76] 전체 환자군에서 두 군 간에 5년 무실패생존율(failure free survival, FFS)은 77.5% 대 68.6%로 복합요법군이 더 높았으나 5년 전체 생존율은 81.8% 대 76.7%로 두 군 간 유의한 차이가 없었다. 병기 III인 환자군을 대상으로 한 세부그룹 분석에서는 방사선 항암 복합요법을 시행한 군에서 5년에 11%의 무실패생존율의 향상을 보였다. 이러한 결과는 장기 추적관찰에 의해 확인이 필요하다.

⑦ 병기 I기 치료 요약

병기 I기는 예후 인자에 따른 치료법이 다양하다. 이는 전반적으로 예후가 매우 좋고 예후인자의 조합이 다양하며 보조요법에 따른 생존율의 차이를 보이는 임상연구가 드물기 때문이다. 따라서 각 기관과 단체에 따라 다양한 임상지침이 활용되고 있다. 2019년 미국 종합 암 네트워크(National Comprehensive Cancer Network, NCCN)의 임상지침, 2016년 대한부인종양학회에서 발간한 진료권고안,[41] 그리고 Memorial Sloan Kettering Cancer Center (MSKCC)에서 개발한 노모그램을 기반한 보조치료 지침을 표 19-7에 요약하였다.[77]

i. 병기 IA(자궁근층침범 없음, 등급 1,2)

5년무진행생존률이 95~98%로 보고되므로 대부분의 임상지침에서 수술 후 경과관찰을 권고한다.

ii. 병기 IA(자궁근층침범 없음, 등급 3)

GOG 210 연구에서는 골반림프절전이가 1.7%이었다.[78] 위험인자가 있을 경우 질근접방사선치료가 권고된다.

iii. 병기 IA(자궁근층 50% 미만 침범, 등급 1,2)

자궁내막암의 가장 많은 환자들이 여기에 속한다. PORTEC-I 연구에서는 이러한 환자의 질 재발률은 3% (9/296)으로 보고한다.[79] 60세 이상의 나이와 림프혈관공간 침범 등이 질 재발의 위험인자이며 위험인자가 있을 경우 질 근접방사선치료를 시행한다.

iv. 병기 IA(자궁근층 50% 미만 침범, 등급 3)

질 근접방사선치료를 권한다. PORTEC-1에서 5년 질 재발률이 14%, 수술 시 골반내 림프절전이률은 3.9%로 보고되었다.[79]

v. 병기 Ib(자궁근층 50% 이상 침범, 등급 1,2)

PORTEC-1 연구 결과 외부골반방사선치료를 시행하면 질재발률이 10~13% 에서 1~2%로 낮아졌다.[79] PORTEC-2 연구에서는 골반 재발률이 질 근접방사선치료 받은 환자는 3.5%, 외부 골반 방사선치료를 받은 환자는 0.6%로 유의한 차이를 보였다.[57] 하지만 외부골반방사선치료가 생존율의 향상을 보인다는 증거는 부족하여 대부분의 임상지침에서 보조치료로 질근접방사선치료를 권고한다.

표 19-7. 수술 후 초기 자궁내막암에서 보조치료

병기 IA	자궁근층침범	등급	NCCN guideline	부인종양학회 진료권고안	MSKCC
IA	없음	1,2	위험인자 없으면 경과관찰	위험인자 없으면 경과관찰	위험인자 없으면 경과관찰
				위험인자 있으면 경과관찰 또는 질근접 방사선치료	
	없음	3	질근접방사선치료	위험인자 없으면 경과관찰 또는 질근접 방사선치료	질 근접방사선치료
			림프혈관강침윤 없으면 경과 관찰 고려 가능	위험인자 있으면 경과관찰 또는 질근접 방사선치료 그리고/또는 골반 방사선치료	위험인자 없으면 경과 관찰 가능
	0<, <50%	1,2	경과관찰(우선)	위험인자 없으면 경과관찰 또는 질근접 방사선치료	질근접방사선치료 또는 관찰
			위험인자 있으면 질근접 방사선치료	위험인자 있으면 경과관찰 또는 질근접 방사선치료 그리고/또는 골반 방사선치료	
	0<, <50%	3	질근접 방사선치료 (우선)	위험인자 없으면 경과관찰 또는 질근접 방사선치료	질근접방사선치료
				위험인자 있으면 경과관찰 또는 질근접 방사선치료 그리고/또는 골반 방사선치료	
IB	≥50%	1,2	질근접 방사선치료 (우선)	위험인자 없으면 경과관찰 또는 질근접 방사선치료	질근접방사선치료
			위험인자 없으면 경과관찰 고려	위험인자 있으면 경과관찰 또는 질근접 방사선치료 그리고/또는 골반 방사선치료	
	≥50%	3	질근접방사선치료 그리고/또는 골반 방사선치료 ± 항암화학요법	위험인자 없으면 질근접방사선치료 또는 경과관찰	질근접방사선치료
				위험인자 있으면 질 근접방사선치료 그리고/또는 골반 방사선치료 ± 항암화학요법	중-고 위험군일 경우 골반 방사선치료
II	무관	1,2	질근접방사선치료 그리고/또는 골반 방사선치료	골반 방사선치료 그리고/또는 질근접방사선치료	질근접방사선치료
				골반방사선치료 ± 질근접방사선치료	자궁경부침범 ≥50%일 경우 골반 방사선치료
	무관	3	골반 방사선치료 ± 질근접방사선치료 ± 항암화학요법	골반 방사선치료 ± 질근접방사선치료 ± 항암화학요법	질근접방사선치료
					자궁경부침범 ≥50%일 경우 또는 중-고 위험군일 경우 골반 방사선치료

※ 위험인자 : 60세 이상, 림프혈관강침윤, 자궁하부침윤 등

vi. 병기 Ib(자궁근층 50% 이상 침범, 등급 3)

GOG 99 연구에서 5년에 25% 재발률과 관계되는 위험요인으로 고령, 고등급, 림프혈관 공간침범, 근층외측 1/3 이상 침범 등으로 설정하고 재발의 중-고위험군으로 70세 이상 이면서 1개 위험요인을 가진 환자, 50세이면서 2개의 위험요인을 가진 환자, 나이에 무관 하게 3개의 요인을 모두 가진 환자로 제시하였다.[59] 앞서 설명한 GOG 249 연구 결과에

따라 고위험 환자군에서 골반 방사선 치료의 중요성이 강조되고 있다. MSKCC에서는 병기 Ib, 등급 3인 환자에서 외부 골반 방사선치료를 권하며 충분한 수술적인 림프절절제술이 시행된 환자들에서는 질 근접방사선치료가 고려한다.[77]

3) 임상 병기 II

병기 II기 자궁내막암의 치료에 대한 전향적 무작위 연구는 없지만 후향적 연구들은 수술병기설정술을 포함한 수술적 치료와 수술 후에 병리소견에 따른 추가적인 방사선치료를 지지하고 있다. 병기 II기 환자들 203명을 대상으로 한 이탈리아 그룹의 후향적 연구에서 일반 자궁절제술에 비해서 광범위 자궁절제술을 받은 환자들의 생존율이 좋은 반면 수술 후 추가적인 방사선치료는 국소재발을 감소시켰지만 생존율은 향상시키지 못했다고 보고하였다.[80] SEER 데이터 분석에서도 일반 자궁절제술에 비해서 광범위 자궁절제술을 받은 환자들의 생존율이 좋았고 수술 후 방사선치료는 생존율을 향상시키지 못했다고 보고하였다.[81] 병기 II기 환자 162명을 대상으로 한 미국의 다 기관 연구에서도 같은 결과를 보였다.[82]

병기 II기가 의심되는 환자의 수술적 치료는 아래를 포함한다.

- 제II형 광범위 자궁절제술
- 양측난소난관절제술
- 세포검사를 위한 복강 세척술
- 온엉덩혈관의 중간 부위까지 골반 림프절절제술
- 육안상 커져있는 대동맥주위 림프절의 절제
- 대망 조직검사
- 의심되는 복막의 결절 조직검사

수술 후 방사선치료는 개별화되어야 하며 림프절이 음성일 경우 방사선치료는 하지 않는다. 림프절 양성인 환자는 확대 방사선치료와 골반 방사선치료를 받는다.

4) 진행성 병기(advanced stage III, IV)

종양의 주변 조직 직접 침범 정도와 자궁 외 전이에 따라 다양한 임상 양상을 가진다. 진행성 병기에서는 병기설정술 시 모든 종양을 절제하여 잔류종양을 최소화하는 것이 무엇보다 중요하다. 수술 후 보조치료의 목적은 국소 재발과 원위 재발 모두를 억제하는 것이다. 하지만 이들 환자군은 다양한 임상 양상을 가지며 각 보조 치료는 각각 고유의 재발 억제 효능과 독성을 가지고 있기 때문에 보조 치료를 결정하는 데 어려움이 있다. 자궁 외 침범이 림프절에만 한정된 경우(병기 IIIC) 골반 방사선치료 또는 확대 방사선치료를 시행할 수 있다.[83] 그러나 최근 연구결과들은 진행성 병기에서 전신 항암화학요법이 방사선치료보다 더 중요함을 시사한다.

GOG 122 연구에서는 병기 III와 IV 진행성 병기에서 전복부 방사선치료(whole-abdominal radiation)와 항암화학요법(Doxorubicin/Cisplatin)을 비교하였으며 2년 무병생존율은 항암화학요법군이 58%로 방사선치료군 46%에 비해 높았다.[84] 이는 전복부 방사선 치료로는 주변장기 독성으로 인하여 충분한 양의 방사선을 조사할 수 없으므로 종양 억제 효과가 항암화학요법에 비해 낮음을 의미한다. 림프절 양성이 확인된 병기 IIIC 자궁 내막암에서 수술 후 골반 및 확대 방사선치료는 국소 재발 억제 효과가 있으나 방사선 조사 범위의 한계로 원위 부위의 재발 억제 효과는 떨어진다.[85]

한 후향적 연구는 항암화학요법과 방사선치료의 병합요법이 방사선 또는 항암화학 단 독요법보다 무진행생존율과 생존율이 더 높다고 보고하였다.[86] 방사선과 항암화학 병합 요법의 효과를 입증하기 위해 수행된 연구로는 PORTEC-3와 GOG 258 연구가 있으며 두 연구는 동일한 복합요법을 사용하였다.[76,87]

PORTEC-3 연구에서는 고위험군과 진행성 병기 자궁내막암 환자를 대상으로 동시항 암화학방사선요법 후 4회의 파클리탁셀과 카보플라틴 항암화학요법 투여(복합요법)와 방 사선치료 단독(방사선치료)를 비교하였다.[76] 295명(44%)의 병기 III 환자군에 대한 세부 분석에서 5년 전체 생존율(82% 대 77%, 위험도 0.73, p-value 0.075)과 5년 무병생존율(76% 대 69%, 위험도 0.068, p-value 0.010) 모두 복합요법군에서 우수한 생존율을 보였으나 전체 생존 율의 차이는 통계적으로 유의하지 않았다.

GOG 258 연구에서는 병기 III, IVA(잔류종양 2cm 이하) 혹은 병기 I, II 장액성 암 투명 세포 암 환자 813명을 대상으로 동시항암화학방사선요법 후 4회의 파클리탁셀과 카보플 라틴 항암화학요법(복합요법)과 수술 후 파클리탁셀과 카보플라틴 항암화학요법을 6회 시 행(항암요법)의 치료효과를 비교하였으며 대부분의 환자는 병기 III, IV이었다.[87] 5년 무병 생존율은 각각 59%와 58%로 두 군 간에 차이가 없었다. 복합요법군군에서 질 재발, 골 반과 대동맥주위 림프절 재발이 낮았지만 원격재발은 항암요법군이 낮았다.

PORTEC-3와 GOG 258 연구 결과는 진행성 병기에서는 수술 후 보조요법으로 항암 화학요법이 반드시 필요하며 방사선치료는 국소 재발을 억제하는 데 효과가 있음을 시 사한다.

① 병기 IIIA (stage IIIA)

자궁 표면, 난관, 난소 등에 종양이 침범 상태이며 병기설정술 시 육안으로 관찰되는 모 든 종양을 제거하여야 한다. 병기 IIIA만을 대상으로 한 수술 후 추가치료에 대한 무작 위 연구는 없고 외부 골반 방사선치료와 전신적 항암화학요법을 시행해 볼 수 있다.

② 병기 IIIB (stage IIIB)

질 또는 자궁주위조직을 침범한 상태이며 완전 절제가 필요하다. Nicklin과 Petereson 의 연구에 의하면 병기 IIIB 환자에서 단독 질 재발의 경우는 0.7% 정도로 매우 드물 다.[88] 생존율은 병기 IIIC 환자군과 같아서 IIIB 환자군은 IIIC로 포함되어야 한다고 주 장하였다.

③ 병기 IVA (stage IVA)

자궁내막암이 방광이나 직장 점막에 침윤하는 경우는 매우 드물다. FIGO 보고에 따르면 0.6%만이 IVA기로 분류된다.[4] 이 병기의 환자의 치료는 개별화하여 이루어지며 경우에 따라는 변형 골반내용물적출술(modified pelvic exenteration)과 방사선치료 혹은 항암화학요법을 병행한다.

④ 병기 IVB (stage IVB)

병기 IVB는 드문 병기로 치료 결과도 좋지 않다. 고령의 환자에서 자궁경부 협착으로 진단이 늦어져 전이된 상태에서 진단되기도 하며 이러한 경우 대개는 에스트로겐 수용체 양성과 프로게스테론 수용체 양성으로 수술 전후로 프로게스틴 치료나 방사선치료를 이용하여 지속적인 생존을 하기도 한다. Aalders 등이 보고한 83명의 환자 분석에 따르면 주로 전이되는 기관은 폐이고 36%의 환자에서 확인되었다.[89] 병기 IV 환자의 치료는 개별화되어야 하며 대개는 수술, 방사선치료, 항암화학요법, 호르몬치료를 복합적으로 사용한다. 종양감축술에 대한 데이터는 주로 후향적 연구이며 많지 않다. 65명의 환자를 대상으로 했던 후향적 연구에서는 잔류 종양이 1cm 미만으로 정의되는 적정한 종양감축술을 받은 환자에서 그렇지 않은 환자보다 평균 생존이 34개월 대 11개월로 적정한 종양감축술을 받은 환자가 좋았으며 이러한 연구 결과는 다른 후향적 연구에서도 확인되었다.[90,91] 이 병기의 환자들의 치료의 목적은 출혈, 질 분비물 누공형성을 조절하기 위한 골반 국소 병변의 치료에 주목해야 한다.

5) 특별한 상황(special circumferences)

① 잠재암(occult cancer)

자궁평활근종, 자궁내막용종, 자궁탈출증과 같은 양성 질환으로 자궁절제술을 한 후 조직검사에서 자궁내막암이 진단된 경우를 말한다. 이러한 경우 병기설정에 필요한 난소절제와 림프절절제가 되어있지 않아 불완전한 병기 결정이 임상적으로 문제된다. 2019년 Desai 등은 양성질환으로 자궁절제술을 받은 환자의 0.75%에서 수술 후 자궁내막암이 진단되었다고 보고하였다.[92] 비정상 자궁출혈이 동반된 경우 수술 전 자궁내막 조직검사 시행이 권고되며 수술 중 자궁내막암이 의심되는 경우는 자궁을 종축으로 절개한 후 병변에 대해 동결절편검사를 시행하여 자궁절제술 시 병기설정술이 동시에 이루어지도록 한다. 수술 후 진단 된 경우 CT 또는 PET/CT 등의 영상검사와 혈중 CA125를 시행한다. 높은 조직학적 등급, 근층 침범이 50% 이상, CA125 상승, 영상검사상 잔류종양 의심 등의 소견이 있을 경우 병기 결정을 위한 재수술을 시행해야 하며 이렇게 해서 결정된 최종 병기에 따라 적절한 추가치료를 실시한다. 낮은 조직학적 등급(grade 1 or 2), 얇은 근층 침범, 림프혈관강침윤이 없는 경우에는 일반적으로 추가치료가 불필요하다.[3]

② 자궁내막암과 난소암의 동시 존재(synchronous primary tumors in the endometrium and ovary)

자궁내막암과 난소암의 동시 발생은 상대적으로 젊은 여성 환자에서 흔히 발견되며 전체 자궁내막암 또는 난소암의 5~10%를 차지한다.[93] 종양이 자궁내막과 난소에 동시에 발견될 경우 이들 종양이 각각의 장기에서 개별적으로 동시에 발병한 것인지(synchronous tumors) 아니면 한쪽의 종양이 다른 장기로 전이된 것인지 구분이 필요하다. 근층 침범, 림프혈관 공간 침범, 난소 표면 종양 등이 동반된 경우 자궁내막암이 난소 전이 가능성이 높다. 하지만 자궁내막 종양이 작으며 자궁 내막에 국한되어 있거나 난소 종양이 난소 중심부에 존재할 경우 두 종양은 서로 별개로 발생되었을 가능성이 높다.[93] 동시발생 종양과 전이성 종양을 구분하는데 ER, PR, Bcl-2에 대한 면역염색이 도움이 된다.[94] 자궁내막과 난소 종양의 조직학적 유형은 모두 자궁내막양인 경우가 많으나 별개의 유형인 경우도 존재한다. 동시발생인 경우 두 종양 모두 초기인 경우가 많으며 전이성 종양에 비해 예후가 좋다.[40] 이는 두 종양이 서로 별개의 예후를 가짐을 의미한다. 치료는 각각의 종양을 원발종양으로 간주하여 치료한다

③ 가임력 보존 치료(fertility sparining treatment)

자궁내막암은 때로 매우 젊은 여성에서 발견되며 대부분 다낭성난소 증후군 및 만성 무배란과 관련이 있으며 등급이 좋고 자궁 내막에 국한된 경우가 많다. 자궁절제술이 자궁내막암의 가장 효과적인 표준치료이지만 이는 영구적인 가임력의 상실을 수반한다. 자궁내막암에 대한 보존적 치료로서 프로게스틴 제제의 호르몬치료를 선택적으로 시행할 수 있다.[41] 가임력 보존 치료는 자궁내막암의 표준 치료가 아님에 대하여 충분히 환자와 면담을 거친 후 결정되어야 하며, 치료 전 상담을 통하여 치료가 효과적이지 않은 것으로 판단되거나 병변이 진행하는 경우 혹은 출산을 모두 완료한 경우에 자궁절제술을 포함한 외과적 병기설정술이 필요할 수 있음을 환자에게 설명해야 한다. 보존적 치료 시 난소와 같은 타 장기 전이 및 재발에 대한 진단이 늦어질 수 있으며 결과적으로 수술적 치료에 비해 예후가 나빠질 수 있음을 환자에게 주지시켜야 한다.[95] 또한 가족력이 있는 경우 린치 증후군을 배제하기 위한 유전 상담이 필요할 수 있다. 표 19-8은 자궁내막암에서 보존적 치료의 대상을 나타내었다.

표 19-8. 자궁내막암에서 보존적 치료 대상[41,96]

	1. 조직학적으로 확인된 자궁내막양의 자궁내막암
	2. 낮은 등급(grade 1)
질병 기준	3. 자궁 내막에 국한된 종양
	4. MRI상 자궁 근층 침범 없음
	5. 자궁 외 전이 없음
	1. 가임력 보존하고자하는 강한 희망
	2. 나이(40세 이하): 임신에 대한 상대적 기준
환자 기준	3. 약물 사용 금지 사유 없음
	4. 보존적 치료는 표준치료가 아니며 재발 위험이 높음을 인지

골반 MRI는 자궁근층 침범 정도를 파악하는 데 도움이 되며 난소 종양과 림프절 전이 여부 판단에도 도움이 된다. 프로게스틴 기반 치료에 대해 약제, 용량, 기간, 평가, 유지 요법에 대해 아직 널리 통용되는 표준은 없는 실정이다. 약제로는 메드록시프로게스

테론 아세테이트(medroxyprogesterone acetate, MPA), 메게스트롤 아세테이트(megestrol ac-
etate, MA), 레보노르게스트렐(levonorgestrel, LNG)을 포함한 자궁내장치 등이 있으며 환자
의 상태를 고려하여 주의깊게 선택되어야 한다. 프로제스틴 요법의 금기는 유방암, 뇌중
풍(stroke), 심근경색, 폐혈전증, 심부정맥혈전증, 흡연 등이 있다. 표 19-9는 자궁내막암에
서 보존적 치료를 시행하는 방법을 요약하였다.

표 19-9. 자궁내막암에서 보존적 치료 방법

Progestin 요법	Megesterol acetate	160~320mg/day
	MPA (medroxyprogesterone acetate)	200~500mg/day
	Levonorgestrel IUD (LNG-IUD)	
추적관찰	3~6개월 간격 자궁내막 평가(흡인술보다는 소파술 권장)	

다양한 프로제스틴 요법의 관해율은 약 70~85%로 보고된다. 한 국내 후향적 연구
(KGOG 2002)에서 MPA 또는 MA로 치료한 40세 이하, 병기 IA, 등급 1, 자궁내막양의 자
궁내막암 환자 148명을 분석하였다.[97] 완전 관해율은 77.7%이었으며 5년 무병생존율
을 68%이었다. MPA 사용, 임신, 프로제스틴 유지요법 등이 낮은 재발률과 관련있었으며
BMI 25 이상은 높은 재발률과 관련이 있었다.

자궁내막암 관해에 대한 다양한 프로제스틴 요법의 효과 차이는 불분명하다. LNG-
IUD는 이론적으로 고농도의 호르몬을 종양에 전달할 수 있으며 경구 프로제스틴 제제
보다 체중 증가와 정맥 혈전증 위험이 상대적으로 낮다. 자궁내막증식증에 대해 LNG-
IUD와 경구 프로제스틴 제제를 비교한 메타연구에서 LNG-IUD 의 관해율이 높다고 보
고하였다.[98] 초기 자궁내막암에 대한 LNG-IUD와 MPA 500mg을 동시 사용한 국내 연
구진의 전향적 다기관 연구에서 치료 시작 6개월에 완전 관해는 35명 중 13명(37.1%)이었
으며 부분관해는 9명(25.7%)이었다.[99]

프로제스틴 요법 전후 자궁경을 이용하여 종양 절제 및 자궁내막 평가하는 시도도 있
다. 2019년 Yang 등은 자궁경하 종양 절제술 후 경구 프로제스틴 요법을 시행한 경우
90% 이상의 관해율을 보고하였다.[100]

6~9개월의 프로제스틴 치료에도 반응이 없으면 자궁절제술을 포함한 외과적 수술을
권유해야 한다. 관해가 이루어진 후에는 가급적 빠른 임신을 시도하여야 한다. 임신이
완결된 후에는 자궁절제술을 권한다. 관해 후 바로 임신을 시도하지 않는 경우 프로제스
틴 유지 요법을 사용하는 것이 재발을 낮출 수 있다.[97]

보존적 요법 후 재발이 되었을 때 프로제스틴을 다시 사용할 수 있다. 자궁내막 증식
증이 재발된 13명과 자궁내막암이 재발한 20명에 대한 후향적 연구에서 경구 프로제스
틴을 재 투여하여 28명(85%)에서 완전 관해를 보였다.[101]

보존적 요법 후 임신 성공률은 32%로 보고된다.[102] 보존적 요법 후 임신 시도 시 보
조 생식술을 시행하는 것이 자연 임신을 시도하는 것보다 임신율과 생아출생률(live birth

rate)이 높다.[103] 따라서 불임 기왕력, 비만, 다낭성난소증후군, 만성 무배란, 당뇨 등을 가진 여성은 자연임신율이 낮을 뿐만 아니라 재발의 고위험군에 해당하므로 보조 생식술을 통한 빠른 임신과 이어지는 수술적 치료가 필요하다.

④ 린치 증후군

대부분의 자궁내막암은 산발적 돌연변이(sporadic mutation)에 의해 발생한다. 유전성 자궁내막암은 전체 환자의 약 5% 정도이며 산발적 암에 비해 10~20년 일찍 발병한다. 유전성 자궁내막암의 대부분은 린치 증후군이며 이는 유전성 비용종증 대장암(hereditary nonpolyposis colorectal cancer, HNPCC)로도 불리운다. 이는 DNA 불일치 복구(MMR) 유전자의 생식세포 돌연변이에 의해 발생하며 MMR 유전자는 *MLH1*, *MSH2*, *MSH6*, *PMS2*, *EPCAM* 등이 있다. 린치 증후군은 상염색체 우성으로 유전되며 전체 자궁내막암의 2~5%에 해당한다.[104] 유전성 암이므로 50세 전에 발생한 자궁내막암에서 린치 증후군 빈도가 높다.[105] 자궁내막암은 린치 증후군 환자의 50%에서 전초암(sentinel cancer)로 나타나고 좋은 예후로 인하여 대부분 자궁내막암 환자는 장기생존한다. 이들 환자 중에서 린치 증후군을 찾음으로써 환자 본인과 가족에게 암 예방과 조기진단을 위한 지침을 적용시킬 수 있다.

린치 증후군은 생식세포 돌연변이 유전자 검사로 확진하며 모든 환자에서 일률적으로 유전검사를 시행하는 것 보다는 가족력, 면역조직화학염색, 현미부수체 불안정성 검사 (microsatellite instability test, MSI) 등을 이용한 선별검사를 먼저 시행하여 해당되는 환자에 대해 유전검사를 시행하는 것을 권장한다. 린치 증후군에 대한 가족력 기준인 암스테르담 기준 II (Amsterdam criteria II)은 민감도가 30% 이하이며 전체 린치 증후군 환자의 약 50%만이 가족력이 있다. 2014년 미국부인종양학회와 미국산부인과학회는 자궁내막암을 전초암으로 산정한 개정 배데스다 기준(revised Besthesda criteria)에 따라 이를 만족할 경우 유전검사를 시행할 것을 권고하였다(표 19-10).[106] MMR 단백에 대한 면역조직화학염색은 MMR 유전자의 조직 발현 여부를 보는 것으로 종양조직에서 *MLH1*, *MSH2*,

표 19-10. 린치 증후군에 대한 유전 평가가 필요한 대상[107]

The 2004 Bethesda guideline (modified to include endometrial cancer as a sentinel cancer): 유전 평가가 권고되는 자궁내막암 환자 선별 목적
50세 이전 자궁내막암 또는 대장암 진단
자궁내막암 또는 난소암 진단 + 대장암과 같은 린치 증후군 관련암 진단
자궁내막암 또는 대장암 진단, 1촌 이내 가족에서 50세 이전 린치 증후군 관련암 진단
자궁내막암 또는 대장암 진단, 2명 이상 가족에서 린치 증후군 관련암 진단
60세 이전 대장암 진단, 조직 내 tumor-infiltrating lymphocytes, peritumoral lymphocytes, Crohn-like lymphocytic reaction, mucinous/signet-ring differentiation, or medullary growth pattern
린치 증후군 관련: 대장암, 자궁내막암, 전립선암, 위암, 난소암, 췌장암, 요관 및 신장암, 방광암, 담도암, 뇌암, 소장암 등

*MSH6, PMS2*에 대해 염색한다. *MLH1* 단백 소실은 생식세포 돌연변이 외 메틸화에 의한 것일 수 있으므로 린치 증후군과 감별을 위한 추가 검사가 필요하다.[106] MMR 현미부수체 불안정성 검사는 MMR 유전자 결손과 관련이 높은 소견으로 유전자 복제 시 돌연변이 빈도가 증가하여 발생하는 현미부수체 조각(microsatellite fragment)을 측정한다.

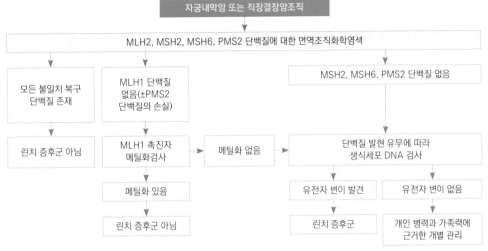

그림 19-2. 린치 증후군 진단을 위한 Mismatch repair (MMR) 유전자 발현에 대한 면역조직화학염색(immunohistochemistry)[106]

린치 증후군을 가진 여성은 자궁내막암 발병 위험성이 25~60%에 이르므로 확진 시 정기적으로 자궁내막을 평가하고 경구 피임약으로 발병 위험도를 낮추며, 출산 종료 후에는 자궁절제를 권고한다.[104] 자궁내막암 환자 중 린치 증후군이 확인된 127명을 대상으로 한 연구에서 20년간 각 암종의 발병 위험도는 대장암 48%, 신장 및 요관암 11%, 유방암 11%이었다.[108] 대장암 조기발견을 위하여 린치 증후군 확진 시 1~2년 간격의 대장내시경을 권고하여야 한다.

⑤ 치료 후 호르몬 대체요법(hormone replacement treatment, HRT)

자궁내막암은 90%가 type I으로 대부분 에스트로겐 민감성이다. 때문에 이론적으로 여성 호르몬 사용이 자궁내막암 재발 위험을 증가 시킬 것으로 예상할 수 있으나 이는 임상적인 근거가 없다. 초기 자궁내막암은 예후가 좋지만 난소 절제로 인한 폐경은 골다공증과 삶의 질 저하를 일으키므로 에스트로겐을 포함한 여성 호르몬 사용 여부는 특히 젊은 여성에서 중요한 문제이다.

지난 수십년간 발표된 연구들은 일관적으로 자궁내막암 치료 후 여성 호르몬 치료가 재발률과 생존율을 악화시키지 않음을 보고하였다. 초기 자궁내막암(stage I and II) 1,236명을 대상으로한 무작위 임상시험에서 치료 후 에스트로겐 요법군은 위약군에 비해 재발률과 2차 암 발생률에 차이가 없었다.[109] 2014년 심 등은 약 2,000명의 자궁내막암 환자를 포함한 메타 연구에서 호르몬 치료가 재발률 상승과 유의한 관련이 없음을 보고하였다.[110] 또한 이 연구에서 에스트로겐과 프로제스틴 병합요법은 재발 감소 효과가 있는 반면에 에스트로겐 단독 요법은 그러한 효과가 없었다.

자궁내막암 치료 후 여성호르몬 치료는 안전하며 에스트로겐 단독요법, 에스트로겐과 프로제스틴 병합요법, 티볼론 요법 모두 재발 위험을 높이지 않으므로 폐경 증상이 있는 여성에서 사용이 가능하다.

⑥ 치료 후 추적 관찰

대부분의 재발은 3년 이내에 발생하며 약 10%는 5년 이후에 발생한다.[111] 일차 치료와 추가치료가 모두 끝난 환자는 첫 2년 동안은 3~6개월 간격으로 병원을 방문하게 하며 그 후로는 치료 후 5년까지 6개월 간격으로 방문하도록 한다. 재발 시 발현 가능한 증상에 대하여 환자에게 교육을 시키는 것도 잊지 말아야 한다

재발 시 약 50% 이상에서 증상을 동반한다. 매 방문 시 병력 청취를 시행하며 질출혈, 혈뇨, 혈변, 식욕부진, 체중감소, 통증, 기침, 호흡곤란, 부종 등은 재발을 시사하는 증상이므로 관련 증상을 호소할 시에는 즉시 적절한 영상진단(흉부 X-선 검사, 초음파, CT, MRI, PET)이 시행되어야 한다. 또한 예정된 방문일이 아니더라도 관련 증상이 있을 시 병원에 내원하도록 교육을 시켜야 한다.

165명의 무증상 재발에서 36.4%는 이학적 검사, 62.4%는 영상검사에 기초하여 재발을 진단할 수 있었으며 질원개부 세포검사에 기초한 재발 진단은 1.2%에서만 이루어졌다.[112] 254명의 고등급 자궁내막암에서 추적 관찰 방법을 조사한 다기관 연구 결과에 따르면 재발 시 증상이 있었던 경우는 56%이었으며 18%는 이학적 검사, 15%는 CT, 10%에서는 CA125, 1%에서 질 세포검사에 의해 진단되었다.[113]

초기 자궁내막암의 재발률은 20% 이내이나 진행성 자궁내막암의 재발률은 이보다 높다. 임상적 판단에 기초하여 영상검사를 시행하도록 추천되지만 병기 III, IV 의 진행성 병기 환자는 일차 치료가 끝난 후 6개월 간격의 정기적인 골반/복부/흉부 CT 촬영이 추천된다. 재발 진단에 있어 질 세포검사의 효과는 불분명하다. 수술 후 방사선치료를 시행하지 않은 환자에서는 질 세포검사가 질 전단부 재발을 조기 진단하는 데 도움이 된다는 주장이 있으나 질 세포검사로 무증상 재발을 진단되는 경우는 매우 적다. CA125는 자궁내막암의 추적관찰에 도움이 된다는 보고가 있으나,[114] 일상적인 추적관찰의 지표로 삼기에는 증거가 부족하다.

자궁내막암 진단된 환자는 일반인에 비해 유방암과 대장암 발병 위험이 높다.[111] 환자 면담 시 정기적인 유방촬영과 잠혈검사 또는 대장내시경의 중요성을 상기시켜야 한다.

재발성 자궁내막암
(Recurrent Endometrial Cancer)

초기 환자는 약 15%, 진행성 자궁내막암에서는 50%까지 재발이 확인된다. 국소 재발은 50% 환자에서 발견되었으며, 원격 전이는 29%, 국소 재발과 원격 전이가 동시에 발생한 경우는 21%였다. 초기 치료에서 재발이 발견되기까지의 기간은 국소 전이 환자에서는 14개월, 원격 전이환자에서는 19개월이었다. 모든 재발 환자의 34%가 일차 치료 후 1년 이내에 발견되었고, 76%는 3년 이내에 발견되었다.[115] 재발의 분포 양상은 일차 치료에서 수술만을 시행했느냐 수술에 방사선치료를 추가로 시행했느냐에 따라 달라지며 수술

만을 시행 받은 환자들에서는 질이나 골반의 재발이 많고, 수술과 방사선치료를 병합하여 치료를 받은 환자들에게 있어서는 대략 70%의 재발이 골반 밖에서 일어난다. 재발이 진단될 당시 32%에 환자는 무증상이었고, 임상 증상이 있었던 경우와 비교하였을 때 재발과 전체생존율에 차이가 없었다.

1) 단독 질 재발(isolated vaginal recurrence)

단독 질 재발은 완치를 목적으로 하는 치료에 있어서 가장 적합한 상태이다. 치료를 시작하기에 앞서 반드시 전신 전이를 배제하기 위해 양성자-전산화단층촬영(PET-CT)이나 전산화단층촬영 검사의 시행이 필요하다. 국소 재발에 대한 치료법은 수술, 방사선, 수술과 방사선의 병합요법 등이 있을 수 있고, 일차 치료에 따라 선택이 달라질 수 있다. 만약 일차 치료가 수술만이었다면, 질이나 골반 중심부에 재발한 경우 방사선치료가 효과적인 치료방법이 될 수 있다. 이러한 경우, 외부방사선조사요법(external beam radiotherapy, EBRT)과 근접치료(brachytherapy) 병합요법이 필요하다. 추가적으로 완전한 수술적 절제의 가능성을 높이기 위해 항암화학요법이 재발 종양의 크기를 줄이기 위한 방법으로 고려될 수 있다.

1996년 발표된 덴마크의 자궁암 연구(DEMCA)는 방사선치료를 시행하지 않은 저 위험군 환자들이 대상이었고 1214명 중 17명에서 질 쪽 재발이 보고되었으며 이 중 88.2%에 해당하는 15명이 방사선치료에 의해 완전 관해를 보였다. 반면에 골반 쪽 재발을 보인 7명의 환자에서는 치료 효과가 없었다.[116]

2007년 발표된 미국의 다중 기관 연구에서는 추가 방사선치료를 시행 받지 않은 자궁암 환자 69명에서 단독 질 재발을 확인하였다.[117] 이들 중 10명(15%)은 처음에 병기 1A를 진단받았었다. 조직학적으로 22명(32%)이 등급 1, 26명(38%)이 등급 2, 21명(30%)이 등급 3이었다. 비록 후속 재발에 의해 18%는 사망하였지만, 방사선치료는 81%의 질 원개(vaginal vault) 재발을 조절하였다.

2005년 Lin 등은 50명의 단독 질 재발 환자에서 낮은 합병증과 68%의 5년 무병생존율을 보고하였다.[118] 재발까지의 기간은 25개월이었고, 전체생존율에 나이, 조직학적 유형, 재발의 크기가 중요한 예측인자였다. 등급 3 환자는 재발 시기부터 3.6년 이내에 모두 사망하였다.

2006년 캐나다에서 22명의 환자를 대상으로 한 연구에서 외부방사선조사요법과 병합한 고용량의 근접치료로 평균 32개월의 추적관찰 후에 모든 환자들이 국소 제어를 보였고, 1명이 원격 전이 및 이로 인해 사망하였다고 보고하였다.[119]

직경 4cm 이상의 큰 종양은 방사선치료 전에 수술을 하는 것이 국소 제어에 도움이 될 수 있다. 이 때 개복 수술은 다른 전이를 배제하고 복강 전체를 확인할 수 있게 하는 장점이 있다.

만약 환자가 이전에 골반 쪽 방사선치료를 받은 적이 있다면 골반내용물적출술(pelvic exentration)을 시행하는 것이 유일한 완치법이 될 수 있다. 2012년에 Memorial

Sloan-Kettering Cancer Center가 발표한 논문에서 재발성 자궁암 환자 21명을 대상으로 골반내용물적출술을 시행하였을 때 5년 생존율 50%를 보고하였고, 이는 잘 선별된 환자에서의 자궁경부암에서의 결과와 유사하였다.[120] 하지만, 이전에 방사선치료를 받은 부위에 시행하는 근치적 수술은 수술과 관련된 통증이나 누공 형성과 같은 상당한 합병증을 가져올 수 있었고 실제로 저 중에서 5명의 환자(24%)는 수술 후 90일 이내에 재수술이 필요하였다.

2) 전신 재발: 수술의 역할(systemic recurrence: role of surgery)

때로는 방사선치료, 항암 치료, 호르몬 치료를 병합한 수술적 치료가 재발성 자궁암 환자의 치료에 있어서 중요하고, 이는 특히 모든 잔류 병변을 제거 가능할 때 그렇다.

Johns Hopkins Medical Center가 구제적 종양감축술(salvage cytoreductive surgery)을 시행한 35명을 대상으로 한 연구에서 23명의 환자(66%)가 완전 종양감축을 보였다.[121] 이들 환자들의 중앙생존기간은 39개월이었으며, 육안적으로 잔류 병변이 있던 환자들의 경우는 13.5개월이었다. 재발 후 생존율에는 수술과 잔류 병변이 중요하며, 독립적 예측인자로 의미가 있었다. MSKCC의 연구에서도 비슷한 결과가 확인되었다.[122]

2년 이상의 장기간 무병생존기간과 단독 재발(예, 폐, 간, 또는 임파선)을 보인 환자들은 의학적으로나 수술적으로 시행 가능할 경우 반드시 수술적 절제를 고려해야 한다.

3) 호르몬 치료의 역할(role of hormonal therapy)

프로게스테론 제제는 진행성이나 재발성 자궁암 환자의 치료제로 사용되어 왔으며, 비경구 제제가 주로 사용되지만 경구용 제제도 동일한 효과가 있다. 대략적인 반응률은 15~20% 정도이며 호르몬 수용체의 발현, 저 등급의 조직학적 유형, 장기간의 무병기간 등에서 더 좋은 반응을 보인다고 알려져 있다.

GOG는 1999년에 299명의 진행성 혹은 재발성 자궁암 환자를 대상으로 한 연구에서, 특히 등급이 좋거나 프로게스테론 수용체 양성인 환자의 치료에 있어서 초기 요법으로 경구 MPA 100mg/day보다는 200mg/day가 적당하다고 결론지었다.[123]

비국소적 재발암의 경우에는 MPA 50~100mg을 하루 세 번 또는 메게스트롤 80mg을 하루 두 번 내지 세 번 처방한다.[3] 만약 치료에 반응이 있다면 프로게스테론을 무기한으로 지속해야 한다. 프로게스틴의 부작용으로는 체중 증가, 부종, 혈전 정맥염, 떨림, 두통, 고혈압, 그리고 혈전색전증 등이 있다.

비스테로이드성 항에스트로겐 제제인 타목시펜은 재발성 자궁암 환자에서 사용되어 왔다. 1세대 선택적 에스트로겐 수용체 조절제(selective estrogen receptor modulator, SERM)로써 자궁 내의 에스트로겐 수용체에 에스트라디올이 결합하는 것을 방해하고, 순환 에스트로겐의 증식성 자극을 방해한다. 보통 이전에 프로게스틴에 반응을 보였던 환자들에서 반응을 보였으나, 이전에 반응하지 않던 환자에서도 가끔 반응을 보이기도 했다.[124,125] 타목시펜은 매일 20mg을 하루에 한 번 내지 두 번 먹고 반응을 보이는 한 지

속한다. Moore 등은 타목시펜 단독 요법에서 22%의 반응률을 보였다고 보고했다.[126]

폐경 여성에서 에스트로겐의 생성은 말초의 지방세포에 존재하는 아로마타아제에 의한 안드로스텐디온의 전환에 의한다. 아로마타아제는 자궁암 간질(endometrial cancer stroma)에서도 증가되어 있을 수 있고, 국소적으로는 생성된 에스트로겐이 주변분비 인자(paracrine factor)처럼 작용해서 종양의 성장을 자극기기도 한다. 재발성이나 전이성 자궁암 환자에 있어서 아로마타아제 억제제의 반응률은 단지 10%에 불과하나 실제로 발표된 연구들에서 알려진 것처럼 고등급의 호르몬 수용체가 음성인 암환자가 대다수였다.[127] 등급이 좋거나 호르몬 수용체 양성인 종양에 대해서 아로마타아제 억제제를 평가하는 연구들이 진행 중에 있다.

4) 세포독성 항암 치료의 역할(role of cytotoxic chemotherapy)

전이성 자궁암 환자들에 대한 세포독성 치료는 완화요법으로, 치료에 대한 반응도 대부분 일시적이다. 많은 자궁암 여성들이 고령이고 비만, 당뇨, 심혈관계 질환과 같은 다른 질환을 동반한 경우가 많다. 이런 환자들의 경우는 골수 기능을 제한하는 방사선치료를 받았을 수도 있다. 치료 방법을 권유할 때는 이러한 모든 요인들을 고려해야 하지만, 항암 치료는 좋은 수행도를 보이는 환자들에게 있어서는 반드시 고려되어야 한다.

가장 많이 사용되는 약제는 백금 항암제, 탁센 제제, 그리고 안트라사이클린(anthracy-clines)이 있다. 반응률은 30~60%, 무병생존기간은 5~12개월이었다.[128~130]

일반적으로 2차 항암요법에 대한 반응은 나쁘다. 가장 반응이 좋은 것은 탁산 제제였고, GOG는 파클리탁셀이 이전에 치료받지 않은 여성들에서 35%,[131] 이전에 치료받았던 여성들에게서는 27%의 반응률을 보였다고 보고했다. 이전에 치료를 받았던 여성들에서, 반응지속기간은 4.2개월이었고, 전체 생존기간은 10.3개월이었다. 토포테칸이 GOG에서 2차 요법 항암제로 연구되었으나, 반응률은 9%에 불과했다.[132]

단독요법 대 병합요법과 관련된 수많은 무작위 연구들이 있었고, 이 중 2개가 체계적 고찰이었다. 둘 다 독소루비신과 시스플라틴 병합요법이 독소루비신 단독요법에 비해 더 높은 반응률을 보인다는 결론이었다.[133,134] 병합요법은 반응률 40%, 무진행 생존기간은 5~7개월이었다. 파클리탁셀을 단독 혹은 병합요법에 추가하는 것도 각각 37%와 57%로 높은 반응률을 보였고, 생존율에 약간의 효과가 있었다. 그러나, 독성이 심해 치료로 인한 사망이 몇 명 있었다.[135]

카보플라틴과 파클리탁셀의 병합요법은 반응률 67%, 이 중 완전 반응은 29%로 보고되었다. 독성은 받아들일만한 수준이었으며, 무진행 생존기간은 14개월, 전체 생존기간은 대략 26개월이었다.[136,137] 이 요법은 전이성 자궁암에서 흔히 사용된다.

GOG는 2012년 미국 부인암학회에서 파클리탁셀과 카보플라틴 병합요법과 파클리탁셀, 독소루비신, 시스플라틴 3가지 약제를 병합한 요법을 무작위 배정으로 비교한 연구 결과를 발표했다.[138] 2003년부터 2009년까지 총 1,381명의 환자가 등록되었고, 무진행 생존기간은 14개월로 두 군 모두 동일했으며, 전체 생존기간은 각각 파클리탁셀과 카보플라틴 병합요법이 32개월, 파클리탁셀, 독소루비신, 시스플라틴 3가지 약제를 병합한 요법은 38개월이었다(HR, 1.01). 파클리탁셀과 카보플라틴 병합요법 독성 측면에서는 더 양호했다.

5) 표적 치료제(targeted agent)

표적치료제는 대부분의 정상세포들을 보존하게 하며, 기존 항암제보다 부작용이 없거나 전혀 다른 부작용을 유발한다. 표적지료제는 많은 종류의 암치료에서 사용되어 왔지만 자궁암에서는 비교적 최신요법에 속한다. 이러한 표적치료제는 자궁암 고위험군이나 전이성, 재발성 치료에 사용될 수 있다. 현재까지 여러 가지 새로운 표적항암제들이 연구되고 있다.

포스파티딜이노시톨-3-인산화효소(Phosphatidyl inositol 3-kinase, PI3K)나 표유류라파마이신(mammalian target of rapamycin, mTOR) 신호체계 그리고 혈관신생을 표적으로 하는 약제가 어느 정도 효과를 보이는 것으로 알려져 있지만 아직까지 임상 사용에 허가는 받은 것은 없다.

① 베바시주맙(Bevacizumab)

혈관형성 저해제에 속하며 혈관내피성장인자(VEGF)라고 불리는 단백질에 결합하여 암세포의 증식을 늦추거나 멈추게 한다. 단독요법이나 항암제와 병용요법으로 사용할 수 있으며 2~3주 간격으로 정주로 투여한다. 52명의 재발성 자궁암 환자를 대상으로 한 제2상의 GOG 연구에서 베바시주맙이 임상 반응을 7명(13.5%)에서 향상시켰고, 21명(40.4%)이 적어도 6개월 이상 재발 없이 생존을 보였다. 무진행 생존기간과 전체 생존기간은 각각 4.2개월과 10.5개월이었다.[139]

② 포유류라파마이신 억제제(mammalian target of rapamycin, mTOR inhibitor)

세포의 성장이나 분화를 돕는 포유류라파마이신이라고 알려진 세포단백질을 차단하는 약물로 단독용법이나 기존 항암제 또는 호르몬치료제에 병합하여 사용할 수 있다.

Oza 등은 최근에 진행성 자궁암 환자에서 템시롤리무스(Temsirolimus, Torisel)의 2상 임상연구 결과를 발표했고 부분 반응률이 14%였고, 69%가 재발 없는 상태를 보였다.[140] 재발성이나 전이성 자궁암에서 1차나 2차 치료제로 사용될 수 있고, 부분 반응률은 2차 치료에서 4%였다.

GOG는 이전에 1차에서 2차 항암치료를 받은 전이성 난소암 환자 49명에서 템시롤리무스와 베바시주맙 복합요법을 사용한 2상 임상연구결과를 2013년에 발표했다. 12명(24.5%)에서 임상 반응을 보였지만(1명은 완전 관해, 11명은 부분 관해), 상당한 독성이 있었다.[141]

2015년 Slomovitz 등은 또 다른 mTOR inhibitor인 에버롤리무스(Everolimus, Evertor)와 레트로졸(Letrozole)을 병합한 요법으로 2상 임상시험 결과를 발표하였다. 35명의 재발성 자궁내막암 환자를 대상으로 에버롤리무스와 레트로졸 병합요법의 반응률은 32% (9명에서 완전 관해, 2명 부분 관해)을 보였으며 9명이 독성으로 치료를 중단하였다.[142]

③ 면역관문억제제(immune-checkpoint inhibitor)

KEYNOTE-028연구는 programmed death ligand 1 (PD-L1) 양성인 고형암 환자를 대상으로 PD-L1 단클론항체인 펨브롤리주맙의 효과를 보기위한 1상 연구이다.[143] 이 연구에서 75명의 불응성 재발성 자궁내막암 환자 중 36명(48.0%)이 PD-L1 양성이었으며 그 중 24명이 등록되어 펨브롤리주맙 10mg/kg를 2주 간격으로 투여하였다. 부분 관해가 3명(13.0%), 종양 안정(stable disease)이 3명(13.0%)이었으며 13명(54.2%)에서 독성을 보였으나 이로 인한 약제 중단은 없었다. 펨브롤리주맙은 DNA 불일치 복구 유전자 결핍된 (MMR-deficient) 경우와 현미부수체 불안정성(microsatellite instability, MSI)-high를 보이는 종양에서 높은 반응률이 보고되었다.[144]

예후(Prognosis)

개별 기관들에서 자궁 내막암의 생존율에 대한 여러 결과들이 보고될 수 있지만 한국에서의 자궁내막암의 5년 상대 생존율은 그림 3과 같은 경향성을 보였다.[145] 2006년에 보고된 740명을 대상으로 한 다기관 분석에서 한국에서의 15년 자궁 내막암의 생존율과 예후에 대한 결과를 보면 병기에 따른 5년 생존율은 I기, II기, III기 각각 89.0%, 74.0%, 53.0%였으며 등급에 따른 5년 생존율은 96.0%, 92.0%, 80.0%였다.

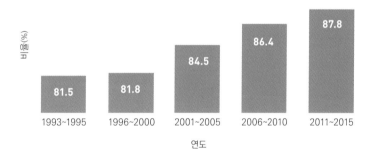

그림 19-3. 1993년부터 2015년까지 한국에서의 5년 상대 생존율 경향[145]

자궁육종(Uterine Sarcoma)

개요 및 역학 (Introduction and Epidemiology)

자궁육종은 자궁 근육 혹은 자궁내막의 기질 등의 중간엽 조직(mesenchymal tissue)에서 발생하는 비교적 드문 종양으로 자궁에 발생하는 악성 종양의 약 3~8%를 차지한다.[146] 일반적으로 자궁육종은 악성도가 높고 자궁내막암과는 임상 양상 및 치료법에 있어서 차이가 있다.[147] 국내 연간발생환자는 1999년 619명에서 2010년 1,616명으로 증가하는 추세로 보여지고 자궁근종으로 생각하여 시행한 수술에서 자궁육종으로 진단되는 경우는 약 0.1~0.5%로 보고되고 있다.[148,149] 자궁육종의 수술적 치료는 자궁절제술이고 이때 종양을 세절(morcellation)하는 것은 피해야 한다. 세절술을 시행하는 경우 5년 생존율에 미치는 악영향이 보고되고 있어 대한부인종양학회 임상진료지침에서도 자궁육종이 의심되는 경우 동력 세절술(power morcellation)을 피할 것을 권고하고 있다.[41,150]

분류와 병기설정 (Classification and Staging)

자궁육종의 가장 흔한 두 가지 조직학적 형태는 자궁 평활근육종(leiomyosarcoma, LMS)과 자궁내막 간질육종(endometrial stromal sarcoma, ESS)이다(표 19-11). 그외 드문 형태의 자궁육종은 미분화 자궁육종(undifferentiated uterine sarcoma, UUS), 선육종(adenosarcoma), 혈관주위 표피모양세포 신생물(perivascular epithelioid cell neoplasm, PEComa)이 있다.[147,151,152] 암육종(carcinosarcoma)은 악성혼합뮐러종양(malignant mixed Mullerian tumor)으로도 불렸으며 과거에는 자궁육종으로 분류되었지만 현재는 중간엽조직화생(mesenchymal metaplasia)이 동반된 자궁내막암으로 생각되고 있다.[153] 미국 환자들을 대상으

표 19-11. 자궁암의 분류(WHO 분류, 2014)

I. 중간엽 종양(Mesenchyomal tumors)
1. 자궁근종(Leiomyoma)
a. 세포성 자궁근종(Cellular leiomyoma)
b. 기이한 핵을 보이는 자궁근종(Leiomyoma with bizarre nuclei)
c. 핵 분열 활동성을 보이는 자궁근종(Mitotically active leiomyoma)
d. 수분성 자궁근종(Hydropic leiomyoma)
e. 혈관 경색 자궁근종(Apopletic leiomyoma)
f. 지방성 자궁근종(Lipomatous leiomyoma)
g. 상피성 자궁근종(Epithelioid leiomyoma)
h. 점액성 자궁근종(Myxoid leiomyoma)
i. 박리성 자궁근종(Dissecting leiomyoma)
j. 분산성 자궁근종증(Diffuse leiomyomatosis)
k. 정맥내 평활근종증(Intravenous leiomyomatosis)
l. 전이성 자궁근종(Metastasizing leiomyoma)
2. 자궁내막 간질성 종양(Endodermal stromal tumors)
a. 자궁내막 간질성 결절(Endometrial stromal nodule, ESN)
b. 악성도가 낮은 간질성 육종(Low-grade endometrial stromal sarcoma, LGESS)
c. 악성도가 높은 간질성 육종(High-grade endometrial stromal sarcoma, HGESS)
d. 미분화 자궁육종(Undifferentiated uterine sarcoma, UUS)
e. 난소 성끈-간질 종양과 유사한 자궁종양(Uterine tumor resembling ovarian sex cord stromal tumor)

3. 악성가능성이 불분명한 평활근종양(Smooth muscle tumor of uncertain malignant potential)

4. 자궁평활근육종(Leiomyosarcoma)

    a. 상피성 자궁평활근육종(Epithelioid leiomyosarcoma)

    b. 점액성 자궁평활근육종(Myxoid leiomyosarcoma)

5. 기타 미상의 중간엽 종양(Miscellaneous mesenchymal tumors)

    a. 횡문근육종(Rhabdomyosarcoma)

    b. 혈관주위 상피성 종양(Perivascular epithelioid cell tumor)

        1. 양성(Benign)

        2. 악성(Malignant)

II. 혼합성 상피성, 중간엽 종양(Mixed epithelial and mesenchymal tumors)

1. 선혼합종(Adenomyxoma)

2. 비정형 폴립성 선근종(Atypical polypoid adenomyoma)

3. 선섬유종(Adenofibroma)

4. 선육종(Adenosarcoma)

5. 암육종(Carcinosarcoma)

Ali RH, et al. J Clin Pathol. 2015 May;68(5):325-32.

로 한 역학 분석에서 각 종양 별 발생 빈도는 자궁 평활근육종 52%, 자궁내막 간질육종 30%, 선육종 11%, 기타 7%로 나타났다.[154]

    과거에는 자궁육종의 병기설정은 자궁내막암의 FIGO 병기설정을 따랐으나 자궁육종만의 독특한 전파 방식과 임상학적 양상으로 2009년에 자궁 평활근육종과 자궁내막 간질육종 및 선육종에 대한 병기설정이 별도로 발표되었다(표 19-12, 13).[155]

표 19-12. 자궁 평활근육종과 자궁내막 간질육종의 FIGO 병기설정

병기	정의	
I	자궁에 국한된 종양	I A: ≤5cm I B: >5cm
II	자궁을 벗어났으나 골반에 국한된 종양	II A: 자궁부속기 침범 II B: 다른 골반 조직 침범
III	복부 조직을 침범한 종양(단순히 복부 내부로 돌출된 것은 아님)	III A: 한 가지 부위 III B: 두 가지 이상의 부위 III C: 골반 또는 대동맥주위 림프절로 전이
IV		IVA: 방광 또는 직장으로 침범한 종양 IVB: 원격 전이

표 19-13. 자궁 선육종의 FIGO 병기설정

병기	정의	
I	자궁에 국한된 종양	I A: 자궁근육층 침범없이 자궁내막 및 자궁경관에 국한된 종양 I B: 자궁근육층을 1/2 이하로 침범 I C: 자궁근육층을 1/2 초과하여 침범
II	자궁을 벗어났으나 골반에 국한된 종양	II A: 자궁부속기 침범 II B: 다른 골반 조직 침범
III	복부 조직을 침범한 종양 (단순히 복부 내부로 돌출된 것은 아님)	III A: 한 가지 부위 III B: 두 가지 이상의 부위 III C: 골반 또는 대동맥주위 림프절로 전이
IV		IVA: 방광 또는 직장으로 침범한 종양 IVB: 원격 전이

자궁 평활근육종
(Leiomyosarcoma, LMS)

자궁 평활근육종 환자의 평균 연령은 54세(43~63세)이고, 폐경 전 여성들의 생존율이 더 높다. 출산력과 무관하다고 알려져 있으며 약 4%에서 이전 골반 방사선치료 병력이 있고 양성 자궁근종에서 자궁육종성 변화의 빈도는 0.13~0.81%로 보고되고 있다.[156~160]

증상은 비특이적으로 질 출혈, 골반통 또는 압박감, 만져지는 복부 종괴 등이 있다. 폐경 후 여성에서 자궁 비대를 동반한 골반통이 있으면 자궁 평활근육종을 의심해야 한다. 자궁내막 생검은 자궁내막 간질육종이나 자궁내막암에서 만큼 유용하진 않지만 병변이 점막 하에 위치한 경우에는 일부 진단이 가능하다. 자궁 평활근육종과 자궁근종을 감별하기 위해 MRI, PET, CT 등 다양한 영상검사와 혈중 LDH 및 크기, 성장 속도 등의 임상양상 등을 이용하고 있으나 수술 전 진단은 쉽지 않고 대개 수술 후 발견된다.[159,161]

자궁 평활근육종의 예후인자는 연령, 병기 및 유사분열수(mitotic count) 등이다. 병리학적으로 악성도를 반영하는 지표로는 유사분열수가 있다. 유사분열수가 10 HPF (high power field)상 5개[5MF (mitotic figure)/10HPF] 미만인 종양은 양성 종양의 양상을 나타내며, 유사분열수가 10개(10MF/10HPF) 이상인 경우에는 명백한 악성 종양으로 간주한다. 반면, 10HPF상 5개에서 9개 사이(5-9MF/10HPF)이면서 세포의 비정형성을 보이는 경우 불확실한 악성을 지닌 평활근 종양(smooth muscle tumor of uncertain malignancy, STUMP)이라고 한다. 유사분열수 이외에 추가적인 병리학적 지표로는 심한 세포비정형성, 불규칙한 경계, 응고성 종양 괴사, 혈관 침투 등이 있다.[152,162] 수술 시 종양의 육안소견 역시 중요한 예후인자이다. 종양이 5cm 이상이거나 종양이 주변부를 침윤하고 있거나 자궁 외 병변이 있을 때 더 안 좋은 예후를 갖는다. 재발 시 가장 흔한 재발 부위는 폐로 약 40%를 차지하며 골반내 재발은 13%로 보고되었다. 평균 5년 생존율은 20~63%(평균 47%)이며 I기인 젊은 여성의 생존율이 가장 높은 반면 고령이면서 진행된 병기에서는 생존율이 가장 낮다.[156~160]

자궁 평활근육종의 주치료법은 수술이다. 병변이 자궁에 국한된 경우에는 자궁절제

숨이 표준 치료방법이며, 수술 중 세절술(morcellation)은 재발률과 사망률을 증가시킬 수 있으므로 피해야 한다.[159,163] 폐경 후 여성과 자궁 외 병변을 가진 여성에게는 양측 부속기 절제술을 시행한다. 폐경 전 여성에서 난소 보존은 재발률을 증가시키지 않는다. 병기결정을 위한 림프절절제술 시행에 대해서는 이견이 있지만 의심스러운 림프절에 대해서는 조직검사를 시행할 것이 권고되고 있다. 후복강 림프 전이는 초기 병기에서는 드물고, 림프절절제술이 생존율을 높이지 않는다고 알려져 있다. 병변이 자궁 밖으로 퍼진 경우나 폐 등으로 원격 전이가 있는 환자에서도 종양의 완전한 절제는 생존율을 증가시킬 수 있다고 알려져 있다.[156~160]

자궁 평활근육종 여성에서 수술 후 골반 방사선치료는 이점이 없다고 보고되어 근치적 절제술을 한 초기 환자에서 수술 후 방사선 요법은 추천되지 않는다.[164,165]

항암화학요법은 자궁육종의 혈행 전파로 인한 원격 전이를 고려할 때 진행된 자궁 평활근육종을 가진 환자에서 사용될 수 있다. 아직까지는 초기 자궁 평활근육종에서 수술 후 항암화학요법의 역할은 명확하지 않으나 이들 환자군에서의 재발률을 낮추기 위한 다양한 임상연구가 진행중이다.[166]

재발성 전이성 환자들에게 사용가능한 단일요법 항암제제로는 독소루비신과 이포스파미드가 비교적 좋은 효과를 보인다. 병합요법으로는 젬시타빈/도세탁셀(Gemcitabine/Docetaxel) 병합요법 또는 독소루비신/이포스파미드/다카바진(Doxorubicin/Ifosfamide/Dacarbazine)의 병합요법이 진행된 자궁 평활근육종에서 각각 53%, 30%의 치료 반응률을 보였다.[167] 2016년에 보고된 임상 2상 연구에서 자궁 평활근육종을 포함한 연조직육종의 치료 시 독소루비신/올라라투맙(Doxorubicin/Olaratumab) 병합요법은 독소루비신 단독요법과 비교하였을 때 평균 무병생존기간(6.6개월 대 4.1개월) 및 평균 전체생존기간(26.5개월 대 14.7개월) 면에서 더 효과적이었음을 보고하였다.[168] 하지만 ANNOUNCE 임상 3상 연구결과를 통해 안정성과 유효성을 보여주는 것에 실패하여 2019년 4월 올라라투맙 사용이 중단되었다. 이전 표준 항암화학요법에 실패한 전이성 자궁 평활근육종의 경우 파조파닙(Pazopanib) 사용을 고려할 수 있다.[169] 하지만 여전히 낮은 생존율로 진행성 재발성 자궁 평활근육종 치료를 위한 새로운 항암제, 병합요법 및 표적치료제를 찾기 위한 노력이 계속되고 있으나 발생률이 낮아 임상연구는 쉽지 않다고 할 수 있다.

자궁 평활근 종양(uterine smooth muscle tumors)에는 5가지의 임상 병리학적 변종이 있는데 점액성 자궁평활 근육종(myxoid LMS), 상피모양 자궁 평활근육종(epithelioid LMS), 정맥 내 평활근종증(intravenous leiomyomatosis), 양성 전이성 평활근종(benign metastasizing uterine leiomyosarcoma), 범발성복막근종증(disseminated peritoneal leiomyomatosis) 등이다.[152,162]

점액성 자궁 평활근육종(myxoid LMS)은 젤라틴 모양이면서 명확한 경계를 가지는 종양이다. 현미경적으로는 점액성의 간질을 가지고 주위의 조직이나 혈관을 광범위하게 침범하는 것이 특징이다. 핵분열상 수는 10HPF상 0~2개(0~2MF/10HPF)로 낮지만 예후는 불량하다.[170] 전자궁절제술이 주 치료이다. 낮은 핵분열상 수와 세포 내 풍부한 점액성 조직으로 방사선치료나 항암화학요법에 잘 반응하지 않는다.

상피모양 자궁 평활근육종(epithelioid LMS)은 자궁 내 큰 종괴를 형성하고 흔히 출혈을 동반한다. 현미경상 상피세포성 분화 패턴, 세포학적 비정형, 증가된 핵분열상 수(>5MF/10HPF), 종양세포 괴사를 보인다. 상피모양 자궁 평활근육종 역시 점액성 자궁 평활근육종과 유사하게 예후가 매우 불량하며 자궁절제술이 치료법이다.[162]

정맥 내 평활근종증(intravenous leiomyomatosis)은 조직학적으로 양성인 자궁평활근 종양이 정맥 속으로 자라는 것이 특징이다. 혈관 내 성장은 자궁근종으로부터 골반 측벽을 향해 자궁주위조직 속으로 뻗어 나가는 모양을 취한다. 50대 후반이거나 60대 초반에서 호발하며 예후는 종양이 골반 혈관 내에 남아 있을 때도 대부분 아주 좋으나 하대정맥까지 진행되거나 심장으로 전이가 되어 사망할 수 있다. 치료는 수술적 절제로서 자궁절제술과 양측 부속기절제술 및 절제 가능한 모든 종양의 절제이다. 수술 후 남은 종양이 있다면 항 에스트로겐 치료를 고려해볼 수 있다.[162]

양성 전이성 평활근육종(benign metastasizing uterine leiomyoma)은 조직학적으로 양성인 자궁평활근 종양이 폐와 림프절 등에 양성 전이를 일으키는 극히 드문 종양이다. 대부분의 환자는 자궁근종으로 수술 받은 병력이 있는 여성들이다. 수술적 치료가 효과적으로 자궁절제술, 양측 부속기절제술을 시행하고 폐 등의 전이병소를 절제해야 한다.[171] 항 여성호르몬 치료 역시 효과적이므로 난소절제술, 외인성 에스트로겐 중단, 항 에스트로겐 치료 또는 성선자극 호르몬 작용제 사용으로 볼 수 있다.

범발성복막근종증(disseminated peritoneal leiomyomatosis)은 양성 평활근 결절들이 복강 전체의 복막 표면위에 산재해 있는 것이 특징인 드문 질환이다. 이 질환은 아마도 에스트로겐과 프로게스테론의 영향 하에 복막하의 간엽줄기세포(subperitoneal mesenchymal stem cell)가 평활근 및 결합조직으로 화생(metaplasia)되어 발생한다고 생각되고 있다. 최근의 임신, 장기간 경구 피임약 복용 등과 관계 있으며 30~40대 여성에게 호발하며 좋은 예후를 가진다. 육안적으로 악성으로 보이지만 양성이며 양호한 임상 경과를 보인다. 치료로는 폐경 후 여성에서는 자궁절제술, 양측 부속기절제술, 대망절제술과 가능하면 육안적으로 보이는 모든 종양을 절제하는 방법을 포함하는 근치적 수술이 요구된다. 제거되지 않은 종양이 있는 경우 과다한 에스트로겐의 근원 제거나 프로게스틴 치료 또는 항에스트로겐 제제 사용을 고려할 수 있다.[172]

자궁내막 간질육종 (Endometrial Stromal Sarcoma)

자궁내막 간질육종은 증식기 자궁내막의 간질세포를 닮은 세포들로 구성된 중간엽 종양으로 주로 45~50세의 폐경 전후 여성에서 발생하고, 약 1/3은 폐경 후 여성에서 발생한다. 가장 흔한 증상은 비정상 자궁 출혈이며 그외 복통과 골반 종괴로 인한 압박감 등이 있다. 골반 진찰로 보통 규칙적 혹은 불규칙적으로 커진 자궁을 확인할 수 있으며, 진단은 자궁내막 생검을 통해 가능은 하지만 보통 자궁근종 의심하에 수술한 후 발견된다.[153]

세포의 비정형성, 유사분열 정도, 혈관 침범과 같은 조직학적 기준에 따라 저등급(low-grade) 또는 고등급(high-grade) 두 가지 형태로 분류된다.[152] 저등급의 경우 절반정도에서 JAZF1-SUZI2 유전자 융합을 가지고 있고 고등급 종양은 YWHAE-FAM22A/B의 유전적 재배열을 가지고 있으므로 이러한 특징은 종양의 구별에 도움이 된다.

저등급 자궁내막 간질육종은 현미경적 소견의 특징은 10개 미만의 유사분열(10MF/10HPF 미만), 약간의 핵 비정형성, 최소한의 세포 괴사 그리고 에스트로겐과 프로게스테론 수용체가 양성이다.[152,173] 자궁근육층과 림프-혈관 침범이 흔하고 진단 시에 약 40%에서는 자궁 외 병변이 발견되나 상복부, 폐 및 림프절 전이는 드물다. 재발률은 I기 및 II기 환자에서 25%로 대부분 골반내 재발로 보고되었으나 5년 생존율은 80%에서 100%에 이른다.[174] 재발이 늦어 평균 5년 후 발생하는 경우가 50%로 알려져 있고 25년 후에도 재발한 경우가 보고되었다. 재발암이나 전이암이 발생한 후에도 오랜 기간 생존하며 완치도 될 수 있다.[147,151~153,173,175,176]

적절한 초기 치료는 발견되는 모든 종양을 수술적으로 절제하는 것이다. 자궁절제술은 필수이며 추가적으로 자궁부속기 전이가 흔하고 에스트로겐의 자극을 차단하기 위하여 양측 자궁부속기절제술 역시 반드시 시행하여야 한다. 커져 있는 림프절이 없고 자궁 외 종양이 보이지 않는다면 림프절절제는 생략할 수 있다. 수술 후 종양이 잔존하는 경우 방사선치료를 고려할 수 있다. 재발성 전이성 종양의 경우 수술적 치료, 방사선치료, 호르몬 치료 모두 가능하다. 아로마타아제 억제제나 프로게스틴을 이용한 호르몬 치료법은 재발성이나 전이성 질환의 환자에서 약 50%의 반응률을 보인다. 재발성이나 전이성 질환이 발생한 이후에도 5년 생존율이 90%를 넘을 정도로 예후는 좋다.[147,151-153,175,176]

고등급 자궁내막 간질육종과 미분화 자궁육종(undifferentiated uterine sarcoma, UUS)은 모두 유사분열이 10HPF상 10개 이상이며, 조직 괴사, 뚜렷한 세포학적 다형태, 그리고 현저한 자궁근육층과 림프-혈관계 침범을 보인다. 미분화 자궁육종은 조직학적 혹은 면역조직화학 검사 소견상 평활근 혹은 자궁내막 간질의 분화를 찾아볼 수 없는 육종이다.[152,173] 치료는 자궁절제술과 양측 자궁부속기절제술이다. 예후는 자궁 평활근육종과 유사하여 5년 생존율은 약 20~50%로 알려져 있다. 유사분열수가 예후에 중요하여 2년 생존율이 10~20MF/10HPF인 경우 60%이고 20MF/10HPF 이상인 경우 10%로 보고되었다.

수술만으로는 좋지 않은 치료결과를 가져오기 때문에 추가적인 방사선 요법, 항암화학요법, 또는 이 두 가지의 병합 혹은 호르몬 치료를 고려해볼 수 있지만, 이를 뒷받침할 만한 명확한 임상적 근거는 아직 없다.[147,151-153,175,176]

난소 성끈 종양과 닮은 자궁 종양[uterine tumor resembling ovarian sex cord tumor (UTROSCT)]은 자궁내막 간질성 육종의 드문 변형 형태로 일부에서는 주변 침윤을 보이지만 대부분 양성종양의 특징을 가진다.[177]

선육종
(Adenosarcoma)

선육종은 양성의 선(gland)과 육종성 간질(sarcomatous stroma)로 구성되어 있다. 이는 전체 자궁육종 중 5%로 드물다. 대부분의 환자는 폐경 후 질 출혈을 주증상으로 발견되며 자궁내막 조직검사에 의하여 진단된다. 대부분의 선육종은 경계가 분명하고 자궁내막이나 자궁근의 표층에 국한된다. 표준치료는 자궁절제술, 양측 부속기 절제술이고 림프절제술을 일반적으로 하지는 않는다. 5년 생존율은 50~80%이고 재발은 대부분 골반 또는 질에 국한되고, 40~50%에서 재발되므로 수술 후 질 근접치료(vaginal brachytherapy) 또는 골반 방사선치료가 권유된다. 수술 후 항암화학요법이나 호르몬 요법의 효과는 명확하지 않다.[178]

암육종
(Carcinosarcoma)

암육종(carcinosarcoma)은 Malignant mixed mesodermal tumors (MMMTs)로도 불리며 주로 폐경 후에 발생한다.[179] 암육종은 폐경 후 질출혈, 골반 통증 등의 증상을 일으키며 자궁 크기 증가, 용종과 유사한 종양이 자궁경부를 통해 돌출되는 소견을 보이는 경우가 많다. 자궁 외 침범은 약 1/3에서 발견된다.[180] 대부분 자궁경부확장긁어냄술에 의해 진단이 가능하지만 정확한 조직형은 전체 검체가 필요할 수 있다. 암육종은 다른 육종과 달리 고등급 자궁내막암과 유사한 임상 양상을 보이므로 자궁내막암의 병기 체계를 따른다(표 19-3). 약 37%의 암육종 환자에서 이전 골반 방사선치료 과거력이 있다.[180]

조직학적으로 상피기원암과 육종 소견을 모두 보인다. 암종(carcinoma) 부위는 미분화 장액성 암과 자궁내막양 암 소견을 보이고 육종(sarcoma) 부위는 고등급 자궁내막 간질 육종(high-grade stromal sarcoma) 소견을 보인다. 두 가지 양상을 보이지만 단세포기원종양(monoclonal tumor)에서 화생암종(metaplastic carcinoma)으로 여겨진다.[181] 전이는 보통 암종 부위에 의하며 육종 부위는 암종의 탈분화(dedeferentiation)에 의해 발생한 것으로 여겨진다. 이종유래분화(heterologous differentiation)로 인한 횡문근육종 소견이 관찰될 수 있다.

예후인자로는 근층 침범, 림프혈관강 침범, 난소, 복막 세포검사, 림프절 전이 등으로 자궁내막암과 유사하다.

수술은 고등급 자궁내막양암과 마찬가지로 전자궁절제술, 양측 난소 난관 절제술, 림프절절제술을 포함한 병기 설정술을 시행하여야 한다. 자궁 외 침범이 의심되지 않는 암육종 환자 62명에서 병기설정술 후 약 31명(61%)에서 전이가 발견되었다.[182] 전이 위치는 난소(23%), 골반림프절(31%), 대동맥주위 림프절(6%), 대망(13%) 등이었다. 따라서 림프절절제술은 반드시 병기 설정술에 포함되어야 한다.

자궁외 전이가 확인되면 확인되는 종양을 모두 절제하는 종양감축술을 시행하여야 하며 이는 생존율 향상과 관련이 있다.[183]

암육종에서 이포스파미드가 가장 널리 알려진 단일 약제이다. 이포스파미드와 시스플라틴(Ifosfamide/Cisplatin) 병합요법은 이포스파미드가 단독요법에 비해 무진행생존율의 향상이 확인되었으나 높은 독성을 보였다.[184] 파클리탁셀 또한 암육종에서 단일약제로 효과가 입증되어 GOG에서는 이포스파미드와 파클리탁셀 병합요법에 대한 임상연구를 시행하였다. 이포스파미드 단독요법은 29%의 반응률을 보인 반면 이포스파미드/파클리탁셀 병합요법의 반응률은 45%이었다.[185] 이포스파미드/파클리탁셀 병합요법은 이포스파미드 단독요법에 비해 무진행생존율(5.8개월 대 3.6개월)과 전체 생존율(13.5개월 대 8.4개월) 모두 높았으며 병학요법의 독성은 이전에 보고된 이포스파미드/시스플라틴의 독성보다 낮았다.

파클리탁셀/카보플라틴 또한 2상 연구에서 높은 반응률(54%)을 보였으므로,[186] GOG 261은 파클리탁셀/카보플라틴과 이포스파미드/파클리탁셀을 비교하는 3상 연구로 진행되고 있다.

병기설정수술 후 잔여종양이 없는 초기 자궁암육종에서 수술 후 보조 요법으로 항암치료 또는 방사선치료를 시행할 수 있다.

병기 I, II의 자궁 육종에서 골반 방사선치료의 효과를 보기 위한 3상 임상시험에서 자궁암육종 환자 91명을 분석하였을 때 골반 방사선치료는 골반 재발을 줄였으나 전체 생존율의 향상은 보이지 않았다.[164]

GOG 150 연구는 3상 임상시험으로 201명의 자궁암육종 환자에서 수술 후 보조요법으로 전복부 방사선치료와 시스플라틴/이포스파미드/메스나(Cisplatin/Ifosfamide/Mesna, CIM) 항암요법을 비교하였다.[187] 저자들은 각 군의 4년 재발률은 58%와 52%로 유의한 차이가 없었으나 다른 예후 요인을 보정하였을 때 항암요법에서 재발률이 29% 낮다고 보고하였다.

Einstein 등은 수술 후 보조요법으로 항암치료-방사선치료-항암치료 순차적으로 시행하는 샌드위치요법에 대해 2상 임상시험 결과를 보고하였다.[188] 항암화학요법은 방사선치료 전후 각 3회씩 시행하였으며 항암화학요법으로는 이포스파미드 단독요법과 이포스파미드/시스플라틴 병합요법을 비교하였으며 시스플라틴 투여는 생존율 향상 효과가 없으며 독성은 더 크다고 보고하였다.

Cantrell 등은 병기 I, II의 초기 암육종 환자 111명을 분석한 후향적 연구에서 보조항암화학요법이 단순관찰 및 방사선치료에 비해 무진행생존율 향상과 관련이 있다고 보고하였다.[189]

자궁의 암육종은 고등급 자궁내막암과 유사한 임상 양상을 보이므로 림프절 절제를 포함한 병기설정술 및 종양감축술을 시행하고 수술 후 보조요법으로 선별적 방사선치료와 항암화학요법 시행이 권장된다.

참고문헌

1   Torre LA, Bray F, Siegel RL, Ferlay J, Lortet-Tieulent J, Jemal A. Global cancer statistics, 2012. CA Cancer J Clin 2015;65:87-108.

2   암등록사업과 국국중. 국가암등록사업 연례 보고서 (2015년 암등록통계). 2017.

3   Amant F, Mirza MR, Koskas M, Creutzberg CL. Cancer of the corpus uteri. Int J Gynaecol Obstet 2018;143 Suppl 2:37-50.

4   Brinton LA, Felix AS, McMeekin DS, Creasman WT, Sherman ME, Mutch D, et al. Etiologic heterogeneity in endometrial cancer: evidence from a Gynecologic Oncology Group trial. Gynecol Oncol 2013;129:277-84.

5   Aarnio M, Sankila R, Pukkala E, Salovaara R, Aaltonen LA, de la Chapelle A, et al. Cancer risk in mutation carriers of DNA-mismatch-repair genes. Int J Cancer 1999;81:214-8.

6   Zaino RJ, Kurman R, Herbold D, Gliedman J, Bundy BN, Voet R, et al. The significance of squamous differentiation in endometrial carcinoma. Data from a Gynecologic Oncology Group study. Cancer 1991;68:2293-302.

7   Hendrickson M, Ross J, Eifel P, Martinez A, Kempson R. Uterine papillary serous carcinoma: a highly malignant form of endometrial adenocarcinoma. Am J Surg Pathol 1982;6:93-108.

8   Christopherson WM, Alberhasky RC, Connelly PJ. Carcinoma of the endometrium: I. A clinicopathologic study of clear-cell carcinoma and secretory carcinoma. Cancer 1982;49:1511-23.

9   Creasman W. Revised FIGO staging for carcinoma of the endometrium. Int J Gynaecol Obstet 2009;105:109.

10 DuBeshter B, Warshal DP, Angel C, Dvoretsky PM, Lin JY, Raubertas RF. Endometrial carcinoma: the relevance of cervical cytology. Obstet Gynecol 1991;77:458-62.

11 Siebers AG, Verbeek AL, Massuger LF, Grefte JM, Bulten J. Normal appearing endometrial cells in cervical smears of asymptomatic postmenopausal women have predictive value for significant endometrial pathology. Int J Gynecol Cancer 2006;16:1069-74.

12 Tabor A, Watt HC, Wald NJ. Endometrial thickness as a test for endometrial cancer in women with postmenopausal vaginal bleeding. Obstet Gynecol 2002;99:663-70.

13 Fung MF, Reid A, Faught W, Le T, Chenier C, Verma S, et al. Prospective longitudinal study of ultrasound screening for endometrial abnormalities in women with breast cancer receiving Tamoxifen. Gynecol Oncol 2003;91:154-9.

14 Boronow RC, Morrow CP, Creasman WT, Disaia PJ, Silverberg SG, Miller A, et al. Surgical staging in endometrial cancer: clinical-pathologic findings of a prospective study. Obstet Gynecol 1984;63:825-32.

15 Obermair A, Geramou M, Gucer F, Denison U, Graf AH, Kapshammer E, et al. Impact of hysteroscopy on disease-free survival in clinically stage I endometrial cancer patients. Int J Gynecol Cancer 2000;10:275-9.

16 Zerbe MJ, Bristow R, Grumbine FC, Montz FJ. Inability of preoperative computed tomography scans to accurately predict the extent of myometrial invasion and extracorporal spread in endometrial cancer. Gynecol Oncol 2000;78:67-70.

17 Chung HH, Kang SB, Cho JY, Kim JW, Park NH, Song YS, et al. Accuracy of MR im-

aging for the prediction of myometrial invasion of endometrial carcinoma. Gynecol Oncol 2007;104:654-9.

18 Nagar H, Dobbs S, McClelland HR, Price J, McCluggage WG, Grey A. The diagnostic accuracy of magnetic resonance imaging in detecting cervical involvement in endometrial cancer. Gynecol Oncol 2006;103:431-4.

19 Mundt AJ, Waggoner S, Yamada D, Rotmensch J, Connell PP. Age as a prognostic factor for recurrence in patients with endometrial carcinoma. Gynecol Oncol 2000;79:79-85.

20 Zaino RJ, Kurman RJ, Diana KL, Morrow CP. Pathologic models to predict outcome for women with endometrial adenocarcinoma: the importance of the distinction between surgical stage and clinical stage--a Gynecologic Oncology Group study. Cancer 1996;77:1115-21.

21 Sherman ME, Bur ME, Kurman RJ. p53 in endometrial cancer and its putative precursors: evidence for diverse pathways of tumorigenesis. Hum Pathol 1995;26:1268-74.

22 Abeler VM, Vergote IB, Kjorstad KE, Trope CG. Clear cell carcinoma of the endometrium. Prognosis and metastatic pattern. Cancer 1996;78:1740-7.

23 Hamilton CA, Cheung MK, Osann K, Chen L, Teng NN, Longacre TA, et al. Uterine papillary serous and clear cell carcinomas predict for poorer survival compared to grade 3 endometrioid corpus cancers. Br J Cancer 2006;94:642-6.

24 Abeler V, Kjorstad KE. Endometrial squamous cell carcinoma: report of three cases and review of the literature. Gynecol Oncol 1990;36:321-6.

25 Creasman WT, Morrow CP, Bundy BN, Homesley HD, Graham JE, Heller PB. Surgical pathologic spread patterns of endometrial cancer. A Gynecologic Oncology Group Study. Cancer 1987;60:2035-41.

26 Abeler VM, Kjorstad KE, Berle E. Carcinoma of the endometrium in Norway: a histopathological and prognostic survey of a total population. Int J Gynecol Cancer 1992;2:9-22.

27 Watari H, Todo Y, Takeda M, Ebina Y, Yamamoto R, Sakuragi N. Lymph-vascular space invasion and number of positive para-aortic node groups predict survival in node-positive patients with endometrial cancer. Gynecol Oncol 2005;96:651-7.

28 Milosevic MF, Dembo AJ, Thomas GM. The clinical significance of malignant peritoneal cytology in stage I endometrial carcinoma. Int J Gynecol Cancer 1992;2:225-35.

29 Liao BS, Twiggs LB, Leung BS, Yu WC, Potish RA, Prem KA. Cytoplasmic estrogen and progesterone receptors as prognostic parameters in primary endometrial carcinoma. Obstet Gynecol 1986;67:463-7.

30 Geisinger KR, Homesley HD, Morgan TM, Kute TE, Marshall RB. Endometrial adenocarcinoma. A multiparameter clinicopathologic analysis including the DNA profile and the sex steroid hormone receptors. Cancer 1986;58:1518-25.

31 Schink JC, Lurain JR, Wallemark CB, Chmiel JS. Tumor size in endometrial cancer: a prognostic factor for lymph node metastasis. Obstet Gynecol 1987;70:216-9.

32 Yanazume S, Saito T, Eto T, Yamanaka T, Nishiyama K, Okadome M, et al. Reassessment of the utility of frozen sections in endometrial cancer surgery using tumor diameter as an additional factor. Am J Obstet Gynecol 2011;204:531 e1-7.

33 Susini T, Amunni G, Molino C, Carriero C, Rapi S, Branconi F, et al. Ten-year results of a prospective study on the prognostic role of ploidy in endometrial carci-

noma: dNA aneuploidy identifies high-risk cases among the so-called 'low-risk' patients with well and moderately differentiated tumors. Cancer 2007;109:882-90.

34 Athanassiadou P, Athanassiades P, Grapsa D, Gonidi M, Athanassiadou AM, Stamati PN, et al. The prognostic value of PTEN, p53, and beta-catenin in endometrial carcinoma: a prospective immunocytochemical study. Int J Gynecol Cancer 2007;17:697-704.

35 Ollikainen M, Abdel-Rahman WM, Moisio AL, Lindroos A, Kariola R, Jarvela I, et al. Molecular analysis of familial endometrial carcinoma: a manifestation of hereditary nonpolyposis colorectal cancer or a separate syndrome? J Clin Oncol 2005;23:4609-16.

36 Peltomaki P, de la Chapelle A. Mutations predisposing to hereditary nonpolyposis colorectal cancer. Adv Cancer Res 1997;71:93-119.

37 Prat J, Gallardo A, Cuatrecasas M, Catasus L. Endometrial carcinoma: pathology and genetics. Pathology 2007;39:72-87.

38 Grigsby PW, Perez CA, Camel HM, Kao MS, Galakatos AE. Stage II carcinoma of the endometrium: results of therapy and prognostic factors. Int J Radiat Oncol Biol Phys 1985;11:1915-23.

39 Walker JL, Piedmonte MR, Spirtos NM, Eisenkop SM, Schlaerth JB, Mannel RS, et al. Laparoscopy compared with laparotomy for comprehensive surgical staging of uterine cancer: Gynecologic Oncology Group Study LAP2. J Clin Oncol 2009;27:5331-6.

40 Zaino R, Whitney C, Brady MF, DeGeest K, Burger RA, Buller RE. Simultaneously detected endometrial and ovarian carcinomas--a prospective clinicopathologic study of 74 cases: a gynecologic oncology group study. Gynecol Oncol 2001;83:355-62.

41 Lee SW, Lee TS, Hong DG, No JH, Park DC, Bae JM, et al. Practice guidelines for management of uterine corpus cancer in Korea: a Korean Society of Gynecologic Oncology Consensus Statement. J Gynecol Oncol 2017;28:e12.

42 Dowdy SC, Aletti G, Cliby WA, Podratz KC, Mariani A. Extra-peritoneal laparoscopic para-aortic lymphadenectomy--a prospective cohort study of 293 patients with endometrial cancer. Gynecol Oncol 2008;111:418-24.

43 Xie W, Cao D, Yang J, Shen K, Zhao L. Robot-assisted surgery versus conventional laparoscopic surgery for endometrial cancer: a systematic review and meta-analysis. J Cancer Res Clin Oncol 2016;142:2173-83.

44 Kitchener H, Swart AM, Qian Q, Amos C, Parmar MK. Efficacy of systematic pelvic lymphadenectomy in endometrial cancer (MRC ASTEC trial): a randomised study. Lancet 2009;373:125-36.

45 Mariani A, Webb MJ, Galli L, Podratz KC. Potential therapeutic role of para-aortic lymphadenectomy in node-positive endometrial cancer. Gynecol Oncol 2000;76:348-56.

46 Todo Y, Kato H, Kaneuchi M, Watari H, Takeda M, Sakuragi N. Survival effect of para-aortic lymphadenectomy in endometrial cancer (SEPAL study): a retrospective cohort analysis. Lancet 2010;375:1165-72.

47 Frost JA, Webster KE, Morrison J. Lymphadenectomy for Treatment of Early-Stage Endometrial Cancer. JAMA Oncol 2017;3:117-8.

48 Kang S, Kang WD, Chung HH, Jeong DH, Seo SS, Lee JM, et al. Preoperative identification of a low-risk group for lymph node metastasis in endometrial cancer: a

Korean gynecologic oncology group study. J Clin Oncol 2012;30:1329-34.

49 Takeuchi H, Kitagawa Y. Sentinel node navigation surgery in patients with early gastric cancer. Dig Surg 2013;30:104-11.

50 Symeonidis D, Koukoulis G, Tepetes K. Sentinel node navigation surgery in gastric cancer: Current status. World J Gastrointest Surg 2014;6:88-93.

51 Rossi EC, Kowalski LD, Scalici J, Cantrell L, Schuler K, Hanna RK, et al. A comparison of sentinel lymph node biopsy to lymphadenectomy for endometrial cancer staging (FIRES trial): a multicentre, prospective, cohort study. Lancet Oncol 2017;18:384-92.

52 St Clair CM, Eriksson AG, Ducie JA, Jewell EL, Alektiar KM, Hensley ML, et al. Low-Volume Lymph Node Metastasis Discovered During Sentinel Lymph Node Mapping for Endometrial Carcinoma. Ann Surg Oncol 2016;23:1653-9.

53 Blake P, Swart AM, Orton J, Kitchener H, Whelan T, Lukka H, et al. Adjuvant external beam radiotherapy in the treatment of endometrial cancer (MRC ASTEC and NCIC CTG EN.5 randomised trials): pooled trial results, systematic review, and meta-analysis. Lancet 2009;373:137-46.

54 Kumar S, Shah JP, Bryant CS, Awonuga AO, Imudia AN, Ruterbusch JJ, et al. Second neoplasms in survivors of endometrial cancer: impact of radiation therapy. Gynecol Oncol 2009;113:233-9.

55 Colombo N, Creutzberg C, Amant F, Bosse T, Gonzalez-Martin A, Ledermann J, et al. ESMO-ESGO-ESTRO Consensus Conference on Endometrial Cancer: Diagnosis, Treatment and Follow-up. Int J Gynecol Cancer 2016;26:2-30.

56 Sorbe B, Nordstrom B, Maenpaa J, Kuhelj J, Kuhelj D, Okkan S, et al. Intravaginal brachytherapy in FIGO stage I low-risk endometrial cancer: a controlled randomized study. Int J Gynecol Cancer 2009;19:873-8.

57 Nout RA, Smit VT, Putter H, Jurgenliemk-Schulz IM, Jobsen JJ, Lutgens LC, et al. Vaginal brachytherapy versus pelvic external beam radiotherapy for patients with endometrial cancer of high-intermediate risk (PORTEC-2): an open-label, non-inferiority, randomised trial. Lancet 2010;375:816-23.

58 Mariani A, Dowdy SC, Keeney GL, Haddock MG, Lesnick TG, Podratz KC. Predictors of vaginal relapse in stage I endometrial cancer. Gynecol Oncol 2005;97:820-7.

59 Keys HM, Roberts JA, Brunetto VL, Zaino RJ, Spirtos NM, Bloss JD, et al. A phase III trial of surgery with or without adjunctive external pelvic radiation therapy in intermediate risk endometrial adenocarcinoma: a Gynecologic Oncology Group study. Gynecol Oncol 2004;92:744-51.

60 Creutzberg CL, van Putten WL, Koper PC, Lybeert ML, Jobsen JJ, Warlam-Rodenhuis CC, et al. Surgery and postoperative radiotherapy versus surgery alone for patients with stage-1 endometrial carcinoma: multicentre randomised trial. PORTEC Study Group. Post Operative Radiation Therapy in Endometrial Carcinoma. Lancet 2000;355:1404-11.

61 Scholten AN, van Putten WL, Beerman H, Smit VT, Koper PC, Lybeert ML, et al. Postoperative radiotherapy for Stage 1 endometrial carcinoma: long-term outcome of the randomized PORTEC trial with central pathology review. Int J Radiat Oncol Biol Phys 2005;63:834-8.

62 Johnson N, Cornes P. Survival and recurrent disease after postoperative radiotherapy for early endometrial cancer: systematic review and meta-analysis. BJOG 2007;114:1313-20.

63 Group AES, Blake P, Swart AM, Orton J, Kitchener H, Whelan T, et al. Adjuvant external beam radiotherapy in the treatment of endometrial cancer (MRC ASTEC and NCIC CTG EN.5 randomised trials): pooled trial results, systematic review, and meta-analysis. Lancet 2009;373:137-46.

64 Randall ME, Filiaci V, McMeekin DS, von Gruenigen V, Huang H, Yashar CM, et al. Phase III Trial: Adjuvant Pelvic Radiation Therapy Versus Vaginal Brachytherapy Plus Paclitaxel/Carboplatin in High-Intermediate and High-Risk Early Stage Endometrial Cancer. J Clin Oncol 2019;37:1810-8.

65 Nomura H, Aoki D, Suzuki N, Susumu N, Suzuki A, Tamada Y, et al. Analysis of clinicopathologic factors predicting para-aortic lymph node metastasis in endometrial cancer. Int J Gynecol Cancer 2006;16:799-804.

66 Abu-Rustum NR, Gomez JD, Alektiar KM, Soslow RA, Hensley ML, Leitao MM, Jr., et al. The incidence of isolated paraaortic nodal metastasis in surgically staged endometrial cancer patients with negative pelvic lymph nodes. Gynecol Oncol 2009;115:236-8.

67 Aalders JG, Thomas G. Endometrial cancer--revisiting the importance of pelvic and para aortic lymph nodes. Gynecol Oncol 2007;104:222-31.

68 Vergote I, Kjorstad K, Abeler V, Kolstad P. A randomized trial of adjuvant progestagen in early endometrial cancer. Cancer 1989;64:1011-6.

69 Groups C-N-UECS. Adjuvant medroxyprogesterone acetate in high-risk endometrial cancer. 1998;8:387-91.

70 Thigpen T, Vance RB, Balducci L, Blessing J. Chemotherapy in the management of advanced or recurrent cervical and endometrial carcinoma. Cancer 1981;48:658-65.

71 Maggi R, Lissoni A, Spina F, Melpignano M, Zola P, Favalli G, et al. Adjuvant chemotherapy vs radiotherapy in high-risk endometrial carcinoma: results of a randomised trial. Br J Cancer 2006;95:266-71.

72 Susumu N, Sagae S, Udagawa Y, Niwa K, Kuramoto H, Satoh S, et al. Randomized phase III trial of pelvic radiotherapy versus cisplatin-based combined chemotherapy in patients with intermediate- and high-risk endometrial cancer: a Japanese Gynecologic Oncology Group study. Gynecol Oncol 2008;108:226-33.

73 Hogberg T, Signorelli M, de Oliveira CF, Fossati R, Lissoni AA, Sorbe B, et al. Sequential adjuvant chemotherapy and radiotherapy in endometrial cancer--results from two randomised studies. Eur J Cancer 2010;46:2422-31.

74 Johnson N, Bryant A, Miles T, Hogberg T, Cornes P. Adjuvant chemotherapy for endometrial cancer after hysterectomy. Cochrane Database Syst Rev 2011:CD003175.

75 Einstein MH, Frimer M, Kuo DY, Reimers LL, Mehta K, Mutyala S, et al. Phase II trial of adjuvant pelvic radiation "sandwiched" between combination paclitaxel and carboplatin in women with uterine papillary serous carcinoma. Gynecol Oncol 2012;124:21-5.

76 de Boer SM, Powell ME, Mileshkin L, Katsaros D, Bessette P, Haie-Meder C, et al. Adjuvant chemoradiotherapy versus radiotherapy alone for women with high-risk endometrial cancer (PORTEC-3): final results of an international, open-label, multicentre, randomised, phase 3 trial. The Lancet Oncology 2018;19:295-309.

77 Abu-Rustum NR, Zhou Q, Gomez JD, Alektiar KM, Hensley ML, Soslow RA, et al. A nomogram for predicting overall survival of women with endometrial cancer following primary therapy: toward improving individualized cancer care. Gynecol Oncol 2010;116:399-403.

78 Brooks RA, Tritchler DS, Darcy KM, Lankes HA, Salani R, Sperduto P, et al. GOG 8020/210: Risk stratification of lymph node metastasis, disease progression and survival using single nucleotide polymorphisms in endometrial cancer: An NRG oncology/gynecologic oncology group study. Gynecol Oncol 2019;153:335-42.

79 Creutzberg CL, van Putten WL, Koper PC, Lybeert ML, Jobsen JJ, Warlam-Rodenhuis CC, et al. Surgery and postoperative radiotherapy versus surgery alone for patients with stage-1 endometrial carcinoma: multicentre randomised trial. PORTEC Study Group. Post Operative Radiation Therapy in Endometrial Carcinoma. Lancet 2000;355:1404-11.

80 Sartori E, Gadducci A, Landoni F, Lissoni A, Maggino T, Zola P, et al. Clinical behavior of 203 stage II endometrial cancer cases: the impact of primary surgical approach and of adjuvant radiation therapy. Int J Gynecol Cancer 2001;11:430-7.

81 Cornelison TL, Trimble EL, Kosary CL. SEER data, corpus uteri cancer: treatment trends versus survival for FIGO stage II, 1988-1994. Gynecol Oncol 1999;74:350-5.

82 Cohn DE, Woeste EM, Cacchio S, Zanagnolo VL, Havrilesky LJ, Mariani A, et al. Clinical and pathologic correlates in surgical stage II endometrial carcinoma. Obstet Gynecol 2007;109:1062-7.

83 Greven KM, Lanciano RM, Corn B, Case D, Randall ME. Pathologic stage III endometrial carcinoma. Prognostic factors and patterns of recurrence. Cancer 1993;71:3697-702.

84 Randall ME, Filiaci VL, Muss H, Spirtos NM, Mannel RS, Fowler J, et al. Randomized phase III trial of whole-abdominal irradiation versus doxorubicin and cisplatin chemotherapy in advanced endometrial carcinoma: a Gynecologic Oncology Group Study. J Clin Oncol 2006;24:36-44.

85 Klopp AH, Jhingran A, Ramondetta L, Lu K, Gershenson DM, Eifel PJ. Node-positive adenocarcinoma of the endometrium: outcome and patterns of recurrence with and without external beam irradiation. Gynecol Oncol 2009;115:6-11.

86 Alvarez Secord A, Havrilesky LJ, Bae-Jump V, Chin J, Calingaert B, Bland A, et al. The role of multi-modality adjuvant chemotherapy and radiation in women with advanced stage endometrial cancer. Gynecol Oncol 2007;107:285-91.

87 Matei D, Filiaci V, Randall ME, Mutch D, Steinhoff MM, DiSilvestro PA, et al. Adjuvant Chemotherapy plus Radiation for Locally Advanced Endometrial Cancer. N Engl J Med 2019;380:2317-26.

88 Nicklin JL, Petersen RW. Stage 3B adenocarcinoma of the endometrium: a clinicopathologic study. Gynecol Oncol 2000;78:203-7.

89 Aalders JG, Abeler V, Kolstad P. Stage IV endometrial carcinoma: a clinical and histopathological study of 83 patients. Gynecol Oncol 1984;17:75-84.

90 Bristow RE, Zerbe MJ, Rosenshein NB, Grumbine FC, Montz FJ. Stage IVB endometrial carcinoma: the role of cytoreductive surgery and determinants of survival. Gynecol Oncol 2000;78:85-91.

91 van Wijk FH, Huikeshoven FJ, Abdulkadir L, Ewing PC, Burger CW. Stage III and IV endometrial cancer: a 20-year review of patients. Int J Gynecol Cancer 2006;16:1648-55.

92 Desai VB, Wright JD, Gross CP, Lin H, Boscoe FP, Hutchison LM, et al. Prevalence, characteristics, and risk factors of occult uterine cancer in presumed benign hysterectomy. Am J Obstet Gynecol 2019.

93 Heitz F, Amant F, Fotopoulou C, Battista MJ, Wimberger P, Traut A, et al. Synchro-

nous ovarian and endometrial cancer—an international multicenter case-control study. Int J Gynecol Cancer 2014;24:54-60.

94 Halperin R, Zehavi S, Hadas E, Habler L, Bukovsky I, Schneider D. Simultaneous carcinoma of the endometrium and ovary vs endometrial carcinoma with ovarian metastases: a clinical and immunohistochemical determination. Int J Gynecol Cancer 2003;13:32-7.

95 Huang SY, Jung SM, Ng KK, Chang YC, Lai CH. Ovarian metastasis in a nulliparous woman with endometrial adenocarcinoma failing conservative hormonal treatment. Gynecol Oncol 2005;97:652-5.

96 Chiva L, Lapuente F, Gonzalez-Cortijo L, Carballo N, Garcia JF, Rojo A, et al. Sparing fertility in young patients with endometrial cancer. Gynecol Oncol 2008;111:S101-4.

97 Park JY, Kim DY, Kim JH, Kim YM, Kim KR, Kim YT, et al. Long-term oncologic outcomes after fertility-sparing management using oral progestin for young women with endometrial cancer (KGOG 2002). Eur J Cancer 2013;49:868-74.

98 Gallos ID, Krishan P, Shehmar M, Ganesan R, Gupta JK. LNG-IUS versus oral progestogen treatment for endometrial hyperplasia: a long-term comparative cohort study. Hum Reprod 2013;28:2966-71.

99 Kim MK, Seong SJ, Kang SB, Bae DS, Kim JW, Nam JH, et al. Six months response rate of combined oral medroxyprogesterone/levonorgestrel-intrauterine system for early-stage endometrial cancer in young women: a Korean Gynecologic-Oncology Group Study. J Gynecol Oncol 2019;30:e47.

100 Yang B, Xu Y, Zhu Q, Xie L, Shan W, Ning C, et al. Treatment efficiency of comprehensive hysteroscopic evaluation and lesion resection combined with progestin therapy in young women with endometrial atypical hyperplasia and endometrial cancer. Gynecol Oncol 2019;153:55-62.

101 Park JY, Lee SH, Seong SJ, Kim DY, Kim TJ, Kim JW, et al. Progestin re-treatment in patients with recurrent endometrial adenocarcinoma after successful fertility-sparing management using progestin. Gynecol Oncol 2013;129:7-11.

102 Koskas M, Uzan J, Luton D, Rouzier R, Darai E. Prognostic factors of oncologic and reproductive outcomes in fertility-sparing management of endometrial atypical hyperplasia and adenocarcinoma: systematic review and meta-analysis. Fertil Steril 2014;101:785-94.

103 Park JY, Seong SJ, Kim TJ, Kim JW, Kim SM, Bae DS, et al. Pregnancy outcomes after fertility-sparing management in young women with early endometrial cancer. Obstet Gynecol 2013;121:136-42.

104 Modesitt SC. Missed opportunities for primary endometrial cancer prevention: how to optimize early identification and treatment of high-risk women. Obstet Gynecol 2012;120:989-91.

105 Zauber NP, Denehy TR, Taylor RR, Ongcapin EH, Marotta SP, Sabbath-Solitare M, et al. Microsatellite instability and DNA methylation of endometrial tumors and clinical features in young women compared with older women. Int J Gynecol Cancer 2010;20:1549-56.

106 Randall LM, Pothuri B, Swisher EM, Diaz JP, Buchanan A, Witkop CT, et al. Multi-disciplinary summit on genetics services for women with gynecologic cancers: A Society of Gynecologic Oncology White Paper. Gynecol Oncol 2017;146:217-24.

107 Lancaster JM, Powell CB, Kauff ND, Cass I, Chen LM, Lu KH, et al. Society of Gy-

necologic Oncologists Education Committee statement on risk assessment for inherited gynecologic cancer predispositions. Gynecol Oncol 2007;107:159-62.

108 Win AK, Lindor NM, Winship I, Tucker KM, Buchanan DD, Young JP, et al. Risks of colorectal and other cancers after endometrial cancer for women with Lynch syndrome. J Natl Cancer Inst 2013;105:274-9.

109 Barakat RR, Bundy BN, Spirtos NM, Bell J, Mannel RS, Gynecologic Oncology Group S. Randomized double-blind trial of estrogen replacement therapy versus placebo in stage I or II endometrial cancer: a Gynecologic Oncology Group Study. J Clin Oncol 2006;24:587-92.

110 Shim SH, Lee SJ, Kim SN. Effects of hormone replacement therapy on the rate of recurrence in endometrial cancer survivors: a meta-analysis. Eur J Cancer 2014;50:1628-37.

111 Kwon JS, Elit L, Saskin R, Hodgson D, Grunfeld E. Secondary cancer prevention during follow-up for endometrial cancer. Obstet Gynecol 2009;113:790-5.

112 Carrara L, Gadducci A, Landoni F, Maggino T, Scambia G, Galletto L, et al. Could different follow-up modalities play a role in the diagnosis of asymptomatic endometrial cancer relapses?: an Italian multicentric retrospective analysis. Int J Gynecol Cancer 2012;22:1013-9.

113 Hunn J, Tenney ME, Tergas AI, Bishop EA, Moore K, Watkin W, et al. Patterns and utility of routine surveillance in high grade endometrial cancer. Gynecol Oncol 2015;137:485-9.

114 Fanning J, Piver MS. Serial CA 125 levels during chemotherapy for metastatic or recurrent endometrial cancer. Obstet Gynecol 1991;77:278-80.

115 Aalders JG, Abeler V, Kolstad P. Recurrent adenocarcinoma of the endometrium: a clinical and histopathological study of 379 patients. Gynecol Oncol 1984;17:85-103.

116 Poulsen HK, Jacobsen M, Bertelsen K, Andersen JE, Ahrons S, Bock J, et al. Adjuvant radiation therapy is not necessary in the management of endometrial carcinoma stage I, low-risk cases. International Journal of Gynecological Cancer 1996;6:38-43.

117 Huh WK, Straughn JM, Jr., Mariani A, Podratz KC, Havrilesky LJ, Alvarez-Secord A, et al. Salvage of isolated vaginal recurrences in women with surgical stage I endometrial cancer: a multiinstitutional experience. Int J Gynecol Cancer 2007;17:886-9.

118 Lin LL, Grigsby PW, Powell MA, Mutch DG. Definitive radiotherapy in the management of isolated vaginal recurrences of endometrial cancer. Int J Radiat Oncol Biol Phys 2005;63:500-4.

119 Petignat P, Jolicoeur M, Alobaid A, Drouin P, Gauthier P, Provencher D, et al. Salvage treatment with high-dose-rate brachytherapy for isolated vaginal endometrial cancer recurrence. Gynecol Oncol 2006;101:445-9.

120 Khoury-Collado F, Einstein MH, Bochner BH, Alektiar KM, Sonoda Y, Abu-Rustum NR, et al. Pelvic exenteration with curative intent for recurrent uterine malignancies. Gynecol Oncol 2012;124:42-7.

121 Bristow RE, Santillan A, Zahurak ML, Gardner GJ, Giuntoli RL, 2nd, Armstrong DK. Salvage cytoreductive surgery for recurrent endometrial cancer. Gynecol Oncol 2006;103:281-7.

122 Awtrey CS, Cadungog MG, Leitao MM, Alektiar KM, Aghajanian C, Hummer AJ, et al. Surgical resection of recurrent endometrial carcinoma. Gynecol Oncol 2006;102:480-8.

123 Thigpen JT, Brady MF, Alvarez RD, Adelson MD, Homesley HD, Manetta A, et al. Oral medroxyprogesterone acetate in the treatment of advanced or recurrent endometrial carcinoma: a dose-response study by the Gynecologic Oncology Group. J Clin Oncol 1999;17:1736-44.

124 Swenerton KD. Treatment of advanced endometrial adenocarcinoma with Tamoxifen. Cancer Treat Rep 1980;64:805-11.

125 Bonte J, Ide P, Billiet G, Wynants P. Tamoxifen as a possible chemotherapeutic agent in endometrial adenocarcinoma. Gynecol Oncol 1981;11:140-61.

126 Moore TD, Phillips PH, Nerenstone SR, Cheson BD. Systemic treatment of advanced and recurrent endometrial carcinoma: current status and future directions. J Clin Oncol 1991;9:1071-88.

127 Bellone S, Shah HR, McKenney JK, Stone PJ, Santin AD. Recurrent endometrial carcinoma regression with the use of the aromatase inhibitor Anastrozole. Am J Obstet Gynecol 2008;199:e7-e10.

128 Thigpen JT, Buchsbaum HJ, Mangan C, Blessing JA. Phase II trial of adriamycin in the treatment of advanced or recurrent endometrial carcinoma: a Gynecologic Oncology Group study. Cancer Treat Rep 1979;63:21-7.

129 Thigpen JT, Brady MF, Homesley HD, Malfetano J, DuBeshter B, Burger RA, et al. Phase III trial of doxorubicin with or without cisplatin in advanced endometrial carcinoma: a gynecologic oncology group study. J Clin Oncol 2004;22:3902-8.

130 Ball HG, Blessing JA, Lentz SS, Mutch DG. A phase II trial of paclitaxel in patients with advanced or recurrent adenocarcinoma of the endometrium: a Gynecologic Oncology Group study. Gynecol Oncol 1996;62:278-81.

131 Lincoln S, Blessing JA, Lee RB, Rocereto TF. Activity of paclitaxel as second-line chemotherapy in endometrial carcinoma: a Gynecologic Oncology Group study. Gynecol Oncol 2003;88:277-81.

132 Miller DS, Blessing JA, Lentz SS, Waggoner SE. A phase II trial of Topotecan in patients with advanced, persistent, or recurrent endometrial carcinoma: a gynecologic oncology group study. Gynecol Oncol 2002;87:247-51.

133 Carey MS, Gawlik C, Fung-Kee-Fung M, Chambers A, Oliver T. Systematic review of systemic therapy for advanced or recurrent endometrial cancer. Gynecol Oncol 2006;101:158-67.

134 Humber CE, Tierney JF, Symonds RP, Collingwood M, Kirwan J, Williams C, et al. Chemotherapy for advanced, recurrent or metastatic endometrial cancer: a systematic review of Cochrane collaboration. Ann Oncol 2007;18:409-20.

135 Fleming GF, Brunetto VL, Cella D, Look KY, Reid GC, Munkarah AR, et al. Phase III trial of doxorubicin plus cisplatin with or without paclitaxel plus filgrastim in advanced endometrial carcinoma: a Gynecologic Oncology Group Study. J Clin Oncol 2004;22:2159-66.

136 Sorbe B, Andersson H, Boman K, Rosenberg P, Kalling M. Treatment of primary advanced and recurrent endometrial carcinoma with a combination of carboplatin and paclitaxel-long-term follow-up. Int J Gynecol Cancer 2008;18:803-8.

137 Hoskins PJ, Swenerton KD, Pike JA, Wong F, Lim P, Acquino-Parsons C, et al. Paclitaxel and carboplatin, alone or with irradiation, in advanced or recurrent endometrial cancer: a phase II study. J Clin Oncol 2001;19:4048-53.

138 Miller D, Filiaci V, Fleming G, Mannel R, Cohn D, Matsumoto T, et al. Late-Breaking Abstract 1: Randomized phase III noninferiority trial of first line chemotherapy for

metastatic or recurrent endometrial carcinoma: A Gynecologic Oncology Group study. 2012.

139 Aghajanian C, Sill MW, Darcy KM, Greer B, McMeekin DS, Rose PG, et al. Phase II trial of bevacizumab in recurrent or persistent endometrial cancer: a Gynecologic Oncology Group study. J Clin Oncol 2011;29:2259-65.

140 Oza AM, Elit L, Tsao MS, Kamel-Reid S, Biagi J, Provencher DM, et al. Phase II study of temsirolimus in women with recurrent or metastatic endometrial cancer: a trial of the NCIC Clinical Trials Group. J Clin Oncol 2011;29:3278-85.

141 Alvarez EA, Brady WE, Walker JL, Rotmensch J, Zhou XC, Kendrick JE, et al. Phase II trial of combination bevacizumab and temsirolimus in the treatment of recurrent or persistent endometrial carcinoma: a Gynecologic Oncology Group study. Gynecol Oncol 2013;129:22-7.

142 Slomovitz BM, Jiang Y, Yates MS, Soliman PT, Johnston T, Nowakowski M, et al. Phase II study of everolimus and Letrozole in patients with recurrent endometrial carcinoma. J Clin Oncol 2015;33:930-6.

143 Ott PA, Bang YJ, Berton-Rigaud D, Elez E, Pishvaian MJ, Rugo HS, et al. Safety and Antitumor Activity of Pembrolizumab in Advanced Programmed Death Ligand 1-Positive Endometrial Cancer: Results From the KEYNOTE-028 Study. J Clin Oncol 2017;35:2535-41.

144 Le DT, Durham JN, Smith KN, Wang H, Bartlett BR, Aulakh LK, et al. Mismatch repair deficiency predicts response of solid tumors to PD-1 blockade. Science 2017;357:409-13.

145 Jung K-W, Won Y-J, Kong H-J, Lee ES. Cancer Statistics in Korea: Incidence, Mortality, Survival, and Prevalence in 2015. Cancer Res Treat 2018;50:303-16.

146 Siegel RL, Miller KD, Jemal A. Cancer statistics, 2015. CA Cancer J Clin 2015;65:5-29.

147 Novetsky AP, Powell MA. Management of sarcomas of the uterus. Curr Opin Oncol 2013;25:546-52.

148 Yuk JS, Lee JH. Six-year survival of patients with unsuspected uterine malignancy after laparoscopic versus laparotomic myomectomy: An 11-year national retrospective cohort study. Gynecol Oncol 2018;151:91-5.

149 Lim MC, Moon EK, Shin A, Jung KW, Won YJ, Seo SS, et al. Incidence of cervical, endometrial, and ovarian cancer in Korea, 1999-2010. J Gynecol Oncol 2013;24:298-302.

150 Bogani G, Cliby WA, Aletti GD. Impact of morcellation on survival outcomes of patients with unexpected uterine leiomyosarcoma: a systematic review and meta-analysis. Gynecol Oncol 2015;137:167-72.

151 Amant F, Coosemans A, Debiec-Rychter M, Timmerman D, Vergote I. Clinical management of uterine sarcomas. Lancet Oncol 2009;10:1188-98.

152 Kurman RJ, Carcangiu ML, Herrington S, Young RH. WHO classification of tumours of female reproductive organs. IARC; 2014.

153 Prat J, Mbatani N. Uterine sarcomas. FIGO câncer Report 2015. International Journal of Gynecology and Obstetrics 2015;131:105-10.

154 Hosh M, Antar S, Nazzal A, Warda M, Gibreel A, Refky B. Uterine Sarcoma: Analysis of 13,089 Cases Based on Surveillance, Epidemiology, and End Results Database. Int J Gynecol Cancer 2016;26:1098-104.

155 Prat J. FIGO staging for uterine sarcomas. Int J Gynaecol Obstet 2009;104:177-8.

156 Giuntoli RL, 2nd, Metzinger DS, DiMarco CS, Cha SS, Sloan JA, Keeney GL, et al. Retrospective review of 208 patients with leiomyosarcoma of the uterus: prognostic indicators, surgical management, and adjuvant therapy. Gynecol Oncol 2003;89:460-9.

157 Gadducci A. Prognostic factors in uterine sarcoma. Best Pract Res Clin Obstet Gynaecol 2011;25:783-95.

158 Garcia C, Kubat JS, Fulton RS, Anthony AT, Combs M, Powell CB, et al. Clinical outcomes and prognostic markers in uterine leiomyosarcoma: a population-based cohort. Int J Gynecol Cancer 2015;25:622-8.

159 Ricci S, Stone RL, Fader AN. Uterine leiomyosarcoma: Epidemiology, contemporary treatment strategies and the impact of uterine morcellation. Gynecol Oncol 2017;145:208-16.

160 Seagle BL, Sobecki-Rausch J, Strohl AE, Shilpi A, Grace A, Shahabi S. Prognosis and treatment of uterine leiomyosarcoma: A National Cancer Database study. Gynecol Oncol 2017;145:61-70.

161 Cho HY, Kim K, Kim YB, No JH. Differential diagnosis between uterine sarcoma and leiomyoma using preoperative clinical characteristics. J Obstet Gynaecol Res 2016;42:313-8.

162 Mills AM, Longacre TA. Smooth Muscle Tumors of the Female Genital Tract. Surg Pathol Clin 2009;2:625-77.

163 Raspagliesi F, Maltese G, Bogani G, Fucà G, Lepori S, De Iaco P, et al. Morcellation worsens survival outcomes in patients with undiagnosed uterine leiomyosarcomas: a retrospective MITO group study. Gynecologic oncology 2017;144:90-5.

164 Reed NS, Mangioni C, Malmstrom H, Scarfone G, Poveda A, Pecorelli S, et al. Phase III randomised study to evaluate the role of adjuvant pelvic radiotherapy in the treatment of uterine sarcomas stages I and II: an European Organisation for Research and Treatment of Cancer Gynaecological Cancer Group Study (protocol 55874). Eur J Cancer 2008;44:808-18.

165 Wright JD, Seshan VE, Shah M, Schiff PB, Burke WM, Cohen CJ, et al. The role of radiation in improving survival for early-stage carcinosarcoma and leiomyosarcoma. Am J Obstet Gynecol 2008;199:536.e1-8.

166 Littell RD, Tucker LY, Raine-Bennett T, Palen TE, Zaritsky E, Neugebauer R, et al. Adjuvant gemcitabine-Docetaxel chemotherapy for stage I uterine leiomyosarcoma: Trends and survival outcomes. Gynecol Oncol 2017;147:11-7.

167 Koh WJ, Abu-Rustum NR, Bean S, Bradley K, Campos SM, Cho KR, et al. Uterine Neoplasms, Version 1.2018, NCCN Clinical Practice Guidelines in Oncology. J Natl Compr Canc Netw 2018;16:170-99.

168 Tap WD, Jones RL, Van Tine BA, Chmielowski B, Elias AD, Adkins D, et al. Olaratumab and doxorubicin versus doxorubicin alone for treatment of soft-tissue sarcoma: an open-label phase 1b and randomised phase 2 trial. The Lancet 2016;388:488-97.

169 van der Graaf WT, Blay JY, Chawla SP, Kim DW, Bui-Nguyen B, Casali PG, et al. Pazopanib for metastatic soft-tissue sarcoma (PALETTE): a randomised, double-blind, placebo-controlled phase 3 trial. Lancet 2012;379:1879-86.

170 Parra-Herran C, Schoolmeester JK, Yuan L, Dal Cin P, Fletcher CD, Quade BJ, et al. Myxoid Leiomyosarcoma of the Uterus: A Clinicopathologic Analysis of 30 Cases and Review of the Literature With Reappraisal of Its Distinction From Other Uterine Myxoid Mesenchymal Neoplasms. Am J Surg Pathol 2016;40:285-301.

171 Barnas E, Ksiazek M, Ras R, Skret A, Skret-Magierlo J, Dmoch-Gajzlerska E. Benign metastasizing leiomyoma: A review of current literature in respect to the time and type of previous gynecological surgery. PLoS One 2017;12:e0175875.

172 Psathas G, Zarokosta M, Zoulamoglou M, Chrysikos D, Thivaios I, Kaklamanos I, et al. Leiomyomatosis peritonealis disseminata: A case report and meticulous review of the literature. Int J Surg Case Rep 2017;40:105-8.

173 Hoang L, Chiang S, Lee CH. Endometrial stromal sarcomas and related neoplasms: new developments and diagnostic considerations. Pathology 2018;50:162-77.

174 Gadducci A, Sartori E, Landoni F, Zola P, Maggino T, Urgesi A, et al. Endometrial stromal sarcoma: analysis of treatment failures and survival. Gynecol Oncol 1996;63:247-53.

175 Trope CG, Abeler VM, Kristensen GB. Diagnosis and treatment of sarcoma of the uterus. A review. Acta Oncol 2012;51:694-705.

176 Leath CA, 3rd, Huh WK, Hyde J, Jr., Cohn DE, Resnick KE, Taylor NP, et al. A multi-institutional review of outcomes of endometrial stromal sarcoma. Gynecol Oncol 2007;105:630-4.

177 Blake EA, Sheridan TB, Wang KL, Takiuchi T, Kodama M, Sawada K, et al. Clinical characteristics and outcomes of uterine tumors resembling ovarian sex-cord tumors (UTROSCT): a systematic review of literature. Eur J Obstet Gynecol Reprod Biol 2014;181:163-70.

178 Nathenson MJ, Ravi V, Fleming N, Wang WL, Conley A. Uterine Adenosarcoma: a Review. Curr Oncol Rep 2016;18:68.

179 Major FJ, Blessing JA, Silverberg SG, Morrow CP, Creasman WT, Currie JL, et al. Prognostic factors in early-stage uterine sarcoma. A Gynecologic Oncology Group study. Cancer 1993;71:1702-9.

180 D'Angelo E, Prat J. Uterine sarcomas: a review. Gynecol Oncol 2010;116:131-9.

181 McCluggage WG. Uterine carcinosarcomas (malignant mixed Mullerian tumors) are metaplastic carcinomas. Int J Gynecol Cancer 2002;12:687-90.

182 Yamada SD, Burger RA, Brewster WR, Anton D, Kohler MF, Monk BJ. Pathologic variables and adjuvant therapy as predictors of recurrence and survival for patients with surgically evaluated carcinosarcoma of the uterus. Cancer 2000;88:2782-6.

183 Tanner EJ, Leitao MM, Jr., Garg K, Chi DS, Sonoda Y, Gardner GJ, et al. The role of cytoreductive surgery for newly diagnosed advanced-stage uterine carcinosarcoma. Gynecol Oncol 2011;123:548-52.

184 Sutton G, Brunetto VL, Kilgore L, Soper JT, McGehee R, Olt G, et al. A phase III trial of ifosfamide with or without cisplatin in carcinosarcoma of the uterus: A Gynecologic Oncology Group Study. Gynecol Oncol 2000;79:147-53.

185 Homesley HD, Filiaci V, Markman M, Bitterman P, Eaton L, Kilgore LC, et al. Phase III trial of ifosfamide with or without paclitaxel in advanced uterine carcinosarcoma: a Gynecologic Oncology Group Study. J Clin Oncol 2007;25:526-31.

186 Powell MA, Filiaci VL, Rose PG, Mannel RS, Hanjani P, Degeest K, et al. Phase II evaluation of paclitaxel and carboplatin in the treatment of carcinosarcoma of the uterus: a Gynecologic Oncology Group study. J Clin Oncol 2010;28:2727-31.

187 Wolfson AH, Brady MF, Rocereto T, Mannel RS, Lee YC, Futoran RJ, et al. A gynecologic oncology group randomized phase III trial of whole abdominal irradiation (WAI) vs. cisplatin-ifosfamide and Mesna (CIM) as post-surgical therapy in stage

I–IV carcinosarcoma (CS) of the uterus. Gynecol Oncol 2007;107:177–85.

188 Einstein MH, Klobocista M, Hou JY, Lee S, Mutyala S, Mehta K, et al. Phase II trial of adjuvant pelvic radiation "sandwiched" between ifosfamide or ifosfamide plus cisplatin in women with uterine carcinosarcoma. Gynecol Oncol 2012;124:26–30.

189 Cantrell LA, Havrilesky L, Moore DT, O'Malley D, Liotta M, Secord AA, et al. A multi–institutional cohort study of adjuvant therapy in stage I–II uterine carcinosarcoma. Gynecol Oncol 2012;127:22–6.

CHAPTER

20

유방질환

Breast Disease

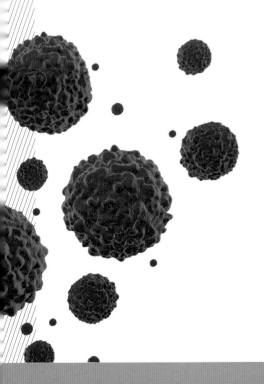

책임저자

안태규 | 조선대학교 의과대학 산부인과

집필저자

김민정 | 가톨릭대학교 의과대학 산부인과

유지훈 | 대전 미즈여성병원

이동옥 | 국립암센터 자궁난소암센터

이태화 | 고신대학교 의과대학 산부인과

Gynecologic Oncology

양성 유방질환

유방에 나타나는
증상들

1) 유방통

유방통은 가장 흔한 증상 중 하나로 유방암과의 감별진단과 적절한 선별과정을 통해 환자에게 관심을 갖고 진찰해야 한다.

　유방통의 양상을 포함한 병력 청취와 월경주기와의 관계, 기간, 위치와 다른 질환과의 연관성을 확인해야 한다.

① 주기성 유방통

생리주기에 관계되며 양측성으로 나타난다. 대부분 유방의 외상부에 부종, 통증, 묵직함을 느끼거나 멍울이 만져질 수 있다. 비만, 포화지방산의 과섭취, 커피, 홍차 등과 같은 음식, 약물에 의해 나타날 수 있다. 유방암과 감별하고 유방통과 유방암의 관련성은 적다는 점을 이해시키는 등 심리적 안정을 하도록 한다. 유방조직에 되도록 자극이 없도록 하고 식이요법, 카페인 조절, 다나졸, 브로모크립틴, 타목시펜, 황체호르몬 분비호르몬 유사체 등을 사용해 볼 수 있다.

② 비주기성 유방통

생리주기와는 상관없고 대개 한쪽에 국한되어 나타난다. 유방 자체의 통증보다는 늑연골, 피부, 심장, 식도 질환으로 인한 통증 등 다양한 질환을 감별해야 한다. 원인이 다양하기 때문에 약물요법에 있어서 반응을 잘 하지 않는 것으로 알려져 있으나, 달맞이꽃 종자유, 국소적 비스테로이드성 진통제 등을 고려해 볼 수 있다.

2) 유두 분비

유두 분비는 종괴나 유방통과 더불어 3대 흔한 유방증상으로, 대부분 양성질환이지만, 유방암과의 감별은 반드시 필요하다. 유두 분비는 정상적으로 나올 수 있는데 신생아에서 볼 수 있는 기유(witch's milk), 사춘기 초, 임신 시, 유두 자극이나 성적 흥분 상태, 수유 후에 보일 수 있다. 만성 신부전증, 갑상샘저하증, 뇌하수체샘종, 여러 가지 약물에 복용 시 동반될 수 있으므로 자세한 병력 청취가 필요하다. 유두 분비를 일으키는 가장 흔한 유방병변으로는 유관유두종, 유관확장증이 있다. 유방의 양성 병변의 경우 회색, 녹색을 띄는 반면, 장액성, 장액혈성, 혈성 또는 수성이며 유방에 자극이 없어도 한쪽에 국한되어 나오는 경우 유방암을 감별해야 한다. 유두 분비가 있을 경우 가능성이 낮더라도 세포병리 검사를 시행하고 유방촬영, 초음파 등을 시행하는 것이 도움이 된다.

3) 종괴

환자들이 병원에 내원하는 가장 흔한 원인 중 하나로, 양성부터 악성까지 다양하다. 섬유선종이 가장 흔하며, 낭성 병변, 섬유낭성병변, 유방암 등 여러 병변이 복합적으로 있을 수 있으므로 적절한 검사와 감별이 필요하다. 40세 이전에 만져지는 대부분의 종괴는 양성이며, 생리주기와의 연관성 등 기본적인 병력 청취와 함께 유방 진찰, 유방촬영, 초음파 등을 실시하고 필요하다면 조직검사도 고려해 보아야 한다.

① 낭성 병변

모든 연령대의 여성에서 흔히 발견되며, 진찰 시 경계가 명확하면서 유동성이 좋고 부드러운 종괴로 발견되지만 촉진만으로는 고형 여부를 감별하기는 어렵다. 유방촬영에서 경계가 명확한 종괴일 경우 에코가 없는 것으로 초음파에서 단순 낭종을 확인할 수 있지만, 복합 고형 낭종일 경우에는 반드시 정확한 감별이 필요하다.

② 고형성 병변

종괴가 만져지거나 영상검사에서 고형 종괴가 발견되었을 때는 악성 종양의 가능성을 감별해주어야 한다. 제일 흔한 고형 병변은 섬유선종이며 엽상종, 유두종, 지방종 등이 있을 수 있다. 초음파 검사에서 양성이 확실하다면 크기의 변화를 지켜볼 수 있지만, 영상검사와 임상 증상이 일치하지 않거나 변화가 있을 경우에는 조직검사를 시행하는 것이 필요하다.

4) 감염

유방의 염증성 질환은 대부분 가임 시 여성에서 발생하며, 수유기의 염증상 질환과 비수유기 염증성 질환으로 구분할 수 있다.

① 수유기 유방염과 농양

수유기 여성의 2.5%에서, 10% 미만에서 농양이 발생된다. 수유 시작 후 6주와 이유기에 발생하며, 통증, 발열, 부종, 압통, 오한이 나타날 수 있다. 농양이 발생하기 전 적절한 항생제 투여가 도움이 되며, 호전되지 않을 때 농양의 발생여부를 확인해야 한다. 농양이 발생한 경우 수유를 중단할 필요는 없다.

② 비수유기 유방염과 농양

유관확장증, 지방괴사, 유선낭종, 유관누공, 가성혈관종성증식증 등이 있을 수 있으며, 원인에 따른 적절한 진단과 치료가 필요하다.

**유방질환
진단방법**

유방의 진찰 시 진료실 환경은 어둡지 않고 환자가 부끄러움을 느끼지 않도록 조성되어야 하고 시진과 촉진 시에도 시간적인 여유를 가지고 꼼꼼하게 검사를 해야 한다. 영상학적 검사는 유방촬영술, 유방초음파, 자기공명영상 등을 시행할 수 있으며 이러한 검사 후에는 반드시 미국방사선의학회(American College of Radiology)에서 정립한 유방영상보고데이터체계(breast imaging reporting and data system, BI-RADS)를 바탕으로 표준화된 용어로 기술하고 판독에 임하며 그 판독에 근거하여 향후 검사나 치료를 권유하여야 한다.[1]

1) 문진

① 목적

이는 유방 진료의 시작이며 추가적인 검사가 필요한 경우, 이에 합당한 정보를 제공할 수 있으며 주관적인 증상에 대해 검사가 필요한 이유를 객관적으로 설명함으로써 검사와 치료의 순응도를 높일 수 있다. 더불어 의료인 간의 정보교환에 있어 자세한 병력을 전달하여 최선의 진료가 되도록 하는 데 있다.

② 내용

i. 검진 시 문진 항목

초경 연령, 마지막 월경 시작일, 월경의 규칙성 여부, 출산력, 모유수유 여부 및 기간, 폐경 후 호르몬제제 복용 유무 및 복용 기간, 과거 양성유방질환 진단 유무, 유방암의 가족력(관계, 진단 시 연령과 병기, 양측성 유무, 수술 및 항암, 방사선치료 여부), 이전 유방외상 유무, 이전 유방시술 유무 등

ii. 증상이 있는 경우

(ㄱ) 만져지는 멍울이 있는 경우: 발견시기, 통증동반 유무, 월경주기에 따른 크기의 변화 등

(ㄴ) 통증이 있는 경우: 양측성 유무, 월경주기에 따른 통증의 변화, 약물복용 시 종류와 기간, 음주상태, 카페인이나 육류섭취 정도, 체중의 변화, 근골격계 또는 심장질환 유무, 외상유무 등

(ㄷ) 이상 유두 분비물이 있는 경우: 양측성 유무, 하나의 또는 여러 유관에서 분비되는지 여부, 색깔(맑은 액체, 우윳빛깔, 갈색 또는 검은색, 붉은 피 등), 저절로 흘러나오는지 또는 짜면 나오는지 여부, 약물복용여부(위장약, 호르몬제, 신경계 계통, 고혈압 약 등)[2]

2) 유방의 진찰

① 유방검진

i. 유방 정기 검진(표 20-1)

(ㄱ) 우리나라에서는 국가 검진 프로그램의 일환으로,[3] (a) 30세 이상의 여성: 매월 자가 검진, (b) 35~40세의 여성: 2년에 한번 의사에 의한 유방임상진찰, (c) 40세 이상의 여성: 2년마다 유방촬영술과 유방임상진찰을 함께, (d) 70세 이상에서의 유방촬영술을 이용한 유방암 검진은 개인별 위험도에 따른 임상적 판단과 수검자의 선호도에 따라 선별적으로 시행할 것을 권고한다.

(ㄴ) 치밀유방은 유방암의 위험이 높은가? 그리고 추가 초음파검사가 필요한가?

지방에 비해 결합조직의 밀도가 높은 치밀유방은 그 비율이 증가함에 따라 유방촬영술의 민감도가 떨어지게 된다. 또한 유방 실질 비율이 75% 이상을 보인 치밀 유방 여성에서 유방암의 발생률이 유방 실질 비율이 10% 이하의 지방형 유방보다 4~6배 더 높았다. 우리나라 여성의 치밀유방의 빈도가 약 70%로 서양의 46%보다 매우 높기 때문에 선별검사의 어려움이 있는 게 사실이다. 또한 임상적으로 또는 유방촬영

표 20-1. 국가별 유방검진 권고안 비교[64]

	유방촬영술(mammography), 나이 범위			유방 자가검진	유방 임상진찰
	40~49	50~69	>70		
대한의사협회 (대한민국)	매 2년마다	매 2년마다	권하지 않음, 개별적 결정	불충분한 근거	불충분한 근거
USPSTF (미국)	정기 검진에 반대, 개별적 결정	50~74세 여성에 대해 매 2년마다	75세 초과 여성에 대해 불충분한 근거	검진 교육에 반대	불충분한 근거
CTFPHC (캐나다)	정기 검진에 반대	50~74세 여성에 대해 매 2~3년마다	권고 사항 없음	반대	반대
NHS 유방암 검진 프로그램 (영국)	적극적인 모집 없었음*	50~70세 여성에 대해 매 3년마다	70세 초과 여성에 대해 적극적인 모집 없었음*	권고하지 않음	권고하지 않음

* 프로그램이 47~73세 여성에 대해 매 3년마다 선별검사용 유방촬영술을 시행하는 것으로 확대 중이다.

술상에서 발견되지 않은 유방암이 초음파에서 발견된 경우는 대부분 퍼센트가 높은 고밀도유방에서 발생하며 우리나라는 40~50대의 유방암 발생률이 외국보다 더 높기 때문에 이 연령에서의 보조적인 유방초음파 검사는 필요하다고 할 수 있다.

(ㄷ) 유방암 선별검사로 초음파

(a) 유방초음파가 선별검사로 가능한가?

유방촬영술에 유방초음파의 병용 검진에 대한 초창기 연구 중 가장 대표적인 연구가 미국 방사선의학회에서 시행한 American College of Radiology Imaging Network (ACRIN) 6666연구이다. 고위험군 여성 2,809명에 대한 전향적인 연구로 유방촬영술 검진과 유방초음파 병용 검진을 비교했는데 유방촬영술 검진에서는 1,000명당 7.6개의 유방암을 발견했고 유방초음파 병용 검진을 했을 때 1,000명당 11.8개의 유방암을 발견하였다. 유방촬영술이 음성일 때 유방밀도에 상관없이 유방초음파를 시행한 연구에서 1,000명당 1.9~3.3명의 유방암을 추가로 발견하였고, 유방촬영술이 음성이고 치밀유방일 때 유방초음파를 시행한 연구에서는 1,000명당 0.3~5.1명의 유방암을 추가로 발견하였다(표 20-2). 하지만 검진으로 초음파를 진행하는 것은 무리가 있는데 이러한 초음파 검사로 유방암으로 인한 사망률을 줄인다는 대조군 시험 연구 결과들이 아직 충분하지 않고 위양성 소견이 증가하여 환자의 불안감을 증폭시키며 불필요한 조직검사 등으로 인한 시간적, 금전적으로 손실이 발생하여 대부분의 검진 가이드 라인에서는 유방초음파 검진을 권고하지 않는다.

표 20-2. 유방촬영술에서 음성의 소견을 보인 환자에서 추가 초음파로 악성을 발견할 확률[20]

연구	국가	참여 환자수	유방치밀도	CDR per 1,000 screens (%)
Hooley et al.(2012)	USA	935	Overall	3.2
Girardi et al.(2013)	Italy	22,131	Overall	1.85
Moon et al.(2014)	Korea	2,005	Overall	2.0
Chang et al.(2014)	Korea	1,526	Overall	3.3
Kaplan (2001)	USA	1,862	Dense	0.3
Kwak et al.(2005)	Korea	3,998	Dense	0.5
Brancato et al.(2007)	Italy	5,227	Dense	0.38
Corsetti et al.(2008)	Italy	9,157	Dense	0.40
Chang (2014)	Korea	990	Dense	5.7

CDR: Cancer Detection Rate

(b) 유방초음파는 정확한가?

초음파의 정확도에 대한 지표로 양성예측도(positive predictive value)를 이용할 수 있는데, 이 양성 예측도가 0.5~80.8%로 매우 다양하고 연구마다 유방촬영술의 이상소견이나 치밀유방 여부, 조직검사 시행기준, 양성예측도의 정의 등이 다르기 때문에 결론을 내리기는 어렵다(표 20-3).

표 20-3. 선별검사로 유방초음파의 양성 예측도(positive predictive value of adjunct ultrasound screening)[20]

연구	국가	참여 환자수	유방 치밀도	유방촬영술 소견	양성 예측도
Hooley et al.(2012)	USA	935	Overall	Negative	6.4
Moon et al.(2014)	Korea	2,005	Overall	Negative	0.64
Giulianoetal.(2013)	USA	3,418	Dense	Overall	80.8
Chae et al.(2013)	Korea	8,359	Dense	Overall	11.1
Kwak et al.(2005)	Korea	3,998	Dense	Negative	0.7
Chang et al.(2014)	Korea	1,526	Dense	Negative	5.3
Moon et al.(2014)	Korea	1,656	Dense	Negative	0.51

ii. 자가검진(self-examination)

검사방법에 대한 정확한 교육과 이해가 필요하다. 폐경 전 여성은 매달 월경이 끝나고 일주일 이내에 시행하는 것이 가장 정확하고 폐경 이후의 여성은 매달 특정한 날을 정하여 검사하는 것이 좋다. 유방과 액와검사를 스스로 시행하는 데 순서를 정해서 꼼꼼히 만져보는 것이 중요하다(그림 20-1). Foster 등에 의해 이 자가검진의 효용성을 발표하였는데[4] 이러한 자가검진을 통하여 작은 크기의 유방암을 발견하고 유방암으로 인한 사망률을

(a) 양측 유방의 비교

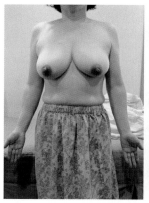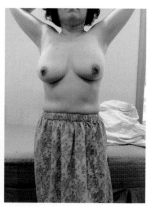

양팔을 편히 내린 후 유방을 관찰

양손을 허리에 대고 어깨와 팔꿈치에 힘을 주면서 약간 숙인다

양팔을 머리 뒤로 깍지를 끼고 팔에 힘을 주면서 앞으로 내민다

(b) 일측 유방의 검사

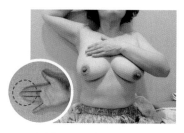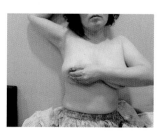

검진하는 쪽 손을 위로 올리고 반대편 2,3,4째 손가락 첫마디 바닥을 이용하여 검사한다.

유두의 위, 아래 그리고 양 옆을 만져본 후 유두를 짜보면서 분비물이 있는지 관찰한다.

(c) 유방 촉진의 순서

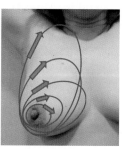

유륜주위로 원을 그려가며 검사해 나가고 쇄골의 위, 아래 그리고 겨드랑이 부위의 검사를 잊지 않는다.

편한 자세로 누워 검사하는 쪽 어깨 아래에 수건 등을 받쳐 유방을 편평하게 만든 다음 다시 위와 같이 검사한다.

그림 20-1. 유방의 자가 검진 순서

감소시킬 수 있었다는 보고 등이 있었으나 그 효용성에 의문을 제기한 연구들도 있다.[5] 현재까지는 이런 자가검진이 유방암의 사망률을 낮춘다는 확실한 증거는 없는 것으로 여겨지고 있다. 그렇지만 비용이 들지 않고 안전하며 정기검진 주기 사이에 이상 소견을 발견하여 추가 검사를 받을 수 있는 장점이 있고 유방촬영술을 정기적으로 받을 수 없는 여건에 있는 여성들에게서는 아직도 중요한 검사로 강조되어야 할 것이다(표 20-4).

표 20-4. 임상진찰, 유방촬영, 초음파의 정확도[65]

각 검사법의 특성					
검사 방법	민감도(%)	특이도 (%)	음성예측률(%)	양성예측률(%)	정확도(%)
유방촬영술	77.6 (191/246)	98.8 (27,237/27,579)	99.8 (27,237/27,292)	35.8 (191/533)	98.6 (27,428/27,825)
임상진찰	27.6 (68/246)	99.4 (27,412/27,579)	99.4 (27,412/27,590)	28.9 (68/235)	98.8 (27,480/27,825)
초음파	75.3 (110/146)	96.8 (12,975/13,401)	99.7 (12,975/13,011)	20.5 (110/536)	96.6 (13,085/13,547)

Note: Screening US was performed and its results reported only in women with dense breasts. Calcu-lations include both invasive and noninvasive cancers. Data in parentheses are numbers used to calculate the percentages.

② 임상진찰

i. 시진

양팔을 내리고 움직이지 않은 편안한 자세에서 유방의 크기, 대칭성, 부종, 멍울 등을 관찰하고, 유두와 유륜의 이상을 관찰한다. 정지 상태의 시진 후에는 양손을 펴서 허리에 대고 가슴을 오므렸다가 피는 동작을 반복하여 이때 유방 모양의 변화를 관찰한다. 이후 양팔을 위로 올려 겨드랑이의 이상 유무를 확인한다. 마지막으로 양팔을 든 자세에서 상체를 앞으로 숙이게 하면 유두 부분의 이상 소견을 좀 더 쉽게 발견할 수 있다.

ii. 촉진

촉진은 월경 시작 7~10일 후에 시행하는 것이 가장 좋다. 만약 환자가 생리 직전 방문 시 만져지는 멍울을 호소하면 월경이 끝날 무렵 다시 검사하는 것이 정확한 진단에 도움이 된다. 두 손을 모두 이용하며 가장 예민하고 평편한 가운데 세 손가락의 두 마디 정도를 사용하여 환자가 통증을 느끼지 않을 정도의 압력으로 시행하는데, 여기에서 주의할 점은 만져지는 종괴가 의심되면 반드시 두 손으로 촉진을 해야 한다는 것이다. 한 손으로 병변을 움켜쥐듯 잡아 검사하면 위양성 소견을 보일 수도 있다(그림 20-2). 검사 자세는 앉거나 누워서 할 수 있는데, 앉은 자세는 상부 유방이 얇게 펴져 유방암이 가장 많이 발생하는 상부 외측의 진찰이 쉬우며, 누운 자세는 유방이 흉벽에 골고루 펴져 두께가 얇아지므로 전체 유방을 자세히 관찰할 수 있다.

3) 영상검사

① 유방촬영술

유방촬영술은 모든 유방질환을 발견하고 진단하는 가장 간단하고 기본적인 검사이다. 검진 유방촬영의 목표는 두 방향 표준촬영으로 무증상 여성에서 조기에 유방암을 발견하는 것으로 유일하게 그 효과를 인증받은 검사이다. 유방암의 검진에 있어 유방촬영술은 매우 중요하며, 임상검사와 같이 시행하는 것이 좋다. 하지만 유방촬영술의 유방암에 대한 민감도는 85% 정도이고 치밀유방인 경우 약 45~64%로 떨어지며, 치밀유방에서 유

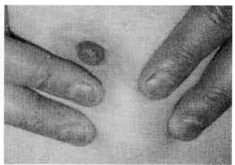

(a) 잘못된 촉지법   (b) 올바른 촉지법

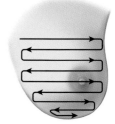

(c) 유방촉지 순서

그림 20-2. 임상진찰 시 촉진방법 및 순서

방암 발병률이 지방형유방에 비해 약 4.7배라는 점에서 유방촬영검사 하나로 진단하기에는 어려움이 있다.[6] 유방촬영술의 용어체계에 대해 계속적으로 개정을 준비했던 미국방사선학회에서 2013년 BI-RADS Atlas 5판이 발표되었는데 이는 2003년 BI-RADS 4판과 유사하지만 용어의 세분화, 종괴묘사 상세화와 유방밀도에 대한 분류 재정립 등이 달라진 점이다.[1]

i. 유방촬영방법

유방촬영 시 가능한 모든 유방조직이 포함되어야 한다. 이를 위해 정확한 자세가 중요하고 적절한 압박이 중요한데, 이러한 압박의 중요성을 환자에게 미리 충분히 설명하여 거부감을 최소화하고 월경주기에 따라 압박 시 느끼는 통증의 정도가 다르므로 월경 전 유방 팽만감이 심한 여성은 월경이 끝난 후 촬영하는 것을 권하는 것이 좋다. 유방촬영술 기본 영상은 표준촬영과 표준촬영으로 자세히 병변을 파악하기 어려운 경우, 이를 해결하기 위한 보조촬영이 있다.

(ㄱ) 표준 촬영(standard views)

내외사위(mediolateral oblique view)와 상하촬영(craniocaudal view)이 표준촬영의 기본이며 선별검사는 이 두 가지 촬영이면 충분하다. 자세잡기를 정확히 하려면 유방의 유동성에 대한 이해가 있어야 하는 데 유방에서 이동이 많은 부분은 외측과 하연(lateral and inferior margins)이며 내측과 상연(medial and superior margins)은 상대적으로 고정되어 있다.

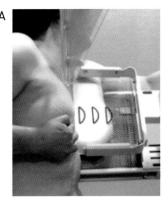

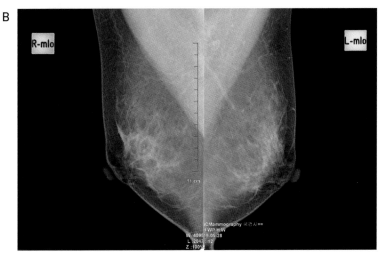

그림 20-3. 내외 사위 촬영

A 내외사위 촬영의 올바른 자세 잡기. 유방을 올리고 유방과 흉근을 전방과 내측으로 잡아당긴다. **B** 내외사위 촬영의 올바른 영상획득을 위해서는 대흉근이 유두아래까지 내려오고 앞쪽으로 볼록하게 보이면서 유방밑 주름은 열려 있어야 한다.

(a) 내외사위촬영은 환자의 체형에 따라 30~60°(보통 45°)의 각도로 흉근의 방향에 따라 압박하여 최대한 유방의 많은 조직을 포함하여 촬영을 해야 한다. 대흉근이 유두아래까지 내려오고 앞쪽으로 볼록하게 보이면서 유방밑 주름(inframammary fold)은 열려 있어야 바른 자세로 촬영했다고 할 수 있다(그림 20-3).

(b) 상하촬영은 내외사위촬영에서 빠지기 쉬운 내측유방이 잘 포함되도록 해야 한다. 좌우가 대칭되도록 유두는 정확하게 측면으로 사진의 중앙에 보이도록 하고 유선후지방층이 보일 정도로 깊은 유방조직을 포함시켜 안쪽유방이 잘 보이도록 해야 한다(그림 20-4).

(ㄴ) 보조촬영(supplemental views)

표준촬영 이후에 추가적인 촬영이 필요한 경우에 시행한다.

(a) 국소압박촬영(spot compression view): 유방조직이 중첩되어 보이는 부위에 대하여 작은 압박자로 그 부위를 압박하여 겹치는 조직을 분리해서 병소의 존재와 형태를 파악하는 촬영으로 뒤쪽 깊은 곳이나 유륜하부의 병변에 대해 효과적이다.

(b) 확대촬영(magnification view): 보조촬영 중 가장 많이 사용하는 영상으로 미세석회화

A

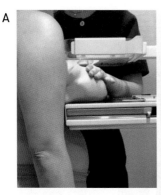

B

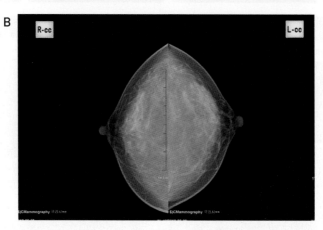

그림 20-4. 상하 촬영

A,B 유두는 정확하게 측면으로 사진의 중앙에 보이도록 하고 유선후지방층이 보일 정도로 깊은 유방조직을 포함시켜 안쪽유방이 잘 보이도록 해야 한다.

의 존재 여부와 그 모양, 분포, 범위를 파악할 수 있고 종괴의 동반 여부, 구조왜곡(architecture distortion)의 발견에 도움이 된다(그림 20-5).

(c) 강조상하촬영(exaggerated craniocaudal view): 기본 상하촬영에서 포함되지 않은 바깥쪽 유방조직과 액와부위를 더 자세히 볼 수 있는 영상이다.

(d) 90° 측면 촬영(90° lateral view): 병변이 상하위 사진에서는 관찰되지 않고 내외사위 촬영에서만 보여 이것이 겹쳐진 조직인지, 인공물인지 또는 피부에 있는 것인지 구별이 필요한 경우 촬영한다.

(e) 이 밖에 후내측의 깊은 부위의 병변을 잘 보기 위한 계곡촬영(cleavage or valley view), 주위 치밀유방조직에 의해 만져지는 종괴가 가려지거나 피부내 석회화 병변이 의심될 때 시행하는 접선촬영(tangential view), 겹쳐 보이는 구조물을 효과적으로 분리할 때 시행하는 회전촬영(rolled view), 유방확대술을 받은 환자에게 시행할 수 있는 삽입물 전위촬영(implant displaced view) 등이 있는데 각각의 용도를 기억하여 표준촬영으로 영상의 판독이 어려운 경우에 사용하도록 한다.

ii. 병변의 분석

유방영상보고데이터체계(BI-RADS)에서 권장하는 용어를 이용하여 기술하고 일관된 기준에 따라 분석하여야 한다.

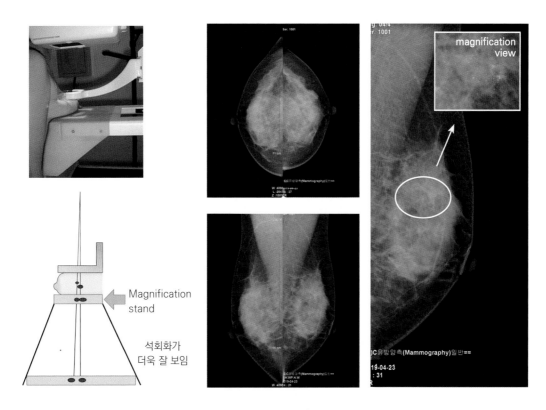

Magnification stand

석회화가 더욱 잘 보임

magnification view

그림 20-5. 확대촬영
비대칭음영과 미세석회화 음영의 관찰, 특히 석회화를 자세히 관찰하기 위해 확대 촬영을 시행함

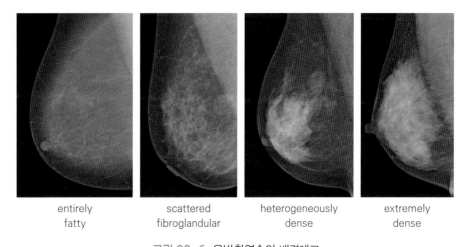

| entirely fatty | scattered fibroglandular | heterogeneously dense | extremely dense |

그림 20-6. 유방촬영술의 배경에코

(ㄱ) 유방실질의 구성에 대한 기술

유방의 배경구조에 따라 병변을 발견하기 쉬운 경우와 어려운 경우가 있다. 유방의 실질이 대부분 지방으로 되어 있는지(entirely fatty), 유방의 실질밀도가 흩어져 있는 경우(scattered fibroglandular density), 유방의 실질밀도가 비균질하게 높아 작은 종괴의 발견이 어려운 경우(heterogeneously dense, which may obscure detection of small mass), 유방의 실질밀도가 매우 높아서 유방촬영술의 민감도가 낮은 경우(extremely dense, which may lower the sensitivity of mammography)로 구분하여 서술한다(그림 20-6).

(ㄴ) 석회화(calcification)

모양, 분포, 크기에 따라서 전형적인 양성(typically benign), 중등도 위험(intermediate concern), 악성의 위험이 높은 고위험(higher probability of malignancy) 석회화로 나눈다. 모양이 다양할수록, 분지하는 모양과 구역성 분포를 갖는 미세석회화는 악성의 가능성이 높다(그림 20-7).[7]

(ㄷ) 종괴(mass)

반드시 두 가지 촬영영상에서 모두 보이는 공간을 차지하는 병소이다. 만약 어느 한 영상에서만 보이고 명확하지 않으면 비대칭(asymmetry) 또는 비대칭 음영(asymmetric densi-

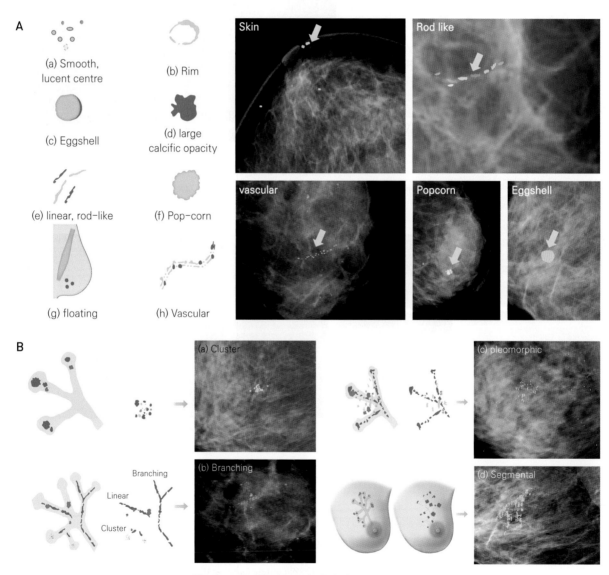

그림 20-7. 유방촬영술에서 양성 석회화, 악성 석회화

A 양성 석회화는 대부분 둥근 형태에 중앙부위가 투명하거나 혈관 주행을 따라 보이는 관상(tubular), 경계가 잘 그려지는 늘어난 소엽 및 세엽내에 칼슘이 침착되어 생기는 석회화, 경계가 분명하고 반달, 혹은 초승달 모양의 석회화, 퇴행하는 섬유선종의 기질에서 보이는 2~3mm의 석회화 등이 있다. B 악성 석회화는 빽빽하고 모여 있고 모양과 크기가 매우 다양하다. 대부분 가지치는 모양, 불규칙하고 가끔 선모양을 하며 0.5mm보다 작은 석회화가 1cc 유방조직 내에 최소 5개 이상 보인다.

A 악성을 시사하는 종괴의 모양

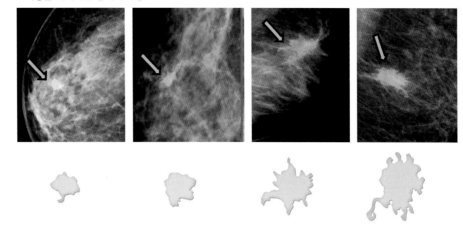

B 양성을 시사하는 종괴의 모양

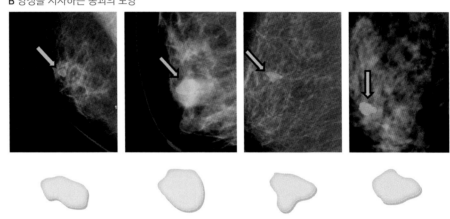

그림 20-8. 유방촬영술에서의 악성과 양성을 시사하는 종괴의 모양
A 침상형이나 경계가 불분명한 경우는 악성을 시사한다. **B** 타원형이나 경계가 매끄러운 경우는 양성을 시사한다.

ty)라고 부른다. 침상형이나 경계가 불분명한 경우는 악성을 시사한다(그림 20-8).

⒟ 구조왜곡(architecture distortion)

종괴로 보이는 병변이 없는데 정상 유선구조가 비틀리는 것으로 어느 한 점으로부터 선이나 침상모양이 방사상으로 뻗어 나가거나 유방실질의 가장자리가 당겨지거나 비틀리는 경우이다.

⒠ 기타소견

유방 실질의 비대칭 음영, 단독유관확장, 유방 섬유주 비후와 피부의 비후, 유두함몰, 그리고 유방내, 액와 림프절 종대 등의 소견이 있다.

iii. 병변의 판정

이전 유방촬영술 영상이 있다면 비교하여 가양성을 줄였다는 보고가 있지만 민감도에는 영향이 없었다는 연구도 있다. 하지만 이전 영상이 있다면 이의 비교가 병변의 판정에 영향을 줄 수 있음을 기억해야 한다. 판정은 불완전 판정(categrory-0)과 완전 판정(category-1~6)으로 구분하고 불완전 판정의 경우에는 이전 사진이 있다면 반드시 비교하고 초음파나 자기공명영상등과 같은 추가 검사를 해야 한다. 이후 모든 영상검사를 종합하여 판독을 하고 추후 검사와 처치에 대한 권고를 한다. 모든 병변에 대한 기술은 표준화된 용어로 서술한다.

(ㄱ) 범주 0(불완전 판정)

결과를 확정할 수 없는 상태로 추가 검사가 필요한 상태이다. 예를 들어 젊은 여성이나 임신, 수유 중 여러 이유로 초음파를 시행했는데 조직검사가 필요하다고 생각될 때, 추가 병변을 찾기 위해 유방촬영술을 시행하는 경우이다. 추가 검사 후에 최종 판정을 내린다.

(ㄴ) 범주 1(정상 소견: negative finding)

종괴, 실질왜곡, 피부비후, 석회화 등 이상 소견이 없는 경우이다. 이 경우 이전 시행했던 영상소견과 이상부위 유무를 파악하여 판정을 내려야 한다. 정기 검진을 권한다.

(ㄷ) 범주 2(양성 소견: benign finding)

전형적인 양성소견으로 범주 1과 함께 정상 판독에 해당하는데 석회화된 섬유선종, 여러 개의 분비성 석회화, 지방을 포함한 병변, 예를 들어 지방종(lipoma), 유낭종(galacto-cele), 과오종(harmatoma), 혈관석회화, 유방성형 삽입물 등이 있다. 1년 후 추적검사를 권한다.

(ㄹ) 범주 3(양성 추정 소견: probably benign finding)

이는 악성의 가능성이 2% 미만으로 양성가능성이 매우 높으나 짧은 간격의 추적검사가 필요한 병변이다. 범주 3으로 보이나 만져지는 병변은 조직검사를 권하는 경우도 있고 만져지지만 석회화 없이 유방촬영술과 초음파 모두에서 범주 3으로 보인다면 만져지지 않는 병변과 같이 추적검사를 해도 된다는 주장이 있다.[8] 6개월 간격으로 2~3년간의 추적검사를 권장한다. 대부분 유방암의 부피가 2배가 되는 배가시간(doubling time)이 100~160일 정도이기 때문에 병변이 있다면 2~3년 내에 나타나기 때문이다. 거의 변하지 않을 것 같은 병변을 범주 3으로 평가해야 하고 추적검사 중 모양은 변하지 않으나 크기가 커지는 경우에도 악성이 생길 확률이 10~56%로 다양하게 보고되므로 조직검사를 권한다.[9]

(ㅁ) 범주 4(악성이 의심되는 소견: suspicious abnormal finding)

유방암으로 확진할 만한 소견은 아니지만 그 가능성이 3~94% 정도로 조직검사가 필요한 병변이다. 악성 가능성의 범위가 넓기 때문에 임상의사나 병리의사간의 영상소견에 대한 구체적인 정보 교환을 위해 범주 4는 다시 낮은 악성 가능성 4a (low suspicious, 3~10%), 중간 악성 가능성 4b (intermediate-suspicious, 11~50%), 높은 악성 가능성 4c (moderate suspicious, 51~94%)으로 세분하지만 각각의 객관적 분류기준이 정립되지 않아 판독하는 의사의 경험이 주관적으로 작용하여 많은 연구가 필요하다. 범주 4a는 조직검사에서 양성으로 나온다면 6개월 후 추적검사가 필요하고 범주 4b와 4c는 조직검사결과가 양성이 나오면 영상-병리 일치도(imaging-histologic concordance)에 따라 불일치를 보이는 경우에는 추가 조직검사를 한다.[10]

(ㅂ) 범주 5(강한 악성 소견: highly suggestive of malignancy)

95% 이상의 악성 가능성을 보이는 병변으로 반드시 조직검사를 시행한다.

(ㅅ) 범주 6(조직검사로 확진된 유방암: biopsy proven breast carcinoma)

병변에 대해 의학적 자문이나 수술 전 신항암요법을 받는 경우에 해당한다.

② 유방초음파

초음파는 유방의 해부학적 구조와 병리의 소견을 보여주는 방법이 유방촬영술과 달라 치밀조직까지 통과할 수 있어 유방의 구조를 좀 더 잘 나타낼 수 있다. 우리나라에서는 서구와 달리 40~50세 젊은 여성에서 유방암 발생률이 높고 70~80%에서 치밀유방을 보이는데 이런 치밀유방에서는 유방촬영술의 민감도가 62.2~68.1%까지 떨어져 침윤성 유방암을 놓칠 수 있고[11] 검사의 특이도가 낮기 때문에 유방검진에 있어 유방초음파가 보조적인 역할을 할 수 있다. 하지만 검사자의 숙련도에 따른 해석과 판독의 차이가 많고 의사가 직접 검사 및 판독을 해야 하므로 시간이 오래 걸리며 진단과정에서 위양성율이 높아 불필요한 조직검사, 추가검사 등으로 환자에게 불안감과 비용이 증가할 수 있기 때문에 선별검사에 일차적으로 적용하기에는 어려움이 있다. 하지만 우리나라의 상황을 고려해 볼 때 치밀형유방을 보이고 고위험군인 여성에 있어 초음파의 적용은 유용할 것으로 생각된다.[12]

□ 적응증[13]

① 낭종과 고형종괴의 구분

② 촉지성 종괴나 유방촬영술에서 잘 보이지 않는 경우

③ 젊은 여성에서 만져지는 병변에 대한 검사: 30세 이하에서 만져지는 병변에 대한 1차 검사

④ 가족력 등 위험성이 높은 환자가 유방촬영술에서 치밀유방의 소견을 보이는 경우

⑤ 임산부나 수유부의 1차 검사

⑥ 만져지는 병변이 그 위치로 인해 유방촬영술에서 잘 안 보이는 경우

⑦ 국소적 유방통증이 나타난 경우

⑧ 유두분비물을 보이는 경우

⑨ 유방의 염증성 병변 내부 농양의 관찰과 외과적 시술 시

⑩ 성형 수술 후 숨겨진 병변의 검사

⑪ 유방촬영술에서 국소 비대칭을 보이는 음영: 초음파로 정상조직인지 종괴, 또는 구조 왜곡인지 구분하기 위해

⑫ 조직검사 등 중재적 시술 시

i. 검사 전 준비 사항

㉠ 검사 이유의 파악

만약 환자가 이전에 검사한 내용이나 검사결과가 있다면 미리 숙지하는 것이 큰 도움이 된다. 증상이 있어서 왔는지, 검진의 목적으로 왔는지 등에 대한 정보와 기록이 필요하

다. 유방암의 초기 변화인 미세석회화나 지방형 유방에서 1cm 미만의 결절은 유방초음파만으로 발견하기는 어려워 유방촬영술 없이 유방초음파만 시행할 경우 이와 같은 소견을 놓치게 된다.

㉡ 환자 자세

검사하는 유방영역을 최대한 얇게 퍼지게 고정시켜야 정확한 영상을 얻을 수 있다. 스캔할 유방이 반대쪽 유방보다 약간 올라가는 것이 좋은데 일반적으로 내측 유방을 검사할 때는 똑바로 누운 자세로, 외측 유방을 검사할 때는 검사하는 쪽 등 뒤에 베개나 수건 등을 받친 자세로 하면 외측 유방의 검사가 더욱 용이하다.

ii. 검사수기

㉠ 초음파 장비

유방초음파는 고해상도의 장비로 시행해야 근거리 해상도가 우수하게 되는데 최소 7.5MHz 이상의 선형(linear) 탐촉자를 사용해야 하고 일반적으로 10~13MHz가 적합하다. 이는 유방조직에서 흉벽까지 검사하기에 충분하고 대조 해상능력과 공간 해상능력이 뛰어나다.

㉡ 탐촉자를 잡는 방법

편안한 자세로 탐촉자의 아랫부분을 잡아 안정감을 유지하고 엄지와 제2~4지로 탐촉자를 쥐고 제5지는 피부에 살짝 접촉하여 촉각을 유지함으로써, 현재 검사하고 있는 부위와 모니터 영상의 위치를 일치시켜 가며 검사한다. 팔 전체를 보다는 손목으로 세밀하게 움직여야 정확한 검사가 이루어지기 때문에 손목에 무리가 가지 않도록 탐촉자의 줄을 목에 걸고 시행한다(그림 20-9).

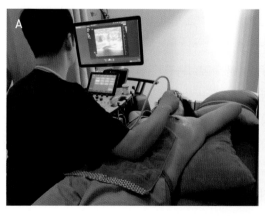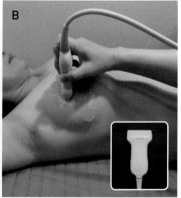

그림 20-9. 초음파 탐촉자와 이를 잡는 자세
A 이동이 가능한 의자에 앉아 탐촉자 줄을 목뒤에 걸고 검사를 하는 것이 손목에 무리가 가지 않는다. 바깥쪽 유방을 검사할 때는 환자가 30~60° 정도 비스듬히 돌아 누워야 탐촉자와 유방조직이 평행을 이루어 검사가 용이하다. **B** 탐촉자의 모습(오른쪽 아래)과 탐촉자를 유방조직과 평행하게 검사를 하는 장면

ⓒ 시간게인 보상과 화면의 속도

초음파 영상은 모든 깊이에서 일정한 밝기의 회색으로 보여야 병변의 내부 성상을 정확히 알 수 있다. 유방의 깊은 곳에서 나온 에코는 탐촉자에서 가까운 곳에서 나온 에코보다 더 감쇠가 많이 일어나기 때문에 깊이가 깊은 부위는 훨씬 어둡게 보인다. 따라서 깊이가 다르더라도 같은 굴절률의 구조물이 깊이와 상관없이 같은 밝기를 보이도록 구조물 깊이에 비례하는 시간보정게인(time compensation gain, TCG)을 잘 조절해야 하며 이의 부적절한 조절로 고형종괴가 무에코의 낭성병변으로 보일 수도 있다(그림 20-10). 또한 초점을 적정위치에 두고 검사하는 것이 중요한데 종괴의 가장자리 특징을 잘 보기 위해서는 종괴가 위치한 깊이에 초점영역을 두어야 한다(그림 20-11). B모드 표시폭은 35mm 이상,

탐촉자와 멀리 떨어진 곳에서 나온 에코는 가까운 곳에서 나온 에코보다 감쇠가 더 많이 일어나 깊이가 다르더라도 같은 굴절률의 구조물이 같은 밝기를 보이도록 깊이에 비례하는 게인보정이 필요하다.

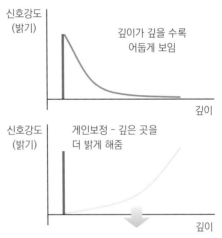

그림 20-10. 적절한 시간게인보정

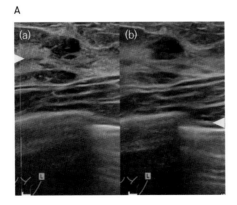

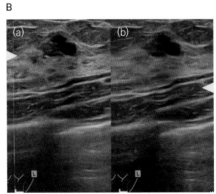

그림 20-11. 정확한 초점의 조절의 중요성

각각의 병변에 대해 ⓐ는 병변의 깊이에 맞는 초점으로 종괴가 정확히 관찰되는 반면, ⓑ는 적절하지 못한 초점으로 종괴가 흐릿하게 관찰되고 있다.

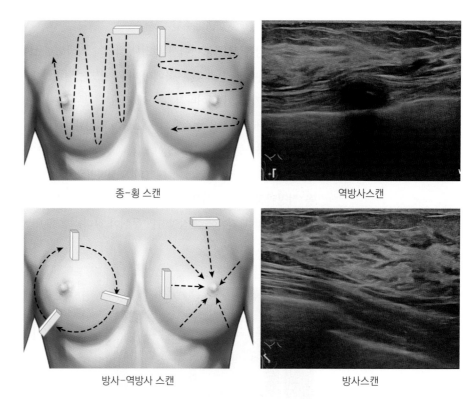

종-횡 스캔	역방사스캔
방사-역방사 스캔	방사스캔

그림 20-12. 초음파 스캔 방법

화면발생률(frame rate)은 10~12frame/sec 이상으로 하는 것이 좋다.[14]

(ㄹ) 스캔 방향

순서를 가지고 빠짐없이 검사하는 것이 제일 중요하고 체계적인 방법으로 탐촉자를 움직여야 완전한 검사가 가능하며, 스캔 단면이 약간씩 겹치게 하고 적어도 두 면 이상으로 중복 스캔하여 누락되는 부위가 없도록 한다. 특히 유방주변부를 빠뜨리지 않도록 주의해야 한다. 스캔방향에는 방사-역방사(radial-antiradial) 스캔과 종-횡단(longitudinal-transverse) 스캔의 두 가지 방법이 있다(그림 20-12). 방사면이 해부학적-엽 면(anatomic-lobular plane)을 잘 반영하기 때문에 유관내 또는 유관 주위의 침윤성 종괴의 평가에 도움이 되지만 방사-역방사 스캔은 유방전체를 검사하기에는 시간이 많이 소요되고, 종-횡단 스캔은 유방 전체를 빨리 볼 수 있다. 어떤 검사 방법이든 일단 병변을 발견하면 방사-역방사 스캔으로 유관내 병변, 유관 자체의 변화, 종괴와 유관과의 관계를 보는 것이 바람직하다.

(ㅁ) 압박

다양한 정도의 압력으로 탐촉자를 압박하여 스캔할 유방조직을 좀 더 얇게 펴지게 함으로써 병변이 탐촉자면에 평행하고 초음파 빔에는 수직이 되게 하여 투과도를 높일 수 있다. 도플러 검사시에 과도한 압력은 혈류의 평가가 어려울 수 있어 주의를 요한다. 특히 유두와 유륜은 유두 아래 유관의 주행이 초음파 방향과 평행하며, 유두 내 섬유조직이 초음파의 전달을 방해하기 때문에 유두와 유륜 아래의 유관을 검사할 때에는 탐촉자로 유두와 유륜을 옆으로 비스듬히 밀듯이 보아야 한다. 압박 정도를 분석하여 병변 유무

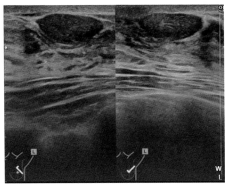

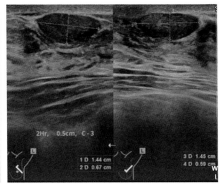

(a) 크기의 측정이 없는 종괴 모습   (b) 종괴의 크기 측정을 시행한 영상

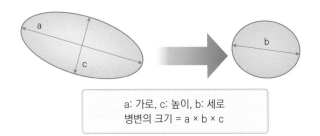

a: 가로, c: 높이, b: 세로
병변의 크기 = a × b × c

그림 20-13. 초음파 병변의 영상 획득

및 감별진단에 이용할 수도 있는데 정상조직은 탐촉자로 천천히 누르면 종양에 비해 잘 압박된다. 지방소엽(fat lobule)이나 지방종은 섬유선종이나 유방암에 비해 압박이 잘 되며 압박해도 주변 조직을 누르지 않는다.

iii. 영상의 기록

환자의 이름, 나이, 기관 이름, 병록번호, 검사 날짜를 기입하고, 사진에는 좌우 표시, 탐촉자의 위치와 방향을 표시한다. 병변이 있다면 가장 긴 직경이 포함된 영상과 이의 직교 영상을 저장하고, 병변의 크기를 재는 눈금을 포함하지 않는 영상을 반드시 포함하여야 한다(그림 20-13). 병변의 위치를 좌/우로 표시하며, 몇 시 방향인지, 탐촉자의 위치와 방향, 유두에서 떨어진 거리 등을 표시한다. 정확하고 재현 가능한 기록을 남겨두어야 추후 조직검사나 추적검사할 때 혼란을 줄일 수 있다(그림 20-14).

iv. 유방초음파 해부학(그림 20-15)

구조적으로 유방초음파 영상에서는 구분이 가능한 3개의 주된 구역이 있는데, 앞쪽에서 뒤쪽으로 피부 및 피하지방층(subcutaneous fat layer), 유선조직층(mammary glandular layer), 유선후지방층(retromammary fat layer)과 흉벽순으로 나누어 볼 수 있다. 또한 유방촬영술에서는 유선조직의 에코가 기준이지만, 유방초음파에서는 지방의 에코를 기준으로 병변의 에코가 지방보다 낮으면 저에코, 지방과 같으면 등에코, 지방보다 높으면 고에코라 한다. 검사 시 유선층의 위아래 지방층이 동일한 밝기가 되도록 시간게인보상을 조절하고 검사해야 한다(그림 20-16).

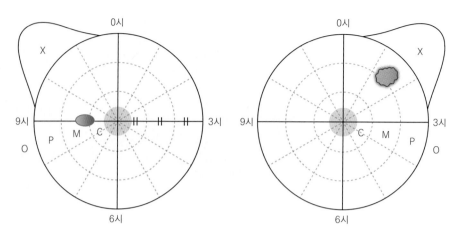

예] Rt : 9hr, 3.3cm, 7.6 x 4.1 x 5.9mm (cystic) C-3
[우측 9시 방향, 유두에서 3.5cm 떨어진 부위에 7.6 x 4.1 x 5.9mm 크기의 양성추정 병변]
: 최종 판정은 C-3으로 6개월 후 재검을 권함

예] Lt : 1-2hr, 6.5cm, 11.5 x 8.9 x 7.1mm (mass) C-4a
[좌측 1시 30분 방향, 유두에서 6.5cm 떨어진 부위에 11.5 x 8.9 x 7.1mm 크기의 악성추정 병변]
: 최종 판정은 C-4a로 조직검사를 권함

그림 20-14. 초음파 영상의 기록

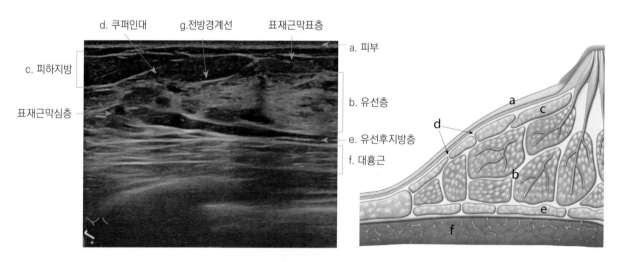

그림 20-15. 유방초음파 해부학

㈀ 피부 및 피하지방층

탐촉자와 피부 사이의 경계면은 고에코의 선으로 보이고, 진피는 저에코로 보인다. 진피와 피하지방의 경계면도 고에코의 선으로 보이고 부종이나 염증 등의 증상이 있을 때 이 두 고에코 사이가 벌어져 보인다. 정상 피부의 두께는 초음파에서 2~3mm를 넘지 않는다. 피하지방층에는 지방소엽, 쿠퍼인대와 혈관이 있으며, 종종 쿠퍼인대가 교차하는 지점에서 후방 음향 그림자 허상이 생기는데 탐촉자에 다양한 강도의 압박을 가하거나 입사각도를 바꿔가며 스캔하면 그림자 허상이 감소한다(그림 20-17).

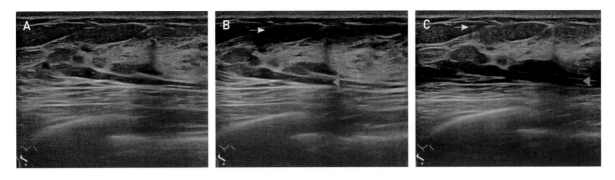

그림 20-16. 적절한 시간게인 조절과 잘못된 예

A 적당한 게인조정. 전층의 지방이 동일한 에코로 보인다. **B,C** 부적절한 에코 조절. 피하지방의 에코(화살표)가 유선후 지방(화살촉) 에코보다 낮거나(**B**), 높게(**C**) 보인다.

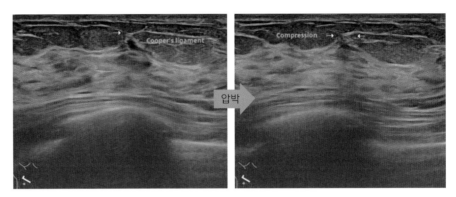

쿠퍼인대 바로 아래 생기는 그림자 허상은 탐촉자 표면에 수평으로
약간 세게 압박하여 인공 음향 음영을 없앨 수 있다.

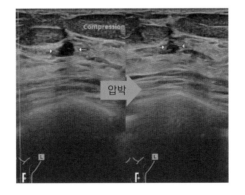

그림 20-17. 쿠퍼인대와 탐촉자로 압박

ⓛ 유선조직층

유선층은 고에코의 섬유조직과 등에코의 지방이 섞여 있는데 이의 비율에 따라 매우 다양한 모습을 보인다. 앞뒤로 표재근막에 싸여 있으며 앞쪽의 피하지방과는 표재층 표재근막으로, 뒤의 유선후지방층과는 심층 표재근막으로 구분된다. 유방은 약 15~20개의 엽(lobe)으로 구성되어 있으며 각각의 엽은 수많은 소엽(lobule)과 작은 유관(duct)으로 구성되어 있다(그림 20-18). 고해상도 초음파에서 소엽은 약 1~2mm 크기로 주로 유방 실질

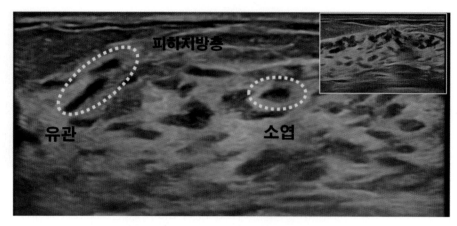

그림 20-18. 정상 소엽과 유관의 초음파 모습

고해상도 초음파에서 소엽은 약 1~2mm 크기로 주로 유방 실질의 앞부분에 많기 때문에 유방의 앞쪽에 등에코로 보인다.

의 앞부분에 많기 때문에 유방의 앞쪽에 등에코로 보인다. 이런 유선조직층은 연령이나 임신, 수유 등의 환경에 따라 변하게 된다. 초경 전 유방은 선방(acinus)이 형성되어 있지 않아 균질한 에코를 보이고 이후 점차 유관과 소엽이 발달하며 섬유결합 조직이 간질을 채우게 되어 부피가 증가한다. 이에 따라서 얼룩모양 또는 표범무늬모양(spotted or mottled)의 에코를 보인다. 이후 연령이 증가함에 따라 유선실질 조직이 점차적으로 지방으로 대체되어 간다.

(a) 지방소엽: 유선조직층은 유선조직과 지방조직이 섞여 있는 형태로 유선조직의 사이사이에 지방조직이 끼어 있는 것처럼 보인다. 가끔 유선조직 내에 끼어 있는 지방층을 한쪽 방향에서만 스캔하여 의심되는 병변으로 위양성 진단을 하는 경우가 있다. 이렇듯 지방소엽을 유방 결절로 잘못 판독하지 않으려면 지방소엽을 여러 방향에서 스캔하여 주위의 지방 조직과의 연결성을 확인하고, 압박이 잘 되므로 탐촉자로 압박하여 30% 이상 압박되면 지방 소엽일 가능성이 높다. 또한 지방 소엽은 유선 조직보다 부드러워서 압박했을 때 주위 조직을 누르지 않아 주위조직의 변형이 오지 않으며 중간에 가는 고에코의 선으로 보이는 섬유 중격을 가지고 있다(그림 20-19).

(b) 유관: 유선조직 내에 유관은 이를 둘러싸는 결체조직의 양과 유관 내에 차 있는 분비물 등의 영향으로 초음파 에코가 달라질 수 있다. 임신이나 수유 중이 아닌 여성에서 정상유관의 직경은 2~3mm를 넘지 않으며, 유두 아래에서 약간 넓어져 있는 부분을 유관동(lactiferous sinus)라고 하는 데 정상 직경은 3mm 이하이고 수유기 때에는 8mm까지 늘어난다. 유관의 확장은 매우 흔하게 볼 수 있는 소견이다.

(c) 종말관소엽단위: 유방의 기능적 단위인 종말관소엽단위(terminal duct lobular unit, TDLU)는 소엽과 소엽외 종말관(extralobular terminal duct)으로 구성되어 있으며 대부분의 유방병리가 이 부위에서 생긴다. 소엽은 소엽 내 종말관, 소관, 소엽 내 결체조직으로 구성되는데, 이들은 모두 초음파에서 같은 에코를 보이기 때문에 각각을 구분할 수

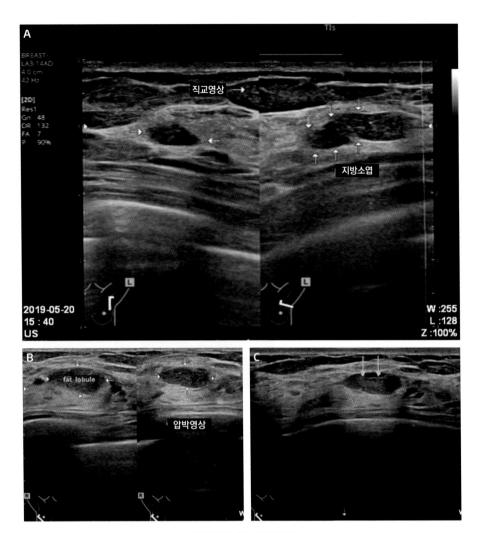

그림 20-19. 지방소엽

A 대부분의 지방소엽은 주위의 지방 조직과 연결되므로 탐촉자를 여러 방향으로 돌려서 피하 지방이나 유선후지방과 연결됨을 알 수 있다. **B** 지방소엽은 압박을 가하면 모양이 눌린다. **C** 내부에 고에코 선을 확인함으로써 진단할 수 있다(우측 화살표).

는 없다. 소엽 외 종말관도 이들과 같은 에코를 보여 초음파에서 종말관소엽단위는 1~2mm 크기의 테니스 라켓과 같은 모양을 보인다(그림 20-20).

ⓒ 유선후지방층 및 흉벽

유선후지방층은 등에코로 보이며 피하지방층보다 두께가 얇고 지방소엽도 피하지방층보다 크기가 작게 보인다. 흉근의 아래에 위치한 늑골은 횡단면에서 둥근 저에코의 구조물로 보여 가끔 종괴로 오인되는 경우가 있는데 탐촉자를 돌려 관찰하면 저에코 구조물이 길게 이어지는 흉골임을 쉽게 알 수 있다. 흉막은 늑골과 늑골 연골의 뒤로 고에코의 선으로 보인다(그림 20-21).

ⓓ 혈관

압박을 하면 대부분의 표재성 혈관은 눌러서 보이지 않으므로 혈관을 관찰하고자 할 때

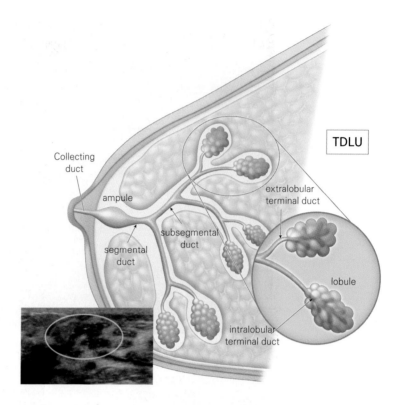

그림 20-20. 종말관 소엽단위의 모식도와 초음파 소견

종말관소엽단위는 테니스 라켓과 같은 모양을 보인다. 라켓의 손잡이는 소엽외 종말관이고 머리 부분은 소엽에 해당된다. 정상의 종말관소엽단위의 크기는 약 1~2mm이나, 위축되거나 주위 조직과 합쳐져 구분되어 보이지 않을 수도 있다. TDLU: 종말관소엽단위(terminal duct lobular unit)

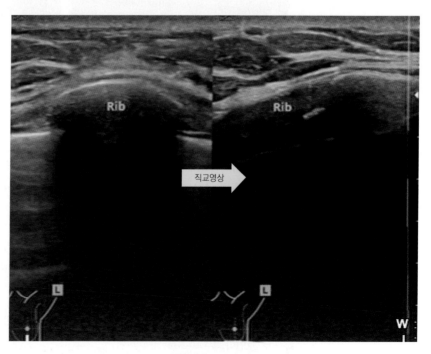

그림 20-21. 늑골

늑골은 횡단면에서 둥근 저에코의 구조물로 보여 가끔 종괴로 오인되는 경우가 있는데, 탐촉자를 돌려 관찰하면 저에코 구조물이 길게 이어지는 흉골임을 쉽게 알 수 있다.

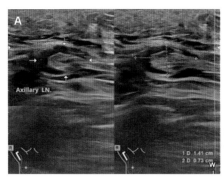
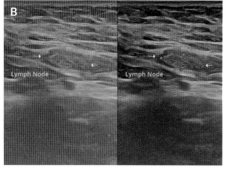

그림 20-22. 액와, 유방내 림프절

A 액와 림프절. 모양은 매우 다양하고 림프절 중심부의 고에코 지방이 관찰되며 난원형으로 보인다. 대부분 등에코를 보이며 중심부에 방사선 투과성 림프절문(lymph node hilum)을 보인다. **B** 유방내 림프절. 난원형으로 지방소엽과 비슷하다. 중앙부 림프절문을 볼 수 있다.

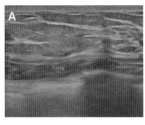
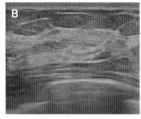
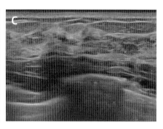

그림 20-23. 유방초음파의 배경에코

A 균일한 배경 에코-지방. **B** 균일한 배경 에코-유선조직. **C** 불균질한 배경. 균일한 배경 에코 구조를 갖는 여성보다 비균일한 배경 에코구조를 갖는 여성에서 의심되는 병변을 발견하기 힘들 수 있으며 후방그림자 등으로 인해 위양성이 증가할 수 있다.

는 압박을 최소화해야 한다. 색 도플러를 이용하면 혈관의 속도와 이상 유무를 분석할 수 있다.

㉤ 액와 및 유방내 림프절

액와림프절의 정상 크기와 모양은 초음파에서 매우 다양하나 주로 2cm 이하를 보인다. 여러 개가 보이고, 림프절 중심부의 고에코 지방이 소실되거나, 모양이 구형이면 침윤성 이나 염증성 반응의 소견으로 의심하여야 한다. 유방 내 림프절은 대개 유방의 후방 상측 2/3에 위치하지만 내측에 위치하는 경우도 있다. 정상적인 유방 내 림프절의 크기는 대부분 1cm 이하이다(그림 20-22).

V. 유방초음파의 판독

㉠ 유방영상용어

(a) 배경에코구조(background echotexture): 유방의 조직구성은 매우 다양하여, 초음파 검사 시에 어떠한 유방의 배경에 대해 검사를 했는지가 중요한데 배경에코구조가 병변을 발견하는 데 영향을 끼치기 때문이다. 균일한 배경에코-지방/균일한 배경에코-유선조직/불균일한 배경의 세 가지로 분류한다(그림 20-23).

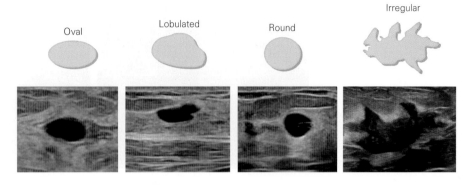

그림 20-24. 종괴의 초음파 모양

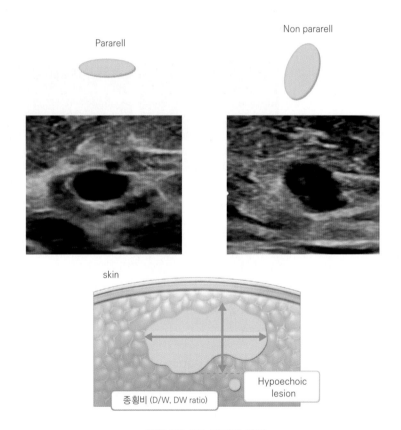

그림 20-25. 종괴의 방향

병변의 가로와 세로의 측정은 최대 직경면에서 시행하고 피부에 대해 평행이라는 말이다(경계부의 고에코 부위는 포함하지 않는다).

(b) 종괴(masses): 공간을 차지하여 서로 다른 두 방향에서 모두 관찰되어야 한다.

ⓐ 모양: 난원형(oval), 구형(round), 불규칙형(irregular)의 세 가지가 있다. 난원형은 타원형 또는 계란 모양의 두세 개의 부드러운 파동을 보이는 경우가 포함되며, 완만한 엽상 또는 큰 분엽형(macrolobulated)이라고도 한다. 구형은 앞뒤 지름과 좌우 지름이 거의 동일한 경우이며 난원형 또는 구형에 속하지 않는 경우를 불규칙형으로 한다(그림 20-24).

(A) Circumscribed

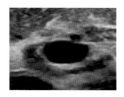

(B) Not circumscribed

Microlobulated   Obscured   Angular   Spiculated

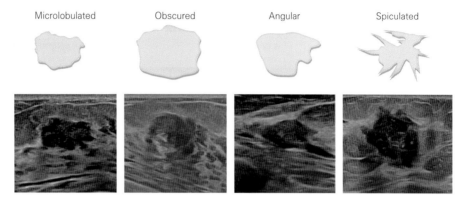

그림 20-26. 종괴의 변연

ⓑ 방향: 종괴의 방향은 초음파에서만 볼 수 있는 유일한 소견으로 피부선을 기준으로 병변의 장축과 피부층의 평행 여부에 따라, 평행(parallel)과 평행하지 않음(not parallel)으로 나뉜다. 피부선과 평행하거나 높이보다 너비가 더 넓은 모양은 양성소견이 더 강하지만, 이러한 방향을 갖는 악성 병변도 있으니 주의를 요한다(그림 20-25).

ⓒ 변연: 병변의 가장자리 또는 테두리를 말하며, 주변 조직과 구분되는 정도에 따라 국한성(circumscribed)과 비국한성(not circumscribed)으로 나뉜다. 비국한성에는 불명확(indistinct), 각짐(angular), 미세분엽형(microlobulated), 침상(spiculated)의 네 가지가 있다. 국한성 변연은 주변조직 간에 분명한 이행선이 있는데 주로 타원형이나 원형의 모양을 보인다. 불명확한 변연은 종괴와 주변조직 사이의 구분이 어려운 경우이고, 각짐은 전체 또는 일부의 변연이 예리한 예각 또는 둔각을 보이는 경우이다. 미세분엽형은 짧은 주기의 작은 파동들이 물결 모양을 보이고, 침상은 종괴에서 예리한 선들이 주변으로 투사되어 뻗어나가는 모습이다(그림 20-26).

ⓓ 에코 양상: 종괴 내부 에코의 강도를 피하지방의 에코와 비교한 정도이다. 내부 에코가 없는 무에코(anechoic), 지방보다 높거나 섬유선조직과 비슷한 에코를 보이는 고에코(hyperechoic), 무에코(낭종성)와 에코(고형)성분을 모두 보이는 복합에코(complex cystic and solid), 지방보다 낮은 저에코(hypoechoic)와, 지방과 같은 에코인 등에코(isoechoic), 여러 에코가 섞여 있는 이질성(heterogeneous) 에코의 여섯 가지로 나뉜다(그림 20-27).

ⓔ 후방음향양상: 병변의 후방 에코를 피부로부터 같은 깊이의 주변 에코와 비교하여 차이가 없는 후방무음영(no posterior acoustic features), 증가된 경우의 증강(en-

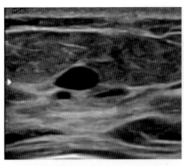
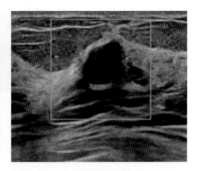

A Anechoic 　　　　　　　　　　　　　　　　**B** Hypoechoic

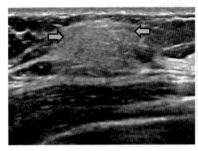
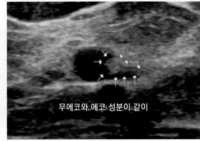
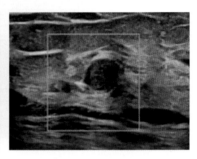

C Hyperechoic 　　　　　　**D** Complex echo 　　　　　　**E** Heterogeneous echo

그림 20-27. 종괴내부의 에코

hancement), 감소된 경우의 그림자(shadowing), 증강과 감소를 모두 보이는 결합양상(combined pattern)의 네 가지로 나뉜다. 측방 그림자(lateral shadowing)는 후방 그림자에 포함되지 않는다. 후방음향이 증강되는 경우는 낭종을 진단하는 척도가 될 수 있다. 후방 그림자는 음향투과 시 일어나는 후방음향 감쇠로 종괴 뒷부분이 어둡게 나타나는 경우로 이는 종괴 내의 섬유화와 관련이 있고 내재하는 악성 병변과 연관이 있을 수도 있고 없을 수도 있다.[15] 결합양상은 종괴에서 한 개 이상의 후방 그림자를 보이는 경우이다(그림 20-28).

(c) 석회화: 석회화는 초음파로 그 특성을 파악하기 힘들지만 고에코의 점상 구조물로, 특히 종괴 내부에 있을 때에는 잘 볼 수 있다. 0.5mm 이상 크기의 굵고 거친 석회화(macrocalcifications)와 0.5mm 미만 크기의 미세석회화(microcalcifications)로 나누었는데, 굵은 석회화는 섬유선종 등 양성 병변의 소견인 반면, 미세석회화는 악성을 시사하는 소견일 수 있다. 석회화는 종괴 밖에 있는 것과 종괴 내부에 있는 것으로 나누어 기술한다. 종괴 내부에 있는 미세석회화의 경우, 저에코의 종괴와 고에코의 점상 구조물인 석회화가 대조를 이루어 잘 볼 수 있다.

(d) 동반소견

ⓐ 구조왜곡(architectural distortion): 정상유선은 유두를 중심으로 말단까지 방사상으로 극성을 갖는 구조로 보이는데 반하여 구조왜곡은 유선 내의 한 점 또는 그 근처에 집중하여 끌려져 보이는 것(distortion), 유선의 정상구조가 망가진 것(disturbance)이 있다.

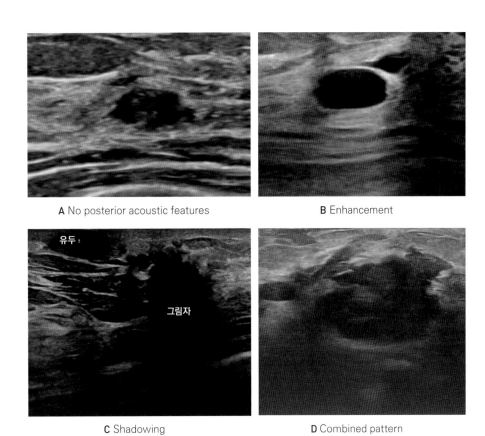

A No posterior acoustic features

B Enhancement

유두

그림자

C Shadowing

D Combined pattern

그림 20-28. 종괴의 후방음향

ⓑ 유관변화(duct changes): 비정상적으로 변하는 유관의 지름과 분지화(arborization)를 말한다.

ⓒ 피부변화(skin changes): 국소성 혹은 미만성 비후, 피부 당김(retraction)이나 끌려감이 있는지 등에 대해 기술한다. 피부 두께는 유륜 주위와 유방 하부를 제외하고 2~3mm 이하가 정상이다.

ⓓ 부종(edema): 주위 조직의 증가된 에코와 망상형 모양의 구조물(angular network)이 보인다.

ⓔ 혈관도(vascularity): 종괴를 분석하는 데 적용할 수 있는 중요한 소견이다. 첫째, 혈관의 유무를 기술하는데 혈관이 없고 다른 소견이 낭종에 합당하다면 낭종을 설명하는데 용이하다. 둘째, 혈관의 위치가 병변 내부인지, 병변과 접하여 있는지를 기술한다. 셋째, 주변 조직에 전반적으로 혈관성 증가 양상이 보이는지를 기술한다. 유방암의 경우 주변과 내부 모두 증가되는 반면 섬유선종 등 양성종양에서는 주변만 증가된다.

ⓕ 탄성도 평가(elasticity assessment): 탄성초음파영상의 해석법은 영상기법과 장비마다 다양하나 2013년 BI-RADS에서 부드러움(soft), 중간(intermediate) 또는 단단함(hard)의 3단계로 정성적으로 기술하도록 권고하고 있으며 정량적인 수치로 제시할 수도 있다.

(e) 특별한 소견

    ⓐ 단순낭종(simple cyst)

    ⓑ 군집성 미세 낭종(clustered microcysts)

    ⓒ 합병낭종(complicated cyst)

    ⓓ 피부 병변(mass in or on skin)

    ⓔ 이물(foreign body including implants)

    ⓕ 유방 내, 액와 림프절(lymph node-intramammary, axilla)

    ⓖ 혈관이상(vascular abnormalities), 수술 후 액체저류(postsurgical fluid collection), 지방괴사(fat necrosis) 등이 있다.

ⓛ 판독문의 작성

범주의 분류는 유방촬영술과 마찬가지로 불완전 판정인 범주 0과 완전 판정인 범주 1~6으로 나눈다. 유방촬영술과 항상 연관하여 판독해야 하고 각각의 소견은 분리된 단락에서 언급하며 모든 영상검사를 종합하여 단일 최종판정을 내린다. BI-RADS의 용어와 범주로 기술하고 모든 영상 소견과 판독의의 판단 등을 종합하여 정기검사나 단기추적검사를 할 것인지, 조직검사를 할 것인지를 환자에게 반드시 고지를 해야 한다.

(a) 불완전 판정(범주0): 초음파검사 하나로 환자의 검사를 마치는 경우, 추가적인 검사가 필요할 수 있다. 이는 결과를 확정하지 않은 상태로서 추가 검사가 필요하다고만 판정한 상태이다.

(b) 완전 판정(complete assessment)

    ⓐ 범주 1-정상(negative): 다른 추가 검사나 정밀검사가 필요 없는 상태로 이러한 음성 판독에 대해 신뢰성을 높이려면 초음파와 유방촬영술에서 관심 영역의 유방조직 양상을 연관시켜야 한다. 정기 검진을 권한다.

    ⓑ 범주 2-양성 소견(benign finding): 병변은 보이나 확실하게 양성이어서 더 이상의 검사가 필요 없는 경우로, 악성으로 볼만한 소견이 없어 음성판독에 들어간다. 1년 후 추적검사나 정기 검진을 권한다.

    ⓒ 범주 3-양성 가능성 높음(probably benign finding): 짧은 기간의 추적검사 동안 아무런 변화가 없을 것으로 기대되지만, 판독의가 그 변화가 없음을 확인할 필요가 있다고 생각하는 경우이다. 이에 포함되는 병변은 악성 가능성은 2% 미만으로 양성 가능성이 매우 높은 병변이다. 여기에 속하는 영상소견과 이후 추적관찰 알고리즘에 대해 구체적으로 이해하고 엄격하게 적용하는 것이 유방암의 진단 지연을 줄이는 데에 중요하다. 6개월 간격으로 2년간 추적검사를 권한다.[16] 범주 3으로 잘못 분류될 위험이 가장 큰 위음성 병변은 대부분 빠르게 자라서 6개월 안에 변화를 감지 할 수 있는 고등급 침윤성 관암이기 때문에 6개월 추적검사를 권한다.

    ⓓ 범주 4-의심되는 이상소견(suspicious abnormality): 유방암의 가능성이 3~94%인 병변이며 생검이 필요하다. 이는 악성 가능성의 범위가 넓기 때문에 임상 의사나 병리 의사에게 영상 소견에 대한 정보를 구체적으로 제공하기 위해, 유방촬영술과

마찬가지로 범주 4a, 4b, 4c로 세분하여 분류한다. 그러나 이러한 분류에 대한 소견이 규정되어 있지 않기 때문에 최종 판정 시 판독의의 경험이 중요하다. 권고 사항과 추가 검사는 유방촬영술과 동일하다.

ⓔ 범주 5-유방암이 강력히 의심됨(highly suggestive of malignancy): 이는 유방암이 거의 확정적인 병변으로, 95% 이상의 악성 가능성이 있는 병변이기 때문에 분명한 치료를 해야 한다. 반드시 생검을 요하는 경우이다.

ⓕ 범주 6-조직검사로 암이 확진되며 적당한 치료가 시행되어야 하는 병변: 적절한 치료(신보강화학요법, 수술적 절제 혹은 유방절제술) 이전에 이미 조직검사로 악성이 확인된 상태로서, 범주 4, 5와는 달리 악성 확인을 위한 생검은 필요 없다.

vi. 고형 병변의 양성과 악성

㉠ 고형 종괴 검사를 위한 알고리즘과 판단 기준들

적절한 초음파 영상을 얻고 나면 악성이 의심되는 소견을 찾아 보아야 한다. 만약 여기에서 악성소견이 있다면 범주 4~5로 진단하고 조직검사를 시행한다. 이러한 악성소견이 없다면 양성 소견을 찾도록 해야 하며 암의 위험도에 따라 범주 2~3으로 진단하고 추적검사를 권한다. 병변의 파악 시 BI-RADS에서 정립한 용어를 이용하여 기술하며 배경에 코를 먼저 기술하고 종괴의 모양(shape), 방향(orientation), 변연(margin), 에코양상(echo pattern), 후방음향양상(posterior acoustic features) 등의 다섯 가지 사항에 대하여 평가한다. 석화화, 동반소견 등이 있다면 같이 기술하고 특별한 경우에 해당되는 병변은 따로 기술한다(표 20-5).

표 20-5. 유방영상 용어들에 대한 민감도 및 양성예측도[39]

	민감도(%)	양성예측도(%)/교차비
침상	36	87/2.7
에코테두리	35	74/1.9
각진 변연	90	59/1.8
미세분엽	92	50/1.5
평행하지 않음	48	74/2.2
후방음향그림자	35	62/1.9
미세석회화	40	53/1.6
현저한 저에코	92	64/1.9
종합	99.6	

ⓐ 양성과 악성의 구분: 1970년대 초 일본에서 와가이, ㄱ바야시 등이 중심이 되어 5MHz 탐촉자와 물주머니를 이용한 기계식 장비로 양성과 악성 종괴 판정에 대한 기준을 정립한 이후, 1995년 Stavros 등에 의해 750개의 초음파상 고형 종괴를 대상으로 한 전향적 연구를 통해서 양성과 악성 병변의 기준을 나누었으며 현재도 이러한 기준을 양성과 악성의 구분으로 많이 사용하고 있다. 여기에는 종괴의 표면(경계)의

SECTION 3 해부학적 부위별 질환 Anatomic site specific disease

Gynecologic Oncology 부인종양학

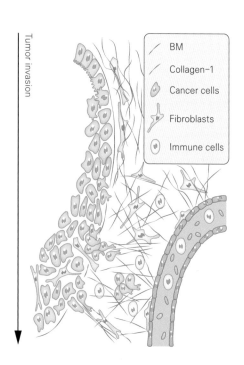

- 정상상피 유지
- 종괴의 기저막이 유지됨
- 정상기질
- 기저막에 기질섬유가 정렬

↓

- 상피의 정렬이 깨지기 시작
- 기저막의 정렬이 유지 안됨
- 기질의 반응도가 증가됨
- 기질의 섬유가 재정렬됨

↓

- 상피의 정렬이 완전히 깨짐
- 기저막이 열림
- 기질섬유와 길(track)이 열림
- 악성세포가 기질로 침투
- 기질세포와 종양세포가 섞임

Tumor invasion

BM
Collagen-1
Cancer cells
Fibroblasts
Immune cells

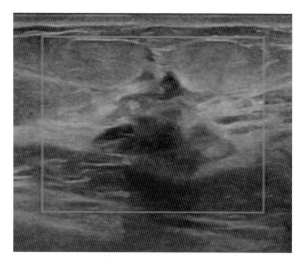

그림 20-29. 침상체 모습과 종괴의 변연이 침상이 되는 과정
불규칙한 모양과 침상 변연의 저에코 종괴가 후방음향 그림자를 보이고 있다. 침상체는 주위 조직의 에코에 따라 잘 보일 수도 안보일 수도 있다. 또한 방향에도 영향을 받는데 고에코의 침상체는 초음파 주사선에 수직일 경우 잘 보이고 저에코의 침상체는 초음파 주사선에 평행일 때 잘 보인다.
Andrew G Clark, et al., Current Opinionic Cell Biology 2015, 36:13-22

모습, 형태(모양), 내부의 특징(내부에코)를 서술하고 있는데 이는 유방암의 형태학적인 모습과 병리학적 특징을 고려한 것이다. 각각의 의심스러운 소견들은 악성의 가능성이 매우 높거나 미미하거나 혼합되어 있는 형태로 나눌 수 있고 중복되는 소견이 많다. 악성이 강하게 의심되는 소견으로는 침상, 각진 경계, 그리고 음향그림자 등이 해당하며 높은 양성예측도를 보인다.[17] 악성의 모습이 미미하거나 약하게 의심되는 소견은 관상피내암(ductal carcinoma in situ, DCIS) 등에서 보이는 유관의 내부성분과 관련이 있는 경우가 많은데 유관확장, 가지치는 양상, 석회화 등이 해당된다.[18] 전형적인 양성 종괴의 기준에는 균질하고 강한 고에코를 보이거나 난원형이며 평행한 방향을 보이고 완전한 얇은 에코성 피막을 보이는 경우, 네 개 미만의 완만한 분엽을 보이고 평행한 방향 그리고 안전한 얇은 에코싱 피막을 가지는 경우가 포함된다. 양성 기준에는 악성을 의심할 만한 침상, 각짐, 미세분엽양 변연, 고에코 테두리(echogenic halo), 평행하지 않은 방향, 후방에코그림자 등의 소견이 보이지 않아야 한다.[19]

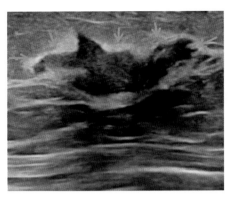

종괴와 주변조직의 경계부에서 발생
주위(지방)보다 높은 에코로 보임
과거 불규칙 띠모양의 경계에코에 해당
악성가능성 높음

그림 20-30. 경계부 고에코

암세포가 주위조직을 침윤하는 부분이 음파를 반사하고 넓은 고에코 띠를 형성하는데, 전형적인 악성소견으로 범주–5로 판정한다.

(b) 초음파상 악성을 의심하게 하는 소견들(suspicious findings for malignancy)

ⓐ 침상과 두꺼운 에코 테두리(spiculation, echogenic halo): 침상은 저에코로 병변의 표면에서 방사상으로 뻗어나가 마치 별 모양 형태로 보이며 반복되는 고에코와 저에코의 직선으로 구성된다(그림 20-29). 침상의 모습이 표면의 일부에서만 나타날 수도 있어 직교영상을 통한 침상의 평가가 필요하다. 침상은 매우 높은 양성예측도를 보이지만 민감도는 상대적으로 낮다. 따라서 이러한 민감도를 높일 수 있는 소견 중 하나가 침상의 변형이라고도 할 수 있는 두꺼운 에코테두리를 확인하는 것이다. 이는 병변과 주변조직 사이의 구분이 뚜렷하지 않고, 고에코의 이행부위(echogenic transition zone)에 의해 연결되는 부위이다(그림 20-30).[20] 경계부 고에코(halo) 또한 후방산란의 하나인데 지방조직 내의 암세포가 침윤해서 지방조직, 암세포, 섬유조직이 혼재하면 그 변연에 후방산란이 생긴다. 더욱이 섬유화 반응(desmoplastic reaction)에 의해 암병소가 수축하여 침상돌기를 형성하면 경계부 고에코 소견은 더욱 현저해진다.

ⓑ 각진 경계(angular margin): 악성을 의심하는 가장 정확한 소견으로, 톱니바퀴 모양이나 별 모양과 비슷한 모습으로 주위조직으로의 침범을 보이는 침윤성 종양을 시사한다.[21] 고형결절 표면의 각도가 매우 뾰족하여 나머지 두꺼운 침상과 구별하기 힘든 경우도 있으며 각도는 뾰족할 뿐만 아니라 90°나 그 이상일 수 있다. 주위 조직으로의 침범은 저항이 낮은 경로를 통해 이루어지며 저항이 낮은 지방조직은 어느 방향으로도 침범될 수 있다(그림 20-31).

ⓒ 미세소엽화(microlobulation): 이는 종괴의 표면적 특성으로 침윤성 암, 순수한 상피내암에서 모두 나타날 수 있는 소견으로 크기가 1~2mm 이하로 매우 작고 수가 많으며 서로 인접해 보인다. 병변의 일부에서만 이런 소견을 보일 수 있어 서로 직각인 두 평면에서 관찰되어야 한다(그림 20-32).

ⓓ 너비보다 키가 큰 형태(not parallel): 보통 1cm 이하의 작은 침윤암은 폭보다 높이

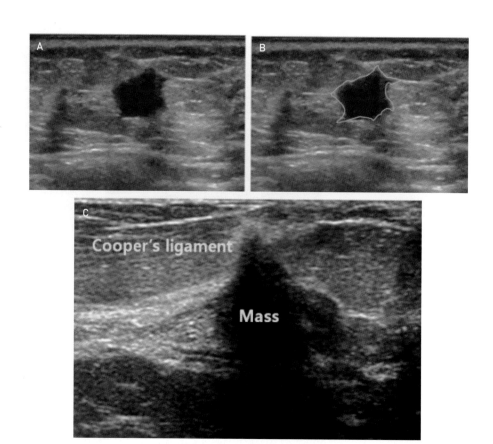

그림 20-31. 종괴의 각진 경계

A,B 고형결절 표면의 각도가 매우 뾰족하여 나머지 두꺼운 침상과 구별하기 힘든 경우도 있으며 각도는 뾰족할 뿐만 아니라 90도나 그 이상일 수 있다. **C** 쿠퍼인대가 교차하는 부위마다 각진 경계를 보이면서 이것이 결절과 연결이 되는 소견은 악성을 시사한다.

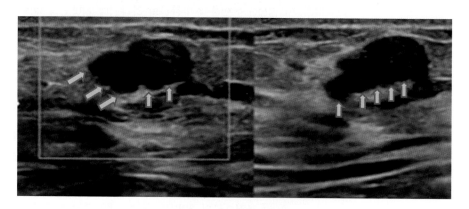

그림 20-32. 미세소엽화

크기가 1~2mm 이하로 매우 작고 수가 많으며 서로 인접해 보인다. 병변의 일부에서만 이런 소견을 보일 수 있어 서로 직각인 두 평면에서 관찰되어야 한다.

가 큰 모습이다. 그 이유는 암이 생기고 자라는 종말관소엽단위의 모양을 반영하기 때문이다(그림 20-33). 너비보다 키가 큰 암종은 대부분 최대 직경이 1.0~1.5cm 이하의 작은 병변이다. 양성 병변은 유방 조직면 내에 국한되어 저항을 극복하지

CHAPTER 20 유방질환 Breast Disease

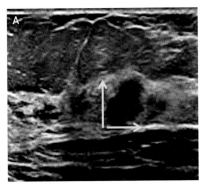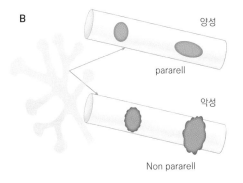

그림 20-33. 너비보다 키가 큰 형태

A 앞뒤 혹은 수직 지름이 수평 혹은 가로 지름보다 더 큰 경우이고 피부선에 비스듬한 방향성을 보일 수 있다. 원형종괴는 방향성에서 평행하지 않은 것으로 분류한다. **B** 많은 경우에서 양성은 옆으로 자라나고 일부 악성은 수직으로 자라나지만 예외도 있음을 기억해야 한다.

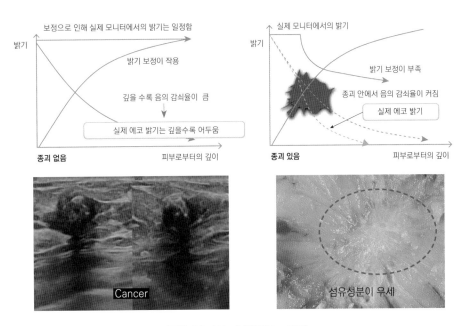

그림 20-34. 후방음향 그림자

초음파는 피부로 부터 깊이가 깊을 수록 음의 감쇠가 일어나 깊은 곳은 어둡게 보일 수 있다. 하지만 검사시행 전에 미리 게인 조정으로 유방전층을 일정한 밝기로 보이도록 조정을 하게 된다. 하지만 딱딱한 조직을 통과할 때, 그 병변 안에서는 음의 흡소로 인해 감쇠가 일어나 병변 자체도 어둡게 보이고 그 병변 아래쪽 깊이로는 밝기 보정이 일어나도 종괴 내부 이후로는 감쇠된 정도가 더 크기 때문에 후방의 에코가 어둡게 보이게 된다.

못하고 옆으로 자라나는 반면에 악성 병변은 이러한 저항을 극복하여 침투하는 성향이 있기 때문에 수직으로 자라날 수 있다.[22] 하지만 종양이 점점 커질수록 유관의 주행방향으로 공간을 차지할 수 있다.

ⓔ 음향감쇠그림자(acoustic shadowing): 우리 생체에서 감쇠가 가장 큰 조직은 섬유조직인데 유방의 간질에 섬유가 증식하면 음에너지가 열로 전환되고 그로부터 심부의 초음파강도가 약화된다. 에코로서 탐촉자에 돌아올 때에도 감쇠하고 그 결과

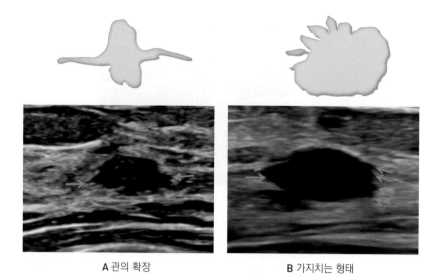

A 관의 확장   **B** 가지치는 형태

그림 20-35. 관의 확장과 가지치는 형태

A 관확장은 크고 확장성이 있는 유관의 팽대부에 관련하여 나타나기 때문에 크기가 5mm까지도 커질 수 있다. **B** 가지치는 형태는 유두에서 멀리 떨어진 말단관과 관계된다.

후방에코는 감쇠한다. 이는 악성을 강하게 의심하는 소견으로 병변 내부에 많은 양의 결합조직증식반응을 보일 때 병변의 아래로 음향이 감소되는 것을 말한다(그림 20-34).

ⓕ 관의 확장과 가지치는 형태(ductal extension and branch pattern): 이는 약하게 악성을 시사하는 소견으로 초음파에서 상피내암의 발견에 민감도는 올리지만 양성예측도는 감소시키는데 관내 유두종과 같은 병변에서도 이러한 소견이 보일 수 있기 때문이다. 병변의 가장 넓은 부위의 직교 스캔만으로는 이러한 소견을 놓칠 수가 있는데 유관은 방사상으로 분포하기 때문에 방사상 스캔을 시행하는 것이 좋다(그림 20-35).

ⓖ 내부 저에코(internal hypoehcogenicity): 악성 병변은 대부분 내부가 결합조직형성반응에 의해 비교적 딱딱하고 음의 흡수가 일어나 내부에코가 어둡게 된다. 물론 내부에 등, 고에코를 보이는 악성 병변이 있어 주의를 요한다. 많은 비특수형 침윤암(not otherwise specified, NOS)은 중심부에 강한 섬유화를 보이고 고밀도 종괴음영을 나타내어 대부분 내부 저에코를 보인다(그림 20-36).

ⓗ 석회화(calcification): 고형종괴 내에 에코레벨이 높은 점상에코가 있다면 이것의 존재는 침윤성분보다 종양에 관상피내암이나 관내 성분이 존재한다는 것을 말해준다.[31] 1mm 이하의 미세, 1mm 이상의 소, 3mm 이상의 거침으로 구분하지만 엄밀히 구별하기는 어렵다. 악성에서의 괴사형 석회화와 암이나 낭포(유선증)의 분비형 석회화에서는 미세 혹은 소로 분류되는 고에코 스팟이 보인다.[23,44]

(c) 초음파상 양성을 의심하게 하는 소견들(suspicious findings for benign)(그림 20-37)

ⓐ 고에코성(hyperechogenicity): 강하고 일정한 고에코로 경계가 잘 지어진 결절은 대

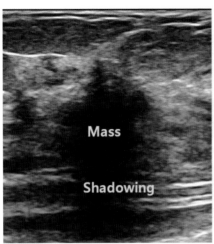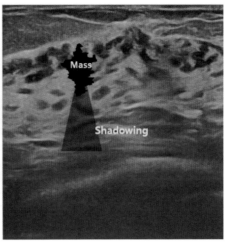

그림 20-36. 내부 에코

음파가 조직을 통과할 때 음파와 조직과의 상호작용으로 음의 진폭(amplitude)과 강도(intensity)
가 감소한다. 음파가 이렇게 약화되는 과정에는 기계적 에너지 상실에 의한 음의 흡수
(absorption)와 기계적 에너지가 열에너지로의 전환이 포함된다. 대부분의 악성 병변은 내부가
단단하기 때문에 음파가 병변의 내부에서 약화되어 저에코를 보이며 병변의 아래로 밝기 보정
이 음파의 감쇠율을 따라가지 못하게 되어 그림자가 발생한다.

부분 정상 소엽간기질섬유 조직으로 이루어진 양성 병변이다.[24] 정상 유관이나
소엽보다 큰 등에코 부분을 갖는 고에코 병변이 있다면 이 부분에 잠재적인 등에
코 종양이 존재할 수 있기 때문에 주의깊게 추적검사를 해야 한다. 즉 완전하게
고에코가 아닌 병변은 정상조직일 확률이 100%가 아닌 것을 의미한다.

ⓑ 타원형(elliptical shape): 계란모양의 너비가 키보다 큰 모양은 전형적인 양성 병변의
모습이다. 대부분의 양성 병변은 주변조직으로의 침투를 하기보다는 저항이 낮은
곳으로 팽창하는 성질이 있어 경계가 매끈하고 타원형으로 자라나게 된다.

ⓒ 부드러운 소엽화와 너비가 키보다 큰 모양(gentle lobulation and wider than tall
shape): 3개 이하의 부드러운 소엽 모양은 매끈하고 완만한 곡선모양으로 경계가
잘 지어져야 한다. 소엽화된 부분의 수를 정확히 판단하는 것은 쉽지 않고, 같은
병변이라도 초음파에서 보이는 소엽의 수보다 유방촬영술에서 보이는 소엽의 수
가 더 많을 수도 있다.

ⓓ 얇은 에코 테두리가 병변을 완전히 감싸는 경우(thin echogenic rim completely en-
compassing the lesion): 아주 얇고 경계가 잘 지어진 에코피막이 병변을 감싼다는
것은 이 병변이 아주 천천히 자라고 가장자리에서 주변조직으로의 침윤이 없다는
것을 의미한다. 하지만 소수의 국한성 침윤성 암과 많은 관상피내암들이 얇은 에
코피막을 보일 수 도 있어 주의를 요한다.

ⓛ 최종 평가

유방 종괴의 감별진단을 위해서는 특정 초음파 소견 하나만을 보고 판정하는 것보다 여

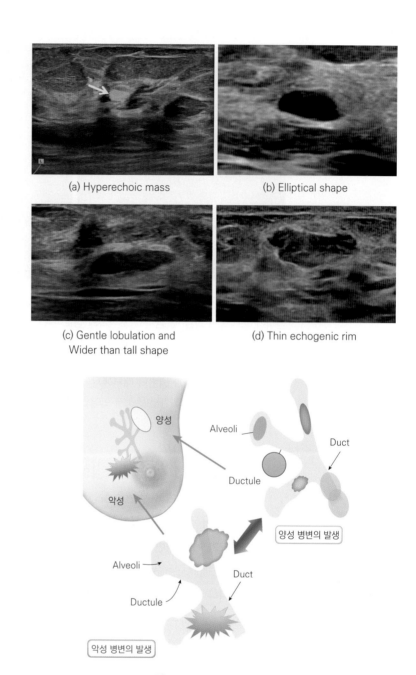

(a) Hyperechoic mass

(b) Elliptical shape

(c) Gentle lobulation and Wider than tall shape

(d) Thin echogenic rim

그림 20-37. 양성 추정 소견

양성병변은 저항을 극복하지 못하고 소엽과 유관의 모습을 따라 팽창하듯이 자라나는 경우가 많다. 마치 풍선이 커지듯 옆으로 자라나고 표면은 매끄러우며 엽이 있어도 2~3개를 넘지 않는다.

러 소견을 종합해서 평가하는 것이 중요하다. 양성과 악성의 소견이 혼재되어 있는 경우 양성의 소견은 무시해도 된다. 최근에 초음파 BI-RADS에서 제시한 용어들에 대한 양성 예측도와 음성예측도에 대한 연구 결과가 보고되었고, 이 연구의 결과를 판독하는 데에 참고할 수 있다. 유방초음파 검사는 유방암의 진단에 대해 민감도와 특이도가 상대적으로 높은 검사이다. 하지만 이러한 초음파 검사의 한계가 있음을 기억해야 하는 데 첫째, 초음파 검사는 검사자의 주관이나 숙련 정도에 의해 그 진단의 정확도가 달라질 수 있는 검사이다. 둘째, 유방촬영술 없이 초음파 검사만 했을 때 놓칠 수 있는 유방암이 있다는 점이다. 셋째 유방의 배경 에코(background echotexture)가 검사의 민감도에 영향을 끼친다는 것이다.

4) 조직검사

① 세침흡인생검(fine needle aspiration biopsy, FNAB)

세침흡인술은 병변에서 세포를 채취하여 세포학적 형태를 검사하여 악성과 양성을 구분하는 방법이다. 20~25G의 주사기를 이용하여 흡인한다. 이러한 검사가 유방암 진단에 적합하다고 여겨지는 이유는 암세포는 양성세포에 비해 응집력이 약하여 쉽게 떨어져 나오기 때문이다. 하지만 검사의 보고에 따라 민감도는 62~89% 정도로, 선택적으로 시행하거나 추가검사가 필요할 수 있다는 점을 염두해 두어야 한다. 초음파 유도하에 실시간으로 시행하고 가는 바늘로 시행하여 안전하고 통증이 적고 합병증이 드물며 빠르게 시행할 수 있는 장점이 있다. 하지만 숙련된 기술과 경험이 필요하며 유방 세포진단에 경험이 많은 병리과 의사가 판독을 해야 한다. 흡인 후 병변이 없어지지 않거나 혈성 분비물을 보이면 중심생검(core biopsy)를 시행한다.

ⅰ. 적응증

 (ㄱ) 낭종과 낭성병변의 확인

 (ㄴ) 낭종이 의심되나 비전형적인 모양을 보일 때

 (ㄷ) 낭종이 커져 낭종의 벽이나 주변에 장력이 증가되어 통증 등의 증상이 있을 때

ⅱ. 주의 사항

 (ㄱ) 세포검사결과를 확인하여 영상소견과 일치하지 않으면 중심생검을 시행한다.

 (ㄴ) 위양성일 가능성이 있는 병변: 비정형세포증식증, 관상선종, 유두종양 등은 위 양성율이 8.6% 정도 된다.

 (ㄷ) 위음성율이 3.1~11.5%까지 높으므로 병변이 너무 작거나 정확히 검사하지 못했다고 생각되면 중심생검을 시행한다.

② 중심생검(core needle biopsy)

1993년 Parker 등이 처음 기술한 이래 현재 악성이 의심될 때 가장 흔히 사용하는 조직검사이다. 14~18게이지를 이용하여 4~5조각의 조직을 얻는 방법으로 민감도는 92~98%, 특이도는 99~100%로 보고되어 있다. 바늘이 병변에 이르기가 어렵고 병변이 움직이는 경우 정확한 검사가 어려워 시술자의 경험이 무엇보다도 중요하다.

ⅰ. 시술방법(그림 20-38)

 (ㄱ) 환자에게 시술방법을 설명하고 아스피린 등의 약물을 복용하는지 알아본다.

 (ㄴ) 병변의 위치와 바늘이 들어가는 방향, 초음파 화면과의 방향 등을 고려하여 환자를 눕혀야 한다. 시술자는 바늘이 들어가는 방향에서 초음파 화면을 볼 수 있어야 편하게 시술할 수 있다. 필요시 베개나 수건을 어깨 아래에 두어 유방을 평평하게

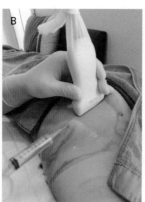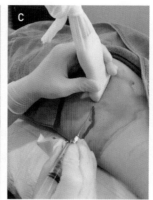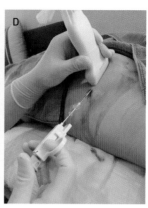

그림 20-38. 중심생검 시행 방법

A 시행 장면, B 시술부위 국소 마취, C 유방안쪽 병변 까지의 마취, D 바늘 삽입 후 검체 채취

하는 것이 좋다.

(ㄷ) 병변을 소독하고 2% 리도카인 2~3 cc로 피부를 마취하고 11번 외과용 칼(surgical blade)을 이용하여 생검 바늘이 들어갈 부위에 1~2mm 정도의 작은 절개를 한다. 이러한 작은 절개없이 생검바늘을 삽입하면 피부 삽입 부위가 깔끔하지 않을 수 있다.

(ㄹ) 생검바늘을 피부의 작은 절개 부위에 삽입하고 초음파로 확인하면서 흉벽에서 수평방향으로 병변을 향해 전진시킨 후 생검 장치를 발사하여 병변 내로 관통시켜 검체를 획득한다. 이를 초음파 기록으로 남겨 놓는다(그림 20-39).

(ㅁ) 획득한 검체는 포르말린이 담긴 통에 넣어 검체가 가라 앉는지 확인한다.

(ㅂ) 생검바늘의 방향을 약간씩 조절하여 병변의 여러 부위에서 검체를 얻도록 해야 하며 포르말린 통에 가라앉은 검체는 유선조직이 많이 포함된 것으로 적어도 4~5개 이상 되어야 진단율이 높다. 만약 포르말린액 위로 뜨는 검체는 주로 지방조직이 많이 채취된 것으로 병리학적 진단을 위해 유선조직이 많이 포함된 검체를 충분히 획득하는 것이 중요하다.

(ㅅ) 시술이 끝나면 검체 바늘을 빼기 전에 초음파로 시술부위에 혈종 등이 있는지 확인한다.

(ㅇ) 이후 출혈 등의 합병증을 방지하기 위해 조직검사 부위를 10~15분 정도 압박한다.

ii. 합병증

(ㄱ) 출혈: 대부분 10~15분 정도의 압박으로 지혈이 잘 되고 시술 후 바늘을 제거 시 초음파로 혈종이 있는지 확인한다.

(ㄴ) 기흉 또는 혈흉: 조직검사 바늘을 흉벽에 수평으로 시술하면 발생하지 않으며 흉벽에 가까운 병변을 검사할 때는 생리식염수를 병변의 아랫부분에 주입하여 병변을 흉벽으로부터 멀리 분리시키면서 시행한다.

(ㄷ) 감염: 시술 부위를 깨끗하게 소독한 후 시행하면 염증은 발생하지 않으나 여러 번

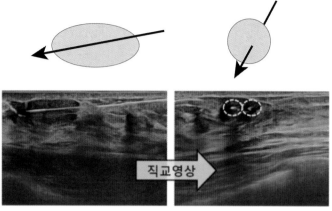

조직검사 시에도 직교 영상을 확인하여 정확히 병변의 중심을 통과했는지 확인하고 이를 영상으로 남겨 놓는다.

검체를 포르말린통에 담가 가라앉는 검체가 적어도 4~5개 이상 될 때까지 검체를 획득한다.

그림 20-39. 중심생검시 검체통과의 확인

바늘을 삽입한 경우, 혈종 등이 고인 경우 항생제나 소염제를 처방할 수 있다.

③ 흡인조직 검사(vacuum assisted biopsy)

1980년대 유방의 조직학적 검사는 FNAC (fine needle aspiration for cytology)이었다. 하지만 이는 불충분한 검체로 인해 숙련된 병리학자라도 그 해석과 판독에 어려움이 많았다. 1990년대에 이르러 이런 FNAC에서 CNB (core needle biopsy)로 검사의 방법이 많이 바뀌게 되었는데 이런 CNB 또한 몇 가지 문제점을 갖게 되었다. 먼저 여러 번 바늘을 유방에 삽입하는 문제, 시술 후에도 병변이 남아있는 것에 대한 환자들의 두려움, 그리고 불충분한 검체 획득과 이로 인한 오진(misdiagnosis) 등이 제시되었다. 이런 CNB를 통한 검체가 이질적인(heterogeneous) 경우, 조준이 된 부위와 그 주변 부위는 조직학적으로 다를 수 있기 때문에 오진이나 조직학적 저평가가 나타날 수 있다 하였고[25] Joshi 등은 비정형관상피증식증(atypical ductal hyperplasia, ADH)의 경우 약 18~88%까지 조직학적 저평가가 나타날 수 있다고 하였다.[26] 유방의 진공보조생검인 VABB (vacuum-assisted breast biopsy)는 1999년 영상의학과 의사인 Fred Burbank가 중심생검의 단점을 보안하기 위해 고안하였고 우리나라에서는 2000년 대학병원과 일부 클리닉에서 소개되었고, 이후 검사의 확대로, 진단적 목적과 더불어 치료적 시술도 증가하게 되었다.

i. Probe의 종류와 검체의 양

VABB은 중심생검 시 약 17mg (per procedure)의 검체를 얻는 것에 비해 약 2배인 40mg
의 검체를 획득할 수 있다. 11G는 평균 100mg (83~116mg)의 검체를 얻어 1.0cm 이하의
병변에 적당하고 8G는 약 250~310mg의 검체를 획득하여 11G의 약 3배의 검체를 얻을
수 있다. 이는 3.0cm 이하 병변의 시술에 적당하다.

ii. 적응증

(ㄱ) 진단적 적응증

가장 흔한 진단적 적응증은 BI-RADS 범주 3과 4a 병변에 대한 검사이다. 범주 3 병변은
초음파 추적검사를 대부분 시행하는데, 0.5~2.0%의 악성 가능성을 내포하므로 추적검
사가 용이하지 않은 환자들, 예를 들면 지리적으로 자주 올 수 없는 경우, 임신부, 유방
성형수술을 받을 예정인 환자, 추적검사 도중 크기와 모양이 변하는 병변, 성격상 기다
리기 어려운 환자, 유방암의 가족력이 있는 환자,[27] 병변의 크기가 5mm 이하의 병변은
중심생검시 위음성이 나타날 수 있어 VABB을 권할 수 있다.[28] 다른 적응증으로는 초음
파에서 보이는 군집미세석회화, 합병낭종(complicated cysts), 관내유두종이 의심되는 경우
들이다. 하지만 아직 객관적인 적응증은 아직 정립이 되지 않아 많은 연구가 필요하다.

(ㄴ) 치료적 적응증

2002년에 FDA는 양성 병변의 제거에 대해 VABB을 승인하였고 이는 많은 양의 검체를
획득하는 장점으로 인하여 점점 절개생검을 대신하고 있다. 섬유선종(fibroadenoma)은 유
방의 가장 흔한 종양으로, 과거에는 섬유선종이 증상을 야기하는 경우, 치료적 절개생검
을 시행하여 증상의 완화와 환자의 불안감을 해소하였으나 최근에는 VABB가 이를 대신
하는 추세이다. 이의 효용성에 관한 여러 연구들이 있었는데 Sperber 등은 섬유선종을
제거한 43명의 환자를 2년 후 초음파 추적검사를 시행한 결과 재발의 소견은 보이지 않
았다고 하였으나,[29] March 등은 섬유선종을 VABB으로 제거한 후 6개월 후 추적초음
파상 38%에서 잔여조직을 관찰하였다고 하였다.[30]

iii. VABB를 시행할 수 있는 병변의 크기는?

VABB를 이용한 병변의 제거에 있어 최대크기에 대한 가이드라인은 없다고 볼 수 있다.
병변의 직경에 따라 몇 게이지의 바늘을 써야 하는지도 아직 정해져 있지 않지만 Parker
와 Fine 등은 1.5cm 미만의 병변에 대해서는 11G가 적당하고 1.5cm 이상은 8G가 적당
하다고 하였다.[27,52] 하지만 최근에는 1.0cm 이상의 병변에도 8G를 이용한 제거를 권하
고 있다. VABB로 제거 가능한 최대 직경에 대해 Park 등은 3.0cm 이하의 병변에 대해
시행하였을 때 96.8%에서 완전절제가 가능하다고 하여[31] VABB는 3.0cm 이하의 병변
에 대해 시행하는 경우가 많다.

iv. 불완전 절제와 조직 잔류의 원인(incomplete excision and causes of residual masses)

Fine 등은 VABB로 제거한 예 가운데 92%에서 시술 직후 시행한 영상학적 소견상 완전
절제를 경험하였다 하였고, 6개월 후 시행한 초음파상 73~86%에서 처음 진단된 병변의

영상학적 소견을 찾을 수 없었다고 하였다. 하지만 VABB로 초음파에서 병변이 완전히 제거된 것처럼 보여도 많은 경우 조직학적으로 잔유병변을 보이고 변연절제를 통해 이를 증명할 수 있었으며 조직학적 변연 양성률은 29.4~48.8%이라고 하였다.[32] 잔유병변은 특히 소엽형 종괴에서 많았다. 이러한 조직 잔류의 원인에 대해 Chen 등은 초음파가 병변을 2D 영상으로 보여줘 시술 당시 공간을 차지하는 부피를 정확히 파악하지 못하는 점과, 국소마취 시 주사되는 액체성분의 영향, 시술 시 출혈 등으로 시술 시야가 정확히 확보되지 못하는 점을 지적하였으며[33] 이러한 문제들을 해결하기 위해서는 3차원 초음파의 이용을 제시하였다. 결국 VABB를 이용한 완전제거는 시술자의 숙련도와 병변의 크기, 병변의 모양, 국소마취 시 액체에 의한 병변과 주변조직 간 사이 경계의 흐려짐 현상(blurring), 조직 내 출혈과 혈종 등에 의해 결정된다고 볼 수 있다. 이 밖에도 완전제거에 관여하는 여러 요소가 있겠지만 올바른 위치에 바늘을 삽입하는 것, 큰 병변에 fast mode를 이용하는 방법, 병변 내 출혈의 흡인, 적당한 바늘 크기의 선택, 3D 또는 4D 초음파의 이용 등이 도움이 될 수 있다.

④ 절제생검

절제생검은 병소를 주위 조직과 함께 또는 병소만을 완전히 절제하는 것이다. 2008년 이후 촉지성 유방종괴의 초기 진단의 표준방법으로는 여겨지지 않고 있지만 세침검사가 어려운 경우, 이학적 검사와 방사선 검사의 불일치, 세포검사상 비정형세포가 나온 경우에는 시행할 수 있다. 절제생검은 양성 종양인 경우 완전한 치료법이며, 조기암인 경우 주위의 정상조직과 함께 절제하여 병리학적 소견상 경계부위에 암이 침범하지 않았다면 더 이상의 수술이 필요 없을 수도 있다.

유방암

서론

우리나라 암발생 통계에 따르면 2016년 여성에서 가장 많이 발생한 암은 유방암이다. 여성암 발생률은 순서대로 유방암, 갑상선암, 대장암, 위암, 폐암순이며 유방암의 경우 2016년 한 해 21,747명이 새로이 진단되면서 10만 명당 85.0명, 우리나라 2000년 주민등록연앙인구를 표준인구로 사용한 조발생률은 10만 명당 62.5명이었다(그림 20-40). 2015년까지 갑상선암이 1위였으나 갑상선암의 과도한 진단 문제에도 불구하고 2016년에는 유방암이 여성암 1위로 등록되었다.

유방암의 발생률은 1999년부터 2011년까지 매년 6.1%씩 빠르게 증가한 후 증가율이 감소 추세이며 국제적으로도 발생률이 증가 중인 암이다(그림 20-41).

한국 여성에서의 유방암은 50세를 전후하여 진단되는 경우가 많은데 부인과적으로는 여러 가지 이유로 호르몬 치료를 시행하게 되는 시기로 주의를 요한다. 미국의 경우 나이가 많아질수록 유방암의 발생 빈도가 증가하지만 한국 여성에서는 폐경 전 유방암 진

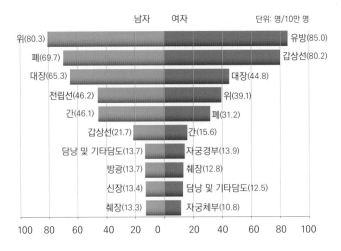

그림 20-40. 성별 10대암 조발생률 2016년

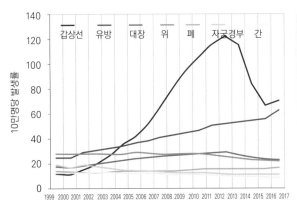

암	추이1		추이2	
	발생 기간	연간% 발생률	발생 기간	연간% 발생률
유방	1999~2005	7.5	2005~2016	4.5
갑상선	1999~2011	22.5	2011~2016	13.2
대장	1999~2010	4.9	2010~2016	3.8
위	1999~2011	0.3	2011~2016	4.4
폐	1999~2011	1.9	2011~2016	0.2
자궁경부	1999~2007	4.3	2007~2016	2.5
간	1999~2010	1.5	2010~2016	4.7

연령표준화발생률: 우리나라 2000년 주민등록연앙인구를 표준인구로 사용

그림 20-41. 연도별 연령표준화발생률 추이, 여자

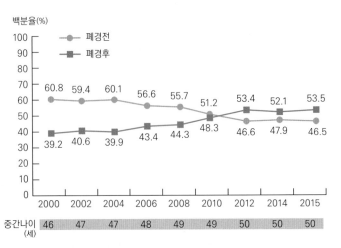

그림 20-42. 폐경 전후에 따른 유방암 발생 빈도

단율이 높은 것이 특징이었으나 2010년을 기점으로 점차 폐경 후 유방암 진단이 증가하는 추세이다(그림 20-42).

이러한 국내 유방암 발생의 추이 변화는 서구화된 생활 습관이나 체형의 변화 등이 영향을 주는 것으로 보이며 또한 치료 기술의 발달로 상당수의 환자가 생존하면서 여러 가지 부인과적 문제를 동반하게 된다. 이에 부인과 의사로서 유방암에 대한 이해는 중요하다.

발생인자

다른 암들과 마찬가지로 유방암은 어느 한 가지 특정 인자가 원인이라고 단정할 수는 없고 유전학적 요인, 환경 요인, 호르몬, 생활 습관 등이 관련되어 있다. 유방조직이 여성호르몬에 반응하고 여성호르몬 노출력이 많은 경우 유방암 위험이 증가하는 것은 분명한데, 2002년 발표된 WHI 연구 결과에서 에스트로겐-프로게스토겐 병합요법 시 유방암이 유의미하게 증가한 반면 에스트로겐 단독 요법 시에는 유방암이 감소하는 현상이 발표되면서 호르몬과 유방암의 관계는 보다 복잡해졌다.

유방암은 이른 초경, 늦은 폐경, 장기간의 호르몬 요법 등에 의해 위험이 증가하며 가족력이 있을 경우 위험이 증가한다. 폐경 후 비만은 유방암의 위험을 50%까지 높이고 반대로 체중 감소는 유방암의 위험을 감소시킨다. 이는 지방세포에서 안드로겐(androgen: testosterone과 androstenedione)이 방향화(aromatization)에 의해 에스트론(estrone, E1)과 에스트라디올(estradiol, E2)로 변환되기 때문인 것으로 해석된다. Nurses' Health study에서 정리된 유방암의 위험인자는 표 20-6과 같다.[34]

표 20-6. 폐경 여성에서 유방암 위험 인자

유방암 위험 인자		빈도 (%)
수정 불가능한 위험 인자		
나이(세, mean ± SD)		47.5 ± 6.9
초경 나이(세)	≤12	48.6
	13	30.7
	≥14	20.8
18세 때의 BMI	<19.0	17.0
	19.0~20.9	33.6
	21.0~22.9	29.4
	≥23.0	20.0
키 ≥162.6cm		64.7
임신력과 첫 출산 당시 나이	미분만부	6.0
	≥1 아이, <25.0세	38.2
	1-4 아이, 25.0~29.9세	30.9
	1-4 아이, ≥30.0세	9.4
	>4 아이	15.4

유방암 위험 인자		빈도 (%)
양성 유방 질환 병력		42.0
유방암의 가족력		12.5
폐경 당시 나이	<45.0	28.2
	45.0~51.9	44.1
	≥52.0	27.7
수정 가능한 위험 인자		
분만 여성 중 전체 모유 수유 기간	전혀 없음	40.6
	경험 있음	59.5
18세부터 체중 변화	체중 감소부터 1.9kg 증가	17.7
	2.1~5.0kg 증가	10.2
	5.1~10.0kg 증가	17.1
	10.1~20.0kg 증가	28.6
	≥20.1kg 증가	26.4
폐경기 호르몬 치료 병력	경험 없거나 과거 복용자	66.1
	현재 복용	33.9
알코올 복용(g/day)	0	23.8
	0.1~4.9	42.6
	5.0~15.0	21.6
	>15.0	12.0
신체 활동의 누적 평균 사분면 (METs/week)	1	24.2
	2	24.9
	3	25.5
	4	25.4

BMI, body mass index; METs, metabolic equivalent task hours; SD, standard deviation; BMI, body mass index[Weight (kg)/height (m)^2]

Nurses' Health Study (1980)

그외 이전 유방 생검에서 비정형과다형성(atypical hyperplasia)가 나온 경우 15년 내 유방암의 위험이 4배 증가하고 소엽제자리암종(lobular carcinoma in situ, LCIS)의 경우 유방암의 위험이 10배까지 증가한다. 이전 호지킨림프종(Hodgkin's lymphoma)로 흉부에 방사선치료를 받은 경우에도 유방암의 위험이 증가하는 것으로 알려져 있다.

유방촬영술상 치밀 유방소견이 보일 경우 유방암의 위험이 4~6배 증가하며 고지방 식이나 지속적인 알코올 섭취도 섭취량에 비례하여 유방암의 위험을 증가시킨다. 가족력도 위험인자로 전체 유방암 환자의 5~10%가 유전성 암(hereditary cancer)으로, 15~20%는 가족성 암(familial cancer)으로 분류된다.

유방암의 위험도를 예측하기 위한 모델 중 게일 모델(Gail model)이 있는데, 여기서는 자매나 모친 중 유방암 환자의 수, 이전 양성 질환으로 유방 생검을 받은 횟수, 유방생검상 비정형과다형성(atypical hyperplasia) 결과 여부, 초경 나이, 첫 분만시 나이, 현재 나이와 인종을 고려하여 5년, 10년, 20년, 30년 내 유방암의 확률을 계산한다.

1) 에스트로겐(estrogen)

WHO와 IARC (International Agency for Research on Cancer)에서는 에스트로겐을 인간유방 발암물질(human breast carcinogen)로 분류하고 있다.

역학 연구를 통한 유방암의 위험인자를 살펴보면 에스트로겐의 노출 정도가 크게 작용한다는 것을 알 수 있다. 40세 이전에 조기폐경된 여성에서는 반대로 유방암의 위험이 감소하고, 유방암을 이미 진단받은 환자에서 양측 난소제거술(bilateral oophorectomy)은 재발의 위험을 낮춘다. 유방암 환자에서 항암치료는 항암제 자체의 암세포에 대한 효과 외에도 무월경을 통해 치료 효과를 나타낸다고 평가된다.

동물 실험을 통해 지속적인 에스트로겐에의 노출이 인간 유방 상피세포(human breast epithelial cell)의 유방암 세포로의 변화를 유도하는 것이 확인되기도 하지만[35] 에스트로겐이 구체적으로 어떻게 유방암을 발생시키는지는 아직 확실하지 않다. 가능한 기전으로는 다음과 같은 것들이 제시된다.

첫째로 에스트로겐 수용체(estrogen receptor, ER)를 통한 기전으로서, 에스트로겐이 ER을 통해 세포 증식과 관련된 유전자의 전사를 활성화시키는데 반복된 세포증식 과정에서 축적된 DNA 복제과정에서의 오류(error)가 복구되지 않고 남아 특히 세포증식이나 DNA 복구, 세포자멸사(apoptosis) 등과 관련된 부위에 영향을 주게 되어 암세포가 발생한다는 것이다.[36]

둘째로 에스트로겐 대사산물이 직접적으로 유전자독성 효과(genotoxic effect)를 가진다는 기전으로 ER-α 유전자제거 생쥐(knockout mouse) 중 Wnt-1 oncogene을 발현하는 쥐에서 지속적인 에스트로겐에의 노출이 있을 경우 유방암이 발생하는 현상을 보이는 바와 같이 에스트로겐 대사물인 cathechol estrogen-3,4-quinones (CE-3,4-Q) 등이 DNA 돌연변이를 일으켜 유방암을 발생시킨다는 것이다.[37] 이러한 에스트로겐 대사산물은 대개 여러 방어기전에 의해 비독성 대사산물(nontoxic metabolite)로 전환되는데 여러 유전학적 인자나 생활습관, 약물 복용 등에 대사작용에 변화가 생겨 유방암이 발생된다는 가설이다.

에스트로겐의 ER을 통한 작용도 단순하지가 않다. ER은 여러 가지 조절단백질들에 의해 전사활동이 조절되는데 조절단백질들로는 CBP (CREB-binding protein)/p300, SRC-1 (steroid receptor coactivator-1), TIF2 (transcription intermediary factor2)/GRIP-1 (glucocorticoid receptor interacting protein-1), AIB-1 (amplified in breast cancer-1)/RAC3 (receptor-associated coactivator 3)/pCIP (CBP interacting protein), DRIP (vitamin D receptor interacting protein)/TRAP (telomerase repeat amplification protocol)/SMCC, NcoR (nuclear receptor corepressor), SMRT (silencing mediator for retinoid and thyroid receptors) 등이 있다. 이들 다양한 단백질들이 정확히 어떻게 상호작용하면서 기능하는지는 아직도 밝혀져야 하는 것들이 많다. 또한 에스트로겐은 ER에 리간드 비의존성 활성화(ligand-independent activation)를 통

해 작용하기도 하고 여러 성장인자(TGF-α, IGF-II, IGF-IR)의 발현도 조절하며 비유전체경로 (non-genomic pathway)를 통해 여러 성장인자(growth factor)들과 세포신호전달경로(cellular signaling pathway)를 조절한다.[38] 이렇게 에스트로겐의 유방세포에서의 작용이 복잡한 과정을 거쳐 일어나므로 어느 단계에서의 어떠한 문제가 발암기전에 관여하는지는 아직 더 연구가 필요한 상태다.

2) 프로게스토겐(progestogen)

유방암의 발생기전 중 하나로 'estrogen-plus-progestogen' 가설이 있다. 정상 생리 주기 중 황체기 말에 유방 상피세포의 증식이 가장 활발하고 폐경 후 여성에서 에스트로겐-프로게스토겐 병합요법이 유방암의 위험이 증가하는 경향을 보인 반면 에스트로겐 단독요법은 위험이 증가하지 않는 현상을 보이며, 동물 실험에서 프로게스테론이 발암물질에 반응하여 종양을 발생시키는 현상 등이 뒷받침하는 가설이다.[39] 하지만 다른 연구들에서는 가임여성에서 혈중 테스토스테론 농도가 높고 프로게스테론 농도가 낮은 여성들이 유방암의 위험이 높게 나타나고 폐경 후 호르몬 치료에 쓰이는 합성 프로게스틴 성분이 거의 안드로겐으로부터 합성되어 안드로겐 활성도 가진다는 점 등 때문에 프로게스테론이 유방암의 발암과정에 실제로 작용하는 지는 아직 확실하지 않다.[40]

3) 안드로겐(androgen)

안드로겐은 유방조직에서 방향화효소(aromatase)에 의해 E2로 변환되어 유방암에 영향을 줄 수도 있고 60~80%의 유방암 세포가 안드로겐 수용체(androgen receptor, AR)를 발현하는 것으로 보아 안드로겐 자체로도 유방암 세포에 작용한다고 보인다.[41]

폐경 전 여성에서의 결과는 혼란스럽지만 폐경 후 여성에서는 혈중 안드로겐 농도가 높을수록 유방암의 위험이 증가하는 현상을 보인다. 혈중 안드로겐 농도가 유방 조직 내 농도, 그리고 유방암 세포 내 농도를 반영하지는 못하지만 혈중 안드로겐 농도와 유방암 위험의 관련성은 안드로겐이 에스트로겐으로 변환하여 작용하거나 직접 AR을 통한 작용으로 유방암에 작용한다는 추측을 가능하게 한다.

하지만 젊은 여성에서는 혈액이나 요중 안드로겐의 대사물 농도가 낮을수록 유방암의 위험이 크게 나타나고 유방 상피세포나 유방암 세포 배양시 테스토스테론은 세포성장을 억제하는 것으로 나타나 안드로겐이 에스트로겐의 작용을 길항하는 것으로 보이기도 한다.

이렇게 안드로겐의 작용이 다르게 나타나는 것은 에스트로겐이 없는 상황에서는 안드로겐이 ER-α에 결합하여 직접 유방세포 증식을 일으키거나 방향화효소에 의해 E2로 변환되어 작용하고 에스트로겐이 충분한 상황에서는 AR을 통해 에스트로겐 길항작용을 하기 때문이라고 설명되고 있다. 하지만 안드로겐이 실제로 어떤 경로로 유방에 어떻게 작용하는지는 아직 좀더 연구가 필요한 상태이다.

4) 유전학적 인자

유방암에 관련된 유전자로서는 종양유전자(oncogene)로서는 HER-2/neu, c-myc, cyclin, E-cadherin 등이 알려져 있고 종양억제유전자(tumor suppressor gene)인 p53, Rb gene 등 수십 가지가 알려져 있다.

HER-2/neu 유전자는 티로신키나아제(tyrosine kinase)작용을 하는 단백질을 합성하는 유전자로서 HER-2의 과발현은 유방암 세포의 약 30%에서 관찰된다. HER-2의 과발현은 보조항암요법 치료 실패와 관련있고 결과적으로 짧은 재발 기간과 낮은 생존율과 관련된다. HER-2는 또한 타목시펜(Tamoxifen) 치료 내성과 연관성을 보이는데 이러한 현상은 HER-2가 ER과 교차교신을 일으켜 타목시펜의 ER 억제효과를 방해하기 때문이라고 설명된다. HER-2에 대한 특이 항체인 트라스투주맙(trastuzumab)은 HER-2 과발현을 나타내는 유방암에서 치료 효과를 보여 항암제와 병합하여 쓰이고 있다.

c-myc 유전자는 휴지기 세포를 세포 분할 주기로 이동시키는데 myc 단백질의 과발현은 전이나 나쁜 예후와 연관성을 보인다. 유전성 유방암의 발암과정에도 관련된 것으로 보이며 *BRCA1*은 myc을 통한 전사를 억제한다.

Cyclin 단백질은 세포주기를 조절하는데 특히 분화도가 나쁜 유방암에서 과발현율이 높다.

이와 같이 유방암은 많은 유전적 변화의 축적을 통해 일어나고 그 중 현재는 일부만이 밝혀진 상태로 실제로 임상에서 의미 있게 사용되고 있는 것은 몇 가지 정도이다.

5) 임상에서의 호르몬 치료

2002년 WHI 연구결과가 발표되면서 오히려 폐경 후 에스트로겐 단독 요법을 받은 군에서는 유방암이 적게 나타나는 현상이 발견되었다. WHI 연구에서 에스트로겐 단독 요법군은 이전 자궁절제술을 받은 50세에서 79세 폐경 여성 10,739명에게 접합성마에스트로겐(conjugated equine estrogen, CEE) 0.625mg과 위약을 무작위 배정하여 투여하고 평균 7.1

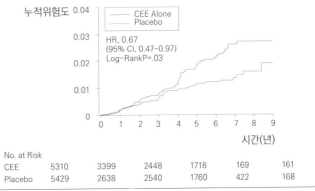

Participants with less than 80% adherence to study medications were censored 6 months after their first episode of non-adherence. CEE indicates conjugated equine estrogens; CI, confidence interval; HR, hazrd ratio.

그림 20-43. 침윤성 유방암에 대한 누적 위험도: 민감도 분석

년간 추적관찰한 연구이다. 연구 시작 시점 이전부터 호르몬을 사용했던 여성을 포함한 경우 HR 1.02 (95% CI, 0.70~1.50)로 유의한 차이가 없었으나 연구 시작 이전 호르몬 사용력이 없는 경우 즉 연구 시작 시 새로이 호르몬 치료를 시작한 여성에서는 유방암이 HR 0.65 (95% CI, 0.46~0.92)로 유의하게 감소하였다. 처방 받은 CEE를 80% 이상 복용한 경우 HR 0.67 (95% CI, 0.47~97)로 침윤성 유방암이 유의하게 감소하는 현상을 보였다(그림 20-43).[42]

폐경기 여성호르몬 치료제로 분류되는 티볼론(tibolone)의 경우 체내에서 간을 통해 대사된 후 각각 조직에 따라 에스트로겐, 프로게스테론, 안드로겐 효과를 나타내는데 60~85세 4,538명을 대상으로 1.25mg을 34개월간 투여한 연구에서 0.32 (95% CI, 0.13~0.80)로 침윤성 유방암의 위험을 줄였다.[43]

이상의 연구들로 보아 유방암은 에스트로겐보다는 함께 사용되는 프로게스토겐이 위험을 높이는 역할을 하는 것으로 보이는데, 아직은 유방암 발생기전이나 어느 제제가 특히 위험한지, 안전한지에 대해서는 연구가 필요하다.

이렇게 폐경기 호르몬 치료에 있어서 에스트로겐보다는 프로게스토겐이 유방암의 위험을 높인다는 점에서 프로게스토겐 대신 자궁내막 보호효과를 가지는 선택적 에스트로겐수용체조절제(selective estrogen receptor modulator, SERM) 중 바제독시펜(bazedoxifene)을 사용하는 방법이 시도되고 있다.

조직학적 분류

유방암은 암이 기원한 세포의 종류 및 침윤 정도 등에 따라 다양하게 분류된다. 우선 발생 부위에 따라 유관과 소엽 등의 실질조직에서 생기는 암과 그외 간질조직에서 생기는 암으로 나눌 수 있다. 대부분의 유방의 악성 상피성 병소는 종양세포의 증식이 유관과 소엽에 국한되어 나타나고 기저막 이상으로의 침윤을 보이지 않는 상피내암과 기저막을 뚫고 주변 간질로 침윤을 보이는 침윤성 유방암으로 크게 나눈다. 2012년 Lakhani SR는 상피내암은 관상피내암과 소엽상피내암으로 나누고, 침윤성 유방암은 일반형 침윤성 암, 특수 아형의 침윤성 암으로 나누었다.[44]

1) 상피내암

상피내암은 관상피내암(ductal carcinoma in situ, DCIS)과 소엽상피내암(lobular carcinoma in situ, LCIS)으로 나누고, 이 두 질환은 종양세포의 세포학적 소견 및 분자 생물학적 특징, 임상적 특징이 상이한 질환이다.

① 관상피내암(ductal carcinoma in situ, DCIS)

유방의 관상피내암(ductal carcinoma in situ, DCIS)은 유관 상피세포에서 기원하여 유방의 기저막을 침범하지 않은 것으로 0기 암이라고도 한다. 유방의 유선 조직 안으로 악성으로 추정되는 상피세포의 증식이 특징인데 현미경검사에서 주변의 기질로 침범했다는 증거는 없다. 침윤성 유방암보다 훨씬 예후가 좋지만 암세포가 기저막을 뚫고 성장할 경우 침윤성 유관암으로 진행할 수 있다. 방사선 검사의 특징, 암 종이 커나가는 과정, 유방에서 분포 양상 등이 관상피암과는 다른 양상이다. 한국유방암학회의 보고에 따르면 관상피내암의 빈도는 1996년에 4.2%에 불과했으나 2002년도에 전체 유방암의 7.6%, 2004년에는 10%로 증가하였다.[45] 관상피내암은 주로 촉지되는 종괴, 유두분비 또는 유방촬영술상 미세석회화 군집으로 발견되며 관상피내암 환자가 증가하면서 유방촬영술상 미세석회화로 발견 되는 환자가 증가하고 있다.[46]

관상피내암를 조직학적으로 여러 가지 아형으로 분류하는 분류 체계는 종양세포의 구조적 특성 또는 성장 패턴, 조직학적 특징, 세포 괴사 등을 사용하여 분류한다. 관상피내암을 분류하는 전통적인 방법은 주로 종양의 성장 패턴을 바탕으로 분류하는데 5가지 주요 타입이 있다.

면포형(comedo type), 사상형(cribiform type), 미세유두형(macropapillary type), 유두형(papillary type), 충실형(solid type)으로 분류된다.[47]

면포형(comedo type)은 병변 중심의 두드러진 괴사를 특징으로 한다. 괴사부분은 석회화되는 경우가 많은데 이 석회화는 유방촬영술에서 발견될 수 있고 석회화는 줄을 형성하고 가지를 뻗는 것을 특징으로 한다. 종양세포들은 크기가 크며 핵의 다양성을 보여주는데 유사 분열 활동이 두드러진다. 면포형은 침윤을 자주하고, 면포형의 괴사 정도가 치료 후에 나타나는 반대측 유방에서의 재발의 강한 예측인자가 된다.[48]

사상형(cribiform type)은 기질을 잘 침범하지 않는다. 사상형을 구성하는 세포들은 크기가 크지 않으며 상대적으로 균일하게 과색소 핵을 가지고 있다. 유사 분열은 잘 일어나지 않으며 괴사의 범위는 단일 세포나 작은 군락에 그친다.[49]

미세유두형(macropapillary type)은 세포의 작은 더미를 특징으로 하는 데 이것은 기저막에 수직인 방향이며 강내로 투사된다. 이 작은 유두의 꼭대기 부분은 흔히 아랫부분보다 더 넓으며 이것은 곤봉 모양의 외양을 만든다. 구성하는 세포는 보통 작은 크기이며, 유사 분열은 빈번하지 않다.[50]

유두형(papillary type)은 종양세포의 강내 투사를 보이는데 이것은 미세유두형과 대조적이며 핵이 보이고, 유두를 형성한다. 충실형(solid type)은 다른 아형들만큼 잘 구분되지는 않는다.

그러나 성장형태에 따른 분류는 객관적이지 않고 예후를 반영하기 어려우므로 예후를 판정하기 위하여 조직학적 특징을 이용한 다른 여러 가지 기준이 제시되었는데 핵등급에 따라서 분류하였다. 저등급, 중등급, 고등급으로 분류하였다.[51]

고등급병변은 전형적으로 염색체 이수성을 보이는데 에스트로겐과 프로게스테론 수용체가 부족하며 높은 증식 속도, HER2의 과발현, p53 종양 억제 유전자의 변이와 이것의 단백질 산물의 축적, 주변의 기질의 혈관형성을 보인다.

저등급병변은 전형적으로 이배체이며 에스트로겐과 프로게스테론 수용체 양성이다. 낮은 증식 속도를 보이며 HER/neu나 p53 이상은 드물게 나타난다. 조직학적으로 중등급로 분류되는 병변은 이런 생물학적 표지자의 변이의 정도에서 저등급과 고등급 사이

정도를 보인다. 그러나 같은 종양 내에서 하나의 등급만 관찰되는 것보다는 저등급과 중등급, 중등급과 고등급의 핵등급이 섞여서 나타나는 경우가 비교적 흔하게 관찰된다.[52]

유방의 관상피내암에서는 부분적으로 기질침윤을 보일 수 있는데 유방의 관상피내암에서 미세침윤의 정의는 연구자마다 다르다. 1990년 Wong, J. H와 Frykberg, E. R은 범위가 직경 1mm 이하인 경우이거나 2mm 이하인 경우로 정의되었으며, 1997년 AJCC에서는 기저막 침윤이 1mm 이하인 경우를 미세침윤으로 정의하고 TNM 병기에서 T1mic로서 새로이 분류하였다.[53] 미세침윤과 관련해서 1987년 Gump, F. E은 임상적으로 종괴가 만져지는 관상피내암은 만져지지 않는 경우보다 침윤, 국소재발, 액와림프절 전이율이 높고 생존율이 낮다고 보고하였고,[54] Schwartz, S. I은 면포형일 때 비면포형일 때보다 흔히 미세침윤과 연관되어 있다고 보고하였으며, Silverstein, M. J은 종괴의 크기가 클수록 미세침윤이 있을 가능성이 높다고 보고하여, 관상피내암에서 종괴가 크고 만져지며 조직형이 면포형일 때 미세침윤의 가능성이 높다는 것을 알 수 있다. 그러므로 일반적으로 유방의 관상피내암에서 종괴가 크게 만져지며 조직형이 면포형이고 핵분화도가 나쁜 경우 재발과 연관있다고 보고 고위험군으로 분류하고 있다.[55]

② 소엽상피내암(lobular carcinoma in situ, LCIS)

종말관소엽단위 내로 작고 둥글며 응집력이 없는 종양세포가 증식되어 내강을 채우는 질환을 소엽종양이라고 하며, 비정형소엽증식과 소엽상피내암으로 나눈다. 이 두 질환 간에 종양세포의 형태학적 차이는 없으며, 종양세포의 증식이 개별 소엽단위 내에 침범한 정도에 따라 구분한다. 1991년 Page, D. L은 다른 병소의 조직검사를 시행하는 도중 우연히 진단되는 경우가 많고 관상피내암에 비해 드물지만 젊은 연령층에 흔하고 다발성, 양측성의 빈도가 높으므로 주의해야 한다고 했다.[56] 또한 종양세포들은 p53이나 C-erb-B2에 음성 반응을 보이고 에스트로겐 수용체 양성 반응을 보이며, 증식 능력이 낮아 비교적 이차 암발생의 위험도가 낮은 편이며, 15년 이상 관찰하였을 때 21%에서 침윤암의 발생이 나타났다는 보고가 있다. 경화성 선증에서 발생한 경우는 침윤성 암 종과 유사하게 보일 수 있고, 암세포가 기저막을 뚫고 성장할 경우 침윤성 유관암 및 침윤성 소엽암으로 진행할 수 있으므로 감별검사가 필수적인 경우도 있으며 6개월 내지 1년 간격의 이학적 검사를 시행하고 매년 유방촬영술을 권장하고 있다.

전형적인 소엽상피내암의 경우 근접추적관찰이 가능하고, 수술적 절제를 시행한 경우 절제연의 상태평가가 중요하지 않다. 그러나 다형성 소엽상피내암의 경우 공격적인 성향으로 인해 관상피내암과 같이 동일하게 치료해야 한다는 의견도 많다.

③ 파제트병(Paget's disease)

파제트병은 유관에서 암이 생겨 유두 및 유륜의 피부에 퍼진 유방암의 특수한 형태로 전체 유방암의 1~2% 미만을 차지하는 비교적 드문 암이다. 따라서 유두와 유륜의 피부가 각질이 생겨 벗겨지며 빨갛게 변하여 만성 습진으로 오인하는 경우가 있으며 병변이 유두와 가깝기 때문에 유두에서 혈성 분비물이 나오는 경우가 많다.[57] 이것은 침윤성 암뿐만 아니라 상피내암과도 관련성이 있으므로 습진 모양 병변의 치료 후에도 유두와

유륜에 증상이 지속된다면 파제트 병에 관한 감별을 시행해야 한다

2) 침윤성 유방암

① 일반형 침윤성 암

일반형 침윤성 암은 조직학적으로 특수 아형에 분류할 수 없는 침윤성 암으로 정의한다. 기존에 침윤성 관암(invasive ductal carcinoma, invasive carcinoma, ont otherwise specified ductal NOS) 등 다양한 용어로 명명되었다. 2012년 Lakhani, S. R.은 유방의 구조 가운데 유관 상피세포에서 기원하여 유방의 기저막을 침범한 암으로 유방암 중 가장 많은 빈도로 발견된다고 하였다. 전체 유방암의 40~75%를 차지하며 다양한 임상적, 병리학적, 생물학적 특징을 가진다. 2001년 Rosen, P. P.은 넓은 연령층에서 발생하나 주로 40대에 발생하며 평균 연령은 47세 정도이다. 임상적으로는 단단하고 경계가 불명확한 멍울로 나타나며 주위조직과 유착된 경우가 많다. 피부나 유두의 함몰, 유두의 혈성 분비물 등을 호소하기도 한다.[57] 일반형 침윤성 암은 예후와 연관하여 1991년 Elston과 Ellis가 제안한 조직학적 등급이 가장 널리 사용되고 있으며 이 체계에서는 조직학적 분화도, 핵의 다양성 정도와 유사 분열능에 따라서 등급을 결정한다(표 20-7). 특수형인 경우는 특징적인 성장형태와 세포학적 특징 외에 면역조직화학적 특징을 가지며 이런 것들이 조직학적 등급과 더불어 예후에 영향을 미치는 것으로 알려져 있다. 임상적으로 예후와 관계 있는 것은 The American Joint Committee on Cancer Staging에 따른 임상병기이며, 병

표 20-7. 침윤성 유방암의 조직학적 등급을 분류하는 방법

특징	점수
관 형성 정도	
종양의 대부분(>75%)	1
중등도(10~75%)	2
적거나 거의 없음(<10%)	3
핵의 다형성	
작고 균일함	1
중등도의 크기 증가 및 다형성	2
현저한 다형성	3
유사분열 개수(10개의 고배율 시야)**	
≤10	1
11~20	2
>20	3
최종 조직학적 등급	점수의 합
등급 1(저등급, 고분화)	3-5
등급 2(중등급, 중등도 분화)	6-7
등급 3(고등급, 저분화)	8-9

** 현미경 필드 지름 0.60mm에 대한 예시로 현미경 필드 지름 또는 면적에 따라 보정이 필요함

리학적으로 침윤성 관암의 예후와 관련있는 인자들을 보면 원격 전이가 있는 경우가 가장 예후가 나쁘다. 원격 전이가 없을 때 예후에 영향을 미치는 인자로는 종양의 크기, 림프절 전이 여부, 조직학적 등급, 림프혈관 침윤, 세포증식능 등이 있다.

② 특수 아형의 침윤성 암

특수 아형의 침윤성 유방암의 특징적인 종양세포의 성장양상과 세포학적 소견을 보이는 유방암으로 전체유방암의 약 25%를 차지한다(표 20-8).

표 20-8. 침윤성 유방암의 특수 아형

- 침윤성 소엽암(invasive lobular carcinoma)
- 관상암(tubular carcinoma)
- 사상형 암(cribriform carcinoma)
- 점액암(mucinous carcinoma)
- 반지세포 분화를 보이는 암(carcinoma with signet-ring cell differentiation)
- 신경내분비 특성을 보이는 암(carcinoma with neuroendocrine feature)
- 침윤성 유두암(invasive micropapillary carcinoma)
- 수질암 특성을 보이는 암(carcinoma with medullary features)
- 화생암(metaplastic carcinoma)
- 저등급선편평세포암(low grade adenosquamous carcinoma)
- 섬유종증 유사 화생암(fibromatosis-like metaplastic carcinoma)
- 편평세포암(squamous cell carcinoma)
- 방추세포암(spindle cell carcinoma)
- 중간엽분화화생암(metaplastic carcinoma with mesenchymal differentiation)
- 아포크린 분화를 보이는 암(carcinoma with apocrine differentiation)
- 선양낭성암(adenoid cysic carcinoma)
- 점액표피양암(mucoepidermoid carcinoma)
- 다형성 암(polymorphous carcinoma)
- 분비암(secretory carcinoma)
- 호산성암(oncolytic carcinoma)
- 피지선암(sebaceous carcinoma)
- 지방풍부암(lipid-rich carcinoma)
- 글리코겐풍부 투명세포암(glycogen-rich clear cell carcinoma)
- 세엽세포암(acinic cell carcinoma)

i. 침윤성 소엽암(invasive lobular carcinoma)

침윤성 유방암 가운데 두 번째로 흔한 형태로, 전체 유방암에서 차지하는 비율은 약 5~15%이다. 침윤성 소엽암은 유방의 구조 가운데 소엽을 이루는 세포에서 기원한 암으로 침윤성 유관암과 예후에는 큰 차이가 없는 것으로 알려져 있다. 대부분 40대에 발생하며 평균연령은 45세 정도이다. 임상소견에서 경계가 불명확한 멍울로 나타나며 유두 분비물이나 파세트병은 볼 수 없다. 일반적으로 침윤성 관암에 비해 늦은 연령에 발생하고 종양의 크기가 크다고 하나 국내의 경우는 아직 정확한 통계가 없다. 침윤성 소엽암은 침윤성 관암에 비해 핵등급이 낮으며 에스트로겐 양성률이 높고 p53 단백의 발현이 낮으며, 양측성으로 발생하는 비율이 일반형 침윤성 암종에 비해 높고, 동측 유방 내에서 다발성으로 발생하는 경향이 있다. 종양세포는 접착력이 떨어지는 작은 세포들이 개개로 또는 일렬로 서서 간질 내로 침윤하는 특징적인 모습을 취하며 80~100%에서 E-cadherin expression이 소실되어 침윤성 관암과의 감별에 도움이 된다.[58]

ii. 관상암(tubular carcinoma)

관상암은 한 층으로 구성된 분화도가 좋은 종양세포들이 잘 발달된 관상구조를 형성하며 섬유성 간질 내로 침윤하는 암이다. 병리학적으로 잘 분화된 세관을 특징적으로 보이는 침윤성 유방암의 드문 형태로 전체 유방암의 약 2%를 차지한다.[44] 그러나 유방조영술의 발달로 발병률이 더 높아지고 있다.

관상암은 40~60대에 흔하며 평균 40대 중 후반에서 정점을 이루어 다른 유방암보다는 젊은 나이에서 발생률이 높다고 알려져 왔으며 대부분 통증이 없고 대개 1cm 내외의 작은 크기로, 선별검사로 시행되는 유방촬영술에서 우연히 발견되거나 수술 후 병리조직학적으로 확인되는 경우가 많다. 유방암 중 분화도가 좋은 종양으로 병리학적으로 유방 세관을 닮은 신생 세관을 가지고 있는 것이 특징적이며 이 세관은 섬유성 기질에 둘러싸여 있는 일정한 모양의 세포로 이루어진 한 층의 세포층이다.[59] 순수형 관상암은 관상구조가 적어도 90% 이상인 경우를 말하며 대개 림프절 전이가 없어 좋은 예후를 보이는 것으로 알려져 있지만 일부 저자들은 순수한 유방관상암에서도 림프절 전이의 예를 보고하고 있다. 관상암은 관상구조가 적을수록 림프절 전이, 원격 전이가 많고 여러 개의 결절을 동반할 가능성이 많아지며 나쁜 예후를 보이는 것으로 알려져 있다.[60]

iii. 사상형 암(cribriform carcinoma)

사상형 관상피내암을 닮은 체모양의 성장 양상이 종양 전체의 90% 이상을 차지하는 침윤성 암을 순수형 사상형 암이라하며, 전체 유방암의 1% 이내를 차지하는 드문 종양이다.

사상형 암은 대부분이 호르몬수용체에 양성이며, HER2음성으로 매우 좋은 예후를 보인다.

iv. 점액성 암(mucionous carcinoma)

점액성 암은 침습성 유방암의 1~2%를 차지하며 노인 환자에서 더 흔하게 보인다. 병변은 일반적으로 육안검사에서 부드러운 젤라틴 모양을 띠며 잘 경계지어지는 경향이 있다. 점액성 암은 현미경적으로 세포 외 점액의 큰 웅덩이에 분산되어 있는 종양세포가 특징이며, 균일하고 낮은 등급의 핵을 갖는 경향이 있다. 점액성 암은 점액류양종양(mucocele-like tumor)과 함께 관찰되거나 관상피내암이 동반되기도 한다. 점액성 암은 다른 침윤암이 동반되었는지에 의해 순수 점액성 암과 혼합 점액성 암으로 조직학적 분류가 된다. 이러한 분류는 예후와 밀접한 관련이 있고 순수 점액성 암이 혼합 점액성 암이나 침윤성 암에 비해 예후가 좋다. 이는 종양 내 점액이 암세포들과 주위 실질 사이에서 방어벽 역할을 하고 종양의 크기에 비해 실제 암세포가 차지하는 크기가 작기 때문이라고 한다. 점액성 암이 점액류양종양(mucocele-like tumor)과 함께 발견되기도 하는 데 이는 점액류양종양이 양성 점액류양종양에서부터 점액성 암까지 포함하는 하나의 연속체이기 때문이다. 일련의 과정 중 관상피세포 증식, 이형성 관상피세포 증식, 관상피내암, 점액성

표 20-9. 유방암의 TNM 병기 분류

TNM병기		정의
종괴의 크기(T)	Tx	원발암에 대한 평가 불가능
	T0	원발암의 증거 없을 때
	Tis (DCIS)	상피내암(DCIS)*, Paget's disease
	T1	종양의 크기가 20mm 이하 T1mi: 1mm 이하 1mm 〈 T1a ≤5mm 5mm 〈 T1b ≤10mm 10mm 〈 T1c ≤20mm
	T2	20mm 〈 T2 ≤50mm
	T3	종양의 크기가 5cm 초과
	T4	종양이 흉벽, 피부를 침범하거나 염증성 유방암일 때 T4a: 흉벽 침범(흉근 포함되지 않음) T4b: 염증성 유방암의 조건에 충족되지 않으면서 피부 궤양, 부종(귤껍질피부 포함), 동측 유방의 위성피부결절 T4c: T4a와 T4b가 동시에 있는 경우 T4d: 염증성 유방암
림프절 전이(N) (임상적 분류)	cNX	부위 림프절 확인 불가능(예: 이전 수술로 제거)
	cN0	액와 림프절 전이가 없을 때
	cN1	동측 레벨 I, II 움직이는 림프절 전이
	cN2	N2a: 동측 레벨 I, II 액와림프절에 전이되고 림프절이 서로 붙어있거나 다른 구조물에 고정 N2b: 임상적으로 발견된 액와림프절 전이는 없으나 동측 내유방 림프절(internal mammary nodes)의 임상적*인 발견
	cN3	N3a: 동측 쇄골하 림프절 전이 N3b: 동측 액와 림프절과 내유방 림프절 전이 N3c: 동측 쇄골상 림프절 전이
림프절 전이(pN) (병리학적 분류)	pNX	부위 림프절 확인 불가능(예: 이전 수술로 제거)
	pN0	조직학적으로 부위 림프절 전이 없음 참고: 격리종양세포군(isolated tumor cell cluster, ITC)이란 0.2mm 이하 크기 또는 단독 종양세포 또는 병리의 한 구역에서 세포 200개 이하를 말하며 병리학적 또는 면역염색법으로 발견. ITC만 있는 림프절은 양성 림프절 수에서는 제외되나 전체 림프절수에는 포함됨.
	pN0(i-)	조직학적으로나 면역염색으로 부위 림프절 전이 없음
	pN0(i+)	부위 림프절에 0.2mm 이하 크기의 악성세포(격리 종양세포를 포함하고 H&E 또는 면역염색으로 발견)
	pN0(mol-)	조직학적 또는 분자생물학적(RT-PCR) 방법으로 부위 림프절 전이가 없음
	pN0(mol+)	조직학적으로 부위 림프절 전이가 없으나 분자생물학방법으로 양성
	pN1	pN1mi: 미세 전이(0.2mm보다 크거나 세포가 200개 이상 그러나 2.0mm보다 작다) pN1a: 액와림프절 1~3개에 전이(최소한 림프절 한 개 이상에서 2.0mm 이상 암종 침윤) pN1b: 임상적으로 분명치 않으나 내유 감시 림프절 검사에서 미세 전이 pN1c: 액와림프절 1~3개에 전이되고 임상적으로 분명치않은 내유 감시 림프절 검사에서 미세 전이
	pN2	pN2a: 액와림프절 4~9개 전이(최소한 림프절 한 개 이상에서 2.0mm 이상 암종 침윤) pN2b: 액와림프절 전이 없이 임상적으로 분명한* 내유방 림프절 전이
	pN3	pN3a: 액와 림프절 10개 이상 전이(최소한 림프절 한 개 이상에서 2.0mm 이상 암종 침윤) 또는 동측 쇄골하 림프절(level III) 전이 pN3b: 하나 이상의 액와 림프절 전이와 임상적으로 분명한 동측 내유방 림프절 전이 또는 3개 이상의 액와 림프절 전이와 임상적으로는 분명치 않지만 내유 감시 림프절 검사에서 미세 전이 pN3c: 동측 쇄골상 림프절 전이
다른 장기 침범 여부(M)	MX	원격 전이 여부 확인 불가능
	M0	다른 장기에 전이가 없을 때
	M1	다른 장기에 전이가 있을 때

*LCIS (lobular carcinoma in situ)는 대부분 양성이어서 18th AJCC Committee부터 TNM staging system에서 제외됨

** 림프신티그래피를 제외한 영상진단에서 발견되거나 임상적으로 발견되거나 세침흡입세포검사에 의한 병리적 확인

암 등이 모두 존재할 수 있다.[61] 점액류양종양이 점액성 암 및 관상피내암과 함께 발견된 보고도 있었다. 점액류양종양의 평균 연령이 40세인 것에 비해 점액성 암은 평균 67세로 폐경 후에 잘 발병한다고 알려졌다.[62]

v. 신경내분비 특성을 보이는 암

신경내분비특성을 보이는 암은 위장관과 폐의 신경내분비종양과 동일한 형태학적 소견을 보이는 암과 일반형 또는 일부 특수 아형의 침윤성 암에서 신경내분비 분화를 보이는 경우를 모두 포함한다. 그러나 유방기원의 원발성 신경내분비종양은 매우 드물기 때문에 항상 전이를 배제해야 한다.

vi. 수질암(medullary carcinoma) 특성을 보이는 암

수질암의 특성을 보이는 암은 이전에 수질암, 비정형 수질암으로 불렸던 암을 포함하고, 모든 유방암의 1~10%를 차지하고 있으며, 일반적인 유방암보다 비교적 젊은 나이에서 발생하는 것으로 알려져 있다. 수질암은 육안검사에서 경계를 잘 이루며 종종 출혈이나 괴사 부위와 함께 부드럽고 황갈색을 띤다. 수질암의 10% 정도가 35세 이하에서 발병한다고 했고, 수질암과 수질양 종양은 다른 유형의 유방암보다 어린 환자에서 더 자주 발생한다.[63] 육안으로 경계가 분명하여 임상적으로 섬유선종으로 오진할 수 있으나 현미경소견은 분화가 안 된 세포로 구성되어 있으며 간질은 거의 없다. 림파구나 형질세포의 침윤이 심하며 간혹 주변에서 유관 상피내암이 관찰된다. BRCA1 유전자의 돌연변이가 있는 여성에서 자주 발생하나 BRCA1 변이를 가진 유방암 중 약 19%가 수질암 형태를 보인다고 한다. 면역 조직학적으로 주로 p53(+), HER-2/neu(-)의 소견을 보이며, 이 경우 환자는 비교적 발병 연령이 낮고 ER(-), p53(+) 양상을 보인다고 알려져 있다.[64] 예후는 조직학적으로 공격적으로 나타나기는 하지만 침윤성 관암보다 무병생존율이나 전체 생존율이 높다.

그외 여러 가지의 특수 아형의 침윤성 암이 있으며(표 20-9), 여러 가지 형태로 나누어져 있다.

병기

유방암의 병기는 종괴의 크기, 주변 림프절로의 전이, 다른 장기에 침범한 정도를 기준으로 하여 4가지로 분류되며 병의 진행 상태를 알려주기 때문에 병기의 결정은 치료방법을 선택하는 데 있어서 매우 중요한 척도이다. 유방암 전이를 확인하는 검사로 흉부 X-선, 유방 X선 검사, 골(bone) 스캔, 전산화단층촬영술, 자기공명영상, 초음파, 양전자방출단층촬영 검사 등을 시행할 수 있다. 유방암 병기를 설명하는데 사용되는 가장 일반적인 시스템은 AJCC/TNM 시스템으로 종괴의 크기(T), 림프절 전이 정도(N), 다른 장기 침범 여부(M)를 고려하고 T, N, M 다음의 숫자로 암에 대한 상세 정보를 제공한다. 이 모든 정보를 병기 분류라는 과정으로 조합하여 흔히 말하는 병기를 1~4기로 크게 분류하고, 일부는 세부적으로 A, B, C로 구분하게 된다. 병기별로 TNM의 조합을 보면 다음과 같다(표 20-10).[65]

표 20-10. 유방암의 병기

병기	종괴의 크기(T)	림프절 전이(N)	타장기 침범(M)
0	Tis	N0	M0
1A	T1	N0	M0
1B	T0	N1mi	M0
	T1	N1mi	M0
2A	T0	N1	M0
	T1	N1	M0
	T2	N0	M0
2B	T2	N1	M0
	T3	N0	M0
3A	T1	N2	M0
	T2	N2	M0
	T3	N1	M0
	T3	N2	M0
3B	T4	N0	M0
	T4	N1	M0
	T4	N2	M0
3C	모든 T	N3	M0
4	모든 T	모든 N	M1

예후 및 생존율

우리나라 유방암의 발생률은 매우 빠른 속도로 증가하고 있다. 한국 중앙암등록사업과 한국 유방암등록사업보고에 따르면 1996년 여성 인구 10만 명당 유방암 환자 수는 16.7명이었지만 2002년에는 31.5명, 2006년 37.9명, 2008년에는 42.1명으로 지속적으로 증가하고 있고[66] 이러한 발생률의 급격한 증가는 유방암으로 인한 사망률의 꾸준한 증가로 이어지고 있다. 그러나 초기 유방암이 차지하는 비율이 점점 높아지고 있고 새로운 약제의 개발과 다양한 임상시험의 결과에 따라 유방암의 생존율은 모든 병기에서 점점 더 향상되고 있다. 2000년 Johnstone, P. A.은 치료하지 않은 유방암 250 예의 기록과 문헌에 나타난 1,022 예를 분석한 결과 치료하지 않은 유방암의 생존 기간 중앙값은 2.3년~2.7년이었으며 5년 생존율은 18.4~19.8%, 10년 생존율은 3.6~3.7%라고 하였다.[67] 1962년 Bloom, H. J.은 1805~1933년까지 런던 Middlesex 병원의 치료하지 않은 유방암 환자 250명의 자연 경과에 관하여 보고하였다.[68] 이 환자들은 다양한 이유 때문에 어떠한 치료도 시행하지 않았고 환자가 사망한 후에는 모든 예에서 부검을 시행했다. 환자들의 평균 생존기간은 38.7개월, 생존 기간 중앙값은 2.7년이었고, 5년 생존율은 18.0%, 10년 생존율은 3.6%였으며, 250명 중 2명(0.8%)은 15년간 생존했다. 이 결과를 볼 때 치료하지 않은 유방암 환자 중 절반은 3년 내에 사망하지만 약 3.5%는 아무 치료를 받지 않았음에도 불구하고 10년 이후까지 생존함을 알 수 있다.[68] 이러한 보고들을 바탕으로 볼 때 치료하지 않은 유방암 환자의 생존 기간이 매우 다양하고 진단 당시의 병기에 따라 차이가 크다는 것과 소수의 환자는 생존 기간이 상당히 긴 것을 알 수 있다.

유방암도 다른 암과 마찬가지로 초기에 발견했을 경우 생존율이 높다. 2005년 발표된 한국 유방암 학회 보고서에 따르면 유방암 수술 환자의 5년 생존율은 0기는 99%, 2기는 89%, 3기는 59%, 4기는 28% 순으로 나타났으며 병기별 재발률은 0기 약 5% 1기, 15%, 2기 20~25%, 3기 이상 60%인 것으로 나타났다. 치료 후 재발에 관한 최근의 국내 보고에 의하면 첫 5년 내 재발률이 17.7%, 10년 내 재발률이 23.4%였고, 가장 재발의 위험이 높은 시기는 첫 치료 후 2~3년 사이였다. 병기별 재발률을 보면 진행성 유방암일수록 재발의 위험도는 높아지며, 재발이 되기까지의 기간 또한 짧았다고 하였다. 이들 재발성 유방암 환자들의 예후는 매우 다양하게 보고되고 있는데 대개 재발 후 2년 정도의 평균 생존기간을 보이고 10%에서는 5년 이상의 생존율을 보고하기도 한다.[69] 이러한 생존율의 차이는 무병 기간, 재발 장소, 진단 당시의 액와림프절의 침범 유무, 호르몬 수용체의 발현, HER2/neu 유전자의 발현 등이 예후인자로 알려져 있으며 이들은 각각 독립적인 예후인자이다. 많은 보고에서 이러한 예후인자들의 단변량 및 다변량 연구를 통해 유사한 결과를 보여주고 있다. 호르몬 수용체의 발현 유무는 수술 후 생존율뿐만 아니라 재발 후 생존율에도 영향을 주는 인자이다. 호르몬 수용체 음성인 경우 그렇지 않은 경우보다 약 2.0배의 나쁜 예후를 보여주고 있으며 이는 전이된 조직에서의 수용체 유무보다도 원발암 조직에서의 호르몬 수용체 유무에 더 큰 영향을 받는다고 보고되고 있다. 수술 당시 액와 림프절의 상태도 중요한 예후인자로 작용한다. 액와 림프절이 침범되고 호르몬 수용체 발현이 없는 경우에 가장 악성도가 높고, 무병기간이 짧으며, 재발 후 생존율이 불량하다.[70] 또한 여러 보고에서 재발 장소에 의한 생존율을 분석하였는데 크게 장기성(organic)과 비장기성(nonorganic)으로 나누었으며 장기성 전이에서 약 1.6배의 나쁜 생존율이 보고되고 있다. 재발 환자를 대상으로 한 국내 연구에 따르면 유방암의 첫 수술 후 재발되기까지의 무병기간은 매우 중요한 예후인자이다. 무병기간을 2년 기준으로 나누어 보았을 때 2년 이후 재발한 군의 생존기간의 중앙 값은 44개월이었으나 2년 이내 재발은 26개월에 불과하였다. 국내자료에 따르면 우리나라의 유방암 치료 후 5년 상대 생존율은 1996~2000년에는 83.2%였으나 2001~2005년은 88.5%, 2008~2012년은 91.3%로 계속 증가세를 보였으며[71] 이는 미국 89.2% (2004~2010년),[72] 캐나다 88% (2006~2008년), 일본 89.1% (2003~2005년) 등에 비하여 앞선 수치였다. 이는 유방암 검진의 활성화에 따른 암 조기발견과 치료 수준의 향상에 기인한 것으로 분석되었다.

1979년 Langlands, A. O.는 3,878명의 유방암 환자를 20년간 추적 관찰하여 환자의 사망률을 같은 연령대의 표준 인구의 예측사망률과 비교한 결과 치료 후 15년까지 유방암 환자의 사망률이 표준 인구의 예측 사망률보다 지속적으로 높음을 보고하였다. 이를 통해 유방암의 치유를 판정하기 위해서는 최소 15년 이상의 장기적인 추적 관찰이 필요함을 알 수 있다.[73]

치료

유방암의 치료는 주로 수술적 요법이 1차 치료이며 수술 후 정해지는 병기에 따라 항암 화학요법, 방사선요법, 호르몬 요법 등이 보조치료로 사용된다.

1) 수술적 치료

① 근치 유방 절제술(radical mastectomy)

근치 유방 절제술이란 유방 전체, 가슴의 근육, 액와부 림프절과 주위의 지방 조직, 피부 등을 하나의 구획으로 제거하는 수술 방법이다. 19세기 말 Halsted 등이[74] 처음 소개 한 이후 70여 년간 유방암의 표준 수술방법으로 시행되어 왔으나 최근에는 거의 시행되 고 있지 않다.

② 변형 근치 유방 절제술(modified radical mastectomy)

대흉근이나 근막에 침윤이 없는 경우 시행할 수 있으며,[75] 변형 근치 유방 절제술은 현 재 수술이 가능한 유방암을 치료하는 데 가장 흔하게 시행되는 술식으로 유방 전체, 액 와부의 림프절, 가슴 근육의 막을 제거하나 가슴 근육 자체는 보존된다. 이렇게 대흉근 이 보존되면 가슴 부위가 움푹 들어가지 않아 비교적 정상에 가까운 모습을 유지할 수 있으며, 견갑부 주위의 근육을 보존하여 향후 유방 재건술을 시행하는 데 유리하다.

③ 전 유방 절제술(total mastectomy)

전 유방 절제술의 경우 유두-유륜 복합체를 포함한 유방의 전체가 제거되나 림프절과 주위의 근육은 보존된다. 적응증은 유방 크기에 비해 상대적으로 종양의 크기가 큰 경 우, 다발성 종양인 경우, 광범위 미세 석회화가 동반된 경우, 국소 절제술을 2회 이상 시 행하였음에도 절제연이 양성인 경우, 방사선요법이 금기인 경우(임신, 교원 혈관 질환, 흉부에 방사선요법을 시행한 과거력이 있는 경우)에 해당한다.[76]

④ 유방 보존술(breast conserving surgery)

유방의 형태를 보존하면서 일차적인 종양 조직을 제거하는 방식으로 부분 유방 절제술, 종괴 절제술 등이 포함된다. 종양을 둘러싸고 있는 정상 조직을 1~2cm 가량 붙여 절제 하나 실제 조직학적으로는 1mm 정도의 여유 변연만 있어도 충분하다.[77] 피부 절개는 종양의 바로 표층에서 시행한다. 추가적인 액와부 횡절개를 시행하여 감시 림프절이나 액와부 림프절 절제를 시행할 수 있다. 유방 보존수술 후에 보존된 나머지 유방에서 국 소 재발 방지를 위하여 방사선치료를 하게 된다.[78]

* 유방 보존술의 단점[79]

i) 반복적 수술이 필요할 수 있다.
ii) 반복적 생검이 필요할 수 있다.
iii) 유방촬영술(mammograms)을 반복적으로 시행하여야 한다.
iv) 혈종, 장액종의 발생
v) 재발

vi) 추가적인 방사선치료가 필요할 수 있다.

vii) 가슴의 크기가 대칭적이지 못 한 경우가 많아 시각적으로 좋지 않다.

* 유방 보존술의 절대적 금기[80]

i) 한 측 가슴에 1개 이상의 병변이 발견된 경우

ii) 비교적 작은 가슴 크기에 큰 종양이 발생한 경우

iii) 유방이나 흉벽에 이전 고용량 방사선치료를 받은 과거력이 있는 경우

iv) 방사선치료를 원치 않는 경우

v) 임신 1기 또는 2기

vi) 유방촬영술에서 악성으로 의심되거나 악성이 명백한 미만성 미세 석회화 병소가 있는 환자

vii) 생검 결과 절제연이 양성인 경우

⑤ 액와 림프절 절제술(axillary lymph node dissection)

액와 림프절을 절제하는 주 이유는 적절한 병기 결정을 하여 향후 치료 방침을 정하기 위해서이다. 이를 위해서는 10개 이상의 충분한 림프절을 얻어야 하며, level I(액와 혈관의 원위부와 소흉근 외측)과 level II(소흉근 하방)의 림프절 절제가 권장된다. 수술 시 level I이나 level II의 전이가 확인된 경우에는 level III(소흉근 내측 림프절군)의 림프절 절제가 필요하다.[81] 변형 근치 유방 절제술을 시행할 때는 별도의 피부 절개가 필요하지 않으나 이외의 경우에는 액와 피부 주름에서 2cm 아래의 피부선을 따라 평행하게 절개하고 앞쪽은 대흉근 외측 가장자리 뒤, 뒤쪽은 광배근의 외측 가장자리 앞까지 시행한다. 길이는 액와의 너비에 따라 결정하고, 팔을 몸 쪽으로 붙였을 때 절개선이 보이지 않도록 한다.

⑥ 피부보존 유방 절제술(skin-sparing mastectomy)

피부보존 유방 절제술은 1962년 Freeman에 의해 처음 시도되었고, 1991년 Toth와 Lappert에 의해 정의 및 기본 개념이 정립되었다. 피부보존 유방 절제술은 대부분의 피부 및 피하지방은 보존하면서 유두-유륜 복합체와 피하지방 아래의 유방 실질은 모두 제거한다. 이는 수술 후 피부 괴사의 방지를 위해 피하지방과 유방 실질과의 경계를 따라 시행하여 불필요한 피하지방의 제거 없이 최소 두께의 피하지방을 남기고 유방 실질을 모두 제거하며 이는 피하지방을 충분히 남기는 것과 피부를 더 많이 남긴다는 것 외에는 변형 근치 유방 절제술과 크게 다르지 않다. 변형 근치 유방 절제술에 비해 가장 큰 이점은 유방 실질을 싸고 있는 피부 및 피하지방과 유방하단 주름선(inframammary fold)의 보존 후 즉시 유방 재건술을 시행함으로써 보다 자연스럽고 미용적으로 우수한 유방 모양을 재건할 수 있다는 것이다. 피부보존 유방절제술은 유방암의 크기가 5cm 이하, 다발성 유방암, 넓은 부위의 관상피내암 또는 고위험 환자에서 예방적 유방절제술이 필요한 경우 고려할 수 있다.[82]

⑦ 유두-유륜 복합체 보존 유방 절제술(nipple-areolar complex conserving mastectomy)

유두-유륜 복합체를 보존하면서 피부보존 유방절제술을 시행하는 수술법이다. 고식적

으로는 수술 전에 발견되지 않은 종양세포가 유두-유륜 복합체를 침범할 가능성이 높기 때문에 함께 제거하는 것이었으나 유두-유륜 복합체를 침범할 가능성이 높은 경우 즉, 원발 종양과의 거리가 가깝거나, 다발성인 경우, 조직 분화도가 나쁜 경우, 림프절 전이가 있는 경우, 크기가 큰 경우(2cm 이상) 등은 제외하는 것이 좋다. 아직까지는 연구기관에 따라 기준의 차이가 있으나 원발 종양의 크기가 3cm 이하로 작고, 원발 종양이 유두-유륜 복합체로부터 2cm 이상 떨어져 있거나, 림프절 전이가 없는 경우 등을 신중히 선별하여 안전하고 미용 효과가 뛰어난 유두-유륜 복합체 보존 유방 절제술을 시행할 수 있다.[83]

2) 항암화학요법(chemotherapy)

항암화학요법은 시행시기 및 목적에 따라 선행 항암화학요법, 보조 항암화학요법, 완화 항암화학요법으로 구분할 수 있다. 선행 항암화학요법은 술 전 암의 크기를 줄이거나 수술 시 절제 범위를 줄이기 위해 수술 전 시행하는 항암화학요법을 말한다. 보조 항암화학요법은 수술 후 재발 및 전이 방지를 위해 시행하는 경우이며, 완화 항암화학요법은 재발 및 전이 유방암 환자에게 완치보다는 증상을 완화시키는 목적으로 시행하는 치료를 뜻한다.

① 선행 항암화학요법(neoadjuvant chemotherapy)

선행 항암화학요법의 목적은 수술 전 항암제를 투여하여 암의 병기를 낮추어서 유방과 액와부의 수술범위를 줄이고 유방 재건 시의 위험요소를 피하고 유방 절제보다는 보존을 가능하게 하는 데 있다.[84] 또한 선행 항암화학요법을 시행하여 종양의 화학요법 감수성을 알아볼 수 있고 그에 의한 병리학적 완전 관해는 생존율을 향상시키는 예후인자로 사용될 수 있다. 하지만 무작위 연구에서는 선행 항암화학요법과 수술 후 시행하는 보조 항암화학요법의 사망률 차이가 없는 것으로 보인다.[85]

조기 유방암에서 선행 항암화학요법을 계획할 경우, 원발 종양 및 액와 림프절(전이가 의심되는 경우)에 대한 조직검사를 시행하는 것을 추천한다. 선행 항암화학요법 후에 육안으로 원발 종양을 발견할 수 없는 경우를 대비하여 항암화학요법 시작 전에 유방촬영술을 시행하는 등의 방법을 사용하는 것을 권장한다. 쓰이는 약제는 보조 항암화학요법의 항암제와 같다. HER2-negative인 경우에는 안트라사이클린(anthracycline) 계열 약제로 독소루비신(Doxorubicin)과 시클로포스파미드(Cyclophosphamide)를 사용한 후 탁센 제제를 사용하거나 안트라사이클린을 쓰지 않고 도세탁셀 (Docetaxel)과 시클로포스파미드 요법을 사용할 수 있다. 고위험(TNBC, node 양성, 호르몬 양성) 유방암에서는 안트라사이클린 및 탁센 제제 요법(예: AC-T 요법)이 좋다. HER-2 양성일 경우 보조 항암화학요법과 마찬가지로 트라스투주맙(Trastuzumab)을 포함한 병합요법을 고려해야 한다.[86]

염증성 유방암은 HER-2 양성인 경우가 많고 에스트로겐 수용체, 프로게스테론 수용체 음성의 빈도가 더 높고 예후가 불량하기 때문에, 반드시 복합요법(선행 항암화학요법, 수술, 방사선치료, 또는 호르몬 요법 등)의 치료를 시행해야 한다.[87]

항암화학요법에 사용되는 약제는 트라스투주맙의 포함 여부에 따라 구분할 수 있다. 트라스투주맙을 쓰지 않을 때는 아래의 요법을 사용한다.

① 도세탁셀 + 독소루비신 + 시클로포스파미드(Docetaxel + Doxorubicin + Cyclophosphamide, TAC)

② 용량 농축 독소루비신 + 시클로포스파미드(Doxorubicin + Cyclophosphamide, dose-dense AC) 이어서 파클리탁셀(Paclitaxel)

③ 2주 간격으로 독소루비신 + 시클로포스파미드(Doxorubicin + Cyclophosphamide, AC) 이어서 매주 파클리탁셀(Paclitaxel)

④ 도세탁셀 + 시클로포스파미드(Docetaxel + Cyclophosphamide, TC)

⑤ 독소루비신 + 시클로포스파미드(Doxorubicin + Cyclophosphamide, AC)

⑥ 5-플루오오우라실 + 독소루비신 + 시클로포스파미드(5-Fluorouracil + Doxorubicin + Cyclophosphamide, FAC/CAF)

⑦ 시클로포스파미드 + 에피루비신 + 5-플루오로우라실(Cyclophosphamide + Epirubicin + 5-Fluorouracil, FEC/CEF)

⑧ 시클로포스파미드 + 메토트렉세이트 + 5-플루오로우라실(Cyclophosphamide + Methotrexate + 5-Fluorouracil, CMF)

⑨ 독소루비신 + 시클로포스파미드(Doxorubicin + Cyclophosphamide, AC) 이어서 3주 간격으로 도세탁셀(Docetaxel)

⑩ 독소루비신 + 시클로포스파미드(Doxorubicin + Cyclophosphamide, AC) 이어서 3주 간격으로 파클리탁셀(Paclitaxel)

⑪ 에피루비신 + 시클로포스파미드(Epirubicin + Cyclophosphamide, EC)

⑫ A → T → C (Doxorubicin 투여 후 Paclitaxel 이어서 Cyclophosphamide) 2주마다 필그라스팀(filgrastim) 보조요법

⑬ 5-플루오로우라실 + 에피루비신 + 시클로포스파미드(5-Fluorouracil + Epirubicin + Cyclophosphamide, FEC) → 도세탁셀(Docetaxel)

⑭ 5-플루오로우라실 + 에피루비신 + 시클로포스파미드(5-Fluorouracil + Epirubicin + Cyclophosphamide, FEC) 이어서 매주 파클리탁셀(Paclitaxel) 등

트라스투주맙을 포함할 경우에는 아래의 요법을 사용한다.

① 독소루비신 + 시클로포스파미드(Doxorubicin + Cyclophosphamide, AC) 이어서 도세탁셀(Docetaxel) + 동시 트라스주맙(Trastuzumab)

② 도세탁셀 + 카보플라틴 + 트라스트주맙(Docetaxel + Carboplatin + Trastuzumab, TCH)

③ 도세탁셀(Docetaxel) + 트라스주맙(Trastuzumab) 이어서 5-플루오로우라실 + 에피루비신 + 시클로포스파마이드(5-Fluorouracil + Epirubicin + Cyclophosphamide, FEC)

④ 독소루비신 + 시클로포스파미드(Doxorubicin + Cyclophosphamide, AC) 이어서 도세탁셀(Docetaxel) + 트라스주맙(Trastuzumab) 요법 등

② 보조 항암화학요법(adjuvant chemotherapy)

보조 항암화학요법은 수술 후 추가되는 항암화학요법으로 전이 위험성이 있거나 재발의 확률이 높을 때 시행할 수 있다. 유방암의 단계와 호르몬 수용체, HER-2 유무에 따라 권고되는 치료에 차이가 있다.

비침습 유방암인 관상피내암과 소엽상피내암은 타목시펜으로 호르몬 요법은 가능하나 항암화학요법은 시행하지 않는다.[88]

조기 유방암은 예후가 양호한 조직학적 아형(tubular carcinoma, colloid carcinoma)일 경우에는 호르몬 수용체 여부와 같이 생각해야 한다. 호르몬 수용체 양성에서 림프절 전이가 없거나, 림프절 미세침윤이면서 크기가 1cm 미만이면 보조 치료가 필요 없다. 종양의 크기가 1~3cm 이면 호르몬요법을 고려할 수 있고 3cm 이상이면 보조 호르몬요법을 시행한다. 호르몬 수용체 양성에서 림프절 전이가 있으면 보조적 호르몬 치료를 시행하고 보조 항암화학요법을 고려할 수 있다. 호르몬 수용체가 없는 경우에는 일반적인 조직형(ductal, lobular, mixed or metaplastic)에서 호르몬 수용체 없는 경우의 원칙에 맞추어서 시행한다.[89]

일반적인 조직형에서는 림프절이 음성이거나 미세침윤일 경우와 림프절 양성 여부에 따라 항암화학요법의 기준이 달라진다. 우선 림프절 전이가 양성인 경우 보조 항암화학요법을 실시하는 것이 원칙이다. 그러나 림프절 음성이거나 림프절 미세침윤(2mm 이하)인 경우는 종양크기에 따라 달라진다. 종양 크기가 0.5cm이거나 조직 미세침윤(1mm 이하)에서 림프절 전이 음성에서는 더 이상 치료가 필요없으나 림프절의 미세침윤(2mm 이하)에서는 항암화학요법을 고려할 수 있다. 종양의 크기가 0.6~1.0cm인 경우에는 항암화학요법을 고려할 수 있다. 종양 크기가 1.0cm 이상이면 보조 항암화학요법을 시행한다.[90] HER-2 양성의 경우는 트라스투주맙 치료 대상이다. 트라스투주맙 사용 시 심장 독성의 증가가 보고되고 있어 적절한 평가가 병행되어야 한다. 국소진행 유방암은 선행 항암화학요법을 시행한 경우 계획된 투여 주기가 수술 후에 남아 있으면 이를 완료하도록 한다. 약제 선택은 안트라사이클린(anthracycline) 기반 요법이나 안트라사이클린 제제와 탁센 제제 병합요법을 선택하는 것이 권장된다. 에스트로겐 수용체 음성 또는 호르몬 수용체 저발현 유방암과 HER-2 과발현 유방암은 우선적으로 안트라사이클린과 탁센 제제의 병합요법(순차적 요법 또는 병합요법)을 선택하는 것이 권장된다. 12-14 HER-2 과발현 유방암에서 림프절 양성이거나, 림프절 음성이면서 고위험군인 경우, 항암화학요법과 동시에 1년 동안 트라스투주맙을 투여하는 것이 권고된다.[91]

③ 완화 항암화학요법(palliative chemotherapy)

완화 항암화학요법은 재발 및 전이 유방암 환자를 대상으로 한다. 병의 완치보다는 증상의 감소와 예방, 생명을 연장시키고 삶의 질을 향상시키는 것을 목적으로 한다.

암으로 인해 수행 능력 상태가 저하된 경우 항암화학요법을 시행할 수 있으며 특히 뼈, 림프절, 피부에 전이된 경우 간이나 폐에 전이되었을 때보다 치료 반응이 좋다. 한 가지 약제를 사용하는 것보다 두 가지 이상의 약제를 병합하여 사용하는 것이 완화 항암화학요법에 적합한 것으로 보고되고 있다. 그러나 병합요법은 단일 약제를 순차적으로 사용하는 것보다 독성이 심하게 나타나나 생존율에는 큰 차이가 없다.[92] 단독요법으로 많이 사용하는 항암제에는 독소루비신(Doxorubicin), 에피루비신(Epirubicin), 파클리탁셀(Paclitaxel), 도세탁셀(Docetaxel), 카페시타빈(Capecitabine), 비노렐빈(Vinorelbine), 젬시타빈(Gemcitabine) 등이 있다.

병합요법 항암제로는 아래의 요법을 사용한다.

① FAC/CAF (Cyclophosphamide + Doxorubicin + 5-Fluorouracil)

② FEC (5-Fluorouracil + Epirubicin + Cyclophosphamide)

③ AC (Doxorubicin + Cyclophosphamide)

④ EC (Epirubicin + Cyclophosphamide)

⑤ AT (Doxorubicin + Docetaxel/paclitaxel)

⑥ ET (Epirubicin + Docetaxel/paclitaxel)

⑦ CMF (Cyclophosphamide + Methotrexate + 5-Fluorouracil)

⑧ Capecitabine + Docetaxel/Paclitaxel

⑨ Gemcitabine + Docetaxel/Paclitaxel

⑩ Vinorelbine + Docetaxel/Paclitaxel

⑪ Vinorelbine + Epirubicin

⑫ Vinorelbine + 5-FU

⑬ Gemcitabine + Vinorelbine 등

3) 방사선요법(radiation therapy)

방사선치료는 고 에너지를 이용하여 암세포를 파괴시키는 방법으로 수술적 치료와 함께 유방암의 국소적인 치료방법에 포함된다. 방사선치료의 목적은 유방 보존 수술이나 유방 절제술로 치료받는 환자의 수술 후 남아있는 종양을 제거하기 위한 것이다. 그렇게 하면 국소 재발의 위험이 감소하고 유방암 및 전체생존율이 향상된다.

일반적으로 수술 후 3~4주 경에 방사선치료를 시작할 수 있으며, 수술 후 최대 8주 이내에 방사선치료를 시행하는 것이 바람직하다. 항암화학요법을 받은 환자는 골수의 기능이 회복된 후 방사선치료를 시작하는 것이 좋고, 시기는 마지막 항암제 투여 후 3주 이후가 적합하며 가능한 4주 이내에 방사선치료를 시작해야 한다.[93]

2015년 Kunkler, I. H.은 65세 이상의 여성에서 임파선 전이가 없고, 병기 1기, 원발종양의 크기가 3cm 이하, 내분비적 치료를 받고 있는 호르몬 수용체 양성인 환자에서는 방사선치료를 시행하지 않아도 된다고 하였다. 이 군에서는 재발의 빈도가 낮기 때문이다.[94]

화학요법과 마찬가지로 조기유방암과 국소진행 유방암에 따라 치료를 구분할 수 있다. 조기 유방암에서 유방전절제술을 시행한 경우 절제 연이 양성이거나 1mm 미만으로 근접한 경우, 종양의 직경이 5cm 이상인 경우에 흉벽에 대한 방사선요법을 시행한다. 유방보존술을 시행한 경우에는 전 유방에 대한 방사선 치료가 필요하다. 분획선량은 1.8~2Gy로 하여 일주일에 5회, 총 45~50Gy를 조사한다. 이후 수술 전 종양의 위치로 범위를 감소시켜 분획선량은 그대로, 일주일에 5회, 총 10~15Gy를 추가 조사한다. 액와림프절에 1~3개의 전이가 있는 유방암에서는 쇄골상방 림프절 조사를 고려할 수 있다. 일부 예후가 좋은 환자군에서 수술 후 근접 방사선치료나 외부 방사선치료를 이용한 가속 저분할 부분 유방 방사선치료를 고려할 수 있다. 국소 진행 유방암 환자에서 선행 및 완화 목적의 방사선요법을 고려할 수 있다. 유방전절제술 시행 후 방사선 치료를 결정하기 위해 종양의 크기, 림프절 전이 상태 및 절제연상태를 고려해야 한다. 유방전절제술 후 액와림프절이 1~3개 양성일 경우 항암화학요법 후에 흉벽과 동측 쇄골상 림프절에 대한 방사선요법을 고려할 수도 있으나, 액와림프절이 4개 이상이면 항암화학요법 후 흉벽과 동측 쇄골상림프절에 대한 방사선요법을 시행해야 한다. 액와림프절 전이가 없더라도 종양 크기가 5cm 이상이거나 절제연이 양성인 경우 흉벽에 대한 방사선요법을 시행해야 하며, 이 경우 동측 쇄골상림프절에 대한 방사선요법을 함께 시 행할 수 있다. 내측이나 중앙에 위치한 유방암 환자와 액와림프절 전이가 있는 환자들 중 유방보존술이나 근치 유방절제술 후 내유림프절과 쇄골상림프절에 방사선치료를 받은 환자에서 방사선치료를 받지 않은 환자에 비해 무병생존율과 무원격 전이생존율이 유의하게 증가하여 사망률이 감소하고 전체생존율이 증가하였다.[95] 최근 보고에 의하면 유방전절제술 후 액와림프절에 전이가 있는 경우에 흉벽과 동측 부위 림프절에 방사선요법을 시행하면 국소 재발률을 낮추고 무병생존율과 전체생존율을 향상시킨다고 하였다. 유방보존술을 시행한 경우에는 남은 유방에 대한 전 유방 방사선치료와 추가조사 및 동측 쇄골상 림프절에 대한 방사선요법을 시행해야 하며, 범위는 유방전절제술과 마찬가지로 림프절 전이 상태에 따른다. 선행 항암화학요법을 시행한 경우 수술 후 방사선요법은 항암화학요법의 반응 정도와 무관하게 진단 시 임상적 병기상태에 따라 시행해야 한다.[96] 완화 요법으로 시행하는 방사선요법은 뇌 전이, 척수 압박, 뼈 전이, 동통을 유발하는 연부 조직 전이, 소화기 폐쇄, 요로 폐쇄, 담도 폐쇄, 기도 폐쇄, 조절되지 않는 암에 의한 출혈 등의 경우에 시행한다. 척수 압박이 있을 경우 방사선치료는 증상 완화 측면에서 수술과 동일한 효과를 가진다. 방사선치료 전에 보행 가능하고, 방광 또는 배변 기능을 유지하고 있던 경우에 결과가 좋다. 뼈 전이로 인한 통증 등의 증상에서 고식적 방사선치료는 매우 효과적이다. 단일 혹은 제한된 숫자의 뇌 전이가 있는 경우 외과적 절제수술 및 전뇌방사선치료 또는 방사선 수술(radiosurgery)을 시행한다. 다수의 뇌 전이가 있으면 뇌 전이로 인한 증상 완화를 목적으로 전뇌 방사선치료를 시행한다.

유방암에 대한 방사선치료 후 올 수 있는 부작용으로는 팔 부종, 팔신경얼기병, 어깨 기능장애, 방사선폐렴, 연조직괴사, 늑골골절, 심장질환 등이 있다. 과거보다 최근 방사선치료의 부작용은 많이 줄어 들었지만 여전히 부작용이 많이 존재한다. 1986년 Larson, D은 특히 팔부종은 20~25%의 발생빈도를 보이고 액와절제술만 시행했을 때 보다 방사선치료를 추가했을 때 발생빈도가 증가하므로 세심한 주의가 필요하다고 하였다.[97]

4) 표적치료(targeted therapy)

유방암을 조기에 진단 받았더라도 5% 환자에서 진단 당시 전이가 발견되고, 30% 환자들은 진단 당시 전이가 없었더라도 결국은 암의 전이 소견을 보이게 된다. 아직까지도 전이성 유방암의 확실한 치료법이 있지는 않지만 전신요법의 발전으로 생존기간의 연장이 확연히 나타나고 있다.

1987년 Slamon, D. J.는 HER2는 염색체 17q21에 위치해 있는 HER2 유전자에 의해 발현되는 185 kD의 세포표면 단백질로 유방의 상피세포에서 정상적으로도 발현된다고 했다. 악성 종양 중 특히 침윤성 유방암의 20~25%에서 HER2의 과발현을 보이고, 이러한 과발현은 빈번한 재발, 치료의 예후가 나쁘며, 일반적인 항암치료에 반응하지 않는다. 표적치료가 치료에 이용되는 HER2 양성의 전이성 유방암에서 HER2를 표적으로 하는 치료로 생존기간이 크게 연장되었기 때문에 HER2 양성 전이성 유방암 환자에서 초기 치료, 후속 치료로 추천될 수 있다.[98] 반면 HER2 과발현을 보이지 않는 환자에서는 이러한 표적치료가 별 이득이 없는 것으로 알려져 있다.

HER2 양성의 유방암에서 이용될 수 있는 HER2 표적치료제로는 다음 네 가지(trastzumab, pertuzumab, ado-trastzumab emtansine, lapatinib)가 있다. 표적치료에 대해 보다 구체적으로 보자면 대부분의 HER2 양성 유방암 환자에서는 HER2 표적치료와 항암화학요법을 시행하지만 호르몬 수용체가 양성일 경우 HER2 표적치료와 호르몬치료를 받을 수 있다. 특히나 다발성 전이가 없으며, 진행이 급격히 빠르지 않을 때, 증상이 있는 경우가 아닐 때는 HER2 표적치료와 항암화학요법에 비해 환자에 더 낮은 독성을 보여 이득이 될 수 있다. 2009년 7월부터 우리나라에서도 HER2 양성, 림프절 침범이 있는 침윤성 유방암 환자에서 보조항암화학요법과 더불어 트라스투주맙을 보조 요법으로 투여하는 것이 보험 적용이 가능하게 되었다. 또한 2010년 10월부터 림프절 전이가 없더라도 원발암의 크기가 1cm보다 큰 HER2 양성 유방암 환자에서 보조항암화학요법과 더불어 트라스투주맙을 보조 요법으로 투여하는 것이 보험 적용이 가능하게 되었다. 트라스투주맙의 투여 기간은 6개월 투여가 1년 투여보다 비열등함을 입증하지 못하였고, 1년과 2년을 비교한 연구결과 유사하여 현재 보조 요법으로서의 트라스투주맙은 1년을 투여하는 것이 표준치료이다.[99] 트라스투주맙의 특이한 부작용으로는 심 독성이 있는데 과거 심질환 혹은 고혈압이 있었던 경우, 나이가 65세 이상인 경우, 좌심실 구출률이 정상보다 낮은 경우에는 치료 시작 전 반드시 심장기능을 확인하고 치료 중 심장 기능의 추적 관찰이 필요하다고 하였다.[100]

5) 경과관찰(follow up)

최근 20~30년 동안 유방암의 발생은 지속적으로 증가하고 있지만 조기 발견과 일차 치료의 발전으로 과거에 비해 유방암 환자 생존율은 오히려 향상되었다. 2013년 기준으로 우리나라에서 147,000여 명의 유방암 유병자가 보고되었다.

문진과 신체 진찰은 유방암 재발을 추적하는 주요 수단으로 사용된다. 미국임상암학회(ASCO, 2015)의 권고 사항으로 유방암 환자는 1차 치료 후 첫 3년 동안 3~6개월마다, 다음 2년 동안은 6~12개월마다 추적 관찰이 필요하다.[101] 병력의 일반적인 구성 요소 외에도, 유방암 생존자는 전이성 질환뿐만 아니라 국소 재발의 증상을 확인해야 한다. 또한 병력에서는 가족력의 변화는 유전 상담과 관련하여 중요할 수 있고, 치료가 끝난 후에 발생할 수 있는 환자의 사회적 환경(파트너 상태, 일상 사건, 생활 습관 및 직업 문제 포함)의 변화가 포함되어야 한다. 전신 증상, 뼈의 상태, 호흡기계, 신경계, 위장관계, 생식기계, 내분비계 등의 계통이 포함하는 신체 전반에 대한 신체 진찰도 시행되어야 한다. 특히 유방, 흉곽, 겨드랑이 진찰이 필요하고 유방이 보존된 경우, 유방과 흉벽과 대퇴부측부 그리고 양측액와 및 쇄골 상부 림프절의 철저한 진찰이 필요하다.[102] 국소 재발의 증거로는 새로 발견된 덩어리가 있을 수 있고, 피부의 변화도 좋지 않은 소견이 된다. 따라서 유방 재건술의 유무와 관계없이 유방 절제술을 받은 여성의 경우, 절개 부위와 흉벽 주변 피부를 시진 등을 통해서 이상이 있는지 확인해야 한다. 정기적인 부인과적 추적 관찰은 전체자궁적출술을 받지 않은 환자에서 중요하다. 왜냐하면 타목시펜을 복용하고 있는 경우 자궁내막의 종양의 위험도를 증가시키기 때문이다.

유방암 환자의 영상학적추적의 한 방법으로 유방촬영술이 있다. 증거가 제한적임에도 불구하고, 유방보존술 또는 유방절제술 후 잔존 유방조직의 유방 X선 검사는 모든 연령대의 여성들의 사망률 감소와 관련이 있다. 추적 관찰 중 1년 이내에 유방 X선 검사를 받은 여성은 유방암으로 사망할 확률이 적게 나타났다. 또한, 유방촬영술은 반대쪽 유방암의 추적 관찰에도 용이하다. 장기간 추적 관찰이 필요한 여성의 경우 유방촬영술 검사를 매년 받아야 한다. 일반적으로 유방암 생존자는 일반 인구보다 고위험 여성이며, 유방촬영술을 통해 반대쪽 유방의 유방암을 발견하는 데 좋은 이점이 있다고 할 수 있다.[103]

유방암 생존자에게는 유방자기공명영상(MRI)이 일반적으로 권장되는 것은 아니다. 재발성 유방암을 진단하기 위한 유방자기공명영상의 민감도와 특이도는 유방촬영술에 비해 좋다. 또한 유방 유방자기공명영상은 BRCA 유전자 돌연변이가 양성인 가족력이 있는 경우에 재발성 질환의 위험이 높은 여성의 추적 관찰에 잘 이용된다.

유방암 환자의 추적 관찰의 일환으로 유방초음파 검사를 일반적으로 사용하는 것은 권장되고 있지 않다. 하지만 선별 유방촬영술에 유방초음파 검사를 추가한 결과 진단을 더 많이 할 수 있었다. 유방암의 재발을 선별하기 위한 종양표지자는 CA 15-3와 CEA가 유용하다.

유방암의 병력이 있는 여성의 경우 치료 후 골다공증의 위험도가 높아진다. 2008년 Pant S는 65세 이상의 여성, 60~64세 여성이지만 골다공증의 가족력이 있고, 몸무게가 70키로 미만인 경우, 외상으로 인한 것이 아닌 골절력 또는 다른 골다공증의 위험인자가 있는 경우는 골밀도검사를 권했다.[104]

BRCA 검사는 남성과 50세 이하 또는 유방암이나 난소암의 가족력이 강한 여성에게 특히 중요하다. 생활 습관 개선은 유방암 생존자의 육체 및 정신 건강을 증진시키고 질병 및 전반적인 사망률의 결과를 좋은 방향으로 향상시킬 수 있는 효과적인 방법이 될 수 있다. 운동, 비만 예방 및 알코올 섭취를 줄이는 것 생존자의 유방암 재발 및 사망 위험 감소와 관련이 있다고 하였다.[105]

6) 유방암 재발위험과 보조치료
(risk of breast cancer recurrence and adjuvant hormone therapy)

유방암 중 60~75%는 에스트로겐 수용체 양성 종양으로서 다른 암에 비해 상당한 시간이 지난 후에도 재발되는 특성을 보인다. 따라서 이들 환자에서 보조요법으로 선택적 에스트로겐수용체조절제(selective estrogen receptor modulator, SERM)인 타목시펜이나 방향화효소억제제(aromatase inhibitor, AI)가 재발 억제를 위해 사용되곤 한다.

타목시펜은 액와림프절 침범에 상관없이 침윤성 유방암 환자에서 5년간 사용 시 생존율을 향상시키는 결과가 발표되면서 보조치료제로 꾸준히 사용되어 왔다. 타목시펜은 에스테로겐의 출처에 상관없이 유방 조직에서는 에스트로겐 수용체에 억제제(antagonist)로 작용하여 유방암의 재발을 막지만 자궁 내막에서는 에스트로겐 수용체 작용제로 작용하여 자궁내막암의 위험을 증가시키고 에스트로겐과 같이 혈전증의 위험을 증가시킨다.

이후 AI가 개발되었는데 AI는 유방조직에서 에스트로겐 생성을 억제하는 원리로 작용하여 폐경 후 환자에서는 타목시펜에 비해 AI가 재발 억제 및 전체생존율 향상에 우월한 결과를 보인다.[106] 따라서 유방암 환자에서 폐경 여부와 약제 순응도에 따라 타목시펜, AI가 순차적으로 사용되어 왔다.

최근엔 타목시펜을 10년까지 연장하여 사용할 경우 5년 사용 시보다 재발률이 적고 생존율이 증가하는 결과를 보이고 타목시펜 사용 후 AI를 추가로 5년간 사용하면 무병생존율이 증가하는 결과[107] 등이 발표되면서 미국임상암학회 가이드라인에서도 장기 보조 요법에 대한 지침을 언급하였다(표 20-11).[108]

임신 관련 유방암

임신과 관련된 유방암은 임신 기간, 출산 첫 해 또는 수유 중 진단받은 유방암으로 정의된다.[109] 임신 중에 발생하는 유방암은 모든 치료계획에서 산모와 태아의 안녕이 고려되어야 하기 때문에 임상적으로 어렵다. 발생빈도는 임신과 동반된 악성 종양 중 자궁경부암 다음으로 흔하며 약 3,000명 내지 10,000명의 임산부 중 1명 정도로 발견된다고 한다. 30세 미만의 여성에서 유방암의 최대 20%는 임신과 관련이 있지만, 50세 미만의 여성에서 진단된 유방암의 5% 미만이 임신 중이거나 산후기간에 발견된다. 임신과 관련된 임신성 유방암은 비교적 드물고. 출산 10만 건당 약 15~35건이며 임신 초기에 유방암이 진단된 사례는 거의 없다. 일상 생활 및 식습관의 변화, 그리고 우리나라에서 첫 결혼 연령대와 출산 연령대의 증가로 임신 중 또는 수유기의 유방암이 발견되는 빈도가 늘어났다. 또한 유방암에 대한 일반인의 인식이 높아지면서 젊은 연령의 집단에서 유방촬영이나 유방초음파 등의 진단방법을 활용함에 따라 발견율이 증가하는 것으로 생각된다.[110]

표 20-11. 호르몬 수용체 양성인 초기 유방암이 있는 폐경 후 여성에 대한 미국임상암학회의 업데이트 권고안

1. 림프절 음성의 유방암을 가진 많은 여성들은 방향화효소 억제제(aromatase inhibitor, AI)의 잠재적인 후보자들이며, 확립된 예측 변수를 이용한 재발 위험의 고려에 기초하여 총 10년의 보조적 내분비 치료 기간 동안 확장된 방향화효소 억제제 치료를 제공할 수 있다. 그러나, 재발 위험이 낮기 때문에 이런 환자들의 이득은 더 좁아질 가능성이 높다. 저위험이면서 림프절 음성인 종양을 가진 여성은 일상적으로 확장 치료를 받아서는 안 된다.

2. 림프절 양성인 유방암을 앓고 있는 여성에게는 최대 10년간 연장된 방향화효소 억제제 치료법을 제공해야 한다.

3. 연장된 보조 내분비 요법을 받는 여성은 전체 치료 기간이 10년 이하이어야 한다.

4. 2차 또는 반대편 유방암의 예방이 확장된 방향화효소 억제제 치료의 주요 이득이므로, 연장된 치료를 시행하기 위해서는 이전 치료에 기초한 2차 유방암의 위험(또는 그렇지 않은 경우)에 대해 알려야 한다.

5. 확장 치료는 지속적인 위험과 부작용을 수반하며, 이는 임상 팀과 환자 간의 공유된 의사결정 과정에서 장기 치료의 잠재적인 절대적 편익에 무게를 두어야 한다.

임산부의 유방암의 대부분은 비임신부 여성처럼 침윤성 유선암이다. 그러나 임신과 관련된 유방암은 주로 분화도가 좋지 않고 병이 진행된 상태에서 진단되는데 이것은 특히 수유하는 시기에 진단된 사람들에서 흔하다. 또한 임신과 관련된 유방암 여성은 병기, 진단, 치료, 예후가 너무 다양하다.

임신과 함께 생리가 멈추게 되면 에스트로겐, 프로게스테론, 프로락틴의 혈중 농도가 상승하고 이러한 변화에 의해 유방 역시 커지고 멍울지게 되어 압통이 생기게 된다. 임신과 수유기간 동안 치밀유방의 정도가 심해져서 유방암 초기 변화를 놓치기도 한다.[111]

임신이 진행함에 따라 유방은 생리적인 변화로 인해 단단해지고 증대되며 결절이 많아져 유방 종괴를 촉진하기 어려워진다. 보통 임신을 하면 대부분 유방촬영술과 같은 검진 등을 출산 이후로 미루게 되므로 비촉지성 유방종괴는 잘 발견되지 않아 임신 관련 유방암은 비임신 시에 비해 진행된 경우가 많고 예후도 나쁜 것으로 나타난다.

임신과 관련된 유방암의 진단과 병기 설정을 하는 것은 임신과 수유에 관련된 유방의 생리적 변화와 태아에 대한 방사선 노출을 제한하려는 욕구 때문에 어렵다. 또한 임신과 관련된 유방의 생리학적 변화는 신체검사뿐만 아니라 결과의 해석을 어렵게 만들고, 유방 조영술의 유용성을 제한하기도 한다. 임신 관련 유방암은 2개월 이상 지연된 후 주로 무통성 종괴로 진단되며 90%에서 자신이 발견한다. 유방암의 진단은 가능한 빨리 해야하는 데 종괴가 만져지는지, 유두나 피부의 함몰, 피부변화 액와부 림프절 종대여부를 지속적이고 정기적으로 확인해야 한다. 임신과 수유기간 중에 유방병변을 진단할 수 있는 방법으로는 방사선과적 진단방법인 유방촬영, 유방초음파와 외과적 생검이 있다.

유방 조영술은 임신 시 금기 사항이 아니고 복부 차폐를 한 경우 태아에게 피폭되는 방사선량은 무시해도 좋을 정도로 적다. 임신 수유 중이거나 수유중인 유방은 수분 함

량 증가, 밀도 증가, 대조 지방 손실로 인해 유방 조영감도는 떨어진다. 그럼에도 불구하고 유방 조영술은 임신과 수유 중에 유방암 진단에 충분히 유용한 검사이다.[112]

그에 비해 유방초음파는 민감도와 특이도가 높고 방사선 조사의 위험도가 없어 안전하며 임신과 수유기간 등에서와 같이 조직의 밀도가 증가되어 있는 상태에서도 진단이 가능하므로 최근 임신과 수유 시 유방암의 진단에 많이 사용되고 있다. 이는 또한 유관 증대의 소견을 병변부와 구별하여 확인할 수 있고 병변이 있는 경우 낭성 병변과 고형성 병변을 쉽게 구분할 수 있어 진단에 도움이 된다. 가장 먼저 시행해야 하는 일차적인 진단 도구이다. 유방 자기 공명 영상(MRI)은 임신 또는 수유 중인 여성의 유방 종괴 진단을 위해 체계적으로 연구되지 않았으며 유방의 임신 변화에 대한 해석이 어려워 진단에 흔히 사용되지는 않는다. 임상적으로 의심되는 유방 덩어리는 임신 여부와 유방 X선 검사 또는 초음파 소견에 관계없이 확진 진단을 위해 생검이 필요하다.[113] 조직검사로 세침흡입검사를 시행할 경우 위양성 및 의음성의 빈도가 임신 중 유방에서 더 높아지는 관계로 권고되지 않으며,[114] 국소마취하에 중심부침생검이 우선적으로 권고된다.

생검은 부분마취하에서도 시행할 수 있으나 임신 중에는 유방의 혈관분포가 증가하므로 생검 후 철저하게 지혈을 하여야 하며 모유는 세균이 자라기 좋은 영양분이 되므로 생검 후 감염 예방에 유의하여야 한다. 임신과 관련된 유방암은 비임신기 유방암에 비해 처음 발견 당시 진행된 병기를 보인다. 이처럼 임신과 관련된 유방암 환자에서 진행된 병기의 환자가 많은 것은 임신기의 유방암 자체가 좀더 침윤적인 양상 때문인지 진단의 지연으로 인한 것인지, 또는 이 두 가지가 모두 병합되어 작용하기 때문인지에 대해서는 아직 밝혀지지 않았다.

타 장기 전이가 의심되는 경우에는 우선 흉부 X-선 촬영은 적절한 복부차폐를 하였을 때 태아노출에서 안전한 검사이다. 복부 컴퓨터 촬영과 양전자방출단층촬영은 금기이며 이를 대신해서 복부 초음파가 안전한 검사이다. 전이에 대한 검사는 태아에 미치는 영향을 고려하여 제한된 범위 내에서 시행해야 한다. 자기공명영상은 간, 뇌 등의 전이가 있는 경우 매우 유용한 방법이다. 그러나 자기공명영상은 방사선은 없으나 임신 관련 유방암의 진단에는 제한점이 있으며 위험성보다 이득이 확실할 때만 이용될 수 있다. 골 전이가 의심될 때는 골주사 검사와 자기공명영상을 이용할 수 있다. 골스캔에 대해서는 아직 만족할 만한 연구가 없다.

한 연구에서는 40세 이하 유방암 환자 292명을 조사한 결과 *BRCA1/2* 유전자의 생식세포 돌연변이를 가진 산모가 임신 중 유방암을 일으킬 가능성이 크다고 하였다. 많은 연구에서 임신 관련 유방암의 경우 호르몬 수용체 양성을 보이는 경우가 적어서 에스트로겐 수용체는 31~44%에서 프로게스테론 수용체는 24~29%에서 양성을 보인다.

임신기 유방암의 치료 목적은 유방암의 국소재발 방지와 원격 전이 예방 등 일반유방암과 동일하다. 다만 태아에 대한 부작용과 수유의 영향 때문에 몇몇 치료 방침이 제한되거나 수정될 수 있다.

임신 중 유방암의 마취와 수술은 적절한 태아 감시와 혈전예방에 주의한다면 대체로 안전하다. 임신 20주 이후에는 수술대에서 환자의 자세를 왼쪽 외측으로 하는 것이 좋고 임신 24주 이후에는 수술 중 태아 모니터링이 중요하다.[115] 임신 중에는 임신주수가 치료에 상당히 영향을 미친다. 임신 전반기에 진단되는 유방암의 경우 유방전절제술이나 임신 중단 등의 고려가 권고될 수 있다. 그러나 임신 후반기에 진단된 경우에는 방사선치료 지연기간이 짧아서 거의 문제가 되지 않는다. 일반적으로 병기 I, II기의 경우 임신 제1, 2삼분기에는 전유방절제술을 시행하고 임신 말기(3rd trimester)에는 유방보존술을 시행할 수 있다. 병기 III, IV기의 경우에서는 임신 초기에서는 치료적 유산 후 유방암 치료가 원칙이며 말기에서는 조기분만 후 치료가 원칙이나 중기에서는 산모의 상황을 고려하여 환자와 상의 후 치료 방향을 결정하게 된다.

항암화학요법은 첫 임신 1기 임신 14주 이내에서는 절대 금기이다. 태아 기관이 발달하는 이 시기에 항암화학제에 대한 안전성은 입증되지 않았다. 또한 유산위험성도 이 시기에 가장 높다. 임신 관련 유방암에 사용되는 항암제의 기전은 세포 분화를 억제하는 데 있기 때문에 산모뿐 아니라 태아에도 영향을 미쳐 자연 유산, 기형 유발, 장기 손상이나, 지연성 성장 발육 부전, 성선 장애 등의 부작용을 야기할 수 있다. 따라서 항암화학요법은 임신 중기 이후에 사용하여야 하며 임신 중절은 임신 초기에 항암화학요법이 필요하거나 급속히 진행하는 중증 암인 경우에만 선택적으로 시행한다. 하지만 대부분 항암제가 모체 태반을 통과하고, 태아의 신장이나 간은 빨리 항암제를 대사, 배출시킬 수 없기 때문에 분만 1개월 전에는 항암치료를 피하는 게 좋다고 한다

태아에게 최소한의 영향을 미치는 치료 방식을 택해야 한다. 임신기 유방암의 진단과 치료는 일부 제한이 있기는 하나, 임신과 관련없는 일반 유방암의 표준치료와 최대한 같은 양식으로 시행되어야 한다. 그러나 방사선요법은 물론 타목시펜, 표적치료제 등은 임신 중 금기 약물이다. 치료 지연은 전체적인 예후에 영향을 미칠 수 있다. 그러나 이를 이유로 임신중절을 권고할 수는 없다.[115]

임신 중단의 결정은 환자 스스로의 결정에 의하여야 한다. 수유 기간에 암이 발견되어 유방암 진단과 수술이 예정되어 있다면 수유 중단을 권고한다. 임신을 중단한다고 해서 임신 중 유방암의 예후가 좋아진다는 보고는 없다. 젊은 유방암 환자와 비교하여 임신기 유방암의 5년 무병생존율과 전체생존율은 큰 차이가 없다.[116] 유방암을 앓고 있는 임산부 치료에는 산부인과 의사와 종양 전문의가 임신을 신중하고 지속적으로 모니터링해야 한다.

유방암 생존자의 부인과적 처치

유방암 환자들은 치료과정에서 무월경이나 조기폐경을 겪게 되는 일이 많고 이로 인한 여러 가지 합병증을 경험하게 된다. 일반적으로 젊은 여성이 조기폐경을 겪거나 항암제로 인해 장기간의 무월경을 보이는 경우 골다공증이나 기타 합병증의 예방을 위해 호르몬 치료가 권장되곤 하나 유방암 환자에서는 호르몬 치료가 금기이기 때문에 적절한 치료를 해주기가 힘든 경우가 많다. 그리고 무월경이나 조기폐경 외에도 유방암 환자들은

수술 후 타목시펜(Tamoxifen)이나 아로마타제 억제제(aromatase inhibitor, AI)를 쓰면서 여러 가지 부인과적 문제에 직면하게 되는데 이들 문제에 대해 알아보고 가능한 해결책을 찾아보고자 한다.

1) 무월경(amenorrhea)과 조기폐경(premature menopause)

유방암 환자들은 항암치료 과정에서 무월경을 겪게 되는 경우가 많은데 무월경을 나타내는 빈도는 약제의 종류나 사용량, 환자의 나이에 따라 달라진다. 연구에 따라 무월경을 항암치료 시작 후 3개월, 혹은 6개월, 12개월간 생리가 없었던 것으로 정의하여서 그 빈도는 정의에 따라 달라지는데, 사용한 항암제나 용량, 주기 수, 환자의 나이에 따라서도 달라지지만 그 빈도는 많게는 85%까지 보고되고 있다.[117] 무월경이 12개월 이상 지속되고 혈중 FSH가 30mIU 이상인 경우는 조기폐경으로 정의하기도 하는 데 유방암 환자들에서의 조기폐경은 항암치료 후 나이가 젊을수록 다시 생리가 돌아오는 경우가 많아 조기폐경 보다는 약물유발성 무월경 혹은 항암치료 유발성 난소부전으로 표현되기도 한다.

항암치료는 암세포에 대한 직접적인 작용 외에도 무월경을 유도함으로써 호르몬 수용체 양성인 유방암의 재발을 막는 효과를 가지는 것으로 알려져 있다. 실제로 항암제 사용 후 무월경이 유발된 환자에서 예후가 더 좋다는 연구들도 있다.[117]

타목시펜 자체는 무월경을 일으키는 것으로 보이지는 않으나, 항암제 사용 후 타목시펜을 사용하는 여성에서는 무월경이 더 많이 나타나는데,[118] 그 기전은 명확히 알려져 있지는 않고 타목시펜이 시상하부-뇌하수체에 작용하는 되먹임체계(feedback system)에 영향을 주기 때문일 것으로 추측된다.

최근엔 유방암 환자에서 BRCA 돌연변이 검사를 하는 경우가 있는데 *BRCA1* 돌연변이가 있는 여성은 무월경의 빈도가 높고 난소기능도 저하된 경우가 많다고 보고된다.

2) 질 건조증(vaginal dryness)

유방암 환자에서 흔히 문제가 되는 갱년기 증상 중 하나는 위축성 질염이나 질건조증이다. 특히 우리나라는 유방암이 미국에 비해 상대적으로 젊은 여성에서 발병하는데 이들 젊은 여성에서 질건조증은 성생활에 지장을 초래하면서 삶의 질에 큰 영향을 주게 된다.

자궁이 있는 여성에서 경구 에스트로겐을 단독으로 0.3mg 정도의 낮은 용량으로 써도 기간에 비례하여 자궁내막암의 위험이 증가하는 것으로 알려져 있다. 하지만 질크림을 통해 에스트로겐을 단독으로 사용하는 것은 자궁내막암의 위험을 증가시키지 않고 초음파상의 자궁내막 두께나 자궁내막 생검 결과에 영향을 주지 않는 것으로 되어 있다. 마찬가지로 유방암 환자에서 낮은 농도의 에스트로겐 질크림을 사용하는 것은 유방암의 재발에 영향을 주지 않는다고 보고된 바 있으나 연구 규모가 작은 것이 한계이다.

실제로 매일 에스트라디올 100μg/day를 사용할 경우 경피로 사용하는 패취보다는 적지만 혈중 에스트라디올의 농도를 높이는 것으로 알려져 있으며 이러한 혈중 에스트라디올의 상승은 유방암 환자에서는 부담이 될 수 있다. 하지만 질위축증을 해소하기 위해서는 아주 적은 양의 에스트로겐으로 충분하여 10~25mg 정도의 용량으로 주 2회 사용 정도로도 증상의 호전을 가져오는데 이 정도의 용량은 혈중 에스트라디올의 농도를 유의하지 않은 정도로만 상승시킨다.[119] 따라서 보통의 윤활제로는 증상이 경감되지 않는 유방암 환자에서 충분한 설명과 동의 하에 조심스럽게 사용할 수도 있겠지만 아직 그 안전성에 대해서는 확신할 수 없다. 특히 AI를 사용하는 환자에서는 소량의 혈중 에스트라디올 농도 증가도 임상의에겐 부담으로 작용한다.

최근 AI를 사용 중인 유방암 환자를 대상으로 한 무작위배정연구에서 7.5μg/day 용량의 에스트라디올을 분비하는 질내 삽입링을 사용한 결과 혈중 에스트라디올의 농도가 올라가지 않고 질건조증이나 성기능이 향상되는 결과를 보였는데[120] 대규모의 장기간 추적 결과가 뒷받침되어야 임상 이용이 가능할 것이다.

질 윤활제의 경우 자주 사용하면 질 건조감을 60% 정도 경감시키고 성교통을 40% 정도 경감시키는 것으로 되어 있으므로 유방암 환자에서 이러한 문제는 일단 수용성 혹은 실리콘 기반 윤활제로 접근해 보는 것이 안전하다.[121]

3) 안면 홍조(hot flashes)

안면홍조는 유방암 환자들이 겪는 부인과적 문제 중 가장 흔하고 생활에 지장을 주는 증상으로서 타목시펜 사용 중 50~70%의 환자가 안면 홍조를 호소하곤 한다. 안면홍조를 가장 효과적으로 조절할 수 있는 방법은 여성 호르몬제 이지만 유방암 환자에서는 재발의 위험 때문에 금기이다.

유방암 환자에서 안면홍조에 대한 비호르몬 치료로서는 항우울제, 항경련제, 항고혈압제등이 연구된 바 있다. 하지만 이들 비호르몬 치료는 여성 호르몬 치료에 비해 갱년기 증상에 대해 효과가 약하다는 문제가 있다.

① 항우울제(antidepressants)

항우울제 약제는 중추 신경계의 세로토닌(serotonin)과 노어에피네프린(norepinephrne)의 농도를 변화시켜 동물 실험에서 체온조절 중추의 변화를 일으키는 것으로 알려져 있다. 열성홍조(hot flash)를 나타내는 여성에서 효과가 있다고 알려져 있으나 대부분의 연구들이 비교적 경중 열성홍조를 나타내는 여성을 대상으로 4주에서 6주간의 짧은 기간에 걸쳐 시행한 것이 한계다. 이들 항우울제 중 열성홍조에 대해 사용할 수 있는 약은 벤라팍신(venlafaxine), 파록세틴(paroxetine), 플루옥세틴(Fluoxetine)이 있는데 우울증 환자들에서는 이들 약제의 부작용으로 성욕의 감퇴가 나타나나 유방암 환자에서 사용 시에는 리비도의 증가가 관찰되었다. 하지만 파록세틴과 플루옥세틴의 경우 타목시펜이 대사되어 활성화되는데 작용하는 효소인 싸이토크롬(cytochrome) P450 (CYP) 효소의 활성을 낮출 가능성이 제기되기도 하므로 타목시펜을 사용 중인 환자에 대해서는 이에 대한 설명이 우선 되어야 한다.

i. 벤라팍신(venlafaxine, effexor®)

SNRI (serotonin and Norepinephrine reuptake inhibitor)로서 열성홍조에서는 37.5~75mg/day의 용량으로 사용하는 것이 권장되며 150mg/day까지 사용하는 경우도 있다. 1~2주 내에 열성홍조 감소 효과를 내고 부작용으로 오심(nausea), 구토(vomiting) 등의 소화기계 부작용이 가장 흔하여 5~10%의 여성에서는 이와 같은 부작용으로 약물을 끊게 되며 그 외에 구강 건조감, 식욕저하, 변비 등이 나타날 수 있다. 금기증으로는 마오 억제제(MAO inhibitor)를 복용하는 경우가 있고 경우에 따라 혈압이 올라가는 경우가 있으므로 주의해야 한다. 하지만 12주간에 걸친 장기간의 연구에서는 위약군에 비해 유의한 효과를 보기 어려웠다는 연구도 있다.[122]

ii. 파록세틴(paroxetine, Paxil®)

SSRI (selective serotonin-reuptake inhibitor)로서 12.5~25mg/day의 용량으로 사용하는 것이 권장되며 경증 열성홍조 환자에서 효과적인 것으로 보고된 바 있고 더불어 수면 장애 증상에 좋은 효과를 보일 수 있다. 금기증으로는 마오억제제(MAO inhibitor)를 사용하는 경우나 티오리다진(thioridazine)을 사용하는 경우이며 와파린을 사용 중인 환자에서는 주의를 요한다. 우울증 환자에서 사용 시 부작용으로는 무력증, 발한, 오심, 식욕저하, 졸리움, 불면증, 현기증 등이 있다.

iii. 플루옥세틴(fluoxetine, Prozac®)

SSRI로서 20mg/day의 용량으로 사용하는 것이 권장되며 경증 열성홍조 환자에서 효과적인 것으로 보고되었으며, 부작용과 금기증은 파록세틴과 같다.

② 가바펜틴(gabapentin)

항경련제로서 열성홍조에 작용하는 기전은 알려지지 않았으나 칼슘 조절기전에 기인한다고 생각된다. 시작용량은 300mg/day로 65세 이상 여성에서는 100mg/day의 낮은 용량으로 시작하여 증상이 조절되지 않으면 하루 3회 복용까지 900mg/day로 3~4일 간격으로 증량할 수 있다. 제산제를 복용할 경우 약물효과를 경감시키므로 2시간 이상의 간격을 두고 투약하도록 한다. 중등증 혹은 중증 열성홍조를 나타내는 여성에서 50% 정도 효과적인 것으로 보고된 바 있다. 금기증으로는 약물에 과민반응을 나타내는 환자가 있으며 부작용으로는 3,000~3,600mg/day의 고용량을 간질환자에서 사용할 경우 졸리움, 현기증, 운동실조, 피로, 안진(nystagmus) 등이 있다. 열성홍조 환자에서 사용할 경우 취침 전에 복용하여 현기증이나 어지러움을 방지할 수 있다.

항우울제와 가바펜틴을 함께 사용하여 안면홍조에 더 효과적인 결과를 보이기도 한다.[123]

③ 고혈압제(antihypertensives)

i. 클로니딘(clonidine)

알파-아드레날린 작용제(α-adrenergic agonist)로서 경증 열성홍조 환자에서 사용 가능하며 항우울제나 가바펜틴에 비하여 효과가 떨어진다. 0.05mg 하루 두 번으로 시작하여

0.1mg 하루 두 번까지 증량 가능하며 0.1mg/day 패취도 사용 가능하다. 용량 의존성 효과(dose-response effect)가 있어 0.4mg/day까지 사용해야 열성홍조에 효과가 나타나기도 한다. 투약을 중단할 때 나타날 수 있는 신경과민, 두통, 초조, 혼돈, 혈압의 급격한 증가 등을 방지하기 위하여 점차적으로 용량을 줄여야 한다. 37~46%에서 열성홍조를 경감시키는 효과가 있으나 수면장애, 구강건조감, 졸음, 변비, 패취 부위 가려움증 등의 부작용이 10~15%에서 나타날 수 있다.

ii. 메틸도파(methyldopa)

항도파민제(antiDopaminergic compound)인 메틸도파(Methyldopa)는 하루 500~1,000mg의 용량으로 열성홍조에 효과가 있다고 보고된 바 있다.[124] 금기증으로 마오억제제(MAO inhibitor) 사용자가 있으며 혈압을 낮추는 작용이 있으므로 주의해야 한다. 부작용으로 쿰즈검사(Coomb's test) 양성, 용혈성 빈혈, 간기능 장애 등이 나타날 수 있으며 고혈압 환자에서 사용 시 진정, 두통, 무력증, 부종, 체중 증가 등의 부작용이 알려져 있다. 상대적으로 두통 등의 문제시되는 부작용이 많아 열성홍조 환자에서의 사용은 권장되고 있지 않다.

④ 식물에스트로겐(phytoestrogen)

식물에스트로겐은 식물에 포함된 비스테로이드성 에스트로겐으로서 체내에서 대사된 후 에스트로겐과 유사한 물질로 변환되어 에스트로겐 수용체(estrogen receptor, ER)에 에스트로겐과 경쟁적으로 결합하여 에스트로겐과 같은 작용제(agonist) 효과를 내거나 때로는 길항제(antagonist) 효과를 내는 물질을 말한다. 에스트로겐 수용체에 대한 식물성 에스트로겐의 결합력은 에스트라디올(estradiol)의 1/100~1/1,000 정도인 것으로 알려져 있다. 에스트로겐 수용체에 대한 결합력은 낮지만 상대적으로 높은 농도로 존재하게 되는 경우 효과를 내게 된다.

결론을 먼저 말하자면 대개의 국제적 폐경 학회들은 식물 에스트로겐을 막연히 안전할 것이라 생각하고 유방암 환자와 같은 고위험 환자에서 사용하는 것은 바람직하지 않다고 권유한다.[125] 이는 대개의 식물 에스트로겐을 사용한 연구들이 제한점이 많기 때문이다. 대개의 연구가 적절한 대조군을 설정하지 않거나 제품 당 식물 에스트로겐의 함유량이 일정치 않고 연구 대상 환자의 선정 기준에 일관성이 없거나 대상 연구군 선정에 문제가 있는 경우가 많고 결과 측정 방법에도 문제가 있는 경우가 대부분이다.

열성홍조에 대한 식물 에스트로겐의 효과에 대해서는 역학적 연구로 식품을 통한 이소플라본(isoflavone)의 섭취가 많은 나라에서 열성홍조가 상대적으로 적게 나타난다는 보고가 있어 그 효과에 대해 기대를 갖게 했지만 건강한 폐경 여성을 대상으로 대두(soybean)나 적클로버(red clover)의 이소플라본이나 승마(black cohosh)를 이용하여 시행한 연구 결과는 실망적이었다. 결과적으로 40~80mg의 이소플라본을 쓸 경우 40~50% 정도 열성홍조 감소 효과가 있어 열성 홍조에 대해서는 경도 내지는 중등도의 효과를 보이는 것으로 평가되었는데 이는 대개의 호르몬 약제가 90%에서 열성홍조에 대해 효과를 내는 것에 비해 낮은 수치이다.

북미폐경학회(North American Menopause Society, NAMS)에서는 경증(mild)의 열성홍조 환자에서는 식물성 에스트로겐을 권유할 수 있다고 2004년 입장문(position statement)에서 언급한 바 있지만 유방암 등 고위험 환자에서 장기간 사용 시의 안전성에 대해서는 아직 연구가 없으므로 이들 환자에서 식물성 에스트로겐을 안심하고 사용할 수는 없는 상태이다.[125]

4) 난소낭종(ovarian cyst)

타목시펜을 사용하는 여성들에서 종종 난소낭종이 발견되곤 한다. 이들 환자에서의 난소낭종은 유방암의 난소 전이나 이중 원발암(double primary cancer)로서의 난소암과 감별 진단을 해야 하고, 양성일 경우도 염전이나 파열이 가능하여 임상의로 하여금 곤란을 겪게 한다.

유방암 환자에서 타목시펜을 3개월 이상 사용하면 위약군에 비해 유의하게 난소낭종의 빈도가 증가하게 되며 그 빈도는 전체적으로 19.3~25%, 생리를 하는 여성의 경우 43.8~80%, 생리를 하지 않는 여성의 경우 더 드물어 1.1~10%로 보고된다.[126] 대개는 나이가 젊고 타목시펜을 사용한 기간이 짧으면서 무월경이 된 지 1년 미만인 여성이 많고 이들 환자에서는 혈중 에스트라디올 농도가 높고 난포자극호르몬(follicular stimulating hormone, FSH) 수치가 낮은 경우가 많지만 생리를 하지 않는 상태인 환자에서는 에스트라디올의 농도가 높지 않은 경우가 많다. 대개 이런 환자에서 CA125는 정상이다.

타목시펜이 난소 낭종을 유발하는 원인은 아직 불명확하나 이들 환자에서 FSH, LH의 농도가 증가되어 있지 않은 경우가 많은 것으로 보아 타목시펜이 직접 난소를 자극하여 난소에서의 에스트라디올의 분비를 유도하는 것으로 추정되기도 한다.[126]

타목시펜 사용 중 난소 낭종의 크기가 크거나 증상이 있는 경우, 혹은 크기가 증가하거나 고형 성분이 있는 경우 수술을 시행하여 조직검사를 해보면 거의가 양성 종양이고 간혹 난소암이나 유방암의 난소 전이가 발견되는데, 특별히 타목시펜의 사용이 난소암의 위험을 높인다고 알려져 있진 않지만 이러한 환자를 예측할 수 있는 특별한 임상지표가 없다는 것이 문제이다. 이들 환자에서 GnRH agonist를 3~6주기 사용하여 난소 낭종의 소멸과 혈중 에스트라디올의 감소를 보고한 연구도 있고 낭종이 소실될 때까지 타목시펜을 중지하는 연구자들도 있으나 자연히 소실되는 경우가 많아 4~6개월 간격의 정기적 초음파 추적 관찰과 필요한 경우 수술하는 방법이 권유된다.[127]

5) 자궁내막 이상

1971년 소개된 타목시펜은 반대측 유방에서의 유방암 재발을 30% 감소시키고 재발률, 생존율을 향상시킴으로써 유방암 치료에서 널리 사용되게 되었다. 하지만 SERM 제제인 타목시펜은 자궁 내막에는 에스트로겐 작용제 작용을 나타내면서 자궁내막암의 위험을 2~3배가량 높이게 되는데 이러한 위험은 타목시펜을 끊은 후에도 감소하지 않아 발암기전에는 자궁 내막에 대한 에스트로겐 길항제 작용 외에 c-fos proto-oncogen, jun,

DNA-adducts, p53 overexpression, k-ras 등을 통해 작용한다고 보여 진다.[128]

자궁내막암의 위험은 타목시펜을 사용한 기간에 비례하며 환자의 나이나 혈중 타목시펜이나 그 대사물의 농도와는 상관없다고 알려져 있다. 이들 환자에서 발견된 자궁내막암은 분화도가 낮고 에스트로겐 수용체 음성인 경우가 많으며 2/3 가량의 환자에서는 나쁜 예후를 갖는 분화불량 자궁내막양 선암, 유두장액선암, 투명세포 암, 악성 혼합뮬러리안종양 등의 조직학적 형태를 보이는 경우가 상대적으로 많다.[128]

이들 환자에 대한 모니터링은 주로 질 초음파나 외래에서 시행하는 자궁내막생검, 혹은 자궁경을 통해 이루어진다. 이들 환자에서의 자궁내막 두께는 평균 10mm 정도로 나타나게 되고 초음파로 보이는 두께에 비해 실제로 자궁내막 생검을 해보면 조직이 거의 나오지 않으며 자궁경 소견으로는 위축된 자궁내막만이 관찰되게 된다.

초음파를 통한 검사가 다른 검사결과와 불일치되는 경우가 45~90%에 이르고 초음파를 통한 자궁내막의 두께가 3mm임에도 불구하고 자궁내막 출혈이 있는 여성에서 자궁내막암이 보고되는 등의 결과로 인해 1996년 ACOG (American College of Obstetricians and Gynecologist)는 이들 환자에선 일반 여성과 같은 매년 시행하는 검사만을 시행하고 자궁내막출혈이 있는 여성에서만 상세한 검사를 시행할 것을 권고하고 있다. 하지만 어떤 방법의 추적관찰이 가장 효과적인지는 아직 밝혀져 있지 않아서, 여전히 6~12개월 간격의 질 초음파 검사를 권고하기도 한다.[128]

1,026명의 타목시펜을 사용하는 유방암 환자를 대상으로 한 연구에서 자궁내막암은 1.25%의 빈도를 보였으며 이들 중 1/6의 환자는 아무 증상이 없었다는 점을 고려하면 상대적으로 수가가 낮은 우리 나라에서는 자궁 내막에 대한 주기적인 초음파 관찰을 자주 시행하는 것이 효과적일 수 있다.

폐경 전, 폐경 주변기 ER 양성 초기 유방암 환자에서 타목시펜과 생식샘자극호르몬분비호르몬 작용제(GnRH agonist)인 고세렐린(goserelin)을 함께 사용하는 경우 자궁내막이 유의하게 얇게 나타나므로 GnRH agonist를 사용하는 환자에서는 검사 주기를 길게 잡을 수도 있겠으나 국내 의료 요건에 맞는 검사 주기를 명확히 단정짓기는 힘들다.

6) 골다공증(osteoporosis)

폐경 후 유방암 환자에서 사용되는 AI는 골다공증 유병률과 골절의 빈도를 유의하게 증가시킨다. 유방암 환자에서 골절로 입원할 경우 사망률이 증가한다(HR=1.83, 95% CI 1.50-2.22).[129] 특히나 최근 10년까지 장기간에 걸친 호르몬 보조요법을 사용하고 있으므로 이러한 환자들에 대한 적절한 골밀도 검사와 약물 치료는 필수이다.

폐경 후 여성에서 타목시펜 사용은 골 조직에 대해 에스트로겐 수용체 작용제로 작용하여 골밀도를 증가시키지만 AI 사용은 골밀도 감소와 골절의 증가를 초래한다. 폐경 선 여성에서의 타목시펜 치료가 골밀도에 미치는 영향은 환자의 상황에 따라 다른데, GnRH agonist를 사용하는 경우, 치료 후 무월경 상태인 경우 골밀도 감소가 더 많이 나타난다.

따라서 타목시펜을 쓰면서 무월경 상태이거나 폐경 후 AI를 사용 중인 환자에서는 골밀도 검사를 적극적으로 시행해야 하며 이들 환자에서 골다공증 치료제들의 결과도 좋게 나타난다.

골다공증 치료 약제 중 SERM인 랄록시펜(Raloxifene)은 척추 골절을 줄이면서 유방암 고위험군에서 유방암의 빈도도 줄이는 부가적인 효과가 있다.[130]

비스포스포네이트(bisphosphonate)는 암세포가 골조직에 부착하는 것을 막음으로써 골전이를 억제하는 것으로 알려져 이미 골전이가 있는 암 환자에서 고농도로 사용되어 왔는데 골다공증 예방 및 치료 목적으로도 투여될 수 있으며 더불어 유방암 환자의 재발률을 낮추는 효과도 기대할 수 있다.[131]

데노수맙(Denosumab)의 경우도 유방암 환자에서 사용 시 골다공증으로 인한 골절의 위험을 줄이고 재발률을 낮춘다.[132]

참고문헌

1 Spak DA, Plaxco J, Santiago L, Dryden MJ, Dogan B. BI-RADS® fifth edition: A summary of changes. Diagnostic and interventional imaging 2017;98:179-90.

2 한국유방암학회. 유방학. 서울: 군자출판사; 2013.

3 이은혜, 박보영, 김남순, 서현주, 고경란, 민준원, et al. 유방암 검진 권고안 개정안. 2015.

4 Foster Jr RS, Costanza MCJC. Breast self-examination practices and breast cancer survival. 1984;53:999-1005.

5 Verghese A, Charlton B, Kassirer JP, Ramsey M, Ioannidis JPJTAjom. Inadequacies of physical examination as a cause of medical errors and adverse events: a collection of vignettes. 2015;128:1322-4. e3.

6 Brem RF, Lenihan MJ, Lieberman J, Torrente J. Screening breast ultrasound: past, present, and future. American Journal of Roentgenology 2015;204:234-40.

7 Muttarak M, Kongmebhol P, Sukhamwang N. Breast calcifications: which are malignant. Singapore Med J 2009;50:907-14.

8 Gruber R, Jaromi S, Rudas M, Pfarl G, Riedl C, Flöry D, et al. Histologic work-up of non-palpable breast lesions classified as probably benign at initial mammography and/or ultrasound (BI-RADS category 3). European journal of radiology 2013;82:398-403.

9 Raza S, Chikarmane SA, Neilsen SS, Zorn LM, Birdwell RL. BI-RADS 3, 4, and 5 lesions: value of US in management—follow-up and outcome. Radiology 2008;248:773-81.

10 Youk JH, Kim E-K, Kim MJ, Ko KH, Kwak JY, Son EJ, et al. Concordant or discordant? Imaging-pathology correlation in a sonography-guided core needle biopsy of a breast lesion. Korean journal of radiology 2011;12:232-40.

11 김성헌. 영상의학과 의사들을 위한 유방암 검진의 이해. Journal of the Korean Society of Radiology 2019;80:8-18.

12 Lee EH, Park B, Kim N-S, Seo H-J, Ko KL, Min JW, et al. The Korean guideline for

breast cancer screening. Journal of the Korean Medical Association 2015;58:408-19.

13 Cho N, Moon WK. Clinical role of breast ultrasound. Journal of the Korean Medical Association 2008;51:545-52.

14 대한유방영상의학회. 유방영상진단학. 서울: 일조각; 2012.

15 Moon JH, You JK, Yoon JH, Kim MJ, Kwak JY, Kim EK. Benign Lesions with Posterior Acoustic Shadowing on Ultrasound: The Pathologic Correlation. Ultrasonography 2009;28:93-102.

16 Bevers TB, Anderson BO, Bonaccio E, Buys S, Daly MB, Dempsey PJ, et al. Breast cancer screening and diagnosis. Journal of the National Comprehensive Cancer Network 2009;7:1060-96.

17 김명현, 김민정, 곽진영, 문희정, 구혜령, 김지연, et al. 초음파 BI-RADS 범주 4 와 5 병변: 범주 4 의세분화와각범주의양성예측도. 2009.

18 Smith DN. Breast ultrasound. Radiologic Clinics of North America 2001;39:485-97.

19 문우경. 초음파검진에서 발견된 유방병변의 판정. 대한유방검진의학회지 2010;7:77-80.

20 Cha JH, Moon WK, Cho N, Kim SM, Kim SJ, Park SH, et al. Ultrasound assessment of invasive breast cancer: correlation with histologic grade. Journal of the Korean Radiological Society 2005;52:279-84.

21 Stavros AT, Thickman D, Rapp CL, Dennis MA, Parker SH, Sisney GA. Solid breast nodules: use of sonography to distinguish between benign and malignant lesions. Radiology 1995;196:123-34.

22 Hong AS, Rosen EL, Soo MS, Baker JA. BI-RADS for sonography: positive and negative predictive values of sonographic features. American Journal of Roentgenology 2005;184:1260-5.

23 Moon WK, Im J-G, Koh YH, Noh D-Y, Park IA. US of mammographically detected clustered microcalcifications. Radiology 2000;217:849-54.

24 Adrada B, Wu Y, Yang W. Hyperechoic lesions of the breast: radiologic-histopathologic correlation. American Journal of Roentgenology 2013;200:W518-W30.

25 Jeong J-H, Kim H-G, Kim K-H, Choi O-H. The clinical experience of an ultrasound-guided vacuum-assisted resection (mammotome) for benign breast lesions through a core needle biopsy. The Journal of Korean Society of Menopause 2013;19:9-17.

26 Joshi M, Duva-Frissora A, Padmanabhan R, Greeley J, Ranjan A, Ferrucci F, et al. Atypical ductal hyperplasia in stereotactic breast biopsies: enhanced accuracy of diagnosis with the mammotome. The breast journal 2001;7:207-13.

27 Fine RE, Israel PZ, Walker LC, Corgan KR, Greenwald LV, Berenson JE, et al. A prospective study of the removal rate of imaged breast lesions by an 11-gauge vacuum-assisted biopsy probe system. The American journal of surgery 2001;182:335-40.

28 Cassano E, Urban LA, Pizzamiglio M, Abbate F, Maisonneuve P, Renne G, et al. Ultrasound-guided vacuum-assisted core breast biopsy: experience with 406 cases. Breast cancer research and treatment 2007;102:103-10.

29 Sperber F, Blank A, Metser U, Flusser G, Klausner JM, Lev-Chelouche D. Diagnosis and treatment of breast fibroadenomas by ultrasound-guided vacuum-assisted biopsy. Archives of Surgery 2003;138:796-800.

30 March DE, Coughlin BF, Barham RB, Goulart RA, Klein SV, Bur ME, et al. Breast masses: removal of all US evidence during biopsy by using a handheld vacuum-assisted device—initial experience. Radiology 2003;227:549-55.

31 Park H-L, Kwak J-Y, Jung H-K, Lee S-H, Shim J-Y, Kim J-Y, et al. Is mammotome excision feasible for benign breast mass bigger than 3cm in greatest dimension? Annals of Surgical Treatment and Research 2006;70:25-9.

32 김윤정, 최혜영, 문병인, 이시내. 초음파 유도하 맘모톰 절제에 의한 유방종괴의 완전제거: 변연절제에 의한 조직학적 평가. 대한영상의학회 2005;53:289-94.

33 Chen D-R, Chang R-F, Chen C-J, Chang C-C, Jeng L-B. Three-dimensional ultrasound in margin evaluation for breast tumor excision using Mammotome®. Ultrasound in medicine & biology 2004;30:169-79.

34 Tamimi RM, Spiegelman D, Smith-Warner SA, Wang M, Pazaris M, Willett WC, et al. Population attributable risk of modifiable and nonmodifiable breast cancer risk factors in postmenopausal breast cancer. American journal of epidemiology 2016;184:884-93.

35 Russo J, Russo IH. The role of estrogen in the initiation of breast cancer. The Journal of steroid biochemistry and molecular biology 2006;102:89-96.

36 Liehr J. Dual role of oestrogens as hormones and pro-carcinogens: tumour initiation by metabolic activation of oestrogens. European journal of cancer prevention: the official journal of the European Cancer Prevention Organisation (ECP) 1997;6:3-10.

37 Bocchinfuso WP, Hively WP, Couse JF, Varmus HE, Korach KS. A mouse mammary tumor virus-Wnt-1 transgene induces mammary gland hyperplasia and tumorigenesis in mice lacking estrogen receptor-α. Cancer research 1999;59:1869-76.

38 Speirs V, Walker R. New perspectives into the biological and clinical relevance of oestrogen receptors in the human breast. The Journal of Pathology: A Journal of the Pathological Society of Great Britain and Ireland 2007;211:499-506.

39 Lanari C, Molinolo AA. Progesterone receptors-animal models and cell signaling in breast cancer Diverse activation pathways for the progesterone receptor-possible implications for breast biology and cancer. Breast Cancer Research 2002;4:240.

40 Kaaks R, Berrino F, Key T, Rinaldi S, Dossus L, Biessy C, et al. Serum sex steroids in premenopausal women and breast cancer risk within the European Prospective Investigation into Cancer and Nutrition (EPIC). Journal of the National Cancer Institute 2005;97:755-65.

41 Diaz-Chico BN, Rodriguez FG, González A, Ramírez R, Bilbao C, de Leon AC, et al. Androgens and androgen receptors in breast cancer. The Journal of steroid biochemistry and molecular biology 2007;105:1-15.

42 Stefanick ML, Anderson GL, Margolis KL, Hendrix SL, Rodabough RJ, Paskett ED, et al. Effects of conjugated equine estrogens on breast cancer and mammography screening in postmenopausal women with hysterectomy. Jama 2006;295:1647-57.

43 Cummings SR, Ettinger B, Delmas PD, Kenemans P, Stathopoulos V, Verweij P, et al. The effects of tibolone in older postmenopausal women. New England Journal of Medicine 2008;359:697-708.

44 Organization WH. WHO classification of tumours of the breast. Lyon, France: IARC 2012.

45 Jung K-W, Park S, Kong H-J, Won Y-J, Boo Y-K, Shin H-R, et al. Cancer statistics in Korea: incidence, mortality and survival in 2006-2007. Journal of Korean medical science 2010;25:1113-21.

46 Gang S-H, Gwon S-Y. Clinicopathologic Features of Ductal Carcinoma In Situ of the

Breast and Its Treatment. Annals of Surgical Treatment and Research 2006;71:167–73.

47 Allred DC. Ductal carcinoma in situ: terminology, classification, and natural history. Journal of the National Cancer Institute Monographs 2010;2010:134–8.

48 Bleiweiss IJ, Chagpar AB, Vora SR. Pathology of breast cancer. Last updated Dec 2013;19.

49 Schwartz GF, Patchefsky AS, Finklestein SD, Sohn SH, Prestipino A, Feig SA, et al. Nonpalpable in situ ductal carcinoma of the breast: predictors of multicentricity and microinvasion and implications for treatment. Archives of Surgery 1989;124:29–32.

50 Grabowski J, Salzstein SL, Sadler GR, Blair S. Intracystic papillary carcinoma: a review of 917 cases. Cancer 2008;113:916–20.

51 Fisher ER, Dignam J, Tan-Chiu E, Costantino J, Fisher B, Paik S, et al. Pathologic findings from the National Surgical Adjuvant Breast Project (NSABP) eight-year update of Protocol B-17: intraductal carcinoma. Cancer 1999;86:429–38.

52 Pinder S, Duggan C, Ellis I, Cuzick J, Forbes J, Bishop H, et al. A new pathological system for grading DCIS with improved prediction of local recurrence: results from the UKCCCR/ANZ DCIS trial. British journal of cancer 2010;103:94.

53 Silver SA, Tavassoli FA. Mammary ductal carcinoma in situ with microinvasion. Cancer: Interdisciplinary International Journal of the American Cancer Society 1998;82:2382–90.

54 Gump FE, Jicha DL, Ozello L. Ductal carcinoma in situ (DCIS): a revised concept. Surgery 1987;102:790–5.

55 Silverstein MJ. The University of Southern California/Van Nuys prognostic index for ductal carcinoma in situ of the breast. The American journal of surgery 2003;186:337–43.

56 Page DL, Kidd Jr TE, Dupont WD, Simpson JF, Rogers LW. Lobular neoplasia of the breast: higher risk for subsequent invasive cancer predicted by more extensive disease. Human pathology 1991;22:1232–9.

57 Yoon M-K, Jeon Y-E, Park Y-H, Kim S-J, Kang J-B, Jang B-R, et al. A case of vulvar adenocarcinoma associated with extramammary Paget's disease. Obstetrics & gynecology science 2006;49:939–44.

58 Goldstein NS, Bassi D, Watts JC, Layfield LJ, Yaziji H, Gown AM. E-cadherin reactivity of 95 noninvasive ductal and lobular lesions of the breast: implications for the interpretation of problematic lesions. American journal of clinical pathology 2001;115:534–42.

59 Feig SA, Shaber GS, Patchefsky AS, Schwartz GF, Edeiken J, Nerlinger R. Tubular carcinoma of the breast: mammographic appearance and pathological correlation. Radiology 1978;129:311–4.

60 Peters GN, Wolff M, Haagensen C. Tubular carcinoma of the breast. Clinical pathologic correlations based on 100 cases. Annals of surgery 1981;193:138.

61 Weaver M, Abdul-Karim F, Al-Kaisi N. Mucinous lesions of the breast: a pathological continuum. Pathology-Research and Practice 1993;189:873–6.

62 Cardenosa G, Doudna C, Eklund G. Mucinous (colloid) breast cancer: clinical and mammographic findings in 10 patients. AJR. American journal of roentgenology 1994;162:1077–9.

63 Moore Jr OS, Foote Jr FW. The relatively favorable prognosis of medullary carci-

noma of the breast. Cancer 1949;2:635-42.

64 Eisinger F, Jacquemier J, Charpin C, Stoppa-Lyonnet D, Bressac-de Paillerets B, Peyrat J-P, et al. Mutations at *BRCA1*: the medullary breast carcinoma revisited. Cancer research 1998;58:1588-92.

65 Giuliano AE, Edge SB, Hortobagyi GN. of the AJCC cancer staging manual: breast cancer. Annals of surgical oncology 2018;25:1783-5.

66 국가. 암 등록사업 연례보고서(2011년 암 등록통계). 한국중앙암등록본부. 2013.

67 Johnstone PA, Norton MS, Riffenburgh RH. Survival of patients with untreated breast cancer. Journal of surgical oncology 2000;73:273-7.

68 Bloom HJG, Richardson W, Harries E. Natural history of untreated breast cancer (1805-1933). British medical journal 1962;2:213.

69 Son EJ, Oh KK, Kim EK. Pregnancy-associated breast disease: radiologic features and diagnostic dilemmas. Yonsei medical journal 2006;47:34-42.

70 Insa A, Lluch A, Prosper F, Marugan I, Martinez-Agullo A, Garcia-Conde J. Prognostic factors predicting survival from first recurrence in patients with metastatic breast cancer: analysis of 439 patients. Breast cancer research and treatment 1999;56:67-78.

71 Jung K-W, Won Y-J, Kong H-J, Oh C-M, Cho H, Lee DH, et al. Cancer statistics in Korea: incidence, mortality, survival, and prevalence in 2012. Cancer research and treatment: official journal of Korean Cancer Association 2015;47:127.

72 Kohler BA, Sherman RL, Howlader N, Jemal A, Ryerson AB, Henry KA, et al. Annual report to the nation on the status of cancer, 1975-2011, featuring incidence of breast cancer subtypes by race/ethnicity, poverty, and state. JNCI: Journal of the National Cancer Institute 2015;107.

73 Langlands AO, Pocock SJ, Kerr GR, Gore SM. Long-term survival of patients with breast cancer: a study of the curability of the disease. Br med J 1979;2:1247-51.

74 Halsted WS. I. The results of operations for the cure of cancer of the breast performed at the Johns Hopkins Hospital from June, 1889, to January, 1894. Annals of surgery 1894;20:497.

75 Staunton M, Melville D, Monterrosa A, Thomas J. A 25-year prospective study of modified radical mastectomy (Patey) in 193 patients. Journal of the Royal Society of Medicine 1993;86:381.

76 Silverstein MJ, Parker S, Grotting JC, Cote RJ, Russell CA. Ductal carcinoma in situ (DCIS) of the breast: diagnostic and therapeutic controversies1. Journal of the American College of Surgeons 2001;192:196-214.

77 Holland R, Veling SH, Mravunac M, Hendriks JH. Histologic multifocality of tis, T1-2 breast carcinomas implications for clinical trials of breast-conserving surgery. Cancer 1985;56:979-90.

78 Fisher B, Anderson S, Bryant J, Margolese RG, Deutsch M, Fisher ER, et al. Twenty-year follow-up of a randomized trial comparing total mastectomy, lumpectomy, and lumpectomy plus irradiation for the treatment of invasive breast cancer. New England Journal of Medicine 2002;347:1233-41.

79 Blichert-Toft M, Nielsen M, Düring M, Møller S, Rank F, Overgaard M, et al. Long-term results of breast conserving surgery vs. mastectomy for early stage invasive breast cancer: 20-year follow-up of the Danish randomized DBCG-82TM protocol. Acta oncologica 2008;47:672-81.

80 Radiology ACo, Surgeons ACo, Pathologists CoA, Oncology SoS, Winchester DP,

Cox JD. Standards for diagnosis and management of invasive breast carcinoma. CA: A cancer journal for clinicians 1998;48:83-107.

81 Sabel MS, Degnim A, Wilkins EG, Diehl KM, Cimmino VM, Chang AE, et al. Mastectomy and concomitant sentinel lymph node biopsy for invasive breast cancer. The American journal of surgery 2004;187:673-8.

82 Cunnick G, Mokbel K. Oncological considerations of skin-sparing mastectomy. International Seminars in Surgical Oncology. 2006, 14.

83 Spear SL, Willey SC, Feldman ED, Cocilovo C, Sidawy M, Al-Attar A, et al. Nipple-sparing mastectomy for prophylactic and therapeutic indications. Plastic and reconstructive surgery 2011;128:1005-14.

84 Mamtani A, Barrio AV, King TA, Van Zee KJ, Plitas G, Pilewskie M, et al. How often does neoadjuvant chemotherapy avoid axillary dissection in patients with histologically confirmed nodal metastases? Results of a prospective study. Annals of surgical oncology 2016;23:3467-74.

85 Mauri D, Pavlidis N, Ioannidis JP. Neoadjuvant versus adjuvant systemic treatment in breast cancer: a meta-analysis. Journal of the National Cancer Institute 2005;97:188-94.

86 Buzdar AU, Valero V, Ibrahim NK, Francis D, Broglio KR, Theriault RL, et al. Neoadjuvant therapy with paclitaxel followed by 5-fluorouracil, epirubicin, and cyclophosphamide chemotherapy and concurrent trastuzumab in human epidermal growth factor receptor 2-positive operable breast cancer: an update of the initial randomized study population and data of additional patients treated with the same regimen. Clinical Cancer Research 2007;13:228-33.

87 Dawood S, Cristofanilli M. What Progress Have We Made in Managing Inflammatory Breast Cancer?: Page 2 of 2. Breast Cancer 2007;21.

88 Fisher B, Land S, Mamounas E, Dignam J, Fisher ER, Wolmark N. Prevention of invasive breast cancer in women with ductal carcinoma in situ: an update of the National Surgical Adjuvant Breast and Bowel Project experience. Seminars in oncology. 2001, 400-18.

89 Olivotto IA, Bajdik CD, Ravdin PM, Speers CH, Coldman AJ, Norris BD, et al. Population-based validation of the prognostic model ADJUVANT! for early breast cancer. Journal of Clinical Oncology 2005;23:2716-25.

90 Goldhirsch A, Ingle JN, Gelber R, Coates A, Thürlimann B, Senn H-J, et al. Thresholds for therapies: highlights of the St Gallen International Expert Consensus on the primary therapy of early breast cancer 2009. Annals of oncology 2009;20:1319-29.

91 Piccart-Gebhart MJ, Procter M, Leyland-Jones B, Goldhirsch A, Untch M, Smith I, et al. Trastuzumab after adjuvant chemotherapy in HER2-positive breast cancer. New England Journal of Medicine 2005;353:1659-72.

92 Albain KS, Nag SM, Calderillo-Ruiz G, Jordaan JP, Llombart AC, Pluzanska A, et al. Gemcitabine plus paclitaxel versus paclitaxel monotherapy in patients with metastatic breast cancer and prior anthracycline treatment. Journal of Clinical Oncology 2008;26:3950-7.

93 Early Breast Cancer Trialists' Collaborative Group (EBCTCG). Effect of radiotherapy after breast-conserving surgery on 10-year recurrence and 15-year breast cancer death: meta-analysis of individual patient data for 10 801 women in 17 randomised trials. The Lancet 2011;378:1707-16.

94 Kunkler IH, Williams LJ, Jack WJ, Cameron DA, Dixon JM. Breast-conserving sur-

gery with or without irradiation in women aged 65 years or older with early breast cancer (PRIME II): a randomised controlled trial. The lancet oncology 2015;16:266–73.

95 Poortmans P, Aznar M, Bartelink H. Quality indicators for breast cancer: revisiting historical evidence in the context of technology changes. Seminars in Radiation Oncology. 2012, 29–39.

96 McGuire SE, Gonzalez-Angulo AM, Huang EH, Tucker SL, Kau S-WC, Yu T-K, et al. Postmastectomy radiation improves the outcome of patients with locally advanced breast cancer who achieve a pathologic complete response to neoadjuvant chemotherapy. International Journal of Radiation Oncology* Biology* Physics 2007;68:1004–9.

97 Larson D, Weinstein M, Goldberg I, Silver B, Recht A, Cady B, et al. Edema of the arm as a function of the extent of axillary surgery in patients with stage I–II carcinoma of the breast treated with primary radiotherapy. International Journal of Radiation Oncology* Biology* Physics 1986;12:1575–82.

98 Romond EH, Perez EA, Bryant J, Suman VJ, Geyer Jr CE, Davidson NE, et al. Trastuzumab plus adjuvant chemotherapy for operable HER2-positive breast cancer. New England Journal of Medicine 2005;353:1673–84.

99 Denduluri N, Chavez-MacGregor M, Telli ML, Eisen A, Graff SL, Hassett MJ, et al. Selection of optimal adjuvant chemotherapy and targeted therapy for early breast cancer: ASCO clinical practice guideline focused update. Journal of Clinical Oncology 2018;36:2433–43.

100 Gullo G, Walsh N, Fennelly D, Bose R, Walshe J, Tryfonopoulos D, et al. Impact of timing of trastuzumab initiation on long-term outcome of patients with early-stage HER2-positive breast cancer: the 'one thousand HER2 patients' project. British journal of cancer 2018;119:374.

101 Runowicz CD, Leach CR, Henry NL, Henry KS, Mackey HT, Cowens-Alvarado RL, et al. American cancer society/American society of clinical oncology breast cancer survivorship care guideline. CA: a cancer journal for clinicians 2016;66:43–73.

102 Temple LK, Wang EE, McLeod RS. Preventive health care, 1999 update: 3. Follow-up after breast cancer. Cmaj 1999;161:1001–8.

103 Lash TL, Fox MP, Silliman RA. Reduced mortality rate associated with annual mammograms after breast cancer therapy. The breast journal 2006;12:2–6.

104 Pant S, Shapiro CL. Aromatase inhibitor-associated bone loss. Drugs 2008;68:2591–600.

105 Hsu T, Ennis M, Hood N, Graham M, Goodwin PJ. Quality of life in long-term breast cancer survivors. Journal of Clinical Oncology 2013;31:3540–8.

106 Regan MM, Neven P, Giobbie-Hurder A, Goldhirsch A, Ejlertsen B, Mauriac L, et al. Assessment of Letrozole and Tamoxifen alone and in sequence for postmenopausal women with steroid hormone receptor–positive breast cancer: the BIG 1-98 randomised clinical trial at 8· 1 years median follow-up. The lancet oncology 2011;12:1101–8.

107 Jin H, Tu D, Zhao N, Shepherd LE, Goss PE. Longer-term outcomes of Letrozole versus placebo after 5 years of Tamoxifen in the NCIC CTG MA. 17 trial: analyses adjusting for treatment crossover. Journal of Clinical Oncology 2012;30:718.

108 Burstein HJ, Lacchetti C, Anderson H, Buchholz TA, Davidson NE, Gelmon KA, et al. Adjuvant endocrine therapy for women with hormone receptor–positive breast cancer: ASCO clinical practice guideline focused update. 2019;37:423–38.

109 Petrek JA, Dukoff R, Rogatko A. Prognosis of pregnancy-associated breast cancer. Cancer 1991;67:869-72.

110 Rovera F, Frattini F, Coglitore A, Marelli M, Rausei S, Dionigi G, et al. Breast cancer in pregnancy. The breast journal 2010;16:S22-S5.

111 Reed W, Hannisdal E, Skovlund E, Thoresen S, Lilleng P, Nesland J. Pregnancy and breast cancer: a population-based study. Virchows Archiv 2003;443:44-50.

112 Behrman RH, Homer MJ, Yang W, Whitman GJ. Mammography and fetal dose. Radiology 2007;243:605; author reply -6.

113 Ray JG, Vermeulen MJ, Bharatha A, Montanera WJ, Park AL. Association between MRI exposure during pregnancy and fetal and childhood outcomes. Jama 2016;316:952-61.

114 Amant F, Loibl S, Neven P, Van Calsteren K. Breast cancer in pregnancy. The Lancet 2012;379:570-9.

115 Cardonick E. Pregnancy-associated breast cancer: optimal treatment options. International journal of women's health 2014;6:935.

116 Yang BS, Park S, Lee SH, Park HS, Hwang H, Lee JS, et al. Pregnancy-Associated Breast Cancer Compared to Invasive Ductal Carcinoma Less Than 40 Year-Old of Age. Korean Journal of Clinical Oncology 2011;7:28-36.

117 Del Mastro L, Venturini M, Sertoli MR, Rosso R. Amenorrhea induced by adjuvant chemotherapy in early breast cancer patients: prognostic role and clinical implications. Breast cancer research and treatment 1997;43:183-90.

118 Walshe JM, Denduluri N, Swain SM. Amenorrhea in premenopausal women after adjuvant chemotherapy for breast cancer. Journal of Clinical Oncology 2006;24:5769-79.

119 Ponzone R, Biglia N, Jacomuzzi ME, Maggiorotto F, Mariani L, Sismondi P. Vaginal oestrogen therapy after breast cancer: is it safe? European Journal of Cancer 2005;41:2673-81.

120 Melisko ME, Goldman ME, Hwang J, De Luca A, Fang S, Esserman LJ, et al. Vaginal testosterone cream 대 estradiol vaginal ring for vaginal dryness or decreased libido in women receiving aromatase inhibitors for early-stage breast cancer: a randomized clinical trial. JAMA oncology 2017;3:313-9.

121 Loprinzi CL, Abu-Ghazaleh S, Sloan JA, vanHaelst-Pisani C, Hammer AM, Rowland Jr KM, et al. Phase III randomized double-blind study to evaluate the efficacy of a polycarbophil-based vaginal moisturizer in women with breast cancer. Journal of clinical oncology 1997;15:969-73.

122 Loprinzi CL, Kugler JW, Sloan JA, Mailliard JA, LaVasseur BI, Barton DL, et al. Venlafaxine in management of hot flashes in survivors of breast cancer: a randomised controlled trial. The Lancet 2000;356:2059-63.

123 Loprinzi CL, Kugler JW, Barton DL, Dueck AC, Tschetter LK, Nelimark RA, et al. Phase III trial of gabapentin alone or in conjunction with an antidepressant in the management of hot flashes in women who have inadequate control with an antidepressant alone: NCCTG N03C5. Journal of clinical oncology 2007;25:308-12.

124 Hammond MG, Hatley L, Talbert LM. A double blind study to evaluate the effect of methyldopa on menopausal vasomotor flushes. The Journal of Clinical Endocrinology & Metabolism 1984;58:1158-60.

125 North American Menopause Society. Treatment of menopause-associated vasomotor symptoms: position statement of The North American Menopause Society.

Menopause (New York, NY) 2004;11:11.

126 Metindir J, Aslan S, Bilir G. Ovarian cyst formation in patients using Tamoxifen for breast cancer. Japanese journal of clinical oncology 2005;35:607-11.

127 Cohen I, Potlog-Nahari C, Shapira J, Yigael D, Tepper R. Simple ovarian cysts in postmenopausal patients with breast carcinoma treated with Tamoxifen: long-term follow-up. Radiology 2003;227:844-8.

128 Senkus-Konefka E, Konefka T, Jassem J. The effects of Tamoxifen on the female genital tract. Cancer treatment reviews 2004;30:291-301.

129 Colzani E, Clements M, Johansson AL, Liljegren A, He W, Brand J, et al. Risk of hospitalisation and death due to bone fractures after breast cancer: a registry-based cohort study. British journal of cancer 2016;115:1400.

130 Vogel VG, Costantino JP, Wickerham DL, Cronin WM, Cecchini RS, Atkins JN, et al. Effects of Tamoxifen 대 Raloxifene on the risk of developing invasive breast cancer and other disease outcomes: the NSABP Study of Tamoxifen and Raloxifene (STAR) P-2 trial. Jama 2006;295:2727-41.

131 Gnant M, Mlineritsch B, Schippinger W, Luschin-Ebengreuth G, Pöstlberger S, Menzel C, et al. Endocrine therapy plus zoledronic acid in premenopausal breast cancer. New England Journal of Medicine 2009;360:679-91.

132 Gnant M, Pfeiler G, Steger GG, Egle D, Greil R, Fitzal F, et al. Adjuvant denosumab in postmenopausal patients with hormone receptor-positive breast cancer (ABCSG-18): disease-free survival results from a randomised, double-blind, placebo-controlled, phase 3 trial. The Lancet Oncology 2019;20:339-51.

CHAPTER

21

임신성 융모성질환과 임신 중 부인암

Gestational Trophoblastic Disease and Gynecologic Cancer in Pregnancy

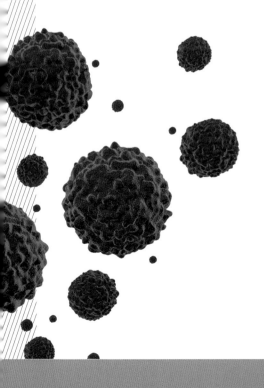

책임저자

김태진 | 건국대학교 의과대학 산부인과

집필저자

배재만 | 한양대학교 의과대학 산부인과

심승혁 | 건국대학교 의과대학 산부인과

이광범 | 가천대학교 의과대학 산부인과

이택상 | 서울대학교 의과대학 산부인과

Gynecologic Oncology

임신성 융모성질환(Gestational Trophoblastic Disease, GTD)

임신성 융모성질환은 태반 영양모세포의 비정상적인 증식으로 인해 발생하는 병변을 말하며, 완전 포상기태(complete hydatidiform mole), 부분 포상기태(partial hydatidiform mole), 침윤기태(invasive mole), 융모막암(choriocarcinoma), 태반부착부위 영양막종양(placental site trophoblastic tumor, PSTT), 상피모양 영양막종양(epithelioid trophoblasitic tumor, ETT)으로 나눌 수 있다(표 21-1).

표 21-1. 임신성 융모성질환의 임상적 분류(National Institute of Health)

I. 양성 임신성 융모성질환
A. 완전 포상기태(complete hydatidiform mole)
B. 부분 포상기태(partial hydatidiform mole)
II. 악성 임신성 융모성질환
A. 비전이성: 침윤기태(invasive mole) 혹은 융모막암(choriocarcinoma)
B. 전이성
1. 융모막암(choriocarcinoma)
2. 태반부착부위 영양막종양(placental site trophoblastic tumor, PSTT)
3. 상피모양 영양막종양(epithelioid trophoblasitic tumor, ETT)

포상기태
(Hydatidiform Mole)

1) 역학

포상기태의 역학 연구는 그 결과를 신뢰하기가 힘든 경향이 있다. 그 이유는 질병의 정의가 명확하지 않고 통제된 데이터베이스도 없는 경우가 많으며, 매우 드문 질환이기 때문이다. 현재까지 보고된 역학 연구도 대부분 20년 이상 지난 연구들이 많다. 포상기태의 발생률은 지역별로 매우 큰 차이를 보인다. 아시아 국가의 발생률이 북미나 유럽에 비해 약 7~10배 정도가 높다.[1] 지역적 차이에 비해 인종이나 민족에 대한 차이, 사회경제적 차이, 문화적 차이 등에 대해서는 차이는 없다는 보고들이 많다. 부분 포상기태와 완전 포상기태를 분리하여 분석한 역학 연구에서는 각각 695 임신 중 1증례, 1,945 임신 중 1증례에서 발생한 것으로 보고한 바 있다.[2]

완전 포상기태에서 가장 강력한 두 가지 위험인자는 산모의 나이와 이전 포상기태 임신 과거력이다.[3] 먼저 나이와 관련해서는 40세 이상의 여성에서 5~10배 높다는 보고가 있었고, 이전 포상기태 임신 과거력에 대해서는 두번째 완전 포상기태에서는 1%(일반인의 20배), 3번째인 경우는 15~20%였다.[4~6] 완전 포상기태에서는 비타민 A(카로틴) 부족과 동물성 지방이 위험인자라는 보고가 있었고, 불임, 자연유산 과거력이 포상기태 위험이 2~3배 높다는 보고가 있었다.[7~9] 반면 부분 포상기태의 경우는 상대적으로 보고가 적지만 완전 포상기태와는 다르다는 것은 명확하다. 비타민 A와 산모의 나이는 관계가 없는 것으로 알려져 있고, 불규칙한 월경과 경구피임제와 관련이 있다는 보고가 있다.

2) 세포유전학 및 병리

완전 포상기태는 아빠의 유전자로부터 기인한다. 두배수체 46, XX 핵형이 대부분이고 10% 미만이 46, XY이다. 대부분의 경우 핵이 없는 난자에 홑배수체(23X)의 정자가 수정한 후 복제하는 방식으로 발생하지만 46, XY인 경우와 일부 46, XX의 경우는 핵이 없는 난자에 두 개의 정자가 수정하여 발생하기도 한다(그림 21-1). 병리적 특징은 태아의 조직이 관찰되지 않고 융모막융모(chorionic villi)의 부종과, 영양모세포의 광범위한 다형성이 관찰된다.

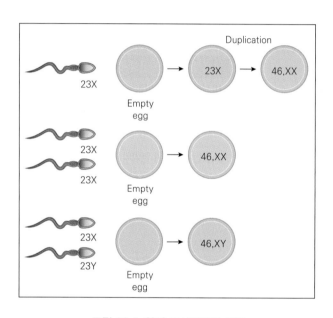

그림 21-1. 완전 포상기태의 핵형

부분 포상기태는 세배수체 핵형이고 정상 난자와 두개의 정자가 수정하여 생길 수도 있고, XXX와 XYY 핵형의 경우는 하나의 정자가 수정한 후 복제되면서 발생하기도 한다(그림 21-2). 부분 포상기태의 병리학적 특징은 태아의 조직이 발견된다는 점, 다양한 크기의 융모막융모와 국소적인 영양모세포의 과증식, 융모의 부채꼴 모양 변형(scalloping), 영양모세포 기질 봉입(inclusion) 등이 소견이다(표 21-2).

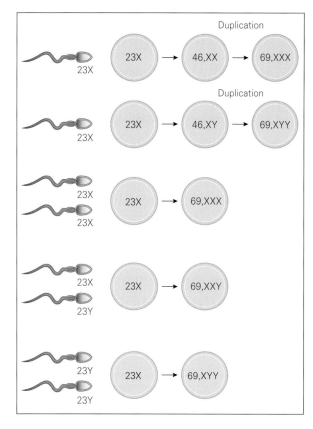

그림 21-2. 부분 포상기태의 핵형

표 21-2. 포상기태의 세포유전학적 및 병리적 특성

	완전 포상기태	부분 포상기태
태아조직	없다	있다
융모막 융모의 부종	광범위	국소적
영양모세포의 과증식 (hyperplasia)	광범위	국소적
융모막 융모의 스캘럽화 (scalloping)	없다	있다
영양모세포의 기질 봉입 (inclusion)	없다	있다
핵형	46, XX(대부분); 46, XY	세배수체

3) 임상 증상

① 완전 포상기태

i. 질출혈

질출혈은 완전 포상기태 환자에서 가장 흔한 증상이다. 출혈의 양상은 피가 좀 비치는 정도에서 수혈이 필요할 정도의 대량 출혈에 이르기까지 다양하지만 대부분의 여성에서 있는 것으로 보고되고 있다.

ii. 입덧

과거 연구 결과에는 약 3분의 1 정도가 경험하는 것으로 보고되고 있으나 최근 The New England Trophoblastic Disease Center (NETDC)의 연구에서는 약 14% 정도에서 입덧을 경험했다고 보고하고 있다.[10] 자궁이 크고 인간 융모생식샘자극호르몬(human chorionic gonadotropin, hCG)이 증가된 여성에서 많이 생긴다.

iii. 크기가 커진 자궁

절반 정도의 여성이 경험하는 증상이다. 자궁 내의 피와 융모조직에 의한 자궁 내강을 팽창시키는 역할을 하는 데 기인한다. 자궁 크기의 증가와 hCG 수치는 비례한다.

iv. 난포막황체낭종(theca lutein cyst)

초음파 검사에서 5cm 이상의 난포막황체낭종이 약 절반에서 발견된다.[11] hCG 수치가 높을 때 자주 발견되는데 이는 난포막황체낭종이 hCG의 과자극에 의해 발생하기 때문이다. 대부분의 경우는 자궁목확장긁어냄술(dilatation and curettage, D&C) 후에는 저절로 없어지므로 수술로 제거할 필요는 없다. 다만 파열되거나 꼬인 경우는 수술이 필요할 수 있다.

v. 자간전증(preeclampsia)

자간전증은 완전 포상기태 환자의 12~27%에서 관찰되고, 자궁 크기가 크고 hCG 수치가 높을 때 주로 발생한다.[12]

vi. 갑상선기능항진증(hyperthyroidism)

완전 포상기태 환자의 약 7%에서 발생한다고 알려져 있다. 마취 혹은 수술 시 갑상샘발작(thyroid storm)을 조장할 수 있음을 염두에 두어야 한다. 갑상샘발작은 고열, 빈맥, 섬망, 경련, 심방세동, 심부전, 의식소실 등의 증상이 있고 의심이 된다면 검사 결과를 기다리지 말고 베타차단제를 즉시 투여해야 한다.

vii. 호흡부전

자궁 크기가 크고 hCG 수치가 높을 때 매우 드물게 일어날 수 있다. 자궁목확장긁어냄술 후 회복실에서 흉통, 불안, 혼돈, 빠른 호흡, 빈맥 등의 증상을 보일 경우 의심해볼 수 있다. 여러 가지 원인이 있을 수 있겠으나 포상기태 조직의 색전 형성이나 갑상샘발작이나 자간전증으로 인한 심혈관계 합병증이 원인인 경우가 많다.

② 부분 포상기태

부분 포상기태에서는 완전 포상기태의 전형적인 증상을 보이지 않는 경우가 많다. 대부분 불완전유산, 계류유산 등의 증상을 보이는 경우가 많아서 긁어냄술 후 조직병리 검사를 통해 진단이 되는 경우가 대부분이다.

4) 자연사(natural history)

완전 포상기태는 자궁의 국소적 침범 및 전이가 될 수 있는 위험성을 가지고 있다. 긁어냄술 후 자궁침범은 15%, 전이는 4%에서 발견됐다. NETDC의 연구 결과에 따르면 다음의 징후를 보이는 경우 임신성 융모성종양으로 발전할 가능성이 높다.

① hCG >100,000mIU/mL

② 자궁 크기의 증가

③ 6cm 이상 크기의 난포막황체낭종

그 외에도 산모의 나이가 많은 경우에도 임신성 융모성종양으로 발전할 가능성이 높다. 부분 포상기태는 전이가 되는 경우는 없고 1~4%에서 지속성 종양으로 발전한다.[13] 이러한 경우는 항암화학치료가 필요하다.

5) 진단

초음파가 일차적인 진단방법이다. 초음파 검사를 통해 포상기태의 종류를 파악할 수 있을 뿐만 아니라 자궁내강 및 근육층의 침범여부, 자궁 천공의 위험성, 난포막황체낭종의 유무도 파악할 수 있다. 완전 포상기태의 경우 특징적인 '눈보라(snowstorm)' 양상의 패턴을 확인하고 태아조직이 보이지 않으면 진단할 수 있다(그림 21-3). 그러나, 계류유산, 자궁혈종, 자궁근종 등도 비슷하게 보이는 경우가 있어 감별이 필요하다.

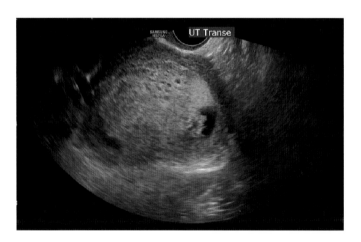

그림 21-3. 완전 포상기태의 특징적 초음파 소견 '눈보라(snowstorm)'

6) 치료

① 자궁경부확장긁어냄술

가장 선호되는 흡입술 방법으로 향후 출산을 원하는 여성에서 시행한다. 방법은 다음과 같다.

i. 옥시토신 주입(oxytocin infusion)

ii. 자궁경부 확장(cervical dilation)

iii. 흡인 긁어냄술(suction curettage)

iv. 예리한 긁어냄술(sharp curettage)

영양모세포는 RhD 인자가 있으므로 Rh 음성 산모인 경우는 Rh 면역글로불린을 주사해야 한다.

② 자궁절제술

향후 출산을 원치 않는 여성 중에서 자궁경부확장긁어냄술의 대안으로 시행될 수 있다. 자궁절제술은 자궁근층 침범이나 지속성 임신성 융모성질환을 배제할 수 있다는 장점이 있다. 그러나, 수술의 위험도를 고려하여 임신성 융모성종양으로 발전할 가능성이 높은 고위험군(40세 이상, 난포막황체낭종 >6cm, hCG >100,000mIU/mL, 자궁 크기의 증가 등)에 한정하여 시행해야 한다. 자궁절제술을 한 경우에도 3~5%의 전이성 종양이 있을 수 있으므로 반드시 hCG를 추적관찰해야만 한다.

③ 예방적 항암제

예방적 항암제 사용은 연구마다 차이가 있어 논란이 되는 부분이다. 예방적으로 메토트렉세이트(Methotrexate, MTX)나 악티노마이신 디(Actinomycin D, ACT D)를 투여했을 때 국소적 침범의 발생률을 줄이고 전이를 예방한다는 보고들이 있으나 발생률이 20% 미만이고 항암제의 독성을 고려했을 때 모든 환자에게 예방적 항암제를 사용하는 것은 고려해야 할 문제이다. 따라서 고위험군의 여성 중에서 지속적인 hCG 추적관찰이 어려운 경우에 한하여 시행해야 한다.

7) 추적 관찰

포상기태 흡인술 후 hCG 수치가 3번 연속으로 정상이 될 때까지 매주 검사를 해야 한다. 이후 6개월 이상 정상이 될 때까지 매달 검사해야 한다. 정상이 될 때까지 걸리는 시간은 평균 9주 정도이다.

이 기간 동안 반드시 피임을 해야 한다. 임신 시 임신성 융모성종양과 감별이 어렵기 때문이다. 피임방법으로는 자궁내 장치는 추천되지 않는다. 왜냐하면 자궁천공, 출혈, 감염 등의 위험성이 크기 때문이다. 경구피임제는 임신성 융모성질환의 위험도를 높인다고 하는 보고들도 있으나 전향적 연구에서 높이지 않는다는 보고들이 많아 안전하게 사용할 수 있을 것으로 보인다.[14]

임신성 융모성종양
(Gestational Trophoblastic Neoplasia)

1) 병리학적 고찰

임신성 융모성종양은 ① 포상기태 흡인소파술 후에 hCG 수치가 증가하거나 지속되는 경우, ② 침윤기태, 태반부착부위 영양막종양, 상피모양 영양막종양, 융모막암의 조직학적 진단이 확인된 경우, ③ 포상기태 흡인소파술 후에 원격 전이가 확인된 경우로 정의한다.

임신성 융모성종양의 병리 소견은 선행 임신에서 융모종양의 존재 여부와 관련이 있다. 포상기태 임신 후에 지속되는 임신성 융모성종양은 포상기태나 혹은 융모막암의 병리학적 소견을 보일 수 있다. 그러나 유산이나 만삭 임신 후에는 특징적으로 융모막암의 조직학적 특성을 보인다. 융모막암은 융모막 융모가 없고, 역형성 세포영양막(ana-plastic cytotrophoblast)과 융합세포영양막(syncytiotrophoblast)으로 구성되어 있다(그림 21-4). 난관에 생긴 기태도 전이될 수 있으며, 자궁 외 임신 뒤에 생기는 임신성 융모성종양은 포상기태나 혹은 융모막암의 조직학적 형태를 보인다.

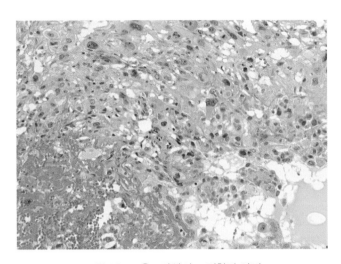

그림 21-4. **융모막암의 조직학적 사진**
융모막 융모가 없고, 역형성 세포영양막과 융합세포영양막으로 구성되어 있다(확대배율 X 200).

태반부착부위 영양막종양은 융모막암의 드문 변종이다.[15] 이것은 거의 중간 크기의 단핵 영양막(intermediate mononuclear trophoblast)으로만 구성되어 있으며 융모막 융모는 없다(그림 21-5). 단핵 영양막은 극소량의 hCG만을 분비하기 때문에 hCG 수치가 측정되기 이전에 종양은 이미 커져 있을 수 있고, 자궁에 국한되는 경우가 많으나 전이도 가능하며, 치료에 잘 반응하지 않는다. 태반부착부위 영양막종양은 높은 free β-hCG 수치를 보이기 때문에 진단 시 유용하다.[16]

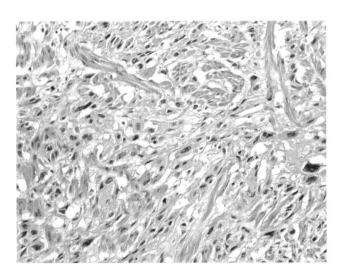

그림 21-5. **태반부착부위 영양막종양(PSTT)의 조직학적 사진**
융모막 융모는 없으며 중간 크기의 단핵 영양막으로만 구성되어 있다(확대배율 X 200).

2) 자연 경과

① 비전이성 질환

국소적으로 침윤한 임신성 융모성종양은 완전 포상기태를 제거한 후 15% 정도에서 발생하며, 드물게는 다른 임신 후에도 발생한다. 침습적인 임신성 융모성종양은 자궁근층을 통과하여 복강 내 출혈을 야기하거나 자궁 혈관을 침입하여 질 출혈을 일으킬 수 있다. 부피가 큰 괴사성 종양은 감염의 병소가 될 수 있다.

② 전이성 질환

전이성 임신성 융모성종양은 완전 포상기태를 제거한 후 약 4% 정도에서 발생하고 드물게 다른 임신 후에 발생할 수 있다. 전이되는 임신성 융모성종양은 대부분 융모막암이며, 초기에 혈관을 침투하고 다발성으로 전이되는 성향을 보인다. 가장 흔히 전이되는 부위는 폐(80%), 질(30%), 골반(20%), 뇌(10%), 간(10%) 순이다(표 21-3). 임신성 융모성종양에 혈액을 공급하는 혈관은 손상되기 쉬워서, 자주 전이 부위에 출혈이 발생한다. 환자들은 전이 부위의 출혈에 의해서 객혈이나 복막 내 출혈, 급성 신경학적 결손 같은 증상을 호소하기도 한다. 뇌나 간으로의 전이는, 폐 혹은 질로 전이가 없는 경우에는 드물게 발생한다.

표 21-3. 빈번한 전이부위의 상대적인 빈도

전이부위	빈도
폐	80%
질	30%
골반	20%
뇌	10%
간	10%
장/신장/비장	<5%
다른부위	<5%

폐전이는 방사선 영상에서 ① 흉막 삼출, ② 폐포(alveolar) 또는 눈보라 양상, ③ 경계가 명확한 구분되는 둥근 음영, ④ 폐동맥 폐쇄에 의한 색전 양상 등 4가지 중요한 특징을 보인다(그림 21-6).[17] 환자는 폐 실질의 손상을 많이 받지 않더라도 폐고혈압이 발생할 수 있다. 조기 발견 여부에 따라서 폐의 침범 정도는 미세 침윤에서 광범위 침윤까지 다양한 양상을 보인다.

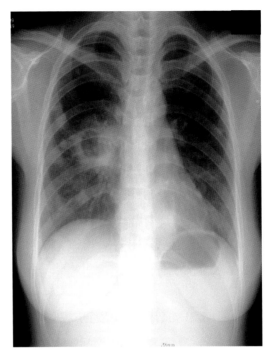

그림 21-6. 폐 전이된 임신성 융모성종양 환자의 폐 X선 영상

대부분의 폐전이 환자들은 증상이 없고, 특징적인 방사선학적 병변을 나타낸다. 간혹 호흡곤란이나 흉통, 기침, 객혈과 같은 증상이 있을 수 있으며, 융모 조직 색전에 의한 폐동맥의 폐쇄와 이로 인한 우심방의 긴장(strain)이나 폐고혈압까지 발생할 수 있다. 부인과적 증상이 매우 경미하고 이전 임신 후 오랜 시간이 경과하여, 임신성 융모성종양이라고 의심하기 어려울 수도 있다. 그리고 전형적인 호흡기 증상 때문에 원발성 폐질환으로 오인되는 경우가 있으며, 이 경우 결국 개흉술 후 진단되기도 한다. 가임기 여성이 원인이 규명되지 않은 전신 혹은 호흡기 증상을 보인다면 임신성 융모성종양의 가능성을 반드시 고려해야 한다. 광범위한 폐 침범이 있을 경우에는 조기에 호흡 부전이 발생할 수 있으며 이 경우 예후가 좋지 않다.[18]

질 침범은 질의 천장이나 요도 밑 부위에서 생기며 불규칙적 질 출혈과 화농성의 질 분비물이 동반된다. 질 전이 부위는 혈관이 매우 풍부해서 상처가 생기면 대량 출혈이 발생할 수 있으므로, 질조직검사는 반드시 피해야 한다.

뇌 전이를 가진 대부분의 환자들은 질이나 폐전이를 동반하는 경우가 많으며, 뇌출혈로 인해 뇌압이 상승하고 대부분 구토 및 발작, 두통, 반신마비, 어둔한 말투, 시야흐림과 같은 신경학적 증상들을 동반한다.[19]

간에 전이가 된 환자는 증상이 경미하므로 늦게 진단되며 종양은 이미 커진 경우가 많다.[20] 황달과 위장관 출혈, 간피막의 확장으로 상복부 통증이 있고 출혈이 생겨 간파열이나 복강 내 출혈을 일으키기도 한다. 간전이가 된 환자의 경우 폐나 질, 뇌 침범과 관련된 증상을 보이는 것이 대부분이다.

3) 병기설정 시스템

국제산부인과연맹(International Federation of Gynecology and Obstetrics, FIGO)은 임신성 융모성종양의 해부학적 병기설정 시스템을 적용하여 분석한 결과를 보고하였다(표 21-4). 병기설정을 통해서 보고된 연구 결과를 비교할 수 있게 되었으며, 치료 성적을 객관적으로 평가할 수 있게 되었다. 1기는 지속적으로 상승된 hCG 수치와 자궁에 국한된 종양이다. 2기는 종양이 자궁 밖으로 진행되었으나 생식기관(질, 자궁부속기, 광인대) 내에 국한된 종양이다. 3기는 자궁 혹은 골반 내에 국한되고, 자궁/질/골반 침윤의 유무에 관계없이, 폐 전이가 있는 경우이다. 4기는 뇌나 간, 신장, 위장관까지를 침범하는 진행된 경우이다. 4기 환자는 대부분 항암화학요법에 저항성을 보인다. 4기 암은 일반적으로 조직학적 소견상 융모막암에 해당되며, 선행 임신이 포상기태가 아닌 정상임신 이후 자주 발생하며, 조기 진단이 어렵고 종양이 큰 경우가 많다.

표 21-4. 임신성 융모성종양의 해부학적 FIGO 병기

1기	자궁에 국한된 질병
2기	자궁 밖으로 진행되나, 생식기관에 국한됨(자궁부속기, 질, 넓은 인대)
3기	폐까지 전이(생식기관의 침범이 있거나 없을 수도 있음)
4기	모든 기타 전이 부위

약물에 대한 저항성을 예측하거나 적절한 항암화학요법을 선택하기 위해서 예후인자들을 이용하는 것이 유용하다. 2000년 FIGO는 예후점수시스템(prognostic scoring system)을 다시 수정하였는데 이는 세계보건기구(WHO)의 항암화학요법 저항성을 예측하는 1992년의 자료를 수정한 것이다(표 21-5). 예후점수가 7점 이상이면, 환자는 '고위험'이며, 집중적인 복합항암화학요법을 받아야 한다. 일반적으로, 1기의 환자들은 '저위험'에 해당되고 4기 환자들은 고위험에 해당된다. 그러므로, 저위험과 고위험의 구분은 일차적으로 2기와 3기 환자들에 적용된다. 예후 변수로는 ① 종양의 용적(hCG 수치, 전이된 종양의 크기, 전이의 개수), ② 침범된 부위, ③ 과거 항암화학요법을 시행받던 치료력, ④ 유병 기간 등이 있다. hCG 수치가 높고, 진단이 지연되거나 뇌나 간으로의 전이가 있는 환자와 더불어 이전에 항암화학요법을 받았거나 선행 임신이 만삭임신인 환자들은, 일반적으로 단일약제를 이용한 항암화학요법에 반응하지 않는다.

만삭임신 후에 발생한 융모막암은 예후가 불량하고 특징적인 임상양상을 보인다. 산모-태아간 출혈로 인한 심한 빈혈과 태아수종 및 임신 제3삼분기 출혈 등이 발생할 수 있다. 분만에서 진단 시까지의 기간과 전이된 부위, 치료 시작 전의 hCG 수치는 예후와 관련된 중요한 위험인자이다.[21] 융모막암을 대상으로 한 최근 연구에 따르면, 만삭임신이 임신성 융모성종양에서 가장 중요한 예후인자이나,[22] 최근의 생존율은 적절한 치료를 시행하여 고위험 환자의 일반적 생존율에 근접하게 되었다.

표 21-5. 예후인자에 기초한 예후점수 시스템

점수	0	1	2	4
나이	<40	≧40		
선행 임신	기태임신	유산	만삭임신	
지표(index)임신으로부터의 간격(개월)	<4	4~6	7~12	>12
치료 이전의 혈청 hCG (IU/L)	<10³	10³~<10⁴	10⁴~<10⁵	≧10⁵
가장 큰 종양 크기(자궁 포함)	<3	3~5cm	≧5cm	
전이된 병소	폐	비장/신장	위장관	간/뇌
전이의 개수	0	1~4	5~8	>8
이전의 실패한 항암화학요법			단일 약제	다제 약제

4) 진단적 평가

임신성 융모성종양의 최적의 치료를 위해서는 철저한 치료 전 평가가 선행되어야 한다. 모든 환자는 완전한 병력 조사와 진찰, 기저 hCG 수치, 간/갑상선/신장 기능검사, 그리고 흉부 방사선 검사를 포함하는 면밀한 평가를 받아야 한다. 흉부 X-선 검사에서 음성 소견을 보일 경우 컴퓨터단층촬영(computed tomography, CT)을 고려해야 한다.[23] 골반진찰에서 비정상 소견이 관찰되지 않고 흉부 CT에서 음성 소견을 보이며, 증상이 없는 환자는 이후의 방사선학적 검사에서 간이나 뇌 전이가 발견될 가능성은 매우 낮다. 그러나, 병리학적으로 융모막암으로 진단되었거나, 질 또는 폐의 전이가 있는 환자에게 뇌와 간의 전이를 확인하기 위해 두부와 복부의 CT이나 자기공명영상(MRI)을 시행해야 한다(그림 21-7).

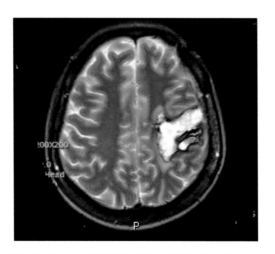

그림 21-7. 뇌 전이된 임신성 융모성종양 환자의 뇌 MRI

뇌 전이는 뇌척수액의 hCG 수치를 측정해서도 평가할 수 있으며 뇌 전이가 있을 때는 혈장/뇌척수액 hCG비가 60 미만이다.[24] 그러나 혈장 hCG 수치는 매우 급격히 변할 수 있기 때문에 일회 측정으로는 뇌 전이 여부를 판단하기 어려울 수 있다.

질 초음파는 임신성 융모성종양이 자궁을 광범위하게 침범하거나 항암화학요법에 저항을 나타내는 경우에 종양의 자궁 내 위치를 찾아내기 위한 유용한 검사 도구이다. 칼라도플러를 사용하여 초음파의 민감도를 향상시킬 수 있으며, 광범위하게 자궁을 침범한 임신성 융모성종양을 정확히 진단할 수 있기 때문에, 자궁절제술로 치료적 효과를 볼 수 있는 환자를 선택하는 데에 도움된다.

5) 치료

① 병기 1기

치료 방법의 선택은 가임능력을 보존하려는 환자의 요구에 따라 결정된다.[25] 환자가 향후 임신을 원하지 않을 경우에는 자궁절제술 및 보조적으로 단일 약제를 이용한 항암화학요법이 주된 치료로 시행될 수 있다(표 21-6). 보조 항암화학요법은 ① 수술 시에 발생할 수 있는 종양 세포의 전파 가능성을 감소시키고, ② 수술 시 종양 세포가 전파될 경우 혈류 및 조직 내 항암화학요법제의 세포 독성 농도를 유지하고, ③ 수술 시 존재하고 있는 잠재적인 전이의 치료 등의 세 가지 이유로 사용되며, 투여 시 수술로 인한 합병증을 증가시키지 않고 안전하게 사용될 수 있다. 잠재적인 폐 전이는 전이가 없을 것이라고 생각했던 경우의 40%에서 CT 검사상 관찰되었다. NETDC에서 자궁절제술 및 보조 항암화학요법으로 치료한 32명 환자는 모두 추가적인 치료 없이 완전관해에 도달하였다.[26]

표 21-6. 병기 1기의 치료 프로토콜

일차 치료	MTX-FA; 내성을 보이는 경우 ACT D 혹은 자궁절제술(+보조적인 단일 제제 항암화학요법)
내성을 보이는 경우	복합항암화학요법 혹은 자궁절제술(+보조적인 단일 제제 항암화학요법) 국소 자궁 절제 골반 동맥 내 주입
hCG 추적 검사	3주 연속 정상일 때까지 매주 검사, 그 후 12개월간 매월 검사
피임	hCG 값이 12개월간 정상일 때까지 피임

MTX, methotrexate; FA, folinic acid; Act-D, actinomycin D; hCG, human chorionic gonadotropin.

단일 약제를 이용한 항암화학요법은 치료 후 임신을 원하는 병기 1기의 질환을 가진 환자에게 선호되는 치료이다. 일차적인 단일 약제 항암화학요법은 병기 1기 질환을 가진 502명의 환자 중 419명(84%)에서 완전관해를 유도하였다. 나머지 83명의 치료에 반응이 없던 환자의 경우 복합항암화학요법(combination chemotherapy) 혹은 수술적 치료를 통해 관해에 도달할 수 있었다(표 21-7). 항암화학요법에 저항성을 보이고 임신을 원하는 여성에게, 자궁부분절제술의 시행을 고려할 수 있으며, 자궁부분절제술 계획 시 초음파, MRI, 혈관조영술, PET 스캔 등이 항암화학요법에 저항성을 나타내는 종양의 부위를 정확하게 규명하는 데 도움이 된다.[13]

표 21-7. 자궁에 국한된 임신성 융모성종양 환자의 치료 성적(1965년 7월~2006년 6월, NETDC)

관해 치료	환자 수(%)	관해에 도달한 환자 수(%)
일차 치료	460 (85)	
MTX 혹은 ACT D 순차적인 치료		419 (77)
자궁절제술, 자궁 부분 절제		36 (6)
기타		9 (2)
내성을 보이는 경우	83 (15)	
MAC		17 (3)
EMA, EMA-CO, 기타		51 (9)
자궁절제술, 자궁 부분 절제, 기타		15 (3)
전체	543 (100)	543 (100)

MTX, Methotrexate; ACT D, Actonomycin D; MAC, Methotrexate, Actinomycin D, Cyclophosphamide; EMA, Etoposide, Methotrexate, Actinomycin D; EMA-CO, Etoposide, Methotrexate, Actinomycin D, Cyclophosphamide, Vincristine

전이가 없는 태반부착부위 영양막종양은 항암화학요법에 대한 반응이 불량하므로 일차적으로 자궁절제술을 시행한다. 그러나 이 질환이 가지고 있는 상대적인 항암화학요법 저항성에도 불구하고 복합항암화학요법 치료 후 장기 생존을 보이는 전이성 태반부착부위 영양막종양 증례들이 보고되고 있다. Papadopoulos 등은 Charing Cross Hospital에서 34명의 태반부착부위 영양막종양 환자들에 대한 임상 경험을 분석한 결과, 선행 임신으로부터 임상 증상이 나타나기까지 경과된 기간이 가장 중요한 예후인자라고 보고하였다.[27] 선행 임신으로부터의 기간이 4년보다 짧았던 27명의 환자가 전원 생존한 반면에, 선행 임신으로부터의 기간이 4년보다 오래되었던 7명의 환자는 모두 사망하였다. 또한 Lathrop 등은 43명의 태반부착부위 영양막종양 환자를 대상으로 한 연구에서 선행 임신으로부터 진단이 내려지기까지의 기간이 2년보다 긴 10명의 모든 환자가 사망한 것을 보고하였다.[28] Lathrop 등은 종양세포의 유사분열률(mitotic rate)이 중요한 예후인자라고 보고한 반면, Papadopoulos 등은 유사분열률과 예후와의 연관성은 없다고 보고하였다.

② 병기 2, 3기

병기 2, 3기 질환의 일차적치료는 저위험군 환자(예후 점수 7점 미만)의 경우 단일 제제를 이용한 항암화학요법이고, 고위험군 환자(예후 점수 7점 이상)는 복합항암화학요법이다(표 21-8).

1965년 7월부터 2006년 6월까지 NETDC에서 치료받은 28명의 병기 2기의 모든 환자들이 이 치료법으로 모두 관해에 도달하였다. 20명(80%)의 저위험군 환자 중 16명은 단일 제제를 이용한 항암화학요법을 통해 완전 관해에 도달하였으나, 8명의 고위험군 환자들 중에서는 2명만이 단일 제제를 이용한 항암화학요법을 통해 완전관해에 도달하였다(표 21-9).

단일 제제를 이용한 항암화학요법은 저위험의 전이성 임신성 융모성종양 환자에서 일차적 치료로 시행되고 있다. Sekharan 등이 발표한 4개 센터의 시행된 임상 결과를

표 21-8. 병기 2, 3기의 치료 프로토콜

저위험군[a]	
일차 치료	MTX 혹은 ACT D 순차적인 치료
내성을 보이는 경우	복합항암화학요법
고위험군[a]	
일차 치료	복합항암화학요법
내성을 보이는 경우	이차적 복합항암화학요법
hCG 추적 검사	3주 연속 정상일 때까지 매주 검사, 그 후 12개월간 매월 검사
피임	hCG 값이 12개월간 정상일 때까지 피임

MTX, methotrexate; FA, Folinic acid; Act-D, Actinomycin D; hCG, human chorionic gonadotropin.
[a]선택적으로 국소 절제 시행

표 21-9. 골반과 질 부위에 전이된 임신성 융모성종양 환자의 치료성적(1965. 7.~2006. 6., NETDC)

관해 치료	환자 수(%)	관해에 도달한 환자 수(%)
저위험군	20 (72)	
일차 치료		
MTX 혹은 ACT D 순차적인 치료		16 (80)
내성을 보이는 경우		
MAC, EMA-CO		4 (20)
고위험군	8 (28)	
일차 치료		
MTX 혹은 ACT D 순차적인 치료		2 (25)
MAC		4 (50)
내성을 보이는 경우		
MAC, 기타		2 (25)
전체	28 (100)	28 (100)

MTX, Methotrexate; ACT D, Aactonomycin D; MAC, Methotrexate, Actinomycin D, Cyclophosphamide; EMA, Etoposide, Methotrexate, Actinomycin D; EMA-CO, Etoposide, Methotrexate, Actinomycin D, Cyclophosphamide, Vincristine

고찰하면, 저위험의 전이성 임신성 융모성종양 환자 147명 중 128명(87.1%)에서 단일 제제를 이용한 항암화학요법을 시행하여 완전관해에 도달할 수 있었다.[29] Ayhan 등에 의하면 단일 제제를 이용한 항암화학요법에 저항성을 보인 모든 환자 중 두 명을 제외하고는 모든 환자가 병용 항암요법을 통해 관해에 도달할 수 있었다.[30]

질 부위로의 전이는 이 부위의 혈관 분포가 풍부하고 손상되기 쉬운 종양 혈관의 특성으로 대량 출혈이 발생할 수 있다. 이 경우 출혈 부위에 대한 거즈 압박이나 부분 절제를 시행하여 출혈을 조절할 수 있다. 그래도 지혈이 안되면 하복부 동맥 혈관 조영술을 이용한 색전술이 필요할 수도 있다. Yingna 등은 질 부위 전이가 관찰된 51명의 환자 중 18명(35.3%)에서 질 출혈이 발생하였고, 이들 중 16명은 거즈 압박을 통해서, 나머지 2명은 혈관 조영술을 이용한 색전술을 시행하여 지혈시켰다고 보고하였다.[31] Tse 등은 20년간의 후향적 연구를 통해 질 출혈 발생 시 혈관 조영술을 이용한 색전술이 자궁절제술이나 혈관결찰을 대체할 수 있는 효과적인 방법이라고 보고하였다.[32]

NETDC에서 1965년 7월부터 2006년 6월까지 병기 3기로 진단된 161명의 환자를 치료한 결과, 160명(99.3%)의 환자가 완전관해에 도달하였다. 단일 제제를 이용한 항암화학요법은 저위험군 환자의 82%, 고위험군 환자의 27%에서 완전관해를 유도하였고, 단일 제제를 이용한 항암화학요법에 저항성을 보인 1명의 환자는 추가 복합항암화학요법에 관해 소견을 보였다(표 21-10).

개흉술(thoracotomy)의 시행은 병기 3기의 임신성 융모성종양의 치료에 있어서 제한된 역할만을 가지며, 진단을 확신할 수 있을 경우에 시행되어야 한다. 환자가 항암화학요법 치료에도 불구하고 지속적으로 진행될 가능성이 있는 폐 결절 소견이 관찰되면, 폐 절제를 시행할 수 있다.[33] 그러나, 다른 부위의 전이 여부를 확인하기 위해서 광범위한 검사가 선행되어야 한다. 섬유화된 결절은 hCG 검사상 완전 관해에 도달한 이후에도 존재할 수 있다는 것을 염두에 두어야 한다. 폐 전이가 방사선학적 검사상 관찰되지만, 성장 가능성이 의심스럽다면, hCG에 대한 방사선 동위 원소가 표지된 항체를 이용한 스캔이나 PET 스캔이 도움이 될 수도 있다. hCG에 대한 방사선 동위 원소가 표지된 항체를 이용한 스캔이나 PET 스캔은 성장 가능한 종양의 잠재 전이 부위 발견에 유용하다. Tomoda 등은 항암화학요법에 저항성을 보여 폐절제술을 시행한 19명의 임신성 융모성종양 환자들을 분석하여 성공적인 절제를 위한 다음과 같은 치료 방침을 제안하였다.[34] a) 적절한 수술적 치료 대상의 선정, b) 원발 부위 종양이 없어야 하고, c) 다른

표 21-10. 폐 전이가 있는 임신성 융모성종양 환자의 치료 성적(1965. 7.~2006. 6., NETDC)

관해 치료	환자 수(%)	관해에 도달한 환자 수(%)
저위험군	110 (68)	
일차 치료		
MTX 혹은 ACT D 순차적인 치료		90 (82)
내성을 보이는 경우		
MAC, EMA-CO, EMA-EP		20 (18)
고위험군	51 (32)	
일차 치료		
MTX 혹은 ACT D 순차적인 치료		14 (27)
MAC, EMA-CO		27 (53)
내성을 보이는 경우		
EMA-EP, VBP		9 (18)
전체	161 (100)	160/161 (99)

MTX, Methotrexate; ACT D, Actonomycin D; MAC, Methotrexate, Actinomycin D, Cyclophosphamide; EMA-CO, Etoposide, Methotrexate, Actinomycin D, Cyclophosphamide, Vincristine; EMA-EP, Etoposide, Methotrexate, Actinomycin D, Carboplatin; VBP, Vinblastine, Bleomycin, Carboplatin

부위에 전이된 증거가 없으며, d) 일측에 국한된 폐전이, e) hCG 수치는 1,000mIU/mL 미만. 이 5가지의 기준을 충족시킨 15명 중 14명에게서 완전관해가 유도되었으나, 하나 혹은 그이상의 조건을 만족시키지 못한 4명 중에서는 한 명도 완전관해에 도달하지 못했다. Jones 등도 항암화학요법에 내성을 보인 환자 중에서 적절하게 선정된 9명 중 6명(66.7%)에서 폐 절제를 통해서 완전관해에 도달할 수 있었다고 보고하였다.[33] 몇몇의 연구자들은 단일 폐 결절 절제 후 1~2주 내에 측정한 hCG 수치가 검출되지 않는 것이 양호한 예후 예측인자라고 보고하였다. 치료 목적의 절제술 이후 생존율은 수술 전 시행한 항암화학요법의 횟수, 질병이 존재하는 부위의 수, WHO 위험도와 관련이 있었다.

자궁절제술은 자궁출혈이나 패혈증을 조절하기 위한 목적으로 전이성 임신성 융모성 종양 환자에서 시행될 수 있다. 또, 크기가 큰 자궁 종괴를 가진 환자에서 종양의 용적(tumor burden)을 감소시키고 항암화학요법의 시행을 줄이기 위해 자궁절제술을 시행할 수도 있다. Hammond 등은 자궁절제를 시행한 환자들이 재원 일수 및 항암화학요법 시행 횟수 감소를 보인다고 보고하였다.[25] 혈관 조영술을 이용한 색전술은 혈-역동학적으로 안정되어 있으며, 임신을 원하는 환자에게서 자궁절제술의 대체 치료로 효과적으로 시행될 수 있다.

③ 병기 4기

병기 4기 질환의 환자들은 집중 치료에도 불구하고 급속히 진행되는 고위험군이다. 병기 4기 질환을 가진 모든 환자들은 집중적으로 복합항암화학요법과 선택적인 방사선 및 수술적 치료가 시행되어야 한다(표 21-11). 1975년 이전에는 병기 4기 환자 20명 중 6명(30%)만이 완전관해에 도달할 수 있었으나, 1975년 이후에는 20명 중 16명(80%)의 환자가 완전관해에 이르렀다(표 21-12). 이러한 극적인 생존율의 향상은 치료 초기에 집중적이고 다중치료법(multimodal therapy)시행의 적용과 연관이 있다.

표 21-11. 병기 4기의 치료 프로토콜

초기 치료	복합항암화학요법
뇌 전이	전두부 방사선치료 합병증 치료를 위한 개두술
간 전이	합병증 조절을 위한 절제술
내성을 보이는 경우[a]	이차적 복합항암화학요법 간동맥 색전술
hCG 추적 검사	3주 연속 정상일 때까지 매주 검사, 그 후 24개월간 매월 검사
피임	hCG 값이 24개월간 정상일 때까지 피임

hCG, human chorionic gonadotropin

[a]선택적으로 국소 절제 시행

표 21-12. 원격 전이가 있는 임신성 융모성종양 환자의 치료성적(1965. 7.~2006. 6., NETDC)

관해 치료	환자 수(%)	관해에 도달한 환자 수(%)
1975년 이전	20	
MTX 혹은 ACT D 순차적인 치료		5 (25)
MAC		1 (5)
1975년 이후	20	
MTX 혹은 ACT D 순차적인 치료		2 (10)
MAC, EMA, EMA-CO, 기타		14 (70)

MTX, Methotrexate; ACT D, Actonomycin D; MAC, Methotrexate, Actinomycin D, Cyclophosphamide; EMA, Etoposide, Methotrexate, Actinomycin D; EMA-CO, Etoposide, Methotrexate, Actinomycin D, Cyclophosphamide, Vincristine

간 전이 시 치료는 특히 어려운 문제이지만, 간 절제가 출혈을 조절하고 내성을 가진 종양을 제거하기 위해 시행되기도 한다. Grumbine 등은 최종적으로 관해를 보인 간 전이 및 출혈 소견을 보인 환자에서 간 동맥의 선택적인 폐색과 동시 복합항암화학요법을 시행한 결과를 보고하였다.[35] Wong 등은 간 전이 소견을 보인 10명의 환자 중 9명의 환자에서 방사선치료 없이 집중적인 복합항암화학요법을 통해 완전 관해를 이루었고,[36] Bakri 등은 간전이 소견을 보인 8명의 환자 중 5명(67.5%)의 환자가 복합항암화학요법만으로 완전관해에 도달하였다고 보고하였다.[20]

뇌 전이가 발견된다면 즉각적으로 방사선치료를 시행해야 한다. 다발성 병변의 경우에는 전체 두부에 대한 치료를, 국소적인 단독 병변의 경우에는 국소적인 치료를 필요로 한다. 전이에 의한 대뇌 출혈의 위험도는 동시항암화학방사선요법을 시행하여 감소시킬 수 있다. 두부에 대한 방사선 조사 또한 종양을 사멸시킬 수 있다. Yordan 등은 항암화학요법을 시행한 25명의 환자에서 11명(44%)에서 중추신경계 침범으로 인한 사망을 보고하였으나, 동시항암화학방사선요법을 동시에 시행한 18명 중에서는 사망이 없었음을 보고하였다.[37]

반면에, Newlands 등은 대뇌 전이를 보이는 환자에게서 단독제제를 이용한 항암화학요법만으로도 지속적으로 유지되는 높은 수준의 관해를 보였다고 보고하였다.[38] 대뇌 전이를 보이는 35명의 환자 중 30명(86%)에서 외부 방사선 조사 없이도, 고용량 정맥내 및 척수강 내(intrathecal) MTX 치료를 포함하는 집중적인 복합항암화학요법을 통해 지속적인 관해를 이룰 수 있었다.

뇌 주변 부위의 단독 전이 부분에 대한 제거 목적 이외에도, 개두술(craniotomy)은 생명을 위협하는 합병증을 조절하고 완전관해를 위한 항암화학요법의 시행 가능성을 제공하는 중요한 치료법이다. 항암화학요법에 저항성을 보이는 뇌 전이는 절제를 통해서 치료가 가능할 수도 있다. Evans 등은 두개 내압을 줄이기 위해 개두술을 시행한 4명 중 3명에서, 항암화학요법에 저항성을 보여 개두술을 시행한 3명의 뇌 전이 환자의 2명에서 완전관해를 보고하였다.[39] Athanassiou 등은 급성 두개내 합병증을 치료하기 위해 개두술을 시행한 5명 중 4명에서 최종적인 완치를 보고하였다.[40] 일반적으로 완전

관해에 도달한 대부분의 뇌 전이 환자들의 신경학적 장애는 발생하지 않았다.

6) 추적 관찰

병기 1~3기의 모든 임신성 융모성종양 환자들은 3주 연속으로 hCG가 정상 수치가 보일 때까지 매주 hCG 검사를 시행 받아야 하고, 정상 수치로 떨어진 뒤에는 12개월 동안 매월 검사를 시행 받아야 한다. 전체 추적 관찰 기간 동안 피임을 하도록 권유한다. 병기 4기의 임신성 융모성종양 환자들은 3주 연속으로 hCG가 정상 수치로 보일 때까지 매주 hCG 검사를 시행 받아야 하고, 정상 수치로 떨어진 후에는 24개월 동안 매월 검사를 시행 받아야 한다. 이 환자들의 재발가능성은 높으므로 지속적인 추적 관찰을 필요로 한다.

7) 위양성의 hCG 검사 결과

임상 의사들은 임신성 융모성종양에서 혈청 내 hCG 분자들이 정상 임신에 비해서 더 많이 분해되고 이종성(heterogenous)이라는 것을 고려하여야 한다. 융모성 질환의 혈청에는 더 많은 비율의 β-hCG, 흠이 있는(nicked) hCG, β-core 조각들을 함유하고 있다. 따라서 임신성 융모성종양 환자의 추적 검사 시, 완전한 형태의 hCG뿐만이 아니라 그 대사산물 및 조각들을 모두 검출할 수 있는 방법을 사용하는 것이 이상적이다.

현재 이용되고 있는 많은 hCG 검출 방법은 황체 호르몬과 어느 정도 교차 반응을 보인다. 많은 횟수의 항암화학요법을 시행 받은, 30대 후반부터 40대의 환자의 난소 스테로이드 호르몬 생성 능력은 손상되고 저하될 수 있다. 난소 기능이 손상되었을 경우에는 황체 호르몬이 증가되고, hCG과의 교차반응에 기인해서 지속적으로 높은 hCG 수치를 보일 수 있다. 따라서 복합항암화학요법을 시행받는 환자는 황체 호르몬 수치를 억제하여 교차 반응이 발생할 가능성을 억제 시키기 위해 경구피임제를 복용해야 한다.

몇몇 환자들은 'phantom hCG'라고 불리는 이성항체(heterophilic antibody)에 의해서 hCG 수치가 위양성으로 높게 측정될 수 있다. 'phantom hCG' 환자들은 대부분 명백한 임신력이 없거나 hCG 수치의 점진적인 증가 소견은 보이지 않는다. hCG 수치 측정에서의 위양성의 판정은 표준 hCG 측정 검사실에 혈청 및 소변 검체를 동시에 측정함으로 판정할 수 있는데, 'phantom hCG'을 가진 환자의 소변 검체에서는 hCG이 검출되지 않기 때문이다.[41]

8) 정지성(quiescent)의 임신성 융모성종양

진성 hCG 수치가 지속적으로 낮게 측정되는 융모종양은 '정지성의 임신성 융모성종양'으로 불리며, 임신성 융모성종양을 치료하는 임상의들에게 있어 진단 시 어려움을 초래하는 새로운 임상 질환의 형태로 인식되고 있다. 이러한 환자들은 기태임신 혹은 다른 종류의 임신성 융모성종양의 치료력이 있고, 초기에는 hCG 수치가 감소하지만, 지속적으로 수 주 혹은 수개월 동안 매우 낮은 정도의 hCG(주로 nonhyperglycosylated form)이 측정된다. 이러한 환자들에게 광범위한 정밀검사를 시행하였을 때 대부분 자궁이나 다른 부위에 병변이 없는 것으로 판명이 되고, 항암화학요법 시행 또한 효과적이지 않다. 그러나 약 6~10%의 환자에서 hCG이 증가되는 임신성 융모성종양의 재발 소견이 발생하기 때문에, 면밀한 추적 검사가 시행되어야 하며, 재발 소견이 발견되는 시기에는 항암화학요법이 효과적이다. 이러한 환자들이 재발하였을 경우에는 존재하는 hCG 중에서 hyperglycosylated hCG가 주된 hCG이다.[42]

9) 재발성 임신성 융모성종양

Mutch 등은 전이가 없는 임신성 융모성종양 환자의 2%에서, 양호한 예후를 보이는 전이성 임신성 융모성종양 환자의 4%, 불량한 예후를 보이는 전이성 임신성 융모성종양 환자의 13%에서 초기 치료 후 재발을 경험한다고 보고하였다.[43] 이 중 50%는 3개월 이내에, 85%는 18개월 이내에 재발한다고 보고하였다.

hCG이 검출되지 않은 시기부터 재발로 진단될 때까지는 평균 6개월이 소요되었고, FIGO 병기에 따른 유의한 차이는 없었다. 재발을 경험한 초기 병기 1~3기의 임신성 융모성종양 환자들은 모두 완치가 가능했으나, 초기 병기 4기면서 재발한 환자들은 사망하였다. 최근에, Ngan 등은 20년간의 임신성 융모성종양의 치료 경험을 통해 관해에서 재발까지의 평균 시간은 6.5개월임을 보고하였다.[44] 재발과 연관된 가장 중요한 위험인자는 부적절한 치료 및 추적 검사, 그리고 초기 광범위한 부위 침범이라는 결과를 보고하였다. Yang 등은 901명의 임신성 융모성종양 환자들을 대상으로 한 연구에서 관해에서 재발까지의 평균 시간은 15.3개월임을 보고하였다.[45] 이 연구에서 다인자 분석을 통해 규명된 재발과 관련된 4가지 위험인자들은 (a) 임상적 병기, (b) 과거 임신으로부터 항암화학요법 시행까지 기간이 12개월을 초과하는 경우, (c) 7차례의 항암화학요법 시행 후 hCG 수치가 정상화되는 경우, (d) 공고 항암화학요법 시행이 2회 미만일 경우 등이었다.

10) 항암화학요법

① 단일항암화학요법

1950년대 중반에 처음으로 MTX가 전이성 융모막암 환자에게 사용되어 좋은 치료 효과를 보인 후, 비전이성 임신성 융모성종양의 일차적 치료에도 사용되었다.[46] 완전 관해는 모든 비전이성 임신성 융모성종양 환자에서 보였다. 이는 자궁절제술을 시행하지 않고 항암화학요법만으로 완치가 가능하며, 임신력 보존을 가능하게 하였다. 대부분의 환자에서 MTX만으로 치료가 가능하였지만, 다른 항암화학요법 제제도 필요하였다. ACT D는 MTX 내성을 가진 13명의 임신성 융모성종양 환자들 중 6명(46%)의 환자에서 완전관해를 보였다.[47]

1960년대 초반부터 MTX와 ACT D는 임신성 융모성종양 환자의 주된 치료제로 사용되어 왔고, 단일항암화학요법으로 비전이성 및 전이성 임신성 융모성종양에서 높은 치료 성적을 보였다. MTX와 ACT D는 비전이성 임신성 융모성종양 환자의 70~100%, 저위험 전이성 임신성 융모성종양 환자의 50~70%에서 완치율을 보였다. 치료초기 단일

제제를 이용한 항암화학요법에 저항성이 발생한 경우, 다른 단일제제를 이용한 항암화학요법을 시행하는 것이 일반적인 원칙이다. 1964년에 처음으로 항암화학요법제의 독성을 줄이기 위해 MTX와 함께 엽산(folic acid, FA)을 투여하였다(MTX/FA).[26]

1974년부터 1984년까지 미국 NETDC에서의 치료 결과 보고에 의하면 일차적으로 MTX/FA 요법을 받은 185명의 임신성 융모성종양 환자 중 162명(87.6%)의 환자에서 완전관해를 보였다.[48] 병기 I의 임신성 융모성종양 환자 163명 중 147명(90.2%), 병기 II와 III의 저위험군 환자 22명 중 15명(68.2%)에서 완전관해를 각각 볼 수 있었다. MTX/FA에 저항성을 보인 23명 환자에서 14명(61%)은 ACT D로 치료되었고, 나머지 9명은 복합항암화학요법으로 치료되었다. MTX/FA 치료 후 혈소판감소증, 과립구감소증, 그리고 간독성이 각각 5.9%, 1.6%, 14.1%에서 발생하였다. 골수억제에 기인한 혈소판감소의 발생 시 혈소판 수혈의 필요성은 없었고 패혈증은 발생하지 않았으며, 탈모를 호소하는 환자도 없었다. MTX/FA 요법은 높은 관해율을 보이며, 독성은 적게 나타난다. 8일간(MTX 1mg/kg 1,3,5 및 7일에 근주, 엽산 0.1mg/kg 2,4,6 및 8일 근주) 투여되며, 효능은 MTX의 장기간 투여에 의해 나타나게 되는 것으로 알려져 있다. 고용량($300mg/m^2$)을 12시간 이상과 30분 동안 투여하였을 경우 비전이성 임신성 융모성종양의 완치율은 69%로 감소하였다. MTX 및 ACT D은 전세계적으로 많이 사용되고 있다. Sung 등은 5-플루오로우라실 (5-Fluorouracil)을 단일약제를 사용하여 병기 1 환자에서 93%, 병기 2 환자에서 86% 완치율을 보고하였다.[49] 에토포시드(Etoposide) 또한 단일약제로 비전이성 및 전이성 임신성 융모성종양의 치료에 사용되기도 한다.[50]

② 복합항암화학요법

MTX/FA, ACT D 및 시클로포스파미드(Cyclophosphamide)를 이용한 복합항암화학요법이 사용되고 있다.[51] 그러나 이 3제 병용요법(modified triple chemotherapy)은 고위험 전이성 임신성 융모성종양(예후 점수 7 이상)의 일차 치료에 사용하기에는 효과적이지 않다. 에토포시드는 임신성 융모성종양 환자에서 높은 치료 효과를 보였다. 경구 에토포시드를 일차적으로 사용하여 비전이성 혹은 저위험성 임신성 융모성종양 환자에서 93.3%

표 21-13. EMA-CO 요법

	EMA
1일	• Etoposide 100mg/m²을 생리식염수 200mL에 섞어서 30분간 IV • Actinomycin D 0.5mg IV bolus • Methotrexate 100mg/m² IV bolus 후, Methotrexate 200mg/m² IV를 12시간에 걸쳐 IV
2일	• Etoposide 100mg/m²을 생리식염수 200mL에 섞어서 30분간 IV • Actinomycin D 0.5mg IV bolus • Folinic acid, 15mg를 MTX 시작 24시간 뒤부터 12시간마다 4회에 걸쳐 IM 또는 PO
	CO
8일	• Vincristine, 1.0mg/m², IV • Cyclophosphamide, 600mg/m², 생리식염수에 섞어서 IV

의 완전관해를 보였다. Bagshawe는 전이성 고위험성 환자에게 에토포시드가 포함된 복합항암화학요법(Etoposide, MTX, ACT D, Cyclophosphamide, Vincristine, EMA-CO)을 시행하여 83%의 완전관해를 보였다(표 21-13).[52] Bolis, Lurain 및 Soper 등은 EMA-CO를 전이성 및 고위험성 환자를 대상으로 사용하여 각각 76%, 67%, 67% 완전관해율을 보고하였다.[53~55] Bower 및 Kim 등은 EMA-CO를 일차적으로 전이성 및 고위험성 환자에 투여하여 각각 86.1% 과 90.6%의 완전관해를 보였다.[56,57] EMA-CO는 전이성 및 고위험성 환자에게 일차적으로 사용하였을 때 70~90%의 높은 완치율을 보였다.

EMA-CO에 저항성을 보일 경우 에토포시드와 시스플라틴을 8일째 투여하는 변형된 방법(EMA-EP)을 사용하였다(표 21-14). Bower 등은 EMA-EP 단독 또는 수술과 병용하여 EMA-CO 내성을 가진 환자에서 76% 완전관해를 보였다. Lurain 등은 EMA-CO 내성을 가진 환자 10명 중 8명이 백금(platinum)을 포함한 병용요법으로 치료되었으며, 저항성이 발생한 경우에는 그 부위를 수술로 절제하는 것이 필요하다고 하였다.[58]

표 21-14. EMA-EP 요법

EMA		
1일	• Etoposide 100mg/m² 을 생리식염수 200mL에 섞어서 30분간 IV • Actinomycin D 0.5mg IV bolus • Methotrexate 100mg/m² IV bolus 후, Methotrexate 200mg/m² IV를 12시간에 걸쳐 IV	
2일	• Etoposide 100mg/m² 을 생리식염수 200mL에 섞어서 30분간 IV • Actinomycin D 0.5mg IV bolus • Folinic acid, 15mg를 MTX 시작 24시간 뒤부터 12시간마다 4회에 걸쳐 IM 또는 PO	
EP		
8일	• Etoposide 100mg/m² 을 생리식염수 200mL에 섞어서 30분간 IV • Cisplatin 75mg/m² 을 생리식염수 1L에 섞어서 3시간 동안 IV	

그러나 에토포시드 사용은 골수성백혈병, 흑색종, 대장암 및 유방암 등의 2차적 암 발생을 초래할 수 있다. 에토포시드의 투여량이 2gms/m²인 경우 백혈병, 흑색종, 대장암 및 유방암의 발생 위험은 각각 16.6%, 3.4%, 4.6% 및 5.8% 증가된다. 에토포시드로 치료한 모든 환자 중 1.5%에서 백혈병이 발생하였다. 유방암의 발생 위험은 투여 후 25년이 지나 나타난다. 따라서 에토포시드의 투여는 고위험군의 환자에게 고려되어야 한다. 비전이성 및 저위험 전이성 임신성 융모성종양 환자가 MTX와 ACT D에 저항성을 보일 경우, 에토포시드가 포함된 요법을 사용하기 전에 3제 복합요법을 고려해 볼 수 있다.[59]

시스플라틴, 빈블라스틴, 블레오마이신(Cisplatin, Vinblastine, Bleomycin)은 약제저항성을 가진 환자를 대상으로 2차적 치료제로 사용할 수 있다. Gordon, DuBeshter 및 Azab 등은 약제저항성을 가진 임신성 융모성종양 환자 중, 각각 11명 중 2명, 7명 중 4명, 8명 중 5명에서 완전관해에 도달했다.[60~62] 이포스파마이드(Ifosfamide)와 파클리탁셀(Paclitaxel)은 임신성 융모성종양 치료에 효과가 있으나, 일차적 치료 또는 이차적 치료에 사용할 지 여부에 대한 추가적인 연구가 필요하다. Osborne 등은 파클리탁셀, 시스플라틴, 에토포시드(Paclitaxel, Cisplatin, Etoposide, TP/TE)로 재발성 고위험 임신성 융모성종양 환자 2명에서 완전관해에 도달했다(표 21-15).[63] Wan 등은 플록스유리딘(Floxuridine, FUDR)이 포함된 항암화학요법으로 다른 약제에 저항성이 발생한 침윤기태 및 융모막암 환자 21명에서 완전관해에 도달했다.[64] Matsui 등은 5-FU와 ACT D을 병용하여 약제저항성이 발생한 임신성 융모성종양 환자 11명 중 9명(82%)에서 완전관해에 도달했다.[65] 중성구감소증으로 치료가 지연되거나 용량을 감소시킨 경우 종양 저항성이나 치료 실패로 이어질 수 있다. 치료의 목적은 완치이므로, 고위험 환자에서 불필요한 치료 지연 및 용량 감소는 피해야 한다. 3회 연속으로 측정한 hCG 수치가 정상으로 측정될 때까지 병합요법을 지속해야 하다. hCG이 정상으로 떨어진 이후 추가로 3회 항암화학요법을 시행하여 재발을 방지해야 한다.

표 21-15. TP/TE 요법

1일	• Paclitaxel 135mg/m²를 250mL 생리식염수에 섞어서 3시간 동안 IV • Cisplatin 60mg/m²를 1L 생리식염수에 섞어서 3시간 동안 IV
15일	• Paclitaxel 135mg/m²를 250mL 생리식염수에 섞어서 3시간 동안 IV • Etoposide 150mg/m²를 200mL 생리식염수에 섞어서 30분 동안 IV

난치성 임신성 융모성종양 치료 시 자가골수이식(autologous bone marrow transplantation)과 줄기 세포를 이용한 고용량의 항암화학요법을 시행할 수도 있고, 완전관해에 도달했다는 결과도 있다.[66]

11) 치료 후 임신

① 포상기태 후 임신

완전 포상기태는 치료 후 정상 임신을 기대할 수 있다. 1965년 6월부터 2001년 12월까지 NETDC에서 치료받은 완전 포상기태 환자 중 총 1278명의 임신이 있었으며, 877명(68.6%)의 만삭아 출산, 95명(7.4%)의 조기 출산, 11명(0.9%)의 자궁외임신, 7명(0.5%)의 사산이 보고되었다.[67,68] 임신 제1삼분기 자연 유산이 221명(17.3%), 선천성 기형은 40명(4.1%)이 있었다. 제왕절개는 373명 중 70명(18.8%)에서 시행되었다. 치료받은 부분 포상기태 환자 중 치료 후 임신은 총 251명이었으며, 189명(75.3%)의 만삭아 출산, 1명(0.4%)의 사산, 1명(0.4%)의 자궁외임신, 4명(1.6%)의 조기 출산이 보고되었다. 임신 제1삼분기 자연 유산이 38명(15.1%), 선천성 기형은 단지 3명(1.5%)이 있었다. 포상기태 환자가 향후 임신을 하였을 때 포상기태 발생 확률은 증가되는 것으로 보고되었다. 1965년 6월부터 2001년 12월까지 NETDC에서 두 번의 포상기태 임신을 가진 경우는 34명(1:150)으로 보고되었다. 이 34명은 35회의 임신에서 20회(57.1%)의 만삭아 출산, 7회(20%)의 포상기태

임신, 3회(8.6%)의 자연유산, 1회(2.9%)의 자궁외임신, 1회(2.9%)의 자궁 내 태아사망, 3회 (8.6%)의 인공유산이 보고되었다. Bagshawe 등은 2번의 포상기태 후 임신에서 다시 포상기태 임신이 될 확률을 15%로 보고하였다.[69] 향후 임신에서 정상 임신을 확인하기 위해 임신 제1삼분기에 초음파 검사가 필요하며, 출산이나 유산 후에는 6주 동안 hCG 수치를 측정하여 임신융모질환을 배제해야 한다.

② 임신성 융모성종양 후 임신

임신성 융모성종양도 치료 후 정상 임신을 기대할 수 있다. 1965년 6월부터 2001년 12월까지 NETDC에서 항암화학요법으로 치료받은 임신성 융모성종양 환자 중 총 581명이 임신되었으며, 393명(67.6%)의 만삭아 출산, 35명(6.0%)의 조기 출산, 7명(1.2%)의 자궁외임신, 9명(1.5%)의 사산이 보고되었다.[68]

임신 제1삼분기 자연 유산이 92명(5.8%), 선천성 기형은 단지 10명(2.3%)이 있었다. 항암화학요법으로 인한 선천성 기형의 발생은 증가하지 않았다. 제왕절개는 335명 중 68명(20.3%)에서 시행되었다. 항암화학요법 시행 후 임신에서 산과적 합병증의 발생 위험은 증가되지 않았다. Woolas 등은 MTX 단일 약제로 치료한 경우와 복합항암화학요법을 시행한 경우를 비교하였을 때 수태율이나 임신 결과에 유의한 차이를 나타나지 않는다고 보고하였다.[70]

일반적으로 다양한 항암화학요법으로 치료된 환자들도 정상 임신을 기대할 수 있다. 치료 후 12개월의 추적관찰 기간 동안 임신이 되는 경우에는 초음파 검사를 통해 정상 임신인지 임신성 융모성종양이 재발된 것 인지 확인해야 한다. Matsui 등은 치료 후 6개월 이내의 추적관찰 기간 동안 임신이 된 경우 자연유산, 사산 또는 포상기태임신 등의 위험이 증가된다고 보고하였다.[71]

12) 임신성 융모성종양의 정신사회적 문제

임신성 융모성종양 환자는 심한 기분장애, 결혼 및 성생활의 장애, 치료 후 임신과 암에 대한 두려움을 호소한다. 또한 환자들은 상당한 수준의 불안, 피로감, 분노, 혼란을 경험하게 된다. 특히 전이되거나 치료에 반응하지 않는 경우 더욱 심한 정신장애를 유발할 수 있다. 임신성 융모성종양 환자에 발생하는 정신적 및 사회적 스트레스는 완치된 후에도 수년간 지속되기 때문에 정신사회적 접근 및 상담이 임신성 융모성종양 환자 및 배우자에게 제공되어야 한다. 완치 후 5~10년 후에도 약 50%의 환자는 정신적, 사회적 문제를 가지게 되고, 이에 대해 전문가에게 상담 받기를 원하는 것으로 보고되고 있다.[72]

임신 중 부인암(Gynecological Cancer in Pregnancy)

임신 중 자궁경부암

1) 임상특성

자궁경부암은 임신 중 발견되는 부인암 중 가장 흔하지만, 발생률은 매우 드물며 임신 중 진단된 자궁경부암의 정의는 아직 정확히 확립되어 있지 않으나 임신 진단 시부터 분만 후 6~12개월 사이에 진단된 경우를 포함한다. 전체 자궁경부암의 3% 정도가 임신 기간 중에 진단된다고 알려져 있으며 분만 후 어느 기간까지를 포함할 것인가, 또한 상피내암(carcinoma in situ)을 포함할 것인가에 따라 10,000임신당 1.6명에서 10.6명까지의 발생 빈도가 보고되고 있다.[73] 임신 중 자궁경부암은 비임신의 경우와 유사한 위험인자를 갖는다. 비임신 여성을 대상으로 한 역학 조사에서 인유두종바이러스(human papillomavirus, HPV) 감염이 있는 경우 위험도가 5~40배 증가한다고 하였다.[74] 일부 연구에서는 임신 중 HPV 감염이 증가한다고 보고하기도 하였으나, 또 다른 연구에서는 이러한 차이가 확인되지 않았다.[75] 이 외에도 성교 파트너의 수, 첫 성교 시의 연령, 분만력, 사회 경제적 여건 및 흡연과 관련이 있는 것으로 알려져 있으며 건강 관리 체계와 자궁경부암 검진 프로그램에 대한 순응도도 자궁경부암 발생과 밀접한 관련이 있다고 보고하였다.[76] 자궁경부 세포검사의 확대 시행과 임신 초기 첫 병원 방문 시 거의 모든 산모에서 시행되기 때문에 임신 중 자궁경부암 환자들이 비임신 시의 환자보다 I기에 진단될 가능성이 3배 높다는 보고가 있다.[77]

2) 진단

① 증상과 징후

무증상, 비정상 출혈 및 분비물의 증가가 보고되었으나 임신과 동반되는 흔한 증상 중의 하나인 출혈과 비슷하기 때문에, 진단이 지연될 수 있어 출혈 등의 증상에서 진단까지의 평균 기간은 4.5개월 정도로 보고된다.[73] 임신 초기에는 자궁경부의 병변이 자궁경부 외반이나 탈락막 반응으로 오인되기도 하며, 임신 후기에는 병변의 외형과 구성이 자궁경부의 소실, 팽대 및 청색화되기 때문에 임신 중 모든 비정상적인 출혈 및 분비물은 세심하게 평가해야 한다.

② 세포 검사와 질확대경 검사

임신 중인 여성의 5~8%에서 비정상 세포검사 소견을 보고하였다. 임신 중에는 자궁경부의 선과 기질 조직이 생리적 변화를 일으키며, 탈락막세포, 내자궁경 선조직의 증식 또는 Arias-Stella 반응을 보이는 선세포 등의 영향으로 세포검사 판독에 어려움이 발생한다. 병기 IB의 임신 중 자궁경부암 환자를 대상으로 한 연구에서, 69%의 환자만이 세포검사에서 이상 소견이 발견되었고, 39%에서는 세포검사가 정상이었다고 보고하였다.[78] 국내 연구에서는 임신 제2삼분기 이후로 진단이 지연된 이유로 세포검사의 시행이 초기 산전 진찰 시에 시행되지 못하였고, 40명의 임산부 중 19명에서만 세포검사상 자궁경부암이 의심되었다고 보고하였다.[79] ASCCP (American Society For Colposcopy and Cervical Pathology) 2012년 지침에서는 자궁경부 세포검사의 결과에 따라 임산부에서의 지침을 별도로 구분하여 언급하고 있다. 비정형편평세포(atypical squamous cells of undetermined significance, ASC-US) 경우에는, 비임신 여성과 동일하게 HPV 검사를 시행하여, 고위험군 양성인 경우 질확대경검사를 시행하고 고위험군 음성인 경우 3년 후 세포검사와 HPV 검사를 같이 시행하는 것이 권장된다. 하지만, 바이러스 검사를 시행하지 않고 1년 이후 세포검사를 반복하는 것도 하나의 옵션이 될 수 있다. 임산부에서 비임신 여성과 다른 점은 질확대경검사를 분만 6주 이후로 미룰 수 있다는 점이다. 자궁경부 세포검사가 저등급 편평상피내병변(low-grade squamous intraepithelial lesions, LSIL)인 경우에는 질확대경검사를 시행하여 2-3등급 자궁경부 상피내종양(cervical intraepithelial neoplasia)이 없으면 분만 후 추적관찰을 하고, 있는 경우는 가이드라인에 따른 치료를 시행한다. 고등급 편평상피내병변(high-grade squamous intraepithelial lesions, HSIL), 고등급 편평상피내병변을 배제할 수 없는 비정형편평세포(atypical squamous cells cannot exclude HSIL, ASC-H), 비정형샘세포(atypical glandular cells, AGC)인 경우에도 질확대경검사가 권장된다.[80]

③ 자궁경부 원추절제술

임신 중의 유일한 적응증은 미세침윤암을 배제하거나 침윤성 암을 확진함으로써 분만의 시기와 방법을 결정해야 하는 경우이다. 임신 중 흔한 합병증은 출혈, 유산, 조기 분만 및 감염으로 임신 중 원추절제술은 제한적으로 시행하여야 한다. 자연유산과 출혈의 위험도를 줄이기 위해 임신 제2삼분기에 시행하는 것이 적절하다. 원추절제 상흔에서 열상 및 출혈이 발생할 수 있기 때문에 분만 예정일 4주 이내에는 실시하지 않는다. 임신 중의 원추절제술은 대부분의 경우 치료 목적 보다는 진단 목적으로 시행을 하기 때문에 수술 이후에 지속성 병변의 위험도가 비임신 시보다 크다.[81]

④ 병기

비임신시와 마찬가지로 FIGO의 병기 체계 즉, 내진 소견, 생검 표본의 병리학적 소견 및 폐와 신장의 영상소견에 근거한다.

⑤ 영상 진단

비임신 시에 시행하는 X선 검사는 태아에게 영향을 줄 수 있기 때문에 MRI를 통해 유용한 정보를 얻을 수 있다. MRI가 인간의 발달에 영향을 준다는 증거는 없으며, 3차원으로 골반의 해부학적 구조를 평가할 수 있기 때문에 종양의 부피와 인접 장기로의 전이 여부를 확인할 수 있다.[82]

3) 치료

임신 중 자궁경부암 환자의 치료 원칙은 비임신 시와 크게 다르지 않으나 진단 당시의 임신 주수, 임신 유지에 대한 환자와 보호자의 희망 및 종교적 배경에 따라 치료의 시기와 방법이 달라질 수밖에 없다. 임상의는 태아의 성숙을 위한 치료 연기의 영향, 임신에 대한 자궁경부암의 영향, 자궁경부암에 대한 임신의 영향 및 분만 방법 등을 고려하여 치료 방안을 모색해야 한다.

① 치료 시기의 결정: 태아 성숙을 위한 치료 연기

태아의 성숙을 위해 치료를 연기하는 것은 당연히 태아에게 도움이 되겠지만 환자에게는 질병의 진행 가능성에 대한 이론적 위험이 존재한다. 병기 IA1 환자에서는 만삭까지 임신을 유지한 후 질식 분만을 고려하지만, IA2 이상의 환자에서는 데이터가 부족하여 치료 연기의 기간은 불분명하다. 대부분의 연구에서 질병의 진행이 없다면 병변의 크기가 작은 초기 병기에서 태아의 성숙을 위한 치료의 지연이 임신 중 자궁경부암 환자의 예후에 부정적인 영향을 미치지 않는 것으로 보인다.[79,83] 일반적으로 IB1기에서는 12주까지 그리고 IB2기에서는 6주까지 치료의 연기가 가능하다고 하나, 국내 연구에서는 치료를 지연한 12명 중 각각 6주와 4주 동안 치료를 연기한 환자가 재발하여 사망한 예를 보고하였다.[79] 또한 분만 후 5~6주에 진단된 환자는 분만 전에 진단된 환자에 비해 림프혈관 침윤의 빈도가 높고 수술 후 보조 치료의 시행이 많으며 예후가 불량했다는 보고도 있다.[84] 종양의 크기가 작고 초기 병기인 환자에서는 적절한 추적 관찰을 근거로 치료의 연기가 가능할 것으로 생각되지만, 단순히 병기와 임신 주수에 근거하여 치료의 연기를 결정하기 전에 질병의 진행 상태를 포함한 임상적 양상에 대한 면밀한 검사 및 평가가 필요하겠다. 일단 치료를 연기하기로 결정하면, 최소 2~4주 간격으로 질병의 진행 상태를 평가하고 질병의 진행이 의심되는 경우 MRI 등의 추가 검사를 고려 해야 한다. 만약 진행된 병기의 환자가 태아의 성숙을 위해 방사선치료를 연기하더라도 현재까지 태아나 태반으로 자궁경부암이 전이된 보고는 없기 때문에 태아에게 위해가 되지는 않는 것 같지만, 보고된 증례가 적어 진행된 병기의 환자에 대한 치료 연기의 영향에 대해서도 적절한 결론을 내리기는 어렵다.

② 분만 방법

일반적으로 질식 분만시 암조직에서 발생할 수 있는 출혈이나 암 파종의 우려가 있고, 분만과 동시에 치료를 위해 제왕절개술이 권고되지만, 후향적 연구에서 질식 분만을 시행한 환자에서 생존율이 감소하였다는 증거는 없다.[81] IA기의 환자에서 제왕절개술은 산과적 적응증에 따라 시행될 수 있으며, 질식분만이 시행된 경우는 분만 후 6~8주에 치료를 시행하고, 원추절제술시 절단면의 상태와 침윤 깊이가 불분명하다면, 다시 시행해야 한다. 병기 IA2 환자에서는 B형 광범위 자궁절제술 및 골반림프절절제술이 시행되어야 한다. 임신 제3분기에 광범위 자궁절제술을 시행할 경우, 임신 초기나 중기에 비해 출혈 및 수혈의 가능성이 증가하기 때문에, 일부에서는 IB환자에서 질식 분만후 48~72시간 후 광범위 자궁절제술을 권고하기도 한다.[78] 질식 분만 후 회음절개 부위에 재발한 경우도 보고되었으며, 재발 환자의 2/3는 1차 치료 후 12주 이내에 발생하였다고 하였다.[85] 또한 제왕절개술의 복부 절개부에서도 재발이 보고되었는데, 이러한 절개부 재발은 혈행성 또는 림프관 경로 보다는 분만이나 수술 중에 이식된 것으로 추정된다. 절개부 재발의 빈도를 정확하게 측정하기는 힘드나, 질식분만을 시행한 경우에 위험도가 클 것으로 예상된다. 회음절개 부위의 재발이 환자의 예후에 영향을 미치는가에 대한 데이터는 불충분하며, 치료는 광범위 국소절제술과 방사선 요법이 추천된다는 보고가 있다.[86] 제왕절개술을 시행하는 경우에 고전적 절개와 하부 횡절개 중 어떤 것이 더 적절한지 불분명하다. 일반적으로 고전적 절개가 선호되지만, 일부에서는 출혈량이 적고 태아의 분만이 용이한 하부 횡절개를 선호하기도 하다. 수술 후 보조 방사선 치료가 예상되는 산모에서는 제왕절개술을 시행할 때 난소전위를 시행하면 난소의 기능을 보존할 수 있다.

임신 중 외음부암

1) 임상특성

40세 이하의 여성에서 약 15%까지 보고되고 있지만 임신과 동반되는 경우는 매우 드물다. 외음부상피내암은 젊은 여성에서 보다 흔하게 볼 수 있고 HPV와 관련이 있다.[87]

2) 진단

외음부에 의심이 되는 병변이 있으면 임신 중이라 할지라도 반드시 생검이 필요하다.

3) 치료

비임신에서와 같은 치료방법들이 시행될 수 있는데 수술 치료는 36주 이전의 어느 시기라도 시행되며 임신 중 재발한 경우가 보고되어 수술 후 경과 관찰이 반드시 필요하다.[88] 분만의 방법은 질식 분만의 비적응증에 해당되지 않는다면 질식분만을 시도할 수 있다.

임신 중 난소암

1) 임상특성

임신 중 발생하는 난소종괴는 전체 임신의 약 2~4%에서 발견되는 것으로 보고되며 대부분은 임신 중의 호르몬 변화에 기인하기 때문에 임신 종결과 함께 저절로 소실되는 경우가 대부분이다.[89] 그러나, 임신 중 발견되는 종괴들 중 1~3%는 악성이며 임신 중 발견되는 악성 종양 중 다섯 번째, 부인암에 국한한다면 자궁경부암에 이어 두번째로 호발한다고 알려져 있으며 전체 임신에서 발생하는 난소암의 빈도는 약 12,000에서 47,000 임신당 한 명 꼴로 발생하는 것으로 알려져 있다.[90] 대부분의 조직학적 유형은 상피성 종양이 많으며 상대적으로 생식세포종양은 드물다. 임신 중 난소암의 약 80% 정도는 초기 난소암인 상태에서 진단되는 경향이 있다.

2) 진단

임신 중 발견되는 자궁부속기 종괴의 대부분은 임신 제1 혹은 2삼분기에 산전 초음파 검사 중 우연히 발견되는 경우가 많으며 대부분은 무증상성 기능성 난소 낭종이다. 이러한 대부분의 기능성 낭종들은 호르몬의 영향을 받기 때문에 대부분 수주 혹은 늦어도 수개월 이내에 소실되는 경우가 대부분이기 때문에 특별한 조치 없이 경과 관찰하는 것 만으로 충분하다.[91]

발견된 난소종괴의 성상이 초음파 만으로 진단을 내리기 부족하다고 판단되는 경우 MRI가 제1삼분기 이후 시행될 수 있다. 다만 종양표지자, 즉 혈중 AFP, CA125, β-hCG 등은 임신 중 이미 상승되어 있으므로 종괴의 감별에 이용되기에는 제한이 있다. CA125는 탈락막(decidua) 및 과립세포(granulosa cell)에서 특히 제1삼분기 및 제3삼분기 때 생성되는 것으로 되어 있어 종괴의 악성 여부를 감별하는 데 양성예측도는 매우 낮은 것으로 알려져 있다. 또한 AFP와 β-hCG는 세포영양막에서 주로 분비되기 때문에 임신 중 종양표지자로 사용될 수 없다. Inhibin-B와 anti-mullerian hormone (AMH)도 정상 임신 중에 상승할 수 있기 때문에 같은 이유로 종양표지자로 이용은 제한된다. 종양표지자의 측정은 임신 종결 후 약 2주에서 10주 정도 사이에서 행해질 수 있다.[92]

3) 수술 치료

임신 중 악성 난소종괴로 의심되는 경우 수술은 임신 14주에서 20주 사이에 시행될 수 있다. 임신 14주 이전에 수술을 시행하는 경우 임신 유지에 필수적인 황체의 손상으로 인하여 유산 가능성이 높아진다. 임신 중의 개복술은 몇 가지 요인에 의하여 제약을 받을 수 있는데, 임신 중 증가된 자궁용적의 증가가 그 주요한 요인의 하나이다.

조기 난소암의 경우 약 20주 이하의 임신 주수에서는 복강경에 의한 병기설정이 가능할 수 있으며 병기 1A에서 IIA는 골반 및 대동맥 림프절 절제를 포함한 병기 설정이 권유된다.[93]

수술 전 영상검사 혹은 수술 중의 동결절편 조직검사로 진단된 임신 중의 비상피성 난소암의 경우 전체 암종의 약 90% 정도가 초기 병기로 알려져 있기 때문에 일반적으로 수술적 치료 시 가임력보존이 가능하며 대부분의 경우에서 림프절 절제는 필요하지 않다.

4) 항암화학요법

제1기(G1, G2) 이외의 다른 모든 진행성 병기가 수술 이후 항암화학요법의 적응증이 된다.

또한, 진행성 난소암으로 확인된 경우 임신의 유지를 위하여 선행항암화학요법을 고려할 수 있다. 항암화학요법 시행 시 선택하는 약제는 비임신 시와 크게 다르지 않으며 임신 중 항암화학요법을 시행했을 때 나타날 수 있는 가능한 부작용을 충분히 이해하고 설명한 후 시행되어야 한다. 임신 제1삼분기에 항암화학요법에 노출되었을 경우 유산, 태아 기형을 유발할 가능성이 매우 높으므로 이 기간 동안에는 항암화학요법을 피해야 한다.[94] 제2삼분기 및 제3삼분기에 노출되는 경우 태아발육지연, 미숙아 및 저체중아, 태아 사망과 연관이 되어 있다는 보고가 있다.[95] 항암화학요법으로 인한 모체 측에 미치는 영향은 골수기능저하 및 호중구감소증이 가장 흔하며 그 정도가 비임신 시와 유사한 것으로 알려져 있다. 비임신 시와 마찬가지로 파클리탁셀과 카보플라틴이 임신 중 상피성 난소암에서의 표준치료로 권고되고 있다. 동물실험에서 탁센 계열 약제는 장기형성과정이나 추후 인지장애에 영향이 없는 것으로 확인되었으며 인체에서 약제의 태반통과 여부는 현재까지 밝혀진 바 없다. 2012년 계통적 분석에서 탁센 제제가 제2삼분기 혹은 제3삼분기에 투여되는 경우 태아 장기형성과정에 영향을 준다는 증거는 없는 것으로 확인되었다. 다만 출생 이후 성장과정에 미칠 수 있는 영향에 대한 근거자료는 부족한 상황이다.[96]

상피성 난소암에서 탁센과 함께 기본적으로 가장 많이 사용되는 약제는 백금제제인데 탁센과 마찬가지로 백금제제도 태아 기형 유발의 위험성 때문에 제1삼분기 투여는 권고되지 않는다. 제2, 3삼분기에 백금제제를 투여받은 98명의 환자를 분석한 결과 한 명의 환자에서 항암제 투여와 관련이 있을 것으로 의심되는 중증의 태아 기형이 확인되었다.[97] 제2세대 백금제제로 알려져 있는 카보플라틴은 신독성을 비롯한 이상반응이 시스플라틴에 비해 적은 것으로 알려져 있어 임신 중 사용에 우선 추천된다. 임신 중 카보플라틴을 투여받은 17명의 임산부를 추적 관찰한 결과 약 13.5개월의 추적에서 태아 기형이나 성장과정에서의 이상 소견이 발견되지 않았다.[98] 따라서 임신 중 상피성 난소암의 항암화학요법에서는 제2, 3삼분기에 파클리탁셀과 카보플라틴 조합을 투여하는 것이 현재까지의 근거에 따르면 태아와 모체에 영향이 가장 적을 것으로 여겨진다. 초기 투여용량은 비임신 시와 동일하게 시작하며 골수독성의 정도를 고려하여 다음주기 투여 용량을 결정한다. 투여기간 중에는 태아의 안녕에 대한 주의 깊은 평가가 필요하다. 임신 중의 표적치료제의 투여는 전임상시험 결과 태아 발달 및 양수형성과정에 영향을 줄 수 있는 것으로 파악되었기 때문에 금기시된다.

5) 임신 중 난소암의 예후

난소암의 예후에 임신 자체가 예후에 미치는 영향은 적은 것으로 알려져 있다. 다만, Stensheim 등은 2009년에 보고한 노르웨이의 Cancer Registry and the Medical Birth Registry 코호트연구에서 임산부가 난소암 치료 중에 수유를 시행하는 경우 사망률이 증가하는 것으로 보고하였다(harzard ratio [HR], 2.23; 95% CI, 1.05 to 4.73; P = .036).[99]

비임신 시와 마찬가지로 난소암 환자의 예후에 영향을 미치는 인자는 종양의 분화도, 진행된 병기이며 임신 자체가 생존율에 영향을 주지는 않는 것으로 알려져 있다.

임신 중 합병된 암은 그 치료방법의 종류에 관계없이 고위험 임신으로 분류되며 조산, 태아발육지연, 태아사망 등이 발생할 수 있다. 1973년에서 2012년까지 다양한 종류의 암이 합병된 임신의 결과를 분석한 결과, 태아 발육지연, 암치료의 목적으로 인한 의인성 조산(iatrogenic preterm birth)로 인한 신생아 사망률이 의미 있게 상승하는 것으로 보고되었다.[100]

상피성 난소암이 합병된 임신 105례를 분석한 결과에 따르면 81.3%에서 생존태아 상태로 분만이 되었고 치료적 목적의 임신 종결이 태아 사망의 가장 큰 요인이었으며, 생존 태아의 약 절반 이상이 만삭 분만이었으며, 그 중 71%에서 제왕절개분만이 행해졌다. 또한 항암화학요법의 시행 여부가 태아 성장 지연 및 태아 기형과는 직접적인 연관성을 보이지는 않았다. 산과적 예후는 암의 진행 정도 및 조직학적 유형에 따라 차이를 보였다.[101] 그러나 아직까지 출생 태아의 장기간의 추적 관찰에 대한 보고는 부족하다.

결론적으로, 임신 중 합병된 난소암의 치료 계획의 수립 시에는 치료 중의 위험성에 대한 충분한 사전 상담이 필요하다. 수술 치료 및 항암화학요법 시행에서 적절한 시점의 결정이 필요하며, 지속적인 태아 안녕의 평가와 함께 정서적 지지가 동반되어야 산과적 예후를 증진시킬 수 있다.

참고문헌

1   Bracken MB. Incidence and aetiology of hydatidiform mole: an epidemiological review. Br J Obstet Gynaecol 1987;94:1123-35.

2   Jeffers MD, O'Dwyer P, Curran B, Leader M, Gillan JE. Partial hydatidiform mole: a common but underdiagnosed condition. A 3-year retrospective clinicopathological and DNA flow cytometric analysis. Int J Gynecol Pathol 1993;12:315-23.

3   Parazzini F, Mangili G, La Vecchia C, Negri E, Bocciolone L, Fasoli M. Risk factors for gestational trophoblastic disease: a separate analysis of complete and partial hydatidiform moles. Obstet Gynecol 1991;78:1039-45.

4   Garrett LA, Garner EI, Feltmate CM, Goldstein DP, Berkowitz RS. Subsequent pregnancy outcomes in patients with molar pregnancy and persistent gestational trophoblastic neoplasia. J Reprod Med 2008;53:481-6.

5   Sebire NJ, Foskett M, Fisher RA, Rees H, Seckl M, Newlands E. Risk of partial and complete hydatidiform molar pregnancy in relation to maternal age. BJOG 2002;109:99-102.

6   Sebire NJ, Fisher RA, Foskett M, Rees H, Seckl MJ, Newlands ES. Risk of recurrent hydatidiform mole and subsequent pregnancy outcome following complete or partial hydatidiform molar pregnancy. BJOG 2003;110:22-6.

7   Berkowitz RS, Cramer DW, Bernstein MR, Cassells S, Driscoll SG, Goldstein DP. Risk factors for complete molar pregnancy from a case-control study. Am J Obstet Gynecol 1985;152:1016-20.

8   Parazzini F, La Vecchia C, Mangili G, Caminiti C, Negri E, Cecchetti G, et al. Dietary factors and risk of trophoblastic disease. Am J Obstet Gynecol 1988;158:93-9.

9   Acaia B, Parazzini F, La Vecchia C, Ricciardiello O, Fedele L, Battista Candiani G. Increased frequency of complete hydatidiform mole in women with repeated abortion. Gynecol Oncol 1988;31:310-4.

10 Vargas R, Barroilhet LM, Esselen K, Diver E, Bernstein M, Goldstein DP, et al. Subsequent pregnancy outcomes after complete and partial molar pregnancy, recur-

rent molar pregnancy, and gestational trophoblastic neoplasia: an update from the New England Trophoblastic Disease Center. J Reprod Med 2014;59:188-94.

11 Santos-Ramos R, Forney JP, Schwarz BE. Sonographic findings and clinical correlations in molar pregnancy. Obstet Gynecol 1980;56:186-92.

12 Berkowitz RS, Goldstein DP. Pathogenesis of gestational trophoblastic neoplasms. Pathobiol Annu 1981;11:391-411.

13 Berkowitz RS, Goldstein DP. Current management of gestational trophoblastic diseases. Gynecol Oncol 2009;112:654-62.

14 Braga A, Maesta I, Short D, Savage P, Harvey R, Seckl MJ. Hormonal contraceptive use before hCG remission does not increase the risk of gestational trophoblastic neoplasia following complete hydatidiform mole: a historical database review. BJOG 2016;123:1330-5.

15 Feltmate CM, Genest DR, Wise L, Bernstein MR, Goldstein DP, Berkowitz RS. Placental site trophoblastic tumor: a 17-year experience at the New England Trophoblastic Disease Center. Gynecol Oncol 2001;82:415-9.

16 Cole LA, Khanlian SA, Muller CY, Giddings A, Kohorn E, Berkowitz R. Gestational trophoblastic diseases: 3. Human chorionic gonadotropin-free beta-subunit, a reliable marker of placental site trophoblastic tumors. Gynecol Oncol 2006;102:160-4.

17 Sung HC, Wu PC, Hu MH, Su HT. Roentgenologic manifestations of pulmonary metastases in choriocarcinoma and invasive mole. Am J Obstet Gynecol 1982;142:89-97.

18 Vaccarello L, Apte SM, Diaz PT, Lewandowski GS, Copeland LJ. Respiratory failure from metastatic choriocarcinoma: a survivor of mechanical ventilation. Gynecol Oncol 1997;67:111-4.

19 Cagayan MS, Lu-Lasala LR. Management of gestational trophoblastic neoplasia with metastasis to the central nervous system: A 12-year review at the Philippine General Hospital. J Reprod Med 2006;51:785-92.

20 Bakri YN, Subhi J, Amer M, Ezzat A, Sinner W, Tweijry A, et al. Liver metastases of gestational trophoblastic tumor. Gynecol Oncol 1993;48:110-3.

21 Azab MB, Pejovic MH, Theodore C, George M, Droz JP, Bellet D, et al. Prognostic factors in gestational trophoblastic tumors. A multivariate analysis. Cancer 1988;62:585-92.

22 Lok CA, Ansink AC, Grootfaam D, van der Velden J, Verheijen RH, ten Kate-Booij MJ. Treatment and prognosis of post term choriocarcinoma in The Netherlands. Gynecol Oncol 2006;103:698-702.

23 Kohorn EI, McCarthy SM, Taylor KJ. Nonmetastatic gestational trophoblastic neoplasia. Role of ultrasonography and magnetic resonance imaging. J Reprod Med 1998;43:14-20.

24 Bakri Y, al-Hawashim N, Berkowitz R. CSF/serum beta-hCG ratio in patients with brain metastases of gestational trophoblastic tumor. J Reprod Med 2000;45:94-6.

25 Hammond CB, Weed JC, Jr., Currie JL. The role of operation in the current therapy of gestational trophoblastic disease. Am J Obstet Gynecol 1980;136:844-58.

26 Berkowitz RS, Goldstein DP. Methotrexate with citrovorum factor rescue for nonmetastatic gestational trophoblastic neoplasms. Obstet Gynecol 1979;54:725-8.

27 Papadopoulos AJ, Foskett M, Seckl MJ, McNeish I, Paradinas FJ, Rees H, et al. Twenty-five years' clinical experience with placental site trophoblastic tumors. J Reprod Med 2002;47:460-4.

28 Lathrop JC, Lauchlan S, Nayak R, Ambler M. Clinical characteristics of placental site trophoblastic tumor (PSTT). Gynecol Oncol 1988;31:32–42.

29 Sekharan PK, Sreedevi NS, Radhadevi VP, Beegam R, Raghavan J, Guhan B. Management of postmolar gestational trophoblastic disease with methotrexate and folinic acid: 15 years of experience. J Reprod Med 2006;51:835–40.

30 Ayhan A, Yapar EG, Deren O, Kisnisci H. Remission rates and significance of prognostic factors in gestational trophoblastic tumors. J Reprod Med 1992;37:461–5.

31 Yingna S, Yang X, Xiuyu Y, Hongzhao S. Clinical characteristics and treatment of gestational trophoblastic tumor with vaginal metastasis. Gynecol Oncol 2002;84:416–9.

32 Tse KY, Chan KK, Tam KF, Ngan HY. 20-year experience of managing profuse bleeding in gestational trophoblastic disease. J Reprod Med 2007;52:397–401.

33 Jones WB, Romain K, Erlandson RA, Burt ME, Lewis JL, Jr. Thoracotomy in the management of gestational choriocarcinoma. A clinicopathologic study. Cancer 1993;72:2175–81.

34 Tomoda Y, Arii Y, Kaseki S, Asai Y, Gotoh S, Suzuki T, et al. Surgical indications for resection in pulmonary metastasis of choriocarcinoma. Cancer 1980;46:2723–30.

35 Grumbine FC, Rosenshein NB, Brereton HD, Kaufman SL. Management of liver metastasis from gestational trophoblastic neoplasia. Am J Obstet Gynecol 1980;137:959–61.

36 Wong LC, Choo YC, Ma HK. Hepatic metastases in gestational trophoblastic disease. Obstet Gynecol 1986;67:107–11.

37 Yordan EL, Jr., Schlaerth J, Gaddis O, Morrow CP. Radiation therapy in the management of gestational choriocarcinoma metastatic to the central nervous system. Obstet Gynecol 1987;69:627–30.

38 Newlands ES, Holden L, Seckl MJ, McNeish I, Strickland S, Rustin GJ. Management of brain metastases in patients with high-risk gestational trophoblastic tumors. J Reprod Med 2002;47:465–71.

39 Evans AC, Jr., Soper JT, Clarke-Pearson DL, Berchuck A, Rodriguez GC, Hammond CB. Gestational trophoblastic disease metastatic to the central nervous system. Gynecol Oncol 1995;59:226–30.

40 Athanassiou A, Begent RH, Newlands ES, Parker D, Rustin GJ, Bagshawe KD. Central nervous system metastases of choriocarcinoma. 23 years' experience at Charing Cross Hospital. Cancer 1983;52:1728–35.

41 Hancock BW. hCG measurement in gestational trophoblastic neoplasia: a critical appraisal. J Reprod Med 2006;51:859–60.

42 Hwang D, Hancock BW. Management of persistent, unexplained, low-level human chorionic gonadotropin elevation: a report of 5 cases. J Reprod Med 2004;49:559–62.

43 Mutch DG, Soper JT, Babcock CJ, Clarke-Pearson DL, Hammond CB. Recurrent gestational trophoblastic disease. Experience of the Southeastern Regional Trophoblastic Disease Center. Cancer 1990;66:978–82.

44 Ngan HY, Tam KF, Lam KW, Chan KK. Relapsed gestational trophoblastic neoplasia: A 20-year experience. J Reprod Med 2006;51:829–34.

45 Yang J, Xiang Y, Wan X, Yang X. Recurrent gestational trophoblastic tumor: management and risk factors for recurrence. Gynecol Oncol 2006;103:587–90.

46 Hertz R, Li MC, Spencer DB. Effect of methotrexate therapy upon choriocarcinoma and chorioadenoma. Proc Soc Exp Biol Med 1956;93:361–6.

47 Ross GT, Stolbach LL, Hertz R. Actinomycin D in the treatment of methotrexate-resistant trophoblastic disease in women. Cancer Res 1962;22:1015-7.

48 Berkowitz RS, Goldstein DP, Bernstein MR. Ten year's experience with methotrexate and folinic acid as primary therapy for gestational trophoblastic disease. Gynecol Oncol 1986;23:111-8.

49 Sung HC, Wu PC, Yang HY. Reevaluation of 5-fluorouracil as a single therapeutic agent for gestational trophoblastic neoplasms. Am J Obstet Gynecol 1984;150:69-75.

50 Wong LC, Choo YC, Ma HK. Primary oral Etoposide therapy in gestational trophoblastic disease. An update. Cancer 1986;58:14-7.

51 Berkowitz RS, Goldstein DP, Bernstein MR. Modified triple chemotherapy in the management of high-risk metastatic gestational trophoblastic tumors. Gynecol Oncol 1984;19:173-81.

52 Bagshawe KD. Treatment of high-risk choriocarcinoma. J Reprod Med 1984;29:813-20.

53 Bolis G, Bonazzi C, Landoni F, Mangili G, Vergadoro F, Zanaboni F, et al. EMA/CO regimen in high-risk gestational trophoblastic tumor (GTT). Gynecol Oncol 1988;31:439-44.

54 Lurain JR, Singh DK, Schink JC. Primary treatment of metastatic high-risk gestational trophoblastic neoplasia with EMA-CO chemotherapy. J Reprod Med 2006;51:767-72.

55 Soper JT, Evans AC, Clarke-Pearson DL, Berchuck A, Rodriguez G, Hammond CB. Alternating weekly chemotherapy with Etoposide-methotrexate-dactinomycin/cyclophosphamide-Vincristine for high-risk gestational trophoblastic disease. Obstet Gynecol 1994;83:113-7.

56 Bower M, Newlands ES, Holden L, Short D, Brock C, Rustin GJ, et al. EMA/CO for high-risk gestational trophoblastic tumors: results from a cohort of 272 patients. J Clin Oncol 1997;15:2636-43.

57 Kim SJ, Bae SN, Kim JH, Kim CJ, Jung JK. Risk factors for the prediction of treatment failure in gestational trophoblastic tumors treated with EMA/CO regimen. Gynecol Oncol 1998;71:247-53.

58 Lurain JR, Singh DK, Schink JC. Role of surgery in the management of high-risk gestational trophoblastic neoplasia. J Reprod Med 2006;51:773-6.

59 Soto-Wright V, Goldstein DP, Bernstein MR, Berkowitz RS. The management of gestational trophoblastic tumors with Etoposide, methotrexate, and actinomycin D. Gynecol Oncol 1997;64:156-9.

60 Gordon AN, Kavanagh JJ, Gershenson DM, Saul PB, Copeland LJ, Stringer CA. Cisplatin, Vinblastine, and bleomycin combination therapy in resistant gestational trophoblastic disease. Cancer 1986;58:1407-10.

61 DuBeshter B, Berkowitz RS, Goldstein DP, Bernstein M. Vinblastine, cisplatin and bleomycin as salvage therapy for refractory high-risk metastatic gestational trophoblastic disease. J Reprod Med 1989;34:189-92.

62 Azab M, Droz JP, Theodore C, Wolff JP, Amiel JL. Cisplatin, Vinblastine, and bleomycin combination in the treatment of resistant high-risk gestational trophoblastic tumors. Cancer 1989;64:1829-32.

63 Osborne R, Covens A, Mirchandani D, Gerulath A. Successful salvage of relapsed high-risk gestational trophoblastic neoplasia patients using a novel paclitaxel-containing doublet. J Reprod Med 2004;49:655-61.

64 Wan X, Yang X, Xiang Y, Wu Y, Yang Y, Ying S, et al. Floxuridine-containing regimens in the treatment of gestational trophoblastic tumor. J Reprod Med 2004;49:453-6.

65 Matsui H, Iitsuka Y, Suzuka K, Yamazawa K, Mitsuhashi A, Sekiya S. Salvage chemotherapy for high-risk gestational trophoblastic tumor. J Reprod Med 2004;49:438-42.

66 Giacalone PL, Benos P, Donnadio D, Laffargue F. High-dose chemotherapy with autologous bone marrow transplantation for refractory metastatic gestational trophoblastic disease. Gynecol Oncol 1995;58:383-5.

67 Lurain JR, Sand PK, Carson SA, Brewer JI. Pregnancy outcome subsequent to consecutive hydatidiform moles. Am J Obstet Gynecol 1982;142:1060-1.

68 Garner EI, Lipson E, Bernstein MR, Goldstein DP, Berkowitz RS. Subsequent pregnancy experience in patients with molar pregnancy and gestational trophoblastic tumor. J Reprod Med 2002;47:380-6.

69 Bagshawe KD, Dent J, Webb J. Hydatidiform mole in England and Wales 1973-83. Lancet 1986;2:673-7.

70 Woolas RP, Bower M, Newlands ES, Seckl M, Short D, Holden L. Influence of chemotherapy for gestational trophoblastic disease on subsequent pregnancy outcome. Br J Obstet Gynaecol 1998;105:1032-5.

71 Matsui H, Iitsuka Y, Suzuka K, Yamazawa K, Tanaka N, Mitsuhashi A, et al. Early pregnancy outcomes after chemotherapy for gestational trophoblastic tumor. J Reprod Med 2004;49:531-4.

72 Wenzel L, Berkowitz R, Robinson S, Bernstein M, Goldstein D. The psychological, social, and sexual consequences of gestational trophoblastic disease. Gynecol Oncol 1992;46:74-81.

73 Duggan B, Muderspach LI, Roman LD, Curtin JP, d'Ablaing G, 3rd, Morrow CP. Cervical cancer in pregnancy: reporting on planned delay in therapy. Obstet Gynecol 1993;82:598-602.

74 Nguyen C, Montz FJ, Bristow RE. Management of stage I cervical cancer in pregnancy. Obstet Gynecol Surv 2000;55:633-43.

75 Hacker NF, Berek JS, Lagasse LD, Charles EH, Savage EW, Moore JG. Carcinoma of the cervix associated with pregnancy. Obstet Gynecol 1982;59:735-46.

76 Yoo KY, Kang D, Koo HW, Park SK, Kim DH, Park NH, et al. Risk factors associated with uterine cervical cancer in Korea: a case-control study with special reference to sexual behavior. J Epidemiol 1997;7:117-23.

77 Zemlickis D, Lishner M, Degendorfer P, Panzarella T, Sutcliffe SB, Koren G. Maternal and fetal outcome after invasive cervical cancer in pregnancy. J Clin Oncol 1991;9:1956-61.

78 Hopkins MP, Morley GW. The prognosis and management of cervical cancer associated with pregnancy. Obstet Gynecol 1992;80:9-13.

79 Lee JM, Lee KB, Kim YT, Ryu HS, Kim YT, Cho CH, et al. Cervical cancer associated with pregnancy: results of a multicenter retrospective Korean study (KGOG-1006). Am J Obstet Gynecol 2008;198:92 e1-6.

80 Saslow D, Solomon D, Lawson HW, Killackey M, Kulasingam SL, Cain J, et al. American Cancer Society, American Society for Colposcopy and Cervical Pathology, and American Society for Clinical Pathology screening guidelines for the prevention and early detection of cervical cancer. CA Cancer J Clin 2012;62:147-72.

81 Method MW, Brost BC. Management of cervical cancer in pregnancy. Semin Surg

Oncol 1999;16:251-60.

82　Copeland LJ, Saul PB, Sneige N. Cervical adenocarcinoma: tumor implantation in the episiotomy sites of two patients. Gynecol Oncol 1987;28:230-5.

83　Germann N, Haie-Meder C, Morice P, Lhomme C, Duvillard P, Hacene K, et al. Management and clinical outcomes of pregnant patients with invasive cervical cancer. Ann Oncol 2005;16:397-402.

84　Baltzer J, Regenbrecht ME, Kopcke W, Zander J. Carcinoma of the cervix and pregnancy. Int J Gynaecol Obstet 1990;31:317-23.

85　Gordon AN, Jensen R, Jones HW, 3rd. Squamous carcinoma of the cervix complicating pregnancy: recurrence in episiotomy after vaginal delivery. Obstet Gynecol 1989;73:850-2.

86　Cliby WA, Dodson MK, Podratz KC. Cervical cancer complicated by pregnancy: episiotomy site recurrences following vaginal delivery. Obstet Gynecol 1994;84:179-82.

87　Amant F, Brepoels L, Halaska MJ, Gziri MM, Calsteren KV. Gynaecologic cancer complicating pregnancy: an overview. Best Pract Res Clin Obstet Gynaecol 2010;24:61-79.

88　Ogunleye D, Lewin SN, Huettner P, Herzog TJ. Recurrent vulvar carcinoma in pregnancy. Gynecol Oncol 2004;95:400-1.

89　Giuntoli RL, 2nd, Vang RS, Bristow RE. Evaluation and management of adnexal masses during pregnancy. Clin Obstet Gynecol 2006;49:492-505.

90　Van Calsteren K, Heyns L, De Smet F, Van Eycken L, Gziri MM, Van Gemert W, et al. Cancer during pregnancy: an analysis of 215 patients emphasizing the obstetrical and the neonatal outcomes. J Clin Oncol 2010;28:683-9.

91　Aggarwal P, Kehoe S. Ovarian tumours in pregnancy: a literature review. Eur J Obstet Gynecol Reprod Biol 2011;155:119-24.

92　Han SN, Lotgerink A, Gziri MM, Van Calsteren K, Hanssens M, Amant F. Physiologic variations of serum tumor markers in gynecological malignancies during pregnancy: a systematic review. BMC Med 2012;10:86.

93　Amant F, Halaska MJ, Fumagalli M, Dahl Steffensen K, Lok C, Van Calsteren K, et al. Gynecologic cancers in pregnancy: guidelines of a second international consensus meeting. Int J Gynecol Cancer 2014;24:394-403.

94　Cardonick E, Bhat A, Gilmandyar D, Somer R. Maternal and fetal outcomes of taxane chemotherapy in breast and ovarian cancer during pregnancy: case series and review of the literature. Ann Oncol 2012;23:3016-23.

95　Ngu SF, Ngan HY. Chemotherapy in pregnancy. Best Pract Res Clin Obstet Gynaecol 2016;33:86-101.

96　Zagouri F, Sergentanis TN, Chrysikos D, Filipits M, Bartsch R. Taxanes for ovarian cancer during pregnancy: a systematic review. Oncology 2012;83:234-8.

97　Morice P, Uzan C, Gouy S, Verschraegen C, Haie-Meder C. Gynaecological cancers in pregnancy. Lancet 2012;379:558-69.

98　National Toxicology P. NTP Monograph: Developmental Effects and Pregnancy Outcomes Associated With Cancer Chemotherapy Use During Pregnancy. NTP Monogr 2013:i-214.

99　Stensheim H, Moller B, van Dijk T, Fossa SD. Cause-specific survival for women diagnosed with cancer during pregnancy or lactation: a registry-based cohort study. J Clin Oncol 2009;27:45-51.

100 Lu D, Ludvigsson JF, Smedby KE, Fall K, Valdimarsdottir U, Cnattingius S, et al. Maternal Cancer During Pregnancy and Risks of Stillbirth and Infant Mortality. J Clin Oncol 2017;35:1522-9.

101 Blake EA, Kodama M, Yunokawa M, Ross MS, Ueda Y, Grubbs BH, et al. Feto-maternal outcomes of pregnancy complicated by epithelial ovarian cancer: a systematic review of literature. Eur J Obstet Gynecol Reprod Biol 2015;186:97-105.

색인
Index

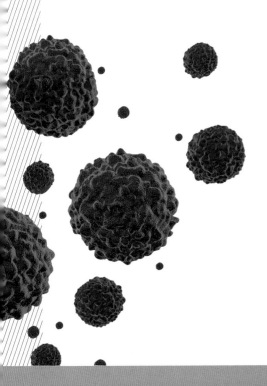

Gynecologic Oncology

한글

大

숫자

영문

D

E

Q

R

S

W